Hans Henny Jahn

WERKE IN EINZELBÄNDEN

HAMBURGER AUSGABE

Herausgegeben
von Ulrich Bitz und Uwe Schweikert

HOFFMANN UND CAMPE

Hans Henny Jahnn

FLUSS OHNE UFER I

Roman in drei Teilen

Erster Teil

DAS HOLZSCHIFF

Zweiter Teil

DIE NIEDERSCHRIFT DES GUSTAV ANIAS HORN I

Herausgegeben
von Uwe Schweikert

HOFFMANN UND CAMPE

Die Deutsche Bibliothek – CIP-Einheitsaufnahme

Jahnn, Hans Henny:
Werke in Einzelbänden / Hans Henny Jahnn.
Hrsg. von Ulrich Bitz und Uwe Schweikert.
– Hamburger Ausg. – Hamburg :
Hoffmann und Campe.
NE: Jahnn, Hans Henny: [Sammlung]
Fluss ohne Ufer : Roman in 3 Teilen.
Hamburger Ausg.
3. Aufl. – 1997
ISBN 3-455-03632-5

Satz Fotosatz Otto Gutfreund, Darmstadt
Gesetzt aus der Bembo Antiqua
Druck- und Bindearbeiten Bercker, Kevelaer
Printed in Germany

Erster Teil

DAS HOLZSCHIFF

I

Vorbereitung und Ausfahrt

Wie wenn es aus dem Nebel gekommen wäre, so wurde das schöne Schiff plötzlich sichtbar. Mit dem breiten gelbbraunen, durch schwarze Pechfugen gegliederten Bug und der starren Ordnung der drei Masten, den ausladenden Rahen und dem Strichwerk der Wanten und Takelage. Die roten Segel waren eingerollt und an den Rundhölzern verschnürt. Zwei kleine Schleppdampfer, hinten und vorn dem Schiff vertäut, brachten es an die Kaimauer.

Sogleich waren drei sachverständige Herren zurstelle, die genau auszudrücken wußten, um was es sich handelte. Ein dreimastiges Vollschiff. Ein paar tausend Quadratmeter Segelfläche. Der alte Lionel Escott Macfie Esq. aus Hebburn on Tyne hatte es aus Teak- und Eichenholz gebaut. Ein Sonderling, ein Mann, der in einem anderen Jahrhundert wurzelte. Aber ein Genie der Kurven. Mithilfe von ein paar Tabellen und riesenhaften selbstgeschnitzten Kurvenlinealen ritzte er die Form der Spanten auf dickes weißes Papier. Und es war ein vollkommenes Bild, wie sich die eine Konstruktion aus der anderen entwickelte. Er streckte beim Arbeiten die Zunge heraus, zwinkerte prüfend mit den Augen, vermerkte sogleich mit schönen Stempeln, wo Kupferbolzen anzubringen waren, wo eine Planke zu schwänzen und mit einer anderen zu verzapfen sei. Die sachverständigen Herren konnten dergleichen erzählen. Man erkannte, und so beschrieben sie denn, hier war ein Kielgefüge von unvergleichlicher Zimmerarbeit angewendet worden. Die schweren Hölzer, noch wie Stämme anzuschauen, keilten sich ineinander, schmiegten sich aneinander, fast nahtlos miteinander verbolzt; mit ausladenden Knaggen, um die geschwungenen Bäume der Rippen aufzunehmen.

Zwei Zollbeamte gesellten sich den Herren bei. Sie wiegten die Köpfe und ließen erkennen, daß sie vollkommen unterrichtet wären. Sie hatten ja ihre Verbindung zu den oberen Stellen, und es konnte an diesem Kai nichts geschehen, was nicht ihre volle Billigung gefunden. Wenn es auch Dinge gab, für die sie nicht zuständig waren, und wenn sie von Zeit zu Zeit mit guten Gründen zu schweigen wußten, so waren sie doch Manns genug, sich nicht mit der Oberfläche ihrer Pflichten zu begnügen. So kannten sie denn die Hintergründe und die ferneren Absichten allen Verkehrs, der sich am Kai abspielte. Und nur das eiserne Gelübde ihrer Amtsverschwiegenheit und das unergründliche Gefüge ihrer Einordnung hinderte sie daran, all und jedem und bei jeder Gelegenheit ihr Wissen kundzutun. Dem Sachverstand der drei zufälligen Herren gegenüber konnten sie indessen ihre Zustimmung äußern und andeuten, daß sie wohl eine Meinung darüber hätten, welchen hervorragenden Zwecken das Schiff dienen sollte.
»Allerdings«, sagte der eine, »rote Segel, das gefällt mir nicht.«
»Ja, ja«, sagte der andere, »die Blöcke der Flaschenzüge sind aus grünbraunem Pockholz.«
Auf dem Kai würden noch ungewöhnliche Dinge sich abspielen, meinten sie.
Unterdessen war das Schiff vertäut. Ein Herr, den ein heller Überrock umflatterte, mit einem braunen runden Hut auf dem Kopfe, kam eilends auf der Kaimauer daher. Die Zollbeamten traten zurück, legten grüßend die Hand an die Mütze, sagten noch zu den zufälligen sachverständigen Herren, um ihre Allwissenheit zu beweisen: »Der Reeder.« Dann zogen sie sich zurück.
Der Mann im hellen Überrock schwang sich über die Reling des Schiffes. Ein paar Matrosen, die umherstanden, schauten unschlüssig auf ihn. Er fragte nach dem Kapitän. Danach verschwand er in einer Hüttentür.

*

Nach Ablauf zweier Wochen hatte sich manches zugetragen, was die Zollbeamten mit Sorge erfüllte. Das Schiff lag noch an seinem Platz. Die roten Segel waren herabgenommen und in

die Segelkammer verstaut worden. Sobald die Beamten auf die leeren Masten schauten, legte sich ihre Stirn in Runzeln. Sie hätten zugeben müssen, daß ihre Meinung vom Schiff falsch gewesen war. Es war kein Verlaß auf die sachverständigen Herren. Und die höheren Stellen, man wußte es schon, schuldeten den unteren keine Rechenschaft. Es war unbehaglich, wenn die anerkannten und gültigen Regeln durchbrochen wurden und das Allgemeine dem Ungewöhnlichen weichen mußte. Hier war festzustellen, daß irgendwo in England ein schönes, aber unpraktisches Segelschiff gebaut worden war. Für Rechnung dessen, den es anging. Ohne Hilfsmotor, etwas Altmodisches, ohne vorbestimmten Zweck. Ein nutzloses Unternehmen. Planken, die ein Jahrhundert überdauern würden. Der Ausdruck eines Spleens. Geldvergeudung. Etwas Unvernünftiges, fast Verbrecherisches. Ein Angriff auf die Gesellschaft und ihre Ansichten. Es lag da, und der Reeder mußte die Kaigebühren bezahlen. Vielleicht auch liefen Prozesse. Die Kassen irgendwelcher Banken wollten keine Zahlungen leisten. Geschäfte hatten sich zerschlagen. Oder Verträge waren nicht erfüllt worden. Die Mannschaft des Holzschiffes war abgemustert worden. Der Kapitän hatte ein paar Habseligkeiten aus seiner Kajüte heraustragen lassen. Einen braunen neufundländer Hund zog er an einer Leine sich nach. Und war danach verschwunden. Davongejagt. Ehrlos behandelt. Schließlich hatte er einmal das Vertrauen des Reeders genossen und war gut genug gewesen, das neue Schiff, das unerprobte, in jungfräulicher Fahrt von England herüberzusteuern.
Der Reeder aber brachte zwei Matrosen anbord als Wachmannschaft. Nicht von der guten Sorte, wie die Beamten meinten. Viel zu jung und viel zu pfiffig. Sie kamen mit quecksilbrigen Schritten über die Pflastersteine des Kais, mit ihren Bündeln auf dem Rücken. Sie schwatzten und lachten, daß man ihre nassen Zähne sah. Ihre Blusen waren steif und neu, ihre Seesäcke waren gerade aus den Händen eines Segelmachers gekommen. Und man wußte nicht einmal genau, ob sie die Seefahrt jemals anderswo kennengelernt hatten als in Kneipen und Bordellen. Diese Burschen richteten sich auf dem Schiff ein, bezogen eine Kammer, nicht das große Matrosenlogis auf der Back. Rauchten, schliefen, kochten. Des Morgens kamen

sie mit bleichen Gesichtern andeck. Manchmal weniger bleich. Aber sie lachten, flöteten, sangen. Wuschen, hängten die Kleidungsstücke in den Wind. Vertrieben sich die Zeit, indem sie ins Hafenwasser schauten, hineinspieen, eine Angelrute auslegten. Natürlich roch ihre Kabine sehr bald fade nach Rauch und ungelüfteten Betten, nach Menschenfleisch, wie man sich denken konnte. Mißtrauen war am Platze. Wiewohl diese Dinge nicht unter die pflegliche Aufsicht der Beamten fielen. Um das Ungewöhnliche zum Überfluß zu bringen, war der Reeder ein paarmal nach Anbruch der Dunkelheit anbord gekommen, war einige Stunden lang unter Deck geblieben. Das Schiff schien dann ausgestorben. Aus einem einzigen Bullauge fiel ein gelber Lichtschein auf die gekräuselte Oberfläche des Wassers.
Als sich diese abendlichen Besuche auch in der dritten Woche wiederholten, war das Gemüt der Beamten zerschlissen. Sie mißtrauten mit offenem Geständnis. Sie unterstellten. Argwöhnten. Sie sprachen schließlich nicht mehr miteinander. Jeder hatte seine Gedanken inbezug auf die übergeordneten Stellen. Sie mußten auf der Hut sein.
Als der Reeder bei später Stunde das Schiff verließ, trat einer der Zöllner an ihn heran, fragte mit warmem Tonfall, aber doch bestimmt:
»Haben Sie verzollbare Gegenstände bei sich, Herr –«
»Nein«, antwortete der Reeder.
»Hier handelt es sich nicht um einen Verdacht. Es ist nur eine Frage«, sagte der Zöllner, »von amtswegen.«
»Ich begreife«, gab der Reeder zurück; »noch sonst etwas im Wege?«
Dem Beamten ging die Kehle zu. Er fühlte sich überlistet, geradezu blamiert.
»Mein Kollege«, sagte er, »mein Kollege hat noch etwas auf dem Herzen.«
Damit war für ihn das ungemütliche Gespräch zuende. Er hatte seine Pflicht erfüllt. Man konnte ihn nicht beschuldigen, was auch immer in der Dunkelheit unbekannter Beschlüsse und Vorgänge verborgen sein mochte.
»Was gibt's«, fragte der Reeder den zweiten, »suchen Sie Opium bei mir oder Kokain? Das Schiff tut Ihnen wohl in den Augen weh? So etwas sieht man nicht alle Tage. Hat sich meine

Mannschaft übel aufgeführt? Haben Sie Grund, sich zu beklagen?«
»Durchaus nicht«, stammelte der mit so viel Fragen Überfallene.
»Na also«, sagte der Reeder, »ich werde doch wohl anbord meines eigenen Schiffes gehen können? Den Burschen einige Päckchen Tabak bringen? Man muß sich die Zeit vertreiben. Die Abende werden lang. Man kann seinen Punsch im Hause trinken. Oder sonstwo. Man kann sich auch freuen, ein Schiff zu besitzen. Habe ich recht?«
»Es ist nichts zu antworten«, sagte der zweite Zöllner.
»Ich bin ziemlich allein«, sagte der Reeder, »unverheiratet.«
Er wischte das Gespräch mit einer Handbewegung fort.
Er griff nach seiner Brieftasche, zog zwei Scheine heraus, winkte den ersten Beamten heran.
»Halten Sie ein Auge auf die beiden Matrosen«, sagte er, gab jedem der beiden einen Geldschein, eilte davon.

*

Die Zöllner fühlten sich ins Vertrauen gezogen. Sie durften ihr Herz entdecken und sehr menschlich denken. Nicht alle Unordnungen münden in Verbrechen aus. Die Stunden sind verschieden, und die Seelen der Menschen gleichen einander nicht. Das Absonderliche ist nur ein Schein, der nach außen dringt. Im Innern ist bei allem Geschöpf die gleiche warme Finsternis. Ein Spleen ist nicht schlimmer als die Vernunft. Und gute Reden sind so gangbar wie grobe. Wenn sich Wolken vor die Sonne ziehen, verändert sich das Wetter, der Wind verwandelt eine blanke See in ein graugrünes Ungetüm.
Es geschahen am Kai keinerlei Zwischenfälle. Der Reeder empfing ein paarmal hohen Besuch anbord des Schiffes. Er ließ den prächtigen Bau des alten Lionel Escott Macfie bewundern. Da wurde Kognak in Wassergläsern gereicht. Die Wachmannschaft trat in sauberen Blusen an, legte die Hände an die Hüften, bot den Gästen von Zeit zu Zeit Butterbrote.
Es war zu erkennen, daß der Reeder, wenn auch unauffällig, ein Ziel verfolgte. Vielleicht bereitete er eine große Sache, ein Geschäft vor, das dem Einfältigen entgeht. Auf solchen Wegen

liefen die Gedanken der Zöllner. Jedenfalls war ihr Vertrauen zur Person des Reeders beträchtlich. Mit der Zeit konnte man geradezu vergessen, daß das Schiff für entlegene und tiefe Ozeane gebaut war.
Eines Tages geschah dann die Veränderung. So wird eine Straße ins Land hinausgebaut. Oder ein altes Haus niedergelegt. Ein junges Ehepaar zieht in die verlassene Wohnung eines Verstorbenen. Ein grüner Acker verwandelt sich in ein Gräberfeld. Etwas Schmerzliches, das vorgibt, die Freude und den Fortschritt als Ziel zu haben. Aber es werden die Gedanken bewegt, die das Vergängliche als das Unabänderliche umkreisen. Die Stille ist ein besserer Trost als die Bewegung. Und nur jugendliche Tatkraft findet Genüge am Gebrüll der lauten Tage. Sie denkt gering vom allmählichen Wachsen, und die Geheimnisse des Frühlings sind ihr verschlossen, weil es ihre Jahreszeit ist. Sie sieht nur das Aufbrechen, die Lust und ihre Oberflächen, nicht die sickernden Feuerströme eines von der Qual des Schaffens zerschrundenen Gottes. Und nicht das Ziel: den goldenen Herbst. Sie ertappt sich nicht, vor dem schweren Bauch eines Rindes stille zu stehen und hinter der Kruste peinlichen Schmutzes ein Geheimnis zu schlürfen, das traurig und süß zugleich das Fleisch von den Knochen fallen macht und die Blindheit einer unentrinnbaren Verwesung ankündet. Sie denkt in ihrer Leidenschaft nur an das Saubere. Der Sternenhimmel scheint ihr ein Gleichnis, rein genug für die Ewigkeiten.
Es geschah also eine Veränderung. Der Reeder kam an den Kai. An seiner Seite schritt ein Seeoffizier, ein Kapitän in Uniform. Seinem Arm hatte sich ein etwa achtzehnjähriges Mädchen eingehängt, seine Tochter. Die drei gingen anbord. Eine Stunde später fand sich die neugeheuerte Schiffsmannschaft ein. Die beiden Wachmatrosen wurden der Besatzung eingeordnet. Mochte es mit ihrer Kenntnis von der Seefahrt bestellt sein wie es wollte, sie würden den Ozean zu riechen bekommen wie die anderen, die aus den Heuerkontoren herbeigeeilt waren.
Der Kapitän hieß Waldemar Strunck. Er hatte ein gütiges, ziemlich flaches Gesicht.

*

So war denn das Schiff bevölkert. Es wurde darin gearbeitet, geordnet, gekocht. Die roten Segel wurden aufgebracht und angeschlagen. Man erfuhr, eine sehr wertvolle Ladung sollte über Land kommen. Man erfuhr, die Tochter des Kapitäns, das achtzehnjährige Mädchen, würde den Vater begleiten. Die Mutter war gestorben. Oder wie nun die Dinge liegen mochten. Ein junger Mann kam an den Kai. Er war der Verlobte des Mädchens. Jedenfalls vermutete man es. Die beiden lagen einander in den Armen. Den Beamten wurden von den höheren Stellen Schriftstücke ausgehändigt. Sie betrafen das Schiff und seine Ladung. Geheime Anweisungen. Die Gesichter der Beamten wurden ganz hart bei dem Gefühl des Vertrauens, das man ihnen schenkte. Sie würden beweisen, daß sie es verdienten. Hier war garnichts mehr zu sagen oder auszuschwätzen. Es handelte sich um eine höchst wichtige Angelegenheit. Der Staat mit seiner ganzen Machtvollkommenheit schien dahinterzustehen. Missionen in geheimem Auftrag. Man konnte begreifen, das Schicksal des Volkes hing davon ab. Ihre Ahnung hatte die Zöllner nicht betrogen. Eine große Sache, mochte es nun ein Geschäft sein oder eine Expedition auf höchsten Befehl, nahm von diesem Kai ihren Ausgang.
So war es nicht verwunderlich, daß ein Herr sich zeigte, den niemand kannte, der seinen Namen nicht angab, ein Herr, der einen sehr vornehmen grauen Anzug trug. Darüber einen grob gewirkten glockenförmigen Mantel. Glattrasiertes Gesicht, strenge Züge, fast unmenschlich, jedenfalls durchgraben von der Ehrfurcht vor der hohen Aufgabe. Ein Mensch mit letzter Beherrschung hinter der Stirn, jedem Zufall und Abenteuer gewachsen. Wenn man ihm plötzlich gegenüberstand, erschrak man. Er flößte Achtung ein. Dabei war es nicht die erhabene Seite dieses Gefühls, die einen anrührte. Es war ein Hauch des Unerlaubten dabei. Sklavenhändler, unerbittlicher Kaufmannsgeist oder Pflichterfüllung auf verlorenem Posten bis an den Rand nutzloser Grausamkeit. Etwas Unheimliches ging von dem Manne aus. Er war unveränderbaren Antlitzes, mochte es nun unerbittlich oder verbrecherisch genannt werden. Und dies unversöhnliche und beharrliche Schweigen seiner Lippen!
Es war der Superkargo, wie sich später erwies. Ein paar Tage lang zeigte er sich. Damit man sich an ihn gewöhne. Oder was

sonst seine Absicht sein mochte. Er ging anbord, verschwand in den Luken, tauchte wieder auf.
Nur die Beamten schienen über die Bedeutung der Persönlichkeit vollkommen unterrichtet zu sein. Sie grüßten dienstlich, wagten sich nicht in die unmittelbare Nähe des Mannes.

*

Die Ankunft der Ladung verzögerte sich. Und als sie eintraf, war es unerwartet. Eine Lokomotive schob eine halbe Zuglänge Güterwagen auf die Geleise des Kais. In der gleichen Minute war der Reeder zurstelle. Der Superkargo. Der Kapitän. Seine Tochter. Und der Verlobte. Die Beamten liefen mit Dokumenten herzu. Sie waren sehr erregt. Es durfte nichts falsch gemacht werden. Eine hoheitsvolle Gestalt, ein Offizier des Landheeres, zeigte sich. Zwar, er griff nicht in die Geschehnisse ein. Er gab sich sehr unbeteiligt. Aber er war doch anwesend, um die Bedeutung des Augenblickes zu erhöhen.
Eine beschränkte Zahl von Kaiarbeitern rückte an, um die Verladung zu besorgen. Plötzlich wurde die Zufahrtstraße durch Polizeikräfte abgeriegelt. Es entstand ein Augenblick voll Unsicherheit. Keiner schien darauf vorbereitet gewesen zu sein. Man fand die Maßnahmen geradezu überflüssig. Schließlich war niemand zurstelle, den es nicht anging. Oder sollte hier angedeutet werden, die Kaiarbeiter wären nicht zuverlässig, die Matrosen windige Burschen? Bedurften die Zollbeamten des Schutzes? Oder waren Zwischenfälle zu befürchten? Die oberen Stellen mußten wohl wissen, was sie taten. Und Vorsicht ist besser als Nachsicht. Aber das Ungewöhnliche, mag es sich auch nur in kleiner Aufmachung vorstellen, belastet das Gemüt. Man erkannte, alle Beteiligten waren plötzlich von einer Spannung ergriffen, die sie nicht verbergen konnten. Sie liefen durcheinander. Sagten Worte, die sie nicht vorgedacht hatten. Die Lokomotive fuhr, scheinbar grundlos, ein paar Schritte weiter gegen das Kaiende. Die Beamten erbrachen die Bleisiegel der Güterwagen und schrieen mehr, als sie sprachen, feierlich, aber doch ungeordnet:
»Die Ladung wird ohne weitere Kontrolle zum Verfrachten freigegeben.«

Sie schauten noch einmal in ihre Dokumente. Sie zogen ein Tagebuch hervor und machten darin Eintragungen. Sie erklärten dann ihre Aufgabe für erledigt. Die Kaiarbeiter kletterten in die Wagen. Die Winden des Schiffes wurden inbetrieb gesetzt. Man zog an den Flaschenzügen. Gut vernagelte, starke weißneue Holzkisten, ein paar Zeichen darauf gemalt, wurden herausgeschoben, gehoben, in die Seilschlingen gelegt, aufgewunden und in den Schiffsrumpf gesenkt.
»Vorsicht!« schrie der Superkargo.
»Beschriftung beachten!« schrie er weiter.
»Wer ist im Laderaum?« schrie er aufs neue.
Man mußte die eben begonnene Arbeit einstellen, bis jedermann genaue Anweisungen erhalten hatte.
Allmählich verschwanden die Kisten im Schiffsinneren.

*

Die Arbeit war beendet. Die Zollbeamten schauten noch einmal in die jetzt leeren Güterwagen. Ein paar Protokolle oder Konossemente wurden ausgetauscht. Der Reeder schüttelte dem Liebespaar die Hände. Der Kapitän sagte lachend ein paar Worte zu einem Steuermann. Es war ein feierlicher Augenblick der Befreiung. Man zerstreute sich und war doch geeint in der Gewißheit, daß ein Abschnitt im Geschehen erreicht sei.
Da entstand ein Streit. Man wußte nicht, wo und wie er begann. Es gab einfach nur Rufe. Schreien. Zuerst kam es dumpf von einem unteren Deck herauf. Dann liefen Matrosen wild erregt nach oben. Man hörte die Stimme des Superkargos in maßloser Erregung. Dazwischen ein Brüllen. Jemand stürzte hervor, hielt sich den Bauch, pfiff durch die Zähne:
»Getreten, getreten.«
Ein anderer, blutüberströmt, ballte die Hände vors Gesicht. Ein dritter Mann, irgendeiner der Arbeitskolonne, so schien es, schwang einen Gummiknüppel und schlug auf Hände und Antlitz des Blutüberströmten. Einige Matrosen traten zusammen, fassungslos. Schon Partei für ihre mißhandelten Genossen. Ein paar Worte fielen. Irgendein Sachverhalt wurde, gewiß recht unvollkommen, aufgeklärt.
»Spitzel!« rief einer.

»Gemeines Pack.«
Man bemühte sich um die Verletzten. Der in den Bauch Getretene sank um. Der Superkargo kam andeck. Er hatte eine Pistole in der Hand. Oder war es ein anderer Metallgegenstand? Nicht genau zu erkennen.
»Eine Kiste sollte erbrochen werden«, erklärte er.
Es wurde im Kor geleugnet.
»Es wird sich alles finden«, sagte der Superkargo.
»Hund«, sagte jemand.
Der Reeder, der Kapitän waren ratlos. Der zweite Steuermann sagte:
»Das durfte auf diesem Schiff nicht geschehen.«
Er wiederholte den Satz fünf- oder sechsmal. Dem jungen Paar wurde es übel. Es zog sich in einen Winkel zurück. Der Winkel sog es auf. Die Zollbeamten schwangen sich über die Reling. Sie erboten sich, die Polizeimannschaft zu holen. Man verzichtete darauf. Man befahl statt dessen eine Kolonne Arbeiter anbord. Der Superkargo gab Anweisung, wie sie die unteren Decksluken zu verwahren hätten. Es sollten sogar Siegel daran angebracht werden. Kurz, er verzichtete auf den Dienst der Schiffsmannschaft. Die sammelte sich. Es wurde geredet, halbe Beschlüsse wurden gefaßt.
Die Beschuldigung des Superkargos schien falsch. Jedenfalls war sie nicht zu beweisen. Und die Betroffenen leugneten, behaupteten, garnicht im Laderaum gewesen zu sein. Sie waren einfach überfallen worden. Grundlos. Zeugnis gegen Zeugnis. Der Offizier des Landheeres mischte sich ein, herrschte die Besatzung an. Der Kapitän versuchte zu ermahnen. Der Schiffsreeder erklärte alles für weiter garnicht schlimm. Man war bald, zwar auf unterschiedlichen Ebenen und mit mancherlei Sprache, dabei, den Streitfall beizulegen, einen Vergleich zu schließen. Da erschien der Superkargo, der sich inzwischen davongemacht hatte, wieder und erklärte, es liege ein Fall von vollendeter Meuterei vor. Diese Behauptung war ausreichend, um bei der Schiffsmannschaft wilde Empörung hervorzurufen. Man schrie, und als man sich's besser überlegte, man schien eine Gefahr zu wittern, murrte man, lief auseinander, rottete sich wieder zusammen.
Waldemar Strunck versuchte noch einmal zu vermitteln. Stellte

die Mannschaft als prächtige Burschen hin. Leicht erregbar, aber milden Herzens. Und gemäßigten Erklärungen zugänglich. Eine Anklage gegen die Besatzung schien ihm undurchführbar. Er gestand, wenn auch für vernünftige Gegengründe empfänglich, von der Partei der Schiffsmannschaft zu sein. Die einzelnen Stufen des Zwischenfalles könne man hinterher nur schwer ermitteln. Mißverständnisse seien nicht ausgeschlossen. Das Vergehen sei ja nicht oder nicht voll zur Ausführung gekommen. Vielleicht der spielerische knabenhafte Versuch einer jungen Seele, hinter ein Geheimnis zu schauen. Keine böse Absicht im eigentlichen Sinne. Das energische Eingreifen des Superkargos habe den Gasten, falls sie es vergessen haben sollten, die Schwere und Grenzen ihrer Pflicht ins Bewußtsein zurückgerufen. Und sie würden nach diesem gewiß wie Raubtiere einander und die Ladung bewachen. Unterschied des Vorher und Nachher.

»Sie wird versiegelt werden«, sagte kurz der Superkargo.

Der Reeder begann mit den Achseln zu zucken. Er meinte, es sei wohl angebracht, sich in die Kapitänskajüte zurückzuziehen und dort zu beraten. Aufsehen solle man nicht erregen. Die Entscheidungen müßten schnell fallen. Das Schiff dürfe nicht noch weitere vierundzwanzig Stunden am Kai liegen.

Man folgte seinem Vorschlag. Drei Männer redeten aufeinander ein. Reeder, Kapitän, Superkargo. Nach Ablauf einer Stunde waren die Entscheidungen da. Jeder einzelne der Besatzung war vom Superkargo einer Begutachtung unterzogen worden. Ein paar Bemerkungen über die Gestalt des Betreffenden. Wie weit der Körper dem Normalbild entsprach. Ob fleischig, fett, hager. Ob und wie viele Tatauierungen auf der Haut zu finden waren. Ob es sich um harmlose Zeichen, Symbole oder erotische Darstellungen handelte, Weiber oder Kopulationsszenen. In London oder China in die Haut punktiert. Rot, blau oder schwarz. Er kannte die Brüste, Schenkel und Bäuche der Besatzung. Und dann die Gesichter. Wie der Kopf auf dem Halse saß, schlicht oder gewaltsam. Ob die Lippen wülstig vorstanden, nach unten hingen. Ob die Zähne beim Sprechen frei wurden oder hinterhältig im Dunkeln blieben. Was im Feuer oder in der Stumpfheit der Augen verborgen war. Tücke, verbrecherischer Hang oder gutmütige

Weltbetrachtung. Blondes und braunes Haar, gelockt und schlicht. Ein Negermischling.
Und er entwarf aufgrund dieser Anatomie von außen die Karaktereigenschaften. Die Möglichkeiten von Taten. Die Verirrungen in der Zukunft. Waldemar Strunck konnte sein Erstaunen nicht zügeln. Hier wurde eine Gruppe von jungen und frischen Menschen zu einer Art Kadaver erniedrigt. Sie schienen nur aus Mängeln zu bestehen. Mißratene an Leib und Seele. Kaum, daß ein einziger Lichtstrahl in diese Verfinsterung des Fleisches fiel. Dumme Männer, das war das beste Prädikat, das der Superkargo verteilte, einfältige, unnachdenkliche, pflichtergebene. Schon Mutterwitz und Pfiffigkeit brachten dem Besitzer Tadel ein. Und ein freies Gemüt war dem verantwortungslosen Abenteurer gleichgesetzt. Dünne und brüchige Karaktere, eingewebt einem mangelhaften rohen und übelriechenden Fleisch. Mit keiner Zukunft als der, weiter abzunehmen und sich zu verstricken.
Waldemar Strunck wußte keine Entgegnung allgemeiner Art. Er begriff nicht, auf welche Weise der Superkargo in den Besitz seiner Kenntnisse gekommen war. Einzelheiten an Gebrechen waren vorgetragen worden, von Bilderchen gesprochen, die möglicherweise eine Dirne oder eine Geliebte entdeckt. Geheimagenten waren mit im Spiel, begreiflich. Der Kapitän hatte nicht Zeit, die Hintergründe für diese Abrechnung aufzusuchen. Er ging daran, jeden einzelnen zu verteidigen. Sehr schlicht. Er fand die Leidenschaften und Abgründe der Seele wärmer und häuslicher. Die Menschen waren gewachsen, und man konnte und durfte das Wachstum nicht ausrotten. Die Erwägungen des Superkargos seien ungewöhnlich, unzulässig. Und fehlerhaft. Das Unrecht gegen die Bescholtenen sei zu erkennen. Es seien ja nicht nur Satyrn, Deserteure und zukünftige Mörder anbord. Sondern durchschnittliche Menschen, die ihren Beruf gelernt, die avanzieren wollten, sich auszeichnen würden, vielleicht gute Ehemänner und Väter werden würden. Ein Urteil über ihre bürgerliche Existenz zu sprechen, sei unstatthaft. Waldemar Strunck richtete mit seinem Einsatz nicht viel aus. Der Koch und der Bursche, den er sich mitgebracht, mochten hingehen. Für die beiden Wachmatrosen verwendete sich der Reeder. Er gab zu erkennen, seine Bekannt-

schaft mit ihnen war so nahe, daß eine Bürgschaft ihm leicht fiel. Der erste Steuermann schlüpfte durch die Maschen der Anklage wie selbstverständlich. Ein Leichtmatrose, Alfred Tutein, der auf dem Rücken einen Adler tatauiert trug, auf dem Arm eine üppige Venus von hinten gesehen, und der Halbneger waren nicht schwer genug für einen Verdacht. Endlich der Segelmacher. Er war ein betagter Mann von fünfundsechzig Jahren. Engländer, der nur Englisch sprach. Er war vom Erbauer des Schiffes anempfohlen worden. Der Alte hatte die meisten der roten Segel angefertigt. Die grauen, harten Hände, die ihm gehörten, waren wunderbar geschickt, das bretthatte neue Segeltuch mit Tauen und Lieken auszustatten. Er war vor Wochen mit der Mannschaft abgemustert worden. Und hatte sich beim Heuerbas wieder eingefunden. Gegen den Greis war nichts vorzubringen. Ein schweigsamer tüchtiger Handwerker. Den Zimmermann vergaß man. Waldemar Strunck gedachte seiner. Aber er hatte keinen Grund, einen Beitrag für die Liste der Davonzujagenden zu liefern.
Dem Rest würde man die Heuer für vier Wochen ausbezahlen und sie wieder an Land gehen heißen. Der Reeder nannte es einen teuren Spaß. Aber ein gerichtliches Nachspiel wollte er vermeiden. Manchmal, während der Verhandlung, hatte es geschienen, als ob er in Haß dem Superkargo Übles anzutun gedächte, in anderen Augenblicken war er weich gewesen, ganz hingegeben dem eisigen Vortrag des Anklägers; als ob reinste Vernunft und lauter Honigsüße von den Lippen des Redners geflossen wären.
Das Unbehagen, das der Kapitän empfand, wollte nicht weichen. Er hätte jetzt selbst gerne gewußt, welcher Art die Ladung des Schiffes war und welchen Kurs man wählen würde. Aber er schämte sich zu fragen, fürchtete den Augenblick zu verschlimmern. Wenn man es genau nahm, hatte es ihn nicht zu kümmern. Er war darauf eingegangen, das Schiff nach Weisung eines Superkargos in besonderer Mission zu führen.
So kam denn die Besatzung, einer nach dem anderen, in die Kapitänskajüte, hörte den Spruch an, den man gefällt hatte. Keiner wurde aufsässig. Der Kapitän gewann den Eindruck, die Entscheidung bedeutete den Betroffenen eine Erleichterung.

Die Abgemusterten mußten das Schiff mit ihrem Kram augenblicks verlassen. Man ließ ihnen nicht einmal Zeit, sich umzukleiden. Der Schiffsreeder ging anland, verschwand auf Minuten, war aber bald wieder zurstelle, um wieder zu verschwinden, wieder aufzutauchen. Man konnte vermuten, er suchte in der Nähe eine Kneipe auf, trank dort Punsch. Vertrieb sich mit diesem Hin und Her die Stunden. Im Laufe des Tages war die neue Mannschaft zusammengestellt. Der Kapitän besah sich die Leute genau. Wie der Kopf auf dem Rumpfe saß, ob sie fleischig oder knochig, offen oder verschlagen leidenschaftlich, fragte, ob sie reich oder unvollkommen tatauiert, ob sie Geliebte hätten, verheiratet wären, Kinder besäßen. Wie es mit ihrer Gesundheit gestanden von Kindesbeinen an. Ihre Laufbahn. Machte sie auf die Sonderheit der Fahrt aufmerksam, schärfte ihnen ein. Verwarf den einen oder anderen. Kurz, er wollte im gegebenen Augenblick dem Superkargo die Antwort nicht schuldig bleiben müssen.

*

Der Abend kam. Das Schiff war bereit zur Abfahrt. Für die beiden Liebenden bedeutete es die bittere Stunde des Abschiednehmens.
Es ist zu erwähnen, der schöne Segler war nicht ausschließlich als Frachtschiff gebaut worden. Eine Reihe von Kammern war vorhanden, so daß ein halbes Hundert Fahrgäste geräumige Unterkunft hätten haben können. Es gab mittschiffs eine Hütte, in der sich drei Salons befanden, ein Treppenhaus, Anrichte, ein Spielzimmer. In einer der Gastkajüten hatte die Tochter des Kapitäns sich eingerichtet. Sie zog sich dahin mit dem Verlobten zurück. Ihre Ruhe war sehr dünn geworden. Die Ereignisse des Tages hatten an ihr gezehrt. Der Vater hatte ihr zu dem, was sie selbst wahrgenommen, noch ein paar Bemerkungen gegeben. Sie versprach sich nichts mehr von der Fahrt ins Ungewisse. Der Superkargo stieß sie ab, mochte er auch klug und die Pflichterfüllung in Person sein. Sie war bedürftig nach Schutz, nach Versicherungen der Liebe. Die Trennung von dem geliebten Mann zerriß ihr Herz. Ahnungen überrannten sie. Es gab keinen Ausweg für sie, als in einem Meer von Küssen

unterzutauchen, an den Schwurformeln der Liebe Kraft für das Zukünftige zu gewinnen.

Die zwei schlossen sich ein, um stürmische Umarmungen ganz auszukosten. Ein paar unvorsichtige Minuten. Berührungen, die in die Haut einwachsen. Beteuerungen, die die Träume leicht machen und das Ungemach weniger empfindlich. Sie schwankten vor Glück, lehnten sich gegen Bett, Kommode, Wandschrank, Tür. Da, ihnen gräßlich, sprang die Tür auf. Sie hatte dem leichten Druck nachgegeben. Sie flohen auseinander. Sie wußten, das Schloß war abgeriegelt gewesen. Sie hatten das Absperren umständlich vorgenommen, weil der Mechanismus ihnen neu gewesen war. Auf dem Gang stand der Superkargo. Er sah ihre Bestürzung. Er schritt langsam davon. Ihr Verdacht richtete sich gegen ihn. Zwar, sie begriffen nicht, mit welchem Mittel er den Mechanismus gelöst haben sollte. Aber es war doch zu mutmaßen, der Mensch hatte planvoll ihnen die Beschämung zugefügt. Oder in Unkenntnis ihrer Anwesenheit sich Zutritt in die Kajüte verschaffen wollen. Sie zogen die Tür heran, warfen sie geräuschvoll ins Schloß, drehten den Schlüssel herum, schoben den Riegel vor. Ganz sicher, eingesperrt zu sein.

Der einer Enttäuschung erlegene Mensch versucht auch die Gesetze der Physik. So prüft ein Kind, das sich an einer glühenden Kohle verbrannt hat, zaghaft, ob eine Stange roten Siegellackes etwa es ebenfalls verletzen könnte. Und wenn die Vorsehung ihm gründliche Kenntnis vermitteln will, gibt sie ihm ein, den Versuch in Zwischenräumen zu wiederholen. Und vielleicht wird es die Erfahrung gewinnen, daß der rote, scheinbar immer gleiche Stoff, zuweilen heiß, zuweilen erkaltet ist. Und ein Zipfel vom Schleier des Geschehens wird sich ihm lüften. Ein Blick in die Abgründe der Kausalität. Es wird in die Zeit hineinstarren als in einen Abglanz der Unendlichkeit. Das Gewisse wird ihm fragwürdig werden, das Rätsel mächtiger als die Wissenschaft. Es wird dem Zufall nicht trauen, der es verbrennen kann.

So versuchten die Liebenden das mechanische Schloß, lehnten sich, sicher in ihrer vorgefaßten Meinung, daß es nicht aufspringen werde, abermals gegen die Tür. Und sie öffnete sich, aufgestoßen wie von heimlichen Kräften.

Gewiß, jetzt machten sie sich über Klinke und Schloß her, aber sie konnten das Rätsel nicht lösen. Ein doppelter Riegelverschluß, der vollkommen unbeweglich schien, solange er bei offener Tür außerhalb des Türrahmens bedient wurde. Und fügsam jedem Eindringling, sobald alles am Platze war. Sie trauten ihren Sinnen nicht. Doch jedes neue Experiment verlief wie das voraufgegangene. Irgendeine Welle uralter Erinnerung durchspülte sie. Der Anfang des Denkens. Der magische Ablauf, der aus dem Dunkel des Raumes kam. Gesetze, die erst undeutlich waren und darum aufgehoben schienen. Metalle, wie Wachs knetbar, im Feuer geschmolzen und nicht erstarrt. Holz, biegsam wie Schilf. Körper, die keine Schwere haben und kein Gesicht. Schwimmende Steine. Magnetberge. Himmel, der über sich Erde wölbt. Die Umkehrungen der Sinne. Das große Reich des Unzuverlässigen.
Sie taumelten. Wrickten an der Tür, polterten. Das Mädchen begann zu weinen. Sie erklärte, nicht in der Kajüte bleiben zu wollen. Sie begann ihre Sachen auszuräumen. Er wollte noch ergründen, sich nicht preisgeben einer grundlosen Furcht. Er klammerte sich an die Grundregeln, das Verhalten der Materie betreffend. Aber am Ende stand er einem solchen gegenüber, mochte sein Hirn es fassen oder nicht. Sofern er seinen Augen, seinem Tasten traute. Zweifel an den sinnlichen Wahrnehmungen in diesem Augenblick Vorschub zu leisten, mußte an Selbstaufgabe grenzen. Also erklärte er, bis an eine bessere Erkenntnis, den alten Lionel Escott Macfie für verrückt. Oder wer es sein mochte. Suchte zur benachbarten Kajüte. Stellte die gleiche abwegige Konstruktion fest. Eine Narrenerfindung. Ein Betrug am Besteller des Schiffes. Eine Ungehörigkeit. Schäbige Irreführung. Angesichts des Tatbestandes die Kammer zu wechseln, töricht. Nichts Unwirksames tun. Man hatte sich bereits an die Umgebung gewöhnt. Es hieß jetzt, eine Einrichtung aus Kette oder Seil zu erfinden, mittels derer man die widerspenstige Tür sichern konnte.
Die Braut war jung genug, um entschuldigt zu sein, daß romantische Pläne Besitz von ihr ergriffen. Die Physik war ihr gleichgültig und der Wahnsinn des Lionel Escott Macfie auch. Aber die teuerste Stunde, die Süßigkeit vor dem Schmerz, war ihr entrissen worden. Sie fühlte schon den Strom von Tränen

aufsteigen, den sie mit keiner guten Erinnerung würde verstopfen können. Sie hörte von außen her die letzten Vorbereitungen für die Abfahrt. Sie begriff plötzlich die Trostlosigkeit ihrer Lage. Möglicherweise ein Jahr lang von dem Geliebten getrennt zu sein. Sie lief hinaus, treppauf, treppab, suchte ihren Vater. Und fand ihn im Kartenhaus, an einem Tische sitzend. Sein Gesicht war sorgenvoll. Als er seine Tochter erblickte, lächelte er. Und er fragte sogleich:
»Wo ist Gustav?«
»Deshalb komme ich«, sagte sie einleitend.
»Habt ihr euch gezankt«, fragte er. Warum er diesen Satz, der die Parallele zu irgendeinem anderen Geschehen war, aussprach, begriff er nicht. Er fühlte indessen, es war ein kleiner Schutz gegen den unangenehmen Überfall, der bevorstand. Er wünschte, die Segel möchten gesetzt sein. Daß man den Fluß hinabtreibe. Auf offenem Meere vorm Winde liege.
»Nein«, sagte sie.
»Was hat es denn gegeben?« fragte er weiter. Sie brach in Tränen aus. Er wurde bestürzt, legte seine Arme um ihre Hüften.
»Erzähle«, sagte er.
Sie begann von der Tür zu sprechen. Er verstand nicht. Sie erklärte. Ihn überschlich es frostig.
»Was willst du?« fragte er. Seine Stimme zitterte. Der Überfall war schlimmer, als er gefürchtet hatte. Der Kapitän war ratlos. Es gab die Vereinfachung nicht, anzunehmen, die jungen Menschen müßten sich geirrt haben. Ungeschicklichkeit in technischen Dingen. Aufspringen, nachschauen und die natürliche Ordnung der Dinge wiederherstellen. Der Fall lag bösartiger. Also tat Waldemar Strunck nichts, wiederholte seine letzte Frage. Und die Tochter antwortete ihm: »Gustav soll mit auf die Reise kommen.«
Er sprang auf, sagte: »Unmöglich.«
»Warum?« fragte sie.
»Das ist nicht vorbereitet«, sagte er. Es war an der Zeit, sich an Ort und Stelle zu überzeugen. Er lief hinab. Sie eilte ihm nach. Der Verlobte war dabei, mit der Tür zu experimentieren.
Der Kapitän nahm die Klinke in die Hand und begann seinerseits die Untersuchung. Ein gräßliches Schweigen. Nach weni-

gen Minuten verkündete er, die beiden hätten recht. Es müsse ein Relais im Türrahmen eingebaut sein, das die Wirkung der Riegel aufhebe, sobald die Tür geschlossen. An den Wahnsinn des Schiffbauers konnte Waldemar Strunck nicht glauben. Er begriff indessen die Absicht der Anordnung nicht. Er war auf vielen Schiffen gefahren; etwas Ähnliches war ihm nirgendwo begegnet.
Er hantierte weiter. Da kam der Superkargo abermals heran. Waldemar Strunck schien es angebracht, mit ihm zu reden. Geheimnisse zwischen den Mitreisenden aufzuhäufen war unklug. Er beschrieb dem Hinzutretenden das ungesunde Wunder.
»Ach«, sagte der Superkargo, »gewiß nur eine Sicherheitsmaßnahme. Alle Türen sind bei drohender Gefahr von einer Zentrale aus zu öffnen. Und es ist vergessen worden, den Mechanismus abzuschalten.«
»Vor welcher Zentrale aus?« fragte der Kapitän.
»Ich werde mich mit dem Reeder besprechen«, sagte der Superkargo. Und entfernte sich.
Die drei blieben in ziemlich gedrückter Stimmung zurück. Waldemar Strunck machte sich klar, er ist Führer des Schiffes. Aber neben ihm gibt es etwas Verborgenes, das von Zeit zu Zeit das Kommando an sich nimmt. Um der lästigen Gedanken Herr zu werden, machte er sich wieder über die Tür.
Die Liebenden saßen auf dem Bettrand, eigentlich sehr unbeteiligt. Ihre Gefühle waren in die Wüste getrieben worden. Nachdem der Kapitän einige Zeit damit vertan hatte, das Erprobte immer wieder zu erproben, geschah es, daß die Riegel den von ihnen erwarteten Dienst taten und die Tür verschlossen.
Die drei begannen ein Gespräch, das abgebrochene Teile ihrer zitternden Gedanken wiedergab. Es pochte von außen gegen die Tür. Die Stimme des Superkargos ließ sich vernehmen:
»Alles in Ordnung. Ein höchst sicheres Schiff.«
Als der Kapitän aufgeriegelt hatte und auf den Gang hinausschaute, war der Mann bereits verschwunden.
»Das ist alles sehr natürlich«, sagte Waldemar Strunck langsam, »ich werde mir die Zentrale zeigen lassen.« Er hatte etwas anderes gedacht, nämlich eine geheimnisvoll gekünstelte Anlage ist vorhanden, und ein schlauer Mensch wird sich bemühen,

so wenig wie möglich von seinem Wissen preiszugeben. Ein schlimmer Tag.

»Vater«, sagte die Tochter, »es ist für jedermann zu erkennen, die Türen der Kammern sind durch eine vielleicht unverläßliche Person zu öffnen, ohne daß Nachschlüssel oder Brecheisen nötig wären. Möglicherweise bewirkt die Zentrale auch das Gegenteil, die Kabinenbewohner nach dem Willen jenes Unerkannten einzusperren.«

»Kind«, sagte Waldemar Strunck, »das ist abwegige Phantasie.«

»Mir scheint«, sagte der Verlobte, »man darf sich nicht mit den geringen Kenntnissen, die wir von dieser Sache haben, zufrieden geben.«

»Ich muß andeck«, sagte Waldemar Strunck, »das Schiff ist zum Ausfahren klar.«

»Ich werde nicht mitreisen, wenn Gustav das Schiff verläßt«, sagte die Tochter.

Waldemar Strunck, der sich der Bitte seiner Tochter schon halb entronnen gewähnt hatte, verfiel einer verzweifelten Stimmung. Er hatte keine Entgegnungen bereit. Selbst das Fundament der Moral war ihm abhanden gekommen, die eigene Überzeugung. So gab er hastige und oberflächliche Erwägungen zumbesten, die keinen anrührten. Man kann nicht mehr mit dem Reeder darüber verhandeln, nicht in der letzten Minute. Gustav hat sein Gepäck nicht vorbereitet, weder Hemden noch Anzüge. Er ist nur dahergelaufen. Unmöglich auf ihn zu warten. Vielleicht ist er nicht im Besitz eines Passes. Sich verstecken, als blinder Passagier sich bis an die Freiheit der Meere durchlügen, man kann es nicht einmal erwägen. Er, der Kapitän, kann solche Ratschläge nicht erteilen. Er müßte sich Vorwürfe machen, seine Pflichten verletzt zu haben. Auch Übereinkünfte allgemeiner Art muß er ins Feld führen. Man kennt den Begriff der Hochzeitsreise. Eine Verlobungsreise ist anrüchig. Er selbst will seine natürliche Meinung nicht klein machen am Urteil der anderen. Er will sich entgegenkommend zeigen. Aber das Gewebe aus Peinlichem, Gesetzwidrigem ist zu engmaschig; seine Großmut findet keinen Ausweg. Die schmerzliche Tatsache bleibt bestehen, die Liebenden müssen sich zum Abschied bequemen. Das Wiedersehen wird ihnen doppelt süß schmecken.

Statt einer Antwort zog Gustav seinen Paß hervor und hielt ihn vor die Augen Waldemar Struncks.
»Heimlich, als blinder Passagier«, sagte die Tochter, »ein großartiger Einfall.«
»Ich warne euch«, sagte der Kapitän.
»Was wird denn uns geschehen inmitten der Freiheit der Meere«, fragte die Tochter, »wirst du dem Superkargo nicht das eine oder andere erklären können? Trifft dich eine Schuld, wenn sich ein blinder Passagier anbord verbirgt?«
»Es gibt gesetzliche Bestimmungen«, sagte Waldemar Strunck.
»Wir werden ein Gerümpel ausfindig machen«, sagte die Tochter.
Sie hörten, die Schiffsglocke wurde geläutet.
»Ich kann nicht länger hier unten bleiben«, sagte der Kapitän, »tut, was ihr wollt. Ich darf es nicht wissen. Du mußt jetzt anland, Gustav!« Er eilte davon.
»Alles in Ordnung«, sagte die Braut, »wir müssen einen Unterschlupf suchen.«
Sie verließen die Kajüte, tasteten sich den Gang entlang, wo er ins Dunkle führte.

*

Als Waldemar Strunck andeck trat, läutete die Schiffsglocke zum zweitenmal. Der erste Steuermann sagte ihm ein paar Worte, die sich auf das Abfahrtsmanöver bezogen. Zwei kleine Schleppdampfer waren bereits hinten und vorne vertäut. Waldemar Strunck stieg auf die Kommandobrücke. Er versuchte, den Reeder zu Gesicht zu bekommen, um sich zu verabschieden. Man hatte ihm berichtet, jener war auf dem Kai gewesen, vor wenigen Augenblicken. Nun wußte man nicht, ob er sich über die Reling geschwungen hatte und anbord war, oder ob er in der nahen Kneipe verschwunden, um Punsch zu trinken. Es war ein Hin- und Herlaufen gewesen. Waldemar Strunck wartete, schaute auf die Uhr. Der Superkargo kam auf die Brücke.
»Haben Sie den Reeder gesehen«, fragte der Kapitän.
»Nein«, antwortete der Superkargo.
»Er wird doch das Schiff verlassen haben«, fragte Waldemar Strunck.

»Er besitzt eine Uhr und wird nicht den unfreiwilligen Passagier spielen wollen«, sagte der Superkargo.
»Vor wenigen Minuten ist er noch gesehen worden«, sagte Waldemar Strunck
»Er wird in seiner Kneipe sitzen und zwei Punschgläser zugleich leeren«, sagte der Superkargo, »er erträgt den Augenblick der Abfahrt nicht. Die erste große Reise seines schönen Schiffes. Männer werden weich und haltlos, wenn die Braut ein anderer entführt.«
»Das Schiff ist doch kein Weib«, sagte Waldemar Strunck, halb scherzend, halb gedrückt.
»Dies hier ist etwas Weibliches«, sagte der Superkargo, »etwas, an das man seine Liebe hängt.«
»Wir sind daran, auszufahren«, sagte Waldemar Strunck, »die Gedanken des Menschen pflegen erst nach Monaten Seefahrt mit solchen Bildern zu spielen, wenn er nach Land und Häusern lechzt.«
»Aber ich sehe auch ihren zukünftigen Schwiegersohn nicht, nicht die Tochter«, sagte der Superkargo.
»Meine Tochter«, stammelte Waldemar Strunck, »ich kann keine Auskunft geben. Sie haben sich voneinander verabschiedet. Das ist alles, was ich weiß.«
Im gleichen Augenblick erschien Ellena auf der Kommandobrücke. Ihrem Vater begann es leichter zu werden.
»Ist der Geliebte vonbord«, fragte der Superkargo.
»Ja«, antwortete das Mädchen, »wir haben uns ausgeweint. Jetzt trinkt er in der nahen Kneipe Punsch.«
»Er tut es dem Reeder gleich«, sagte der Superkargo. »Die Punsch trinkenden Geliebten. Sie werden einander wahrscheinlich um Mitternacht in den Armen liegen.«
»Möglich«, sagte das Mädchen.
»So ist alles klar«, sagte Waldemar Strunck. Sein Gesicht wurde hell. Er winkte, man solle zum drittenmal läuten. Die Taue nach dem Kai wurden losgeworfen. Die Schleppdampfer ließen ihre Maschinen an. Wenige Sekunden, und das Gleiten des Schiffskörpers begann. Die Zollbeamten machten Honneurs. Die Sonne senkte sich auf die Erde hinab, umgab sich mit dem Schmuck roter Wolken, verfärbte sich selbst zu goldenem Purpur. Grünlich der Schein der gewölbten Luft, hinter der

bald die Sterne sich entzünden würden. Waldemar Strunck schlug sich gegen die Brust, atmete tief. Der Augenblick, den er seit Stunden brennend herbeigesehnt hatte, war da. Der Abstand zwischen Schiff und Gestade wuchs. Man würde in wenigen Stunden die Segel setzen, die Schleppdampfer hinter sich lassen. Er fragte sich: ›Was für ein Tag ist dieser gewesen?‹ Zum Leichtmatrosen am Steuer sagte er:
»Einen Strich mehr Backbord.«
»Einen Strich mehr Backbord«, wiederholte der Matrose.

II

Gespräche der ersten vierundzwanzig Stunden

Die See stand mit gutem Geruch um das Schiff. Die Segel waren gesetzt. Man lag vorm Winde. Meer und Himmel waren schwarz. Die Lichter der großen Kuppel verbrannten flimmernd in den unendlichen Weiten. Ihr kalter Schein, der das Herz vernichtet oder erhebt, brachte das trügerische Wunder erbaulicher Gedanken. Millionen Menschen (und wer wüßte, ob es die Tiere nicht tun) blicken des Nachts auf mit den unbegreiflichen Augen und kehren in die vereinsamte oder bang hoffende Brust zurück, ihre eigene. Sie sehen sich auserwählt oder verworfen. Oder das Ferne ist so weit ab von ihnen, wie es vorgibt zu sein. Es bricht nicht durch den Qualm ihres gemarterten Blutes. Die Stürme überziehen mit Lärm den Dunst unserer Erde bei anderen Stunden. Jetzt war es der leuchtende Tau der Einsamkeiten, der hernieder rieselte.
Waldemar Strunck schaute auf die Uhr. Es war Mitternacht. Der erste Steuermann stand bereit, ihn auf der Brücke abzulösen.
»Gute Nacht«, sagte Waldemar Strunck und stieg die Treppe hinab.
An der Reling war eine dunkle Gestalt zu erkennen, der Superkargo.
»Sie schlafen noch nicht?« fragte Waldemar Strunck.
»Nein«, sagte der Superkargo, »ich höre, der Verlobte Ihrer Tochter ist auf dem Schiff.«
»Haben Sie ihn gesehen?« fragte Waldemar Strunck. Seine Stimme zitterte nicht. Und es war dunkel; so blieb das Flackern in seinem Gesicht geheim.
»Nein, gesehen habe ich ihn nicht«, sagte der Superkargo.
»Dann ist mir Ihre Mitteilung unverständlich«, sagte der Kapitän.

»Es ist, wie es ist«, sagte der Superkargo.
»Ich möchte mich schlafen legen«, sagte Waldemar Strunck, »wir können morgen weiter darüber reden.« Aber er ging nicht in seine Kammer. Er entfernte sich nur ein wenig, lehnte sich gegen die Wanten des Großmastes, schaute nach oben. Die Segel standen wie die Krone eines starken Baumes über ihm, blähten sich und sangen leise. Waldemar Strunck wollte den Menschen fragen, ihn anfallen, Rechenschaft zu geben, wie jener offenbar mit ihm vorhatte. Sie mußten außerhalb der Territorialgrenze sein, inmitten einer größeren Freiheit. Waldemar Strunck fühlte sich stark. Der leise zitternde Gesang der Segel begütigte ihn. Die Küste nahm ab. Gewiß war es ein Vorteil, nichts zu übereilen. So ließ er den Superkargo ungeschoren, ging unterdeck, pochte gegen die Kabinentür seiner Tochter. Die beiden jungen Leute standen da, erregt wie es schien.
»Der Superkargo hat dich bereits entdeckt«, sagte Waldemar Strunck.
»Man wird darüber kein Wort zu wechseln brauchen«, sagte Gustav, »er hat mich nicht gesehen. Er hat mich nicht entdekken können.«
»Er hat mir die Neuigkeit erzählt«, sagte Waldemar Strunck.
»Ich habe eine andere für dich. Es gibt noch einen zweiten blinden Passagier anbord.«
»An Überraschungen scheint kein Mangel zu sein«, sagte Waldemar Strunck. Er wurde plötzlich bleich. »Ich bin begierig, zu hören, wer es ist.«
»Der Reeder«, sagte Gustav.
Waldemar Strunck blieb eine unmittelbare Entgegnung schuldig.
Die drei schwiegen eine Weile. Dann hub der Kapitän an: »Du hast gesagt, der Reeder ist als blinder Passagier mitgefahren. Es gibt nur die eine Gewißheit, daß du dich irrst. Du hast ihn möglicherweise vor der Abfahrt gesehen. Vielleicht hast du in deinem Versteck geträumt.«
»Wenn es nicht unvernünftig wäre, mitternächtlich und bei soviel Dunkelheit auf diesem Schiff, zu schwören, ich würde dir einen Eid geben, daß du auf meine Sinne bauen kannst.«
»Das klingt sehr ernst«, sagte Waldemar Strunck.

»Ich habe kein genaues Gefühl für die Zeit gehabt; das ist ein Einwand, der stehen bleiben soll«, sagte Gustav.
»Erzähle deine Erlebnisse der Reihe nach«, sagte die Braut.
»Und ich bitte dich, deine Phantasie aus dem Spiel zu lassen«, sagte Waldemar Strunck, »wir verließen einander mit ungründlichen Beschlüssen. Ich war nicht weich und nicht fest.«
»Wir tasteten uns den Gang entlang. Er führte ins Dunkle, gegen eine Tür, die nur eingeklinkt, nicht verschlossen war«, sagte Gustav, »hinter der Tür war die Finsternis vollkommen, sodaß wir keinen Schritt mehr zu tun wagten. Ich bat Ellena, zurückzugehen und eine Taschenlaterne zu holen. Es verging einige Zeit. Meine Augen schärften sich während des Wartens. Aber der schwarze Samt meiner Umgebung wich nicht.«
»Ein dunkler Raum, man kennt das«, sagte der Kapitän.
»Als die Lampe angeknipst war«, begann Gustav aufs neue, »– wir wagten es erst, Licht zu machen, nachdem die Tür hinter uns zugezogen war – erkannten wir, wir standen in einem breiten Gang, der quer zum Schiff verlief. Er reichte von der einen Bordaußenwand zur anderen. Wir bemerkten keinerlei Gegenstände in ihm, ringsum nur Holzbalken, hölzerne Planken. Eine Art Raumverschwendung, für die man keine Deutung hatte. Anfangs glaubten wir, dies sei nun das Ende unseres Vordringens. Wir bewegten uns von der einen Schiffswand zur anderen. Nahe der Spantenkonstruktion entdeckten wir ein Loch im Fußboden. Eine Stiege führte tiefer. Wir benutzten sie. Ein Raum nahm uns auf, der dem darüberliegenden glich. Er wich nur insofern von ihm ab, als man erkannte, die Spanten begannen sich nach einwärts zu kurven. Zwei Türen führten nach vorn und achtern in irgendwelche Gelasse. Wir versuchten nicht, einzudringen. Eine Ahnung zog uns nach dem entgegengesetzten Ende des Ganges. Wir fanden dort wieder ein Loch im Boden, eine Stiege darunter, die, zwar schräger als die erste, ins Tiefere leitete. Wir kletterten nochmals abwärts. Mir schien danach, wir waren auf dem Boden des Schiffes, gerade über dem Kiel. Die Menge des Holzes an allen Seiten hatte zugenommen. Die Gliederung des Raumes war nicht gleich zu erkennen. Ich habe die uneinheitliche Form auch nicht behalten. Es war ein kaum mannshohes Geschoß, Platz nach überallhin. Holzschotten standen gewinkelt. Tanks und Metallblöcke dem flachen

Mittelboden aufgelagert. Nach achtern liefen die Spanten einander entgegen. Schwere und dichte Konstruktionen. Wie das Gerippe eines riesenhaften Wales.«

»Das Innere eines Schiffes«, sagte der Kapitän, »ein geheimnisvoller Anblick für den Neuling.« Ein paar weitere Gedanken hängten sich ihm noch an. Daß ein Laderaum keine Kathedrale. Aber die Mauern aus Wasser ringsum bewirkten eine Feierlichkeit, der sich nur verstockte Sinne entziehen konnten. Wie ein Bergwerk inmitten des Gesteines eine Höhle war, so ein Schiff inmitten des Wassers ein Loch, in dem Lungen atmen konnten. Der Mensch hatte Berge und Wasser zu fürchten. Ein einziger Quaderstein, irgendwo am Wege liegend, bewies schon mit seiner Unverrückbarkeit, wie schutzbedürftig das Fleisch. Und wie gering unbewaffnete Hände. Das schöne Gesetz der Kurven, das in den Spanten abgebildet war, erhöhte das erhabene Gefühl, das von der lastenden Kraft, dem Umschlossensein von einem Stoff, dichter als Luft, ausging.

»Die Menschen müssen das Geheimnis mit ihren Vorstellungen beleben«, der Kapitän knüpfte dort an, wo er zuletzt laut gesprochen hatte, »sie bilden sich Wesen ein, ihnen ähnlich, aber doch unverwundbar, mit Tarnkappe ausgerüstet, mit einem Zaubermittel. So glaubt man auf Schiffen an den Klabautermann. Man hört seine Stimme, das Geräusch seines heimlichen Arbeitens. Es muß, der Glaube verlangt es, unbekannte Verstekke geben, in denen er haust.«

»Ich habe den Klabautermann nicht gesehen«, sagte Gustav.

»Wir hoffen es«, sagte Waldemar Strunck, »wir hoffen, daß uns das Unglück nicht schon am ersten Tage der Ausfahrt angekündigt wird.«

»Die Umgebung schien wie zum Verstecken vorbestimmt«, sagte die Tochter.

»Es bedeutet den Untergang des Schiffes, wenn sich sein Schutzgeist zeigt«, sagte Waldemar Strunck.

»Wir fanden drei Ballen Tau, neu und fest gewickelt, ich ließ mich dahintergleiten«, sagte Gustav.

»Er war unsichtbar geworden«, sagte das Mädchen.

»Ich bat Ellena, sich schnell zu entfernen«, sagte Gustav, »sie tat es und nahm die Laterne mit, um den Weg ohne Gefahr zurückzufinden.«

»Vorher«, sagte das Mädchen, »hatte ich versprochen, sobald das Meer erreicht sein würde, zurückzukommen, um den Verbannten zu erlösen.«
»Ich saß nun in meinem Versteck, ringsum das völlige Schwarz der Finsternis. Nur auf der Purpurhaut meiner Augen sprangen farbige Sterne, kreisten oder jagten auf der Außenkante geometrischer Figuren. Mein Atem war einige Minuten lang recht unruhig. Ich dachte ein paar Vorstellungen, die wir mit der Lichtlosigkeit verbinden. Die Nacht. Die Blindheit. Den Schlaf. Den Tod. Und das Unbekannte, jene Null im Gebrause des Unendlichen. Aber ich fand mich bald zurück und schärfte mein Ohr. Es war sehr still dort unten. Ich verwunderte mich darüber. Die Geräusche vom Kai und vom Deck her drangen so gedämpft herab, daß es fast unmöglich war, die jeweilige Ursache zu erraten. Da ich aber das Bild des Vorganges in mir trug, gab ich dem Wahrnehmbaren eine Deutung. Und so schloß ich aus einem Verebben des fernen Lärms, das Schiff mußte auf den Fluß hinausgeglitten sein. Vorher hatte es ein paar Dampfpfeifensignale gegeben.«
»Ganz, wie es sich zugetragen hat«, sagte das Mädchen.
»Du hast die Abfahrt anders erlebt als Gustav«, sagte der Kapitän, »ihm könnte man einreden, wir liegen noch immer am Kai vertäut.«
»Ich bedaure«, sagte Gustav, »daß ich Zeitangaben nicht machen kann. Aber ich meine, man vermag eine halbe Stunde abzuschätzen. Oder eine ganze. Und man greift nicht zu niedrig, wenn man mit so viel innerer Bewegung angefüllt ist, wie ich es war. Ich hatte es keineswegs langweilig.«
»Weiter, bitte«, sagte der Kapitän.
Gustav gehorchte: »Ich hörte Schritte sich nahen, nach einer gewissen Zeit, wie ich jetzt sage. Ich meinte anfangs, es könnte Ellena sein. Aber die Umstände, der andere Klang und Takt der Sohlen widerlegten meine Vermutung. Warum auch hätte sie ohne Licht sich herabtasten sollen? Und hatte sie keinen Mund, sich zu erklären? – Der Mensch war bald heran. Er begann unmittelbar auf mich zu wirken. Ich hörte ihn schnaufen. Er tastete sich vorwärts und schnaufte. Ich empfand einen eisigen Schrecken. Nicht, daß ich mich bedroht fühlte. Wiewohl ich wehrlos war, dachte ich nicht an Gefahr. Er mußte sogleich

gegen die Tauballen stoßen. Was dann geschehen würde, konnte ich mir nicht ausmalen. – ›Soll ich ihn anrufen?‹ durchfuhr es mich. Ich glaubte nichts mehr verlieren zu können. Aber ich war gelähmt und ohne Stimme. Ich war so sehr vom Augenblick gefangen, daß ich mich willenlos der Überrumpelung auslieferte. Und der Mensch stieß gegen die Ballen. Er sagte sehr leise zu sich selbst: ›Na‹, wich ein paar Schritte zurück. Dann glühte eine elektrische Taschenlampe auf. Der Scheinwerfer auf mich, in mein Gesicht. Ich machte keinen Versuch, es zu verbergen. ›So‹, sagte der Mensch, wich noch ein paar Schritte zurück, ließ das Licht der Lampe weiter auf meinen Kopf scheinen. Ich stellte fest, daß ich geblendet war. Meine Ohren vernahmen, der Mensch trat plötzlich sehr leise auf, als habe auch er Grund, sich gegenstandslos zu machen. Nachdem er mich lange genug betrachtet, möglicherweise erkannt hatte, nahm seine Anteilnahme für mich ab. Er schickte den Schein der Lampe im Raume umher, sehr gemächlich. Wie mir schien. Ich überwand das Geblendetsein. Ich erkannte meine Umgebung wieder. Der Mensch bewegte sich gegen eins der Holzschotten, eine Wand. Der Schein der Lampe wurde von den Planken zurückgeworfen. Ich hatte so Gelegenheit und auch Muße genug, den Fremden zu erkennen. Er war der Reeder. Mein Erstaunen war groß. Aber es wuchs, als ich bemerkte, er suchte am Holzwerk einen Mechanismus. Der Eigentümer des Schiffes bückte sich tief. Er fand bald den Hebel, den Knopf oder das Schloß. Er bediente es. Die Wand schob sich zurseite. Es entstand ein schwarzes Loch. Er schritt hinein. Das Plankenwerk schloß sich wieder. Das Licht erstarb.«

»Du warst eingeschlafen, du hast geträumt«, sagte der Kapitän.

»So könnte man glauben«, sagte Gustav, »aber ich unternahm etwas. Ich bemerkte, mein Körper war mit Schweiß bedeckt, mein Herz pochte, in meinem Kopfe meldeten sich Schmerzen. Ich war überzeugt, der Reeder oder jemand anders würde kommen, um mich, den bereits Gefundenen, weniger planlos, mit Beschämung für mich, zu entdecken. Der Mann, der gegen die Tauballen gestoßen war, hatte ein schlechtes Gewissen gehabt. Er fühlte sich nicht berufen, mich zur Rede zu stellen.«

»Das ist eine Auslegung«, sagte der Kapitän.

»Ich beschloß, mir zu mißtrauen«, sagte Gustav, »ich kletterte aus meinem Versteck hervor, durchmaß den Raum, um tastend an das Holzschott zu kommen. Ich fand die Stelle, befühlte sie, suchte nach dem Riegel oder Auslöser. Ich konnte ihn nicht entdecken. Ich vertat einige Zeit, besann mich dann auf einen anderen Plan. An meinen alten Platz wollte ich nicht zurück. Seitlich von mir, nach achtern, waren schwere Knaggen gegen die Spanten gebolzt, dick und ausladend genug, einen liegenden Menschen dahinter zu verbergen. Ich erinnerte mich ihrer. Ich strebte ihnen zu. Die Stiege, die ich ertasten konnte, war mir ein willkommener Wegweiser. Kletternd erreichte ich mein Ziel, richtete mich dort liegend ein. Ich stellte mir vor – und dem entsprach die Wirklichkeit – vom eigentlichen Schiffsraum aus konnte ich nicht wahrgenommen werden.«

»Du erzählst viel«, sagte der Kapitän, »und es ist spannend.«

»Du zweifelst«, sagte die Tochter, »höre nur weiter.«

»Bald«, sagte Gustav, »kam jemand mit ziemlichem Gepolter die Stiege herunter; oder doch, er gab sich keine Mühe, leise aufzutreten; ich will das nicht entscheiden. Er hatte Licht bei sich, eine sehr starke Lampe. Damit leuchtete er, ohne zuvor sich anderswohin umgetan zu haben, hinter die Tauballen. Ich hielt den Kopf ein wenig gehoben, um diesen Vorgang, den ich vorausgefühlt hatte, auch zu beobachten. Dieser zweite Mensch war der Superkargo. Man hätte es, wenn man in allem einen folgerichtigen Ablauf vermuten will, voraussagen können.«

»Du schwächst deinen Bericht durch diese Aneinanderreihung von Ursache und Wirkung«, sagte Waldemar Strunck, »ein vermeintliches Geheimnis ist in deinem Hirn zu einem großartigen Bau gediehen.«

»Hier in der Kajüte brennt Licht«, sagte Gustav, »und die Luft ist hier anders als unmittelbar neben dem Kiel, über den Abgründen des Wassers. Aber ich will, du magst daraus herleiten, was dir gefällt, zuende erzählen. Der Mensch, der Mann, der Superkargo ließ den Schein der Lampe durch den Raum gleiten, denn der leere unauffällige Platz zwischen den Ballen hatte ihm keinerlei Aufschluß gebracht. Wo ein Schatten ihm nicht deutlich genug war, vergewisserte er sich, was es sein könnte. Als er nichts entdeckte, statt des blinden Passagiers, von dem ihm berichtet worden war, oder dessen Anwesenheit er erraten hatte, oder dessen Tun er in der Zentrale abgelauscht – wir können manche Worte gebrauchen –, also statt eines Menschen unverdächtige Gegenstände oder durchsichtige Luft fand, nahm er den Weg über die Stiege wieder nach oben. Ich blieb liegen, wo ich lag, höchst befriedigt und höchst beladen mit Gedanken.«

»Es ist ja nicht das erste seltsame Begebnis auf diesem Schiff«, sagte die Tochter.

»Du bliebst liegen, wo du lagst«, sagte Waldemar Strunck. Er hatte bis dahin auf dem rechten Bein gestanden; jetzt verschob er den Körper und lagerte ihn auf das linke.

»Als zum drittenmal Licht in meine Dunkelheit drang, war es Ellena. Ich gab mich sogleich zu erkennen, kroch hervor. Sie sagte, das Meer sei erreicht. Wir eilten in ihre Kammer, und ich erzählte ihr, was du soeben gehört hast.«

»Ich muß dir entgegnen«, sagte Waldemar Strunck mit schwerer Zunge, »ich kann deinen Bericht nicht hinnehmen. Der Reeder, gesetzt den Fall, ihm wäre, aus Gründen, die uns nicht angehen, im letzten Augenblick der Wunsch gekommen, mitzureisen – hätte sein natürliches Recht, das ihm als Eigentümer zusteht, benutzt. Es entfällt für ihn jeder Grund, sich zu verbergen, etwa, wie es für dich einen gab.«

»Und wenn er dennoch Anlaß gehabt hätte, seine Anwesenheit zu verheimlichen?« fragte Gustav.

»Man muß das Verwegene nicht denken«, sagte Waldemar Strunck, »ich halte einen Traum, den du geträumt hast, für eine annehmbare Erklärung. Es läßt sich errechnen, du hast reichlich fünf Stunden in der Finsternis verbracht.«

»Du hast uns erzählt, der Superkargo habe dir von mir als blindem Passagier berichtet«, sagte Gustav.

»Er ließ keinen Zweifel darüber, daß er dich nicht gesehen hat«, sagte Waldemar Strunck.

»Das ist kein Widerspruch zu meiner Schilderung«, sagte Gustav.

»So wird es einen Matrosen geben, der es ihm ausgerichtet hat«, sagte Waldemar Strunck.

»Uns hat niemand bemerkt«, sagte die Tochter.

»Ihr werdet nicht behaupten wollen, Augen am Rücken zu haben«, sagte Waldemar Strunck, »es gibt möglicherweise ein

paar Spitzel mit vortrefflicher Beobachtungsgabe anbord. Ich bestreite die Falschheit geschmeidiger Seelen nicht.«
»Du erfindest Möglichkeiten für eine ungekrümmte Auslegung. Mein Verstand ist bereit, dir beizupflichten. Aber das tiefer Gebettete in mir widerstrebt«, sagte Gustav.
»Welche Lösung willst du uns glaubhaft machen«, fragte Waldemar Strunck, »es ist doch ein Ziel in deinem Vortrage? Du willst, das Schlimme soll mächtig werden? Wir können einander allenfalls gestehen, das Schiff trägt Konterbande, für Rechnung dessen, den es angeht. Was geben wir mit dieser Feststellung preis und was gewinnen wir? Sollen wir es ausschwatzen und die Schiffsmannschaft beunruhigen? Den Superkargo in Bedrängnis bringen, daß er die Hand nicht von seiner Pistole läßt? Ich kann den Vorteil einer solchen Wendung nicht entdecken. Die Arglosigkeit ist bald verbraucht, wenn man sich mit eiligen Vermutungen belädt. Wir müssen uns darein fügen, daß wir auf unbekannter Fahrt für Rechnung unbekannt segeln.«
»Deine Rede ist vernünftig«, sagte Gustav, »und ich bin unvernünftig, daß ich mich nicht zurückgehalten habe.«
»Warum gibst du nach?« fragte Ellena erstaunt den Verlobten.
»Der Kapitän hat ein schweres Amt auf diesem Schiff«, sagte Gustav, »ihm werden Rätsel aufgegeben. Die Seefahrt muß für ihn ehrenwert bleiben.«
»Willst du mich verspotten?« fragte Waldemar Strunck.
»Ich räume meine Behauptungen«, sagte Gustav.
»Das erwarte ich nicht«, sagte der Kapitän, »es ist mir sogar unlieb. Nachsicht verletzt. Ich fürchte keine Versuchung in den Begebnissen. Ich spähe nur nach einem schützenden Hafen vor der harten Dünung einer unregierten Phantasie. Den Wirklichkeiten kann ich trotzen, nicht den Träumen. – Hier ist noch etwas zu erklären. Die Begegnung mit dem Reeder kann vor der Abfahrt stattgefunden haben. Es ist mein erster Einwand gewesen. Keine Zeitangabe macht diese Annahme zuschanden. Gustavs Bericht vom blinden Passagier, der entdeckt wurde, bleibt unangetastet. Der Eigentümer des Schiffes hat die Person erkannt und ist seiner Wege gegangen; recht großmütig. Um mir eine Gemütsbewegung zu ersparen, hat er nur den Superkargo unterrichtet. Der wieder, bei passender Zeit, hat den Ort aufgesucht. Er hat sich die Mühe gespart, nach Gustav zu

forschen, als er ihn nicht augenblicks fand. Jeder dieser Männer ist auf seine Art freundlich zu uns gewesen. Das scheinbar Geheimnisvolle ist eine Alltäglichkeit, die in der Dunkelheit eine ungewöhnliche Farbe angenommen hat.«
»Man kann gegen diese Auslegung nicht löcken, ohne halsstarrig zu scheinen«, sagte Gustav.
»Ich bin anderer Meinung«, sagte die Tochter, »man ist nicht ehrlich gegen dich, Vater, man verbirgt vor dir, ich weiß nicht was. Die Zentrale, diesen Zauberkreis der Apparate, hat man ihn dir gezeigt?«
»Ich habe danach nicht gefragt«, sagte Waldemar Strunck.
»Wir sind am Ende unserer Reden«, sagte Gustav.
»Ich muß mich unbekümmert machen«, sagte Waldemar Strunck, »dieser Tag ist lästig gewesen. Jetzt ist mir nichts nötiger als Schlaf.«
»Gute Nacht, Vater«, sagte Ellena.
»Ich erwarte von dir, Gustav«, sagte Waldemar Strunck, »daß du dich bald von Ellena trennen wirst und in einer Nebenkammer schlafen legst.«
»Ich werde gehorchen«, sagte Gustav.
Der Kapitän verließ die zwei. Er war nicht fähig, sich Rechenschaft über seine Empfindungen zu geben. Er wagte nicht, die Summe des Tages zu errechnen. Er redete sich ein, er hatte es schon laut gesagt, daß er schlafen müsse. Schlaf würde die Auswüchse der Gedanken verdorren machen.

*

Ellena bezichtigte den Geliebten der Unehrlichkeit gegen ihren Vater. Gustav sei zurückgewichen vor den Pflichten des Kapitäns. Die Unterhaltung habe allmählich den krausen Stolz der Eisblumen angenommen.
»Die Einwände des Kapitäns sind durch meine Berichte aus der Finsternis nicht zu erschüttern«, antwortete Gustav, »ich bedaure, daß dies eine logische Schlußfolgerung ist. Einmal, während der letzten zwölf Stunden, mußten wir uns hüten, unseren Sinnen zu mißtrauen, und jetzt müssen wir starke Zweifel dareinlegen, damit die Vernunft nicht an einer anderen Klippe zerschellt.«

»Ich sehe, du gewinnst nichts bei deiner Rücksicht auf die Vernunft«, sagte das Mädchen, »ein einfältiger Mensch versteht kaum, was du im Schilde führst.«
»Ich scheine dumm oder toll«, sagte Gustav. Er war zornig geworden, stieß mit dem Fuß nach einem Koffer Ellenas, der vor dem Bett stand, um ihn darunter zu befördern. Der Stoß war hart. Der Gegenstand, offenbar nur voll leichter Sachen, verschwand.
»Jetzt wirst du dich auf den Bauch legen und ihn wieder hervorziehen«, sagte Ellena.
»Ich werde mich auf den Bauch legen und ihn wieder hervorziehen«, antwortete Gustav. Tat's, kroch unter das Bett, verschwand. Selbst seine Füße zog er nach sich. Das Mädchen schrie ängstlich auf. Man ist nicht darauf vorbereitet, daß ein Mensch der Länge nach quer unter einem schmalen Bett Platz findet. Man hat die Vorstellung, er wird zusammengetrieben, in sich hineingestaucht oder aufgesogen. Man glaubt an die Wand.
Wir haben das Gräßliche oft mit unseren Augen gesehen. Die unerwartete Verwandlung. Ein heiler Leib wird unter einem Gefährt zermalmt. Das Blut, das vorher im verborgenen die feinen Schwemmstoffe, die chemisch geladenen Harmonien des Aufbaus und der geheimnisvollen Arbeit verzweigte, im Geflecht der dünnen Bahnen pulste, und so, fast spirituell, als roter, in den Menschen eingewachsener Baum, seine Gestalt abtastete – das Blut gerinnt formlos in breiten Lachen. Und niemand begreift noch, daß es im Gerank der Adern eine Form hatte. Aber gräßlicher: der Todeskampf selbst. An dem sich die Vielheit der Organe, die wir zu spüren glauben, beteiligt. So ist das Erschrecken in uns bereiter als das Verlangen nach Genuß.
Ellena beugte sich hinab. Gustav arbeitete sich wieder hervor. Den Koffer zog er nicht mit sich. Als er sich aufgerichtet hatte, verlangte er die Taschenlampe.
»Was gibt es denn«, fragte sie, »du wirst doch einen Koffer ohne Beleuchtung unter einem Bett hervorziehen können.«
»Man wird feststellen müssen, ob die einfältigen Gegenstände Grimassen schneiden können«, antwortete er, »oder ob die nebligen Verzerrungen allesamt in meinem Kopfe liegen.« Er zitterte. »Diese Wand hier – oder wie du die Kulisse hinter deinem Bett nennen willst – besteht unterhalb des Möbels nicht.«

Sie reichte ihm die Taschenlampe. Er warf sich abermals auf den Boden. Sie streckte sich neben ihm aus. Das Licht machte es klar, Gustav war nicht verwirrt. Und der Raum verlor sich nicht in die vierte Dimension. Ein niedriger Schacht, etwa zwei Meter breit, begann unter dem Bett und löste sich in der Ferne im Ungewissen auf. Der Koffer lag, ein totes Ding, sehr zufällig da, nicht mehr in Reichweite.
»Wenn die See heute nacht geduldig bleibt, wird das Gepäckstück morgen früh noch am gleichen Platz liegen«, sagte Gustav.
»Was für Schlußfolgerungen ziehst du aus dem Nichtvorhandensein der Wand«, fragte Ellena.
»Gar keine«, antwortete Gustav, »jedenfalls nicht mehr in dieser Nacht. Keine Betrachtungen über Gesetze, die der Lüge fähig sind, inmitten der satanischen Finsternis. Wir haben vielleicht das Brett vor dem Kopf, das der Wand fehlt. Wir laufen ja Gefahr, daß wir morgen ein fix und fertiges Bohlenwerk vorfinden, wo jetzt ein Durchgang sich aufgetan hat. Oder wir erkennen einen Zweck, dessen überwältigende Brauchbarkeit uns noch blendet und in die Wüste der Dummheit schickt.«
»Das sind umhüllte Betrachtungen oder verkleidete Anklagen und Scheltereien«, sagte Ellena, »ich denke, du hättest Grund, beschleunigt Vorschläge zu machen.«
»Ins Bett wollen wir«, schrie Gustav, »ich habe genug von diesem halben Spuk, der kaum überrascht, nur plumpe Keulenschläge austeilt. Das ist ja wie das Innere einer Jahrmarktsbude. Eine schlechte Aufmachung, um schwache Nerven weiter zu schwächen. Ist das buntbeschmierte Entsetzen ein kalter Spott? Oder berühren wir, ungebetene Gäste, die zu früh aufgedeckten Anläufe eines Verbrechens? Gibt es denn Geschöpfe, die so sehr im Martyrium dampfen, daß sie, vom leeren Schauder ergriffen, diesen Aufwand veranstalten, um einen Mord zu begehen, zehn Morde? Kennt ihre Blindheit nur ein Ziel, ihnen Versiegen durch unauslöschliche Schuld zu bringen?«
»Ich finde, du sprichst nicht erbaulich«, sagte Ellena, »du könntest deine Zunge zügeln. Du empfiehlst uns, schlafen zu gehen, und deutest gleichzeitig meine Ermordung an. Erwartest du etwa, daß ich mich ins Bett lege, sozusagen ohne Umschweife beruhigt einschlafe?«

Gustav sagte: »Ich bin auf dem Nullpunkt. Meine Seele droht vor Angst zu gefrieren.« Er lief an die Tür, packte die Klinke. Das Schloß versagte nicht. »An dieser Stelle scheint der Überfall zurückgewiesen«, sagte er.
»Es könnte dir, zum Beispiel, einfallen, den Kapitän zu holen«, sagte das Mädchen.
»Nein«, entgegnete Gustav.
»Oder vorzuschlagen, daß ich eine andere Kammer beziehe«, sagte das Mädchen.
»Damit wir dort Entdeckungen machen, die uns zum Verzagen bringen«, antwortete Gustav, »ich will nicht. Ich will nicht. Ich fühle mich nicht stark genug, den Kampf mit einem Drachen zu bestehen. Ich bin schon in den Umarmungen der Melancholie. Mir erscheint dieser Tag wie ein Gleichnis vom Dasein im Protoplasma, das mit zunehmendem Alter trockener, geringer und hoffnungsloser wird. Die Wunder des Lebens enthüllen sich als Vorbereitungen zu den großen Ernüchterungen. Am Ende steht die Vergreisung. Das Ungewöhnliche ist eine Stufe, die zum Verbrechen führt. Die Korruption der Dinge und unserer Sinne ist ziemlich allgemein. Die Holzbalken werden uns nicht antworten. Und durchschimmernd werden sie auch nicht werden. Dies Schiff, ein begrenzter Ort, ist mit unserer Einsicht nicht so weit zu erleuchten, daß ein paar vierschrötige Ungewißheiten sich beseitigen lassen. – Wenn du den vergangenen Tag zu einem Gerippe machst und alles wegbläst, was unser Herz, unser Gefühl als Fleisch um das Gebein hat wachsen machen – dann bleibt: einem Matrosen hat ein Jemand die Fußsohle in den Bauch gesetzt. Und die Ohnmacht des Getretenen läßt vermuten, es hat den Eingeweiden geschadet. Ein anderer, blutüberströmt von den Schlägen eines Gummiknüppels. Die Frage klebt nun an unserer Haut: womit haben sie die Mißhandlung verdient? Was bezweckt die Vorsehung? Wir finden keinen Beweis gegen die Anarchie der Abläufe. Das Loch in einer Bretterwand ist nicht willkürlicher als die Verurteilung eines Unschuldigen. Der Geist des Menschen genießt die Landschaft des Daseins nur neben den ausgefahrenen Wegen. In der Wildnis lauert die Angst. Ein Gedanke, ab vom Zweck, stößt das Gebäude herkömmlicher Vernunft ein. Vielleicht wollte der alte Lionel Escott Macfie einmal eine Schiffswand aufrichten,

die der Übereinkunft nicht entsprach. Und wir büßen, weil wir auf nichts anderes vorbereitet sind, als was wir auf den Schulen gelernt haben.« Gustav liefen perlend einige Tränen über die Wangen. »Wenn wir zu denken anfangen«, fuhr er fort, »sind wir nackter als bei der Geburt und hilfloser. Und ersticken an der Schlinge eines absterbenden Nabelstranges.«
»Das sind trostlose Deutungen unserer Berufung«, sagte Ellena.
»Ja«, antwortete Gustav, »ich habe keine besseren zur Hand.«
»Und die Liebe?« fragte sie. Und forderte ihn heraus.
»Man kann darüber einiges sagen«, antwortete er, »wir erliegen ihr. Die alten Trümmer unserer Instinkte sammeln sich zu gewissen Entscheidungen. Wir sind ja Fleisch. Es gibt eine Kraft, die uns daran hindert, uns ins Meer zu stürzen.«
»Es gibt Menschen, die stürzen sich hinein«, antwortete sie trotzig.
»Irgendwo ist der endliche Weg zuende«, sagte er.
»Ist noch ein Sinn in unserer Unterhaltung?« fragte sie.
»Wir kennen die Zukunft nicht«, antwortete er, »und es gibt Anlässe, die uns zwingen, keine andere Peinigung zu haben, als nach ihr zu fragen. Das Ungewisse ist wie flüssiges Metall, es kann uns sengend durchlöchern.«
»Schluß!« sagte sie. »Ich will wissen, wie wir schlafen sollen. Ich werde in dieser Kammer nicht allein bleiben.«
»Es ist sehr spät«, antwortete er, »und wir müssen uns entscheiden.«
Sie schwiegen. Jeder dachte einen Gedanken, hatte einen Vorschlag bereit. Dem Mädchen stiegen Tränen in die Augen, es verkrampfte die Lippen.
»Du mußt etwas sagen«, brachte Ellena nach langer Zeit hervor.
»Das Versprechen, das ich dem Kapitän gegeben habe, werde ich nicht halten«, sagte Gustav.
Ellena war nicht im Zweifel, welche Zusage er brechen wollte. Aber sie drang noch weiter in ihn, quälte ihn, er solle es genau aussprechen.
»Ich werde bei dir schlafen«, damit entschied er es.
Ellena errötete ein wenig, doch antwortete sie nichts. Sie begann im Schubkasten einer Kommode zu kramen. Sie reichte ihm einen ihrer Schlafanzüge. Er war ja für die Reise nicht ausgerüstet. Von ihm abgewandt entkleidete sie sich. Mochte er ihren

Rücken betrachten. Und ihre Schenkel. Aber er schaute sie nicht an, nicht offen und nicht verstohlen. Die Nacktheit war kein Köder. Seine Sinne waren übermannt von einem Strom trüber, giftiger Empfindungen. Das Mädchen war bald im Nachtanzug. Schlug die Bettdecke zurück. Legte sich.
»Nun ist die Reihe an mir«, sagte er trocken. Vollzog die Umkleidung, den Rücken Ellena zugewandt, wie sie es ihm vorgemacht hatte. Der Augenblick war da, wo irgendein Ausdruck ihrer gegenseitigen Liebe sich einstellen mußte. Jene Offenbarung, daß die wilde, jedem anders wuchernde Leiblichkeit ihnen angenehm war, und das Widerliche des Fleisches sich an einer unaussprechlichen Harmonie der Gefühle verlor.
Gustav stellte sich an den Rand der Lagerstatt und lächelte befangen und erwartungsvoll zugleich. Er war nicht bereit, ja geradezu unfähig, irgendwelche Beteuerungen seiner Liebe zu geben. Er hatte sich vorgenommen, nur als Wächter, vergleichbar einem treuen Tier, an Ellenas Seite zu schlafen. Seinem Versprechen gleichermaßen nur dem Anscheine nach untreu zu werden. Und er war jung genug, seinem Vorsatz alle Regungen des Herzens unterordnen zu können.
Manche Menschen, wenn sie vom Hauch der Reife berührt sind, verbrauchen diesen Zustand beseligten Genusses in wenigen Stunden, andere vermögen wochenlang in ihm unterzutauchen. Knaben, an der Schwelle der Mannbarkeit, verlieren zuweilen ein Jahr, wandern in einem Labyrinth heißer Gelübde, närrischer Bilder, verzehrenden Verlangens. Berührungen vonseiten eines geliebten Wesens sind Beglückungen, die sich ihrer Erinnerung unauslöschlich einprägen. Es ist der Taumel unerkannter Versuchungen. Sie hängen einem Freunde am Halse oder streifen flüchtig mit ihren Lippen die Hand der Mutter oder sterben fast, weil ihnen das Wagnis gelang, auf offener Straße vor einem Mädchen die Mütze zu ziehen.
Gustav erinnerte sich später, niemals eine köstlichere Nacht verbracht zu haben, Stunden voll süßer Traurigkeit. Gewiß hatte er auch vor dieser Zeit schon Ellena berührt. Seine Hände waren nicht unschuldig; die Lippen der beiden Menschen waren einander vertraut. In dieser Nacht aber lag der Körper Ellenas ganz nahe dem Gustavs. Wie in einer Mulde war sie geborgen. Und er spürte den Hang, sie ganz zu umschließen. Gewisserma-

ßen ihre Gestalt mit seiner Wärme abzutasten, sich mit dem Mädchen an den Grenzen der Haut zu vereinigen, ohne doch aufzudecken, daß sie ein weiblicher und er ein männlicher Mensch. Die Sinnlichkeit war nur wie ein dünner Rauch über ihnen. Gewaltiger waren die Ahnungen einer unermeßlichen Trauer. Ihre Augen füllten sich mit Tränen. Und sie kamen aus dem natürlichen Schmerz des Daseins. Es war wie ein aufgeschlagenes Buch vor ihnen; es stand darin, sie waren einmal gezeugt und geboren worden. Und eine Fügung hatte sie zusammengebracht, zwei Wesen, sehr unterschiedlicher Abstammung; aber beide doch gleichermaßen ohne Verdienst. Sie fühlten, trotz der Trennungen und sonderbaren Prüfungen, die Harmonie des Einigseins. Den herben Zauber einer Erlösung, verwilderte unermeßliche Hoffnungen. Zugleich das taube Bild des Todes. Unbarmherziger Schlag der Wellen. Die Hand des Mörders. Die Angst. Das Mißtrauen gegen die Vorsehung. Die ohnmächtige und zerknirschte Kreatur, die einmal, verlassen vom Geringsten, frierend, ohne Belehrung ins Grab sinkt. Die keine Sage hinterläßt. Die vergeblich gezittert, gelitten, gehofft hat. – Der Raum, den die Sterne durcheilen, spielte auf dieser beiden Menschen Seelen. Bewegungen junger Katzen. Und sie schliefen ein, Arm in Arm, auf dem Meere fahrend.

*

Waldemar Strunck fand an die Tür des Raumes, in dem sich der Superkargo eingerichtet hatte, eine kleine Karte geheftet, mit dem Namen »Georg Lauffer« daraufgedruckt. Offenbar sollte das Schild den außenvor Stehenden daran erinnern, daß er nicht ohne eine gewisse Sammlung hereinstürmen dürfe, geradezu fremdes Gebiet betrete und sein Verhalten danach einrichten müsse. Die kühle Zurückweisung, die von öffentlichen Kontoren ausgeht. Oder auch, der Beauftragte einer hohen Regierung oder was er sein mochte, hatte es satt, nur als grauer Mann bezeichnet zu werden, die Verkörperung einer anrüchigen Pflicht zu sein. Er wollte seinen Namen auf diese Weise jedermann einprägen und ein gewöhnlicher Mensch werden. Der Kapitän pochte. Und trat ein, ehe er eine Aufforderung dazu erhalten hatte.

»Guten Morgen«, sagte der Superkargo.
»Ich dringe hier ein, vielleicht unwillkommen«, sagte der Kapitän, »aber ich habe ein starkes Bedürfnis, von Ihnen aufgeklärt zu werden. Es gibt ein paar ärgerliche Unklarheiten. Ich will nicht schroff sein, nur etwas richtigstellen. Löcher in den Mitteilungen, die man mir gemacht hat, ausfüllen.«
»Sie fordern nichts Unbilliges«, antwortete der Superkargo ruhig.
Waldemar Struncks klares und festes Gesicht bedeckte sich mit einem Schatten.
»Sie werden mir auf meine Fragen die Antwort nicht verweigern?« vergewisserte sich der Kapitän.
»Ich habe ein ungetrübtes Vertrauen zu Ihnen«, sagte Georg Lauffer, »setzen Sie sich bitte. Ich würde mich freuen, wenn Sie mir die gleiche Offenheit entgegenbringen würden, die ich mir vorgenommen habe, Ihnen zu zeigen.«
»Ich gebe das Vertrauen zu einem Menschen nicht grundlos preis«, erwiderte Waldemar Strunck.
»Dann fühle ich mich bei unserer, vielleicht strengen Unterhaltung geborgen«, sagte Georg Lauffer, »ich ahne, Sie sind beunruhigt.«
»Ich gehöre nicht zu jenen Menschen, die bei jedem Ereignis auch die Auslegung verlangen; und damit bei heiklen Aufgaben zu Tölpeln werden«, sagte der Kapitän, »ich habe mit meinen Augen manches gesehen, mit meinen Ohren manches gehört, was mir eine Anschauung von den Einrichtungen der Menschen gegeben hat. Die Bürokratie, die königlichen Kaufleute, die Gerichtsmaschinen, die Freiheit der Meere, Bordelle, Sklavenmärkte, Kolonialkriege. Die unangenehmen Düfte der heiligen Institutionen sind mir in die Nase gestiegen. Ich habe gelernt zu schweigen. Mein Bekenntnis ist schlicht, kein Ausdruck der Wohlerzogenheit, aber von hinlänglicher Offenheit.«
»Sehr gut«, sagte der Superkargo, »so werden wir bald einig sein.«
»Sie vermuten es«, sagte Waldemar Strunck, »aber mir ist das Herz ziemlich schwer und der Kopf voll.«
Es entstand eine Pause. Mühsam nahm Georg Lauffer das Gespräch wieder auf: »Ich bin nicht harmlos. Das macht mich verdächtig.«

Der Kapitän hob die Hände auf, um seinen Widerspruch auszudrücken oder den Redenden von Heftigkeiten abzudrängen.
»Sie wollen mich fragen, wohin wir segeln«, fuhr der Superkargo fort, »ich weiß es nicht. Ich weiß es noch nicht.«
»Wie soll ich das verstehen«, schob Waldemar Strunck ein, »die Schiffspapiere, die Sie verwahren, müssen doch darüber Angaben enthalten.«
»Sie schweigen sich aus«, sagte der Superkargo, »das ist nichts Wunderbares. Ich stehe in Verbindung mit einer Station, einer schwimmenden Station, einem zweiten Schiff. Von dort empfange ich täglich telegraphisch meine Befehle.«
»Das ist erstaunlich«, sagte der Kapitän mit erregter Stimme, »es ist unglaubwürdig.«
»Sie zweifeln daran?« sagte Georg Lauffer, »dann bin ich, zwar ohne Geständnis, überführt, ruchlos zu sein. Jedes weitere Wort ist zuviel.«
»Ich bin nicht gekommen, um mir neue Ungewißheiten aufbürden zu lassen«, sagte Waldemar Strunck, »vielmehr, um die alten zu beseitigen. Vielleicht bin ich beschränkt, und Sie machen sich im geheimen über mich lustig. Aber es ist ein starkes und großes Schiff, das ich führe, keine Gifttonne.«
»Wenn ich Ihr Vertrauen nicht habe, bin ich Ihnen gegenüber hilflos«, antwortete Georg Lauffer, »dennoch hat es mein Interesse, zu erfahren, was Sie empört. Ich begreife Ihre Andeutungen nicht. Ich bin mir nicht bewußt, jemals Ausfälle gegen Sie gemacht zu haben. Ich habe mich für leidenschaftslos, geradezu für unbeeindruckbar gehalten.«
Der Kapitän fühlte, er würde diese Begegnung nicht leicht bestehen. ›Ich muß mich vorwärts tasten‹, sagte er halb zu sich selbst, überlegte noch einmal, ob es nicht gewagtes Spiel sei, weiterzureden. Schließlich war die Schmach, einfältig zu erscheinen, nicht schlimm. Er fuhr fort: »Gestern nacht machten Sie mir die Mitteilung, der Verlobte meiner Tochter sei anbord. Fügten hinzu, gesehen hätten Sie ihn nicht.«
Der Superkargo unterbrach den Kapitän: »Sie möchten wissen, wer den jungen Mann verraten hat? – Ich kannte das Versteck des blinden Passagiers schon, als das Schiff noch im Hafen war.«

»Sie haben mir davon nichts angedeutet«, antwortete Waldemar Strunck betreten.
»Ich bin kein Spielverderber«, sagte Georg Lauffer.
»Sie können doch feste Gegenstände nicht mit den Augen durchdringen«, sagte Waldemar Strunck. Er fühlte sich geschlagen.
»Gewiß nicht«, sagte der Superkargo, lächelte; »aber es kann mir jemand das eine oder andere erzählt haben.«
»Der Reeder«, kam es gurgelnd aus Waldemar Struncks Mund hervor, »ist er auf dem Schiff?« Er schleuderte den Oberkörper herum, als wolle er das gefährliche Geheimnis verjagen.
»Nein, nein«, rief der Superkargo, und er verbarg nicht, daß die seltsame Gebärde des Kapitäns ihn belustigte, »was für eine absonderliche Vermutung.«
Die Beschämung Waldemar Struncks war vollkommen.
Der Superkargo fuhr fort: »Ich bin in der Tat betrübt, daß die Anonymität der Ladung und die Ungewißheit des Reisezieles Sie in Bedrängnisse bringen. Jetzt erkenne ich auch die eigensinnige Unschlüssigkeit, mit der Sie mich ausfragen. Aber ich kann Ihnen bei der Lösung Ihrer Zweifel nicht dienen. Jedenfalls kommt mir im Augenblick kein glücklicher Gedanke. Ich selbst kenne den Inhalt der verladenen Kisten nicht. Man kann das eine oder andere vermuten. Aber man muß sich hüten, tollkühn oder unnatürlich vorzugehen. Der grenzenlose Verdacht ist unnütz, weil wir Pflichten auf uns genommen haben.«
»Wir mißverstehen einander«, sagte der Kapitän in höchster Verzweiflung, »ich habe eine falsche Reihenfolge in meine Rede gebracht.«
»Das läßt sich berichtigen«, antwortete der Superkargo, »gestehen Sie mir doch, was Sie bedrückt. Ich meine den Kern, nicht die Schale. – Da fällt mir ein, Sie haben vor wenigen Augenblicken bezweifelt, daß ich meine Anweisungen telegraphisch empfange, von einem Schiff aus, das uns in einem Abstand von einem halben oder ganzen Hundert Kilometern folgt. Ich kann Ihnen keinen physikalisch-mathematischen Beweis für meine Behauptung geben, will es auch nicht. Schließlich müßten Sie mich zuvor überführt haben, ein

Lügner zu sein, ehe Sie mit Berechtigung meinen Worten mißtrauen.«
Er stand auf, trat an einen Schreibtisch, der mit einem großen hölzernen Oberbau ausgestattet war, schloß auf, klappte einen Deckel zurück, zeigte hinein. »Hier ist die Apparatur«, sagte er, »es hängen keine Antennen zwischen den Masten, kein Motor zur Erzeugung elektrischer Kraft ist anbord. Gleichviel. Lesen Sie nur das erste Morgentelegramm.«
Er zog einen dünnen Streifen Papier hervor und dolmetschte die Zeichen:
»Durch den englischen Kanal sollen wir, um den Atlantischen Ozean zu gewinnen.«
Waldemar Strunck hatte wieder Gewalt über sich erlangt. Die Erklärungen Georg Lauffers waren ihm sehr willkommen. Doch ließen ihn die Winkelzüge einer ausgeklügelten Technik kalt. Er empfand Widerwillen gegen diese geheimnisvolle Veranstaltung, die mehr einem Dünkel als übermäßiger Vorsicht entsprungen zu sein schien. Ein zweites Fahrzeug, womöglich ein Dampfschiff, pflügte den Ozean, um ein paar Funksprüche zu vermitteln. Ein Vorgesetzter des Superkargos. Ein Kommandierender im Befehlsturm einer Sendeanlage. Ein Orlogschiff. Hier gab es keine Schranken für eine wuchernde Gewalt der Einbildung. Am Ende war alles eine ungehörige Vergeudung von Geld. Der Trick eines unverschämten Reeders, um die Staatskassen zu schröpfen. Es war nur zu fragen: eine wie kostbare oder gefährliche Ladung konnte diesen Taumel von Überklugheit, die Überrumpelung so und so vieler Beamten möglich gemacht haben? Waldemar Strunck glaubte das Maschenwerk einer bürokratischen Fehlorganisation erkannt zu haben. Eine Minute der Hellsichtigkeit war über ihm. Mit dem Ekel vor dem unfruchtbaren Mechanismus, der einem blinden Mißtrauen entwachsen schien, einer sträflichen Geringachtung der Kreatur Mensch, stellten sich ihm die empörenden Bilder wieder vor, die sich bei der Ausfahrt des Schiffes abgespielt hatten. Mißhandelte Matrosen. Damit bedrängte er den Superkargo. In dieser unebenen Zeitspanne unter vier Augen, forderte der Kapitän Rechenschaft. Die Wahrheit des Vorganges. Ganz deutlich war ihm wieder die Stunde, in der Georg Lauffer die Mannschaft ausgekleidet geschildert hatte, als mehr oder

minder an Leib und Seele verkrüppelte Wesen; wie ein halbirres Mädchen haßerfüllt von einem Manne spricht, der sie enttäuscht oder verlassen hat. Waldemar Strunck fragte, ob der Superkargo seine Kenntnisse von einer militärischen Aushebungskommission erhalten habe. »Nein«, antwortete Georg Lauffer schlicht. Er habe Augen im Kopfe.
Das Märchen vom Versuch, eine Kiste zu erbrechen, sei dürftig erfunden, behauptete der Kapitän.
Darauf antwortete der Superkargo nicht. Er bereitete seine Entgegnung auf Umwegen vor. Er begann von etwas anderem zu sprechen, fragte den Kapitän beiläufig, ob er unterrichtet sei, an welchem Platze des Schiffes der blinde Passagier genächtigt habe.
Er weiß es nicht, sagte Waldemar Strunck, er findet die Frage ungehörig. Er gesteht, daß der Streich Gustavs den Kapitän ins Unrecht setzt. Aber ein Beil, oft benutzt, wird schartig. Gustav wird wohl ein Nachtlager gefunden haben, das ihm behagt hat.
»Ja, im Bett der Geliebten«, sagte kühl der Superkargo.
Waldemar Strunck begriff, daß dies Wort keine Beleidigung sein sollte. Der natürliche Tonfall ließ sogleich vermuten, ein moralischer Einwand war nicht beabsichtigt. Auch nicht die Spur einer Warnung an den Vater lag darin. Aber der Kapitän, in einem sehr ungelegenen Augenblick, wurde genötigt, zur Unklugheit der Liebenden Stellung zu nehmen. Die natürliche Eifersucht der Väter. Die Furcht vor lästigen Verwicklungen, die die Erfahrung der Älteren begleitet. Die Luft in den Hütten der Schiffe, die so leicht geil wird, weil der Geruch von Männern an den Gegenständen haftet. Waldemar Strunck war bestürzt und verwirrt. Er schwieg, um Kraft zu sammeln. Er verschloß sich nicht der Erkenntnis, die Anwesenheit Gustavs war der Anlaß zu bösen Konstellationen. Schließlich war über den Karakter des jungen Menschen nichts Gültiges bekannt. Er hatte Verwirrung gestiftet. Folgerichtigkeit des Denkens, gepaart mit allen Zweifeln gegen das Absolute, schien den Geist des Burschen zu prägen. Eine mystische Klugheit, eine gelehrte Dummheit. Jedenfalls stand das Gespräch mit dem Superkargo nicht zum besten für den Kapitän. Der Gegner konnte vermuten, der Seemann trug schwer an den empfindlichen Äußerungen der überhitzten jungen Menschen.

»Weshalb erzählen Sie es mir?« fragte nach langer Pause Waldemar Strunck.
»Nur um auszudrücken, daß ich es weiß«, antwortete Georg Lauffer, »und niemand hat es mir verraten.«
»Es ist vielleicht anempfehlenswert, des Gespräch bei einer anderen Zeit fortzusetzen«, sagte der Kapitän. Er wischte sich ein paar Tränen aus den Augen. Er gestand sich ein, er liebte Gustav, weil er der Geliebte der Tochter war. Neid und Trauer. Und das bange Glück, sich das eigne Kind fruchtbar und gesund zu wünschen.
»Das Märchen vom Versuch, eine Kiste zu erbrechen, wie Sie sich auszudrücken beliebten, ist eine Umschreibung für das verbrecherische Verlangen der Schiffsmannschaft, das Geheimnis der Ladung zu lüften. Vorstufe der Meuterei. Schon der Schatten einer Unzuverlässigkeit macht einen Mann ungeeignet, bei diesem Transport mitzuwirken. So hat das Schiff Kapitän und Besatzung gewechselt, und die Mannschaft ist abermals gesiebt worden.«
Waldemar Strunck ging, ohne ein Wort zu sagen, hinaus.

*

Er stand mit Ellena und Gustav am Bugspriet und wiederholte ihnen das Gespräch mit dem Superkargo. Er verschwieg, was der Mann über das gemeinsame Nächtigen der Verlobten berichtet hatte. Die jungen Menschen fanden, der Kapitän habe nur eine magere Ausbeute davongetragen.
Waldemar Strunck schaute vornaus aufs Meer. Und ließ sich von der flaumigen warmen Luft das Antlitz streicheln. Minutenlang wichen die Gedanken von ihm. Der Horizont, der sich auflöst. Irgendein sommerlicher Weg, der bergan steigt, inmitten strotzender Wiesen. Die Höhe verbirgt die Landschaft und die Wohnungen der Menschen. Keine Vermittlung zwischen dem nahen Grün und dem fernen Grau des Himmels. Ein schneidender Ton der Erinnerung, unausweichbar, vergleichbar dem letzten Augenblick eines Gehenkten, der den Galgen einsam braundunkel inmitten einer ätzenden bleifarbenen Leere sieht. Waldemar Strunck dachte an seine Heimat und an das Glück seiner Lenden.

Warum sollte der Mensch, nach einem unrühmlichen Streit, mit vollen Händen ankommen? Er konnte und wollte nicht aussprechen, wie sehr er beschämt worden war. Keinerlei Regung einer verstohlenen Freude preisgeben, daß ihn die Geräte des Superkargos nicht schreckten! Wie gleichgültig waren ihm die elektrischen Relais, Horchapparate, eine Sendeanlage mit massiver Innenraumantenne! Der Kapitän empfand: die Geheimnisse waren eingeschrumpft, das Maß der Dinge war wiederhergestellt. Ein paar Kleinigkeiten aufzuklären, hatte er unterlassen – wegen der unvorteilhaften Wendung, die das Gespräch zum Schluß genommen. An die Kleinigkeiten klammerte sich Gustav. Er wollte aufs genaueste über den Zweck des Bettunnels belehrt werden. Bis zur Befriedigung seines Begehrens behauptete er an nächtliche Überfälle, Vergewaltigung, Mord, an den grausamen Scharfsinn des Verbrechens zu glauben. Er stürmte davon. Er wollte den Mund des grauen Gesichtes lose machen.
Waldemar Strunck und die Tochter gingen unter Deck. Warteten in Ellenas Kammer. Der Superkargo und Gustav kamen nach geraumer Zeit. Georg Lauffer wurde genötigt, den Gang unter der Lagerstatt in Augenschein zu nehmen.
»Wie, bitte«, fragte Gustav, »erklären Sie das Vorhandensein des Tunnels?«
Der Superkargo schwieg.
»Das ist doch eine Konstruktion, die häßliche Schliche ermöglichen soll«, behauptete Gustav.
»Ich weiß nicht, wie vielen Schiffen Sie ins Eingeweide geschaut haben«, sagte Georg Lauffer, »und auf wie viele unerklärliche oder stümperhafte Behelfsmaßnahmen der Konstrukteure Sie dabei gestoßen sind. Die Wohnkammern sind nachträglich in den Schiffsrumpf eingebaut worden. Überflüssig bis jetzt.«
»Ich bin ein Neuling«, antwortete Gustav, »aber Schiffbauer zählen wohl nicht zu den gehirnschwachen Menschen.«
»Über die Verstandesfähigkeiten der Erdbewohner möchte ich mich nicht aussprechen«, sagte Georg Lauffer, »nur ein Urteil über mich will ich abgeben: ich bin nicht allwissend. Ein mittelmäßiges Wörterbuch würde mich schon in Verlegenheit bringen.«
»Was soll das heißen«, Gustav fragte spitz und ohne Beherrschung.

»Ich kann Ihnen den Zweck des Tunnels nicht angeben. Ich kenne ihn nicht«, sagte Georg Lauffer, »Sie müssen sich selbst das eine oder andere zusammenreimen, wenn Sie nicht im Ungewissen verharren können.«
»Sie wollen also die geheime Absicht, die mit dem Schacht verbunden ist, nicht verraten«, sagte beharrlich und höchst ungezogen Gustav.
»Ich will Ihnen keine Auskunft über Dinge geben, von denen ich nichts verstehe«, sagte der Superkargo, »ich muß mich zudem hüten, etwas Ungefähres oder eine Überlegung, die aus mir kommt, zum besten zu geben; damit ich nicht weiter beschuldigt werde, Märchen zu erzählen, die schlecht erfunden sind.« Er hatte sich voll dem Kapitän zugewandt. »Ich bringe nur Zwietracht, wenn ich leichtfüßig bin.« Er schwieg. Da er keine Entgegnung bekam, begann er weiterzusprechen. »Ich habe Erfahrungen hinter mir. Es ist nicht das erste Mal, daß ich eine anonyme Ladung an ihren Bestimmungsort leite. Ich bin darauf vorbereitet, im Laufe der Wochen Seelenzuständen bei den Mitfahrenden zu begegnen, die das Zusammensein ungemütlich machen und das Mißtrauen allgemein. Dieser erste Tag hat schon seine Abgründe. Er läßt vermuten, ich werde es schlimmer haben als sonst. Heute befragen Sie mich wegen eines Schachtes, über den vielleicht das krumme Hirn eines mittelmäßigen Schiffstischlers Auskunft geben könnte. Morgen wird Sie eine andere handwerkliche Leistung peinigen. Ihr Glaube an die Physik ist groß und an die Vernunft des Menschen noch größer. Da Ihnen indessen die moralische Vollkommenheit noch nicht begegnet ist, steht Ihr Gemüt dem panischen Schrecken offen. Ihre Anwesenheit anbord ist zufällig. Sie zählen nicht zu den Leuten, die man, ehe sie ausfahren durften, auf ein Sieb gebracht hat. Sie sind für mich etwas Unbekanntes, ein blinder Passagier. Und es muß sich erweisen, ob Sie sich zu meinem Feind entwickeln werden.«
Der Superkargo schwieg abermals, betroffen über sich selbst. Er spürte, es waren ungenaue Töne in seiner Rede. Er heischte Mitleid, tummelte sich aber zugleich mit boshaftem Wohlgefallen in der Niederung verschlagener Beleidigungen. Da er wieder keine Entgegnung bekam, fuhr er fort: »Ich habe keinen Grund, das Unbehagen und die Gegensätze zu fördern. Es ist meine

Rolle, am Ende allein zu stehen. Es wird sich keiner finden, um Sie über die Reling ins Meer zu stoßen oder in eine Strafkammer zu sperren. Ich habe mehrmals erlebt, wie schwach der Schutz mittels einer Pistole ist. Ich will Ihnen anvertrauen, ich habe keine in meinem Gepäck. Ich schlage vielleicht mit einer Metallstange um mich. Oder zaubere einen Revolver aus einem Federhalter.« Er atmete tief. Er war schon zufriedener mit sich. »Sie werden, mit einer Summe von Gefühlen behangen, zukünftig an Deck und unter Deck umherstreifen. Ihre Jugend oder die unerbaulichen Ereignisse einer langen ungewissen Meerfahrt werden Ihre Neugier unmäßig machen. Sie werden Ihre Augen auftun und sich über vieles verwundern. Über Schrauben, Bolzen, Geräte, Gänge, Schächte, bronzene Tanks. Sie werden immer das Unbekannte finden oder das Erstaunliche. Ein ungewöhnliches Inventar. Das Schiff nämlich ist ursprünglich für die Erforschung magnetischer Phänomene auf dem Meere erbaut worden. So hat mir der Reeder erzählt. Es findet sich kein eiserner Gegenstand anbord. Die Nägel in den Werkzeugkästen selbst sind aus Kupferlegierungen. Unsere Ladung, wer weiß es, verdirbt ihre Instinkte, wenn sie lange in einem Stahlbauch ruht. So sind Physik und menschlicher Verstand auf diesem Schiff vielleicht weniger entthront, als Sie vermutet haben.«
Der Superkargo empfahl sich und ging.
»Du wirst dir einiges überlegen müssen«, sagte Waldemar Strunck, »ich werde nicht dulden, daß du eine weitere Nacht mit Ellena im gleichen Bett schläfst.« Auch der Kapitän verließ die Kammer.
Die beiden Verlobten blieben verblüfft, ganz ohne Aufklärung zurück. Gustav sagte nach einer Weile: »Die älteren Leute sind doch nicht so dumm, wie wir Jungen uns einreden.«

III
Die Freiheit der Meere

Die Wahrnehmungen der Sinne waren in Einklang gebracht mit den Übereinkünften. Die allgemeinen und augenfälligen Gesetze waren an keinem Punkt umgebogen worden. Und das Prinzip der Nützlichkeit war inmitten eines bedeutenden Aufwandes zur Herrlichkeit geführt. Der Spleen eines einzelnen war widerlegt. Es handelte sich um eine große Sache oder um ein großes Geschäft; jedenfalls um ein menschliches Vorhaben, das, wie alle anderen, eingebaut war in den Prozeß der Wirtschaft oder des fördernden Austausches. Auch dies ein Baustein der Zivilisation, womöglich des Fortschrittes. Gustav dachte das Wort. Aber er lächelte doch, nachdem er es gedacht hatte. Er schnalzte mit der Zunge, und gleich zeigten sich ihm sehnige und schnelle Hände von Negern, wenn sie Palmenblätter statt Papier benutzen, um darin Sago oder Nußbrei einzuschlagen. Aber er machte sich keine Umstände oder geistige Unkosten mit der heißen braunen Haut der Afrikaner, die gewiß auch einen Geruch hatte. Er kannte ja nur die geronnenen Bilder in den Büchern; die steilen Brüste der unbekleideten jungen Frauen und Mädchen als papierene Tatsache. – Schiffe gehen in die unbegrenzte Landschaft der Ozeane hinaus. In den Segeln ist etwas vom Flügelschlag weiser Vögel. Die Wolken scheinen daran zu hangen. Wenn die Seefahrt nicht dem schlimmen Überfall auf Wehrlose dient, ist sie schon tugendhaft.
Gustav genoß diesen Triumph der Vernunft. Er fühlte sich, noch vor kurzem ein blinder Passagier, eingegliedert in die Schiffsgemeinschaft. Er hatte sich der Mannschaft vorgestellt, hatte mit allen Zigaretten geraucht. Jetzt stand er andeck, gestattete der Sonne, seinen Schatten zu werfen, dachte das eine oder andere Vorteilhafte von guten Schiffen. Und daß vielleicht, irgendwo,

das unbekannte Menschenfleisch, würzig und überwältigend wie das Fell eines Pferdes, sich gegen sein Antlitz drücken würde. – Als Frucht dieser Reise. Der leise Gesang der Segel zauberte ferne Gestade herbei. Eine süße Lobpreisung des Vergänglichen. Nichts vom hohlen atemlosen Getön der Planetenbahnen. Der Triumph der Vernunft. Es schien keine andere Ursache für sein Glücksgefühl zu geben. Er war befreit.

*

Ellena begriff die Verwandlung Gustavs nur unvollkommen. Sie fand an den Wirklichkeiten garnichts geändert. Ihre Kammer war nach wie vor für Unberufene von zwei Seiten her zu betreten. Niemand hatte in Abrede gestellt, daß die Unterhaltungen abgehorcht worden waren. Und die Vermutung lag nahe, es gab keinen Ort auf diesem Schiff, der nicht ähnlich öffentlich war wie die abgeschiedene kleine Kajüte. Der Kapitän hatte den Verlobten eingeschärft, unter keinen Umständen die Schiffsmannschaft zu unterstützen, eine Ansicht vom Ziel der Reise zu gewinnen. Gleichsam einen Panzer anzulegen und den Hunger und Durst aus Wißbegier zu ertragen. Also gab es keinen festen Boden unter den Füßen. Und der Argwohn war nicht erstickt. Es war nur ein kleiner Gewinn, fast ein Garnichts, daß man die Übersättigung mit abschüssigen Rätseln verwunden und einander reine Worte zugesprochen hatte. Diese Reinheit glich indessen einem sauberen Tuch im Finsteren; niemand konnte ausmachen, ob nicht etwas darüber verschüttet worden war. Heiter zu sein, war ein Verlangen, dem alle Menschen zustrebten. Auch das Mädchen hätte den herrlichen Tag genießen mögen. Aber sie fand die Wirklichkeiten nicht verändert.

*

Es war ausgemacht, sie würde die Kammer nicht weiter bewohnen. Sie wollte keine Kammer bewohnen. Sie wollte aus dem Schiffsrumpf heraus, nach oben, in die auf dem Mitteldeck errichtete Hütte. Hier waren die Wohn- und Gesellschaftsräume für Offiziere und Fahrgäste. Die Ausstattung war einfach, ein wenig grobschlächtig. Gediegenes Holz, in den Urwäldern von

Madagaskar oder Guayana gewachsen. Eine Art Wetterfestigkeit haftete den Möbeln und Wänden an. Als ob die Sturzseen an den Türen nicht Halt machen würden. Es war alles auf Nässe eingestellt. Die Abmessungen der Gelasse waren bescheiden. Die Balkendecken hingen mit schweren Profilen tief herab. Man glaubte mit dem Kopfe anzustoßen. Den einen der Salons benutzte man als Eßraum. Der zweite war mit ein paar Schränken voll Bücher ausgestattet. Er schien den Männern vorbehalten zu sein, um in Mußestunden dort zu sitzen, zu rauchen. Es war zugleich der Durchgang zu einem engen quadratischen Zimmer, an dessen Wänden Bänke, mit Büffelleder bezogen, standen, in der Mitte ein großer runder Tisch. Die Spielnische, wie man sagte. Den dritten, einen langgestreckten Raum, mit lichten Farben ausgemalt, hatte Ellena beschlossen, für sich einzurichten. Sie würde hier öffentlicher wohnen als vorher; unter den Augen vieler. Fenster nach dem Backbordlaufdeck und nach achtern. Jeder Matrose konnte durch die Bullaugen hineinschauen, wenn die Vorhänge nicht zugezogen waren. Die Tür mündete ins Treppenhaus, neben Rauch- und Spielzimmer. Gegenüber der Eingang zur Anrichte.
Der Umzug vollzog sich mit einigem Lärm. Es waren ein paar Seeleute zur Hand, die mehr als gefällig, lustig, mit einem Lächeln, das man nur jungen Mädchen anträgt, das Gepäck nach oben beförderten. Sie schleppten Matratzen herbei, Decken, einen überflüssigen Stuhl, Gläser und Wasserkaraffe. Und standen nun inmitten der Unordnung, unschlüssig, ob sie ihre Kunst des Bettenaufmachens, Säuberns und Aufräumens ausüben sollten. Sie taten es nach einigem Zögern. Dann gab es Viertelwassergläser voll Kognak. Man rauchte. Es war ein freudiges Ereignis, das man mit einem Gesang beschloß. Als der Tumult abgeklungen war, erschien Gustav. Er schaute zu den Fenstern hinaus und fand die Aussicht überwältigend. Das Deck, die vorüberschlendernden Matrosen, diese arglosen Männer von gutem und starkem Körperbau. Verläßliche Nachbarn. Das grünschwarze Meer mit dem Queckgold der Sonnenreflexe. Ellena suchte Wände und Fußböden nach geheimen Öffnungen ab. Sie stellte fest, Gustav war leichtsinnig. Kindlich. Noch sehr gegängelt vom anerzogenen Weltbild. Die Veränderung bedeutete das Ende ihres verschwiegenen Lasters,

einsam miteinander glücklich zu sein. Sie waren aus dem Paradies vertrieben, gemaßregelt. Ernste und ermahnende Worte des Kapitäns. Falltüren, doppelte Wände, Horcher, ringsum die Schritte der Fremden. Sie begriff den Gleichmut Gustavs nicht. Ein großartiges feierliches Boudoir nannte er die neue Wohnung. Er entdeckte den Duft von Vanille und Grenadill. Er umhalste sie lachend. Sie widerstrebte und prüfte die allbekannten Geräusche des Schiffes, ob nicht das Schurren einer Sohle sich einfangen ließe; sie war überzeugt, im Vorraum lauerte der graue Mensch.
»Du wirst zukünftig anderswo, in irgendeiner Kammer schlafen«, sagte sie mit ausdrucksloser Stimme.
»Ich werde dich doch besuchen dürfen«, antwortete er.
»Wie lange werden deine Torheiten bestehen?« sagte sie. »Sind die grausamen Prüfungen nur mein Teil? Du errötest nicht, so bedarfst du des Mitleids nicht. Denn dein Ungemach ist leicht.«
Gustav hätte bei diesen erstaunlichen, mit einem schmerzlichen Zucken der Lippen vorgebrachten Worten aufmerken müssen. Aber er hatte kaum hingehört. Die Klage streifte ihn nur oberflächlich. Und hätte sie ihn voll erreicht, ihn an einem Weichteil seiner Seele verwundet, er hätte den flüchtigen Schrei nach Erbarmen zurückgestoßen. Spuren seines Unwillens wären wie ein Ausschlag an ihm sichtbar geworden. Er hörte, wie sie (inmitten eines heftigen Kampfes) sagte: »Du bist blind.« Und später, wie wenn sie ein Jahrzehnt älter gewesen wäre als er, durchfurcht von gräßlichen Plagen, abscheulichen Versuchungen, als ob sie die Frucht, sich preiszugeben, lange in sich getragen, durch viele Gefahren hindurchgerettet: »Du bist mir nicht gleichgültig. Aber ich möchte allein sein.«
»Ja, ja«, sagte er. Und verstand sie nicht. Wie auch hätte er erraten können, daß in ihr die Unschuld in Gefahr war, daß sie einen raschen heftigen Trieb spürte, der noch keinen Namen hatte. Nun marterte kindliche Furcht sie, weil sie ihr Schicksal plötzlich in sich wachsen fühlte. Ohne doch irgendein Antlitz, weder Schein noch Schatten zu sehen. In dieser Stunde nahm sie das Los einer Mutter voraus, die auf das unbekannte Wunder ihrer Niederkunft wartet. Die sich ein gesundes Kind erhofft, aber, sie weiß nicht, welcher Kräfte voll, ihre Liebe auch einem Krüppel, einem Totgeborenen entgegentreibt. Gewiß war sie

eine Jungfrau und nicht beschmutzt; ihr Geist hatte keine Wünsche, die man hätte unlauter nennen können. Aber sie glich in diesen angstvollen Stunden einem Mädchen, das man während einer Betäubung geschwängert hat, in Unwissenheit belassen. Und das den Widerspruch seiner frommen körperlichen Aufgabe und unglücklichen mühseligen Einfalt erfüllt. Es spürt die lange Zerrissenheit und die fürchterliche, unerklärbare Veränderung wie eine einzige wunde Prüfung. Wenn es endlich seine Bestimmung erfährt, wehrt es sich nicht mehr. Es ist zu spät.

Ja, Ellena wollte ihrem Abenteuer fliehen, wie er das seine jubelnd suchte. Aber sie hatte kein treffendes Wort, denn sie war unschuldig gleich jener.

Er goß sich ein wenig Kognak in ein Glas, trank, ging. Als er hinaus war, verriegelte sie die Tür. Und begann fassungslos zu weinen.

*

Als Gustav am Abend in einer kleinen schmalen Kammer sich zur Ruhe gelegt hatte, begann er aufs neue den Triumph der Vernunft in seinen Gedanken zu lobpreisen. Neben seinem Bett brannte mit ruhiger Flamme eine Kerze. Sie stak in einem unten beschwerten Leuchterschaft, der in einem Kardangehänge pendelte. Die schöne und sinnvolle Einrichtung erweckte sein Entzücken. Das schwere blanke Metall, die Solidität der Arbeit. Gegossene Ringe, auf einer Drehbank nachgefräst, geschliffen, poliert. Er stellte sich die arbeitenden Hände vor. Andere, die das Gefüge des Balkenwerkes errichtet hatten. Er beschloß, keine Entdeckungsreisen im Innern des Schiffes vorzunehmen. Er wünschte sich, die Dinge, in ihrer gediegenen Zweckmäßigkeit und Statik, möchten sich ihm freiwillig auftun, wie dieser Leuchter jetzt, der sich in den Stürmen bewähren würde als die getreue Materie, deren Kraft nicht nachließ, auf den Mittelpunkt der Erde zu weisen, wenn das labile Gleichgewicht des Schiffes, gleichsam ein bedrängtes Gesetz, im ständigen Kampf mit den rohen Gewalten, ausweichend das Fahrzeug dem Sturm und Wellenschlag unterwarf. ›Das Metall wird genau so tugendhaft sein wie das kleine Wässerchen im Labyrinth meines Ohres‹, sagte er sich. ›Die Frömmigkeit des Fleisches ist die gleiche wie die der Steine. Nur ihre Dauer ist eine andere als die unsrige. Wir kommen und verschwinden leichter. Es ist etwas von der Flamme in uns.‹ Er hoffte, der Seekrankheit nicht zu erliegen. Trotz der Gewißheit, geborgen zu sein, im Einklang zu sein mit den Pendelschlägen seiner Umgebung, war er vermessen. Es verlangte ihn nach einer Heftigkeit, damit er seine Gegenwart verdoppelt fühlte. Er fand, seine Sinne waren verläßlich gewesen. Sie hatten nicht einmal die Ordnung durchbrochen, als die Qual des Verlangens um ihn aufschlug, nicht das einsame männliche Fleisch zu sein, sondern das tierische Wunder mit kühner Grausamkeit zu erleben. Jenen Exzeß der Lüste, dem niemand dauernd entrinnen konnte, der vom heiligen Hauch des Wachsens berührt worden war. Die einfachen Erlebnisse waren wie ein Spiel mit Zahlen. Und so geradezu, weder schwarz noch licht, wie eine chemische Reaktion. Er versank, ohne weiter auf sich bedacht zu sein, in die süße Erinnerung der vergangenen Nacht. Seine Haut erwärmte sich unter dem Trost verführerischer Bilder. Plötzlich zwang er sein Hirn, zu bekennen, daß es ja nicht das purpurne Licht seiner Glücksgefühle war, dem er nachhängen wollte. Welche Eingebung hatte ihn verleitet, die Wonne seiner Einsamkeit auszukosten? Er hatte sich doch vorgenommen, den letzten Bodensatz ungemäßer Wahrnehmungen aufzulösen. Da war die Begegnung mit dem Reeder im dunklen Kielraum. Daß Gustavs Sinne verläßlich wären, war es mehr als ein Zuspruch? Im Augenblick der Feststellung, schon schwankend, war er abgeirrt am inwendigen Klang des Wortes, fortgetrieben wie ein leichtes Stück Holz im Strom, erhaben, großmütig mit sich selbst, ohne weitere Sorge, welchen Sinnesorganen er das Lob zugedacht hatte. Er wurde nur belehrt, er würde sich niemals selbst erhaschen, sein Spiegelbild würde ihm nicht die Hand reichen. Das Glas würde sich kalt zwischen die Begegnung drängen. Die Begrenzungen umlauerten ihn. Er riß sich los, trat ein Gitter nieder und sagte mit schlauer Bestimmtheit, es wird ihn jedenfalls weder erstaunen noch erschrecken, wenn bei dieser Stunde oder bei einer anderen der Reeder zu ihm hereinkommt. Er hatte die Tür nicht verriegelt. Überflüssige Fürsorge. Denn er war entweder geborgen oder in Gefahr. Aber dieser Zustand war nicht durch eine verriegelte Tür abzuwan-

deln. Der Eigentümer des Schiffes konnte also hereintreten. Weil die Sinne Gustavs ihm die Gewißheit gegeben hatten, der Mann war, ihm gleich, als blinder Passagier anbord, sozusagen der Ladung verfallen oder ihr anhaftend. Dabei genoß der Besitzer Vorteile, die ihm, Gustav, natürlicherweise mangeln mußten. Das uneingeschränkte Besitzrecht. Die genaue Kenntnis der Lokale und Einrichtungen.
Diese Feststellungen zugunsten einer Überzeugung konnten nicht das Ende seiner Betrachtungen sein. Gewiß, er verweilte dabei, maßte sich eine strenge Stimme an und wiederholte damit, was in seinem Bewußtsein war: ›Ich habe ihn ja gesehen. Ich bin an einen anderen Ort gekrochen. Es war eine Flucht vor dem wirklichen Menschen. Es war kein Traum.‹ – Und die Zeit war keineswegs eine so gespenstische Dimension, daß sie sich von dieser Erde fortschleichen konnte, um bewaffnet mit dem Rhythmus, der jenseits der Milchstraße Gültigkeit hatte, zurückzukehren und Verwirrung zu stiften. Die Zeit, die er gespürt hatte, war die irdische Zeit, die ihm vertraute, meßbare. Und sie war gemessen worden. Der Lärm auf dem Schiffe und am Kai hatte ihm das Maß gegeben. So machte er sich ein dauerhaftes Fundament für seine Schlußfolgerungen.
Er wurde sich bewußt, er durfte zu niemand von seiner Überzeugung sprechen. Sie war bestritten worden. Mit Gründen, die gut genug sein mochten. Damit er selbst nicht wankend würde, mußte er die verborgene Person einordnen, ihr mittels der Vernunft einen Platz anweisen. Einen zufälligen oder mit Vorbedacht gewählten. Schließlich war er selbst ein blinder Passagier aus Liebe zu einem Mädchen. Konnte man die Rolle nicht auch mit anderer Begründung wählen? Gab es nicht genug Menschen, die auf der Flucht waren? Abenteurer, um die Sonne unter neuen Breitengraden zu schmecken; Überdrüssige, die der Heimat entflohen, weil der Geruch von Straßen und Stuben ihnen fade geworden war; Verbrecher, die sich für ein neues Leben bereit glaubten. Selbstverständlichkeiten, von denen die Zeitungen täglich berichteten. Sollte ein großes Geschäft oder eine große Sache einen Menschen nicht bestimmen können, auf kurze Zeit sich den Blicken der Umwelt zu entziehen? Man mußte nur annehmen, daß das Verhältnis des Reeders zum Superkargo nicht ganz geklärt war, um brauchbare Hypothesen

an die Hand zu bekommen. Es war keineswegs schwerer, sich mit der verborgenen Existenz eines Mannes als mit einem Kommandoschiff, das man nicht zu Gesicht bekam, abzufinden.
Gustav starrte ins Licht, sehr zufrieden mit sich, berührte den Kerzenhalter, daß er zu schaukeln begann, lauschte hinaus in die Nacht und empfing den Eindruck einer ausgedehnten Stille. Der leichte Wind verursachte keine Geräusche. Von Zeit zu Zeit nur zitterte dumpf der breite Aufschlag einer Welle, die der Bug zurückgeworfen hatte, durchs Schiff. Als Gustav nach ein paar Stunden erwachte, wußte er nicht, ob er die Kerze gelöscht hatte, oder ob sie herabgebrannt war.

*

Waldemar Strunck war außerordentlich angetan von der Haltung, die Gustav an den Tag legte. Da war nichts von einem krankhaften Verlangen an dem jungen Menschen. Er wurde nicht bei erschöpfenden Küssen, die schon nach Blut schmeckten, ertappt. Keine Erregungen, geschmeidig und schüchtern zugleich, nur schlecht versteckt, die verliebte Leute in den Augen der kühleren lächerlich machen. Da wurden die Minuten, die der Verlobte des Abends am Bette Ellenas saß, nicht zu Stunden ausgedehnt, keine Gelegenheit zum lüsternen Miterleben für andere, die auch unbefriedigt waren. Gustav hatte erkannt, das Schiff war ein recht öffentlicher Platz. Der junge Mensch besaß nicht die Fähigkeit, schamlos zu sein. Er schachtelte seine Gefühle ein und begann, sich Zeitvertreibe zu erfinden. Er sprach mit der Mannschaft. Das waren Männer, die ihre Hände an vielen Orten gegen diese Erdkugel getan hatten. Sie waren gelassen und vorurteilsfrei, zumeist. Ein Haus in Singapore, ein Haus oder ein Tempel, sie waren dort gewesen und konnten es beschreiben. Die Mauer, die Ecke, um die man bog, ein Bildwerk. Der Eindruck verräucherten Goldes. Und ein Gesang, ein Gebet. Ein Pferd, das sich aufbäumte, und das man sogleich als Hengst erkannte. Und das Feilschen, die Gier armer Menschen nach kleinen Münzen von geringem Wert. Frauen mit Brüsten und Schenkeln, die einen betörten. Es war kein reiner Genuß. Schon daß er gekauft war, hemmte den

Strom des diamantenen Glückes. Eine Fremdheit. Oder Schmutz. Oder ein Geruch; ein süßer oder fader. Das Fleisch, das sich verrät. Und die Eiseskälte unter der Glut. Aber sie gestanden, der Rausch in ihrem Kopf war bedeutend gewesen. Und sie entsannen sich nicht des Genauen. Sie erinnerten sich an den dürren Staub der Straßen, an den Schweiß, der ihnen durch die Kleidung drang, und an die Fülle von Gesichtszügen, abgezehrte, zornige und unter die Haut zurückgespiegelte. An die Zahl. An das Gewimmel. An Landschaften, die voll von Dörfern waren. An Küsten, vielfältig gebuchtet, zerrissen und lang. An das gewöhnliche Leben allüberall. Häfen und Kais, verdreckte Schiffe. Kohlenplätze. Plankenwerk wie in Kiel, so in China. Nur die verbotene Ware, die man hinter Gerümpel feilbot, wurde jenseits der Ozeane leichthändiger gegeben und genommen. Affen und Papageien, Geduldspiele, die den Ungeschickten in blinden Zorn versetzten, daß er aufheulte und mit Fäusten das japanische Machwerk zersplitterte.

*

Waldemar Strunck und Georg Lauffer gewöhnten sich an, wenn Pflichten sie nicht abhielten, den Abend im Eßraum zu verbringen. Sie blieben nach der Mahlzeit in ihren Sesseln sitzen, rauchten, ließen sich Punsch bringen, erfanden Unterhaltungen. Gespräche, deren Tonfall in aller Ohren ist. Erinnerungen, die kostbarer werden mit der Zeit, der große Schatz des Unwiederbringlichen, den man allmählich mit kleinen Unwahrheiten verklärt. Man sieht das Gewesene – wie in einem Block aus Bernstein längst totes aber unverwestes Getier, in seiner Form dem Zweck des Lebens getreu –. Das menschliche Verhalten in der Vergangenheit wird schlackenloser. Oder die Rolle, in der man sich befand, wird sinnvoll. Oder es ist Schein und Widerschein in den Ereignissen, etwas Kristallisches wie in surrealistischen Träumen.
Georg Lauffer, der Grund hatte, die Seefahrt weniger erbaulich zu finden als ein Kapitän, der, ehemals ein hartgeschulter Schiffsjunge, zu seinem Amt aufgestiegen war, Georg Lauffer fand es nicht unter seiner Würde, dreist, plump, geradezu unmäßig zu lügen, um die Unterhaltungen zu würzen oder

ingang zu halten. Die giftigsten Schattenlöcher der Wirklichkeit überdeckte er mit grinsender Zurückhaltung.
Es ergab sich, daß Gustav den Rauchsalon als Tagesquartier wählte. Niemand erhob Anspruch auf diesen Ort. Der Verlobte Ellenas saß dort, manchmal gemeinsam mit der Geliebten, oft allein. Er spielte mit Würfeln. Kleine Sieben. Hundert und Sechzig. Eines Abends kam der Halbneger herein. Er brachte, in Vertretung des Küchenjungen, eine Flasche Kognak und ein paar saubere Gläser. Er war ein schöner Mensch. Lichtbraune Haut, tiefdunkle Augen, blauweiß gefaßt. Tierhaft gutmütig wie ein Rind. Bald saß er neben Gustav und spielte mit ihm die kleine Sieben. Sie setzten Pfennige.
Nach wenigen Tagen traf sich die Schiffsmannschaft vom ersten Steuermann bis zum Küchenburschen während der Freistunden im Rauchsalon. Vorausgesetzt, Gustav war anwesend. Der Verlobte Ellenas übte sich in der großen Kunst des Zuhörens. Er sprach von sich aus kaum ein Wort, Fragen beantwortete er zögernd. Er tauchte in den anderen unter. Er fand, er war diesen Männern unterlegen. Sie hatten Erfahrungen auf mancherlei Gebieten gemacht. Mit vierzehn Jahren schon die höllischen Freuden für Paradieseswonnen genommen. Prügel. Und später immer wieder mit leeren Händen auf der ganz und gar erhellten Erde stehen. Es war ihnen nichts geblieben als eine Sehnsucht, ein paar Bilder, die nach innen gegangen waren; und die Kenntnis von dieser Welt, eine ziemlich verläßliche.
»Herr«, hatte der Halbneger einmal gesagt, »ich bin eine Mißgeburt. Begreifen Sie wohl, Herr, das ist doch etwas. Mein Vater war schwarz, und seine Tugend als Mann muß recht bedeutend gewesen sein, sonst hätte meine Mutter gewiß aufgehört, ihn zu rühmen, als er sie halb zutode geprügelt und verlassen hatte.«
Gustav fand seine Liebe zu Ellena altertümlich. Nicht, daß er seinen Gefühlen mißtraute. Er entdeckte auch nicht die Spur eines Makels am Gegenstand seiner Zuneigung. Er träumte sich hinein in die engste Enge mit ihr. Er vermißte bei sich die Talente draufgängerischen Besitzenwollens. Er war bis vor kurzem behütet gewesen. Die Unbill des Lebens war von ihm ferngehalten worden. Und er hatte den fürsorglichen Zwang der Bildung und Moral, diese unbedeutende Gelehrsamkeit, mit

einem späten Reifen seines Körpers bezahlt. Er war weder in Not, noch in Versuchungen gestoßen worden. Abgedunkelte Straßen – in denen nur die Türen der Häuser erleuchtet waren, er erinnerte sich nicht, jemals einen Blick hineingeworfen zu haben. Und seine wohlanständigen Augen, die höchstens den kleinen Sünden der Schulknaben zugeblinkt, hätten sich mildtätig mit Blindheit behängt. Er war sich dessen bewußt, er konnte in dieser Gesellschaft abgehärmter, aber würdevoller Gestalten keine Stimme haben. Wie sollte er sich etwa mit einem Schiffsjungen messen, der eine wohlvorbereitete Technik besaß, einem weiblichen Kind Schmeicheleien zu sagen, die zu nichts verpflichteten, aber doch ihre Wirkung taten; der mit unverfrorener Schläfrigkeit ein Kartenspiel falsch mischte; der sich lebendigen Leibes sezieren ließe, wenn es darauf ankäme, jemand die Treue zu beweisen, dem er sich bei einem Glase Bier oder mit ein paar verspielten Blutstropfen angetragen. Gustav konnte nur der mildtätige Gastgeber sein, der den rauhen Seelen mit ein paar Schnäpsen, einem Spiel, einem willigen Ohr aufhalf. Er förderte diese einseitige Geselligkeit. Er mußte, gleichsam nach wie vor auf der Schulbank hockend, die Lehre vom menschlichen Verhalten und von der Unzulänglichkeit des Vorausbedenkens aufnehmen. Nicht jede Medizin verringert die Krankheit oder lindert den Schmerz. Es kommt darauf an, von wie vielen Graden des Wissens derjenige ist, der sie verordnet, und von welcher Beschaffenheit der inwendige Bau des zu Heilenden. Nicht jeder Plan gelingt, mag er auch wohlbedacht sein. Es kommt darauf an, ob Wetter und Landschaft mit im Verein sind; und das Ziel nicht ein Tor, hinter dem es leer ist. Die Anstrengung steht nicht im Verhältnis zu den Möglichkeiten. Denn Tausende oder Zehntausende wollen den gleichen Erfolg; der Platz ist nur für einen gehalten. So kann die Klugheit zwiefach sein: zu eilen oder zu zögern. Die richtige Minute aber kündet sich nicht vorher an.

*

Es bestand ein vollkommenes Vertrauen zwischen Gustav und den Seeleuten. Sie waren ihm ergeben. Seine noch unbefleckte Jugend, oder wie man seinen Zustand in diesen Wochen bezeichnen mochte, dämpfte die schwarze Brandung in ihrer Seele: die nagende Sucht, nicht gerade der Mensch zu sein, der sie waren. Sie begriffen, er litt. Aber es kam keine Klage von seinen Lippen. Sie versetzten sich in seine Rolle und empfanden statt seiner die Pein, zu entsagen. Und sie wünschten nichts sehnlicher, als daß er glücklich sein möchte. Sie verstanden ihn nicht, nicht die Behutsamkeit seiner Überlegungen. Er hatte es gesagt, und sie hatten es nachgeprüft, er kannte nur winzige Ausschnitte der großen Erdkugel. Er erzählte von seinen Schulwegen, vom Zimmer, in dem er seine Lektionen zu lernen pflegte. Von seinem Universitätsstudium, das auch auf den Wegen der Allgemeinbildung lag und dürftig war wie jede andre Auswahlgelehrsamkeit. Aber er hatte die Kraft der Vorstellung. Sie zeigten ihm die tatauierten Figuren auf ihrer Brust und auf den Armen. Und er wußte sogleich: als ein widerlicher Japaner es ihnen gestochen, oder ein Greis, der ohne Rührung von allen Lüsten dieser Welt sprach, hatten sie irgendeine Schwelle überschritten, hatten hinter ein Tuch gefaßt, das ein flüchtiges Glück aufgesogen. Der salzige Geschmack einer Trauer. Oder ein Überschwang, der ihnen Tollheit eingeimpft. Oder ein toter Tag hatte in ihnen gehaust.

Gustav beneidete sie. Nicht um ihre jämmerlichen Erlebnisse: um den genauen Geruch all der Wirklichkeiten, die sich ihm niemals auftun würden, weil er nicht mutig genug, nicht ziellos genug, sich zerfetzen zu lassen für nichts. Braune Läden, die nach Öl und rotem Gift rochen. Irgend jemand hat einen krausen Gegenstand in der Hand. Man kann nicht erraten, was für ein Stoff es ist. Rohgummi oder Opium. Oder ein Absud, mit dem man lebendiges Fleisch unlöslich aneinanderkleben kann.

Er konnte sein Herz nicht mehr für Ellena allein bereit halten. Er begann das Abenteuer zu lieben, das Unbekannte.

*

Sehr bald zerspellte die Eintracht auf dem Schiffe. Der Halbneger begann vor Gustav zu weinen und zu klagen. Er war angefaßt von einer Furcht. Die Farbe seiner Haut belastete ihn. Er wußte, Afrikaner und Chinesen waren gelyncht worden.

Nicht nur in den nordamerikanischen Staaten, auch auf sicheren Schiffen. Kameraden hatten kaltblütig mit Äxten und Messern einen Menschen geschlachtet, weil seine Hautfarbe dunkel war. Irgendwo war ein Verrat begangen worden. Ein Diebstahl, ein Ärgernis, das allen mißfiel. Aber der Täter war nicht zu ermitteln. Er entzog sich dem Vorkommnis, um es zu verschlimmern. Jedenfalls wuchs die Wirkung der Tat ungeahnt an und schrie, unbegreiflich, nach Sühne. Es war ein Mund da, der schrie. Die Menschen wurden bösartig, sehr wild, und nichts konnte ihre Beunruhigung auswetzen, außer die Rache. Und so rächten sie, was zu rächen war, auf den kleinsten Verdacht hin. Und schlachteten den, der am wenigsten zornig war, den Gezeichneten. Eine Arbeit, schmutzig, mit scharfem Eisen ausgeführt.
Er ist nicht der Spitzel des Superkargos, jammerte der Halbneger. Er hat nichts mit dem grauen Menschen zu schaffen. Kein Wort ist zwischen den beiden verabredet. Er hat nicht Teil an der Mißhandlung der Matrosen im Hafen.
Gustav erschrak. Die schmutzige Arbeit, einen Menschen zu schlachten, mit dem heiligen Ernst der Rache. Sie sehen nicht, sie hören nicht. Ihre Hände werden rot. Es ist eine erfrischende Überraschung für ihre mitleidlose Seele, zum Henker zu werden. Sie stehen im kühlen Schatten der Gerechtigkeit. Dem Verlobten Ellenas war, als sähe er einen hohen Berg einstürzen. Ein blaues gräßliches Entzücken verbreitete sich in ihm. Er war ohne Rührung, nur voll Staunen. Er begriff, zu trösten, zu fragen, war nicht klug. Er blieb unbewegt. Und der andere nahm die Lähmung für Gelassenheit, im Einklang mit dem Karakter des jungen Menschen. Und trollte sich davon, nachdem er sein Herz erleichtert hatte.
Gustav wagte nicht, seinen Gedanken eine Richtung zu geben. Er war zugleich unfähig. Eine merkwürdige Trägheit hatte sich seiner bemächtigt. Die Gefahr für den Neger war gewiß nicht dichter als ein Hauch. Ein selbstquälerischer Einfall. Oder Zeugnis eines schlechten Gewissens. Am Ende war es gleichgültig, ob dieser oder ein anderer zum Spitzel ausersehen war. Die Worte, die gesprochen worden waren, glichen dem Rauch, dessen Figuren man deuten oder vergessen konnte. Allenfalls, die fratzenhafte Hölle der Tatsachen hatte sich gezeigt, damit

man ihrer nicht vergäße. (Neger werden von Menschen, die sich als von besserer Rasse dünken, gelyncht.)
Da stürmten, Arm in Arm, zwei Matrosen in den Salon. Es waren die beiden jungen Männer, die der Reeder als Wachleute aufs Schiff gebracht hatte. Sie machten große Worte, standen da wie Kastor und Pollux, unzertrennlich, so schien es. Man konnte vermuten, sie hatten das Verschwinden des Halbnegers abgewartet, um herbeizukommen. Sie handelten nach einem Plan. Sie versuchten, trotz lärmender Stimme, sich so gefällig wie möglich zu machen. Sie benahmen sich wie Angeklagte, deren Unschuld antag kommen muß, die aber erfahren genug sind, zu wissen, daß der Verdacht schon ein Makel ist, der den Menschen auskleidet; und es ist nicht vorteilhaft, die Gebrechen, die jeder mit sich trägt, vorzuweisen.
Sie bestritten, Spitzeldienste geleistet zu haben. Mochte der Anschein wider sie sein. Sie hatten am längsten auf dem Schiffe Arbeit getan. Hier war nur eines zu erklären, der Reeder hatte sie in einer Kneipe aufgelesen. Sie waren betrunken gewesen; hungrig, Schnaps im leeren Magen. Weitere Erinnerungen an den Tag ihrer Anmusterung hatten sie nicht. Handgeld hatten sie genommen. Sie waren blank gewesen. Ein vergnügter Abend war nichts Bestechliches für sie. Um verräterische Hunde aus ihnen zu machen, garnicht auszudenken, was man aufbieten müßte. Man mochte über den Eigentümer des Vollschiffes denken, was man wollte; er hatte zuweilen Punsch mit ihnen getrunken. Das war die ganze Wahrheit. Nichts darüber und nichts darunter. Sie hatten weiter keinen Schaden oder eine Befleckung davongetragen. Und der Superkargo ist ihnen zuwider wie jedem anderen der Besatzung. Sie bedankten sich, wie wilde Tiere gehalten zu werden, hinter Gittern. Sie hatten sich nur vorgenommen, die kristliche Seefahrt gemeinsam auszuüben, stets zu zweien auf den gleichen Schiffen. Das ist ihre Angelegenheit. Andere wollen unbedingt nach Bagamojo, weil dort die Mädchen rußschwarz sind. Sie kannten einen, der war entschlossen, Kinder in allen Erdteilen zu haben. Vor seinem Lebensende wollte er mit eigenen Augen sehen, was aus den verschiedenen Mischlingen geworden war. Er wollte im Überfluß leben, sagte er. Er wollte einen Kaufherrn übertrumpfen, von dem erzählt wurde, daß er neunundneunzig uneheliche Kinder habe.

»Manche Menschen sind anspruchsvoll«, sagte Gustav.
Also Kastor und Pollux sind unschuldig an der Mißhandlung der Matrosen im Hafen. Sie beriefen sich noch auf ihr klares Gesicht, auf ihre Unerfahrenheit in Spionagesachen. Sie sind geringe Leute, denen ein grauer Herr eher mißtraut als vertraut.
Sie gingen im Gefühl, etwas Gutes für sich ausgerichtet zu haben. Gustav hatte ihnen nichts Schlagkräftiges, die Sache Betreffendes, geantwortet. Seine Verwunderung war im Wachsen begriffen. Was ist geschehen, fragte er sich. Welcher Art Gespräche sind in den Mannschaftslogis in Umlauf gesetzt worden? Oder ist der Verfall des Vertrauens eine Wirkung unnatürlicher Schweigsamkeit?
Schreckt eine Ahnung diese Menschen auf? Sind sie empfindlich gegen Träume, die Rätsel aufgeben? Vermögen sie Gedanken an der Stirn ihrer Kameraden abzulesen? Oder waren die Beteuerungen ein zaghafter Versuch, die Aufmerksamkeit auf sich zu lenken, ein Antrag schmachtender hübscher Rüpel? Würden Geständnisse zweideutiger Abstammung folgen? Der Verlobte Ellenas sagte sich: es sind unvollendete Menschen wie er selbst. Er hat nur den ersten Zipfel eines Ablaufes gefaßt. Jedenfalls hatten die peinlichen Ereignisse am Kai das allgemeine Gleichgewicht gestört. Eine Wunde war nicht vernarbt. Sie blutete weiter. Oder jemand war bestrebt, seinen Finger hineinzutun, damit sie sich nicht schließe. Gustav konnte erwarten, alle würden zu ihm kommen, ihm ihr Herz zu zeigen. Ein Glücksgefühl, daß er nicht eingeschlossen in einen Verdacht, machte ihn erröten. Er war stolz, diesen einfachen Menschen etwas zu bedeuten. Er war gleichsam die heilige Wand, die sie ansprachen. Es war ihm unwichtig, ob es Kümmernisse oder Unflätigkeiten waren, deren sie sich entledigten. Er gelobte sich, so treu zu sein wie ein Gegenstand, die Materie. Und er sah in diesem Augenblick, seine Hand setzte bei nächtlicher Stunde einen Kerzenhalter, in einem Kardangehänge festgehalten, in Bewegung.

*

Er stieg die Treppe hinab, verweilte auf jeder Stufe, weil er,

wiewohl schon auf dem Wege, einen Vorsatz auszuführen, über Zweckmäßigkeit und mögliche Folgen seines Tuns noch keine reine Vorstellung hatte. Er langte, ohne an Klarheit gewonnen zu haben, bei der Küche an. Die Tür stand weit offen. Der Schiffskoch, ein fetter Mann mit weißer Bluse und heller, quadratisch gemusterter Hose bekleidet, briet in einer mächtigen Pfanne flache Fleischscheiben, die er, sie waren erst auf der einen Seite gebräunt, mit beträchtlichen Mengen Salz und Pfeffer bestreute. Er bemaß die Gewürze mit Daumen und Zeigefinger seiner geballten Hände. Rechts fiel das Salz heraus, links der Pfeffer. Im Herde brannte ein kräftiges Steinkohlenfeuer. In faßgroßen Töpfen siedete Wasser. Gustav bemerkte, der Herd war aus einem gelbweißen Metall gefertigt. Die Form, gewöhnlich und übereinstimmend mit den bekannten Vorbildern, wich in Einzelheiten vom Durchschnitt ab. So waren die Türen einfache gradkantige Rechtecke, wie aus einer starken Metallplatte herausgeschnitten. Es fehlten auch sonst die Rundungen an den Einzelteilen, mit denen die Industrie Gußstücke dieser Bestimmung auszustatten pflegt. Das Gerät war gleichsam steif und mit Bedacht zu seinem Zweck erstarrt. Eine gediegene Handwerksarbeit; nichts von der törichten Gefälligkeit der Massenfabrikation daran.
›Kein Eisen auf dem Schiff‹, sagte sich Gustav, ›ein bronzener Herd.‹
Der Koch, er trug den etwas verfänglichen Namen Paul Raffzahn, bemerkte Gustav sogleich, nickte mit dem Kopfe, tat mit der rechten Hand das überflüssige Salz, mit der linken den Pfeffer in die dafür bestimmten Gefäße zurück. Dann rief er den Küchenburschen, der in einer Ecke hantierte, herbei, er solle auf das spratzende Fleisch in der Pfanne achtgeben.
»Durch und durch«, sagte der Koch, »man darf die Bestie im Menschen nicht wecken, wenn sie sich nicht austoben kann. Rohes Fleisch weckt die Bestie«, behauptete er, »Beefsteak englisch gibt es nur in den Häfen«, dozierte er, »Salzfleisch muß mit einer Prise Soda gekocht werden, sonst schläft die Mannschaft zu unruhig.«
Er wandte sich Gustav zu, trat vor die Tür, stand neben ihm auf dem Gang.
»Es ist freundlich von Ihnen, daß Sie mich besuchen«, sagte er,

»ich hatte sowieso vor, mich Ihnen einmal erkenntlich zu zeigen.«
Er schloß die Tür seiner Kammer auf, die neben der Küche lag. Er trat ein, zog Gustav nach sich.
»Ich habe eine Flasche echten französischen Cordial Medoc. Wenn Sie Likör lieben«, sagte Paul Raffzahn, »aus Weinen destilliert. Zollfrei.«
Die Kammer war ziemlich geräumig. Zwei Betten, beide benutzt und noch nicht geordnet.
»Jeder verlangt das Maul voll; der Junge findet immer erst am Nachmittag Zeit, hier Ordnung zu schaffen«, sagte entschuldigend der Koch, »wenn es Sie nicht stört.«
Er erwartete indessen weder Gustavs Zustimmung noch seine Ablehnung, begann in einer Schublade zu kramen, zog eine bauchige grünbraune Flasche heraus, dazu ein Futteral. Es war ein Holzkasten, mit schwarzem Leder überzogen. Der Koch öffnete ihn behutsam. Da lagen, eingebettet in grüne Seide, zwei Gläser, über und über mit Gravuren und Fazetten bedeckt.
»So etwas haben Sie gewiß noch nicht gesehen«, sagte stolz Paul Raffzahn, »es ist eine Geschichte dargestellt. Hier ist ein Galgen, und sieben Räuber hängen daran. Sie schaukeln im strengen Wind. Das ist gewiß das Ende. Der Anfang ist auf dem anderen Glas. Drei nackte Mädchen baden am Ufer eines Sees. Jedenfalls stehen sie bis an die Knöchel im Wasser. Sie heben die Arme auf. Und es sind Bäume da. Auf der Rückseite: ein König mit seinem Thron. Die Mädchen sind Prinzessinnen, die dreizackige Kronen tragen. Und ein Bauernbursche hat sie aus dem Teich erlöst. So denke ich mir. Hier ist noch ein einzelner Mann, der auf dem Felde schläft, oder er ist gerade aus einem Traum erwacht.« Er brachte einen Korkenzieher aus seiner Hosentasche hervor, bohrte ihn in den Hals der Likörflasche.
»Wir sollen doch nicht aus den kostbaren Gläsern trinken«, fragte ängstlich Gustav.
»Das Ganze ist ein Märchen aus Ungarn«, sagte der Koch, »ein Kunstwerk. Auch im harten Quarz erscheint das Fleisch rund und weich.«
Der braune Likör schimmerte in den kraus beritzten Gläsern.
»Jedermann ist auf seine Weise unmäßig«, begann der fette Mann, »manche in der Frömmigkeit, andere im Laster. Ich

selbst, zum Beispiel, habe von Zeit zu Zeit das Bedürfnis, zu weinen.«
»Zu weinen«, fragte ungläubig Gustav.
»Wenn jetzt eine Welle des Atlantischen Ozeans das Schiff ins Schlingern bringen würde, und die Gläser stürzten um, zersprängen. Oder Sie würden achtlos das Ihre fallen lassen. Dann würde ich zu weinen anfangen. Und es würde mir ganz leicht danach sein.«
»Das verstehe ich nicht«, sagte Gustav tonlos.
»Die Seele des Menschen muß manchmal aus ihm heraus«, sagte der Koch, »er muß sich auf den Tod vorbereiten, wo es vollkommen geschieht. Er muß Übung darin erlangen, sich aufzugeben. Wir hängen an den Dingen; aber die Dinge hängen nicht an uns. Glauben Sie mir, es ist den Gläsern gleichgültig, ob sie in dem seidenen Futteral liegen oder als Scherben auf dem Meeresgrund. Es ist dem Gelde, von dem wir soviel reden, unwichtig, wem es angehört, und wozu es dient. Es ist keine Partei. Es bleibt nicht bei den Toten. Es wandert, es wandert.«
Gustav schwieg.
»Aber trinken Sie schnell aus«, sagte hastig der Koch, »man muß die Versuchung nicht zu weit treiben.«
Sie schlürften den Likör.
»Ein zweites Glas«, sagte der Koch.
»Man muß die Versuchung nicht zu weit treiben«, antwortete Gustav.
»Die Gläser sind zum Daraustrinken bestimmt«, antwortete der Koch, »das wird wohl niemand bestreiten. Übrigens habe ich sie dauernd in Benutzung.«
»Wie soll ich das verstehen«, fragte Gustav.
»Manchmal, des Abends, wenn mir mein Fett das Herz beschwert«, sagte der Koch, »und der Junge ist schlafen gegangen. Und schnarcht so süß. Und ich denke etwas; aber ich weiß nicht, was es ist. Dann kommt die Versuchung über mich. Dann möchte ich etwas verlieren. Oder etwas begangen haben, damit Schluß mit mir wird. Ach, ich habe einen so schlechten Schlaf. Ich wache die halbe Nacht und darüber. Dann wecke ich den Jungen. Er taumelt schlaftrunken aus dem Bett. Dann nehme ich die Gläser aus dem Futteral. Und tue Whisky hinein, oder was es nun ist. Und der Bursche muß mit mir trinken. Und ich

erwarte, seine von der Müdigkeit lahme Hand läßt ein Glas fallen. Oder der Alkohol macht ihn unbesonnen, sodaß es Scherben gibt. Und ich zu meinen Tränen käme. Zehn Jahre schon ist das Futteral in meinem Besitz. Ein paarmal ist eines der Gläser umgestürzt. Und es blieb heil. – Trinken Sie doch schnell«, fügte er seiner Rede als Refrain hinzu.
Beide tranken. Der Koch füllte die Gläser zum drittenmal.
»In letzter Zeit kommt es mir so vor, als wüßte ich, was ich mir des Nachts ergrüble«, begann der Koch aufs neue.
»Ich bin herabgestiegen«, schob Gustav behutsam ein, »um Sie etwas zu fragen.«
»Ich dachte es mir«, antwortete der Koch, »der Schlaf auf diesem Schiff ist noch schlechter als auf anderen. Die Wände haben Ohren. Und wenn man mit einem Messer ins Holz schneiden würde, käme Blut heraus.«
Gustav erhob keinen Einwand. Er nippte vom Likör, richtete seine Augen auf das Antlitz Paul Raffzahns. Es war bleich wie Mehl und glänzte feucht wie Wachs. Die Züge hatten sich zu einem sorgenvollen Ausdruck gesammelt. Das dünne Haupthaar tränkte sich mit Schweiß. Mit schauervoller Neugier, leichtfertig, vertraute sich der Verlobte Ellenas dem Gaukler an.
»Unheilreiche Kräfte«, fuhr der Koch fort, »es geht jemand über die Planken, und man sieht ihn nicht. Ich höre ihn. Manchmal ist es unter mir, manchmal an meiner Seite. Es steht neben mir, ich brauche nur den Arm auszustrecken, um es zu berühren. Aber ich bin feige genug, es zu unterlassen.«
»Des Nachts«, sagte kurz Gustav.
»Des Nachts«, wiederholte der Koch, »Schritte.«
»Sie haben recht in Ihrer Wahrnehmung.« Gustav sprach jetzt langsam und entschlossen, »es ist nicht der Klabautermann.«
»Nein, nein«, bestätigte bekümmert Paul Raffzahn, »damit würde ich mich abfinden. Wir würden Schiffbruch erleiden. Es würde Schluß mit mir sein.«
»Vielleicht wäre es ratsam«, sagte Gustav, »Sie würfen die Gläser, ehe sie zersprungen sind, ins Meer. Sie würden unversehrt auf dem Meeresboden ankommen. Es ist nicht bekömmlich, wenn man zehn Jahre lang sich mit einer künstlichen Furcht belastet.«
Der Koch antwortete nicht. Er schien tief beleidigt zu sein. Ein

Schweigen kam auf; es wurde allmählich so beharrlich und lästig, daß Gustav sich genötigt sah, es mit ungenügenden Redewendungen zu brechen. Es war ihm inzwischen außerfrage, der Koch besaß keine Fähigkeiten zum Spitzel. Aber die unheilvolle, zerstörerische Gabe, des Nachts zu wachen, haftete ihm an. Und die Ohren des Mannes waren scharf. Möglicherweise eine Art Hellsichtigkeit, eine graue Sinneswahrnehmung, die den Menschen in der Stadt und auf den Schulbänken ausgetrieben wird. In der Freiheit, an den Grenzen zwischen Luftozean und Wasser hängt sie sich wieder über manche. Die Entfernungen zerbrechen, und das Feinste, der Hauch einer Manifestation, wird in den Ohren zum Donner, vor den Augen zu leiblichen Gestalten. Gewiß, die Verworrenheit der Weltanschauung war ein schweres Laster Paul Raffzahns. Es konnte vermutet werden, der Küchenjunge trug die eine oder andere Meinung mit dem Essen zusammen der Mannschaft auf den Tisch. Gustav sagte sich, er schob den Wust seiner Empfindungen beiseite: ›Er hat den Reeder wandeln hören.‹ Doch gab es keine Möglichkeit, den Rhythmus der Schritte zu identifizieren. Das Wagnis war zu gefährlich, das Problem mithilfe dieses gespenstergläubigen Menschen einzukreisen. Es war schon zuviel Irdisches in der fetten Gestalt verbrannt. Die Vernunft, ein Meßgerät, dessen Einseitigkeit Gustav in diesen Minuten erkannte. Immerhin, es war zu vermuten, der Neger, Kastor und Pollux waren nicht nur von ungefähr mit ihren Beteuerungen zu Gustav gekommen.

»Ich war entschlossen, Sie etwas zu fragen«, wiederholte der Verlobte Ellenas nach langen Umwegen.

»Sechs und ein halbes Pfund habe ich für die Gläser bezahlt«, antwortete der Koch wie aus unendlichen Fernen, »es war in Gallipoli.«

Gustav ließ sich diesmal nicht ablenken. »Mein Rat war gut oder schlecht«, sagte er, »man muß sich nicht damit befassen. – Es ist mir erzählt worden, Sie waren in der Küche beschäftigt, als man zwei Matrosen im Laderaum des Schiffes niederknüppelte«, log Gustav.

»Wann wäre ich nicht in der Küche gewesen?« antwortete der Koch schwer. Und fügte lebhaft hinzu: »Das ist eine Geschichte, das ist eine Geschichte, und sie ist noch nicht zuende.«

»Man spricht davon«, sagte Gustav.
»Nach tausend Jahren noch wird man davon sprechen«, sagte der Koch. Gustav hätte am liebsten den tausend Jahren widersprochen. Aber er wagte es nicht, den eifrigen Schwärmer abermals zu reizen. So erfand er weiter: »Man bringt Sie damit in Zusammenhang.«
»Mich«, schrie der Koch. Sein weißes Gesicht verwandelte sich und schwoll rot an. Aber sein Zorn oder sein Entsetzen entwichen schnell. »Es gibt Dreckmäuler, man muß ihr Geschwätz nicht wichtig nehmen«, er suchte nach einem Abschluß. Die Gedanken, die während der nächsten Minuten hinter seiner Stirn auftauchten, waren ihm nicht gut genug, sie auszusprechen. Endlich sagte er mit Mühe und Würde: »Ich kenne niemand, aber ich sorge für alle.« Danach riegelte er sich zu, und Gustav gelang es nicht, weiter vorzudringen. Als die Likörflasche fast geleert war, der Alkohol ein paar Hemmungen in dem jungen Menschen niedergebrochen hatte, fragte er noch einmal nach den nächtlichen Geräuschen, die der Koch glaubte gehört zu haben.
»Es waren Schritte«, antwortete Paul Raffzahn knapp und verstockt.
»Diese Schritte haben eine natürliche Erklärung«, sagte Gustav.
»Unter mir, in den Laderäumen, nicht die Wache andeck«, sagte der Koch.
»Ein Militärposten oder dergleichen«, sagte Gustav, »zur Bewachung der Fracht.«
»Gibt es Militär anbord?« fragte entsetzt Paul Raffzahn.
»Man kann es vermuten«, meinte Gustav, »jedenfalls wäre es nichts Außergewöhnliches.«
»Und ich Unwissender koche auch für diese Art Menschen«, polterte der Koch.
Darauf wußte Gustav keine Entgegnung. Er erwog, ob das Gespräch noch zweckdienlich oder nur gefährlich war. Sein Glaube, der Reeder halte sich anbord verborgen, war indessen so stark, daß er die Erfindung eines Soldaten mit aufgepflanztem Bajonett für eine nützliche Tat hielt. Mochte der fette Mann Abneigungen gegen Uniformen haben; ein Mensch darin mußte ihm weniger schroff sein als ein Gespenst, das sich nicht zu erkennen gab.

»Ich Unwissender koche für Spitzel und Soldaten«, klagte Paul Raffzahn. Aber seine Stimme war ergeben.
In der Tür erschien der Küchenjunge. Er sagte: »Das Fleisch.«
»Ach ja«, sagte Paul Raffzahn. Erhob sich. Es war das Ende der Unterhaltung.

*

Am Abend, nachdem er ein paar Minuten am Bett Ellenas verbracht und sich von ihr verabschiedet hatte, stieß Gustav auf den Superkargo. Er stand im Vorraum, wie absichtslos. Er lächelte den Verlobten an. Der aber empfand, es war ein Geschmack dabei. Wie Mitleid. Oder Verachtung. Oder Spott. Eine Überlegenheit, die verwundete. Zuletzt, als Gustav im Bett seiner Kammer lag, fiel ihm ein, es könnte auch Begehrlichkeit gewesen sein. Ein schroffes Verlangen, das Eigentum des anderen in Besitz zu nehmen. Der Anspruch eines Gassenjungen, der nach Beute greift. Gustav sieht unsaubere und klebrige Hände. Er ist neidisch, wenn er an die Unverfrorenheit der mit der Armut Vertrauten, längst Hoffnungslosen denkt. Die Zweideutigkeit eines Mannes hat er in einem Augenblick zum argen und heißen Geschehen in den Straßen einer Großstadt erweitert. Da ist ein Trottoir. Aus den unbezeichneten Türen strömen Namenlose herbei. Die Menschen wogen auf und ab. Es ist die Kulisse für eine Absicht der Schöpfung, ihren Triumph noch in der Verzerrung zu zeigen, im Wahnsinn des Leugnens und Abschwörens. Gellende Münder, gleichgültige Schemen des Fleisches. Die Kraft der Gestaltung will in der Not schillern; der Todessehnsucht, der Vernichtung die holde Unerbittlichkeit der ewigen Zeugung entgegenhalten. Er verfängt sich in der Vielfalt menschlicher Gesichter. Nur die Lust, der tierische Genuß singt das Lob der Armut.
Er gab sich Mühe, das Lächeln zu vergessen. Und befleißigte sich, seine Leidenschaft für Ordnung und Vernunft in den Bezirken des Denkens und Fühlens zu entfachen. Er starrte in die Flamme der Kerze und ließ die Disziplin des allmählichen Verzehrtwerdens auf sich wirken. Da pochte es heftig gegen die Tür. Sie öffnete sich zum Spalt. Ein Kopf schob sich herein. Ein Mund zischte, flüsterte ein Wort: »Gefahr.« Die Tür fiel wieder

ins Schloß. Es war ein Leichtmatrose gewesen. Alfred Tutein, achtzehn Jahre alt. Gustav hatte ihn erkannt. Mit einem Satz war der Verlobte Ellenas aufgesprungen. Gefahr war gewiß ein allgemeines Wort. Und in der Kammer eines Schiffes einem zugerufen, war es nicht weniger weitschweifig als anderswo. Feuer. Schiffbruch. Überfall. Gustav warf seine Kleider über, so schnell es gehen wollte. Er fühlte, etwas Zeit stand ihm zur Verfügung. Würde er, im panischen Schrecken, halbbekleidet hinausstürmen, möglich, es würde sich ihm der Makel der Lächerlichkeit anhängen. Das Schiff war nicht im Sinken begriffen. Eine Feuersbrunst, er konnte daran nicht glauben. Es war auch kein Lärm anbord, nirgendwo Anzeichen einer ungewöhnlichen Maßnahme. Er stieß die Tür auf. Der Gang war dunkel und ohne Geräusche. Hatte man ihn nur erschrecken wollen? War er durch einen Traum verstört worden? Er fragte sich das eine oder andere, ohne damit eine innere Gewißheit zu erschüttern, daß die Warnung ihm allein gegolten hatte. Daß keinerlei finstere Beschlüsse über dem Schiff schwebten. Gleich war eine brennende Erwartung in ihm gegenwärtig: der Reeder würde ihm entgegentreten. Ein junger Mensch hatte, wie der ausgestellte Posten einer Schulklasse die Ankunft des Lehrers, das Nahen des rätselhaften Mannes angezeigt. Gustav lehnte sich in die Türöffnung und wartete. Aber es blieb still. Da kam die Unruhe über ihn, die ungewisse Furcht. Er verlor, törichten Vorstellungen nachjagend, kostbare Zeit. Die Kraft der Zuversicht erlahmt. Man ist nicht mehr gewappnet. Man sieht, ein großes Schweres bäumt sich vor einem auf wie ungezähmte Rosse. Aber das Tierhafte der Bewegung ist schon ausgetrieben, das Mitleidlose fällt wie Eisen vom Himmel. Er eilte den Gang entlang, suchte nach oben. Im Treppenhaus brannte noch Licht. Er meinte zu hören, eine Tür wurde ins Schloß geworfen. Im Vorraum stand noch oder schon wieder der Superkargo. Gustavs Atem ging schnell. Kaum daß er den Mund geschlossen halten konnte. Auch Georg Lauffer schien erregt. Sein Gesicht war ohne Fassung, weinerlich verzerrt. Als er erkannt hatte, der Verlobte Ellenas kam heran, wollte an ihm vorüber, jedenfalls, es wuchs die Nähe, und kein Ausweichen, verfiel er einem anderen Sinneszustand. Gustav erschnappte einen haßerfüllten, einen mondkalten Blick. Die beiden Männer gaben sich kein

Wort. Gustav trat hinaus aufs Deck, vollkommen verwirrt. Er rannte nach vorn, lief zurück. Die Bewegungen der Ungeduld halfen ihm nicht. Er suchte den Umriß der Gefahr. Er suchte Alfred Tutein. Aber der Leichtmatrose war verschollen. Wahrscheinlich schlief er schon in seiner Koje. Gustav erschöpfte sich mit planlosen Unternehmungen. Er sagte sich: Gefahr war eine Vorstufe, bedeutete die Zone, in der die Kausalreihen zusammenflossen, um sich zum Unglück zu verflechten. Aber es war noch nicht der Zustand der Katastrophe. Man konnte dem ehernen Schritt der Abläufe ausweichen. Das war der Sinn der Warnung, die Vorsicht als Fußangel dem Geschehen hinzulegen. Und gelang der Plan menschlicher Klugheit, blieb die Bedrohung im Verborgenen, ein Schatten, eine Gelegenheit, zu vernichten, die das Schicksal verstreichen ließ. Gustav hielt seinen Kopf gegen den Wind. Er fand nichts Genaues, gegen das er die Schanze der Vorsicht aufwerfen sollte. Seine verwirrte Trauer drohte überhandzunehmen. Er schlich wieder hinab, verriegelte die Tür seiner Kammer, zum erstenmal. Ein paar Windstöße nisteten sich in die Segel. Er spürte, das Schiff neigte sich, richtete sich wieder auf. Er machte sich den Vorwurf der Dummheit. Und damit verwarf er sich.

*

Das Gespräch, das der Verlobte Ellenas mit dem ersten Steuermann hatte, war sehr kurz. Der Offizier sagte mit schlichten Worten: Es gibt neun Menschen anbord, die haben nicht das Vertrauen der anderen achtzehn. Man hat Verdächte, das eine Drittel gegen die zwei Drittel. Sich zu rechtfertigen ist müßig. Die Parteien sind ungleich. Es gibt keine Verständigung. Wenn der Mensch eine Bedrohung fühlt, wird er abweisend. Er verkriecht sich wie ein krankes Tier. Vielleicht ist jeder Zwiespalt eine Krankheit. Man muß sich hüten, ein Urteil an die undurchsichtigen Verhältnisse heranzutragen. Man kann nur Wahrscheinlichkeiten ins Feld führen. Als die Besatzung, kurz vor der Abfahrt, gesichtet wurde, trug der Eingeweihte dafür Sorge, daß die Spitzel mit verschwanden. Sie hatten sich so weit vorwagen müssen, daß sie bereits in ihrer Eigenschaft erkannt waren. Vielleicht war der Vorfall am Kai sehr plumper Art. Das

Ganze ein Eingreifen, wie es ein Diener der Polizei auf offener Straße vornimmt. Er weiß nichts von den Hintergründen eines Geschehens. Er hat die vorgefaßte Meinung, es müsse Unordnung bestehen, wenn die Gleichmäßigkeit des Verkehrs ins Stocken kommt. Die Regungen des Seele oder des Wissensdurstes sind von den öffentlichen Plätzen vertrieben. Die Allbarmherzigkeit ist in die Wüste gegangen. Dem Trupp der Neugeheuerten reihte man unbekannte Horcher ein. Stille Beobachter, die nicht auffielen. Oder auch, die achtzehn sind brave Leute, einer wie alle. Das Zeugnis neigt sich nach keiner Seite. Der Schluß ist einfach, die neun sind unverdächtiger als die achtzehn.

*

Der Mensch wird geboren mit der Forderung nach Gerechtigkeit – wie er sie versteht. Da sein Begehren unerfüllt bleibt, entfaltet sich in ihm allmählich ein weites Verständnis für den willkürlichen Ablauf des Daseins. Er macht die Übereinkünfte der anderen zu seinem Eigentum. Er verhärtet seine Gedanken zu ungeschmeidigen Vorstellungen und vertröstet seine inwendigen Kräfte auf ein Nachher oder Jenseits. Die Faulheit seiner Seele wird so allgemein, daß er Unrecht, ihm selbst zugefügt, mit stoischen Betrachtungen verkleidet. Er besteigt gerührt das Schafott und bittet die Allmacht, seinen Richtern zu verzeihen. Er fühlt sich im Schoße einer ätzenden Freude. Er kennt keine Ungeduld gegen den unbekannten Gott.
Die Waffe der Auflehnung und Empörung wird stumpf, wenn der Atem der Wahrheit darüberstreicht. Sie schärft sich an den Mißverständnissen und schrillen Verzerrungen. Die Meuterei läßt sich mit Tücken entfachen; dem wertvollen Verhalten sind keine Mitläufer zu gewinnen, wie sehr man es auch preist. Die freche und heuchlerische Rede wirkt mehr Taten als redliches Bemühen. Lügen, oft wiederholt, machen bessere Glaubenssätze als die freudige Klarheit der Tatsachen. Den Gang der Schöpfung übergellt das Kreischen stählerner Maschinen.
Unerquickliche Überlegungen, mit deren Hilfe Gustav Herr seiner Erregungen zu werden hoffte. Es schwindelte ihn. Er war erschüttert. Aber er glaubte, die ihm eingeborene Tugend retten zu müssen. Sich bewahren zu müssen vor den Ausbrüchen

ungesattelter Erlebnisse. Indessen, ein Vorgefühl beschlich ihn, er wird tiefer, in tieferes Leid hineingestoßen werden, wo das Spiel der Gedanken aufhört.
Das Unwahrscheinliche war geschehen, die achtzehn, die nach der Meinung des ersten Steuermannes mehr Verdächtigen, hatten sich zusammengetan. In schwarzer Unwissenheit belassen, wie sie meinten. Ungeheuerlichen Gefahren ausgesetzt, wie sie meinten. Eingekreist mit einem Netz aus Heuchelei und Betrug, wie sie meinten. Opfer ihrer Einfalt. Das Niederknüppeln von Kameraden, die sie nicht kannten, war in ihrer Vorstellung zu einer Kette von Morden geworden. Sie lasen die Falschheit an der Stirn der Mitfahrer ab. Nur Gustav hatte das Kainszeichen nicht. Und er sollte sie aus der frevelhaften Ungewißheit erlösen. Es war gesagt worden, Militär sei anbord versteckt. Die Mitteilung war aus der Küche gekommen. Der Koch mußte wohl wissen, für wen er das Essen bereitete. Man würde sich zusammennehmen. Niemand gelüstete es nach einem Blutbad. Man ist in eine Falle gegangen. Man findet sich damit ab. Man hat schon oft das Herz in die Hand nehmen müssen. Unterstellungen, daß sie ihre Pflicht verletzen würden, sind kraftlos. Nur, ihr Schlaf ist schlecht. Ihre Laune ist schlecht. Sie wollen die Art der Gefahr kennen. Sie brennen darauf, daß man ihnen enthüllt, welcher Gattung die Ladung ist. Sie wollen Versicherungen geben, es soll kein Schade daraus kommen.
Gustav hatte anfangs versucht, sie mit der Erklärung, er selbst sei ohne Unterrichtung, abzuweisen. Aber diese Wahrheit war ihnen unglaubwürdig erschienen. Es kam antag, auch sie hatten ihre inneren Gewißheiten wie er die seine. Auch sie jagten einem Phantom nach, wie er dem unsichtbaren Schiffseigentümer. Sie hatten den Verlobten mit ihrer Vermutung in die Enge getrieben: Sprengstoffe, Giftgase, eine ganze Hölle in den Eingeweiden der Arche. Da hatte er seine Stimme so schwer gemacht, wie er konnte. Schließlich trug er Mitschuld am Zustandekommen der verängstigten Gruppe. Seine inwendige Überzeugung hatte ihn dem Koch gegenüber schwatzhaft gemacht. Jetzt widerrufen, würde die Verwirrung vergrößern. So war es zu dem Versuch gekommen, mit feiler unlauterer Überlegenheit, eine Autorität aus sich zu machen. Beredsamkeit, die arglistig; eine mißbrauchte Sklavin, die gefällig ist, weil sie das Recht zu

peinigen oder sich zu entziehen nicht hat. Schließlich will jedermann den Beifall, ertrotzt den Erfolg mit Offenheit oder durch kriecherische Bosheit. Die Fallsüchtigen gehen stolz zu Markt und leugnen ihren Zustand, wenn schon der Schaum ihnen zum Munde heraustritt. Gustav leugnete den Schwindel, der ihn erfaßt hatte. Er gab den Entwurf eines großen Gebäudes der Kausalität. In einer Nische bekommt die Vorsehung ihr Götterstandbild. – Dieser närrische Aufwand, um das Verbot auszusprechen, sie müssen schweigen, sie dürfen nicht fragen, auch nicht auf Umwegen forschen. – Er ging leichtsinnig mit der Zuneigung dieser mißvergnügten Menschen um. Er baute darauf, daß sie schwer verrückbar sei. Er spürte mit schaler Beklemmung die Waghalsigkeit. Er konnte verlieren. Er hatte keine Übung in der Unehrlichkeit. Aber es war nur ein Feuer in ihren Augen erschienen. Kein gutes Zeichen; doch die allgemeine Anklage verschonte ihn oder schloß ihn höchstens ungenannt ein. Ereignisse kündigten sich an, die gräßlich die guten Tage auf dem Schiffe zerfetzen würden. Und kein Entrinnen. Schlauheit war vergeblich. Gute Absichten prallten gegen eine Wand.

Er war am Ende allein geblieben mit Betrachtungen, die ihn mit Verzweiflung erfüllten. Einstweilen konnte er nicht erkennen, wie weit der Schaden sich gefressen hatte. Es erwies sich nur, die Zusammenkünfte im Rauchsalon waren gesprengt. Gustav verbrachte seine toten Stunden dort ohne Gesellschaft. Es war nicht auszumachen, wer wem auswich. Der Verlobte empfand die Leere, das von ihm Sichabwenden als einen Trost. Er hoffte, der Mannschaft wieder ein Fremder zu werden, und so nach und nach herausschlüpfen zu können aus der Verkettung. Er hatte das Bedürfnis, sich dem Kapitän anzuvertrauen, ihm die Torheiten zu bekennen, die er begangen hatte. Aber er fand einen Geschmack von Verrat daran. Mochte er auch das Verbrechen seiner Lüge übertreiben, es würde das schwelende Feuer in den Gemütern der Besatzung offenbar werden. Schließlich, überwältigt von seinen Kümmernissen, mit zerschmettertem Selbstvertrauen, beschloß er, sich von den Gelegenheiten treiben zu lassen. Daß ihm die Lippen aufgingen wie von selbst. Er fieberte vor Scham. Seine Selbstanklagen waren grenzenlos. Welcher Leichtsinn, daß er sich in den Strudel des Ungenauen, der vernunftlosen Spekulation hatte fallen lassen! Aber die Reue kam zu spät. Es war ein Allgemeinplatz. Er war ein junger Mensch und mußte Erfahrungen, wie alle anderen, teuer bezahlen. Es war ein Allgemeinplatz. Er wünschte nur, Ellena, der Kapitän, der Superkargo möchten ihn, gerade in dieser Stunde, vermissen, ihn suchen, ihn in seiner Verlassenheit finden. Und die Schleusen würden sich öffnen. Aber die Stunden verstrichen. Niemand schien sich seiner zu erinnern. Die Schiffsleitung mußte, unbegreiflich, ungewöhnlich ausgedehnt und tief ihren Aufgaben verhaftet sein. Sonst bemerkte man einander sozusagen bei jeder Gelegenheit. Die Dämmerung brach an. Die Dunkelheit überkroch den weiten Ozean. Das Nachtessen mußte längst vorüber sein. Niemand hatte Gustav bei Tische entbehrt. Ellena, war sie mitergriffen von diesem Vergessen, das sich auf ihn bezog? War dies am Ende garnicht wirklich? Träumte er den häßlichen Tag herbei? – Keineswegs. Er konnte sich erheben, die Gegenstände bogen sich nicht unnatürlich in die Landschaft seines Schlafes hinein. Sie waren hart oder weich, ganz dem Stoff entsprechend, aus dem sie hergestellt waren. Er konnte auf den Gang hinaustreten und jede der heiß herbeigesehnten Personen aufsuchen. Plötzlich hatte er den unauslöschlichen Wunsch, im dunklen Rauchzimmer zu verharren, auszukundschaften, wie lange er verschollen sein konnte, ohne daß Unruhe die anderen zu plagen begann. Er hatte sich gewiß nicht eingebildet, eine überdurchschnittliche Beachtung zu verdienen; aber es bereitete ihm doch einen leichten Schmerz, ohne jede Anteilnahme verlöschen oder verschwinden zu können. Daß er vor dem Superkargo keine Gnade mehr hatte, überraschte ihn nicht. Waldemar Strunck konnte mit seinen Geschäften entschuldigt sein. Vielleicht war der Kurs schwierig, der Wind widrig, die Segel mußten oft umgesetzt werden. Aber Ellena war nicht freizusprechen von einer verletzenden Gleichgültigkeit. Seine Gedanken nahmen trostlose Straßen. Sein Herz wurde müde vor den Rätseln, die ihm aufgegeben wurden. Gegen sein Betragen wußte er selbst manches einzuwenden; aber er konnte sich nicht schuldig genug fühlen, enthäutet einer lieblosen Verachtung preisgegeben zu werden. Welcher Art auch immer sein Karakter oder seine Verfehlung sein mochten, daß man ihn, ohne ihn anzuhören, in die Verbannung trieb, schien ihm nicht im Einklang mit der Vergangenheit zu sein. Er

fühlte sich plötzlich hungrig. Und er begann zu weinen, weil er hungrig war. Das Weinen war sehr heftig und ergriff den ganzen Körper, daß er zitterte und sich zerlöste. Als der Tränenstrom versiegt war, und das Schluchzen trocken und unecht aus ihm hervorstieß, fand er keinen Gedanken, der ihm die Traurigkeit hätte begründen können. Er war gefühllos geworden. Ausgewaschen. Er begriff seinen Trotz nicht, daß er die Menschen versuchte. Er sagte sich, er hat die Zuneigung Ellenas verwirkt. Es ist ihm etwas entfallen, wie einem ein Kiesel entfällt, den man einmal aufgelesen hat, der aber, wie er entgleitet, so wertlos wird, daß man das Sichbücken vergißt. Oder es fällt einem ein, er liegt hübsch am Wege. Oder man meint, die Vorsehung hat ihn gerade an den Platz getan, an den er fiel. Unter den vielen Milliarden Orten an den einen, um mit seiner Hilfe eine Schicksalsfügung einzuleiten.
Es war nicht auszumachen, wie lange Gustav im Rauchzimmer allein verweilte. Er konnte nicht mehr weinen. Das begriff er. Er hatte keinerlei Rechte auf dem Schiff, nachdem die Liebe Ellenas zu ihm in Trümmer gegangen. Es war ein unsauberes Feilschen, nachträglich erforschen zu wollen, welche Anlässe zu diesem Ausgang geführt hatten. Er würde genug knabenhafte Laster an sich entdecken können. – Er überlegte, ob es geraten sei, sich in seine Kammer zurückzuziehen und dort zu verhungern. Mit welchem Recht konnte er noch ein Stück Brot fordern? War nicht jede kommende Mahlzeit dieser abendlichen gleichzusetzen? Ja, würden die zukünftigen nicht mit größerer Selbstverständlichkeit ohne ihn eingenommen werden? Oder sollte er an der Küche vorbeischleichen, von Zeit zu Zeit, sich dort ein paar Bissen erbetteln? Würde er nicht vom Koch Worte bekommen, die demütigender waren als ein ruhmloses Dahinsterben?
Als der Holzstoß seiner Seele ausgebrannt war, erhob er sich mit mechanischer Geschmeidigkeit. Zu Ellena ans Bett würde er nicht treten. Er war unfähig. Er schlich die Treppe hinab und war zufrieden, daß er seine Kammer erreichte, ohne von jemand bemerkt zu werden. Er entzündete die Kerze neben seinem Lager. Kaum war es geschehen, da öffnete sich die Tür zum Spalt. Alfred Tutein schob seinen Kopf herein und sagte mit schwermütigem Nachdruck: »Gefahr.« Diesmal hatte die

Mitteilung eine andere Wirkung auf Gustav. Er schritt zur Tür, die sich inzwischen wieder geschlossen hatte, verriegelte sie. Mochte das Schiff in die Abgründe der See verschwinden, mochte geschehen was da wollte! Es war ihm gleichgültig. Jedenfalls konnte er die Andeutung, die in der Warnung lag, nicht nachprüfen wie vor kurzem. Auch damals war sein Umherirren erfolglos gewesen. Und nichts sprach dagegen, daß man zum Schaden, den er erlitten, auch den Spott fügte. Gewiß wollte er den Leichtmatrosen nicht verdächtigen. Aber die Rinnsale der Vermutungen waren für Gustav jetzt ohne Belang. Er entkleidete sich, fiel aufs Bett, hörte noch seinen Magen knurren, schlief ein.

*

Am Morgen erhob er sich, wenn auch verspätet. Er hatte keine Eile. Das natürliche Bedürfnis zu essen war ziemlich stark. Aber sein Grundsatz war, zu hungern. Er konnte nicht mehr unaufgefordert sich an den Tisch setzen. Und wer würde ihn dazu bitten? Seine Aussichten waren, nachdem soviel Zeit verstrichen, gleich Null. Wenn er noch eine verschüttete Hoffnung hatte, so war es die, der Kapitän werde sich seiner annehmen, wie man sich eines blinden Passagiers annimmt, ihn an den Tisch der Mannnschaft befehlen, ihm die eine oder andere Arbeit auftragen. Nachdem er sich angekleidet hatte, fühlte er sich frech genug, sein Gesicht andeck zu tragen. Man würde ihn dort sehen. Und es war abzuwarten, was sich ereignen würde.
Er kam unbemerkt, wie er herabgestiegen war, nach oben. Achtern war niemand beschäftigt. Die Segel standen leicht geschwellt vorm Winde. Kein Mann in den Wanten oder auf den Rahen. Kein Manöver war vorüber, keins stand bevor. Das Schiff schien ausgestorben. Schneller, als er beabsichtigt hatte, eilte er nach vorn. Da bot sich ihm ein eigenartiger Anblick. Die Besatzung, ausgenommen der Koch und der erste Steuermann, stand in Reih und Glied aufgestellt. Der Kapitän schritt vor den Männern hin und her; Ellena hatte sich ihm in den Arm gehängt. Der Superkargo bewegte sich im Hintergrund. Auf seinem Gesicht lag eine finstere Zufriedenheit. Waldemar Strunck drehte sich dreimal um sich selbst. Ellena machte diese Bewegung

mit. Dann sagte er mit lauter Stimme: »In den letzten Tagen sind der Mannschaft Gerüchte über die Art der Fracht zugetragen worden. Dieser oder jener hat behauptet, die Laderäume seien mit Sprengstoffen angefüllt. Um die wenig glaubhafte Annahme zu stützen, ist die Lüge erfunden worden, es sei Militär anbord versteckt. Die Schiffsleitung hat diesen Appell angeordnet, nicht um eine Untersuchung gegen Unbekannt oder gegen alle einzuleiten, sondern um die Erklärung abzugeben: die Gerüchte sind frei erfunden! Es befindet sich außer der Mannschaft, den Offizieren, der Schiffsleitung und zwei Gästen, allen bekannt, niemand anbord. Über die Art der Ladung kann keine Mitteilung gemacht werden. Die Besatzung hat kein Recht, eine solche zu fordern. Ein freiwilliges Entgegenkommen in diesem Punkt ist dem Augenblick nicht angepaßt. Die Schiffsleitung will keinerlei starke Worte brauchen, aber doch der ihr unterstellten Mannschaft nicht verheimlichen, daß das Geschwätz Befremden hervorgerufen hat.« Er schwieg. Offenbar überlegte er sich einen Schlußsatz. Entgegen aller Erwartung sagte er nur noch: »Ich habe weiter nichts auf dem Herzen.« Und ging davon.

Ellena, noch immer ihm eingehakt, folgte mit. Die Mannschaft trat ab. Der Superkargo eilte dem Kapitän nach und sagte: »Ich bin zufrieden.« Diese Worte wehten zu Gustav hinüber. Er war zerknirscht. Er faßte einen schnellen Entschluß, Waldemar Strunck ein Bekenntnis abzulegen. So folgte der Verlobte den dreien. Er sah den Kapitän allein nach achtern gehen. Ellena und Georg Lauffer mußten in die Hütte eingetreten sein. Die Gelegenheit war günstig. Gustav war gleich an der Seite Waldemar Struncks. Der junge Mensch wurde herzlich empfangen. Gefragt, ob er gefrühstückt habe. Er bewegte den Kopf verneinend. Über das Antlitz des Kapitäns gingen Schatten.

»Was ist in dich gefahren«, fragte er.

»Ich muß eine Aussprache mit dir haben«, antwortete Gustav.

Waldemar Strunck, dessen Erinnerung zum Schauspiel auf dem Vorschiff zurückgekehrt war, sagte: »Erspare es mir. Ich weiß auch ohne Belehrung, es steht verzweifelt um den Ruf des Seglers.«

»Es ist etwas Wichtiges, etwas Aufschlußreiches«, sagte Gustav.

»Ich will nicht«, sagte der Kapitän, »dieser Appell war eine törichte Maßnahme. Ich sträubte mich. Welcher Gewinn kann

von so viel Unverbindlichkeit kommen? Wie darf man erwarten, daß die Matrosen ihren Glauben an die Sprengstoffe aufgeben, wenn ich selbst dabei beharre, es ist eine unheimliche Ladung?«
»Die Leute sind sicherlich beeindruckt von deiner Rede«, schob Gustav ein, »sie war milde und fest zugleich.«
»Eine unzweckmäßige Veranstaltung, eine ungewöhnliche Dummheit«, sagte Waldemar Strunck, »aber der Superkargo bestand darauf. Er verlangte, daß ich etwas unternähme.«
»Hatte er Furcht vor den Gerüchten?« fragte Gustav. Er erhielt keine Antwort. »Meinen Beitrag zu dieser Sache mußt du unbedingt hören«, sagte er.
»Aber ich will nicht«, wiederholte der Kapitän, »die Schiffsleitung muß nicht erfahren, was im Mannschaftslogis gesprochen wird. Es ist ein bitterer Irrtum, wenn du unterstellst, die Kenntnis eines offenbaren oder verschrobenen Zusammenhangs könnte mir dienen. Es ist gleichgültig, welcher Art die Unterhaltung der Matrosen ist. Ich will den Namen des Schlauesten im Erfinden von Räubergeschichten nicht kennen.«
»Aber wenn nun ich es bin, der, gewiß nicht mit böser Absicht, die Beunruhigung gefördert hat«, sagte Gustav.
Waldemar Strunck überhörte das halbe Geständnis. Er versuchte mit neuen Worten sich von seinem Unbehagen zu befreien: »Es sind gute Männer, einer wie alle. Man kann indessen der Einfalt nicht verraten, daß der Superkargo ein paar Mikrophone abhorcht, die, über das Schiff verstreut, eingebaut sind.«
»Nur ein paar zufällige Mikrophone?« fragte Gustav.
»Eine technische Spielerei«, sagte der Kapitän, »der kluge Herr Lauffer hat die Vertraulichkeit des Zwiegespräches aufgehoben. Um einem Vorgesetzten oder Auftraggeber den Beweis seiner Tüchtigkeit zu geben, ist der Superkargo dem dürren Einfall gefolgt. Nun ist er an das Telephon gekettet. Er hört nicht einmal den hundertsten Teil. Die Stimmen dröhnen durcheinander. Die Zusammenhänge bleiben ihm unbekannt. Ich bedaure ihn fast. Er ist welterfahren. Aber er zaubert das Unglück herbei, das er vermeiden will.«
»Warum«, fragte Gustav, »kann man den guten Männern den einfachen Tatbestand nicht mitteilen?«
»Weil der Mensch schreckhaft ist. Und wundergläubig dazu.

Und alles nur durch die eigenen Sinne begreift«, sagte Waldemar Strunck, »es ist etwas im Bau seiner Gefühle, das das Gerade ableugnet. Sonnen und Welten sind rund. Die Mannschaft möchte eher den Wahn züchten, neben jedem Matrosen ist ein unsichtbarer Spion aufgestellt. Menschen aus Glas oder voll zauberhafter Schliche, das ist begreiflicher als eine elektrische Apparatur.«

»Ich will mich anheischig machen, den Männern, ganz unauffällig, das akustische Rätsel zu lösen«, erklärte Gustav.

»Und ich will es vermeiden, daß die Gespräche der Mannschaft in den Abort und auf die Rahen verlegt werden«, sagte der Kapitän. »Ich verbiete dir, mit irgend jemand über Dinge, die zwischen uns bleiben müssen, unterdrückte Meinungen auszutauschen. Ich beschwöre dich. Muß ich noch fester an dir rütteln? Man glaubt an Geheimagenten und an Spitzel. Das ist das kleinere Übel.«

»Hat der Superkargo sich über mich beschwert?« fragte hastig Gustav.

»Nein«, antwortete der Kapitän.

»Ich bitte dich, nachzudenken«, verhärtete sich Gustav, »vielleicht war die Form milde, der Vorwurf undeutlich. Es ist mir manches anvertraut worden, was ihn beunruhigen muß, wenn er es abgehorcht hat.«

»Nein«, wiederholte der Kapitän.

»Er hat sich über mich ausgeschwiegen«, fragte Gustav.

»Wenn du den Gegenstand der Unterhaltung nicht wechseln kannst, gehe ich meiner Wege«, sagte Waldemar Strunck mit einem bösen Unterton, »du spielst mit unbrauchbaren Gedanken.«

Gustav war indessen noch immer nicht dem Bann, sich ehrlich zu machen, entronnen. Es gab keine Klugheit in ihm, die ihn davon abhalten konnte, bei dem lästigen Gespräch zu verweilen. Es waren ja für ihn keine Übergänge bereit von einem Gemütszustand zu einem anderen. Die Stunden wurden augenscheinlich in brüchige Formen gegossen. Er mußte wohl straucheln, wenn er mit soviel Unordnung vom Geschehen ergriffen wurde.

»Jedenfalls würde es von Vorteil sein, zu wissen, in welchen Räumen Mikrophone versteckt angebracht sind«, sagte er wie im Schlaf.

»Errate es doch«, kam es heftig zurück, »es sind ihrer zehn aufgestellt, sofern ich nicht belogen bin.« Waldemar Strunck stampfte mit den Füßen, packte sich am Kehlkopf. Er wollte zeigen, jedes weitere Wort würde abgewürgt werden. Ein Zusammenprall. Der Überdruß des Kapitäns wandte sich gegen den rücksichtslosen Querulanten. Man würde sich mit Verstimmung voneinander getrennt haben, wenn den Älteren nicht der Schrecken gerührt hätte, der sich auf dem Antlitz des Jüngeren malte. Wasser in den Augen. Und es gereute den Kapitän, daß er seine Stimme so laut gemacht hatte. Er legte seinen Arm um Gustavs Schultern, dachte, wie sehr er diesen Jüngling liebe, und sagte mit wenig Atem: »Du möchtest wissen, ob der Rauchsalon sicher vor Herrn Lauffers Ohr ist. Oder wohin sonst du dich mit Ellena begeben sollst, um Regungen, deren man sich in der Öffentlichkeit schämt, auszutauschen.«

Jetzt war es Gustav, der das Gespräch nicht fortsetzen wollte. Jedenfalls antwortete er nicht. Waldemar Strunck spann den Gedanken weiter und kam so auf ein Ereignis zu sprechen, das er mit mancherlei Vorbehalten hingenommen hatte. Er fragte ohne Befangenheit, wo Ellena und Gustav sich seit dem Nachmittag des Vortages versteckt gehalten hätten und welcher Art ihr Zeitvertreib gewesen sei, daß sie sogar das Abendessen versäumt.

Gustav faßte weder die Dringlichkeit dieser Hinwendung auf, noch verfing sich irgendein Argwohn in seinem Herzen. Er begriff kaum, daß es die gleichen Stunden waren, die ihn zermürbt hatten, von denen der Kapitän sprach. Der junge Mann antwortete schlicht, er sei nicht mit Ellena zusammen gewesen.

Waldemar Strunck fühlte sich nicht verpflichtet, dies Bekenntnis für Wahrheit zu nehmen. Die vermeintliche Lüge des anderen machte ihm einen flauen Geschmack. Aber er wollte doch nicht auf den Wortvorrat besorgter Väter zurückgreifen. Sein Gefühl heftiger Zuneigung war noch nicht hingeschmolzen. Ein Mann, der seine Tochter liebt, erträgt viel von ihrem zukünftigen Bettgenossen. Der Kapitän sagte mit geheucheltem Gleichmut, er habe in Gesellschaft mit sich selbst den Abend verbracht. Weder das junge Paar noch Georg Lauffer seien bei Tische erschienen.

Gustav verharrte dabei, er ist nicht in Ellenas Nähe gewesen. Die nächsten Sekunden brachten den grausamen Abschluß einer langen Ungewißheit. Der Mensch tastet sich durch einen finsteren Stollen. Seine Hände begreifen hier und dort die unruhigen Zacken des Gesteins. Seine Füße stolpern über Geröll. Er duckt sich, weil er fürchtet, mit dem Kopfe anzuschlagen. Die Dunkelheit der harten Felsen unterscheidet sich nicht vom unerleuchteten weichen Raum. So fühlt sich der Wanderer auch in ausladender Höhle eingeengt; die Trümmer einer erstarrten Nacht umragen ihn. Plötzlich aber dringt Licht von weither durch einen Spalt. Der eben noch Blinde eilt dem Schein entgegen. Ein hämmerndes Entzücken ergreift ihn. Die Freiheit, das Sichtbare der Dinge winkt ihm. Atemlos tritt er vor eine Landschaft. Und ihm ist, als genösse er das Wesen der Sonne zum erstenmal. Der Geruch der Erde, er begreift es, ist würzig nach Gras oder Holz, nach scharfem Rauch, nach den mineralischen Stoffen, weil der Feuerball seine Wärme herabspendet. Das Getier zu des Wanderers Füßen, Insekten, Feldmäuse, weiter entfernt zwei hüpfende Hasen, an einem Abhang schwere Pferde vor einem Pflug, ist aus warmen Brutöfen schmeichelnd hervorgelockt. Mütterlicher Herkunft alle. Nichts, was die staunenden Augen beleidigen oder schrecken könnte. Da, wie ein einziger violetter Blitz, reißt das Firmament in Fetzen. Schwarz brüllt es hinter dem Einbruch. Der Weltenraum wälzt sich mit seiner unendlichen Kälte heran. Die Seele stürzt von der Erde ab. Das Lichtmeer trocknet aus. Sie sieht den Tod. Gustavs Hirn, so erschien es ihm hinterher, gefror, indem es mit der Schnelligkeit einer elektrischen Induktion zu arbeiten begann. Waldemar Strunck fragte noch: »Kannst du lügen?« Gustav antwortete: »Manchmal kann ich lügen.« Da waren seine Empfindungen, sein Verhalten, seine Urteile schon geronnen. Ein unfreundliches Eisen war ihm durch die Brust gestoßen. Er wußte die Bedeutung des Wortes »Gefahr«, das ihm der Leichtmatrose Alfred Tutein, achtzehn Jahre alt, zugerufen hatte. Aber Gleichgültigkeit hatte ihm schon wie mit Moder den Mund gefüllt. Er ging ein in eine Verkleidung. Er gab preis und schützte zugleich ein Geheimnis. Er war verschlagen und vollkommen haltlos. Er erlebte eine gnadenlose Auslieferung an einen morschen, mit allen Greueln durchwachsenen Leib. Sein

Magen berichtete ihm von einer öden Landschaft, in der man verschmachten mußte. Vorstufe des Staubes er selbst. Das Ziel der Schöpfung die Dürre. Gustav, nicht fähig, der schändlichen, unbarmherzigen Überrumpelung auszuweichen, stellte noch beiläufig fest, er war bekleidet und konnte sich verbergen. Gleichsam unerkannt durfte er in den Versuchungen der Verwesung umkommen.

Danach peitschte die Geißel der Selbsterhaltung die Muskeln. Er lief in die Hütte, um verspätet zu frühstücken.

IV

Der Sturm

Das Schiff fuhr mit dunklen bauchigen Segeln über den Abgründen, die mit Wasser ausgefüllt waren. Die Luft war ungewöhnlich lange nur voll leichter Wirbel gewesen. Der neue Tag, wie um den Triumph des weißen Lichtes zu überhöhen, war klar und kalt, ganz ausgeleuchtet mit dem Schimmer der silbrigen Helligkeit. Die Gegenstände an Deck erschienen allesamt hart, unförmig, garnicht der geringen Bewegung von Wasser und Wind angemessen. Noch vor Abend strichen warme Schwaden um das Schiff. Unbegreiflich schnell mischte sich die fahle Kälte mit dem lauen Dunst. Nebelmauern rückten heran. Wolken, kaum wahrgenommen, fielen schon aus der Höhe herab und umdampften das Schiff. Masten und Segel wuchsen riesenhaft. Vor kurzem noch war der Horizont das Maß der Dinge gewesen. Jetzt war das Sichtbare verengt. Das Gebilde aus Menschenhand schwebte einsam im Nebelmeer, war von der Erde abgestürzt. Die Spitzen der Masten verschwanden schon im Unendlichen. Blutschwarze Segel umbrandet von weißlich jagendem Qualm. Zeitweilig tauchte das Vorderschiff in die Wolken hinein und bestand nicht mehr in den Augen der Menschen, nur noch in ihrem Glauben. Das Wasser des Ozeans wie klebriger Schlick, dem Schiffsrumpf verhaftet.
Ellena und Gustav standen an der Reling. Und versenkten sich in die erhabenen Gesichte, die die Kondensationsvorgänge aufspielten. Diese fast raumlose Einsamkeit, die ihnen vorgegaukelt wurde, beruhigte sie ungemein. Gustav hatte noch keine Aussprache mit Ellena gehabt. Als er seine Gefühle ausgeräumt, die Tatsachen gesiebt und in ein System von Wechselwirkungen gestellt hatte, waren ihm keine Beweisstücke in Händen geblieben. Seltsam, der Hunger und die darauffolgende Sattheit hatten

ihn mit einer Art Nüchternheit ausgekleidet. Seine zu Ausschweifungen bereite Einbildungskraft hatte den Mißbrauch des beschatteten Herzens eingestellt. Jedenfalls waren die inwendigen Wunden unter guten Pflastern versteckt. Möglich, daß Ellena mit dem Superkargo gespielt, wie ein Kind mit einem Erwachsenen. Es kennt die Gefahr nicht. Es weiß nichts von der Verführung, von den erdigen Kräften eines grausamen Fortpflanzungstriebes. Es wird erniedrigt und bleibt unschuldig in der Besudelung. Schließlich waren Schuld und Unschuld Begriffe, die nichts über das Böse aussagten. Das Böse wieder war vor den durchdringenden Augen des Unversuchten höchstens ein Irresein, ein Ausfall der unbegreiflichen Störung, die sich dem Geschehen beigesellte.
Gustav erinnerte sich, am Meeresstrand mehrmals gesehen zu haben, die erwachsenen männlichen Krabben warfen sich mit besonderer Gier auf noch unentwickelte Weibchen. Und ließen von ihrem wollüstigen Taumel nicht ab, wenn auch das schwächere Geschöpf schon verendet war. Und er, der Knabe, hatte einen Stein gehoben, hatte ihn geschleudert, daß der Panzer über den Eingeweiden des lebendigen Tieres zersprang. Eine Flüssigkeit lief aus. Das zertrümmerte Wesen versuchte zu flüchten. Der Instinkt der Erhaltung wirkte noch, nachdem der tödliche Streich gefallen. Die mißleitete Kreatur zog ein qualvolles oder langsames Ausebben den erlösenden Hieben vor. Die Scherben des Panzers hatten den Wüterich angeklagt. Peinigend das Bild stummen Schmerzes. So war die Schuld auf den richtenden geworfen worden. Später hatte sich der Anteil von Schuld und Schmerz abermals umgelagert. Er hatte gelernt, es gibt große Trennungen zwischen den Lebewesen im Protoplasma. Arten, die das Skelett, den mineralischen Teil ihrer Existenz, an der Oberfläche tragen, sozusagen, von innen nach außen erhärten; und solche, denen es in das Weiche der Muskeln eingebettet ist. Beobachtungen, die nicht gerade leichtsinnig waren, erlaubten die Annahme, nur die letzte Gruppe besaß ein Schmerzempfinden. Schmerz, die grausame Heimsuchung des Unbeschützten, tausendfache Ursache der Anklagen gegen Gott, ein Kunstgriff der Natur, damit ihre Geschöpfe nicht frivol die einzelnen Glieder veräußerten, und die Krüppel allgemein wurden. Und es gab keine Brücke von den Gefühlswelten der einen Gruppe zu

denen der anderen. Es war nicht auszumachen, was das verletzte Schalentier empfand; eine zerquetschte Ameise; ein beinloser Käfer. Denn es war ein Wesen mit Rückenmark, das etwas über Tiere mit Bauchmark dachte. Jetzt fiel dem Verlobten Ellenas ein, daß er garnichts Genaues über das Geschlechtsleben der Krebse wisse. Sie gehörten zu der großen Familie der Arthropoden; Verwandtschaft mit Spinnen, Bienen, Skorpionen. Riß die besamte Bienenkönigin der eben noch lusttaumelnden Drohne nicht die Eingeweide des Hinterleibes heraus? War es nicht sprichwörtlich, daß das befriedigte Skorpionenweibchen, als Nachlese der Lust, das schwächliche Männchen verzehrte? Begnügte der einfältig winzige Spinnerich sich nicht mit einem Akt der Selbstbefriedigung, um den Klauen des fetten Muttertieres zu entgehen? Hatte der Knabe am Meeresstrande unrichtig beobachtet? Mit einem ahnungsvollen Kinderherzen gefälscht? Das Schauspiel sich recht menschlich zurechtgelegt? Gustav erlag der plötzlichen Nähe einer flammenden Fratze, mehr teuflisch als göttlich, dem grimmigen Gesicht des allmächtigen schaffenden Ablaufs. Der Mensch hätte zu einem Buch flüchten müssen, um ein vorläufiges beruhigendes Urteil zu gewinnen. Aber die Belehrung würde das Dickicht nicht ausrotten. Das Rätselwort Schmerz würde sich nicht auflösen. Ach, die Listen der Allgewalt hatten kein Ende. Die Ausschläge der Seele waren am Ende nur deshalb zu den großen Bewegungen hinaufdestilliert, um der unbekannten Natur ein Sprungbrett hinzuhalten, daß sie sich entfalte. Die peinigende Zerrissenheit Gustavs, noch ein Damm vor den tätigen Wirkungen, konnte ja keinen anderen Sinn haben, als ihn befeuern, einen Kampf mit dem grauen Mann anzunehmen. Das fernere Ziel der Vorsehung oder der aufgestauten Kräfte war für keines der Werkzeuge offenbar am Anfang. Welche Unbekümmertheit in den Berufungen der Natur! Gustav konnte das Wort »Gefahr« in sich als magisches Zeichen aufrichten. Eine nicht ermüdende Wache gegen zu milde Auslegungen. Schließlich war das, was die Philosophen den Willen nannten, die Straße des Schmerzes. Um sich zu erlösen, ging jeder den für ihn ummauerten Weg. Gustav wollte nicht an einem ungewissen Liebeskummer verbluten. Er wollte die Aussprache mit Ellena. In Leidenschaft erglühen. Sich entfalten mit den Fluten des Angenehmen, der Torheiten und krasser Begehrlichkeit. Er spürte die heiße Spannung in den Zellen seines Körpers, den blinden Groll des Fleisches, wenn es daran ist, unbändig die Vernunft zu zerstückeln. Die großartige Pantomime des Luftmeeres schien ihm ein würdiger Auftakt für sein Vorhaben. Er empfand, eine Einigkeit umflocht sie. Die ordnende Kraft aus Steinen gewachsener Tempel, die harmonische Gewalt weitgesponnener Musiken, die Figuren des Auf und Ab wie Muster eines Teppichs. Form des Harten und des Weichen, mittels des gleichen Gesetzes zum Erhabenen gesteigert.

*

Plötzlich rieselte der Nebel als Regen herab. Kalte Böen nisteten sich in die Segel. Das Schiff bog sich stöhnend nach Lee. Waldemar Strunck eilte ziemlich atemlos über das Deck. Unerwartet kam der Befehl: »Klar zum Wenden.« Die Matrosen wurden von ihren Arbeiten aufgescheucht. Ihre Füße klatschten über die Planken. Jedermann eilte an seine Station. Gesang. Man riß an den Flaschenzügen. Ein gewöhnliches Manöver. Diesmal geschah es sehr hastig. Der Kapitän hatte eine andere Laune, man merkte es. Furchen an der Stirn. Und die Steuerleute brachten nur kurze Befehle über die Lippen. Der zweite Offizier trippelte von achtern nach vorn und wieder zurück. Da brach einigen Gasten der Schweiß nach wenigen Minuten aus. Man wußte nur, das Barometer zeigte ein unheimlich schnelles Fallen des Luftdruckes an.
Als der Befehl zum Umlegen des Ruders kam, war schon grober Wind, ein dicker öliger Strom. Die Geschwindigkeit und die Masse des Schiffes standen in einem ungünstigen Verhältnis zu diesen fetten Lawinen Luft. Das Fahrzeug weigerte sich, durch den Wind zu gehen. Die Rahen gerieten nicht ins Pendeln, der großartige Augenblick des Herumschwingens, des Entfaltens der Flügel blieb aus. Die Segel wurden nur rückwärts gegen die Masten gepreßt.
Jetzt pochte der erste Steuermann die Freiwache heraus. Ein lästiges Gefühl verbreitete sich. Das schöne Schiff hatte sich zum erstenmal geweigert, zu gehorchen. Es war im Dampf der Orkane unerprobt. Wie würde es sich verhalten, wenn der

Wind sich wie mit Zentnersäcken in die Segel warf? Man hatte Vertrauen. Das Neue war stark. Aber die Hirne der Matrosen zitterten gelb beim Gedanken an die Ladung. Das schwere Holzgefüge war ein Dreck, wenn unten in den versiegelten Höhlen etwas passierte. So war die Angst da.
Die Verlobten wurden mitergriffen von der gräßlichen Unruhe. Die Freiwache schurrte heran. Das Deck war voller Menschen, Ballen zu vieren und fünfen. Die erste Sturzsee warf sich gischtend über die Reling. Das Schiff zitterte. Und hob sich mit dem Abfließen des Wassers aus der Umklammerung des Gewichtes. Zum zweiten Male kam das Kommando zum Umlegen des Ruders. Jetzt waren es drei Mann, die mit äußerster Kraftentfaltung das Steuerrad herumwirbelten. Wieder vergeblich.
So mußte man denn versuchen, vor dem Winde zu wenden. Geknatter der Segel. Diesmal folgte das Schiff dem Ruder. Waldemar Strunck war erleichtert, daß er seinen Willen durchgesetzt hatte, anders zur Drehrichtung des Sturmes zu schwimmen. Aber eine kleine Stunde war über dem Manövrieren verstrichen. Der Wind war klotzig geworden.
Reffen! Alle Mann in die Masten, um Segel zu bergen.
Jemand sagte, die Quecksilbersäule des Barometers sei auf 720 mm gefallen. Der Superkargo zwängte sich auf der Luvseite aus einer Tür heraus. Der Schiffsrumpf lag hart über. Dreißig oder fünfunddreißig Grad. Georg Lauffer war bleich wie eine gekalkte Wand. Seekrank. Oder saß eine Verzagtheit in ihm, die er niemand mitteilen konnte? Royal- und Oberbramsegel waren geborgen. Die Matrosen hockten jetzt arbeitend in den weit geblähten unteren Tüchern. Waldemar Strunck wollte alles Zeug hereinhaben bis auf die Untermarssegel. Wiewohl die Fläche der Leinwand sich allmählich verminderte, richtete sich das Schiff nicht auf. Der Lärm in der Takelung war nach und nach tief und orgelnd geworden. Dazwischen Geschrei wie von ungeschmiertem Räderwerk. Pfeifen schlug in Brüllen über. Aber die Ohren der Menschen verstopften sich mit Taubheit. Am Kreuzmast kam die Arbeit nicht voran. Die Segel saßen fest. Die Matrosen waren wie Menschen aus Holz. Der erste Steuermann behauptete, die Freiwache werde vom Teufel geritten. Er sah, die Männer lagen in den Bäuchen der Segel, und ihre

Münder bewegten sich. Das war kein Versuch, durch Gesang die Arbeit zu fördern. Die Freiheit des Redens im Donner des klatschenden Getöses. Der Offizier ging in den Mast, er brüllte die Besessenen an. Sie lachten. Die Segel saßen fest. Vom Deck verschwanden drei, die gleichzeitig ihre Hose herunterlassen mußten. Ein guter Kamerad hatte ihnen verraten, es gurgelte in den Abflußrohren der Klosetts. So konnten sie reden. Sie konnten reden. Und wenn die heimtückische Ladung ihnen auch den Arsch abreißen würde, so konnten sie doch eine Minute vorher noch ihre Meinung hinausgebrüllt haben. Diese viehische Angst. Und die ohnmächtige Wut. Das ganze unzulängliche Leben, das man ihnen mit Dynamit oder Pikrinsäure auseinandersprengen würde. Ihre zähen Muskeln in die Masten gehängt. Noch eine Abteilung wurde auf die Rahen des Kreuzmastes gejagt. Die oben Befindlichen wollten nicht herunter. Die Decksplanken waren ihnen zu unsicher. Es war nicht viel an Auflehnung. Ein erstes Nachgeben den dunklen Mächten. Regen pfeilte schräg durch die Luft. Die Spitzen der Wellenberge wurden angesogen, aufwärts geschraubt, gemahlen, zerstäubt. Ein trüber Schleim umkochte das Schiff. Zerfetzte Salzwehen jagten über grauschwarzes Wasser.
Der Befehl kam, man macht Schluß mit dem Segelbergen. Waldemar Strunck fand es betrüblich, daß der achterste Mast stärker behängt war als die vorderen. Es war damit zu rechnen, die Böen elften oder zwölften Grades würden ein paar Tücher zum Zerplatzen bringen. Prasselnde Rammstöße in den Masten. Geklirr metallischen Splitterwerks. Die menschliche Ohnmacht vor der dumpf anspringenden unsichtbaren Gewalt war da.
Der erste Steuermann stellte fest, die Hälfte der Matrosen war zeitweilig unter Deck. Man arbeitete nicht mehr. Er stöberte sie in ihren Verstecken auf, trieb sie nach oben. Immer wieder klumpten sich Gruppen zusammen. Angeklammert an das Geländer des Hochdecks eine dunkle Traube durchnäßter Gestalten. Redende Münder. Als man daran ging, Haltetaue zu spannen, wurden die menschlichen Stimmen in die Segelkammer verschlagen. Ein Andrang, Überfall auf die Materialbestände, damit Gelegenheit wäre, zu schreien. Nicht, daß man die Disziplin auspfiff. Man erleichterte sich nur. Jeder kämpfte für das nackte Leben. Schließlich war es einerlei, ob der Holzkasten,

dieser schwimmende Wald, sich in die See festbohrte und naß mit den tausendtonnen Gewichten abgegurgelt wurde, oder ob er, bei übergehender Ladung, mit Blitz und Rauch nach oben und unten verschwand, mit einem kleinen Donner das Trompeten des Orkans unterstützend. Das Getrappel der Füße ging in Laufschritt über. Man faßte an, weil man Hände hatte. Blinder Gehorsam gegen die Vorgesetzten. Das war die letzte und einzige Weisheit der Unteren. Die scheltenden Münder waren verstummt. Man stand den Angriffen der Elemente mit notdürftiger Fassung gegenüber. Die große Einigkeit in der schwülen Angst vor dem Unbekannten.

*

Der Wind machte sich schwerer, als man erwartet hatte. Die Oberfläche des Wassers verwandelte sich in ein zerklüftetes Gebirge. Milchige Ströme gepeitschter Flüssigkeit jagten von den Kämmen und Gipfeln zutal, verdichteten sich zu der Materie, die sie waren und überfluteten das Schiff. Allmählich war eine unbändige Bewegung in den hölzernen Bau gekommen. Die Landschaft der Kräfte war nicht mehr zu überschauen. Ohne jedes Schamgefühl kam die See über die Reling. Das Gebirge floß heran. Oder das Schiff tauchte sich anspringend hinein. Es gab Schläge, gegen die die Menschen den Willen zur Erhaltung nicht aufbrachten. Das war, wenn das Wasser blank sich auf das Schiff warf und es hinein drückte in die unheimliche Dichte der flüssigen Urwelt. Niemand erinnerte sich hinterher, daß die Wasserstürze mit prustendem, trommelndem Lärm herangeritten kamen. Das Zittern des mißhandelten Fahrzeuges spürte man nur wie einen züngelnden Strom im Mark der Knochen. Die Haut war eisig, die Lungen hatten Mühe, gegen den gewaltigen Sog der Luft zu atmen.
Waldemar Strunck wurde sehr gelassen. Gewiß taumelte das Schiff, angepackt von den ausschweifenden Gewalten, mit ungewissem Kurs durch die dahinrollende nasse Bergwelt. Aber das Gefüge aus Baumstämmen bestand die Angriffe über Erwarten gut. Die Äußerungen des Auflehnens waren keineswegs Zuckungen der Schwäche, vielmehr Ausschläge starrer Gesetze. Und im Wirbel des Getriebenwerdens zählte das rhythmische

Schlingern genaue Perioden von zehn Sekunden ab. Die kleineren Zwischenfälle anbord mußte man hinnehmen. Daß, nach vielen brummenden Stoßböen, ein Tuch am Kreuzmast dem Winddruck nachgab, wirkte befreiend. Erst gab es Risse im Segel. Dann zerfetzte es sich knallend und kreischend und flog weg; bis auf die Wimpel, die an den Lieken hängenblieben. Waldemar Strunck lachte breit. Sein Herz erhob sich an einem anderen Gefühl als dem: ein gutes Schiff bestand die Taufe der Gefahren. Er fühlte, Georg Lauffer war ausgeschaltet. Aller Raum war ausgefüllt mit Lärm. So waren die Mikrophone nutzlos. Die Berechnungen eines unbarmherzigen Geistes waren zunichte gemacht. Die Natur war da. Allüberall. Die Bewegung verdichtete sich zu einem ehernen Schöpfungsablauf. Und der Superkargo war der fleischliche Mensch, seines Amtes entkleidet. Möglicherweise litt er unter den Anfällen seines Magens. Heimliche Krankheit bekam eine Gelegenheit, sich ein Nest zu bauen. Das Gerüst überspitzter Gedanken erlag einem Übelbefinden. Der Kapitän empfand keine Schadenfreude. Er genoß nur die Freiheit, ohne Vormund Führer des Schiffes zu sein. Er wünschte sich, der Sturm möchte andauern.

*

Die kleineren Zwischenfälle anbord mußte man hinnehmen. Es kam Wasser über. Und es kam Wasser durch die Türen der Hütten. Gegenstände, die niemand beachtet hatte, fielen herab, rollten durch Kammern und Salons. Wassergläser gingen zu Bruch. Bücher schlugen sich auf und zeigten die bedruckten Seiten. Dem Koch erlosch das Herdfeuer. Es konnte sich gegen den Druck des Windes nicht behaupten, brannte schlecht, verqualmte den Raum. Ein umschlagender Suppentopf erledigte die magere Glut vollends. Also verzichtete man auf warme Gerichte, begnügte sich mit dem Gejammer Paul Raffzahns, der sich selbst nicht verzeihen konnte, daß ihm das Essen über Stag gegangen war, machte Anleihe bei einer großen Schnapsflasche. Man fraß kaltes Fleisch und trockenes gekekstes Brot. Irgendwo war beständig Wasser auszuschöpfen. Die Kleidung triefte.
Das größte Ungemach bereitete der Superkargo. Er hatte das Bedürfnis, zu wandern. Unruhe. Er streckte sich gelegentlich

auf einem Sofa des Speisezimmers aus. Aber die schwere Neigung des Schiffes, die Wasserfälle, die vor den Bullaugen fluteten, die heillose Bewegung, die die Gedanken austrieb, das Fauchen, das Skandieren tropfenden Wassers verführten ihn zu neuen Unternehmungen. Den Stand des Barometers ablesen. Die Laune des Kapitäns erforschen. Sich auf der Seekarte zeigen lassen, an welchem Ort des Ozeans dies vorging. In der Medizinkiste kramen. So drückte Georg Lauffer denn von Zeit zu Zeit die Tür nach außen auf. Dabei geschah es, daß er einen Teil des Ozeans hereinließ. Wasser füllte plötzlich die Türöffnung aus. Der Mensch wurde zurückgeschleudert. Er sah vor sich einen Strom, gurgelnde Wirbel. Das Außendeck war untergetaucht. Nach ein paar Sekunden ein Heben des Bodens. Das Wasser rauschte durch den Gang nach der entgegengesetzten Seite. Die Außentür schlug krachend zu. Platschende Kaskaden die Treppe hinab.
Als Ellena, die sich in ihren Salon zurückgezogen hatte, in eben diesem Augenblick spürte, Berge wälzten sich über das Schiff, die Bullaugen verdunkelten sich, wurde ihr Herz lahm. Sie sprang von ihrem Bett auf, trat auf den Gang, wünschte einem Menschen zu begegnen, der gefaßter war als sie. Da schlug ihr das Wasser entgegen, das der Superkargo hereingelassen hatte. Sie wurde naß bis an den Nabel. Ihre Wohnung war gleich überflutet. Das Mädchen begann vor Schrecken zu zittern. Der Superkargo entschuldigte sich. Taumelte ins Eßzimmer, woher er gekommen. Offenbar schämte er sich sehr. Ellena konnte sich den Einbruch des Wassers nicht erklären, war aber besonnen genug, nicht an ein größeres Unglück zu glauben. Sie wich vom Gang zurück. Da legte sich das Schiff schwerer über als jemals vorher. Man hörte es seufzen, durch all die gurgelnden Geräusche hindurch. Gegenstände rollten und klappten. Das Bettzeug Ellenas glitt auf den Boden und tauchte in die Pfützen. Sie selbst wurde gegen eine Wand getrieben. Ihr Gesicht kam vor ein Bullauge. Und sie sah, wie die Reling auf der Leeseite ins Meer untertauchte. Es tropfte und rieselte auf dem Gang. Ellena horchte nach einem menschlichen Laut; aber es war neben dem Orgeln der Brandung nur eine große Stille.
Noch einmal verfinsterte einkippendes Wasser das Licht, das durch die Bullaugen drang. Nach dem Abfließen deuchte ihr, es

wurde nicht heller. Schwarze Schleier waren zurückgeblieben. Geballte Finsternis stand am Himmel. Es war zu erkennen, die Nacht brach herein. Die Augen waren vom Schrecken belastet, empfindlich und müde zugleich, so daß sie den allmählichen Abfall des Lichtes zu einer einzigen ruckartigen Wahrnehmung verdichteten. Beim nächsten Sichaufrichten des Fußbodens ergriff das Mädchen die Flucht.

*

Gang, Treppe, der Korridor, von dem die unteren Kammern abzweigten. Sie trat bei Gustav ein. Er lag unausgekleidet auf dem Bett. Wie auch hätte er in dem engen Raum sich anders aufhalten sollen? Die Kerze neben dem Lager war angezündet, schlug rotierend in elliptischen Bahnen hin und her, qualmte. Das Bullauge gab kaum mondhelles Licht. Es war erblindet, ganz in die See eingetaucht.
»Es ist anstrengend«, sagte Gustav, »man kann nicht lesen, man kann sich nicht beschäftigen. Ich habe lange in die Landschaft des Unterwassers gestarrt. Aber kein Fisch hat sich gezeigt. Immer nur die zornig siedenden Luftblasen, die nach oben streben.«
»Ist es dir hier unten nicht zu beklemmend«, fragte sie.
»Nein«, antwortete er, »nur die Wände stehen zu schief. Manchmal muß ich die Augen schließen. Dann begreife ich mehr vom Stampfen und Schlingern.« Er ging aus dem Bett, nötigte sie, seinen Platz einzunehmen. Er selbst hockte sich auf den Bettrand.
»Die Selbstverständlichkeit des Atmens ist aufgehoben«, begann er wieder, »man muß sich Mühe geben. Es fällt recht schwer, in der Lage zu verharren, die man sich vorgenommen hat.«
Inzwischen rauschte es über ihnen. Die bespülten Decksplanken. Dazu ein unablässiger einschläfernder Ton, die vielfältigen, zu einer Stimme zusammengezogenen Laute des Orkans. Der hölzerne Bau war ein großer Resonator, der erbebend die Schallschwingungen ausströmte.
»Wie ein Kor von Menschen, der ferne singt«, sagte Gustav, »mir ist das vorhin eingefallen. Ich stehe zwischen den Hügeln

der Gewölbe einer Kathedrale. In Danzig, auf dem Boden der Marienkirche habe ich dergleichen einmal erlebt. Von unten, oder aus den Wölbungen selbst, die man für lehmige Erdaufschüttungen nimmt, kommt die Musik. Die Töne haben keine genaue Gestalt.«

»Es singt doch niemand unter uns«, sagte erschreckt Ellena.

»Ich habe es mir eingebildet«, sagte Gustav. Er starrte in die kreisende Flamme der Kerze. »Übrigens, auch andere haben den Gesang gehört«, fuhr er fort, »den Gesang des Wassers oder des Schiffes.«

»Nein«, sagte sie, »deine Augen gehen voneinander. Du bist nicht bei dir selbst. Ich fürchte mich. Der Mensch erträgt es nicht, im Wasser zu wohnen. Und du wohnst im Wasser. Dein Fenster schaut in den Ozean hinaus.«

»Der Mensch erträgt alles, was ihm zugeteilt wird«, sagte Gustav, »es ist nicht das schlimmste, im Wasser zu wohnen. Wenn dies Schiff nun in rasender Fahrt das Tal des Ozeans hinabstürzte, um dem Mittelpunkt der Erde näher zu kommen, dem Ruf der Materie folgte, wie dieser Metallhalter, so käme uns nur eine Rolle zu, die jetzt Menschen auf einem benachbarten Schiff haben, das dem Orkan nicht standhält. Und sie sind nicht sehr unterschieden von uns. Warm, solange sie atmen. Etwas süßes Fleisch, etwas bittere Gedanken. Da sind Gefühle. Erinnerungen an eine Geliebte. Tränen und Flüche. Da wird ein Schiffsjunge, weil er junge Eingeweide hat, von einem Fisch geschlachtet. Mit einem Messer aufgetrennt. Die hohen Richter der Menschen empören sich nicht über diesen Mord. Sie haben soviel damit zu tun, die Gelüste ihrer Mitmenschen zu verdammen. Sie sind ganz ohnmächtig gegen den Hunger der Kreatur und gegen den Samen, der sich überall säen will. Die Landschaft hinter dem dunklen Glas ist nicht nächtlicher als der Gram, den wir unter dem lichteren Himmel schlucken müssen.«

»Du bist verwirrt, Gustav«, sagte sie mit schwacher Stimme, »ich möchte versuchen, dich aufzurütteln.«

»Der Koch hat auch den Gesang gehört«, sagte Gustav, »er hat es mir erzählt. Er ist hereingekommen, um es mir mitzuteilen. Er schwor, genau zu erkennen, es seien Frauen, junge Frauen, die sehr langsam, Silbe nach Silbe, über ihre Lippen sängen.«

»Es ist unheimlich in deiner Nähe«, sagte Ellena.

»Es ahnte mir schon, daß du mir mißtrauen könntest«, sagte Gustav, »aber ich bin ganz sicher darin, ich bin ein durchschnittlicher Mensch. Man findet, alles in mir hat seinen Platz wie bei anderen. Es ist ein Ende mit mir, wenn meine Pulsadern aufgerissen werden. Und ich bin unfreundlich gegen die Wirklichkeiten, wenn sie mich enttäuschen und in Betrübnis bringen.«
»Du bist traurig«, sagte sie.
»Ich bin es nicht«, antwortete er, »ich habe mich mit der Bewegung, die hier so ausschließlich die Herrschaft ergriffen hat, beschäftigt. Es ist kein Platz für mich selbst übriggeblieben. Ich habe mich garnicht gespürt. Oder doch nur in der zufälligen Beschickung des Beobachters. Wenn jemand in das Mikrophon einer Radiostation hineinspricht, dann spielt die, gewiß unwichtige, Stimme, es ist eine unter einer Milliarde, auf der Membrane. Und die elektrischen Ströme sind aufmerksam und willig, immer nur die Stöße auszuführen, die die unwichtigen Laute im elektromagnetischen Feld vorschwingen. Aber man täuscht sich, wenn man meint, es wäre das eine Unterwerfung der elektrischen Energie. Oder die Entschleierung ihres Geheimnisses. Sie hat ihre Existenz daneben. Sie verwundert sich nicht einmal. Alles schaut wie mit Tieraugen auf den Dünkel des Menschen: die Kristalle, die Metalle, das Planetensystem der Atome. Der Stoff und seine Seele haben noch nicht einmal begonnen, die eigene Dimension zu schmecken; wieviel weniger eine Stimme, die kommt, um zu verwehen! Es ist kein gewaltiger Sieg der Menschheit, daß die Schöpfung nicht aus ihren Gesetzen ausbricht.«
»Was hat diese Betrachtung mit deinem Zustand zu schaffen?« fragte Ellena.
»Die Traurigkeit«, sagte er, »das ist die fremde Stimme, der ich gehorsam bin wie die kleinen Wechselströme.«
»Du leidest«, sagte sie schlicht, »aber woran?«
»Man kann meine Gleichnisse auch in einen anderen Zusammenhang oder in eine andere Reihenfolge bringen«, sagte er, »eine Milliarde Ohren hören den falschen oder echten Zauberklang der allgemeinen Traurigkeit und verfallen ihm. Es ist nur ein Schmerz vorhanden, nur eine Leidenschaft, nur ein Tod. Aber sie flimmern ohne Grenze ins Ungemessene, eine Bewe-

gung nach allen Seiten. Alle Strahlen, die bekannten und unbekannten, summen den verzehrenden Rhythmus, diese Melodie des Untergangs. Und wer sich aufschließt, der versinkt, entflammt, vergeht. Es ist wohl das kunstvollste Meisterstück der Allgewalt, daß sie mit einer leisen Stimme allüberall ist. Und wir, Diener, sind in jedem Augenblick zu allem aufgerufen. Aber wir weigern uns oft. Wir verschließen uns. Wann wären wir ganz gesund oder unverwundbar, daß Schmerzen uns nicht anlangen könnten? Wann wären wir außer Gefahr vor dem Tod? Wann gäbe es Frieden und Gerechtigkeit, den Zustand ohne Urteil, daß wir beruhigt die Traurigkeit aus uns entließen?«

»Das ist eine Theorie, wie sich das Leid von den Sternen oder sonstwoher auf die Erde verbreitet«, sagte sie.

»Aber ich will nicht«, sagte er, »ich will das alles erleben, aber ich will so gut bleiben wie die Materie, die ihre tiefsten Äußerungen nicht kennt. Ich will danebenstehen, wenn ich aufschreie oder in Krämpfen umsinke. Ich bin nicht bereit, mich prüfen zu lassen, ob ich ein brauchbares oder verwerfliches männliches Menschentier bin. Ich bin zum Dasein gekommen und will mich darin einrichten, wie es mir behagt. Ich entgehe der Stimme nicht. Ich schwinge oder zucke. Aber ich will es nicht so fühlen, wie es jedermann fühlt.«

»Du weinst ja«, stieß sie hervor.

»Ich sehe es«, sagte er, »aber es bedeutet nichts für mich.«

»So bedeutet es doch etwas für mich«, gab sie zurück.

»Das wäre nur gerecht«, sagte er mit einer plötzlichen Wendung seiner Gedanken, »denn du hast die Tränen hervorgerufen.«

»Das begreife ich nicht«, sagte sie verzweifelt, »du mußt mir keine Rätsel aufgeben.«

»Es ist ein Herr Superkargo anbord«, sagte Gustav, »und du warst gestern von mittags bis abends mit ihm verschwunden. Das ist gewiß ein natürliches Vorkommnis. Und es wird noch besondere Gründe gehabt haben. Aber mir ist der Speichel bitter geworden. Nicht, daß ich dich beargwöhne oder Vorwürfe aufgespeichert habe; es handelt sich für mich nur darum, etwas zu überwinden oder mir eine andere Anschauung von meinem Schicksal zu verschaffen.«

Es wurde Ellena dunkel vor den Augen. In ihrer halben Ohnmacht sagte sie: »Ich hatte mir vorgenommen, mit dir darüber zu sprechen.«
»Ich habe nicht an unserer Einigkeit gezweifelt«, sagte Gustav, »genau genommen handelt es sich auch nicht um deine Empfindungen oder um die meinen. Wir können getrost voraussetzen, es hat sich nichts zugetragen, was nach Veränderung schmeckt. Wir sind zwei Bäume; sie stehen nebeneinander im Walde. Der eine trägt einen weiblichen Blütenstand, der andere einen männlichen. Und es ist die Zeit, wo man auf einen lauen Wind wartet, auf einen Liebesboten. In die staubige begehrliche Wolke, wenn sie mit dem Wind sich aufbläht, mischt sich die männliche Kraft anderer Bäume, die weiter abstehen. Darüber erschrickt man nicht. Ich bin nicht eifersüchtig, Ellena. Aber es gibt Äxte, die können einen Baum fällen.«
»Es ist abwegig«, sagte sie mit geschlossenen Augen.
»Daß ein Baum umgelegt wird?« sagte er.
»Die Entsprechung«, sagte sie.
»Daß man dich ermordet«, sagte er, »es ist eine Möglichkeit.«
»Mir ist übel«, sagte sie, »aber ich darf dir keine Antwort schuldig bleiben.«
»Du wolltest mit mir sprechen«, sagte er.
»Der Superkargo«, begann sie, »ist ein unglücklicher Mensch.«
»Ich habe es vermutet«, sagte Gustav.
»Er lebt auf der Schattenseite«, sagte sie.
»Man sieht es, wenn man den eigenen Augen traut«, antwortete er, »es beseitigt den letzten Zweifel an der Möglichkeit, daß er einmal unbedacht handelt. Ich sage ja nicht, er ist ein böser Mensch. Wahrscheinlich gibt es solche garnicht. Ein bedrängter Mensch. Und darum unfrei. In seiner Einsamkeit horcht er auf die Stimmen. Das sind doch Beweisstücke für sein ruheloses Horchen: seine Apparate. Und so hört er das Lispeln der Leidenschaft, tausendfach verstärkt. Es wird zum Hunger in ihm. Plötzlich ist er das blinde Gerät der Allmacht. Der fressende Fisch, die Sucht, die Eingeweide schmecken will.«
»Es ist alles falsch«, sagte sie kraftlos.
»Wir werden belehrt«, sagte er, »der Mensch strauchelt.«
Ellena sagte: »Du hast mit den Matrosen eine Freundschaft begründet. Es ist dir sicherlich nicht verwerflich erschienen, die

Kost ihrer Erinnerung zu speisen. Hast du dir vorher überlegt, sie könnte unbekömmlich für dich sein? Hat dich etwa geschaudert, du könntest mitgeführt werden an schamlose Orte, wo du Zeuge von Entblößungen wirst, die dich dir selbst entfremden? Du hast dergleichen nicht erwogen. Und konntest es auch nicht. Es war kein Zögern im Plan deiner Maßnahme. Es ist kein Vorwurf darin, wenn ich dich darauf aufmerksam mache, wie man, klugerweise, solche Dinge vorausbedenken kann. Und hättest du es getan, du hättest dich gleichwohl für die derbe Freundschaft entschieden, die dich zu nichts verpflichtet, wie du meinst, die dich nur erfahren macht, ohne daß du Schaden nimmst.«

»Es ist manches angedeutet, was ich beherzigen könnte«, sagte Gustav, »ich möchte dich nur darauf hinweisen, meine eigenen Gedanken sind stets länger und auch ausschweifender gewesen als die Reden der Mannschaft.«

»Darum erreiche ich dich jetzt nicht mit meinen Einwänden, wie sehr ich mich auch bemühe«, sagte sie mutlos, »aber ich muß doch, damit es geschehen ist, einiges erklären. Magst du den Gewinn deiner Freundschaft groß oder klein nennen – ich will garnicht nachforschen, ob etwas Gefährliches dabei ist, zumal dies nicht ungeschehen zu machen wäre – du hast mich ziemlich vernachlässigt, mich oft allein gelassen.«

»Ich bedaure es tief«, sagte Gustav zerknirscht, »ich könnte mich entschuldigen, was gewiß in diesem Augenblick unpassend wäre.«

»Du selbst hast die Anlässe geschaffen, daß es zu Unterhaltungen zwischen Georg Lauffer und mir gekommen ist«, sagte sie. »Warum soll eine Befleckung am Austausch unserer Gedanken sein, wenn das rohe Abenteuer deiner Freundschaft mit zwei Dutzend Männern makellos oder selbstverständlich ist?«

»Man wird dich entschuldigen müssen, wie ich mich selbst entschuldigt fühle«, sagte Gustav, »und der Dritte ist nicht zu tadeln, weil er ganz in eigener Sache handelt.«

»Er ist keineswegs aufdringlich gewesen«, sagte Ellena.

»Unser Gespräch ist schon zuende, wenn wir es nicht aufs neue beginnen wollen«, sagte Gustav, »ich könnte dich noch fragen, welcher Art die Unterhaltungen waren, die ihr miteinander geführt habt. Aber ich bin nicht einmal neugierig. Und wäre ich es, ich würde es für eine unfeine Regung halten. Georg Lauffer konnte manche Vorteile ausnützen, als er sich entschloß, deine Freundschaft zu erwerben.«

»Vorteile?« unterbrach sie den Verlobten. »Hast du vergessen, er war für uns der graue Mann?«

»Eben darauf ziele ich«, antwortete Gustav, »er war uns so hassenswert erschienen, oder doch so verdächtig, solange noch Kälte und Entfernung zwischen uns und ihm waren, daß das Nahe und Wirkliche zu einer Rechtfertigung für ihn werden mußten. Wir haben ihm anfangs mehr Schlimmes zugetraut, als ein Mensch mit Vernunft zu planen bereit ist. Die Klugheit gibt den Entscheidungen eine augenfällige Würde. Wir müssen nicht darüber streiten, ob dieser Mensch nun klug oder nichts daneben, oder auch ehrbar ist. Jedenfalls sind gewisse Verdächte unbegründet. Sie sind durch das eine und andere ausgemerzt. Es bleibt zu erwägen, ob wir die rechte Mittellinie seines Karakters gefunden haben, ein unleidenschaftliches Urteil über die Verteilung von edlen Regungen, Herzlosigkeit und Willkür, damit wir daraus für uns bekömmliche Schlüsse ziehen.«

»Du bist voreingenommen«, sagte Ellena, »deine Darstellung ist nicht frei von Überheblichkeit. Du bist nicht bescheiden, eher selbstgerecht. Du zergliederst die Äußerungen eines Menschen, in dessen Seele du noch keinen tiefen Einblick genommen hast.«

»Es ist uns erzählt worden«, antwortete Gustav, »der graue Mann hat in einer kurzen Stunde, oder mögen es ihrer zwei gewesen sein, ohne Scheu zwanzig Menschen gewissermaßen nackt an den Schandpfahl gestellt. Er hat keinerlei milde Auslegungen für die Unvollkommenheiten ihrer Haut und was darunter saß, bereit gehabt.«

Sie räumte diese Geschehnisse mit kläglicher Stimme ein. Und er beeilte sich, seinen leichten Triumph zu bedauern. Die hinterhältige Schlagfertigkeit sei keine Eigentümlichkeit seiner Veranlagung, vielmehr dazu im Widerspruch. Aber in einer so wichtigen Angelegenheit wie dieser, nämlich ihres zukünftigen Schicksals (er sagte es so hart), könne man aus reiner Höflichkeit nicht Tatsachen außer acht lassen, die bekannt geworden und unumstößlicher seien als weiche Erklärungen der Reue, die, er vermute es, vom Superkargo wären vorgetragen worden. –

Ellena schüttelte weinend den Kopf. – Es sei zu befürchten, sie sei überwältigt worden, als ein Mensch vor ihr erschien, da sie die Maske des Bösen erwartet hätte.
Das Mädchen wehrte die hartnäckige Auslegung mit einem lauten Seufzer ab. Er vestummte. Es war nun Gelegenheit, auf die Geräusche des Wassers zu hören. Und die großen Bewegungen des Schiffes wieder ins Bewußtsein zu lassen. Das Dasein war den beiden in diesen Minuten so schwer, daß sie sich ganz an die Wahrnehmungen auslieferten und vor ihrem Gespräch zurückwichen. Es war so trübe in ihnen, daß die Zukunft ihnen gleichgültig war, das Nahe und das Ferne. Ihr Streiten war unduldsamer als ihr Gefühl. Sie waren nicht entzweit, sie entbehrten nur genauere Kundschaft voneinander. Und die war bei der Erschöpfung, die das heftige Wetter bereitete, nicht zu erlangen. Unerwartet sagte Ellena:
»Das Leben dieses Menschen ist eine einzige Reihe von Mißgeschick gewesen. Er ist arm. Er hat es nicht einmal zur Stellung eines kleinen Beamten gebracht, wiewohl es ihm nicht an Begabung gebricht. Ihm ist auch nicht verwehrt worden, sich zu erproben; er hat Aufgaben für sich verlangt, und man hat ihn damit betraut. Aber es ist zu seinem Unglück ausgeschlagen. Nicht, daß er der Erfolge entbehrte, oder daß er seine Auftraggeber enttäuschte. Ihre Zufriedenheit indessen brachte ihm keinen Lohn ein; ihre Laune stand nicht danach, ihn nach Gebühr anzuerkennen. Entweder war der hohe Auftrag seinen jungen Jahren nicht gemäß gewesen, und irgendein Vorgesetzter fühlte sich berufen, hinterher für alles die Verantwortung zu tragen. Oder es war ein Unternehmen, so schwierig, daß niemand ein Interesse am Erfolg hatte, jeder den Mißerfolg geradezu erwartete. Kam es anders, so war man mehr verwundert als dankbar. Jedenfalls bezog sich die Erleichterung, die man empfand, nur darauf, daß die Angelegenheit ihre Erledigung gefunden hatte. Und die Mühen des Ausführenden waren vergessen, weil man sie garnicht erst bekanntgegeben wünschte. Die Undankbarkeit oder der Mißerfolg steigerten die Ansprüche, die Georg Lauffer an sich selbst stellte. Es trieb ihn, sich von Mal zu Mal zu überbieten. So kam es, daß man seine Leistung dem Ungewöhnlichen zuordnete, sozusagen die Abteilung des garnicht zu Beurteilenden erfand. Man unterließ zu

prüfen, ob es etwas Schweres oder Leichtes war, gefahrvoll oder an der Grenze des Zulässigen. Es dünkte allen, es war genug, sich Georg Lauffers zu erinnern, wenn andere für einen Einsatz nicht bereit waren. Er wuchs in das zufällige Amt hinein, ein nicht Festbesoldeter, etwas im geheimen Auftrag auszurichten. Als Feind aller, die er nicht aufklären konnte. Er ist stets auf das Arge vorbereitet, verbittert. Er fürchtet die Mitmenschen. Er möchte sie so weit überlisten, daß sie ihn ungeschoren lassen mit ihrer Zudringlichkeit. Jedermann bringt ihn in Versuchung, etwas zu verraten. Und wenn er standhaft bleibt, überhäuft man ihn mit Verdächten. Dabei ist es wahrscheinlich, er lügt weniger als andere Menschen; er schweigt nur mehr als die meisten. Und sein Gesicht hat er unerbittlich gemacht, weil er eine Verkleidung haben muß, wenn er den Pistolen mißtraut.«
»Das ist eine gute und möglicherweise stichhaltige Schilderung des grauen Mannes«, sagte Gustav, »man kann ihm am Ende nur einen Vorwurf bereiten: er hat sich weit vorgewagt gegen den Durchschnitt. Er verachtet ihn zu sehr, um noch anerkannt zu werden. Er hat viele Listen angewandt, um sich und seine Aufträge zu verbergen, sodaß er entgegengebrachte Zuneigung als eine heimliche Beleidigung empfindet. So zerstört er sie hinterrücks im Keime, um das vertraute Gefühl zu bewahren, er ist seiner Aufgabe treu geblieben. Aber sein Verhalten birgt Gefahren. Nicht nur, daß Verwirrung um ihn her entsteht; einmal lehnt sich seine eigene Einsicht dagegen auf. Schon die Reihe der Mißerfolge muß ihn schließlich sich selbst verdächtig machen; zumal er sie mit einer groben Dummheit nicht entschuldigen kann. Und kommt es dahin, daß er sich zu prüfen anfängt, kann sein, er entdeckt, er hat alles falsch gemacht. Die Leere, die sich dann auftut, der abgründige Ekel; der Mensch ist darauf nicht vorbereitet, es ist wie Erblindung, man weiß nicht, welcher Art die Stimmen sind, die aufkommen; es wird nicht leicht sein, die Ausschreitungen der Begierden zu zügeln, über die er erhaben zu sein glaubte.«
»Du gehst einer Wahnvorstellung nach«, sagte Ellena.
»Ich weigere mich, einzugestehen, daß ich eifersüchtig bin«, sagte Gustav, »es erscheint mir indessen natürlich, daß Georg Lauffer dich liebt oder begehrenswert findet. Es ist ja nur die Bestätigung meines Gefühls. Ich denke auch nicht verächtlich

vom Fleisch. Es fordert aber Tribut. Niemand hat es mir erzählt, dennoch wittere ich es, der größere Teil der Schiffsmannschaft träumt von dir. Aber es sind doch nur die vielen Bäume, die entfernter von uns stehen. Sie reißen nicht ihre Wurzeln aus dem Boden, auf dem sie gewachsen sind. Es vollzieht sich an ihnen keine Verwandlung. Sie sind nicht Werkzeuge des gräßlichen Zufalls, ich fühle keinen unter ihnen dazu ausersehen.«
»Georg Lauffer hältst du zum Verbrechen berufen?« fragte sie ungläubig.
»Ich fürchte ihn«, sagte Gustav.
»Er fürchtet dich«, sagte Ellena, »er möchte nicht dich zum Feind haben.«
»Das ist ein Lichtblick«, sagte Gustav, »vielleicht aber ist es belanglos und deutet darauf hin, daß er sich seiner selbst nicht sicher fühlt.«
»Du bist um Auslegungen nicht verlegen«, sagte Ellena.
Er schwieg eine Weile und sann über eine Entgegnung. Plötzlich erinnerte er sich Alfred Tuteins. Der Verlobte des Mädchens begriff garnicht, wieso er den in dieser Sache so wichtigen Menschen und sein Verhalten hatte vergessen können. Die nagende Ungewißheit hatte sich ja mit der Warnung des Leichtmatrosen zugleich eingefunden. Das Bild war noch frisch in Gustav. Das Aufgerissenwerden der Tür. Das schaurige Wort. Mochte es anfänglich leichter gewesen sein; allmählich hatte es sich mit Gram beladen. Und der verächtliche und haßerfüllte Blick des Superkargos, der in eben jener Nacht Gustav, als er einer Lösung des Rätselwortes nachjagte, eingepflanzt worden war. Die Wiederholung der Warnung. Die unerwartete und niederschmetternde Deutung durch die beiläufige Rede des Kapitäns.
Der Verlobte begann zaghaft die Vorgänge mitzuteilen. Um daran sich selbst zu entschuldigen und die schon eingefleischte Meinung fester zu umwachsen. Die Mannschaft, mochte jedes Mitglied für sich auch begehrlich sein oder anfällig, stellte sich gewissermaßen in den Dienst einer fremden Liebe. Vielleicht folgten diese nicht sehr begünstigten Menschen einem Gesetz, das für Herden galt. Und ihr Antrag, fremdem Glück zu dienen, hatte möglicherweise etwas vom Taumel der Arbeitsbienen, die sich, selbst ausgeschlossen von den heftigsten Lüsten, einem

mörderischen Gehorsam gegen geschlechtsstarke Genossinnen unterwarfen. Man mochte also den Einsatz der Männer groß oder klein nennen, einen selbständigen sittlichen Entscheid oder das Nachgeben an ein allgemeines Ritual, so war doch ihre Haltung eingebettet in eine Ordnung. Und ein Auflehnen dagegen nicht zu befürchten. Es war sogar zu vermuten, Anläufe zum Durchbrechen der Übereinkunft wurden in der Gemeinschaft unauffällig rückgängig gemacht. Anders die Stellung Georg Lauffers. – Er wiederholte den letzten Satz. – Der graue Mensch war auf sich beschränkt. Man konnte erkennen, der Kampf zwischen den beiden Männern hatte begonnen. Der Ausfall der Kraftprobe mußte mehr zufällig als sinnvoll sein, weil die Gegner einander ebenbürtig. Andeutende Zurückhaltung sei gegen Einfalt ausgespielt, kalte Erfahrung gegen dünne Erkenntnis. Gewiß würden die Jahre ein Gewicht haben, das verschiedene Alter. Und der unwägbare Teil der Seele, die geheime Anziehung. Oder wie man die Kraft des Daseins nennen wolle. Man könne das grob oder geistvoll ausdrücken.
Ellena fragte hart, ob Gustav sie, entgegen seiner Zusage, verdächtige. Ob sie Beweise einer Wankelmütigkeit gegeben habe. Ob man das Gerade ins Krumme verbiegen wolle. Sie verstehe zu wenig von männlichen Gefühlen, um den Wettstreit, der hier angedeutet worden sei, anders als eine ungeheuerliche Verzerrung zu begreifen. – Ihm fielen wieder Axt und Bäume ein. Entrindete Stämme. Ein feuchter Glanz des Todes. Aber er fühlte, er konnte die Verfinsterungen, diese lästerliche Meinung vom Zufall nicht noch einmal mit Worten über die Lippen bringen. Er durfte den Superkargo nicht beleidigen. So verebbte das Gespräch der Verlobten.
Die Nacht war da. Über dem Meere lag vollkommene Schwärze. Und der Sturm ritt hindurch, unsichtbar. Stimme, die wir wohl hören, aber nicht deuten können.

V

Mann, zweihundert Jahre begraben

Es waren zwei gute Trümpfe für den Superkargo ausgespielt worden. Ellenas Einsatz, die schlichte Forderung, die Lauterkeit eines Menschen nicht auf leeren Verdacht hin abzuwürgen. Und die erbauliche Tatsache: das Schiff war durch den Sturm gekommen. Die Ladung hatte sich nicht gerührt. Man war nicht am Rande der Hölle gewesen. Über die Irrwege der Gedanken von einst und ihre Berichtigung von heute wurden keine Meinungen ausgetauscht. Der neue Zustand der Dinge nistete sich stumm bei jedermann ein. Paul Raffzahn begegnete man mit Hohn, als er das alberne Märchen vortrug, in den unteren Laderäumen hätten Mädchen gesungen. Einbildungen, die auf Stelzen gingen. Der Spott entwaffnete den Küchenmeister nicht. Seine Kümmernisse oder seine Sucht, in solche zu kommen, waren zu massiv, als daß oberflächliche Einwände ihn entwaffnet hätten. Die durch höhere Gewalt erledigte warme Abendmahlzeit belastete sein Gemüt. Die reich geschliffenen Likörgläser hatten in ihrem Futteral, ohne Schaden zu nehmen, den Sturm überstanden. Und die schlaflos verbrachte Nacht, schlimmer als andere durchwachte Nächte, hatte ihn streitsüchtig oder doch mürrisch gemacht. Der Küchenjunge war für die Auslegungen des fetten Mannes unzugänglich gewesen. Nicht nur, daß dies blutjunge Leben, unfähig, Gefahr oder Offenbarung am scharfen Geschmack zu erkennen, sich unbedenklich der dumpfen Müdigkeit preisgab, es hatte, um ganz in die Barmherzigkeit des stinkenden Schlafes zu kommen, Whisky getrunken. Bis an die Grenze sinnlosen Berauschtseins. Aus dem Bett herausgerollt. Und nicht erwacht. Da hatte sich der Gesang erhoben. Schon vorher. Aber Paul Raffzahn hatte nicht geweint, wiewohl es angebracht gewesen wäre, vor Rührung zu weinen. Auch war er nicht dumm genug, sich am Gesang zu erbauen, ohne Gedanken über den Ursprung aufkommen zu lassen. Abgründige Tatsachen. Ihm war erzählt worden, vor einem halben Jahrhundert, oder mochte es ein ganzes her sein, war solche Fracht (und er bezeichnete sie, weibliche Kinder oder doch kaum erwachsene Mädchen) nach Kairo verladen worden. Der Sultan oder ein Tyrann mit einem anderen Titel, es war nicht mehr zu ermitteln, hatte das lebendige Menschenfleisch in Grotten versenkt. Unvorstellbare Leiden. Unvorstellbare Lüste.

Man schrie Hurra, während dem Koch vor entzückter Qual die Augen vortraten. Er bestand auf seinen Wahrnehmungen.

»Und die Soldaten mit aufgepflanztem Bajonett, was ist mit ihnen?« rief jemand.

Das war das Stichwort. Die Mannschaft begann mit feuchten Zungen sich die blutstrammen Lippen zu lecken. Unvorsichtige Sehnsucht nach dem Glück. Gierig nach Schönheit, nach sündiger Schönheit. Sich rekelnd sagten sie herb süße, schweinische Worte. Paul Raffzahn widerrief die Soldaten nicht. Mit Verachtung verwies er den Matrosen die wollüstige Ungehörigkeit. Mit entblößten Füßen seien die Mädchen über den Decksboden gehuscht.

»Und seekrank waren sie auch«, sagte jemand. Ein harmloser Einwand, dem ein Dutzend drastische folgten, von anderer Seite beigesteuert. Paul Raffzahn aber beteuerte mit wässrigem Munde, sie hätten gesungen. Die Schicklichkeit zog dem Gespräch keine Gitter. Das derbe Wunder breitete sich aus. Man wollte sich nicht mit den entblößten Füßen der Mädchen begnügen. Es konnte kein Kleidungsstück an den unglücklichen Opfern unvorstellbarer Lüste bleiben. Jemand sagte: »Brüste wie Perlen.« Niemand widersprach ihm. Aber die Wahrheit des Fleisches funkelte mit roten Rubinen.

*

Es kam der Augenblick, wo die Wände des Logis sich verwandelten und zu spiegeln anfingen. Weite Glaslandschaft, in der das Bild jedes einzelnen gefangen wurde. Aber es waren nicht nur ebene glitzernde Spiegelscheiben, in denen man das eigene

Antlitz, den ganzen Körper, anfangs bekleidet, dann nackt und schließlich durchscheinend sah.
So begann es; zaghafte Fetzen eines ungenügenden Glückes, anzuschauen wie das irdische Paradies einer Vergnügungsstätte. Grelle Scheinwerfer – man sparte nicht mit bunten Farben – zeigten die prangende Last unechten Goldes. Aus Pfeilern und Balkonbrüstungen wuchsen Frauen und gemästete Kinder hervor. Sattheit und Sinnlichkeit, der Überfluß, die lachende Schauseite des Lebens wurde ausgestellt. Die Muskeln der Goldmenschen, man beachtete sie kaum, weil ein Dunst von Staub und Tabaksrauch sie umschwelte. Die Verwandlung des Matrosenlogis, anfangs entlehnt aus jener Welt des matten Rausches und der augenlosen Huren, folgte bald eigenen Gesetzen. Es war eine frischere Durchsichtigkeit, in die man starrte, eine härtere Täuschung. Das Ganze war geräumig wie ein Feld oder wie ein Garten. Es war wirklicher als ein zurückgeworfener Schein. Es war selbständiges Leben in den erspiegelten Doppelgängern. Ihre Bewegungen waren willkürlich, und ihre Handlungen schienen bestimmt durch die tiefen Schichten vergrabener Wünsche oder längst abgefallener Träume. Schließlich war jeder peinlich verzerrt, mit Auswüchsen behaftet, triefend von Unzulänglichem und Entartetem. Es war wie ein bis ins kleinste vorbereiteter Protest gegen das Gewissen, das jedermann daran hinderte, nach seinem Wohlgefallen zu tun. In den großen Glasblöcken zeigte sich die Erfüllung mit Herrlichkeit und Häßlichkeit gleichermaßen. Und es war keine Weltverbesserung. Und es war kein heidnisches Entzücken über die Allgewalt des Daseins. Kaum, daß ein Hauch der ersten Ursache sie umspülte. Wäre das Gewissen nicht zermalmt gewesen unter den Türmen aus Glas, man hätte eingestehen müssen, alle Beschuldigungen des Superkargos, in einer nüchternen Stunde gegen ihresgleichen vorgetragen, waren gerechtfertigt. Die Greuel, die die menschliche Kreatur unter dem Schädeldach trägt, waren verdutzendfacht. Jeder wälzte sich, befreit vom Zwang, in einer Schande, in der Schande, die er sich als Lebensziel gesetzt hatte, und die ihm wichtiger war als alle erhabenen Beteuerungen. Worte waren nur der dünnste Abglanz dieser gefährlichen Verzauberung. Die Reden waren gleichsam erstickt in der überwältigenden Verirrung, mit der die

Seelen verbrannten. Die Taten, die jeder beging, waren dringlich, unabwendbar, jenseits aller Selbsterhaltung, geradezu die eigene Zukunft, alle Verheißungen ausrottend. Mit unverhohlener Gier fraßen sie von einem fluchbeladenen Schatz.
Der Rausch, mit dem die Verwandlung begann, die mehr trübbunten als lichten Farben, zerlösten sich, das falsche Gold blätterte ab. Als ob die Begrenzungen wie dürres Laub wirbelnd zerstöben. Die Glastürme wuchsen wie Gletscher bis an die Wolken heran. Die feisten Muskeln der sinnlichen Gestalten, wie von einer Feuersbrunst heimgesucht, schmolzen dahin. Ein herzzerreißender Gegensatz von bröckelnder Verödung und ausschreitender Unendlichkeit tat sich auf. Wie wenn der Weg der Freiheit über das Verbrechen oder durch den Tod führte, so war es hier dargestellt. Die schweißnasse Erschöpfung eines Todeskampfes oder die Müdigkeit nach erhaderten Exzessen, hier einander gleichgesetzt, lösten sich allmählich in das Bild der frömmsten Unterwürfigkeit auf. In das Urteil. In den Verzicht. Kaum, daß dem einen oder anderen ein Wunsch erhalten blieb. Ein Wald von Säulen, das haben Millionen Gehirne gegen den wachsenden Wald gedacht. Durch die Jahrtausende. Stämme, wie sie auf keinem Boden gedeihen. Nur schwer verwitterbar. Und eine Krone darüber, dicht wie schwarze Nacht; Gewölbe, anzuschauen wie gebuchtete Segel, aber steinern, gleich erhöhltem Fels. Daß sie ihrer unbeschützten Haut und ihren weichen Gedanken selbst eine Zuflucht gäben gegen die Unbill. Die Tempel kippten noch einmal zwischen zwei Wimperzuckungen durch den Raum. Die Männer starrten. Ihre Augen starrten. Und wie mit Flügelschlägen eines Vogels schoben sich die Schiffswände in die Glaswelt. Erst eingegossen, eingewachsen, noch dem Abtasten verschlossen. Unnahbar. Dann drängte die durchsichtige Materie vor, gleichsam geschleudert, stoßend, drohte die Brust der Männer einzudrücken. Zersprang aber unerwartet an den müde pochenden Herzen. Blitzende Splitter, wie Julbaumschmuck, sanken abwärts und waren zerlöst, dem Schnee gleich, der im Sommer fällt, ehe sie den Boden erreichten.
Die Wirklichkeiten, an denen die Schöpfung durch die kleinen Zwecke des Menschen so arm geworden war, hatten sich auf Augenblicke in das Matrosenlogis hereingewuchtet. Und konn-

ten doch nicht bestehen. Sie gingen unter in diesem Kreis des Schweigens. Denn das Schweigen war fahl und menschlich, nicht ehrwürdig und uralt. Es bedeutete allen eine zufällige Last. Und sie schüttelten das Licht der Sterne ab. Sie wollten nicht der unbekannten Tiefe geopfert sein. Sie bestanden darauf, sich zu kennen. Und so zersandete, zerbröckelte, verfaulte der tödliche Komet. Das dürftige und abgeschabte Umhängetuch der gegenwärtigen Stunde zeigte sich wieder, die Menschen selbst waren da, ihre Pflichten, ihre Arbeit, an die es kein Erinnern in den Ewigkeiten gab.

Zweifel, daß sie zu Narren geworden wären, kamen ihnen nicht. Wer noch zu denken wagte, dachte; die Glasräume waren wieder in jene Fernen entrückt, die man nicht aufsucht. Es waren kritische Minuten gewesen, in denen man den Preis für das Geborensein bezahlt. Verwandlungen wie im Angesicht des mordenden Engels.

*

Die Stunde hatte ein Bündnis mit Paul Raffzahn, und er blieb Sieger gegen den Hohn und gegen alle. Er hatte nur ein paar Tropfen Speichel fallen lassen, hatte die Augen verdreht. Die anderen waren hinabgestoßen worden dorthin, wo es keinen Grund gab. Ihr Atem roch übel und ging stoßweise. Es handelte sich nicht mehr darum, ob man seinem Bericht Glauben schenken wollte; alle waren einem Zwang erlegen, der der lauen Klarheit der Beweise nicht bedurfte. Übertriebenes Lob hätte der Koch geerntet, wenn nicht der Ort des Schauplatzes eben dies Schiff gewesen wäre, die Heimat der Matrosen, der sie auf Wochen und Monate gehörten. Ihr Unwille, ihre Abwehr galt der Nähe, die die Geschehnisse bezogen hatten. Man konnte plötzlich hineingerissen werden, überfallen werden.

Klemens Fitte, so hieß der Zimmermann, hatte diesen Einwand und noch einen anderen. Es währte geraume Zeit, ehe er sich zum Wortführer aufschwang und mit schweren Schlägen gegen den schleimigen Auswurf eines schon halb vernichteten Menschen, gegen die abtrünnigen Habseligkeiten des gefesselten Geistes hämmerte. Der Handwerker, wie wenn er eine weite Wiese beträte und irgendwo, ihm nicht bekannt, im hohen Gras einen Gegenstand finden müßte, schlenderte hin und her. Versuchte es mit geraden Strecken, um wieder in Kurven auszuweichen. Er suchte in der Tat einen Gegenstand, seinen Pol, um den er kreiste. Seine Bemühungen wären lächerlich gewesen, wenn er nicht, feurig und entweiht zugleich, mit dem aschigen Blick des Hasses den eisernen ewigen Widersacher, diesen Stellvertreter Gottes, mit strengen Fragen bedroht hätte. Klemens Fitte flocht auf seltsame Weise die Geschichte seines Lebens, die, geordnet zu erzählen, ihm unmöglich gewesen wäre, in den Protest hinein. Er hatte das meiste seiner Tage vergessen. Er entsann sich nicht, jemals des Abends ins Bett gegangen zu sein oder zu Mittag gegessen zu haben. Wenn man ihn beschuldigte, daß er lüge, antwortete er: wer denn wisse noch, daß er an den Brüsten der Mutter gesogen? Also er war ohne Erinnerung an das Allgemeine, Alltägliche, an die Wiederholungen. Er kannte die Buchstaben des Alphabets nicht, wenn er sie sich um ihrer selbst willen vorstellen sollte. Er konnte nicht lesen und schreiben, wenn diese Tätigkeiten von ihm als Pflicht verlangt wurden. Und dem Rechnen mißtraute er um des schlechten Ergebnisses willen, das allüberall zu bemerken war. Römische Zahlen, das mochte noch hingehen. Mit ihnen bezeichnete man Balken und Werkhölzer. Die mystischen Vorgänge des Teilens und Vervielfältigens konnte man mit ihrer Hilfe nicht einleiten. Er wurde oft verstockt gegen Maßnahmen und Kenntnisse, die dem Menschen nicht halfen, das Dasein zu fristen. Dann fielen alle erlernten Fähigkeiten von ihm ab. Er schlich am äußersten Rande der Selbsterhaltung umher. Gewiß, seine handwerkliche Tüchtigkeit bildete eine Ausnahme. Sie litt kaum unter der Verworrenheit.

Die schroffen Wendepunkte seiner Lebensbahn waren unauslöschlich in ihm eingebrannt. Es waren Flammenzeichen, die mit unverminderter Kraft in ihm loderten. Oder Scherben, seinem Herzmuskel eingewachsen. Es war ein unablässiger Schmerz. Die Jugend des regsamen, aber verwilderten Mannes war überwuchert gewesen von den Demütigungen, die mit der Armut sich einfinden. Armut war sogar ein schwaches, ein lahmes Wort vor der unablässigen Kränkung, die ihm widerfahren war, weil seine Mutter – einen Vater kannte er nicht – vom Zufall ernährt wurde. So nannte er das. In Wirklichkeit hungerten sie, Mutter und Kind. Es gab ein Zimmer. Und in dem Zimmer stand ein braun gestrichener Stuhl. Nichts sonst darin. Auf dem Stuhl saß die Mutter, auf dem Fußboden das Kind. Eines Tages saß auf dem Stuhl ein Mann und auf seinem Schoß die Mutter. Es war ein widerliches Ereignis. Gewiß war der Hunger zu groß gewesen. Der Mensch erliegt, wenn seine Därme leer geworden sind, und der Kopf die großen Kreise nicht mehr bewältigt, die zu ergründen ihm aufgegeben werden. Warum der Bäcker Geld für seine Ware verlangt, man begreift es nicht, wenn man keines besitzt und keine Hoffnung hat, welches zu bekommen. Und das Fell der Schafe wird nur von den Auserwählten geschoren. Was sollte es bedeuten, daß man Äpfel, die ohne Belehrung auf Bäumen wuchsen, kaufen mußte? War das ein Gleichnis oder eine Ungerechtigkeit? Es schien so leicht oder selbstverständlich, ein Brot zu nehmen, das dalag. Alle Nahrung wuchs und lag nachher in den Städten in Frieden da. Klemens Fitte hatte ein solches Brot genommen, sich angeeignet. Es war nichts Überlegtes oder Unüberlegtes dabei gewesen, vielmehr ein natürlicher Vorgang. So grast das Vieh. Da war plötzlich der braune Stuhl hingestellt worden. Oder war es ein anderer gewesen? Man hatte dem Knaben die Schenkel entblößt (wie die der Mutter entblößt gewesen waren, als sie auf dem Schoße des Mannes auf dem gleichen Stuhl oder auf einem anderen gesessen war). Und eine flache klatschende Hand hatte die Schenkel schmerzhaft berührt. Ein Dutzend Schläge oder zwei Dutzend. Brennend. Demütigend. Das Gesicht des Kindes war blutrot geworden, fast aufgesprungen vor Scham. Dann hatte man ihm die Hose wieder heraufgezogen. Und das Brot geschenkt. Nun wußte er, die Schande der Mutter war nicht größer als die seine. Nahrung und Kleidung, die Wohnung, das dürftige Licht mußte man mit Geld oder Schande bezahlen. Und er verzieh der Mutter. Später, oder zu dieser Zeit der Belehrung, schrieb sich seinem Gedächtnis ein, daß ein Bett in das Zimmer kam. Ein mit mancherlei Decken behängtes Bett. Und daß Männer darinlagen, die er nicht kannte. Er ahnte wohl, daß sie mit klatschenden Händen der Mutter Schande bereiteten. Einmal, es waren ein paar Jahre verstrichen, es überkam ihn, die Mutter war fortgegangen, der fremde Mann aber lag da, der Knabe entkleidete sich und zeigte das Gesäß. Der Mann sprang aus dem Bett, griff nach dem Kind. Irgendwo fand er einen Stock. Er schlug mit dem Stock, bis das Kind ohnmächtig umsank. Vielleicht waren es nicht die Stockschläge, die die Ohnmacht bereiteten. Es konnte ein Messer dabeigewesen sein. Oder ein Drittes, das keine Gestalt für ihn hatte. Es war der glücklichste Tag seines Lebens gewesen. Er fand sich wieder im Bett. Es blutete aus ihm. Die Mutter war da. Weinte; aber es waren Freudentränen dabei. Der Fremde hatte viel Geld zurückgelassen. Ob sich der Vorgang wiederholte, Klemens Fitte wußte es nicht. Er behielt dergleichen nicht. Wichtig und unverwundbar war nur die große Liebe zur Mutter. Eines Tages stand abermals ein fremder Mann in der Stube. Aber es war keiner des schändlichen Besuches. Die Mutter weinte. Ihre Tränen waren heißer und salziger als alle Tränen, die jemals vorher geweint worden waren. Der Mann schaute auf den Knaben und sagte: »Ein so hübsches Kind und so sehr verdorben!« Noch diesen Tag wie damals fragte sich Klemens Fitte, welchen Sinn der Ausspruch haben konnte. Mutter und Kind hatten eine einfache Lehre des Daseins begriffen und waren ihr gefolgt. Sie konnten als Menschen nicht nur von Ratten und Mäusen leben. Der Knabe wurde durch Polizeibeamte abgeführt. Aufs Straßenpflaster warf er sich, daß ihm das Blut aus der Nase stürzte. In seinem Jammer riß er sich die Kleider ab, damit er geprügelt werde und so den Tribut bezahle, bei der Mutter bleiben zu dürfen. Aber man verstand ihn nicht. Die beamteten Männer verstanden ihn nicht. Sie hatten gewiß eine andere Lehre vom Dasein empfangen.

Es kam schlimmer. Es kam das unablässig Schlimme. Er sah seine Mutter niemals wieder. Als er erwachsen war, wünschte er sich, ihr in einem Bordell zu begegnen. Er wünschte sich dies, nicht das andere, daß sie tot wäre. Aber sie war wohl gestorben, weil er sie niemals wiedergesehen hatte. An ihren Tränen erstickt.

Also Klemens Fitte entsann sich nicht, jemals des Morgens sich angekleidet zu haben. Die Nebensächlichkeiten waren in seinen Schlaf eingesponnen. Dieser Mann fand die Erzählung des Koches viel zu wollüstig. Es war ja zu erkennen, den meisten der Besatzung waren die Hirne ausgedorrt vor Verlangen, die Gegenwart möchte sich abwenden und in das Unaussprechliche verkehren. Wer so sehr wie dieser Mensch vom Laster durchwachsen war, sozusagen in ihm geboren, wie die Polizei es ausgesprochen, in ihm um den Verstand gekommen, entmuttert worden als Kind, als Jüngling einsam, ohne Freund, ohne Tier, in die graue Schuld gestarrt, mußte die geilen Überhöhungen als etwas Ungemäßes und Unwillkommenes ablehnen. Etwas Unwahres, das man in den Himmeln verspricht. Er hatte nur Verständnis für die reine Leidenschaft, für das wehrlos Niedergeknüppelt werden, für das Freudlose, dem man voll bezahlen mußte. Den begehrten und verheißenen Genuß durfte man nicht auskosten. Es war ein Fortschreiten von Gericht zu Gericht. Von Verurteilung zu Verurteilung. Von Erniedrigung zu Erniedrigung. Man begeht kein Verbrechen, keinen Diebstahl, keinen Mord, niemand wird geschädigt, nur daß man sich unablässig im Laster befindet. Wie andere in der Tugend oder in der Weisheit leben. Das äußere Zeichen des Lasters aber waren die Armut, der Hunger, das Ungestilltsein. Wie der Reichtum, die Sattheit, die Zufriedenheit das Banner der Tugend waren. Über die Weisheit konnte man nichts Genaues aussagen, weil sie so schwer erkennbar war. Und man irrte sich leicht, wenn man den äußerlichen Attributen nachging, die, sofern man den Gerüchten trauen wollte, ihr anhafteten. Es war am Ende eine ausreichende Vorstellung, hinlänglich vollkommen für das kurze Leben von ein paar Jahrzehnten, Tugend und Laster als Gegensätze zu nehmen, Licht und Schatten. Gewiß hatte der Schatten seine zweite Ursache im Licht. Die erste aber lag vor dem Schöpfungsanfang, in der allgemeinen und verbreiteten Finsternis. Vielleicht war es voreilig, die Tugend als das Leichte, der Vorsehung Gefällige, sozusagen der gestaltenden Kraft verkettet, zu betrachten. Auch sie mußte mühsam erworben und teuer bezahlt werden. Betrug war ausgeschlossen. Es gab Beamte oder Instanzen, die sehr genau wogen. Sie waren streng und hatten unbestechliche Zahlen bereit, aufgeschrieben in Tabellen, nach denen sie zuteilten oder verweigerten. Indessen, man konnte mit dem aufgewandten Kapital wuchern, Zinsen und Zinseszinsen gewinnen, sofern man es der Tugend zugetragen hatte. Es war verständlich, wer arm geboren wurde, mußte größere Geduld aufwenden; denn die kleinen Anlagen wuchsen nicht schnell an; die Not des Augenblicks zwang dazu, Zehr-

pfennige zurückzunehmen. Das Laster war beim Anfang leichter zu gewinnen. Es gab sich wie ein Vorschuß und wurde erst schwer mit der Zeit, wenn es kein Zurück mehr gab. Die Wollust aber, das hatte Klemens Fitte erfahren, hing weder dem Laster noch der Tugend an. Sie war etwas Oberflächliches, etwas Ungründliches, ganz und gar entbehrlich.
Er begann eine Geschichte. Anfangs ließ er es unentschieden, ob sie seine eigene Erfindung war oder der Vortrag einer Erzählung, die ihm von irgendwo zugetragen worden. Zum Schluß machte er die Zuhörer mit der Behauptung verstört, es sei ein wirkliches Begebnis, und er habe Kenntnis davon aus dem Tatsachenteil einer Tageszeitung.

*

Kebad Kenya dachte daran, das Fleisch seiner eigenen Schenkel zu verspeisen. Roh, wie es herabhing, noch warm und vom Blut seines Herzens durchpulst; aber doch schon losgelöst von dem Mann, dem es gehört hatte, bereit, anderswo hineinzuwachsen. Oder eitrig zu vergehen. Kebad Kenya hatte eine Stunde vor Mitternacht sich auf den Rücken seiner Stute geschwungen. Der Himmel war ohne Sterne. Kein Mond stand hinter den Wolken. Es war kein Weg und kein Feld vor ihnen gewesen, keine Schlucht, in die sie hätten stürzen können, kein Teich, in dem sie hätten ertrinken können, kein Wald, in dem sie sich hätten verirren können. Sie konnten sich nicht verirren, und das Unglück konnte ihnen nicht begegnen; denn Kebad Kenya wollte das Ende; aber es war noch nicht da. Und da es das Ende noch nicht war, sondern nur die Finsternis, außen und innen, mußte er etwas tun. Er mußte die Sünde tun oder sich erschöpfen. Doch die Sünde, so verlockend sie ihm auch oft erschienen war und wieder erschien, er widersetzte sich. Ehemals war er in sie gestürzt, er war in ihr zerschrotet worden wie zwischen zwei Mühlsteinen; aber jetzt war sein Haß, mit dem er sich ihr ergab, schwach geworden; da wurde die opferdurstige Gegnerin auch von Kraftlosigkeit beschlichen. So blieb ihm nur das andere, sich zu erschöpfen. Und er ritt dahin zwischen den zwei Finsternissen und zerschund sich die Schenkel bis an den Bauch heran. Und der Rücken des Pferdes wurde wund und blutig wie seine eigene Haut. Wäre die Nacht nicht zu Ende gewesen, hätte die Sonne einen Tag gezögert, heraufzusteigen, er wäre eingewachsen in den Rücken des Pferdes. Das Tierherz und das Menschenherz hätten ihren Saft ineinander gegossen zur gräßlichen Bruderschaft eines Zwitters, eines Hippokentauren. Kebad Kenya hatte es gewünscht, um schuldlos zu werden. Aber die Sonne erhellte den östlichen Raum des Himmels. Der Reiter hielt bei seinem Hause und dachte daran, das Fleisch seiner Schenkel zu verspeisen. Er stieg ab, mühsam, und betrachtete die zerrittene Stute. Tränen traten ihm in die Augen. Er begann zu klagen und zu bereuen: »Ach«, schrie er ins Ohr des Tieres, »ich bin ein verdammter Mensch. Aber es muß ein Ende mit mir nehmen.« Er ging ins Haus und sandte Knechte aus, daß sie die Nachbarn zu ihm brächten. Er legte sich ins Bett, wie wenn er schwach wäre. Es war eine List. Er wollte den Tod herbeilocken. Die Nachbarn kamen und stellten sich um das Lager. Keiner fragte, wie es ihm gehe. Und ob sie ihm helfen könnten. Sie fürchteten ihn und verabscheuten ihn. Denn er war mächtig, mächtiger als sie alle. Er hatte ein großes Haus und viele Knechte. Aber er hielt sie weit von sich wie Schweine in einem Koben. Nur selten rief er einen zu sich. Und dann war es schlimm für den Gerufenen. »Ich habe euch zu mir bitten lassen«, begann Kebad Kenya, »denn es steht schlecht mit mir. Ich habe kein Weib und keine Kinder, keine Freunde. Ihr aber seid meine Nachbarn. Mag sein, man kann euch nicht vertrauen; aber ihr seid doch besser als meine Knechte, die ich erschlagen möchte. Doch ich habe niemals einen Knecht erschlagen, mag man es mir auch nachsagen. Wenn so diese Sünde nicht auf mich fällt und auch andere Sünden nicht, die ihr, meine Nachbarn, täglich tut, so habe ich doch anders gesündigt. Wenn es mir hülfe, darüber zu jammern und mich zu zerknirschen, ich würde es tun. Und hätte Gott daran ein Wohlgefallen, ich würde es auch seinetwegen tun. Aber wie kann er Entzücken an meiner kläglichen Stimme haben? Wie kann er Muße haben, die Wiederholung meiner Verfehlungen anzuhören, die er kennt? So will ich lieber verstockt bleiben, weil sich mit Worten an meiner Schuld nichts ändern läßt.« Die Nachbarn entsetzten sich und schrieen: »Diese Lästerung gegen Gott ist schlimmere Schuld als jede andere!« Er aber fuhr ruhig fort: »Mein Haus und mein

Land, meine Wälder und die Ufer an meinen Bächen sollen euch gehören, denn ihr seid meine Nachbarn. Ich könnte milde gegen meine Knechte sein, die ich lange genug verachtet und gepeinigt habe. Aber sie sind unzuverlässiger als ihr. Darum erwäge ich es nicht, sie mit meinem Besitz zu beschenken.« Die Nachbarn begannen zu sprechen: »Wenn es so in deinem Herzen aussieht, wollen wir versuchen, dir beizustehen. Soweit wir dich kennen, verschenkst du deinen Reichtum nicht, ohne eine Gegengabe zu verlangen. Sage uns also, was wir für dich tun sollen.« »Es ist, wie ihr vermutet«, begann Kebad Kenya aufs neue, »ihr kennt mich ein wenig und wißt, daß ich mein Haus abbrennen könnte, meine Wälder verwüsten, meine Felder mit Salz bestreuen, mein Geld dahin vergraben, wo niemand es findet. Aber nun ist alles wohlbehalten. Ich habe darüber eine Liste angefertigt, und in der Liste steht, was jedem meiner Nachbarn zufallen soll, wenn ich einmal tot und begraben bin. Damit kein Streit aufkomme. Und soweit es in der Kraft des Menschen steht, habe ich versucht, alles gerecht zu verteilen.«
»Sag uns deine Bedingung«, schrieen sie.
»Zwischen den Wäldern, wo sie aus den vier Himmelsrichtungen zusammenstoßen, ist eine öde Lichtung. Unfruchtbar und steinig ist der Boden. Machangel, Stechpalme und Heidekraut wachsen dort. Die größeren Bäume wagen sich nicht heran. Diese Lichtung soll niemand gehören. Die soll mir bleiben. Dahin will ich getragen werden mit meiner Sünde. Ich komme nämlich aus einer großen Einsamkeit, in der ich mit Tieren lebte, und will in eine größere, in der ich mit niemand lebe. Die große Einsamkeit ist meine Sünde gewesen, die größere soll meine Erlösung sein. Bis jetzt habe ich meine Tage auf dem Rücken eines Pferdes verbracht. Dort oben werde ich nicht mehr reiten, sofern die Gnade nicht ganz von mir gewichen ist. Darum schlagt im Stall meine Stute tot. Jetzt nach dieser Stunde; und übergebt sie dem Schinder.«
Die Nachbarn entsetzten sich tiefer als zuvor. Aber sie entgegneten nichts. Kebad Kenya waren nach den letzten Worten Tränen über die Wangen gelaufen. Er fuhr mühsam fort: »Es muß sein. Ich brauche die größere Einsamkeit. Doch mein Blut ist gefährlich. Es neigt dazu, auszubrechen. Darum müßt ihr mich einmauern. Und nicht mit schwachen Wänden. Dies ist meine

Bedingung: ihr, meine Nachbarn, müßt einen eichenen Sarg zimmern, sehr eng, sehr schmal, aber fest. Die Bohlen müssen mit großen geschmiedeten Nägeln zusammengehalten werden. Dann tragt ihr mich auf die steinige Heide. Brecht ein Loch in die Erde, setzt es aus mit Steinen und Kalk. Den Boden, die Wände, und wenn ich hinabgelassen bin, das Dach.«
Er schwieg, und sie beeilten sich, ihm die Erfüllung seines Wunsches zu versprechen. Ihre Furcht vor ihm war groß, ihre Begierde, seinen Besitz unter sich zu teilen, war größer. Sie begriffen, er hatte selbst den besten Weg gewiesen, ganz frei von ihm zu werden. Mochten sie auch geizig sein, an Kalk und Steinen würden sie nicht sparen.
Kebad Kenya sagte noch, ehe er sie entließ: »Das Böse in mir ist stark.« Sie nickten mit dem Kopf, nahmen hin, daß nichts mehr zu bereden war, zogen hinaus in den Stall und erschlugen das Pferd. Dann gingen sie auf ihre Besitzungen zurück und warteten darauf, daß man ihnen den Tod Kebad Kenyas berichtete. Der eine oder andere umschlich zudem das Haus, fragte die Knechte aus, damit ihnen die wichtige Stunde nicht entgehe. Sie ließen den Sarg zimmern, um wohl vorbereitet zu sein. Sie brachen ein Loch in den steinigen Boden der Heide. Mit zwanzig Pferden fuhren sie kantige Quader und mit Milch gelöschten Kalk herbei. Endlich stellten sie den fertigen Sarg in Kebad Kenyas Wohnung, damit er erkenne, sie hielten ihren Vertrag, und es wäre an ihm, den nächsten Schritt zu tun. Und zu sterben. Aber der Tod wollte nicht in das Haus Kebad Kenyas. Die List, sich ins Bett zu legen mit faulen Schenkeln, war viel zu schwach. Kebad Kenya begriff es allmählich. Und wiewohl er aufgehört hatte zu essen und zu trinken, kam ihm die Furcht, die Lockungen der Sünde möchten ihn wieder abziehen von seiner Erlösung. Sein Trotz stand auf und wollte es leugnen, daß man seine Stute erschlagen hatte. Er gab den Befehl, sie vom Stalle zu sich herein ins Zimmer zu führen. Er hatte Stroh für sie aufschichten lassen neben seinem Bett. In einer Krippe lag gelber Hafer. Die Knechte, denen er den Befehl gegeben hatte, begannen an allen Gliedern zu zittern. Aber sie blieben, wiewohl vom Schrecken heimgesucht, untätig. So verschärfte Kebad Kenya die Listen. Er schloß den Mund, die Augen. Er machte sich reglos. Er gestattete seiner Brust nicht, sich zu heben und zu

senken. Er erstarrte. Da ging ein Gemurmel durch das Haus. Ein Bild wurde von der Wand genommen, hinausgetragen. Es war das Bild eines Mannes, von dem gesagt worden war, er habe Kebad Kenya gezeugt. Jemand zog ihm unter dem Kopf die Börse fort, und ein paar Taler rollten über den Boden. Kebad Kenya wollte aufspringen und die unehrlichen Knechte bestrafen. Aber er überwand sich, nicht mehr zu richten, da er sich selbst schon gerichtet hatte. Schließlich hatte er sich vorgenommen, ohne Hilfe des Todes zu sterben. Und die Bemühung, reglos zu werden und zu erkalten, forderte seine ganze inwendige Aufmerksamkeit und Kraft. Am Ende mußte er es dahin bringen, nicht mehr zu hören und zu sehen, nicht einmal das Licht zwischen den Wimpern. Es war noch ein langer Weg. Und es war noch nicht entschieden, ob er bis an das Ziel kommen würde, da der Tod so offenbar ihm den Beistand verweigerte. Zu seinem Trost kamen die Nachbarn früher, als er erwartet hatte. Den Sarg, den sie zuvor ins Haus gestellt hatten, schoben sie ins Zimmer. Das Stroh, das Kebad Kenya hatte hereintragen lassen, raschelte unter ihren Füßen. Er wurde an die Stute erinnert, die er zuschanden geritten und dann hatte erschlagen lassen. Seine Gedanken verweilten aber halb bei den Nachbarn. Wozu sie sich anschicken würden. Die Augen öffnete er nicht mehr, wie er vor Stunden noch zeitweilig getan, wenn er sich allein im Zimmer gefühlt hatte. Er spürte, wie er aufgehoben wurde. Hände faßten seinen Kopf und seine Füße. Nicht sanft, eher widerwillig und voll Ekel. Er hatte Mühe, sich starr zu halten und wäre am liebsten eingeknickt. Er mußte sich gewiß nur noch wenige Augenblicke zusammennehmen. Danach konnte er den Gang der Ereignisse nicht mehr verderben. Man warf ihn mehr, als daß man ihn legte, in den Sarg. Von den brandigen Schenkeln löste sich Haut und Borke, sodaß Blut und Wasser heraustropfte. Er fühlte einen stechenden Schmerz und mußte sich hart bezähmen, um nicht zu schreien. Er beklagte sich heimlich, daß er nackt auf hartes Holz gelegt worden war. Ohne ein Laken. Und es gab doch deren viele in den Truhen. Er hörte, jemand sagte, daß die Wunde stinke. Das war vielleicht üble Nachrede. Eilends wurde eine Planke als Deckel auf den Sarg gelegt. Es erwies sich, der Mann lag schief in dem engen Raum, und die eine seiner Schultern stand über den Rand des

Kastens hinaus. Man legte die Bohle darauf, jemand benutzte die Bohle als Bank. So stauchte man Kebad Kenyas Körper hinab. Mochte er sich einrichten. Dann begann man, Nägel in das Holz zu treiben. Es mußten starke und lange Nägel sein, zu erkennen am Ton, den sie ansteigend sangen, an der Härte der Hammerschläge. Die Nachbarn hatten daran nicht gespart. Kebad Kenya zählte zweimal zwanzig Nägel. Das Holz ächzte und knisterte. Gerade über seinem Kopfe zersprang es, und ein Splitter trieb sich ihm ins Haar. Es wurde eine Stille und eine Dunkelheit, wie Kebad Kenya sie noch niemals erfahren hatte. Er begann sich zu fürchten, er wollte rufen. Aber seine Stimme versagte. Es wäre auch gegen seinen innersten Wunsch gewesen, einen Laut von sich zu geben. Vielleicht überfiel ihn ein kurzer Schlaf. Oder war es eine Ohnmacht? Jedenfalls war die Bewußtlosigkeit tief. Er erwachte daraus, indem er eine schwankende Bewegung feststellte, die der Kasten und damit er selbst, vollführte. Sie trug nicht dazu bei, seine unbequeme Lage wohltuender zu machen. Sollte das bootsähnliche Schaukeln lange währen, so würde er sich erbrechen müssen. Einstweilen versuchte er, die Übelkeit zu bekämpfen. Die Tage des Hungerns erwiesen sich jetzt als nützliche Vorbereitung. Er hatte die Einzelheiten seiner Erlebnisse nicht vorbedacht, aber der Ablauf schien auch ohne den Aufwand berechnender Weisheit fügsam den schlimmeren Zwischenfällen auszuweichen. Geräusche, die zu dem Eingesargten drangen, erlaubten die Folgerung, er war getragen worden und wurde nun, höchst unfeierlich und rücksichtslos auf einen Wagen geschoben. Die Pferde zogen sogleich an. Die Nachbarn schienen große Eile zu haben. Sie schämten sich nicht einmal, Galopp anzuschlagen. Der Weg war holperig. Schlaglöcher und Knüppel reihten sich aneinander. Die Knechte hatten ihre Pflicht versäumt. Aber es war jetzt zu spät, an ihre Bestrafung zu denken. Hätte der liegende Mann seine Stimme erhoben, niemand hätte ihn gehört, zu laut ratterten die Räder über den unebenen Weg. Gräßlich nur, daß der Sarg unregiert hin und her geschleudert wurde, plumpe Sprünge ausführte und wie ein Baumstamm krachend gegen die Schotten des Wagens schlug. Kebad Kenya streckte die Hände aus, als ob es ihm möglich gewesen wäre, die Zügel zu fassen. Doch er griff ins Leere. Sein Gesicht stieß gegen die nahe Begrenzung. Er glich schon einem

Ding. Er war festgeschraubt in dem engen Raum. Die Schmerzen, die er empfand, schienen keinen Platz neben ihm zu haben; sie lagen wie feuchter Tau außen über dem Sarg. Die Wegstrecke wollte kein Ende nehmen. Sobald die Pferde in langsame Gangart fielen, sauste die Peitsche auf ihre Kruppe. Es gab einen Ruck, ein Poltern, ein Tanzen der Kiste. Die Nachbarn hatten große Eile.

Da alle Vorgänge in der Zeit geschahen und nicht in der Ewigkeit, kam der Wagen ans Ziel. Vorübergehend hatte es Kebad Kenya geschienen, als sei er auf der niemals endenden Straße der Unendlichkeit. Und er versuchte, eine Rede vorzubereiten, um seine Sünde zu erklären oder zu entschuldigen. Wiewohl sein Vortrag erst hinter den Sternen angehört werden würde. Sehr spät. Und möglich, daß man dort garnicht begriff, wovon er redete. Daß er einsam gewesen war. Als ob die unendlichen Weiten nicht noch einsamer daständen. Als ob der unendliche Ablauf nicht auch tausendmal der Menschen Schicksal durchgekostet. Welchen Gefährten hatte der Wind? Immerhin, Kebad Kenya konnte seinen Betrug, gestorben zu sein, nicht mehr widerrufen. Und wenn der Tod den einen Mann haßte, mußte die Geduld aufgebracht werden oder die Überwindung, abzuwarten, was ihm geschehen würde. Nachdem der Wagen zum Halten gebracht war, die Pferde, es mußten ihrer vier sein, prusteten sich ab, spürte Kebad Kenya nur noch wenige und kurz dauernde Bewegungen. Er stellte sich vor, er war irgendwo hinabgelassen worden. An Tauen, wie er vermutete. Vielleicht auch hatte man eine größere Veranstaltung getroffen, eine Baugrube, die an einer Seite schräg abfiel. Davonfahrende Wagen, das Knirschen von Pferdehufen im Kies. Tritte von Männerfüßen waren über ihm. Schwere Steine, in quellenden Kalkbrei gebettet, legten sich über ihn. Es wurde stiller und stiller. Die Schritte der Männer, noch immer geschäftig, klangen gedämpft, wie aus fernen Gelassen, herab. Allmählich wurde ihr Klang so mager wie ein Lispeln im Gras. Und wie Kebad Kenya nach einer Weile hinhorchte, war es stumm über ihm. Möglich, ein Wind fuhr durch das Geäst des Buschwerks. Es war unwichtig. Eine Täuschung. Ein Nichts. Er wollte bei sich ausmachen, ob er den Tod nun überlistet hätte. Aber es fiel ihm schwer, seine Gedanken bei dieser Frage verweilen zu

lassen. Nicht, daß sie ihm überflüssig geworden. Es war nur unfaßbar schwer inzwischen, die Begriffe bei den Worten zu erhalten. Es war Kebad Kenya, als ob er einen Tag und noch länger benötigte, um eine Silbe in die ihr gemäße Vorstellung einzuordnen. Begreiflich, er war müde. Die Nachbarn – um sich ihrer und ihres Krams zu entsinnen, er mußte darauf ein Jahr verwenden, so schläfrig war er.
Inmitten der ausgedehnten Langsamkeit erlebte er doch das eine oder andere. Er hörte nicht auf, zu fühlen. Dieser Sinn schien sich im Gegenteil zu verfeinern und wie ein Netz, aus dünnerem Stoff als Haar, ihn einzuspinnen. Das Gehör schien sich mit Taubheit zu beschlagen. Ob nun Taubheit in ihm oder Stille um ihn her, die Entscheidung darüber war unwichtig. Und wäre es auch bedeutsam gewesen, dies genau zu ermitteln, welche Maßnahmen hätte er ergreifen sollen, da er sich nicht bewegen konnte, sondern nur langsam, gewissermaßen auffallend langsam denken? Auch die Augen schienen in Blindheit unterzutauchen. Die Dunkelheit war ja nicht an das Öffnen und Schließen der Lider gebunden. Der Einfachheit halber, es war ziemlich unverständlich, warum er gerade diese Lösung wählte, ließ er sie dauernd geöffnet. Ob nun die Blindheit in ihm oder die Dunkelheit außer ihm der Grund für die Schwärze war, eine Streitfrage, die ganz der anderen inbezug auf das Ohr glich. Kebad Kenya hätte sich gewiß für gestorben gehalten und als Sieger über seinen Gegner, den männlichen Engel des Todes, gefühlt, wenn dies Spinnwebnetz feinster Wahrnehmungen nicht über ihn geworfen worden wäre. Er fühlte sich aufquellen. Es war ohne jede Beunruhigung für ihn. Er nahm zu. Es war gegen die Vernunft. Er füllte den Sarg allmählich bis in die letzte Ecke aus und bekam so die Gestalt eines großen vierseitigen Prismas. Er fürchtete, das Grab, den Sarg, das Gemäuer zu sprengen. Es war nicht eigentliche Furcht, nicht einmal Unbehagen; derlei Worte waren zu handfest, verankert in einer unausweichbaren Bedeutung; man mußte sie widerrufen. Erwartung einer lockeren, nicht endgültigen Überraschung. Ehe die groben Worte hinab und widerrufen waren, erlosch das eintönige halbdumpfe Erwägen einer Möglichkeit. Aber der Exzeß blieb aus. So wie Kebad Kenya zugenommen hatte, verfiel er auch wieder. Das Spinnweb, in dem er lag, teilte ihm

mit, daß er jetzt einfalle, sich entblättere. Entblättere, sagte das Spinnweb. Und dürr werde. Und wie ein Baum im Winter anzuschauen sei. Daß das Knochen wären, seine, die er immer besessen, er verstand das nicht ganz richtig. Mit Kümmernis erfüllte es ihn, daß er sein Antlitz einbüßte. Langsam wurde es ihm zur Gewißheit, sein Angesicht war fort. Es gab keine Kontrolle mehr für sein Aussehen. Er war wie jedermann. Hätte man ihm einen Spiegel vorgehalten – diese Spur eines Gedankens war jenseit seines Zieles; im Laufe der Jahrzehnte erdämmerte dennoch ihr Abdruck – er hätte sich nicht mehr erkannt. Langsam schlich es sich in sein Bewußtsein ein, daß nicht nur der Kopf, daß die ganze Gestalt ihm fremd geworden war. Das Schmerzgefühl war ganz von ihm gewichen. Er empfand sich ziemlich allgemein. Seine Sünde, er gedachte ihrer nur selten, schien auch ein Bestandteil einer allgemeinen Ordnung geworden. Und er hatte die Rede, die er hinter den Sternen hatte halten wollen, vergessen. Schwer zu ermitteln, auf was sie sich bezog. Zwischen der Sünde und ihrem Erkennen schien so viel Zeit verloren zu gehen, solche Einöden von Einsamkeit taten sich auf, daß die Identität zwischen dem Sünder und dem Zerknirschten nicht aufrechtzuerhalten war. Wieso bei dieser Sachlage in den Ewigkeiten jemals ein Urteil, gar ein gerechtes Urteil entstehen sollte, lag ganz außerhalb aller Vorstellungen. Wahrscheinlich würde sich der Ablauf der Ewigkeit in Instanzen erschöpfen. Und so war das Schweigen das Klügste. Die Mißverständnisse, falls solche aufkommen sollten, erzeugten sich dann aus sich selbst.
Je langsamer Kebad Kenyas Wahrnehmungen waren, oder er seine Feststellungen machte, desto schneller lief die Zeit. Er verwunderte sich sehr, daß er nach zweihundert Jahren sich sehr ausgeruht fühlte. Er verwunderte sich, daß er ein Ächzen und Knirschen über sich hörte. Es kam eine Schnelligkeit in seine Vorstellungen, die das Gegenteil seines bisherigen Verhaltens war. Er fühlte, sofern bei der rasenden Flucht, zu der er sich anschickte, die Wichtigkeit allen Fühlens nicht verblaßte, daß seine Brust eingestoßen wurde. Daß er, nach ein paar Jahrhunderten, starb. Aber er sah das Antlitz des männlichen Engels nicht. Der Tod war zugleich der Anfang einer ständig wachsenden Beschleunigung. Oder die Fortsetzung der Flucht. Er

begriff nicht, da der schweigsame Gesandte nicht zurstelle war, woher die Kraft kam; aber sie war da, unfaßbar gespeichert, um das Grab zu sprengen. Die Mauern wurden auseinandergerissen. Wahrscheinlich war das die Macht seines Gegners, der sich nicht zeigte. Kebad Kenya flüsterte den Namen: Malach Hamoves.
Kebad Kenya wurde gehoben, veraschte sich, zerstob, sammelte sich wieder. Wie aus großer Höhe sah er unter sich. Irgendwo hatte man ein Grab geschändet. Steine waren zu Trümmern aufgeschottert. Gebeine lagen umher. Zersplitterte Eichenbohlen. Menschen standen und schauten neugierig in ein kraterartiges Loch. Das war ein verzehrender Blick von hoch herab. Gleichzeitig war aber Kebad Kenya auch unten. Lag da. Seine Glieder waren auseinandergezerrt. Nicht nur gevierteilt. Seine Baucheingeweide hingen um das Haupt eines jungen Mannes. Und dieser Mann fraß sie, so schnell, wie man Luft einatmet. Das Herz kam unter die Sohle eines Stiefels. Aber der darauf Tretende achtete dessen nicht oder stellte sich entmenscht. Die Schenkel, schon vielfach zerteilt, wurden mit Spaten zerhackt. Mit einer wilden Besessenheit fuhr Kebad Kenya in die Schar der Leute. Er wußte nicht, ob es Zorn oder Tollheit war, die ihn trieb. Aber die Menschen wurden nicht angefaßt. Einzelne schüttelte es, als ob sie frören. Es war auch unbegreiflich, wieso Kebad Kenya gleichzeitig zerstückelt daliegen und fliegend sich bewegen konnte. Es war nur ein mächtiger Trieb, sich auszubreiten, dazusein, sich wieder zu verdichten zu einer engen Gestalt. Aber das Antlitz, er erinnerte sich, war zerlöst. Jedes Bild von ihm selbst war zerlöst. Wiewohl er es unter sich, neben sich, allüberall zu sehen glaubte, entschwand es ihm, sobald er nur einen gewissen Zug sich einprägen wollte. Wie über große Entfernungen sah er das Männerbildnis, das jemand von einer Wand seines Hauses genommen hatte, und das den darstellen sollte, der ihn gezeugt hatte. Sogleich eilte er nahe herzu, betrachtete die gemalten Züge. Das Bildnis hing an einem Ort, den er niemals vorher gesehen hatte. Es war gedunkelt. Es hing in der Nachbarschaft vieler Bilder, die noch dunkler waren. Er erkannte sich in dem Bild, wiewohl es älter sein mußte als er. Aber auch aus einem anderen trat er sich entgegen, nochmals um ein Jahrhundert gealtert. Hätte er inmitten der Hast erstaunen

können, sein Verwundern wäre grenzenlos gewesen. Das ältere braune Antlitz hob ihn auf, versetzte ihn auf einen Turm. Um den Turm flogen Dohlen. Aber sie waren langsam, verglichen mit seiner Flucht. Steinerne Köpfe starrten ihm entgegen. Einer darunter glich ihm, war er selbst, steinern, und doch schon zerstäubt vor Alter. Kaum hatte er es aufgefaßt, dies Selbst, da war er schon wieder fortgetrieben. Er floh, der Sonne abgewandt, gegen die Nacht. Er erkannte sich, schwer trabend, vierfüßig, mit Hufen begabt, in einer sandigen Steppe. Gleich aber wuchsen ihm Flügel, wiehernd erhob er sich. Greise Nüstern streckte er in die Nachtluft. Irgendeine Kraft jagte ihn zurück über tausend Meilen, als ob es eine Heimat für ihn gäbe. Ein Knecht hatte einem Sterbenden Taler unter dem Kopfkissen hervorgezogen. Ein Knecht schlief in einem Hause, das am Ort des alten, schon vor hundert Jahren verwüsteten stand. Kebad Kenya warf sich auf den Knecht, wie er dalag. Im gleichen Augenblick erkannte er sich selbst in ihm. Welche Gestalt wäre deutlicher gewesen als diese? Was waren die Bilder und Steine verglichen mit diesem lebendigen süßen Fleisch? War es vergeblich gewesen, daß er sich gerichtet hatte? Waren seine Anträge in eigener Sache zurückgewiesen? Hatte man nur, um die Vergeblichkeit seiner Mühen deutlich zu machen, ihm etwas von der immer gegenwärtigen Jugend der Schöpfung eingeträufelt, damit er nicht erlahme und vor Schwäche von der Sünde ließe? Man hatte ihn nicht erhört. Er sollte im Laster verharren, wie seit Jahrtausenden. Er erhob sich. Die eigene Stute war tot. Die Nachbarn hatten sie erschlagen. Aber standen nicht andere in den Ställen der Nachbarn? Er rieb sich die Augen. Was war leichter, als bei ihnen einzudringen? Kannte er auch die Belegenheit ihrer Wohnungen nicht, er konnte sie auskundschaften. Und er machte sich auf. Die Nacht begünstigte ihn. Eine Tür zu erbrechen war leichtes Tun. Ein Pferd hervorgezogen. Kein geschlechtsloses Wesen, eine Stute. Sich auf ihren Rücken schwingen, davonstieben. Sie zerreiten. Am Wege stehenlassen, daß sie sich mühsam nachhause schleppt. Eine neue stehlen. Seine Schenkel waren nicht mehr anfällig, die Wunden von einst waren verheilt. Allmählich erkannte er die Landschaft wieder. Die Wälder waren ausgerodet. Neue Straßen waren an den Hängen der Hügel gegraben worden. Der Geruch vom Boden herauf war scharf und ungesund. Aber der Wind, der darübergging, war der alte. Die Bäche hatten noch ihren Lauf. Die Kiesel in ihnen frisch und hart. Das Schilf an den Teichen lispelte. Die Sterne, er erkannte sie wieder. Es war sein Boden, verwüstet von der Gewinnsucht der Nachbarn. Die Feststellung war ihm kaum wichtig. Schweiß und Atem des Pferdes drangen an seine Haut. Das war der unveränderbare Tierruch, der ihn taumeln machte. Die Dunkelheit der Erde, die Dunkelheit inwendigen Fleisches. Wieder die wollüstige Pein, dazusein in den Finsternissen. Das Wirkliche lief von ihm ab wie Wasser von öliger Fläche; aber er blieb da. Es kam ein Morgen. Es kamen Tage. Es kamen Nächte. Er sah die Vermehrung seiner Nachbarn. Sie waren vertausendfacht. Sie bedrängten einander, stießen gegeneinander. Kebad Kenya, mit süßem Fleisch, verlachte sie. Des Nachts stahl er ihre Pferde, um sein Land wieder in Besitz zu nehmen, um seine Sünde zu tun. Die Nachbarn liefen nach der Polizei. Es kamen Männer in Uniform. Kebad Kenya verwunderte sich sehr, daß sie glaubten, sie würden ihn fangen. Sie fingen ihn nicht. Die Nachbarn schrieen zum Himmel, daß ihre Stuten verdürben.

*

Paul Raffzahn hatte während der Erzählung des Zimmermannes oft beifällig mit dem Kopf genickt. Er fand seine Behauptung keineswegs widerlegt, vielmehr bekräftigt. Die Begriffe Laster und Wollust unterschied er nicht. Er faßte die Ereignisse des Daseins allgemein, und die Vorwerke und Annexe waren ihm so wichtig wie der Mahlstrom der Triebe selbst. Alle sickernden Quellen waren ja Zuflüsse eines breiteren und tieferen Wassers. Sofern also Klemens Fitte gegen ihn, Paul Raffzahn, etwas hatte ausrichten wollen, wie einleitend gesagt worden war, so hatte sich der Angreifer im Gestrüpp der Tatsachen verirrt. Paul Raffzahn jedenfalls wurde nicht verblüfft durch die Mitteilung, das Ganze sei Wirklichkeit, Ausschnitt aus einer Zeitung. Er fühlte sich geradezu berufen, es zu bestätigen und sagte laut:
»So ist es.«
»Doch deine Mitteilungen sind erfunden«, schrie Klemens Fitte.
Da war nun der Streit wieder offen. Paul Raffzahn, schlau,

begann von der Möglichkeit oder Wahrscheinlichkeit der Ereignisse zu sprechen. Auf der einen Seite sein eigener Bericht, klar, folgerichtig, losgelöst von den Kräften der Zwischenwelt. Der Impuls: das allmächtige, Jahrtausende alte Laster. Das Ziel: die übermenschliche Wollust. Die Mittel: unermeßlicher Reichtum und Menschenfleisch. Klemens Fittes Geschichte hingegen bediente sich der Zeitläufte, die niemand kannte. Wer würde so anmaßend sein, zu behaupten, er hätte diesen Kebad Kenya vor zweihundert Jahren gesehen? Was konnte man von ihm wissen, außer, auch diese Lebensführung war nicht zu widerlegen. Warum überhaupt hatte man sich das Ziel genommen, zu widersprechen? Es war eine viel zu schwierige Aufgabe, nicht zuzustimmen. Die Allgemeinheit war dazu da, um beizupflichten. Abweichende Urteile waren stets haltlos. Man war nicht verpflichtet, auf die Nörgeleien Streitsüchtiger zu hören. Weshalb sollte er, Paul Raffzahn, auf den Mund geschlagen werden? Etwa um seiner guten Ohren willen? Wenn aber die Begabung dieser ehrenwerten Versammlung schwach sei, so wolle er doch nichts unversucht lassen, den Mangel aufzubessern. Vielleicht sei der eine oder andere doch gelehrig, und man müsse nur das richtige Wort sagen, um besseres Verständnis zu finden. Es seien noch einige der Männer anbord, die das Verladen der Kisten, die man als Fracht eingeschifft, mit angesehen hätten. Diese Männer möchten der Wahrheit die Ehre geben und bekräften, die hundert oder zweihundert oder dreihundert Stücke – über die Zahl könne zur Zeit nichts ausgesagt werden – hätten allesamt die Form von Särgen gehabt. Es sei einschränkend zu bemerken: nicht deren Ausstattung. Nicht feierlich oder rührselig bemalt. Kein Tuch und keine Fransen daran, verständlich, auch keine geschwungenen Linien über sechseckiger Form. Die Kehlleisten müsse man sich wegdenken. Gewiß nur rohe, ziemlich feste Kasten. Ein paar Nummern darauf getuscht. Aber lang wie ein Mensch, seiner Breite, seiner Dicke angepaßt.
Starke Behauptungen, die des Zeugnisses bedurften. Paul Raffzahn nahm die Schlußfolgerung im gleichen Atemzug: Leichen oder lebendige Menschen darin verpackt. Einbalsamiertes Fleisch oder wollüstige Fracht. Darum die geheimnisvoll versiegelten Eisenbahnwagen. Darum die untätige Wachsamkeit der Zöllner am Kai. Darum die eiserne Aufsicht des Superkargos,

das Niederknüppeln der Mannschaft, ihre Entlassung. Vielleicht war ein Ton aus einer Kiste gekommen. Man könne hier manches vermuten. Die Deutungen marschierten einem geradeswegs entgegen. Braune Mädchen, blonde Mädchen, als ob das keine Ware sei. Wer unter den ehrenwerten Männern habe nicht selbst zuweilen dafür bezahlt?
Den guten Menschen, die einstmals dürftige Gnade vor dem Superkargo gefunden hatten, fiel es wie Schuppen von den Augen. Ihr Zeugnis war entscheidend. Sie wagten kein Wort. Die Sprache war zu gefährlich. Aber sie bewegten die Köpfe, um ihre Zustimmung auszudrücken. Alfred Tutein, der Jüngste, öffnete den Mund und sagte, weil eine Bewegung des Kopfes in einer so wichtigen Sache nicht als ausreichend angesehen werden konnte, Übertreibungen und Entstellungen durfte man nicht einlassen, zudem hatte man sich ja als Gegner von Paul Raffzahn zusammengefunden: »Kisten, in der Größe von Särgen, aber doch Kisten.«
In dieser Minute schloß sich die Kluft, die zwischen den Mitgliedern der ursprünglichen und später hinzugeheuerten Mannschaft aufgetan war. Eine augenscheinliche Tatsache war bekanntgegeben worden, die unbegreiflich lange ungenutzt im Verborgenen geblieben war. Und Zeugen dafür, die sich nicht widersprachen.
Ins Matrosenlogis trat der Superkargo. Er wandte sich Paul Raffzahn zu und sagte ziemlich leise, mit gebrochener Stimme: »Was stellen Sie an?« Man erkannte, wenn man hinschaute, sein Gesicht war weiß. Der Koch antwortete nicht, erhob sich, ging hinaus.

VI

Verwirrung

Gustav vergrub sich in seine Kammer. Der Ort hatte Vorteile. Er lag außerhalb des allgemeinen Verkehrs. Manchmal hörte man über sich die Schritte der Matrosen. Sie bezeugten einem, daß die Einsamkeit freiwillig war, falls man es, überwältigt von Bitterkeit, einmal vergessen sollte. Man durfte andeck gehen, mit dem Nächsten ein paar Worte wechseln. Die Erinnerung an diese Freiheit war lind und balsamisch. Die Schritte der Matrosen, seiner Freunde. Im übrigen war es ungemein still in der Kammer. Man konnte sich ganz den Gedanken überlassen, ein paar Traumbilder hineinstücken, die Wimpel einer Sehnsucht aufziehen. Und der Raum hatte einen Geruch. Einen sehr mannigfach gewürzten. Er roch nach Gustav; aber das bemerkte er selbst nicht. Das Holz ging auf, die Poren öffneten sich. Es erlebte ein heimliches Wachstum oder einen Frühling und strömte einen Hauch von Harz und Blattgrün aus. Ein kühles, erdiges Parfüm. Das war gewissermaßen der Untergrund der Düfte. Darüber ein herber Metallruch, Messing oder dessen Veraschung, Grünspan. Ein wenig Sattelzeug oder neues Leder. Endlich der Nachschmack einer nächtlichen Großstadt, Theater oder Tanz, ein Tropfen eines französischen Fabrikates, den Ellena hier verschüttet hatte. Fleischige Blüte, Bergamottöl, Ambra des Pottwals.

Er erstaunte sehr, daß der Superkargo ihn hier aufsuchte. Gustav war gewissermaßen überwältigt und machte keinerlei Anstalten, sich vom Bett zu erheben. Er wies, sehr unhöflich, stumm auf einen Stuhl und forderte so, ohne die eigene Bequemlichkeit aufzugeben, den Gast zum sich setzen auf.

»Sie müssen mir beistehen«, sagte der Superkargo.

Das war eine Einleitung, auf die man keine Antwort geben

mußte. Aber überraschend war sie. Der graue Mann erzählte in aller Hast, der Koch habe die Schiffsmannschaft durch die Mitteilung beunruhigt, die am Kai verladenen Kisten hätten die Form und Größe von Särgen aufgewiesen; und die unbekannte Ladung müsse demnach aus totem oder lebendem Mädchenfleisch bestehen. Gustav antwortete, statt die Bestürzung des Besuchers zu teilen, er habe daran noch garnicht gedacht; aber er entsinne sich jetzt, daß die Beobachtung Paul Raffzahns inbezug auf die Gestalt der Kisten stimme. Der Verlobte Ellenas fragte noch, weitgehend zerstreut: warum gerade Mädchenfleisch? Ob es einen Vorteil gegenüber dem der Knaben habe, etwa einen besseren Geschmack besitze?
Georg Lauffer fuhr auf, ob das Spott gegen die Mannschaft oder eine grobe Abweisung seiner Bitte sei.
Gustav entschuldigte sich; aber er sei auf dergleichen nicht vorbereitet gewesen. Das Seltene und Eigentümliche fordere eine unpassende Entgegnung heraus. Es sei das Wesen der Überrumpelung, daß sie verquere Vorstellungen auslöse.
Der Superkargo erklärte das Geschwätz im Logis der Matrosen sogleich als freche Torheit oder Bosheit. Während Georg Lauffer seinem Zorn freien Lauf ließ, wandte sich Gustav an die Vernunft und kam zu dem Schluß, es sei geraten, einen Plan zu entwerfen und zu verfolgen. Die Enthüllungen des Koches schienen nicht ohne Hintergrund zu sein. Die Erregung des grauen Mannes war nicht oberflächlich. Schon die Art der Unterhaltung war ungewöhnlich und gewissermaßen beschämend für den Superkargo. Dadurch wuchs ihre Bedeutung. Gustav war keine Instanz, keine kleine und keine große. Ein blinder Passagier. Darüber hinaus der Nebenbuhler und Feind. Entweder, der Koch hatte, blind tastend, die Wahrheit gestreift – mochte am Ende auch mehr Gebein als Fleisch zu finden sein – oder die üppige Geschichte war eine Vorbereitung, um Gustav zu bewegen, etwa der Kuppler für die eigene Geliebte zu werden. Es war ein Blitzgedanke, und er verwarf ihn sogleich. Diese Zumutung würde der verbissenste und flegelhafteste Verführer ihm nicht antragen. Es war nur festzustellen, der Superkargo erniedrigte sich; und das konnte nicht grundlos sein.
»Sie müssen mir beistehen«, hörte Gustav den grauen Mann aufs neue bitten. Und die Stimme fuhr fort: »Sie besitzen die

Fähigkeit, die Männer zu beeinflussen. Sie haben eine Macht, die Sie benutzen müssen.«
Fortsetzung der ungewöhnlichen Rede. Gustav überlegte, ob er nicht einiges für die ihm gegebenen Worte einhandeln könnte. Warum sollte er nicht auf seinen Einfall zurückkommen, den Reeder als blinden Passagier zu entlarven? Und sich so, gleichsam mit riesenhaftem Schwung, des Geheimnisses bemächtigen, das den großen Sachen und großen Geschäften von Anbeginn anhaftete? Sogleich in die höchste Klasse der Lebensschule aufrücken. Auf die Bank zu königlichen Kaufleuten, Diplomaten, Hochstaplern, Kokotten und Abenteurern versetzt werden. Gustav hatte sein Angebot schon auf den Lippen, erwog die Wirkung, die vom Nennen des Kaufpreises ausgehen würde. Da durchkreuzte eine andere Erwägung den Vorsatz: daß er angesichts der Brüchigkeit seines Verhältnisses zu Ellena sich einer stolzen Absage Georg Lauffers nicht aussetzen dürfe. Es war geradezu unwahrscheinlich, daß der Gegner ein Bekenntnis geben würde, nachdem er zuvor Mal um Mal sich geweigert, dergleichen einzuräumen. Das Interesse Gustavs am Eigentümer des Schiffes war zudem eingeschrumpft. Er hatte seiner beinahe vergessen. Das verdrießliche Gesicht aller heftigen, vorgeblich bedeutsamen Einbrüche des Geschehens, die zum Schattenriß geworden waren, zeigte sich und erheischte das Mitleid, das man den Gräbern Unbekannter hinwirft.
Gustav wandte sich ab. Er hatte nur noch die Ruhe seiner Kabine zu verteidigen, die durch die Selbstdemütigung des Superkargos gestört worden war. Ein bescheidenes Ziel, aber erreichbar. Vielleicht auch waren durch eine kühle Haltung Vorteile zu gewinnen, die sich erst später zeigen würden. Der Verlobte Ellenas tat so, als ob er die dringlichen Worte seines Gastes sehr leicht nähme, schmückte und schmeckte ein wenig mit vorbereitenden Sätzen, sagte dann aber unverhohlen, der Superkargo sei nicht am richtigen Platze; zuständig für Streitfälle mit der Mannschaft sei der Kapitän.
Georg Lauffer zuckte zusammen. Es war nicht gut zu erkennen, ob er nur enttäuscht oder auch verletzt war. Jedenfalls verharrte er in der Kammer, lächelte müde und machte dann eine Einräumung, die Gustav nicht erwartet hatte. Man könne das Geschwätz nicht bei der Wurzel packen; denn die Form der Kisten,

wie ja auch Gustav bestätigt habe, sei in der Tat lang, dem Maße eines Menschen angepaßt. Nur einem Kameraden, dem man vertraue, und diese Rolle habe Gustav sich erworben, werde willig die Erklärung abgenommen werden, auch tote Gegenstände könnten längliche Gestalt besitzen. Als Beispiel dürfe man Gewehre nennen.
»Gewehre?« entfuhr es unbedacht dem Verlobten Ellenas.
Gewehre, bestätigte der Superkargo, es sei eine ungefährliche, geradezu romantische Konterbande.
Gustav sagte sich, die Kisten müßten also einen bitteren, einen teuflisch hinterhältigen Inhalt haben. Laut übte er nur nachträgliche Kritik an dem Appell, der auf dem Vorschiff abgehalten worden war. Erwähnte, auch der Kapitän sei unzufrieden gewesen. Man habe durch Drohungen den Leuten eine Meinung ausgetrieben, die man jetzt sehnlichst wiederhergestellt wünsche.
Zu diesen gewiß richtigen Ausführungen schwieg Georg Lauffer. Er hielt das Gespräch aber keineswegs für abgebrochen, blieb sitzen. Und sagte endlich, er habe von allem Anfang an gewußt, man werde es bereuen, nicht die ganze Mannschaft davongejagt zu haben.
Das war eine Enthüllung, die beinahe das Mitgefühl Gustavs erregte. Welches Aussehen hatten die Irrtümer und Erschütterungen des grauen Menschen! Halbaufrichtige Beichte. Vielleicht ein Eingeständnis, daß der Zwischenfall im Laderaum provoziert worden war. Daß indessen der kleine Angestellte, nämlich Georg Lauffer, seine Absicht gegen Reeder und Kapitän, oder wer der Dritte sein mochte, nicht hatte durchsetzen können. Wieder das inwendige Vernehmen, daß das Verhältnis zwischen Schiffseigentümer und Superkargo nicht geklärt war. Jetzt, auf den Trümmern der halben Erfolge, suchte der Bedrängte Schutz beim Schwächsten. Wie vollkommen paßte diese Entwicklung zu der Beschreibung, die Ellena vom bisherigen Leben des grauen Mannes gegeben hatte! Es wäre schamlos gewesen, hätte Gustav jetzt weiter geforscht oder Fallen zu stellen versucht. Bewegt von widerstreitenden Empfindungen, hielt er sich nicht davon ab, den mutmaßlichen Triumph in eigener Sache über Georg Lauffer mit einem Vorgefühl zu genießen. Gleichzeitig erschrak er über soviel Leichtsinn. Als ob

die Ehrlichkeit des Gegners verbürgt wäre! Schlimmer, war der Superkargo so ohne Rat, daß er sich unterwarf, womöglich erpressen ließ, mußte man mit Handlungen seiner unterjochten Seele rechnen. Jedenfalls bekannte Gustav sich dazu, diese Gefahr in Rechnung zu stellen. Er bemühte sich nun, die Erregung und den geknechteten Trotz des anderen zu glätten. Gewiß versprach er nicht, die Besatzung von dem einen oder anderen überzeugen zu wollen. Dagegen erbot er sich, gemeinsam mit dem Gast zum Kapitän zu gehen. Dies Anerbieten schlug Georg Lauffer aus. Hatte Gustav etwas falsch gemacht? Der Besuch rückte den Stuhl, bat um Verzeihung, gestört zu haben, und ging.

*

Waldemar Strunck wies den Superkargo ab.
Man muß der Mannschaft die Freiheit des Fabulierens belassen. Ergötzliche Unterhaltungen, in denen nicht nur von schönen blauen Augen, sondern unerschrocken von der Begierde und von weiblichen Taugenichtsen berichtet wird, sind auf Segelschiffen an der Tagesordnung. – Der Kapitän erinnerte an das kurze Gespräch beim Verlassen des Hafens. Er will gegen die drolligen Schnörkel des alten Universums, das immer noch Milch und Blut braut, nicht einschreiten. Die Zeit für die Matrosen ist reif. Kornfelder im Juni verstreuen ihre Pollen, Heringsschwärme setzen Laich und Samen ab, verkleben Geräte, Netze, Steine, und der üble Geruch steigt über den Meeresbuchten auf. Man kann nicht mit einer Herde hadern. Man kann das Unvermeidbare nicht anfallen, als ob man es ertappte. Auf dem Schiff hat niemand das Amt eines Priesters oder Gerichtsbeamten.
Georg Lauffer war auf die Einwände vorbereitet, nahm sie dienstfertig hin. Er erwähnte ziemlich beiläufig, er habe nur seine Pflicht tun wollen. Das Geständnis sei wohl nicht beschämend, er habe zuvor bei Gustav angefragt, ob von ihm Unterstützung oder Hilfe erwartet werden könne. Man sei bei allgemeinen Betrachtungen stehengeblieben. Natürlich dürfe kein freudloser Widerwille aufkommen. Geborstene Bereitschaft habe den durchdringenden Geschmack der Galle und ätze, wie

scharfe Säure, eine frevelhafte Spaltung in die glatte Oberfläche des gegenseitigen Wohlwollens. Er habe nicht den Wunsch, jemand lästig zu fallen. Er sagte noch ein paar dergleichen Sätze, die zwei Fronten hatten.
Dem Kapitän fiel auf, die Stimme des Mannes war verändert. Ein geprügelter Mensch, der sich bemüht, der Unflätigkeit mit Anstand zu vergelten. Beim Abgehen sagte der Superkargo, er werde sich mit Ellena beraten. Er wolle jedenfalls nichts unversucht gelassen haben. Sollten indessen die drei Menschen von anständigem Zuschnitt und nicht unterwürfigen Geistes einig in ihrem Urteil sein, wolle er als Vierter nicht versuchen, etwa die Offiziere ins Vertrauen zu ziehen.
Waldemar Strunck schob sich ein widerlicher, laugiger Saft in den Mund. Der Kapitän hatte keine Meinung, er fühlte nur Unbehagen.

*

Es verstrich dieser Tag. Die Nacht dazu. Und ein neuer Tag schickte sich zur mittäglichen Fülle an. An kleine Unordnungen im Verhalten untereinander hatte man sich nachgerade gewöhnt. Unregelmäßiges Erscheinen bei Tische verwunderte die Anwesenden nicht. So kam kein Erstaunen auf, daß Ellena und Georg Lauffer die Mahlzeiten versäumten. Waldemar Strunck redete sich ein, das Gespräch, an dessen Zustandekommen er nicht zweifelte, sei weitschweifig geworden. Gustav dachte unvorteilhafter, daß der Superkargo, im Schutze eines Vorwandes, einen Vorstoß in privater Angelegenheit wage. Der Verlobte war darauf vorbereitet, Alfred Tutein zu begegnen, damit der ihm das Wort »Gefahr« ins Ohr flüstere. Beim Abendessen hatten Kapitän und blinder Passagier nur höfliche Formeln gewechselt. Waldemar Strunck war erleichtert, wenigstens vorübergehend ohne Belästigung zu sein. Er hütete sich, Gustav zu irgendeiner Äußerung aufzufordern, oder gar des labyrinthischen Baus der Ereignisse Erwähnung zu tun. Gustav, kaum gesättigt, flüchtete in seine Kammer zurück, verriegelte sie.
Daß auch zum Frühstück weder Ellena noch der Superkargo erschienen waren, zerrte mit kleinmütiger schwammiger Unruhe an den beiden Männern, dem Vater und dem Verlobten. Sie

hatten keinen Verdacht und keinerlei Zorn, sie würgten an einem dicht gewordenen Schatten. Sie verkniffen die Lippen. Es war noch weniger Anlaß zur Unterhaltung als am Abend zuvor. Irgendein Spiegelbild, von der Wand her, ein eingerahmter Kopf, der eigene, den man recht schäbig fand, zögerte nicht mit dem Eingeständnis, die Empfindungen waren ein paar Grade düsterer. Vielleicht erwog jeder für sich, das Mädchen zu suchen. Wiederum, jeder für sich, schob es hinaus, weil er es für die Sache des anderen hielt. Der Kapitän wollte Gustav den Vortritt lassen, seine Sorge bekanntzugeben; der Verlobte bestand darauf, in Anbetracht der völlig ungeklärten Lage, alle Verantwortung für zu ergreifende Maßnahmen dem Vater zu belassen.

So fand man sich, ohne etwas unternommen zu haben, wieder beim Mittagstisch zusammen. Jetzt stellte sich auch Georg Lauffer ein. Kapitän und blinder Passagier fühlten sich bei seinem Anblick erleichtert, zumal sein Antlitz ausgeruht und entspannt erschien. Er machte den Eindruck, lange und tief geschlafen zu haben. Man bereitete sich auf die Ankunft Ellenas vor. Man ließ mit dem Ausschöpfen der Suppe warten. Entgegen aller Vermutung kam die Tochter nicht. Als erster fragte der Superkargo nach ihr und beschämte damit die anderen, die garnichts wußten. Der Kapitän wagte nicht einmal zu fragen, ob Georg Lauffer sich mit Ellena ausgesprochen habe. Man wartete stumm, bis die Suppe kalt geworden war. Als sie erkaltet war, bat Waldemar Strunck den Verlobten, in Ellenas Salon zu gehen und nachzuschauen, ob sie etwa sich allen Zeitgefühls entledigt habe. Gustav war schon zur Tür hinaus, als der Kapitän noch sprach. Er war nach wenigen Minuten zurück und berichtete mit stoßendem Atem, er habe Ellena nicht finden können. Weder in ihrem Salon noch anderswo. Waldemar Strunck erhob sich hastig und sagte mit einem Ausdruck kalter Ergriffenheit, man werde das Mädchen suchen müssen. Er wandte sich an den Superkargo und fragte, ob man in dessen Kammer eindringen dürfe. »Gewiß«, antwortete der Angeredete. Er war mehr als bereitwillig, führte die beiden anderen in sein Logis. Ellena fand man dort nicht. Man schaute unter das Bett, in einen Schrank. Es war gewiß beleidigend. Schon die Anspielung, die Tochter könnte sich beim Superkargo verborgen gehalten haben, war

verletzend gewesen. Ersichtlich, man war aus dem Gleichgewicht, die Lust an der Höflichkeit war kreidig geworden, die beschwerlichen Regeln des Anstandes waren außer Kraft. Georg Lauffer aber schien keinerlei Anstoß an dem Mißtrauen zu nehmen. Vielleicht hatte er sogar gehofft, man möchte die Vermißte bei ihm finden, damit sie gefunden wäre. Jedenfalls war sein Eifer echt, fast ungestüm. In Gustavs Kammer wendete man das Bett von unten nach oben. Die Türen der Aborte wurden aufgerissen. Auch auf den Mannschaftsklosetts suchte man. Man lief treppauf, treppab. Man wagte noch nicht, den Alarm allgemein zu machen. Man horchte die Offiziere unterderhand aus, ohne doch, bei der Unehrlichkeit, die man für angebracht hielt, mehr als nichts zu erfahren. Wo man sich unbeobachtet glaubte, begann man zu rufen. Trotz so handgreiflicher Mißerfolge bewahrte man sich davor, einer panischen Angst Ausdruck zu geben.
Gelegentlich standen die drei Männer zusammen. Die Ergebnislosigkeit der oberflächlichen Unternehmungen wurde mit dürren Bemerkungen anerkannt.
Der Kapitän bat den Superkargo und Gustav in den Rauchsalon. Er verschloß die Tür nach dem Gang. Der Vater und der Verlobte gestanden, sie hatten Ellena seit fast vierundzwanzig Stunden nicht gesehen. Der Superkargo antwortete gleich, so habe von den Anwesenden er die letzte Begegnung mit der Vermißten gehabt. Er habe sie am Nachmittag in ihrem Salon aufgesucht. Sein Gespräch mit ihr, nicht in allen Teilen für ihn ruhmvoll, dürfe angesichts der schmerzlichen Überraschung nicht sein Geheimnis bleiben. Er sei bereit, es in allen Einzelheiten zu wiederholen. Er könne vorausschicken, es sei eine lange Unterhaltung gewesen. Man habe darüber das Abendessen versäumt. Nach ein paar Stunden sei der Ort gewechselt worden; man habe im Wohnraum des Superkargos gesessen. Zur Stärkung seien einige Gläser Kognak getrunken worden. Soweit er sich erinnere, seien drei auf ihn selbst, zwei auf Ellena entfallen. Die Auseinandersetzung sei – der Mann entblößte seine uferlose Einsamkeit nur stückweise und zögernd – recht und schlecht unglücklich verlaufen. Das Wort »unglücklich« war schon genauer als »nicht ruhmvoll«. Der Mann lächelte. Aber seine Augen flackerten unsicher. Wertlose Fetzen, die von

ihm abfallen werden, hält er krampfhaft sich gegen das angsttaumelnde Herz. Das Blut liegt ihm offen in den Lungen, und jappend bringt er die Luft, die chemische Außenwelt heran. Er sei schwach gewesen und habe von den Klippen erzählt, an denen so manche seiner Lebensabsichten zerschellt seien.
Ein Gespräch zwischen Freunden, stellte der Kapitän fest.
Er sei von den Widerwärtigkeiten des Jetzt auf die Fährnisse des Daseins schlechthin getrieben worden, ergänzte Georg Lauffer.
Wichtig, meinte Gustav, seien nur die letzten Augenblicke vor dem Auseinandergehen. Oder ob man sich nicht getrennt habe? Das Lebensschicksal des Berichterstatters sei ihm, wenn auch ohne die Ausschmückungen der Einzelheiten, bekannt. Er brenne auf den Schluß.
Georg Lauffer beugte sich dem Wunsche Gustavs, ohne die Dringlichkeit des Begehrens oder die vorschnelle Grobheit übel aufzunehmen. Er sagte ziemlich schlicht, und seine Darstellung klang glaubhaft, er habe um Erbarmen bei Ellena gebettelt, ihn als einen Menschen zu erkennen, dessen Schattenhälfte bei einem schwierigen Amt wie im Zustand der Verwesung erscheine, im Urteil der Gerechtigkeit aber nur lichtabgewandt sei wie bei anderen Erdgeborenen.
»Vorstoß in einer privaten Angelegenheit«, sagte Gustav bitter.
Er wurde abgewiesen, sagte der Superkargo, Ellena verbat sich Unterstellungen. Sie hat keinerlei Richterbefugnisse, auch keine Neigung, sich zu einer bleichen Überlegenheit aufzuschwingen. Anträge in dieser oder einer anderen Sache kann sie nicht annehmen. Sie hat willig zugehört. Sie ist indessen nicht aufmerksam genug gewesen, die endliche Richtung des Gespräches zu erkennen. Sie bereut, durch ihr Verhalten, und leider, sie gesteht, es ist ein wiederholtes Entgegenkommen, Hoffnungen geweckt zu haben, die sie nicht fördern kann. Sie ist untauglich für eine Freundschaft, weil sie sich ganz in den Dienst ihrer Liebe stellen muß. Sie spürt an einer grollenden Bedrückung, daß sie einer frommen Gefahr ausbiegen muß. Das Vertrautsein mit dem Superkargo scheint der Strudel zu sein, der sie mit milder, aber beharrlicher Gewalt abwärts lockt. Es ist ihr lästig geworden. Es ist gegen ihre bessere Einsicht. Es gefährdet das Gleichmaß in ihr.
»Das war deutlich, wenn es nicht gelogen ist«, sagte Gustav. Ein

unflätiger Ausspruch. Es fiel dem Verlobten Ellenas ein, der Satz konnte doppelsinnig gebraucht werden und zweierlei ausdrükken, nämlich, daß der Superkargo die Unwahrheit sprach – oder auch, das Mädchen hätte eine Lüge über den Inhalt ihrer Gefühle herausgegeben. Darum entschuldigte sich Gustav nicht.
Georg Lauffer nahm auch diesen Ausfall hin. Sein Gesicht blieb unbewegt. Es behielt gleichmäßig traurige Züge. »Es ist nicht ehrenvoll für mich«, sagte er, »ich habe mir angewöhnt, den Sinn nicht hinter den Worten zu suchen, sondern die Wahrheit in der vorgetragenen Meinung zu erkennen. Wenn auch darin Irrtum ist, so ist er doch kleiner, als er in den Abgründen des Unausgesprochenen gefunden wird.« Das konnte eine Zurechtweisung für Gustav sein oder auch nur die Preisgabe einer Lebenserfahrung. Er fuhr fort, Ellena habe ihm die Hand gereicht und sich verabschiedet. Fröstelnd, aber nicht eigentlich betrübt, eher ernüchtert, sei er zurückgeblieben. Er habe ein Schlafmittel genommen, sich gelegt. Er sei in die Rolle des bewußtlosen Steines gekommen. Erwacht ist er erst kurz vorm Mittagessen.
»Wie spät war es, als Ellena Sie verließ?« fragte der Kapitän.
»Genaue Sonnenzeit neun Uhr«, sagte der Superkargo, »ich habe es mir zufällig gemerkt. Es war der Augenblick, als ich ein viertes Glas Kognak mit dem Schlafmittel trank.«
»Jedenfalls«, vergewisserte sich vorsichtig Waldemar Strunck, »bot das Gespräch keinerlei Anlaß zu einer Verwirrung oder Verzweiflung Ellenas.«
»Die Verzweiflung hätte bei mir sein müssen«, sagte Georg Lauffer.
»Wir wissen genug«, sagte Gustav, »Ellena ist seit gestern abend verschollen.«
»Es war ruhiges Wetter, es ist keine Sturzsee andeck gekommen«, sagte Waldemar Strunck. Er hatte einen gräßlichen Gedanken erwogen.
»Was soll geschehen«, schrie Gustav. Er brach plötzlich in fassungsloses Weinen aus.
»Wir werden gemeinsam überlegen«, sagte der Vater des Mädchens. Er streichelte Gustavs Nackenhaar. »Es bestehen noch Möglichkeiten, sie zu finden. Man wird erfahren können, wer ihr begegnet ist.« Das waren allgemeine und flatternde Worte.

Keiner der drei Männer hatte einen guten Vorschlag bereit. Man mußte erkennen, es war überflüssig und lächerlich, zu dritt durch alle Gelasse des Schiffes zu stürmen. Man würde sich früher oder später dazu entschließen müssen, die Besatzung zu verständigen.
Gustav fand, ein ausgedehnter Alarm bedeutet das Ende aller Hoffnungen, Ellena lebend wiederzufinden. Er aber ist nicht bereit, an ihren Tod zu glauben.
Waldemar Strunck verhüllte seine Augen. Der Superkargo wandte sich ab. Nun waren die Worte ausgesprochen, die man noch gerne einsam hinter der Stirn getragen hätte.
Man einigte sich, es ist ausreichend, wenn ein einzelner die Nachforschungen anstellt. Man muß ihm freie Hand lassen, sofern durch seine Maßnahmen die Sicherheit des Schiffes und der Ladung nicht gefährdet wird. Gustav ist geeignet für das Amt. Er hat keine Pflichten wahrzunehmen; sein Herz ist mehr als bereit, auch verwegene Zusammenhänge seiner Absicht nutzbar zu machen.
Georg Lauffer hängte dieser Einigkeit den Schluß an: er fühlt sich belastet, weil sein Gespräch mit Ellena offenbar die letzte Begegnung gewesen ist. Danach, hart angrenzend, das unselig Unbekannte. Er muß sich vorbehalten, an seiner Rechtfertigung zu arbeiten.

*

Gustav ging in seine Kammer, ordnete das zerwühlte Bett und wartete darauf, daß die Dumpfheit aus seinem Kopfe wiche. Ihm war, als hätte er ein paar Tage lang unablässig geweint. Aber es war zu beweisen, er hatte nur ein paar Tränen vergossen. Als nach geraumer Zeit gegen die Tür gepocht wurde, fragte er zurück, ob es Alfred Tutein sei. Es wurde ihm bestätigt. Er ließ den Leichtmatrosen eintreten. Der junge Mensch war ganz ohne Haltung. Als Gustav ihn anredete, begann er laut zu schluchzen. Das löste auch bei Gustav das Wasser unter den Augen. Trotz dieser Einigkeit in der Trauer fragte der Verlobte, weshalb Tutein weine. Und erhielt als Antwort, Ellena sei geraubt worden. Gustav begann, schief in das Gesicht des anderen zu starren. Es war vor Jugend makellos. Aber irgendeine saure

Schicht lag über der flaumigen Haut. Die Erschütterung, die sich in den frischen Muskeln ausdrückte, hatte etwas von der zweideutigen Verlegenheit des Ertapptseins. Man wird mit vierzehn oder fünfzehn Jahren schuldig, so legte Gustav sich's aus. Da trommelten neue Worte heran, und das Antlitz des Redenden fügte sich den Worten. Man solle doch der Besatzung nicht Tatsachen vorenthalten, die sie bereits wisse. Es sei eine allgemeine Bestürzung ausgekommen, eine herzbrechende Traurigkeit. Niemand kenne die genauen Umstände; aber einige sehr bestimmte Vermutungen seien nicht zu entkräften.
Gustav bestätigte das Verschwinden Ellenas, behauptete indessen, es sei Wahrscheinlichkeit vorhanden, daß sie sich bald wieder einfinden werde. Man dürfe weder an einen Unglücksfall noch an ein Verbrechen glauben, sondern müsse die Laune eines jungen Mädchens in Rechnung stellen, das mithilfe eines Schreckens, den es bereitet, gewisse Ziele zu erreichen sucht. Allerdings könne man im Augenblick über die ferneren Absichten der Handlungsweise nichts vermuten.
Für eine solche Betrachtung war Alfred Tutein nicht zu gewinnen. Er begann zu streiten. Er verschwor sich, das eine oder andere Gräßliche werde antag kommen. Er war wild und verbissen. Er stand auch nicht allein für sich selbst in der Kammer Gustavs. Er war der Abgeordnete der Schiffsmannschaft, ausgewählt, weil er gleichaltrig mit dem Verlobten und somit vor Jugend anfällig genug, seinen Gefühlen zu erliegen – wie er bereits bewiesen hatte. Alles in allem appetitlich und einfältig, von rechter Beschaffenheit, um im Auftrage der anderen und aus eigenem übervollen Herzen, Gustav eine Freundschaftserklärung zuzutragen. Der Leichtmatrose hatte sich ja auch vordem schon verdient gemacht. Sollte der Antrag auf schlechten Boden geraten oder sonst Zwischenfälle sich ereignen, so war es leicht, den ungeschickten jungen Boten zu beschuldigen und zu beschämen und alles auf seine Rechnung zu setzen.
Das Schiff sei ein enger Raum, man könne doch nicht unbemerkt einen Menschen rauben, versuchte Gustav einzuwenden, er habe eine Stimme, Möglichkeiten der Gegenwehr, sozusagen Wachmannschaften an allen Orten des Fahrzeuges.
Geraubt und verschleppt, bestand Alfred Tutein. Er sprach mit

stirnrunzelnder Zeugenschaft. Kühn und vertraulich wie ein Mitwisser. – Über die Art des Überfalles habe sich eine einheitliche Meinung noch nicht bilden können. Die Erregung sei groß; abenteuerliche Vermutungen hätten noch nicht ihre Schranken gefunden. Erfahrene und ältere Männer, gewiß gemäßigt und garnicht voreilig, hätten eine voraufgehende Betäubung als ein gewöhnliches Mittel bezeichnet, einen Menschen wehrlos zu machen.

Gustav widerstand nicht, an den Kognak des Superkargos zu denken. Er versuchte, den Einfall zu verwischen, fragte und sprach ins Ungewisse. – Wenn ein Verbrechen vorliege, müsse doch eine Organisation oder ein einzelner hinter der Ausführung stehen. Das Schiff sei, er betonte es wieder, keine weite Landschaft. Keine Wälder darauf, keine unbefahrenen Straßen, keine Flüsse und Talschluchten, keine verfallenen Hütten und Brachland. Die Anzahl der Bewohner, unter ihnen die infrage kommenden Verschwörer oder Einzelpersonen, sei beschränkt und in der Gestalt allen Mitreisenden bekannt. Ein Verdacht müsse also augenfällig zu begründen sein; oder er dürfe garnicht ins Bewußtsein treten. Man könne so wenig an das Wunder einer plötzlichen Schuld wie an andere übernatürliche Erscheinungen glauben.

Alfred Tutein sagte mit erstickter Stimme, alle Schuld sei plötzlich. Sie eile den frevelhaften Entschlüssen voraus. Gedanken, das sei Traum. Wie kriechende Schnecken. Die handelnden Hände hinterließen das Sichtbare. Er brach verstört ab. – Er war nicht davon überzeugt, daß man alle Mitfahrenden schon von Angesicht zu Angesicht gesehen. Doch wollte er das nicht zum Hauptstück seiner Ansicht machen. Er rückte vom Unbewiesenen ab, um nicht dumm zu erscheinen, rechnete die Überraschungen, die aus dem Laderaum aufsteigen könnten, zum Ungeklärten, erhob aber eine unverschämte Anklage gegen den Superkargo. Daß der Mann auch sonst verdächtig sei, solle aus dem Spiele bleiben. Er habe Anlaß gegeben, daß man ihn beobachte. Gewiß werde man auch das eine oder andere Vorteilhafte über ihn aussagen können, und gerade in letzter Zeit sei die Stimmung zugunsten des grauen Mannes umgeschlagen; aber sein Umwerben Ellenas sei doch bedrückend gewesen.

Gustav verwunderte sich, daß er den Schluß der Darlegungen

Alfred Tuteins verlogen und pfiffig fand. Eine unreine Absicht ärgerte den Verlobten. Er verlor plötzlich die Beherrschung über sich und schrie in die Rede des anderen hinein: Falsche Vermutungen! – Er wolle sich nicht verlocken lassen, ausgetretene Wege seiner Eifersuchtsgedanken durch ungeschlachte Anrempelung Unberufener zu befestigen. Auf diese Weise würde man keine Fährte finden und vor dem Ziel einer verwirrten Ermattung erliegen. Man durfte unterstellen, Georg Lauffer konnte mit kalt rasenden Sinnen sich an Ellena vergangen haben. Gustav, mit einer Art schadenfreudiger Selbstverachtung, gab sich das Prädikat, alt und duftlos genug zu sein, dergleichen Tatsachen von den erdigen Trieben der Menschen aussagen zu können. Er hatte nicht einmal ein dürres Bedauern für die Verwundungen seiner beschleunigten Verwandlung. Vergeblich, noch auf das enttäuscht ohnmächtige Angstgebrüll eines unbefleckten Knaben zu warten; der theatralische, von manchen Empfindlichen gutgespielte Protest gegen eine feine Vergiftung von innen war ausgeblieben. Gustav war schon hinab ins Bodenlose des Geschlechts. Alfred Tutein war auch schon hinab. Die Raupe, jenes nur fressende und wachsende Wesen, hatte sich, ohne genauer zu begreifen, verpuppt. Und hing, durchjagt von nackten Schöpfungsträumen, im Ätzbad der Hormone. Sie alle konnten mit kalt rasenden Sinnen sich an Ellena vergangen haben. – Das Verbrechen aber, die unnatürliche Vertauschung des Verlangens, war ein Wirkenskreis, den Gustav in diesem Augenblick allein dem unsichtbaren Reeder vorbehielt. Der Superkargo, nach mühseliger Prüfung glaubte der Verlobte sich nicht mehr zu täuschen, war noch nicht zermürbt genug, um einer Lüsternheit, die weit hinter der Schwelle des Begehrens war, zu frönen. Die strafbare Gesetzesübertretung, war sie nicht das Ende einer langsamen Vernichtung des humanen Stoffes, eines eingetriebenen Überdrusses durch Alter, Unglück, erzwungene Preisgabe der letzten Hüllen inwendiger Würde? Dies fremde Verhalten, der gnadenlose Sturz, mochte er nun plötzlich oder mit vorbedachtem Anlauf geschehen, war für die nächste Nachbarschaft eine ungeeignete Vorstellung. Es widerlegte sich selbst. Jedenfalls kam die Verteidigung nicht zum Verstummen.

Alfred Tutein, eigensinnig, fügte Beschuldigung an Beschuldi-

gung. Jetzt war er bei der Schilderung der Vorgänge des mißlichen Abends. Es war keine Abweichung vom Bericht des Superkargos festzustellen. Bis auf den Schluß. Ellena hatte die Kammer des grauen Mannes nicht wieder verlassen.
»Sie hat sie auf den Schlag neun Uhr verlassen«, polterte Gustav.
»Man kann es nicht wissen«, sagte Alfred Tutein.
»Es ist bekannt geworden«, sagte herausfordernd Gustav.
»Es ist dergleichen nicht bekannt geworden«, behauptete Alfred Tutein. »Fräulein Ellena ist nicht wieder andeck erschienen. Es gibt Männer, die auf Wache waren, sie wollen einen Eid darauf geben, Fräulein Ellena ist nicht wieder aus der Tür des Superkargos herausgekommen.«
»Die Wachen sind wohl zu irgendeinem Zeitpunkt abgelöst worden?« schrie Gustav.
»Es ist erwiesen«, sagte Alfred Tutein, »Fräulein Ellena kann nicht vom Schiff verschwunden sein. Sie ist nicht andeck gekommen. Es ist kein Licht in ihrem Salon angezündet worden. Sie ist nicht über die Reling gegangen. Es hätte bemerkt werden müssen. Es sind viele Augen aufmerksam gewesen.«
»Es war Nacht«, sagte Gustav.
»Es war doppelte Aufmerksamkeit vorhanden, weil das Unheimliche nicht verborgen war«, stammelte Alfred Tutein.
»Sie ist nicht in der Kammer des Superkargos gefunden worden«, sagte Gustav.
»Man kann es nicht wissen«, sagte Alfred Tutein mit zähem Vorbehalt.
»Unsinn, Unsinn«, rief Gustav, »sie ist nicht herausgekommen, aber sie ist auch nicht darin.« Er wünschte jetzt, den Leichtmatrosen zu entfernen. Er sagte noch, wie zur Versöhnung: »Also die Besatzung ist der Überzeugung, Fräulein Ellena sei noch am Leben.«
Alfred Tutein feilschte ein paar Sekunden lang mit einem mageren Blick. Dann antwortete er schüchtern: »So ist es.« Er wurde zur Tür hinausgeschoben.
Gustav sprach durch den Spalt: »Das ist ein Trost.«

*

Er war ziemlich verzweifelt darüber, daß keine Anschauung in

ihm das Übergewicht bekam. Der blinde Eifer der Besatzung, ihre Liebe zu Ellena, der Wunsch, eine dicke Freundschaft zu Gustav herzustellen, hatten ihn nur in Verlegenheit gebracht. Der Meister der Lüge, der Urquell der Begierden, hatte ein dreistes Maschenwerk über das Schiff geworfen. Und jetzt höhnte er von hoch herab, alle sollten sich ergeben. Keinen Widerstand versuchen. Fische im Netz biegen und wälzen den Silberleib. Aber sie entrinnen nicht. Sie wagen den Widerstand bis an die letzte Zuckung, ungeachtet des grausamen Zuschauers oder gleichgültigen Fischers, der vom Ausgang der nutzlosen Bemühungen durchdrungen ist. Die Beschlüsse des verurteilten Geschöpfes sind ohne Beispiel; die Hoffnung, eine rettende Grenze des Wunders überschreiten zu dürfen, ist die Beischläferin des Todesschreckens.
Durfte er diesen Vergleich ziehen? Beugte sich der allmächtige Schatten des voraussehenden Wesens schon über den unglücklichen, zusammengepfercht dahintreibenden Menschenknäuel, um mit dem verletzenden Pathos des Ungerührtseins sich an dem Fischzug zu erbauen? Daß Gustav Willenskräfte dagegen setzen würde wie die zur Nahrung bestimmte Schar der schnellen Meeresbewohner, er zweifelte nicht daran. Aber gleichzeitig, bekräftigt durch das Bild oder Gleichnis, fiel ihm ein, daß er den Willen als die Straße des Schmerzes bezeichnet hatte. Wer würde gegen die Auslegung zu streiten wagen, wenn er an die todgeweihten Fische dachte? Wo waren die Zeichen der Ausnahme, die eine Zuversicht für ihn selbst bedeuten konnten?
Er hatte, im willkürlichen Geschwätz, vor Alfred Tutein von der Laune eines jungen Mädchens gesprochen, das in einfältiger Unbedachtsamkeit die Panik als Mittel wählt, um einen Vorteil für sich zu ertrotzen. Mußte dieser Grund für die noch unvollendete Erschütterung verworfen werden, nur weil er, der Verlobte, den Karakter Ellenas für gefestigt hielt, geprägt von einem Ernst, dessen Wert zweifelhaft war? Trug nicht jeder, welchen Alters er auch sei, ein Spielzeug, eine geheimgehaltene Gesinnung bei sich, Talisman, dessen nur Kinder sich nicht schämten? Gab es nicht Anwandlungen der Schwäche, ein Ausbrechen in vorzeitlich magisches Land, Stunden, die einen entselbsteten, weil die Müdigkeit überhandgenommen, in denen nichts wichtiger war als das verborgene Spielzeug? Diese Götzen: eine vor

Jahren aufgelesene Roßkastanie, ein Lumpen, ein arg bekritzeltes Stück Papier, ein Kupferstäbchen, eine Handbewegung, die man schon verlernt hatte. Man befaßte sich mit den Gegenständen von geringem Wert, während die menschliche Umwelt, aus Unvermögen, dies zu fassen, erlauchten Abstand nahm. Verfiel nicht Gustav in den gleichen ungerechten Dünkel, wenn er vor sich behauptete, daß Ellena diese und jene Eigenschaften besitze, einen eng umgitterten, jedenfalls beharrlichen inneren Gehalt, ein glattes Schaustück für jedermann, und darum, fremder Vernunft gehorsam, nur nach erkennbaren Plänen handeln könnte? Mußte man nicht flehentlich herbeiwünschen, kindlicher Trotz sei in ihr ausgebrochen, kindlicher Trotz, von dessen Dasein Gustav bisher keine Anzeichen gespürt hatte. Es würde sie doppelt liebenswert machen. So wechselt eine Talschlucht, die durch eine Felswand abgeriegelt scheint, plötzlich die Richtung und zeigt den Ausblick in ungekanntes Gelände.
Die Überraschung, daß das Mädchen wieder erscheinen würde, wie es verschwunden war, rätselhaft für den Nächsten, war die einzige unstoffliche Hoffnung. Alles andere war eine Schau herzfaltender Greuel. Gustav versuchte den Ansturm zu bändigen. Es war seine Aufgabe, das Gekrümmte zu ordnen und zu strecken, bis die Absichten des bewegenden Gottes kenntlich würden und der Mensch sich ihnen anpaßte, unterwürfig oder als Aufrührer. Gustav dachte an den mitleidlosen Einbruch in das Leben von irgendwoher. Überfall auf das wehrlose, unvorbereitete Fleisch. Es wird zermalmt oder ausgelöscht, weil es den unnahbaren Abläufen im Wege ist. Man kann sich nicht von einem Turm hinabstürzen und unversehrt unten anlangen. Begreiflich. Die Gesetze des Weltenbaus können sich nicht ändern, weil ein verräterischer Stein sich lockert und der Mensch mit ihm bodenlos wird. Die Tatsache des Fallens gerät in Widerspruch zu den Wünschen der Seele. Man mußte ihre Kräfte als schwach, als winzig annehmen, als ohne Belang gegenüber den gewaltigen Motoren der Massenanziehung. Eine Gewehrkugel – den einen verschmäht sie, den anderen legt sie um.
Er kam mit solchen Einfällen weder dem göttlichen Mitleid noch dem höhnenden Zweifel näher. Es schien, so einfach die einzelnen Stufen eines Unglücksfalles auch von ungefähr zu

beschreiben oder aufzuspüren waren, ein wichtiges Bedenken überschlagen zu sein. Schon die Grade der Verwirrung, in die der Betroffene unmittelbar vor der Katastrophe gestoßen wurde, waren unterschiedlich. Da gab es alle Arten vom selbstmörderischen Hingleiten bis zum verzweifelten Widerstreben, schließlich der plötzliche Totschlag des Zufalls. Und die Skala der Schmerzen. Der langsame Übertritt in die unbezeichneten Stapel des Raumes und der rasche Fall dorthin. Grausames und Mildes in unversöhnlichem Gegensatz.
Er entsann sich, vor wenigen Monaten war ihm der Tod eines Schulkameraden berichtet worden; Sohn eines vermögenden Kaufmannes. Der junge Mensch war im Nachtzuge von Batavia nach Surabaja gefahren. Die Geleise der Eisenbahn führten bei Tjiamis über eine Schluchtbrücke. Das Gitterwerk der eisernen Träger berührte fast die Waggonwände, so nahe war es an das Profil herangebaut. Für jeden, der ahnungslos die Strecke befuhr, war diese Gefahr aufgestellt. Aber ein weiser Erlaß versuchte sie zu beseitigen; die Betriebsverwaltung ließ, kurz bevor der Ort passiert wurde, ein Trompetensignal blasen. Das geschah bei Tage und bei Nacht. Der eherne Ton war bestimmt für die Wachenden, die sich versucht fühlen konnten, den Kopf zum Fenster hinauszustrecken. Der Kaufmannssohn aber schlief im schmalen Bett eines Schlafwagens. Als das Trompetensignal erscholl, erwachte er. Ihm, der aus dem Schlafe auffuhr, schien der heftige Ton der Inbegriff aller Warnung vor Gefahr zu sein. Er nahm das Gehörte in der reinsten Bedeutung. Er war indessen nicht gefaßt, den hohen Richtspruch untätig zu empfangen. Er wollte ausweichen oder doch wenigstens sich auf Kundschaft begeben, von welcher Seite etwa das Bedrohliche heranrücken würde. Gewiß war es natürlich, in einem fahrenden Eisenbahnzuge das Verhängnis von außen zu erwarten. Darum riß der Schlaftrunkene das Fenster auf, beugte den Oberkörper hinaus, hörte das Signal zum zweiten Male, nahe, vergleichbar den Posaunen des Jüngsten Gerichts. Der Anprall war so hart, daß nicht nur der Kopf zerschmettert wurde, der ganze Körper des jungen Menschen wurde aus dem Abteil herausgerissen.
Gustav dünkte es, als ob er erst jetzt befähigt wäre, in den Sinn dieses Todes einzudringen. Jener war nicht gelassen genug

gewesen, sich treiben zu lassen. Er wollte sich behaupten. Rechtfertigung, Anpreisen, Tätigkeit, tierische Selbsterhaltung, männliche Kraft und Entschlossenheit. Darum wurde er überantwortet. Seine Jugend war keine Entschuldigung. Es wurde ihm nichts angerechnet; nicht einmal, daß er die Zuversicht seiner Eltern war. Sein eigenes Handeln entschied. Die letzte Ermahnung an ihn war ein erzener Ton.

Gustav verfing sich noch darin, daß der Bericht vom Tod des Kameraden die Lehre enthielt, die Ankündigung einer Gefahr für nichts zu nehmen, sich taub gegen alle Warnungen zu stellen. Aber gleich hatte er Gegenbeispiele bereit, wo Behutsamkeit oder Bereitsein zu entschlüpfen eine wunderbare Rettung bewirkt hatten. Allerdings wurde jedes Resultat zweifelhaft, wenn man es aus der engen Zeit in eine weitere brachte. Die Zahl der Gestorbenen mehrte sich. Und sie alle waren Opfer.

Die Gedanken begannen ihn zu erschöpfen, zumal sie, mit zunehmender Entkräftung, zielloser und schwermütiger wurden.

Dabei erlitt die Intensität der Vorstellung keine Einbuße. Er hätte jetzt am liebsten geweint und sich auf diese Weise seiner Ermattung überlassen. Doch schüttelte er die Anwandlung ab. Kraß stellte er die Frage, ob Ellena Selbstmord begangen haben könnte. Er setzte als unumstößlich richtig voraus, daß das Leben dort endet, unter Umständen mit dem Anschein der Freiwilligkeit, wo es sich verbraucht hat. Physisch durch Alter, Krankheit, Vergiftung, Verwundung – oder in Krisen seelischer Art. Es hört auf, weil es zu schwach geworden ist, und das Sichergeben alle Freude, die gegenwärtige und die zukünftige, auslöscht. Der Selbstmord aus freien Stücken, wie die neugierigen Berichterstatter ihn hinterher feststellen, ist nur noch die letzte Wegstrecke der Qual; ein untauglicher Beweis dafür, daß die Freiheit des Ausschreitens, des Sichbewegenkönnens ein Verdienst der sittlichen Weltordnung. Es war ein mit Ketten Gefesselter, der hinabgezogen wurde. Und die Muskeln bewegten sich nur noch als Traum einer zergärten Seele. Und folgten der Fäulnis nach. – Konnte auch nur mit einem Schein der Berechtigung eine solche äußerste Verzweiflung bei Ellena angenommen werden? – Gustav weigerte sich. Die letzte Aussprache, es waren kaum drei Tage seitdem verstrichen, war ernst gewesen. Ernste Feststel-

lungen dienen der Festigkeit. Es mußte seitdem ein Höllensturz gewesen sein, wenn die Anmut einer milden Bestimmtheit sich hatte verzehren sollen. War es denkbar, daß selbstsüchtige Triebe, der Rätselbau aus Fleisch, sich gegen den Willen der Braut gestellt hatten? Daß sie gestrauchelt war, und der Fall, der die Instinkte ihrer gesunden Eingeweide krönen half, einer Beleidigung des Herzens gleichkam, die sie nicht verwinden konnte? Daß ein Sichhingeben an das Männliche ihre empfindliche Seele knickte, die noch in moosiger Unerfahrenheit den Kampf mit den Wirklichkeiten gewagt hatte, und, unterlegen, den Abschied aus einer romantischen Heimat nicht verwand? Hatte Gustav nicht, ein zögernder Liebhaber, den Aufruhr der Sinne begünstigt? War er nicht schuldig und wert des erbärmlichen Lohnes, verschmäht, unwissend, allein zurückgelassen zu sein? – Er begann sich zu schelten und wiederholte den Vorwurf, den Ellena ihm gemacht, ob er sie verdächtigen wolle. Er wollte es nicht. Nur seine Verzweiflung wollte es. Derlei Unterstellungen müßten den Superkargo zuvor zu einem Erzlügner gemacht haben.
Da streifte er das gräßliche Reich der Verbrechen. Starke Hypothesen bedrängten ihn. Es gab kein Leugnen, er selbst hatte den grauen Mann als fähig erklärt, ein Mörder zu werden. Er hatte ihn im Dornendickicht des übermächtigen höllischen Hasses hängen sehen, im Bann einer ungeheuerlichen Verdoppelung des Begehrens, ein übernatürliches Werkzeug der gesammelten Unfruchtbarkeit, die in das Wachsen einbrach wie ein Hagelschauer. – Jetzt widerrief Gustav. Viel zu plump hatte die Schiffsmannschaft den Superkargo mit Verdacht beladen. Als ob das Böse mit deutlicher Eroberung sich in einem Menschen festsetzte! Als ob ein Grollen von den unterirdischen Gewalten ausginge, sobald sie sich jemand zum Diener unterworfen! Es war wahrscheinlich, daß die Maske der Unschuld sich auf den Gefällten senkte. Eines Schutzes bedurfte auch der Bösewicht. Aber war nicht gerade der Hang zur Milde seit ein paar Stunden in Georg Lauffer aufgekommen? Ein fremder Zug, entsagende Frömmigkeit? Und mußte nicht, wollte Gustav der eigenen Begründung folgen, gerade darin die arge Fälschung sich kundtun? Die Meinung der Mannschaft entstammte einer vergangenen Zeit, die keine Gültigkeit mehr hatte. War aber die wuchern-

de Anklage, ungerecht im Verflossenen, nicht gerade jetzt aufrechtzuerhalten, weil sie im heftigen Widerstreit mit der dargereichten Verkleidung stand? – Gustav sagte sich, daß er mit solchen nichtigen Betrachtungen, die ihn anspannten und knechteten, sich der Zerrüttung überantworte, Schwarzes in Weißes verkehre, sich unfähig mache, das Augenfällige noch zu deuten. Georg Lauffer konnte Ellena vergewaltigt und ermordet haben. Man durfte diese Lästerung seines Karakters wie hinter einer Nebelwand bestehen lassen. Ging es indessen darum, noch an das Dasein Ellenas zu glauben, an ein Wehrlosmachen, eine Verschleppung, an einen fortgesetzten Mißbrauch ihrer Gestalt, mochte er einfach in einer Gefangenschaft oder verderbter in unaussprechlichen Demütigungen bestehen, dann mußte man den Superkargo aus dem Spiele lassen. Mochte er anfällig sein, er hatte nicht den häßlichen Ausschlag der Gemeinheit gezeigt. Dann war es angebracht, an die menschliche Verirrung schlechthin zu glauben. An die herben und ätzenden Laster, an die bevorrechtigten Leiden aller Erwachsenen. Schwären und Gewürm, die aus den nackten Muskeln hervorbrachen, um als sickernde Wunden an die ewige Verwesung zu gemahnen. Triumph des Abstoßenden. War es so weit, daß Gustav Mitleid mit dem Ekelerregenden empfinden sollte? Mußte er sich einnisten bei der Gesellschaft der Gestrandeten und Enttäuschten, die sich nichts mehr erhofften als Wonnen, die, noch nicht erreicht, schon schal waren? Verdammte, die schon im Rausch die Ernüchterung kosteten und in der Ernüchterung das Gift priesen, das ihnen der Rausch brachte? War der kaum Erwachsene schon verstrickt in die schwüle Zweideutigkeit eines Bordelltransportes, den Paul Raffzahn, geplagt von männlichem Unvermögen, mit immer dreisteren Ausgeburten seiner schlaflosen Nächte zu beweisen hoffte? War das die Frucht der Sehnsucht nach Abenteuern? Und mußte Gustav, um das Banale zu erkennen, mit seinem Lebensglück bezahlen? War auch sein letzter Trost die Lüge? Schäbige Zuflucht. Er lag im Wasser. Er konnte Schwimmbewegungen machen. Es gab noch Luft für seine Lungen. Aber ein Strudel trieb ihn im Kreise umher, ließ ihn nicht entschlüpfen in eine freie Bahn hinaus. Der Sog versuchte ihn hinabzuziehen, mit milder Gewalt. Im Wort hinab schien sich alles zu verdichten, was ihn berannte. Es war

räumlich und sittlich zu begreifen. Er wurde auf das Kielgefüge des Schiffes hinabgewirbelt. In den Dom der eingetauchten, doch schwimmenden Balken. Die Natur hatte, ohne Bedacht, die Kraft seiner Vernunft zu prüfen begonnen. Er selbst war leichtsinnig genug gewesen, sich der Zumutung zu stellen. Er hatte das Examen nicht bestanden. Jede neue Frage hatte ihn mehr verwirrt als die voraufgehende. Den unfähigen Kandidaten lähmte der Schrecken der ersten heimlichen Begegnung mit dem Reeder. Heute wie damals. – Wenn es noch eine Fortsetzung nach diesen Stunden gab, noch eine Lösung, eine Gnade, so würde Gustav dem Schiffseigner und Ellena, beiden gemeinsam, begegnen; nicht aber den einen ohne den anderen wiedersehen.
Ein Strom von Tränen ergoß sich in seine Hände, die er vors Angesicht gepreßt hielt.

*

Als er auf den Gang hinaustrat, fand er den Superkargo auf den unteren Stufen der Treppe sitzend. Er schien auf Gustav gewartet zu haben. Der Mensch hatte vielleicht lange gewartet; denn sein Gesicht, um die Mittagszeit noch frisch, sah müde und verfallen aus. Er erhob sich sogleich, als er Gustav herannahen sah, ging ein paar Schritte in die Richtung der Kammer.
»Wollen Sie mein Feind werden?« fragte Georg Lauffer.
»Ich will es nicht«, antwortete Gustav.
»Sie vertrauen sich der Vorsehung an«, sagte Georg Lauffer.
»Ich vertraue niemand, und am wenigsten mir selbst«, sagte Gustav.
»Sie versprechen mir nichts«, sagte Georg Lauffer, »es ist unbegreiflich, warum ich mehr von Ihnen erwartet habe.«
»Mehr«, fragte Gustav.
»Beistand«, sagte der Superkargo, »leeren Trost hätte ich auch in der Einsamkeit finden können.«
»Ich bin der Geringste auf diesem Schiff«, sagte Gustav, »ich bin wahrscheinlich der Unwissendste und Unbelehrbarste dazu. Ich habe keine Ordnung in meinen Verhältnissen; ich bin zufällig anwesend. Und zufällig ist meine Geliebte, um derentwillen ich es gewagt habe, von einem behüteten Menschen zu einem

blinden Passagier herabzusinken, verschwunden. Wenn mir, entgegen aller Voraussicht, auf diesem Schiff eine Aufgabe zugefallen ist, so die undankbare, einen, gegen jede Vernunft, abhanden gekommenen Menschen zu suchen. Damit ein Überfluß an Narrheit wird, haben sich mir ein paar Theorien über den Verbleib des Mädchens angehängt. Mein Vorhaben ist also ganz ins Ungewisse geraten. Und ich weiß nicht, wer und was sich noch meinen Plänen, den Schlichen auf die Spur zu kommen, entgegenstellen wird.«

»Das ist klare Rede«, sagte bitter Georg Lauffer, »es trifft sich ungünstig, daß zur gleichen Zeit ich einer anderen Aufgabe nachjagen muß. Und so, wiewohl glühend bereit, meinen Dienst Ihnen anzubieten, gehindert bin durch die Anstalten zu meiner Rechtfertigung.«

»Das haben Sie schon einmal ausgesprochen«, sagte Gustav, »die Wiederholung stimmt mich trübe. Es ist ja keine Anklage gegen Sie erhoben worden.«

»Mag sein, meine Sache steht so schlecht, daß jedes Wort von mir mich verstricken muß«, sagte Georg Lauffer, »am Anfang unserer Reise schon sind Sie Zeuge meiner zwiespältigen Stellung gewesen und haben gewiß meine Vermutung nicht überhört, meine Aufgabe, die anonyme Ladung an ihren Bestimmungsort zu leiten, werde mich schlimmer als mit durchschnittlichem Maß bedrängen. Es ist ja ein Gesetz, daß mit der Größe einer Pflicht auch die Kümmernisse wachsen. Ich habe, klug gemacht durch Schaden, manche außergewöhnliche Veranstaltung getroffen. Schließlich habe ich nur die geläufigen Bedrohungen berücksichtigt, wie sich jetzt zeigt. Andere grobe Fehler haben sich eingeschlichen. Ich hätte Sie mit roher Maßnahme auf den Kai zurücktreiben sollen. Sicherlich wäre Fräulein Ellena Ihnen gefolgt. Aber ich vertraute meiner Geschicklichkeit. Ich hätte mich als ein Feigling gefühlt, wenn Furcht vor einem blinden Passagier mir ins Bewußtsein gekommen wäre.«

»Sie kannten mein Versteck, ehe das Schiff sich vom Kai losgemacht hatte«, fragte Gustav tonlos.

»Ich hätte wachsam sein können, wenn es mir der Mühe wert gewesen wäre«, sagte der Superkargo.

»Sie weichen aus«, sagte Gustav.

»Ich habe vergessen, ob Ihr Zufluchtsplatz mir unmittelbar vor oder nach der Abfahrt bekannt wurde«, sagte der Superkargo, »warum soll ich Sie in einer so unwichtigen Sache belügen?«

»Wenn Sie die Absicht gehabt hätten, mir alle Verbindung zu – zu den Hoffnungen abzuschneiden, dann wäre Ihre Auskunft gerade passend gewesen«, sagte Gustav verdrießlich und verzweifelt. »Wie soll ich es vermeiden, an Ihren grausamen Scharfsinn zu glauben?«

»Ich fehle unablässig und habe doch nur den Wunsch, Ihnen angenehm zu werden«, sagte Georg Lauffer, »vielleicht müßte ich jetzt schweigen. Aber ich würde Ihnen nach einer Stunde wieder begegnen und aufs neue mein Herz antragen.«

»Man muß Ihrer Darstellung keinen Glauben schenken«, sagte Gustav, »vielleicht ist Ihnen vorzuwerfen, daß Sie mich absichtlich in einem Zustand ungefährer Unterrichtung halten, um mich zu erschöpfen. Sie verweigern mir keine Auskunft. Aber sobald ich die Hand nach dem Horizont ausstrecke, nach jener Linie, wo Himmel und Erde zusammenstoßen, das mir Bekannte und das Verborgene, entziehen Sie sich mir, wie jene räumliche Wirklichkeit beharrlich tut, geben vor, unwissend zu sein, sind es vielleicht. Oder gerade, an einem für mich wichtigen Punkt, ist Ihre Erinnerung brüchig. Dem Kapitän gegenüber haben Sie sich seinerzeit wahrscheinlich bestimmter geäußert.«

»Es ist möglich«, sagte mit halberstickter Stimme Georg Lauffer, »ich werde Ihnen gewiß manche Enttäuschung bereiten müssen; aber Sie sollen wenigstens meine Sanftmut unerschöpflicher finden als eine durchschnittliche Geduld.«

Gustav fuhr unbeirrt fort: »Sie haben einen Vorbedacht erwähnt, der mich und meine Braut hätte vom Schiff verweisen können. Das ist ein schöner Anlauf für manche Betrachtung. Man kann sich gut vorstellen, wie, ganz ohne Zwischenfälle, der Transport bewerkstelligt worden wäre. Jedenfalls, das lästige Verschwinden eines jungen Mädchens hätte nicht stattfinden können. – Wie aber müssen diese friedfertigen Voraussetzungen sich verwandeln, wenn das Mädchen damals nicht ausgeschifft werden konnte? Wenn es das wichtigste Stück der Ladung ausmachte? – Nein, bitte, unterbrechen Sie mich nicht jetzt. – Ich will versuchen, mich so klar auszudrücken, wie es mir möglich ist. – Wenn damals, von Seiten Unbekannt, eine Absicht vorlag, die Tochter des Kapitäns zu rauben? Wie man ein Weib raubt. Der frühere Kapitän ist verabschiedet worden. Man hatte ihm nichts vorzuwerfen. Waldemar Strunck besaß keinerlei erkennbare Vorzüge oder gar leuchtende Fähigkeiten, die den Vorgänger hätten ausstechen können. Waldemar Strunck war Witwer; er besaß eine schöne Tochter. Es ist bekannt, der Schiffseigentümer hat den Kapitän überredet, das Mädchen mit auf die Reise zu nehmen. Der Vater zögerte eine Woche lang. Eine Woche lang wartete man auf die säumige Ladung. Es ist ja, in einem anderen Zusammenhang, genügsam davon gemunkelt worden, daß wir, in Kisten verpackt, weibliches Fleisch als Konterbande führen. Nur ich, ich war nicht eingebaut in diesen Plan –«

Der Superkargo hielt dem Redenden mit einer Hand den Mund zu.

»Ich fürchte für Sie«, sagte er leise, »ich will Ihnen nichts entgegnen, denn Sie würden mich mit einem neuen geistvollen Einfall widerlegen.«

Er ließ Gustav frei. »Sie haben eine sorgfältig durchdachte Theorie vorgetragen. Aber die Wirklichkeit kann sich ihr nicht fügen. Jedenfalls, ich habe keinerlei Anteil an der Ausführung eines so verwegenen Planes. Ich bin der kleine Beauftragte einer Regierungsstelle. Sie beschämen mich mit Ihrem Antrag, so abgründig zu sein. Habe ich Ihnen nicht verraten, daß ich unbewaffnet bin? Halten Sie den Kapitän für so ehrbar oder leidenschaftslos, daß er Bedenken tragen würde, mich niederzuschießen, wenn er mich eines Verbrechens an seiner Tochter für teilhaftig hielte?«

Gustav begriff, er hatte jetzt nur die eine Zuflucht, zu verstummen. Er hatte sich zu Äußerungen bereit gefunden, die nicht nur eifervoll, sondern auch plump waren. Hatten wenige Stunden der Ratlosigkeit ihn zum Tölpel gemacht? Er hatte sich in diesem Augenblick ohne jeden Gewinn dem Superkargo ausgeliefert. Der konnte sich für die Folge gegen gefährliche Ausfälle wappnen. Das Antlitz des jungen Mannes übergoß sich rot.

Der Superkargo fuhr fort: »Meine Schuld ist eine andere. An einem Platz, wo ich nur Pflichten hatte, habe ich meinem Herzen ein Anrecht, sich zu entfalten, eingeräumt. Fürchten Sie keine peinlichen Enthüllungen: meine Genüsse sind bescheiden gewesen. Ich glaubte einem Menschen begegnet zu sein, dem ich mein Leben beichten konnte. Es war nichts Erhebendes. Ich bin lästig geworden durch die Unermüdlichkeit meiner Beteuerungen, daß ich Unglück gehabt habe. Sie kennen den Ausgang. Ein erstaunlicher Verdacht hat sich um mich verdichtet. Man hat das Mädchen bei mir eintreten sehen; aber es ist nicht wieder hervorgekommen. Ich beteure, der letzte Vorgang ist den Beobachtern entgangen. Ein unzuverlässiger und schäbiger Bericht von Dummköpfen ist gegen mich. Gefühle der Rache machen ihn selbst für Laue feurig. Mir fällt als Folge die Rolle eines minderwertigen Menschen zu, zu bereuen. Es ist ein kurzes, entehrendes Geständnis.«

»Wenn ich nicht bangen müßte, übervorteilt zu werden, würden Sie mein Mitleid haben«, sagte Gustav, »indessen, ich habe Sie heute schon einmal verteidigt.«

»Das gibt mir Zuversicht«, sagte der Superkargo, »die Mannschaft des Schiffes befindet sich in offenem Aufruhr gegen mich. Sie erwartet nur noch ihren Führer, um, sie weiß nicht was, zu tun. Und dieser Führer können nur Sie sein.«

Gustav fuhr mit dem Kopfe herum, als habe er nicht deutlich gehört, wiewohl jedes der Worte sich ihm genau eingeprägt hatte.

»Das«, sagte er, »ist gewiß nicht meine Absicht.«

»Ich habe Sie um die Gnade angefleht, sich zu bedenken«, sagte der Superkargo.

»Ich bin nicht toll«, sagte Gustav halb zu sich selbst, »meine Sache ist nicht die der Mannschaft.«

Georg Lauffer nickte beifällig mit dem Kopf.

»Warum«, begann Gustav zu schreien, »befolgen Sie meine Ratschläge nicht, wenn Sie selbst ratlos sind? Was erwarten Sie sich von meinem Tun und Lassen? Ist es noch immer nicht an der Zeit, Schutz vom Kapitän zu fordern? Bei geringeren Anlässen gebrach es Ihnen doch nicht an Entschlossenheit, das Eingreifen Waldemar Struncks zu verlangen.«

»Sie verkennen die Lage«, sagte langsam Georg Lauffer, »ich habe Ihren Rat befolgt. Der Kapitän hat mich abgewiesen.«

»Wie kann er, wie darf er«, polterte Gustav.

»Kurz bevor ich mich hier einfand, allerdings hat er mir gesagt, er werde eine Meuterei zu verhindern wissen«, fügte der Superkargo hinzu.

»So hat er Ihnen den Schutz, auf den Sie Anspruch haben, nicht verweigert«, sagte Gustav.
»Er hat nur vom Schiff und von der Ladung gesprochen. Er hat die Absicht, mich preiszugeben«, sagte der Superkargo.
»Ihre Furcht ist grundlos. Der Kapitän ist nicht von Sinnen gekommen«, sagte Gustav.
»Seine Tochter ist verschwunden. Noch hat kein Laut verraten, daß sie lebt«, sagte der Superkargo, »Verdruß und Schmerz benagen den Vater. Es ist ein Teil seiner Selbst, der ihm entrissen ist. Er steht, doppelt verlassen, im leeren Haus seiner Witwerschaft. Ich aber habe mich vergangen. Mag die Behauptung falsch sein, so ist sie doch zu beweisen. Meine Rolle ist es gewesen, beharrlich zu schweigen, aber ich habe geschwatzt. Niemand weiß, welcher Art die Wirkung war, die von mir auf Fräulein Ellena ausgegangen ist.«
»Sie sind bedenklich geworden«, sagte Gustav, »vor ein paar Stunden waren Sie sicher darin, daß Ihr Verhalten keinen Einfluß auf die Entschlüsse Ellenas hat ausüben können.«
»Ich bin der Verzweiflung nahe«, sagte der Superkargo, »ich bin meiner Aufgabe untreu geworden, ich bin nicht mehr unschuldig gegenüber meinem Amt. Niemand hat mir erlaubt, auf diesem Schiff ein Mensch zu sein. Es widerspricht meinem Dienst. Ich habe der Versuchung einem jungen Mädchen gegenüber nicht widerstanden. Es hat Augenblicke inneren Verzagtseins gegeben, wo ich Fräulein Ellena als eine Art Spionin betrachtete, eine beauftragte Versucherin. Die Verwirrung ist zu erkennen, die entstanden ist, weil ich nachlässig in meinen Listen geworden war. Ich habe nicht nur fahrlässig der Mannschaft die Neugierde gestattet, ich habe mich selbst mit unklugen Bekanntmachungen entblößt. Ich bin nicht mehr der Feind aller, alle sind meine Feinde. Sie wissen, ich bin wehrlos. Sie werden über mich herfallen, weil ich mich mit unvernünftigen Maßnahmen, in unbegreiflicher menschlicher Überheblichkeit meiner Verkleidung entledigt habe. Ich wollte mich selbst überbieten, weil der Auftrag dazu herausforderte. So habe ich das Unglück angelockt. Es gibt kein Zurück mehr. Würde ich jetzt drohen, man würde vorgeben, mich und meine Schwäche zu kennen und sich der Wut überantworten, mich zu verlachen. Zugegeben, ich bin noch nicht am Ende meiner Mittel. Ich

könnte mich in meine Kammer zurückziehen und mit einem Telegramm Hilfe herbeirufen. Nach wenigen Stunden würde ein schnelles gepanzertes Fahrzeug längsseits des Seglers liegen; bewaffnete Männer würden die Bordwand entern. Ein paar Kommandos, kaum Rede und Widerrede. Der unbotmäßige Kapitän würde von seinem Posten entfernt. Ein Getöse würde sein, und die Schiffsmannschaft würde sich in die Logis verkriechen, wie aufgescheuchte Ratten in ihre Löcher fliehen. Es würde ein handgreifliches Bespiel gegeben werden, daß die Macht keine leere Drohung zwischen meinen Zähnen ist. Es wäre zugleich das Ende meiner Laufbahn. Ein unrühmlicher Abschluß. Ich hätte mich schwach gezeigt. An meiner Stirn wäre die Furcht sichtbar gewesen. Denn wie anders als mittels der Furcht wäre die außergewöhnliche Maßnahme erklärbar? Die mir übergeordneten Stellen, wenig erbaut von dem Zwischenfall, würden die Überzeugung gewinnen, daß man mich nur mit kleiner Verantwortung beladen dürfe; die große zerschmettere mich, werfe mich aus der Bahn, verändere meinen Karakter, mache mich untertänig den zufälligen Begegnungen und Regungen. Meine Geschicklichkeit, es wäre bewiesen, hätte nicht ausgereicht, zwei Dutzend Menschen nach meinem Willen zu leiten. Vor der Ausfahrt aber hatte ich mich vermessen, ein Meisterstück zu leisten. Und wäre die Besatzung zweihundertköpfig gewesen, ich hätte mich nicht weniger berufen gefühlt. Ich träumte davon, den Ruhm zu gewinnen, der mir bis dahin nicht zugefallen war. Nun bin ich meinem Auftrag abtrünnig geworden. Diese Matrosen wagen es, mich zu beschuldigen, der ich unnahbar, unerreichbar für sie sein sollte. Dennoch will ich nicht entsetzt werden. Die Gewehrsalven sollen nicht über das Deck pfeifen. Ich will meine Schande nicht offenbaren durch ein Eingeständnis meiner Machtlosigkeit. Noch nicht. Ein paar verborgene Maßnahmen stehen mir noch zurseite. Ich bin nicht planlos in das Abenteuer meiner großen Verantwortung gegangen. Ich bin überrumpelt durch die Verquickung der Ereignisse. Es war nicht in meiner Rechnung enthalten, daß der biedere Kapitän sich auf eine ungeläuterte Seelenkraft berufen würde, um sich daran zu erbauen und in die engste Pflichtauffassung zu verbeißen. Gewiß ist es gewagt, den Ruf an die schrankenlose Großzügigkeit ergehen zu lassen. Die dumpfe, unbestimmt

murmelnde Trauer, die Ungewißheit des Vaters, ob er an den unvertrauten Tod oder an das zerschundene Dasein der Tochter glauben soll, lassen es begreiflich finden, daß er einen vermeintlichen Gegner mit ruhiger Frechheit abfertigt. –«
Der Superkargo schien noch lange nicht am Ende seiner Darlegungen zu sein. Mit unverminderter Inbrunst sprach er weiter von der Hoheit der Sache und der Niedrigkeit seiner Verfehlung. Von der Kluft zwischen Waldemar Strunck und ihm. Von Ellena. Von der Rücksicht, die man der empfindlichen Ladung schulde.
Ein wilder Strom von Worten und Gleichnissen. Gustav war wie betäubt. Er war unfähig, zu ergrübeln, wie diese Begegnung enden sollte. Angst, Ekel, Erstaunen und kraftloser Jammer hielten ihn abwechselnd gepackt. Er spürte eine Ohnmacht herannahen. Er war bereit, die Überlegenheit des grauen Menschen anzuerkennen. Er wollte sich überantworten. Er empfand, während der Schwall an seinen Ohren flutete und ebbte, wie jede Stellungnahme sich allmählich auflöste. Es blieb ein Bündel aberwitziger, sich ständig widersprechender Eindrücke zurück. Hellsichtigkeit folgte auf Verfinsterung, Ausblicke und Zuversicht zerschellten wieder an einem elektrischen Gefühl zärtlich zitternder Hände, die sich an seinen Hals legten und langsam, aber doch mit festem Zugriff, ihm die Atemluft abwürgten.

*

Gustav erinnerte sich nicht, wie er entkommen war. Unbegreiflich, bis zur Stunde hatte er sich nicht vorstellen können, Ellena sei einfach gestorben, wie ein Mensch den Tod der Krankheit stirbt. Herzschwäche. Oder die Leber schwillt an. Das Harnwasser scheidet sich dem Blut nicht aus. Eine Ader bricht und ergießt sich ins Gehirn. Jetzt war ihm eine solche Vorstellung geläufig. Er würde in alle Gelasse und Winkel des Schiffes eindringen. Und irgendwo eine Leiche finden.
Man hörte, wie er von oben nach unten vordrang. Seine Stimme, anfangs deutlich klagend, aber frisch, immer wieder den Namen der Geliebten rufend, verebbte. Sie zerging gewissermaßen mit unaufhaltsamem Verfall.

Trotz des grausamen und peinlichen Vorhabens, das er seine Pflicht nannte, hatte Gustav Erlebnisse. Oder doch, seine Seele war noch ungeschwächt genug, Eindrücke zu beziehen, die ihn über den Anlaß hinaus bewegten. Schier unbegreiflich, daß er immer wieder aus der Betäubung des Beranntseins erwachte. Mit neuer Verwunderung stellte er die mannigfach gestaltete innere Form der schwimmenden Arche fest. Er sagte sich, daß das alles nicht der phantasievolle Einfall eines einzelnen, des Schiffsbauers sei, vielmehr die Aufeinanderhäufung konstruktiver Erfahrungen, Einbildungen, Durchdringungen des Raumes seit Jahrtausenden. Uralte Bilder, wenn auch überraschend für den Neuling. Neben diesem allmählich Gewordenen stand die selbständige und plötzliche Offenbarung, die vom Ineinandergefügten ausgeht. Das Nichtvorausdenkbare. Ein Balken, der sich einem anderen auflagert, mit Knaggen aufgefangen wird, mit Dübeln befestigt, mit seinesgleichen ein dreidimensionales Ausmaß umspannt, einen begrenzten und einen unendlichen Ausblick hat, ist dem Kristall vergleichbar, der eine rhythmisch aufgeteilte Umwelt schafft. So geschieht das Wunder der sechskantigen gleichmäßigen Form, wachsender Quarz, die sich nicht nur dem umschriebenen Kreis genau einfügt, auch in der Wiederholung der Gleichmäßigkeit nahtlos zum Geflecht der Bienenwabe wird. Ein Ergebnis, das sich mit masseloser Leichtigkeit einfindet, aber die Vernunft und die Vorstellungskraft des Menschen beschämt.

So erlebte Gustav die Größe des Schiffes, um, nachdem er alle Winkel durchstöbert, ohne ein Zeichen von Ellena gefunden zu haben, kleinmütig die Unzulänglichkeit, die grobschlächtige Roheit dieser menschlichen Arbeit als das Hervorstechendste in sich zu behalten. Er hatte nach Blutstropfen gesucht, aber überall nur Staub, teerige Krusten, wässerigen Dunst auf den porigen Planken gefunden. Er ließ den Scheinwerfer der Lampe an den Wänden spielen; immer nur der trostlose Anblick sich wiederholender Raumbegrenzungen.

Um seine Verzweiflung voll zu machen, ihn ganz an eine flockige Unsicherheit auszuliefern, gewann er die rotbrennende Gewißheit, es wurde ihm nicht gestattet, allein zu suchen. Anfangs hatte er geglaubt, seinen Spürsinn frei entfalten zu können. Er hatte mit abgezählten Schritten die einzelnen

Schiffsräume bemessen, um sie planvoll in den Holzrumpf einschachteln zu können. Er war auf bestem Wege gewesen, die Aufteilung und Anordnung sich zuverlässig einzuprägen. Die ihm verbotenen und versiegelten Laderäume lagen, vergleichbar einem überschaubaren Massiv bald über, bald unter, bald neben ihm. Sie verloren die unheimliche Anziehungskraft des Unbekannten, nachdem Gustav sie so begrenzt fand und von außen einzukreisen fähig war. – Da war die Blendlaterne des Superkargos vor ihm aufgetaucht. Das einzige feurige Auge eines Drachens, der einen Schatz hütet, und Gustav fühlte sich sogleich schreckhaft ernüchtert und entmutigt. Er war nicht einmal fähig gewesen, zu einer mißtrauischen Überraschung oder scheuen Abwehr zu erwachen. Er war nur niedergeschlagen. Er konnte den Träger der Laterne nicht sogleich erkennen, denn jener war im Schutz einer ihm abgewandten Lichtquelle. Erstaunlich, wieviel sengender die Lampe des anderen leuchtete als Gustavs eigene, die nur verschleierten gelben Schein spendete. Georg Lauffer gab sich unbefangen zu erkennen. Es war nichts dagegen einzuwenden, daß er an seiner Rechtfertigung arbeitete. Er hatte kein Hehl aus seiner Absicht gemacht. Die Lampe, das konnte auch der Reeder sein oder Alfred Tutein. Doch es war, ohne Vorbehalt, der Superkargo. Aber Gustav fühlte sich von nun an auch in den entlegensten Winkeln nicht mehr unbeobachtet. Ob er selbst auf Zehenspitzen umherschlich, er konnte dem anderen nicht entgehen. Er entging auch Alfred Tutein nicht. Manchmal streifte er unversehens im Dunkeln dessen nackte Hände. Gustav roch das Gesicht und empfand einen Dunst von Gier oder Aufdringlichkeit. Einmal stand der Leichtmatrose da, hohläugig, reglos, mit ausgebreiteten Armen, inmitten eines Ganges. Und wollte nicht weichen. Gustav fühlte sich schaudernd abgestoßen, heimgesucht von zwar unbeständigen, aber giftigen Mächten.
Seine Ungeduld wuchs. Sein Bestreben, nicht mehr er selbst zu bleiben, wurde heftig. Jetzt hoffte er schon auf den Verwesungsstank, der eines Tages von irgendwoher zu ihm dringen mußte. Er sagte sich, die Fäulnis würde widerlicher sein als die Freundschaft ungebetener schwitzender Körper, jedenfalls kalt. Seine Vorsätze, ein bestimmtes Verhalten seiner Umgebung zu zeigen, zerbröckelten.

Als er spät in der Nacht, vollständig ermattet, durchlöchert von den Erlebnissen des Tages, mit verzerrtem Gesicht sich aufs Bett warf, fühlte er, er würde erliegen. Alfred Tutein, dieser gespensterhaft schleichende Jüngling, der es darauf angelegt hatte, sich immer wieder finden zu lassen, wartete nur darauf, angesprochen zu werden. Er war einer von vielen. Viele wünschten angesprochen zu werden. Die Matrosen hatten, jeder einzelne, Sekunden, halbe Minuten lang, zutraulich lauernd sich Gustav zugewandt. Das Warten stand in ihren Augen. Der Hauch eines lieblosen, aber verschwenderischen Alptraumes überrieselte Gustav. Eines Tages würde er vor den wollüstigen Ohren den Mund auftun, sofern der Verwesungsgeruch noch nicht zu ihm gedrungen war. Dann würde er erliegen.
Ellena, Ellena, er schluchzte verzweifelt, war für ihn nicht mehr zu erreichen.

VII

Die Falle

Der Superkargo wandte sich an den Küchenjungen und teilte ihm mit, er wünsche zukünftig die Mahlzeiten in der Kammer einzunehmen. Jener habe zweimal gegen die Tür zu klopfen und dann das Tablett mit den angerichteten Speisen im Gang niederzustellen. Ohne einzutreten oder den Eintritt zu begehren.

Der Kapitän und der Verlobte waren es zufrieden, daß der Dritte aus ihrer Gesellschaft ausschied. Aber die zwei entdeckten bald, sie wußten einander nichts mehr zu sagen. Gustav fand, der Vater Ellenas gab sich beleidigt wie ein Dachshund, dem ein guter Bissen entgangen ist. Der Kapitän hatte offenbar nur geringe Übung darin, einen Standpunkt zu den Prüfungen der Vorsehung einzunehmen. Seine Trauer war trocken. Ein erlöschender Silberton mischte sich in die Stimme, wenn er sprach. Die Eleganz seiner geraden Haltung stand im Widerspruch zum Unvermögen, den Attributen der Seele irgendeinen Ausdruck zu verleihen. Widerwillig mußte Gustav dem Superkargo beipflichten, Waldemar Strunck gefiel sich in der Aufführung eines hochmütigen Eiferers. Ohne doch irgendeinen Beitrag der Erleuchtung zu liefern.

Sich selbst erkannte Gustav als ausgelaugt. Todnahe Müdigkeit erstickte ihm manches Gefühl im Aufkeimen. Er wünschte sich, krank zu werden. Aber die Krankheit müßte wie mit Keulenschlägen über ihn herfallen. Sie dürfte nicht mit einer flüchtigen Verstimmung beginnen, der man, als ob sie eine schärfere Beschwerde wäre, Vorschub leistet. Seine Bettlägerigkeit würde den schlechtesten Eindruck machen. So müßte sie wenigstens als unvermeidbare Notwendigkeit auch vor der vierschrötigen Gesundheit bestehen können. Er sagte sich mit flauer Moral:

man zwängt sich im Zickzack durch das Dickicht wuchernder Schlehdornbüsche. Er sah im Geiste an einem abschüssigen Wiesenrand eine krause Hecke, übersät mit den herben blauschwarzen Beeren. Vergeblich erhoffte er sich, der Kapitän werde ihm irgendein Verhalten vorschreiben. Etwa, die Mannschaft zu meiden oder sie mit bestimmter Absicht zu beeinflussen. Oder wenigstens eine Meinung über das Verhältnis zum Superkargo ausdrücken. Dergleichen geschah nicht. Die Disziplin anbord wurde straffer. Das mußte wohl seinen Grund in der unversöhnlichen Kürze des Ausdrucks, im tückischen Scherbenklang der erhobenen Stimme des Kapitäns haben, wenn er Befehle gab. Die Matrosen duckten sich unter seinen Blicken, die mehr leer als drohend waren. Der Mann hatte irgendeinen Erdhunger bekommen; sein Bewußtsein war ausgewandert, die Bitterkeiten und die Anfälle der Wünsche, in die großen Städte hinein, aufs flache Land, wo der Boden zu Brot wurde, irgendwelche Tiere grasten. Er haßte das Meer. Er hatte, ohne Anlaß, alles Vertrauen einkassiert, das er ehemals seinen Untergebenen gezollt hatte.
Alfred Tutein stellte sich Gustav in den Weg. Die beiden flüsterten zusammen. Wie Verschwörer. Es waren unschuldige Sächelchen, die sie einander erzählten. Wiederholungen. Da war zu berichten, Gustav war durch die Schächte und Gänge gekrochen, die ihn am Anfang dieser prüfungsvollen Fahrt beunruhigt hatten. Auch sie fügten sich dem Schiffsrumpf ein, hatten einen Anfang, endeten irgendwo stumpf, oder mit einem bewegbaren Schott, um den Forschenden in einen Raum zu lassen, den er bereits kannte. Alfred Tutein gab dunkle Aufklärung, behilfliche Lügen und zornentbrannte Beteuerungen der Viehhändler und Roßtäuscher. Klatsch, der mit seiner Überfülle, seiner Ungenauigkeit, seiner zähen Raserei die Verstocktheit der einfältigen Menschen abbildete. Man konnte sie nicht in den Bann der Tatsachen zwingen. Sie wichen mit heiligen Schauern der abtastbaren Wirklichkeit aus. Sie standen auf morastigem Untergrund; und es war ihnen leicht, an ein Versinken, an die unendliche Tiefe des Schlammes zu glauben. Stille Gewässer, die keinen Grund haben. Wälder, die dichter werden mit jedem Schritt, den man vordringt, bis sie in Zauber umschlagen. Wollte man dem Bericht Alfred Tuteins Glauben schenken, so

waren Koch und Zimmermann in diesen Tagen zu Helden geworden, die in unverbrüchlicher Einigkeit die Triumphe schmutziger Unterstellungen auskosteten. Gewiß, es gab ein paar geheimnisvoll leuchtende Bruchflächen wie von edlem Material in dem Konglomerat, die den Leichtmatrosen hätten in Verlegenheit bringen müssen, wenn er der Ursache ihrer Entstehung hätte habhaft werden können. Aber er hatte klares Quellwasser inmitten der brandigen Senkstoffe als den vielleicht unflätigsten Teil der Schweinerei hingenommen, darum behalten und, wiewohl ohne Verständnis, wie das Wahrhaftige dem Wust der Fragwürdigkeiten einzugliedern sei, eine Spitzenleistung geiler und hündischer Gedanken daraus gemacht. Klemens Fitte sei in dem Wahn befangen, seine Mutter, selbstverständlich eine Hure, wäre nicht gestorben, wie er seit Jahren vermutet hatte, versteckt in einem unbekannten Armengrab, vielleicht schon wieder umgepflügt, oder nicht begraben, präpariert, ausgeschält, Schicht um Schicht wie eine Zwiebel, Skelett, Muskeln, Blutbahn, Nervenstränge, die angefressenen Organe, auf irgendeiner Anatomie, wo Studenten das Jammerbild begrinsten; sondern als alte Ware, man wisse nicht, mit welchem ausgeklügelten Vorsatz, lebend in einer der Kisten verpackt.
Gustav horchte bei diesem Ausfall aus der Sphäre des Wahnsinns auf. Aber seine Versuche, die Richtung oder die Größe der absonderlichen Kraft zu ermitteln, blieben schwach. Und so glitt dies Mal stumpfer oder gräßlicher Besessenheit mit dem Unwürdigen zusammen von ihm ab. Er empfand mit wollüstigem Gleichmut, der Leichtmatrose wuchs an ihn heran, mit der Unwiderstehlichkeit der Vermehrung.

*

Der dritte Abend nach dem Verschwinden Ellenas war gekommen. Gustav, der sich dazu erzogen hatte, eine nächtliche Runde durch die Gelasse des Schiffes zu machen, spürte fast unüberwindlichen Widerwillen, als er sich diesmal dazu anschicken wollte. Nicht etwa, daß er die Nutzlosigkeit der qualvollen Anstrengung für erwiesen hielt. Im Gegenteil, es war ihm gewiß, die bisherigen Unternehmungen waren nicht erschöp-

fend gewesen. Die Blendlaterne des einen, der sich rechtfertigen wollte, und das freundschaftliche gespenstische Fleisch des anderen hatten ihn abgelenkt. Die Störungen hatten seine Beflissenheit verlangsamt.
Überdeutlich trat der Plan des Schiffes ihm auf die Purpurhaut der halbgeschlossenen Augen. Einzelheiten, die er mit seinem Bewußtsein nur flüchtig gestreift hatte, fügten sich in die starre Form des Ganzen. Auf Schritt und Tritt glaubte er sich hinterher bei Mängeln seiner Wachsamkeit und seines Spürsinns ertappen zu können. Aber gerade diese übernatürliche Deutlichkeit der Eindrücke, die sich am Ort selbst, wenn er das Versäumte nachholen wollte, wieder verlieren mußte, erschreckte ihn. Er war in unmittelbarer Nachbarschaft der Furcht vor dem Wunder. Das Mißverhältnis zwischen seiner Unfähigkeit, in das Geheimnis, das ihn umgab, einzudringen – und die Schärfe, sozusagen die vergeistigte Lauterkeit der Gegenstände und Konstruktionsglieder rückten das Resultat, die Wirklichwerdung eines Todes, in unerreichbare Fernen. Je hohler und leerer, gleichsam entblättert wie ein Laubbaum im Winter, die innere Ausstattung des Schiffes für ihn wurde – das Bekannte, durch und durch Stoffliche, war davonwirbelndes dürres Laub – desto inbrünstiger war sein Glaube an eine plötzliche Erleuchtung. Als ob das Geheimnisvolle der kahlen Wände bedürfe, um rasch, vergleichbar dem Windstoß, der durch nackte Äste streicht, in den durchlüfteten Räumen einherzugehen und die Begrenzungen zu durchdringen. So erwartet der einsame Wanderer, der in der bunten Dämmerung schwer atmend den Korumgang einer Domkirche durchschreitet, jemand möchte hinter einem Pfeiler oder einer Säule hervortreten und ihm entgegengehen. Und wäre es nur die holperige Gestalt des Küsters, den er nicht kennt, oder ein verspäteter Beter. – Wäre das hölzerne Schiff im Innern ein einziger großer Hohlraum gewesen, Gustav würde ihn unerforschlich gefunden haben. Um aber seine Phantasie zu bedrängen, gediehen im Schiffsrumpf eine unverrückbare Raumaufteilung und der Eigenwille einer anstehenden festen Materie wie ein herangewucherter Schaden. Widersetzlichkeiten, die der Geist nicht beseitigen konnte. Unbiegbares, Unknetbares.
Nur langsam machte sich Gustav aus der Umklammerung

seines Zögerns los. Als er hinabstieg, bemerkte er sogleich, es war keine zufällig schreitende Bewegung auf einer Stiege, sondern ein planvoller Fall gegen den Schiffsboden hin. Tief unten, er hatte es schon vor zwei Tagen mit Erstaunen festgestellt, eingelassen in Kassetten aus Balkenwerk, lagerten angebolzt Bleiblöcke. Gewichte, nicht leicht mit Zahlen zu benennen, aber mehr als ausreichend, den Holzbau auf den Meeresgrund hinabzuziehen, wenn einmal Wasser eindringen sollte. Diesen Metallklötzen schien Gustav entgegenstreben zu müssen. Er dachte an den Messingleuchter neben seinem Bett, der im Kardangehänge schaukelte. Die Kerze entsprach den hochaufragenden Masten mit dem Behang der Segel. Flackernde rote Flamme, zerfetzendes Tuch. Unten, was man unten nannte, die festere Masse, Metall, Blei, die dem Bett des Ozeans verfallen war, die nicht mit den Winden und Gasen in den Weltenraum abstürzen wollte, in die Verdünnung, jenen unauffälligen Tod der Seelen. Das Schwimmen, das Schaukeln hatte der Mensch sich mit Listen erschlichen. Versäumnis oder Schwäche brachte den donnernden Untergang.
Als er zwei Stiegen hinab war, öffnete er eine Tür nach achtern, die, wie er wußte, in eine Art Vorraum führte. Von dort leitete eine zweite Tür in den hinteren Laderaum. Dieser Durchgang war abgesperrt und versiegelt. Gewohnheitsmäßig leuchtete Gustav Wände, Boden, Decke ab, um sich zu bestätigen, daß er haltmachen und umkehren müsse. Er erstarrte fast, das Siegel war gebrochen! Bleimarke und Hanfseil lagen auf dem Fußboden. Gustav gab sich keine Zeit, die Ungehörigkeit zu erklären. Er erlag sogleich der Versuchung, zu prüfen, ob er sich Eintritt verschaffen könne. Er bewegte den schweren Messingring, lautlos ging die Tür auf. Gustav konnte nach dem Verbotenen vordringen. Er kam in ein Gelaß, dem ersten ähnlich, das er bei sich als Vorraum gekennzeichnet hatte. Seine Augen nahmen ein Bild auf, ein recht gewöhnliches, einen Packraum, in dem Kisten standen. Der Umstand aber, daß Gustav in unmittelbarer Nähe eines Teiles der Ladung war, bewirkte, seine Haut zog sich kalt und trocken zusammen. Die Laterne zitterte in seinen Händen, ihr Schein jagte sprunghaft über die gleich großen Kisten, die in Reih und Glied angeordnet standen. Es waren ihrer keine übereinandergestellt. Damit bei schwerem Seegang

keine Verschiebung der Ladung eintreten konnte, war ein kunstvolles Lattenwerk aus unbehobeltem Tannenholz errichtet, das eine Kiste mit der anderen verband und schließlich das Ganze gegen die Decke und Schiffswände mit Kreuzlatten absteifte. Eine nicht unbeträchtliche Sorgfalt. Nummern auf den Kisten, Buchstaben. Gierig versuchte Gustav, sich alles einzuprägen. Um, wenn er satt vom Anblick war, wieder nach rückwärts zu entschwinden. Sein Herz pochte ihm eingeschnürt in den Hals hinein. Er fürchtete, ertappt zu werden, und daß eine Beschämung für ihn daraus entstünde oder ein Verdacht sich ihm anhängte. Er stieß, wie um sich zu vergewissern, daß er keiner Sinnestäuschung ausgesetzt war, mit den Füßen gegen eine der Kisten. Er strengte sein Hirn an, noch schnell den einen oder anderen Zweifel aufzuwerfen, damit er angesichts der Wirklichkeit sogleich zur Entscheidung käme. Aber Gustavs Hirn hatte keinerlei Einfälle. Die Gedanken von ehemals lagen reglos wie in einer dumpfen Grube.
Plötzlich, mit grenzenlosem Schrecken, bemerkte er, daß er nicht allein war. Hinter seinem Rücken schlürften Schritte. Vielleicht sogar ein Flüstern. Er entschied das nicht mehr. Er dachte an Flucht. Aber der Schatten der Menschen war im Vorraum, durch den Gustav hätte hindurch müssen. Sich irgendwo verbergen, es war zu spät. Er wandte den Scheinwerfer der Laterne von den Kisten ab, ließ das Licht durch die offene Tür streichen. Da sah er zuerst, dicht an dicht, die Füße vieler Männer. Er wagte nicht, ihre Gesichter anzuleuchten und zu betrachten. Jene standen im Dunkeln. Sie schoben sich heran. Die Arme hingen neben ihren Hosen herab. Sie traten geräuschlos auf. Gustav ließ mutlos die Hand sinken, mit der er die Laterne hielt. Es gab auf dem Boden einen ziemlich intensiven runden Fleck von Licht. Aber die Planken waren rauh und braun, warfen den Schein nicht zurück. Nur die weißen sargartigen Kisten und ihre Verlattung schwammen erkennbar in der Finsternis. Gustav versuchte sich zu sammeln, hob nach ein paar Sekunden die Lichtquelle wieder gegen die Türöffnung. Da standen einige Füße schon im Laderaum. Wenn die Hände sich aufhoben, mußten sie Gustav berühren. Er wich zurück, wagte jetzt, da er alles für verloren hielt, in die Gesichter einzudringen. Und er erkannte sie. Ganz vorn Klemens Fitte, der Zimmer-

mann. Neben ihm, mit bleichen bebenden Lippen, der Koch. Auf der Schwelle Alfred Tutein. Dahinter, im Vorraum, sechs oder sieben Männer der Freiwache. Ohne aufgefordert zu sein, kamen die hinten Stehenden durch die Tür und warteten, vergleichbar dem Gefolge eines Begräbnisses, stumm darauf, was geschehen würde. Aber Gustav blieb starr. Den Lichtkegel hielt er jetzt unverwandt gegen die Tür gerichtet, so daß, um nicht geblendet zu sein, die in der Mitte Stehenden nach beiden Seiten auswichen. In der leeren Öffnung erschienen nach und nach noch mehr Matrosen. Sie mußten vom Dienst gelaufen sein. Die Nacht hatte ihnen das Entschlüpfen leicht gemacht. Gustav begriff, es war an ihm zu sprechen. Er konnte die Männer fortschicken, gewiß. Sie hatten sich ihm angetragen. Und sie würden auch einem für sie schmerzlichen Befehl folgen. Vielleicht aber auch, die Meuterei würde über ihn hinwegrollen. Ein Mensch stand in Gustavs Nähe, der die Mutter, eine Hure, lebend in einem der Särge suchte. Der Laternenschein wanderte in das Gesicht des Unglücklichen. Eine geräuschlose Verzweiflung. Schmerzlich schöne Züge. Frisch rasierte Wangen. Die Augen ein leerer Abgrund. Alle Männer waren sauber gewaschen, ihr Haar war ordentlich gescheitelt. Sie rochen scharf nach Seife. Die, deren Füße nackt in den Schuhen staken, ließen erraten, sie hatten ein Fußbad genommen. Möglich, alle hatten für diese Stunde sich den Körper geschrubbt. Denn sie wußten nicht, was danach folgen würde. Sie hatten keinerlei Vorbehalte für die Zukunft genommen. Ihr Vorbedacht war der eines Selbstmörders. Er möchte der Leichenfrau eine Arbeit ersparen. Einfache Leute und solche, die oft beschmutzt sind, wollen daran nicht glauben, man kann auch ungewaschen ins Jenseits abtreten. Ihre Erziehung zur Ordnung ist hart und unablässig gewesen.

Gustav fühlte sich überwältigt. Heiße Tränen stiegen ihm in die Augen. Er fand, es war schon zu spät, er durfte die Wartenden nicht mehr enttäuschen. Da sie bereit waren, mußte er sich bereitmachen. Er fühlte, daß er dahinschmolz und erlag. Es war nicht mehr wesentlich, ob er einen Entschluß faßte, sich widersetzte oder dem Verbrechen zustrebte. Er war schon gefangen durch das grenzenlose Vertrauen der Männer, durch ihren Glauben, daß Menschenfleisch in den Kisten verborgen war,

daß Ellena lebend gefunden werden würde, eine Mutter, die seit Jahrzehnten verschollen, daß die Verfehlung dieser Stunde hinterher als Triumph der Gerechtigkeit erscheinen würde! Wie, um letzte Kraft zum Widerstand zu finden, schaute Gustav in das müde aufgedunsene Gesicht des Kochs. Aber auch dies jappende, dünnbehäutete Fett erschien wie von innen angestrahlt. Kein tierischer Traum vergiftete die Erwartung.
Gustav schleuderte seinen Fuß gegen eine der Latten. Krachend knickte sie an einer verasteten schwachen Stelle. Es war keine Handlung des Willens, ein Ausbruch aus einer untragbar gewordenen Verhaltung. Klemens Fitte hielt im nächsten Augenblick einen Hammer in Händen. Man erkannte nicht, woher er ihn genommen. Der Zimmermann reichte dies Werkzeug seinem Nachbar, und der wieder dem nächsten. Und so fort, bis alle es berührt hatten. Dann wanderte es den Weg zurück. Es war wie eine Schwurformel. Sie schien nicht verabredet zu sein; aber alle unterwarfen sich ihr. Alle waren nun teilhaftig dessen, was kommen würde. Feierliche Sekunden, in denen Gustavs Herz wie ein Tuch ausgewrungen wurde. Er konnte nicht fassen, daß Verschwörung so süß war. Es überstieg alle Erlebnisse, die er bis dahin gehabt hatte. Es benahm alle Gedanken. Das Wiedersehen mit Ellena konnte nicht lebensheißer sein als dies. Wenn er noch einen Wunsch hatte, so war es der, diesen Männern an den Hals zu fliegen und unbändig, allen Sinnen entrückt, zu weinen.
Wie ein Besessener begann Klemens Fitte auf das Lattenwerk zu hämmern. Krachend zersplitterte das Holz; blanke kantige Nägel zogen sich aus dem Gefüge heraus. Der Zusammenhalt zertrümmerte. Der Lärm stellte Gustavs Bewußtsein wieder her. Nicht, daß er beim Anblick der Zerstörung bereute. Er fühlte sich einer gerechten Sache verhaftet. Aber er wollte seinen Gegner, den Superkargo, nicht feige hintergehen. War Gustav auch das Haupt einer Verschwörung, so hatte er doch eine Räuberehre. Der graue Mensch sollte sich verteidigen können. Oder der Übermacht weichen. Oder angesichts zahlreicher Zeugen überführt werden. Vielleicht, daß er sich der Meuterei anschloß, wenn er unschuldig war.
Gustav sprang zur Tür hinaus, eilte mit fliegender Hast die Stiegen hinauf. Schon war er bei der Kammer des Superkargos.

Wollte hineinstürmen. Da wurde von innen geöffnet. Der graue Mann trat heraus.
»Wir meutern«, schrie ihm Gustav entgegen.
»Ich weiß es«, antwortete der Superkargo.
Gustav lief zurück.

*

Im Laderaum fand er die Männer untätig inmitten der Trümmer des Lattenwerks neben dem Frachtgut stehen. Wie Figuren eines Panoptikums. Die gleichen Stellungen, die sie innehatten, als Gustav sie verlassen. Als ob ihre Beschlüsse während der geraumen Weile seines Fortseins entrückt gewesen wären. Untätig in der Finsternis ausharrend, ohne Klage und Reue. Vielleicht von schlimmen Ahnungen geplagt, aber doch getreu dem Schwur, den sie sich und ihrem Anführer gegeben hatten. Als der Lampenschein wieder zu ihnen kam und damit Gustav, verriet kein Seufzen oder schweres Atmen, daß sie sich in den verstrichenen Minuten unbeschützt gefühlt hatten. Entweder, ihr Vertrauen war blind, oder sie hatten auch diese Möglichkeit des Verrates in die Rechnung eingestellt, und, gleichsam versteinert, die Verwüstung ihrer hochherzigen Bereitschaft erwartet.
Sogleich nahmen sie die unterbrochene Arbeit wieder auf. Ein paar Nägel schlug man krumm, räumte das zerfetzte und geknickte Holz aus dem Wege und traf Anstalten, eine Kiste zu bewegen. Man tat die Verrichtungen, ohne daß ein Wort gewechselt oder ein Befehl abgewartet wurde. Ein paar Männer stellten sich zum Transport bereit. Klemens Fitte wies mit einem Kopfnicken, welche Kiste er ausersehen hatte, und daß sie in den Vorraum hinausgeschafft werden solle. Vier gekrümmte Rükken. Acht knochige Hände vermochten die Kiste nicht zu heben. Die Männer versuchten es mit ihrem härtesten Griff, sodaß die angewitterte Haut ihrer Finger am rauhen Holz sich verschabte. Vergeblich. Als die Umherstehenden die Nutzlosigkeit des Versuches sahen, sprangen sie herzu. Ihrer acht drängten sich, hoben, schoben, stemmten ihre Füße gegen das Holz. Sie richteten nicht mehr aus als die wenigen. Bestürzt und ratlos machten sie sich an die benachbarte Kiste. Auch hier mußten sie feststellen, daß ihre Kräfte nicht ausreichten, die Kiste fortzu-

schleppen. ›Bleiblöcke‹, dachte Gustav. Eine unheilvolle Stimmung kam auf. Man war auf falscher Fährte. Ersichtlich, man mußte alle Vermutung in sich ertöten. Menschenfleisch war zu leicht, um sich mit soviel Beharrlichkeit am Boden festzusaugen. Aber auch andere, allgemein bekannte Gegenstände konnten unmöglich dem Bewegtwerden diesen Widerstand entgegensetzen.
So wie Klemens Fitte vorher einen Hammer von irgendwoher genommen, so langte er jetzt aus dem Dunkel des Vorraumes einen eisernen Kuhfuß herein. Mit blindem Zorn begann der Handwerker gegen den hölzernen Gegenstand zu wüten. Anfangs versuchte er die Klauen des Werkzeuges unter den Kasten zu zwängen, um so das Gewicht aufzulüpfen. Aber es gab nur Splitter. Die Bretter brachen neben dem Gerät weg. Alle waren darauf vorbereitet, daß im nächsten Augenblick etwas Gräßliches geschehen würde. Eine einzige gellende Flamme, die das Schiff verzehrte. Aber die Männer empfanden keine Furcht mehr vor dem Feuermeer, das ihr geliebtes Fleisch mit Sud und Schlag entstellen und zerstückeln würde. Ausgeweidete, Enthirnte sie alle, verkohlter Brei. Ein Schmerz, nicht nennbar, würde mit dem Donner gegen die Sterne geschleudert werden. Ihr Schmerz. Danach gab es diese Menschen nicht mehr. Ausgestrichene. Immerhin, man wünschte sich geradezu die Explosion, weil sie leichter zu ertragen war als die Enttäuschung. Man entging dem Eingeständnis, daß die Meuterei vollkommen verfehlt war, ein gewöhnliches Verbrechen, das die Gerichte unbarmherzig ahndeten. Angeschwärzte Leute sie alle, wenn sie bei ihrem Unternehmen nicht umkamen.
Da wechselte der Zimmermann die Art seines Vorgehens. Er hieb mit unhemmbarer Raserei die eisernen Klauen ins Deckelholz. Die Nägel knirschten, die Hirnholzkanten zerspalteten. Er wuchtete, polterte die Stange auf den Kasten hinab, wuchtete wieder. Mit ruckartigem Kreischen wich der Deckel einer letzten Anstrengung, kippte sich auf. Die Männer stürzten herzu, verdeckten auf Augenblicke die Lichtquelle in Gustavs Händen. Der Deckel wurde hochgerissen, umgebogen nach der Seite, an der ihn noch Nägel festhielten. Dann war Gustav mit seiner Lampe unmittelbar neben der Kiste. Er starrte hinein. Alle starrten hinein. Sie war leer.

Hinter den keuchenden Menschen wurde die Stimme des Superkargos vernehmbar. Scharf, aber kaum erregt, sagte er: »Nun ist es genug.«
Alle wandten sich von der Kiste ab, dem Manne zu, der in der Türöffnung erschienen war. Die Aufgabe der Matrosen war beendet, begreiflich. Sie wichen zurück. Wenn etwas geantwortet werden sollte, mußte Gustav es tun. Und er tat es.
»Wir haben eine Kiste geöffnet«, sagte er, »die Kiste ist leer.«
Der Superkargo trat nahe herzu, betrachtete den Schaden und sagte: »Es ist vollendete Meuterei. Ich werde den Kapitän bitten, daß er sich und die Offiziere bewaffnet und die Ordnung auf dem Schiff wiederherstellt.«
»Aber die Kiste ist leer«, sagte Gustav.
»Wen darf das kümmern«, antwortete der Superkargo. »Und wer wird dadurch unschuldig?«
»Ich habe Ihre Gnade nicht erfleht, wie Sie vordem meinen Beistand«, sagte Gustav. »Und diese Männer, die sich mit mir aufgemacht haben, ein verschwundenes Mädchen, meine Braut, zu suchen, sind sicherlich auf das Schlimme vorbereitet. Dennoch schulden Sie uns die Antwort, warum in einem versiegelten Raum leere Verpackungen aufgestellt sind.«
»Ich habe auch das unkluge Verbrechen einer rebellischen Mannschaft vorsorglich bedacht«, sagte der Superkargo.
»Sie haben«, schrie Gustav, »um die Versuchung übermächtig zu machen, die Siegelplomben vom Eingang entfernt.«
»Sie irren«, unterbrach ihn der Superkargo, »ich habe niemand zur Meuterei versucht oder ihm Wege und Mittel dazu gewiesen. Das Verbrechen ist freiwillig. Meine Sorge um die Ladung entspricht ihrer Wichtigkeit. Meinen Worten ist kein Glauben geschenkt worden. Vielleicht hinterläßt eine leere, an den Fußboden festgeschraubte Kiste einen bleibenden Eindruck.«
Gustav schlug sich die Hände vors Angesicht. Er wollte verhindern, daß der darauf gemalte Zorn, die Ohnmacht, Reue und Verachtung jemandem sichtbar würden. Nach einer Weile stammelte er: »Die Matrosen sind unschuldig.«
»Ihre Bereitwilligkeit, sich zu belasten, ehrt Sie«, sagte der Superkargo, »meine eigenen Ermittlungen indessen sind zuverlässiger als Ihr Bekenntnis, das Sie zwar niemals bereuen, aber noch berichtigen werden.«

Gustav wollte ihm entgegnen, doch der graue Mann wandte sich zum Gehen, offenbar, um dem Kapitän Meldung zu machen. Aber, wie schon herbeigerufen, zeigte sich Waldemar Strunck im Vorraum. Mit einer hellen Handlaterne beleuchtete er die Versammlung. Irgendeine Gemütsbewegung hinderte ihn daran, Fragen zu stellen. Sein Gesicht verriet eine ängstliche Ratlosigkeit. Mit einem Augenaufschlag machte er seinen Matrosen einen Vorwurf, daß sie ihre Pflicht versäumten. Eine flehende Handbewegung erbat Aufklärung von Gustav. Aber der Verlobte seiner Tochter schwieg. Der Superkargo brachte, da niemand sprechen wollte, seine Meldung vor, schilderte in ein paar Sätzen die Meuterei. Eine vollendete Tat. Und verlangte die Wiederherstellung der Ruhe und Ordnung, notfalls mittels Gewalt. Waldemar Strunck begann, ohne sein Bedauern oder Entsetzen auszudrücken, an den Fingern die Zahl der Meuterer abzuzählen. Er leuchtete jedem der Beteiligten ins Antlitz, sagte dessen Namen. Schon der erste antwortete ihm: »Ja.« Und so taten es alle. Nach dieser Musterung befahl der Kapitän den Aufgerufenen, sich andeck zu begeben und dort in Reih und Glied sich aufzustellen. In langsamem Gänsemarsch schoben sich die Schuldigen zur Tür hinaus.
Nun wandte sich Waldemar Strunck an Gustav. Er möge sich bis auf weiteres als Gefangener betrachten. Nach einer halben Stunde habe er sich im Kartenhaus einzufinden, um weitere Beschlüsse entgegenzunehmen. Bis dahin habe er an einem unverfänglichen Ort zu warten. Er dürfe keinerlei Anstalten treffen, mit niemand sprechen.
»Ich gehe in meine Kammer«, sagte tonlos Gustav.
Waldemar Strunck schien darauf nicht zu hören. Er verbeugte sich linkisch vor dem Superkargo und entfernte sich.
»Meine Aufgabe ist es«, sagte grinsend der Superkargo, »die Tür wieder zu verschließen und zu plombieren.« Um die Absicht gleich in das Gewissere des Tuns zu bringen, zog er ein Hanfseil und eine Plombierzange hervor, deutete auf die stählerne Matrize, sagte: »Das Staatssiegel.«
»Sie machen es sich leicht«, antwortete Gustav, »Sie richten Schranken auf und entziehen sich den Rätseln, ohne sich zu beflecken.«
»Ich habe fahrlässig, ganz lästerlich gehandelt, als ich mich

menschlich gab«, sagte der Superkargo, »nun habe ich mich auf die Maßnahmen zurückgezogen. Sie erkennen es. Mich dessen anzuklagen kommt Ihnen nicht zu. Denn Sie hatte ich gewarnt, daß ich meiner Pflicht, nicht meinem Herzen gehorchen müßte. Ich habe sogar gezögert, bin nicht zu stolz gewesen, Sie anzuflehen, mir zu helfen, damit ich der einsamen Verantwortung entginge. Sie haben es gewiß nicht vergessen; denn noch vor wenigen Minuten war es in Ihrem Munde. Sie haben mich zurückgewiesen. Wir haben einander eine unaustilgbare Enttäuschung bereitet. Das Arge ist dadurch hereingelassen worden.«
Gustav sagte sehr leise: »Ehe das Schiff in See stach, haben Sie eine Falle aufgestellt. Ich bin darin gefangen worden. Aber hier wird bewiesen: nicht nur meine, auch Ihre Vernunft ist schwach. Es hilft Ihnen nicht, daß Sie Zuflucht bei einer Pflicht suchen, die Sie seit langem entmündigt hat. Es gibt Männer, die werden einen Schwur darauf tun, daß Ellena in Ihre Kammer geführt worden und nicht wieder herausgekommen ist. Da den Meuterern das Gefängnis gewiß scheint, werden sie den Eid nicht fürchten, vielmehr ihr Zeugnis mit der Hoffnung auf Errettung von der Strafe abgeben.«
»Sie sprechen mit mir, als ob es gestern wäre«, sagte kühl der Superkargo, »der Eid der Männer ficht mich nicht an; Matrosen, die gemeutert haben, sind unglaubwürdig.« Seine Stimme wurde plötzlich ächzend und laut: »Begreifen Sie nicht, es ist ein Wagnis für Sie, mir mit dem Geschwätz zu drohen? Wollen Sie mich eines Mordes bezichtigen?«
»Nein«, antwortete Gustav schnell, »es ist kein Verwesungsgeruch im Schiff.«
»Betrachten Sie mich von nun ab als Ihren Gegner«, sagte der Superkargo.
»Ich bin ein Gefangener und wehrlos«, sagte Gustav, »die Erklärung der Feindschaft ist deshalb überflüssig.« Er ging.

*

Genau nach einer halben Stunde trat er ins Kartenhaus. Er blieb dort ziemlich lange allein. Er wußte, die Matrosen wurden gemaßregelt, mundtot gemacht. Ein Verfahren gegen sie hatte begonnen. Noch in der Nacht würde der Kapitän den Tatbe-

stand ins Logbuch schreiben. Die Namen hinzusetzen. Meuterei unter Anführung eines blinden Passagiers. Soweit konnte seine weitschweifige Torheit in der Anklage vereinfacht werden. Die Raserei, die Süßigkeit des Verbrechens – er spürte nur noch einen wehen verschwommenen Trotz.
Mit dem Kapitän zugleich kamen der erste und zweite Steuermann. Waldemar Strunck sagte ziemlich geschäftlich, ohne sich viel um Gustav zu bekümmern, er habe Pistolen an die Offiziere verteilt. Bei der geringsten Unregelmäßigkeit werde man von der Schußwaffe Gebrauch machen. In den Mannschaftslogis habe man drei Revolver beschlagnahmt, vorsichtshalber. Gustav, der sich freiwillig den Matrosen zugeordnet habe, werde hiermit ausdrücklich verwarnt und darauf aufmerksam gemacht, es gibt keine Vorrechte in der Behandlung für ihn. Um deutlich zu machen, wie das zu verstehen sei – oder war es zufällig? –, legten die beiden Offiziere ihre Pistolen auf den Kartentisch. Waldemar Strunck bezeichnete die Verfehlung als eine Auflehnung ersten Grades. Er war offenbar stolz auf diese Definition, die unbestimmt genug war, allen Ansprüchen zu genügen. Er wiederholte den Ausdruck und gab bekannt, er werde es so im Tagebuch vermerken. Er hielt die Ehre des Schiffes für gerettet. Dann entließ er Gustav aus der Haft. Ausdrücklich und mit der Haltung eines Polizeisekretärs. Gab ihm die Freiheit, sich auf dem Schiff zu ergehen, wie bisher; selbstverständlich mit Ausschluß der versiegelten Laderäume. Auch das Sprechverbot sei aufgehoben.
Hier sei wiederum einschränkend zu bemerken, Erörterungen der Meuterei oder gar Kritik an den Beschlüssen der Schiffsleitung, Vorbereitungen weiterer Anschläge müßten verboten bleiben. Das Ganze sei eine milde Handhabung des Schiffsrechts, zu der Waldemar Strunck sich aus freien Stücken keinesfalls würde entschlossen haben. Die Anregung, geradezu eine Anempfehlung, sei vom Superkargo gekommen. Auch den schuldigen Matrosen gegenüber habe man sich mit einer, allerdings harten, Verwarnung begnügt. Keineswegs sich bindend verpflichtet, den Betroffenen Weiterungen zu ersparen. Es stehe nämlich noch nicht fest, ob man eine Verfolgung des Zwischenfalles werde vermeiden oder unterdrücken können; und wie weit es zweckdienlich sei, die Mannschaft zu schonen. Jedenfalls

behalte man sich alle Schritte vor; doch verzichte man auf weitergehende Zwangsmaßnahmen anbord, ohne doch über den Ernst der Ereignisse Zweifel zu belassen. Nachdem die Mannschaft wieder in die Befolgung der Befehle eingetreten sei, die Freiwachen sich in die Logis zurückgezogen hätten, die dienstuenden Gasten ihre Posten eingenommen, könne die Ordnung als wiederhergestellt gelten.
Er bat die Anwesenden, ihn zu verlassen, damit er sich den schriftlichen Arbeiten widmen könne.

VIII
Einsamer Mensch

Auf dem Altar einer alten, sehr kleinen Dorfkirche standen die Gestalten der zwölf Apostel. Sie waren armgroß, aus Holz geschnitzt, dürr und wurmstichig; was man erkannte, wenn man sie von hinten betrachtete. Die Schauseite aber war schön, mit leuchtenden Farben und glänzender Vergoldung ausgestattet. Die Männer, klein und bunt, begannen plötzlich laut im Kor zu rufen: »Mörder, Mörder!« Georg Lauffer erschrak und verwunderte sich zugleich. Er hatte nicht gewußt, daß morsches Holz eine Stimme haben könnte, noch dazu eine unverschämt anspruchsvolle und polternde. Er stieg die zwei Stufen bis zum Altartisch hinan, ergriff die Männer, zwei bei zwei, trug die ersten vier vor die Kirchentür, kam zurück, entfernte ihrer weitere vier, beim drittenmal die letzten. Nun standen die Apostel auf dem Kirchhof, und es war still auf dem Altar. Georg Lauffer schaute auf das leere Schweigen vor ihm. Er war mit sich allein. Im gleichen Augenblick wußte er, eines Abends hatte er im Dorfteich heimlich einen Hund ertränkt. Um zu erfahren, wie das Sterben vor sich geht. Als er die Kirche verließ, riefen ihm die zwölf entthronten Männer nichts nach. Sie hatten gewiß Sorgen, weil sie nicht mehr auf dem Altare standen.

Um schuldig zu werden, mußte man nur die Ankläger entfernen. Der Superkargo hatte die Stimmen, die gegen ihn waren, erstickt und schaute, wie als Kind, in die schweigsame Ferne, aus der sich niemand aufmachte, ihm zu begegnen. Seit Tagen hatte er sich eingeschlossen. Er horchte vergeblich auf ein unbestimmtes Murmeln, das plötzlich als klarer Schrei an seinem Ohr sein würde, deutliche Worte, denen er nicht ausweichen konnte. Er wies den zwölf Aposteln auf seinem Schreibtisch einen Platz an, er hatte von der glatten Holzplatte alle Papiere und Bücher entfernt. Aber sie zeigten sich nicht. Er sagte sich, daß die Sünde nicht notwendigerweise dem Verbrechen verhaftet sei. Daß es nur Bemühungen einer oberflächlichen Schicklichkeit seien, äußere Merkmale anzugeben oder, um auch der verlorenen Seele noch den Trost einer Zuflucht zu gestatten, grimmige Widersprüche im Geflecht des Bösen aufzudecken. Indessen, die Einfachheit seines Wesens ist nur durch die Reichhaltigkeit der Wirklichkeit verschleiert. Wie man nahen und fernen Wünschen entsagen konnte, so auch der Sünde. Ohne doch damit dem Joch des Bösen entronnen zu sein. Entsagen ist traurig. Und die nicht begangene Untat erfüllt den mit seinen Süchten ihr Nachhängenden mit der gleichen zerrissenen Wehmut, mit der die vorenthaltene barmherzige Hilfe den einfältigen Samaritaner bedrängt. Es ist die Folter, die der Liebende erduldet, wenn er mit dürren Vorwänden die Abkehr von der Geliebten begründet. Die Reue kommt nicht allein in der Gefolgschaft der Schamlosigkeit und der Sünde; sie ist eine immer bereite Regung des natürlichen Daseins gegenüber einem ungemäßen Verhalten. Hatte er, Georg Lauffer, etwa Grund, mit starrem Dank sich glücklich zu preisen, daß er schuldlos an dem Verschwinden Ellenas war? Hatte der demütige Verzicht, den er sich aufgezwungen, das wütende und zerfleischende Urteil, das er seinem Wahnsinn gesprochen, das junge Mädchen gerettet? Nichts dergleichen. Beute der dunklen Mächte war sie geworden auch ohne ihn. Als ob das Schicksal sich in seinen Beschlüssen nicht beirren ließe durch den überspannten Stolz eines Missetäters, der sich, zu allem bereit, schon erfaßt vom furchtbaren Schwung, nun weigerte, das auserkorene Werkzeug zu sein. Wer begriffe den teuflischen Groll, diese züngelnden Flammen, denen das Hinsinken des Opfers so wichtig war wie die Bosheit des Gefallenen? Georg Lauffer betrachtete einen äußersten Fall der Reue, seinen eigenen. So sieht ein Mensch den Leichnam eines teuren Freundes von den gefühllosen Händen des Prosektors zerstückelt. Die fahle Maske, die verdämmernden Züge, die starre, etwas enge, mit braunen schattigen Warzen gekräuselte Brust, dieser Tote noch das Haus der Liebe, dessen Heiligkeit und Unverletzlichkeit keinem Altar innewohnt, aufgedeckt, das Leichentuch zurückgeschlagen – geschändet wie kein Kot geweihten Stein besudeln kann. Eine klaffende Wunde der Bauch. (Eingeweide, dem Liebenden süßer als Kindern Felle und Samt, eingebildet, einen Sitz zu haben wie unter blauschwarzen Wolken das abendliche windsatte Meer, jetzt herausgeschleudert und häßlicher als Schlächterware, in blutloser Entblößung ans Licht gestellt.)

Nicht Erschrecken faßt ihn – die flackernde Auflehnung selbst verebbt in eine greise Ohnmacht – er wünscht nur, ein anderer zu sein, einer jener Tollen, denen das Laster bis an den Mund gestiegen ist, und die ohne Scham bekennen, das Gemeine ausgekostet zu haben und sich vor dem Gräßlichen nicht mehr zu fürchten. Er möchte der eisig knöchernen Stirn höhnen, die nicht mehr denken kann, was unter Messer und Säge dem Bauch geschah.

Wäre der Tod dieses jungen Mädchens eine schlimmere Gewißheit, die Opferung unerträglicher, wenn ein Mann es vergewaltigt, mit unsanften Händen der Verwesung überantwortet hätte? Welcher Schaden wäre größer geworden? War das vorderste Bedenken nicht getrübt, weil es, der Einfall jedermanns, dem Mord die offene Landschaft des Lebens gegenüberstellte? Hier aber – der Frager nahm den Tod als unverrückbar – lag die krasse Finsternis an allen Seiten. Gab es trostloseres Wissen als fleischliche Schönheit, mühsam genährt durch die Jahre, an der Schwelle der Bestimmung, erstes Reifsein, noch voller Hindernisse, Gefäß, das den Glanz sternenhafter Schöpfungskraft wie ein Hohlspiegel sammelt, unüberwindliches Entzücken in den schlafenden Blicken, in der lauernden milchlauen Haut, in der Begierde der siebzehn Jahre – und dann vergeudet? Aller Vorschmack der Wonnen vertan. Die Sehnsüchte, eine unbeantwortete Frage. Die Preisgabe des blühenden Tieres an das Unbekannte nicht belohnt. Ein Becher bis an den Rand mit herber schöner Lust gefüllt, ausgegossen. Kein Ehrgeiziger griff danach. Ein Raub der Würmer. Das Warme verdampft. Tölpel sie beide, der Verlobte und der verhaltene Liebende. Vergeblich, hinterher die Zähne zu fletschen.

Georg Lauffer bekannte sich zu seinen gräßlichen Wünschen. Daß er um jeden Preis, wenn nicht vorher, so doch jetzt, das Mädchen in seinen Armen halten wollte, es umfangen, verschlingen mit einem knirschenden Ansichpressen. Er begriff,

irgendein atmendes Dasein mußte dabei ausrinnen, Blut, Knochen, Luft, es war alles eins; sein Tod, des Mädchens Tod, inmitten einer solchen Umarmung nicht unterscheidbar. Mit einem Lachen schwenkte er von der verzehrenden Knechtschaft dieser Raserei ab. Er suchte Wege, kühler, eingerahmt von buschigen Knicks, in den grünen Gräben zu beiden Seiten sein überlegener Verstand. – Dieser mörderische Schauer in seinen Schenkeln hätte sein können; aber er war nicht gewesen. Ach, die lästige Rückkehr der Gedanken zum Versäumten! Diese Faustschläge der verstrichenen Gelegenheit! Blieb nichts als die Trauer, diese Ruine der Liebe? Er fragte sich. Er prügelte sich mit dieser Frage, um sich in neue abwegige Begehrlichkeit zu stoßen. Das Verlorene war verloren. Aber die Überbleibsel hatten einen Ursprung. Der faule aufgedunsene Körper hatte eine erhabene Vergangenheit: Ellena. Tage nur vom frischesten Leben entfernt. Der greifbare Rest mußte noch menschliche Form haben, die Anlehnung an das Gewesene. Es war noch Haut, die den Leib bekleidete, es lagen noch wie Abenteuer die Muskeln um ein Skelett. Noch bestand etwas vom Denkmal dieses geheimnisvollen, unherbstlichen Mädchens. Ein Zugreifen, ein Überwinden des ersten Widerstandes nur, diese Flüsterkälte der Entseelten, ein kräftiger Händedruck erobert einen Leichnam, erweckt ihn aus der Starre, läßt ihn, auf Augenblicke, zurückkehren in die Gesellschaft des brünstig Verlangenden. Sollte das jagende Herz eines Menschen nicht Kraft haben, zwei zu erwärmen? Sollten die Augen, blind im meisten, sich diesmal nicht gnädig verhängen und im Grobvergänglichen das ewige Antlitz dieser Jugend wahrnehmen? Die Erfahrung einhüllen, daß alle Toten gleich alt sind?
Ein zischender Laut entfuhr Georg Lauffer. Sein Bewußtsein stieß gegen eine Wand. Sein Verstand bemühte sich, es der Seele sogleich wieder bequem zu machen. Die Besudelung einer Leiche, Verhöhnung, Zerreißung der Verstummten, entschuldigt durch über den Geprüften zusammenschlagende Einsamkeit. Dies männliche Hirn, gründlicher als der Durchschnitt, bemühte sogleich die fragwürdigen Ansichten einer verwilderten Allgemeinheit und legte ausgeklügelt und freudlos dar, ein Toter war keine Persönlichkeit, vielmehr ein Gegenstand, der Vernichtung verfallen, ein bei den öffentlichen Ämtern Ausra-

dierter. Krankenwärtern, Leichenwäschern, Totengräbern und dem Seziermesser überließ man die beweinten Verblichenen. Kein Gesetz beschützte die Schweigsamen. Sie hatten keinen Mund zum Schreien. Und gingen ein in die Verbrennung oder Zersetzung, wehrlos und verachtet, abgetan. Würde Ellena ihm anheimfallen, er würde ihre Zerstörung anhalten, er würde in die matten Adern Gifte pumpen, Salzlaugen, die den Milliardenfraß der Bakterien erstickten. Er würde sich ein Götterbild errichten. –
Er trommelte sich mit den Fingern gegen die Stirn. Seine Gedanken mußten Ellena getötet haben. Da stand die Anklage als Folge seiner unerreichbaren Hoffnungen, seiner ausgestreuten Phantasien, die er zu bändigen unterlassen hatte. Er versuchte den Zauber der Beschuldigung abzuschütteln. Es war ja beweisbar, er hatte nichts für sich, alles für sein Amt getan. Er hatte sich nicht einmal dem Mädchen erklärt. Seine Leidenschaft war im Gefängnis der Rücksichten vermauert geblieben. Das unfruchtbare Verlöbnis der Unerfahrenen, der Dritte nicht minder ein Stümper. Das war jetzt die Verteidigung gegen die Mordbezichtigung. Die Tatsachen waren nicht anrüchig. Die Reue, die so ganz verworrene Reue, diese andersgeartete, das war Georg Lauffers giftiger Schatz. Inwendige Teile, wohin das Geschehen nicht langte. Eine Seite des empfindlichen Hauptbuches, für die letzte Lebensstunde des grauen Herzens aufgespart. – War es nicht unnütz, sich zur Verteidigung zu stellen, bald bußfertig, bald stolz, dann verzehrt und nichts als traurig, das unbekannte Ereignis zu umkreisen? Würde der flüchtige Wahnsinn sich jemals in die bürgerlichen Abläufe, in die Tage vom Morgen bis an die Nacht, einordnen? War es nicht abgeschmackt, eine Lästerung, an einen unkenntlichen Verschwörer zu glauben, an einen Wüstling, dessen Laufbahn der unablässigen Pein noch näher?
Dieser äußerste Notschrei, diese Weigerung, sich schuldig zu bekennen; das Werkzeug soll vorgewiesen werden, die blutigen Hände, die Kampfesweise des Mörders! Das Sichtbare wird als Zeugnis aufgerufen. Die magnetischen Zuckungen des Hirns, diese dünnen, fast masselosen Ströme, vermögen nicht ohne Hilfe muskelstarker Glieder die schweren Dinge der materiellen Welt zu bewegen.

Georg Lauffer, tief niedergeschlagen, sagte sich, daß nur eine lebend wiedergefundene Ellena ihn rechtfertigen, seine Gedanken, die ihn umklammert hielten, unwirksam machen würde.

*

Da wurde zweimal von außen gepocht. Georg Lauffer sprang auf, eilte nach der Tür, öffnete sie, packte den Küchenjungen und zog ihn zu sich herein. Der Geraubte widerstrebte, war aber gleich willenlos. Er ließ sich in der Mitte der Kammer aufstellen wie ein Gerät. Er fühlte sich betrachtet, und das tat ihm wohl, schmeichelte ihm, sodaß er den Angriff für ungefährlich hielt. Unbewußt berief er sich auf den herausfordernden Stolz der Jugend, die zu verführen wünscht, ohne über die Anlockung hinaus bereit zu sein.
Er empfing einen Auftrag. Er soll den Verlobten Ellenas aufsuchen und ihn dringlich bitten, in die Kammer des Superkargos zu kommen. »Dringlich bitten«, wiederholte Georg Lauffer. Und entließ den ungerührten Burschen, der das Ungewöhnliche erwartet hatte.
Die Viertelstunde, die bis zum Erscheinen Gustavs verstrich, verbrachte der Superkargo damit, im engen Raum hin und her zu gehen. Er versuchte, seine Gedanken zu sammeln, die Unterhaltung mit dem Geliebten Ellenas vorzubereiten. Aber es gelang dem zerschundenen Mann nicht, seine Empfindungen zu ordnen. Er war seines Eigenwertes, der Dichtigkeit seines Körpers und der Gewißheit seiner Erlebnisse so wenig sicher, daß er das fadenscheinige Gewebe der Vergangenheit, das Fragwürdigste einer fragwürdigen Existenz, abzuschütteln fähig schien, und die Trümmer, dies Ich, das flüchtig aus der Spreu ein Dasein zusammenblies, unausweichbar dem Schicksal der beiden jungen Menschen verhaftet zu fühlen. Er war geradezu abhängig von ihnen in seinem Urteil über sich selbst. Wiederum legte er keinen Wert darauf, daß seine innere Klage ein genaues Resultat, etwa eine Festigung seines Verhältnisses zur Umwelt zeitigte. Er fand es sogar lästig, daß die eigene ausgehöhlte Persönlichkeit noch immer auf dem Grunde allen Geschehens, das von ihm ausging, zu erkennen war. In diesem Augenblick war es nur wichtig, daß die Aussprache mit Gustav

zustande kam, gleichgültig, ob man dadurch einem Ziele sich näherte oder es entrückte. Höchst ungewiß, ob dies geschäftige Wort nicht schon leicht war wie ein leeres Grab. Er schrie nach der Nähe eines Menschen.
Gustav trat gleich nach dem Anklopfen ein. Er verneigte sich und brachte einen Dank an, weil er auf Veranlassung des Superkargos aus der Haft entlassen worden sei. Er wolle, sozusagen, den ersten Zipfel der ersten Begegnung ergreifen, seine Schuldigkeit gegenüber der Hochherzigkeit auszudrücken.
Der Superkargo war bestürzt. Seine Absichten vertrugen sich nur schlecht mit dieser unvorteilhaften Einleitung. Nichts lag ihm ferner, als Demut zu verlangen oder gar gerühmt zu werden, weil er die Folgen einer verfehlten Veranstaltung unauffällig zu beseitigen bestrebt gewesen war. Oder hatte der Gast, um sich gefahrlos und nicht gehemmt durch Zagen, vorwärtstasten zu können, Deckung bei jener schäbigen Ritterlichkeit gesucht, den anderen mit unaufrichtiger Anerkennung zu täuschen? Waren die neuen Vorsätze Georg Lauffers im Ursprung auch brüchig und unecht, von der Art jener Ausflüchte, hinter die man sich verschanzt? Wurde ihm Gleiches mit Gleichem vergolten? Der andere hatte eine unbeglichene Rechnung vorgezeigt. Und der Schuldner fühlte sich von der feuchten Scham benetzt, die mit dem Eingeständnis des Unvermögens folgt. Hatte er an jenem Abend der Meuterei überhaupt mit Vorbedacht eine allgemeine Milde anempfohlen? War es nicht vielmehr das schimpfliche Zaudern eines Provokateurs gewesen, der ins Ungewisse geraten ist, ob seine Niedertracht den versprochenen Lohn einbringen wird, und der, in Unkenntnis seiner eigentlichen Pflicht, sich von den ihm in Aussicht gestellten Machtmitteln entblößt sieht? Hatte er nicht seine Falle jemand zu stellen gewagt, der garnicht empfänglich war für das bürokratische System der Verfehlungen und ihrer Folgen? – Gleich nach dem Austrag des schwierigen Experimentes hatte Georg Lauffer begriffen, daß es für den endlichen Ausgang dieser Sache gleichgültig war, ob der blinde Passagier frei auf dem Schiffe umherstreifte oder eingesperrt in einer Kammer verblieb. Und dieser Dank, höflich vorbereitet, bewies, wie gleichgültig dem Betroffenen die Entscheidung war. Die ge-

spielte Unterwürfigkeit des jungen Mannes zeigte nur den Abstand, der sich zwischen ihm und dem Älteren aufgetan hatte, und welcher verzweifelten Anstrengung es bedurfte, wollte man einen Zustand ungefähren Vertrauens oder auch nur kühler Gleichgültigkeit füreinander herstellen.
Georg Lauffer wurde es in dieser unerträglich peinlichen Minute klar, er mußte seine Befugnisse pflichtvergessen überschreiten, um den Verlobten Ellenas aus dem Schlaf der fensterlosen Lügen zu erwecken. Aber der Superkargo war, jedenfalls zur Stunde, entschlossen, das Außerordentliche zu wagen. Sein Einsatz, er wiederholte es sich, war bestenfalls ein armseliges Leben, das eigene.
Er sagte – er wußte nicht, ob sein Ausfall Ähnlichkeit mit einer vorher angestellten Überlegung hatte –, Ellena muß gefunden werden! Er hat sich geirrt, als er die Meuterei gegen die ihm anvertraute Ladung gerichtet glaubte. Er hat Interessen verteidigt, die nicht bedroht waren. Er ist dem geheimnisvollen Erschrecken erlegen, das von der feindlich gärenden Meinung einer unaufgeklärten Schiffsmannschaft ausgeht.
Gustav horchte auf. Er war nicht träge genug, den neuen Klang zu überhören. Aber die Enttäuschungen, die ihn geschwächt und mutlos gemacht hatten, lagen noch wie heiße spitze Schlakken da, der taube Boden eines öden Feldes, sodaß er diese besten Worte als überdeckte Zurechtweisung seiner vorschnellen und äußerlichen Dankbezeugung hinnahm.
Indessen, der Superkargo fuhr fort.
Seine Stimme belebte sich mehr und mehr, um schließlich die Höhe pathetischer Kraft zu gewinnen.
Gustav sträubte sich, eine Beute der leidenschaftlichen Entladung zu werden. Er prüfte die heranbrandenden Worte, die gut genug waren, einfach und ohne Fallgruben. Deutlich meinte er die Abrechnung zu erkennen, die ein gefallener Mensch in höchster Verzweiflung, ohne Bedenken der Folgen, dem unbekannten Richter, den ihm die Vorsehung schickt, anbietet. Er prüft nicht den Acker, auf den die Beteuerungen fallen, es ist ihm unwichtig, ob das kunstvolle Geständnis seiner nur bedingten Schuld in den Staub geschleudert wird. Er sieht sich, und er sieht nicht mehr, ausgeliefert an die Anklage und will zurück in die Freiheit der Unbescholtenheit. Gustav verweigerte seiner

Vernunft den Gehorsam, die die Tatsächlichkeit dieser wütenden, schwermütigen und flehenden Rechtfertigung anerkennen wollte. Immer wieder führte er mit beleidigender Nachlässigkeit ins Feld, daß er einen spottsüchtigen, haßerfüllten Menschen anhöre, dessen Offenheit verdächtig sein müsse, und wenn nichts Ärgeres, so das Mittel bedeute, eine Schwäche, eine boshafte Neigung zu verbergen. Aber alle Vorbehalte reichten nicht aus, irgendeine Zweideutigkeit in der Rede des andern aufzudecken.

Erstaunliche Sätze schlugen an Gustavs Ohr: »Wenn Fräulein Ellena niemals, nachdem sie meine Kammer verlassen hatte, an das Ende des Ganges gekommen ist, wo ein Matrose horchend wartete, dann muß der Fußboden sich geöffnet haben, und sie ist abgestürzt. Aber es ist nicht vor meinen Augen geschehen. Es ist nicht hier drinnen geschehen. Dieser Boden ist fest, die Wände sind sicher.«

Allmählich kam eine Art Erschöpfung über Georg Lauffer. Er verlor sich in Einzelheiten, daß doch kein Blut in seiner Wohnung gefunden worden sei. Auch aus dem engen Bullauge könne niemand entfliehen. Der Superkargo kehrte dann zum Hauptteil seiner Bemühungen zurück, daß seine Lauterkeit in dieser Angelegenheit aufgedeckt werden müsse. Es kam zu neuen Ausbrüchen, zu rasenden Jagden. Gequält, erschreckt, daß seine Argumente flüchtiger geworden waren, daß er nichts Gültiges beizubringen wußte, immer nur die Hoffnung auf einen Winkel, aus dem Verwesungsgeruch drang, das leise Seufzen eines Menschen, der aus langer, unfaßbar langer Ohnmacht erwacht – er schaute auf sich selbst, auf seine Füße, seine Hände, als ob zentnerschwere Ketten daran hingen. Er täuschte sich nicht, wenn er jetzt am Ende seiner Stimme und seiner Einfälle war – und er wußte in der Tat nicht, wie er das Aufgebot vermehren sollte –, mußte seine verächtliche Vertraulichkeit, seine geborstene Zurückhaltung ihm mehr Verachtung als Mitleid eintragen. Ach, dieser bittere und fade Rotzgeschmack der Niederlage! Was für eine verblüffende Einfalt hatte er gezeigt, einen Menschen, den er vor wenigen Tagen zu seinem Gegner gestempelt hatte, mit Geschrei zu überfallen! War er so ganz und gar eingeschüchtert durch die Verachtung, der er sich selbst preisgegeben hatte, daß er eine Schaustellung seiner selbst

veranstaltete, eine hastige, oberflächliche? Er bebte ja davor zurück, die abscheulichste Wunde seines Bewußtseins aufzudekken. War somit die heilige Ehrlichkeit seiner Darstellung nicht eine neue verwerfliche Lüge? Die grausame Prüfung, der er sich unterzogen, eine Fälschung? Unlautere Anstrengung, sich selbst zu entlasten, das war sein Beitrag zu einer erhofften Freundschaft. Wollte er vor sich selbst weiterbestehen und den anderen endlich vom unerträglichen Anblick einer Maske befreien, mußte er das Bekenntnis ablegen, daß er wohl fähig gewesen wäre, Ellena zu schlachten, daß er aber durch eine Fügung, die zu ergründen er unfähig war, verschont geblieben sei. Deutlich, überdeutlich hätte er im Spiegel das Gesicht des Bösen gesehen, sein eigenes.
Aber Georg Lauffer wich zurück. Worte auszusprechen, wie er sie soeben gedacht hatte, grenzte an Beleidigung des willigen Zuhörers. Was für eine überhebliche Anprangerung lasterhafter Träume! Wie überflüssig, Verbrechen aufzubauschen, die nicht begangen worden waren! Wie konnte dem Erwachsenen gestattet sein, was Knaben in anfälligen Jahren als schamlos angerechnet wurde? Wo fand sich ein irdischer Richter, der sich der verborgenen Süchte strafend oder freisprechend annahm? Bezahlte nicht jeder dem entrückten Unbekannten dafür überreichlich mit dem Einlassen des matten Überwältigers allen Lebens, des Todes? Dieser Hader mit der schicksalbestimmenden Milchstraße! Die riesenhafte mitleidlose Kälte des Raumes! Eine wie weitgehende Anteilnahme konnte Georg Lauffer denn erwarten, daß er die dreiste Zumutung erwogen hatte, der andere solle mit ihm in das Kaos der fleischlichen Begierden hinabsteigen? Würde nicht, schon beim oberflächlichen Forschen, ihnen sogleich erstickender Qualm entgegenschlagen? Die inwendige Schuld sprang Georg Lauffer mit unwiderstehlicher Gewißheit an. Schlimme Verzerrungen der magischen Seelenlandschaft bedrückten ihn. Für unweise Menschen würde es niemals zu ermitteln sein, wofür und warum so rasch, mit dem zuckenden Ungleichmaß des Blitzes, Ellena den Preis an das Unendliche beigebracht hatte.
So blieb ihm nichts weiter, als mit dürren Worten die Erklärung der Feindschaft zurückzunehmen. In der höchsten Not seines Schweigens kam ihm eine Erleuchtung. Er sagte schnell und

entschlossen, er wolle Gustav in die Laderäume führen. Und es sollte sogleich geschehen.

*

Sie gingen den gleichen Weg wie am Abend der Meuterei. Der feierlich neue Metallglanz einer blanken Siegelplombe – deutlich das Relief zweier heraldischer Löwen – bewachte die wieder versperrte Tür des ermeuterten Gelasses. Hastig zerschnitt der Superkargo das nicht aufknotbare Hanfseil, riegelte auf. Im Inneren unverändert der schmerzliche Anblick der Verwüstung. Nun, da Gustav sich mit nüchternen Augen umschaute, schien es ihm unfaßbar, daß wenige Minuten eifervoller Arbeit ausreichend gewesen waren, eine ausgedehnte, gut gezimmerte Holzverschalung in Gerümpel zu verwandeln. Man konnte die zähe Wut abschätzen. –

Georg Lauffer schob ein paar Trümmer und Splitter beiseite, sagte, um Gustav den Augenblick zu erleichtern: »Leere Kisten.« Dann zog er die Tür zum eigentlichen Packraum auf. Auch sie war umständlich verriegelt gewesen.

Eine kalte modrige Luft schlug ihnen entgegen. Viel mehr als nach Schiff und Meer roch es nach Staub. Ein großer niedriger, nur durch ein paar Pfosten unterteilter Raum. Unwillkürlich duckte sich Gustav, um nicht mit dem Kopf gegen Balkenwerk zu stoßen. Aber es war nur ein beklemmender Schatten, dem er auswich, nicht dem harten Holz. Man wurde an das knorrige finstere Dachgeschoß eines alten Speichers erinnert, an Mühlen, die an den Sünden ihrer Besitzer geisterhaft verödeten. Unterirdisch, kellerhaft die Kälte.

Die beiden Männer gingen langsam vorwärts. Es war, als ob sie sich nur ungern von der Nähe der Tür lösten. Die Ladung bestand aus gleichmäßig großen Kisten, die sich in nichts von den Attrappen des Vorraumes unterschieden. Auch die Unterbringung war ähnlich. Nirgendwo waren Kasten übereinandergestapelt. Jeder einzelne hatte seine Stätte auf dem Boden, kleine Abstände zwischen den Stücken. Vier lange Reihen, wie ein Stapelplatz von Quadern, machten die Ordnung des Frachtgutes aus. Bequeme Gänge zwischen den einzelnen Abteilungen. Das Ganze war eingesponnen in ein Gitterwerk von Latten. Längs

und quer und aufrecht weißes mageres Holz. Verkreuzungen überreichlich. Die Versteifungen waren stärker und unübersichtlicher, als die Meuterer sie bei den leeren Kisten vorgefunden hatten. Die beiden Männer mußten jeweils, nachdem sie ein paar Schritte getan hatten, Holzwerk übersteigen. Je weiter sie nach der Mitte vordrangen, desto mehr verlor sich die Gestalt des lichtlosen Frachtdecks. Die düstere Bedrückung, die sich mitteilte, schien garnicht mehr vom Ort auszugehen. Gustav verwunderte sich, daß er, trotz des Gewirres weißen, rauh schimmernden Holzes, bei unzureichender Beleuchtung, sofort hatte einen Eindruck vom Ausmaß, von der balkenhaften Schwere des Ortes gewinnen können. Er suchte vergeblich nach einer Erklärung. Die braunen Begrenzungen waren jedenfalls nach wenigen Minuten der Gewöhnung sehr unwirklich geworden, kaum noch ein deutlicher Hintergrund für die hellen Kisten und Schalkonstruktionen.
Er entschloß sich, eine äußerste Anstrengung aufzubieten, um sich alles genau einzuprägen. Das Unbehagen, das von der Umgebung ausging, schob er beiseite. Seine Empfindlichkeit bezwang er. Er durfte sich weder von den Berichten seiner Nase noch vom Frösteln seiner Haut behelligen lassen.
Der Superkargo leuchtete jede einzelne Kiste an, um darzutun, daß das Verborgene, das Unsinnliche neben nüchternen und abgegrenzten Gegenständen keinen Platz hatte. Die krallenbewehrten Zweifel, die dürren Zerrbilder verräterischer Vorstellungen versuchte er in die ausgebreitete Leere zu bannen. Er verwies auf die zahlreichen und starken Nägel in den Deckeln und Seitenbrettern der Verpackung. Seine Führung war ohne Vorbehalt, seine Gründlichkeit verstockt und pedantisch. Er ging gewissermaßen mit sich selbst einher und wurde wegen aller ungeklärten Eindrücke vorstellig.
Dann war es genug. Man kletterte über die Ladung hinweg nach der Tür, durch die man eingetreten war. Gustav, in einem letzten Versuch, näher als bisher an den Inhalt heranzukommen, warf sich auf eines der sargartigen Gebilde. Er bemühte sich, wenn auch mit zergehendem Willen, eingeengt durch das Vorgefühl der Vergeblichkeit, irgendeine Beziehung zu dieser verschleierten Abart der Materie herzustellen. Ihm schien es närrisch, ein Fehler im Bau der menschlichen Sinne, daß ein

Gegenstand, dem er bis auf wenige Zentimeter nahe kommen konnte, sich noch verbarg. Aber es war ja das Gewöhnliche, mit Blindheit geschlagen zu sein. Wer würde mit den Augen auch nur die Krankheit seines Nächsten erkennen, wiewohl sie abtastbar unter der Haut saß? – Als Gustav nach ein paar Sekunden sich vom Deckel abhob, hatte er sich vergewissert, der Eishauch, der den Laderaum erfüllte, hatte sich den Kisten mitgeteilt, nahm vielleicht von dort seinen Ausgang. Gustav war, als hätte er sich auf winterlichem Feld in den Schnee geworfen. Und der weiße Spuk der Kälte kroch an ihn heran.

*

Nachdem der Superkargo die Tür wieder verriegelt und plombiert hatte, verabschiedeten die beiden Männer sich voneinander. Gustav hatte ein heftiges Bedürfnis, allein zu sein. Er spürte eine unüberwindbare Erschöpfung, einen Ekel vor jeder Art Unterhaltung. Er fürchtete einen Meinungsaustausch, der sich, kaum vermeidbar, an die gemeinsame Besichtigung anschließen mußte, wenn nicht jeder seiner Wege ging. Georg Lauffer hatte die Trennung erleichtert. Er schien kaum erwartet zu haben, daß man zusammenblieb.
Doch ehe Gustav die Klinke seiner Tür herabgedrückt hatte, spürte er einen Schatten herankommen. Der Superkargo entfernte sich, und der Schatten näherte sich, ein eisiger Hauch vom Packdeck her. Gustav wollte schreien, den Superkargo zurückrufen. Er vermochte es nicht. Der Schatten wuchs, und plötzlich roch er, roch fade. Aber sogleich verwandelte sich der Geruch, und er war wie der von Holzteer. Und der Schatten wurde fest und zur Gestalt eines Menschen. Und Tuteins Stimme kam. Und Tuteins Hand legte sich zu der seinen auf die Türklinke, drückte sie nieder, sodaß Gustav in seine Kammer eintreten konnte.
Er warf sich aufs Bett. Ein kalter unbestimmter Schmerz hatte sich in seine Wirbelsäule genistet. Kaum lag der Verlobte Ellenas, so spürte er Hunger und Durst. Er versagte sich von vornherein eine Erfüllung seines Verlangens. Er griff nur hinter sich, langte eine Kognakflasche herunter. Ein Schluck daraus würde ihm etwas trügerische Wärme bringen. Er sah, einiger-

maßen überrascht, die Flüssigkeit ging auf die Neige. So hatte er die Flasche in weniger als zwei Tagen geleert. Und hatte dessen nicht geachtet.
Hartnäckig, nachdem er einen Augenblick die Wirkung des Alkohols gekostet, bestand er darauf, eine Zusammenfassung seiner Eindrücke sich vor die Seele zu stellen. Er hatte sich zu einem unvergleichlich sorgfältigen Beobachten gezwungen. Und durfte das Gesammelte nicht, überwältigt von einem körperlichen Unbehagen, vertun. Aber wie schwer fiel es ihm diesmal, sich zu sammeln! Auf dem Grunde seines Bewußtseins lagen die Scherben der letzten Stunde. Hatte er sich, ohne dessen gewahr zu werden, überanstrengt? War die Kälte, die ihn hatte erschauern lassen, Zeichen einer Krankheit, ein der Ladung nicht zugehöriger Teil? Sollte das unfaßbare Entgegenkommen, diese tollkühne Nachgiebigkeit des Superkargos – Gustav wagte nicht, an einen echten Freundschaftsbeschluß zu glauben – zu keinem Fortschritt in seiner bis dahin aussichtslosen, unbestimmten Sache dienen? Mußte er, umstellt von Tücken, auch diese unverhoffte Gelegenheit verpassen? War die Inaugenscheinnahme des Laderaumes nicht das Kernstück allen Bemühens gewesen? Welcher Wunsch hatte sich messen können mit dem, dahin vorzudringen, auf einen Augenblick nur, woher Gustav gerade gekommen, nach gemächlichem Aufenthalt? Vereinigten sich nicht alle Vermutungen, die abwegigen und die scharf ergrübelten, in einem Treffpunkt, den er in hundert Bildern sich eingeprägt hatte; und schon jetzt, nach wenig Zeit, drohte das Genaue, der nicht gebrochene Widerschein der arglosen Gebilde, zu zerrinnen. Er seufzte verzweiflungsvoll, warf sich herum. Schließlich – er wollte sich mit wenig Strichen einer knappen Aufzeichnung begnügen, wenn er unfähig war, von seiner Hinfälligkeit mehr zu ertrotzen. Er kramte ein paar bekritzelte Blätter hervor, Skizzen und Risse des Schiffes, die er – seine Geschicklichkeit darin reichte nicht weit – als Ergebnisse seiner Entdeckungsstreifen aufgezeichnet hatte. Er wollte jetzt daran gehen, das Packdeck mit genaueren Maßen als bisher in die Pläne einzuzeichnen. Aber ehe er noch den Bleistift angesetzt hatte, begann er laut vor sich zu reden: »Mögen es unbehobelte, sehr schlechte Särge sein, lebende Menschen können nicht darinnen liegen. Es ist ein Ärgernis vorhanden, wahrscheinlich

ein schlichtes, eine alltägliche Korruption. An ein schwimmendes Bordell zu glauben – ein kindliches Gemüt erfindet derlei Auslegungen der Verderbnis, weil es die echte Ruchlosigkeit nicht kennt und den Schein der Fäulnis für die Glutpfannen der Hölle nimmt.«

Er richtete sich auf und schrieb quer in einen zittrig nachgebildeten Schiffsrumpf: »Keine Mädchen.« Es stand nun vermerkt, er wollte darauf nicht zurückkommen. Alles ausstreichen, was aus den schwülen Hirnen enthaltsamer Matrosen hervorgesickert war. Er mußte von seinen Freunden Abstand nehmen. Der grimmige Menschenverstand, der sich nicht mit den Almosen der zufälligen Wonnen und Erlebnisse begnügen wollte, halb vorwärtsstürmend, halb hinabgezerrt, ein leichtes Opfer, sich dem fahlen Glanz der Abtrünnigkeit verschrieb, konnte kein Genügen in den banalen Verfehlungen finden, die alle kennen. Die kleinen Lügen, die trügerischen Entspannungen durften allenfalls seine Gereiztheit nähren. Sein Laster mußte fremd, ganz unerkannt, schauderhaft einsam oder ekelhaft unablässig, wie Kotgeruch, um ihn sein. Die großen Sammler merkwürdiger Gegenstände, die nicht davor zurückwichen, göttliche Funken aufzulesen und ihrer unnatürlichen Verzückung dienstbar zu machen. Die Verehrer der Künste, die sich Arsenale ungemessener Menschlichkeit anlegten, die die Geliebten der Schaffenden um sich versammelten, versteint oder in Bildern erstarrt, geronnenes Dasein. Andere, deren Fleiß dem Vollkommenen abgewandt war, die die brausenden und wilden Töne haßten – um sich in Niederungen zu ergehen. Die Kehricht auflasen, viehische Scheltworte, die Schrammzeichen verzagter oder faulender Gehirne. Denen der Gestank lieblich war und die Reinheit eine unerträgliche Langweile. Diese Unempfindlichen, Unglücklichen, die, vielfach durchpfeilt von ihrer bereiften Brunst, nicht mit den Wimpern zucken.

Gustav kannte keinen dieser Satansanbeter. Sie waren auch unerkennbar, niemand drängte sich, die Schrecknisse mit ihnen zu teilen. Ihr gefrorenes Lächeln, das sie der Mitwelt boten, ersparte ihnen Anfechtungen und Anträge, die sie sich nicht erbeten hatten.

Wie von weither fragte sich Gustav, wieso derlei Gedanken aus den Worten: »Keine Mädchen« hatten entspringen können. Es

war die Sackgasse, die launische Verirrung, wenn das derbe Leben einem keine Lockrufe mehr gönnte.
Plötzlich zerteilte sich vor seinen Blicken eine Nebelwand. Er konnte den Menschen benennen, dem er die Prädikate der Verdammnis anzuhängen bereit war, den Reeder! Und sogleich verdichteten sich Gustavs Vorstellungen. Mit fliegender Schnelligkeit fügten sich seinen losen Vermutungen Kennzeichen der ungezügelten Bosheit bei. Unterbewußt verkettete er sie den vorausgegangenen Betrachtungen. Sein inwendiger Blick sah nichtendende, langgestreckte Hallen, an deren Wänden marmorn Gestalten vom Weibe Geborener standen. Was jemals Fleisch gewesen war, und was Augen gesehen hatten, feurige Sinne nachgebildet, es schien hier in unablässiger ermüdender Wiederkehr ausgestellt. Die Menschheit, Jahrhundert um Jahrhundert, ameisenhaft, vergreiste Mumien, Zahl wie die Tropfen in einem geschwellten Wasserfall. Die ungeheure Registratur des ewigen Sammlers. Gustav fragte sich, warum die Form des weichen Fleisches in erzkalten Marmor gebannt sei? Warum die Vorbilder in die Verwesung geschleudert? Und der öde Ersatz feierlich behütet? War es nicht ratsamer für die erlauchten Kenner, den morschen Plunder, die Leichname selbst für diesen Zweck der ruchlosen Erbauung herzurichten? Warum sich, gleich einem verkehrten Pygmalion, mit dem Bildnis, dem fühllosen Abklatsch begnügen, wenn der Körper der Geliebten ungenützt auf einem Gräberfeld lag?
Gustav glaubte zu erkennen, wo sein Held den tierischen Einbruch in den verschwenderischen Haushalt der hohen Allmacht gewagt hatte. Jener war kein Kenner und Verehrer der Kunst. Oder er verschmähte es, der Hölle, die ihn brannte, eine Verkleidung zu geben. Er hatte es gewagt, in unbegreiflicher Vermessenheit, die Menschen für die Statuen zu nehmen. Er sammelte junge Leiber, die der Tod abgemäht hatte. Das Wertlose, Verwelkte, das keinen zur Begehrlichkeit verleitete, erhob er zu seinem Abgott. Das Gejammer der Unterwelt wurde die höhnische Predigt, der er lauschte. Aber die teure Last, wohin sie verbergen? Wie ihr stäubendes Dasein der zudringlichen Neugier der Mitwelt entziehen? Wo den Ort der unbedrohten Ruhe finden? Und die unbemerkte Zurückgezogenheit, um den Schatz mehren zu können? Erfand der unglück-

liche Mann in seinem verödeten Herzen diesen Plan: ein schwimmendes Mausoleum zu errichten? Einbalsamierte Leichname ziellos über die Meere zu senden? War es am Ende gleichgültig, wohin man fuhr? Nur wichtig, unterwegs zu sein? Keinen Hafen zu kennen?
Gustav hatte die Augen geschlossen gehalten. Er schlug sie auf, und gleich schränkte er seine wahnwitzige Beschuldigung ein. Der Mensch war ja keine Feuersbrunst. Auch den Erzverbrechern, den Gesandten des satanischen Reiches, einem Gilles de Rays oder wie sie heißen mochten, folgte die Strafe auf dem Fuße. Ihre Morde konnten nicht ins Unbegrenzte wachsen. Diese schwimmende Gruft gewiß nur ein Selbstbetrug. Leere Kisten, alle wie eine. Der Anfang einer Umnachtung. Der hemmungslose Aufschrei eines Menschen, der einen teuren Angehörigen hat sterben sehen. Vielleicht enthielt nur eine einzige Kiste eine Mumie. Oder eine marmorne Leiche, den milden Ersatz für erdige Muskeln.
Mit flehender Gebärde versuchte Gustav die Reue herbeizuziehen, um befreit zu werden von den Verfinsterungen seines Geistes. Inmitten der Zerknirschung, die er sich aufzwang, bewahrte er einen Rest an Gewißheit, daß das Schiff den irdischen Ballast einer verdammten Seele als Fracht führe. Als er Ellenas Namen ungewollt den trüben Verdächten verflocht, berührte er den Knopf der elektrischen Klingel über seinem Bett.
Der Küchenjunge erschien. Gustav trug ihm auf, den Kapitän um noch eine Flasche Kognak oder Schnaps zu bitten. Er leide an Schüttelfrost, irgendein Fieber sei in ihm aufgekommen.

IX

Die Galeonsfigur

Am Frühstückstisch fanden sich Waldemar Strunck, der Superkargo und Gustav zusammen. Der Verlobte Ellenas war bleich, offenbare Nachwirkungen einer schlecht verbrachten Nacht. Er hatte den erhitzten Leib unter zentnerschweren Decken mit Schnaps bewußtlos gemacht. Wie er sagte. Und es sei – er räumt ein, es ist eine Gewaltkur – von ausgezeichneter Wirkung gewesen. Höchst bekömmlich. Kapitän und Verlobter wunderten sich, Georg Lauffer wieder in ihrer Mitte zu haben. Aber es war kein Wort darüber zu verlieren. So wurde Gustavs Fieberbekämpfung Gegenstand der einen und anderen Erörterung.

Wie niemals vorher verbrachte der Superkargo den Tag damit, andeck einherzuschlendern und sich vollzusaugen am herben, würzigen Ruch von Meer und geteertem Holz. Nicht einmal die machtlos unverschämten Blicke der gemaßregelten Matrosen schienen ihn zu stören. Gelegentlich knöpfte er sich den Hemdkragen auf, um die Brust den Strahlen der Sonne auszusetzen. Er schien sich aller Pflichten ledig zu fühlen.

Nach dem Abendessen zog er Gustav beiseite, flüsterte ihm etwas ins Ohr. Die beiden gingen in die Kammer des Superkargos. Wenige Minuten später fand man sie auf dem Gang vor der Tür beschäftigt. Ausgerüstet mit zwei stark leuchtenden Handlampen. Georg Lauffer wies mit deutlichen Zeichen der Erregung auf eine recht beschmutzte kreisrunde Bronzeplatte im Fußboden, die, sie lag im lichtlosen Abschnitt des Korridors, bis zur Stunde der Aufmerksamkeit aller entgangen war.

Mit einem Frohlocken in der Stimme sagte er: »Wenn Fräulein Ellena, nachdem sie mich verlassen hatte, niemals an das Ende des Ganges gekommen ist, wie man behauptet hat, muß sie durch dieses Schott verschwunden sein.«

Gustav, der einen fast gleichlautenden Satz vor kurzem mit

Verblüffung gehört hatte, blickte den Sprecher fest an und gewahrte ein verzerrtes Antlitz, eine Grimasse, von der man nicht aussagen konnte, ob sie Vorstufe des Lachens oder Weinens war. Indessen, die Züge entspannten sich, und der Jüngere vergaß das Bild. Die Entdeckung war viel zu wichtig, als daß eine Fratze, das anarchische Gespensterkleid entjochter Nerven, ihn hätte über den Augenblick hinaus ablenken können.
Ein kreisrunder Deckel, eingelassen in einen metallenen Falz. Nicht zu ermitteln, wie er zu öffnen war. Dem Verschluß oben mußte eine Öffnung darunter entsprechen. Gustav entsann sich nicht, bei seinen Nachforschungen dieser Entsprechung begegnet zu sein. Dabei war er über den Ort und die Aufteilung nicht eine Sekunde lang im Zweifel. Man befand sich neben der großen Segelkammerluke. Dieser mächtige Raum reichte noch ein Stockwerk tiefer. Luft, gebeizt mit scharfen Dünsten. Stapel harter, rotbraun getränkter Segel. Er erinnerte sich. So mußte das Loch unmittelbar, garnicht zu verfehlen, sich der Wand anschließen. Um diese Berechnung bestätigt zu finden, die trügerischen Sinne mit einer Tatsache, die ihnen entgangen war, zu belehren und die Art des Verschlusses auszukundschaften, stürmten die beiden Männer durch die Schiffsräume hinab an den Ort. Ihr Erstaunen war grenzenlos, als sie keinerlei Anzeichen einer Öffnung fanden. Vergeblich, sich jetzt noch auf eine Täuschung zu berufen. Das Verwundern ging in Bestürzung über, es war gleich die ganze Vergeblichkeit, die mit dem Zweifel kommt – das Herz entfällt in die Trostlosigkeit –, als sie nach Verlauf einer halben Stunde, durch ständig wiederholte Kontrollen, die sie von der Segelkammer, dem Korridor und dem Schiffsraum aus vornahmen, feststellen mußten, gerade an diesem Ort war es dem Erbauer, dem alten Lionel Escott Macfie eingefallen, eine doppelte Bohlenwand zu errichten. Und so sehr die Männer sich auch bemühten, es gelang ihnen nicht, einen Zugang zum Hohlraum zu entdecken, es sei denn, daß sie den bronzenen Deckel dafür nahmen. Einstweilen versagte sich ihnen dieser Eingang. Nach vielen erschöpfenden Wanderungen, Messungen und Berechnungen – die Ergebnisse hatten sie durch Klopfzeichen bestätigt gefunden – wandten sie sich der Aufgabe zu, einen Vorgang zu erfinden, mit dessen Hilfe man der Falltür beikommen könnte.

Gustav, auf die Dauer von Minuten, bezichtigte sich der schlimmsten Fahrlässigkeit. Hier war der Beweis. Er hatte das öde Frachtdeck umschlichen, geplagt von Versuchungen. Aber sein bekümmertes Vorurteil, Ursache einer überflüssigen Meuterei, hatte seine übrigen Anstrengungen verwirrt. Mit einem ungenauen Gekritzel in seinem Hirn und auf knittrigem Papier hatte er sich begnügt. Waren nicht Einbildungen durch ihn hindurchgegangen, daß die körperhafte Form des Schiffes ihm vollkommen bekannt, die Ineinanderschachtelung der Hohlmaße ihm geläufig? Hatte er, da die Klarheit der Dimensionen ihm feststand, nicht geradeswegs, in unverzeihlichem Dünkel, eine übernatürliche Äußerung als notwendigen Hinweis für das Weitere sich erwartet? Nun kam es antag, das Grobe seiner Beobachtungen schon stimmte nicht. Da hatte seine unerzogene Seele von Störungen gefaselt, hervorgerufen durch die Blendlaterne eines anderen, eines ihm wohlgesinnten Menschen. Wie sich jetzt erwies. Wie wollte Gustav sich jetzt rechtfertigen, daß er den großen, zweigeteilten Kielraum, die Stätte seines ersten vieldeutigen Erlebnisses unerforscht, so gut wie unerforscht gelassen hatte? Was konnte er über die geheimnisvolle Schiebetür, durch die der Reeder abgetreten war, aussagen? Nur das gleiche wie am ersten Tag; daß er ein starkes durch und durch befestigtes Bohlengefüge vorgefunden, wo es sich dem anderen weit geöffnet hatte. Das waren Verfehlungen, Unterlassungssünden, an denen vielleicht Ellena starb! War er eine jener flatterhaften Naturen, die die Trauer zum Vorwand nehmen, um träge zu werden? Konnte er sich auf eine wirkliche Erschöpfung berufen, der auch zähe Vorsätze erliegen? Er hatte sich betäuben lassen durch die halben Zweifel, die halben Gewißheiten. Er hatte keinen Gedanken zur Entscheidung gebracht. Und damit die inwendige Entschlossenheit abgewürgt. Die Folgen der Torheit waren da.
Sein Eifer verdoppelte sich mit den Selbstanklagen. Die Beschämung, die er sich zufügte, nahm er als Gradmesser einer neuen Zuversicht. Bald glaubte er nicht mehr zu fehlen, wenn er unterstellte, die Metallplatte war mit genauen Gewinden in den Flansch eingeschraubt. Er begann die beschmutzte Oberfläche mit einem Metallstab sauber zu schaben. Zwei runde versenkte Nieten zeigten sich. Einem festen Druck gaben sie nach, wichen

nach unten aus. Ließ der Druck nach, schnellten sie – eine Federkraft war wirksam – zurück. In die Löcher konnte man Schlüssel oder Stäbe einsetzen und so mittels eines Hebels eine Drehbewegung einleiten, die, wenn seine Voraussicht nicht trog, die Platte herausschrauben mußte. In wenigen Augenblikken hatten die Männer das Werkzeug bereitet. Unerwartet leicht gehorchte der Deckel dem Angriff. An den Rändern sah man dunkles Öl hervorquellen. Mit der Anmut genau gefertigter Maschinen hob sich die rotierende Platte. Es war keine große Kraft vonnöten, sie im Schwung zu erhalten.
Jetzt traten die scharfen blanken Kanten aus dem Fußboden hervor. Dann ein holpernder Ruck, der das Herausspringen der Schraube aus dem Gewinde anzeigte. Die beiden Männer hoben den schweren Deckel ab. Gustav warf sich nieder, angelte mit langem Arm seine Laterne in die Öffnung, schob den Kopf nach. Bestürzt stellte er eine metallene Röhre fest, deren Durchmesser dem des Deckels entsprach. Sie verlief senkrecht nach unten. Die Wände waren gelbblank, warfen spiegelnd das Licht zurück, sodaß es einen nebligen Reflex nach oben gab, der Gustav daran hinderte, den Grund zu erkennen. Unzweifelhaft war das Rohr sehr lang, durchdrang mehrere Stockwerke. Und es war nicht auszumachen, ob es einen Boden hatte oder frei endete; wie ein Abwurfschacht. Gustav vermutete einen Verschluß, gewann aber keine nähere Vorstellung, ob es sich um eine automatische Klappe oder um ein mechanisch zu bedienendes Ventil handelte. Kurz entschlossen bat er den Superkargo, nachdem er ihn bewogen, sich mit den Tatsachen vertraut zu machen, ihn an einem Seil hinabzulassen. Man traf gründliche Vorbereitungen, rüstete sich vorsichtshalber mit allerlei Werkzeugen aus. Dann umschnürte der Verlobte Ellenas sich die Brust, und der Superkargo ließ ihn langsam in den runden engen Schacht hinabgleiten. Gustav war mit einer Laterne ausgerüstet; aber er sah doch kaum mehr, als er fühlte. Die gebogenen Metallwände, die ihn ringsum berührten, waren ungemein glatt. Die polierte Oberfläche, die kaum Reibung verursachte, hatte ihn über das geringe Ausmaß des Rohres getäuscht. Gewiß, er würde, wenn das Seil, das ihn von oben hielt, nachgab, durch den Kanal hinabsausen, zerschmettert unten ankommen; aber es würde doch ein im Stehen zerschmetterter

Mensch sein. Die Schenkelknochen würden ihm geradeswegs in den Bauch dringen, weil es kein Ausweichen gab. Er bereute schon den Abstieg. Und wie tief war es bis an den Boden! Oder was seiner warten mochte. Das Loch über ihm wurde sehr klein. Je mehr das Rohrende über ihm anwuchs, desto beklemmender empfand er die Enge. Es fehlte nicht viel, und er gab sich der Täuschung hin, daß er einen Mangel an Atemluft spüre. Benommen, die Hände gegen die erbarmungslosen kühlen Rundungen geklemmt, fühlte er endlich Festes unter sich. Er wagte diesem Bericht nicht zu vertrauen, rief heiser hinauf, nicht mehr vom Haltetau auszulassen. Erst als er sich vergewissert hatte, er wurde hängend gehalten, entschloß er sich, mit den Füßen, die er ein wenig angezogen hatte, aufzustampfen. Es gab einen dumpfen, nur halb metallischen Ton, dem ein Widerhall nachfolgte. Die Wandungen des Rohres, in dem Gustav stand, bebten schwach, wie von Wasser umspült. Nach oben blickend fragte er sich, ob er etwa bis unter den Schiffsboden hinabgelassen sei. Er schätzte den Anfang des Zylinders sechs oder sieben Meter über sich. Seine Vorstellungen und Gedanken kamen ihm mit unbegreiflicher Dringlichkeit. Ihn ergriff Todesangst wie jemand, der im Stollen eines Bergwerkes verschüttet liegt. Er hatte sich im Übereifer ausgeliefert. Welch unkluge Eingebung, sich wehrlos zu machen! Wenn einer der Verdächte, gegen den Superkargo vorgebracht, je ernst gemeint war, ein wie enthirntes Verhalten, Verstoß gegen die durchschnittlichste Vernunft, sich ihm in einem äußersten Fall vertrauend zu überantworten! Was war leichter oder gefahrloser für den Täter, als den lästigen Widersacher nun, da er hilfloser als in einem Burgverlies war, eingemauert, spurlos verschwinden zu lassen, wie Ellena verschwunden war? Schreien? Ein herabgeworfenes Werkstück erledigte sogleich jeden Widerstand. Sollte Gustav, allein unfähig, das Schicksal der Geliebten zu ergründen, um belehrt zu werden, entlang die gleiche Straße des schmachvollen Unterganges getrieben werden? War er schon hineingestoßen in den Fabrikationsvorgang, der ihn, ob schnell oder langsam, die Zeitenfolge war gewiß unwichtig, in einen Leichnam verwandelte? Hatte der graue Mann, hoch über ihm, grausige Wahrheit gesprochen, als er erwähnte, daß man nicht an das Ende des Ganges gelangen würde, wenn man hier herein abstürzte oder

wie Gustav, sanft hinabgelassen wurde? Würde gleich eine ätzende Flüssigkeit über einen Menschen ausgeschüttet werden, ein erstickendes Gas sich verbreiten? Würde man gewalttätig ihm eine Narkose aufzwingen, Keulenschläge gegen das Bewußtsein, um ihn, ein wehrloses Opfer, zu erledigen? Würde der Deckel sich über ihm schließen, damit er beseitigt wäre?
Vorstellungen seiner Angst und quälende Offenbarungen vom Schicksal Ellenas mischten sich strömend; ein unaufhaltsamer, schwarzschlieriger Fluß. Gustav fühlte sich nicht so sehr als er selbst, denn als das namenlose Schlachtvieh, das lebend durch ein Tor hineingeht und danach unauffällig endet, schon ein zum Zerspalten bestimmter Gegenstand, wie es noch in seinen schönen Körpern unschuldig atmet. Noch gemächlich wiederkäuende Rinder, deren Zukunft aus ist. Die würzigen Bissen gärenden Grases klumpen sich würgend in ihrem Schlunde, weil eine Axt die Stirn traf.
Er zog heftig am Tragseil. Und war sehr verwundert, daß er langsam ruckartig aufgezogen wurde. Als er, auf seine Arme gestützt, aus dem Loch hervorkroch, standen dicke Schweißperlen ihm auf den Schläfen. Er sagte: »Man sollte sich mit dem Kopf voran hinabhüsern lassen; aber ich bin nicht mutig genug.«
Der Superkargo entgegnete: »Und meine Kräfte reichen für ein zweites Mal nicht aus.«
Gustav blickte ihn an. Die Anstrengung hatte auch sein Gesicht mit Schweiß bedeckt.

*

In dieser Nacht noch gestand der Verlobte Ellenas dem Superkargo das Erlebnis im Kielraum des Schiffes, die Begegnung mit dem Reeder. Gustav trug das Abenteuer ohne Beiwerk vor, erweiterte es nach und nach mit den Betrachtungen, die sich ihm hinterher damit verbunden hatten.
Nach der Erzählung gab der Superkargo sich einsilbig und schlechtgelaunt. Seine Einwände gegen das außerordentliche Vorkommnis waren gemessen, nicht schlagkräftig, eher ungeschickt, von fauler Gleichgültigkeit. Er ereiferte sich nicht, wie seiner Zeit der Kapitän getan hatte. Es schien ihm das Verständ-

nis zu fehlen, warum Gustav mit soviel Verbissenheit alle Fäden der Episode zusammenflocht, um eine unausweichliche Richtung, eine massive Wirkung für das Spätere herzuleiten. Offenbar traf Georg Lauffer Anstalten, um sich von der Unmäßigkeit Gustavs zurückzuziehen. Dessen Hartnäckigkeit indessen war diesmal nicht leicht zu erschöpfen.

»Der Mensch ist zu allem fähig«, sagte er, um Einreden, die noch garnicht vorgebracht worden waren, zu entkräften.

»Ich würde die Anwesenheit des Reeders für – für eine Herausforderung halten«, sagte der Superkargo.

Gustav versuchte, sich an das Wort ›Herausforderung‹ heranzuschleichen. Aber noch ehe er sich einen Sinn unterworfen hatte, hörte er den anderen weitersprechen: »Ich kenne den Menschen wenig. Er hat mich nicht in mein Amt eingesetzt. Ich bin einer Regierungsstelle untergeben.«

»Und wenn Sie getäuscht worden sind«, sagte Gustav schnell.

»Ich bin oft getäuscht worden«, sagte Georg Lauffer. Er hatte versucht, die letzten Worte leer und leicht zu machen.

Nun wollte Gustav wissen, warum der graue Mann die Ungehörigkeit, daß ein dunkler Korridor ein junges Mädchen verschlinge, weniger lästerlich finde als die Tatsache, der Eigentümer eines Schiffes vergnügt sich oder verbindet gewisse Absichten damit, unerkannt der Passagier seines Fahrzeuges zu sein. Gustav war entschlossen, die widerstandslose oder allzeit bereite Materie mit der schuldsüchtigen Seele des Menschen zu verquicken. Dabei versuchte er, den Verdacht gegen den Eigentümer des Schiffes einstweilen so unauffällig wie möglich anzubringen.

Der Superkargo äußerte, er habe ehedem widersprochen, müsse auch jetzt einen planvollen Überfall auf Fräulein Ellena als äußerst flüchtigen Schattenriß außer Betracht halten.

»Wie denn ist das Ärgernis gekommen?« schrie Gustav, »und es handelt sich nicht einmal um eine Anklage. Es ist noch die Vorstufe dazu. Eine eingeleitete Ermittlung.«

»Das ist spitzfindig«, sagte Georg Lauffer.

Jetzt bäumte Gustav sich auf. Er ist entschlossen, alle Hindernisse zu beseitigen und das Wirkliche, das schon immer da war, für sein Bewußtsein zu erobern. Er stellt Fragen. Man soll ihn lästig schelten. Er springt den grauen Mann an. Er hat eine unbezähm-

bare Hoffnung, daß es ihm gelingt, die Triebfedern aller Absichten bloßzulegen. Er kennt keine Schonung mehr. Er erinnert daran, daß man ihm schon einmal nur ausweichend berichtet hat. Jetzt verdichtet er das Begehren nach Auskunft. Wenige Bestätigungen werden ihm genügen.
Georg Lauffer sagte aus, nicht der Reeder hat das Versteck des blinden Passagiers ermittelt und angezeigt. Eigentümer und Superkargo haben keinerlei Aussprache aus diesem Anlaß miteinander gehabt. Eine nicht näher zu deutende Verkettung oder die Gleichzeitigkeit von Eindrücken scheint den Widerstand gegen diese Versicherung zu stärken. Eine gewissenhafte Prüfung der Erinnerung wird die Umstände weniger verdächtig finden. Es hat eine Unterhaltung zu dritt in der Kammer Ellenas stattgefunden, in deren Verlauf der Vorschlag gemacht wurde, den Verlobten Ellenas hinter einem Gerümpel zu verstecken. –
»Sie wissen von diesem Gespräch?« keuchte Gustav.
»Ich hatte Gelegenheit, es abzuhorchen«, sagte der Superkargo.
»Sie gestehen viel. Ich weiß nicht, ob die Statik meiner Seele das erträgt. Das Gleichgewicht ist gestört. Sie sind vielleicht Zeuge eines unbegreiflichen Taumels gewesen. Der Mensch schämt sich seiner Nacktheit, außer vor Gott, der schweigsam ist.«
Der Superkargo hatte auf die eigene Verschwiegenheit hinweisen wollen; der pathetische, sehr jugendliche Ausbruch Gustavs verbot es ihm. Georg Lauffer brachte seine Aussage schnell zuende. – Er hat, auch ohne weitere Belehrung, Gustavs Mitreise als selbstverständlich hingenommen. Als er später im hinteren Kielraum Geräusche festgestellt hatte, ist er hinabgestiegen, um sich zu vergewissern, daß es der blinde Passagier wäre.
»Das ist alles?« fragte der Verlobte Ellenas. »Es ist in dieser Darstellung kein Bedarf für den Eigentümer des Schiffes. Er fällt aus. Ich bin allein mit meinem Geheimnis.«
»Mein Beitrag ist kurz«, sagte der Superkargo.
Gustav legte zerknitterte Zettel auf den Tisch. »Der vordere und hintere Kielraum zusammen zählen fünf Spanten weniger, als in den darüberliegenden Gelassen zu erkennen sind«, sagte er mit düsterer Stimme. Ihm war diese Tatsache, die bis dahin in ihm geschlummert hatte, plötzlich ungemein wichtig und gegenwärtig wie eine neue Erfindung. Er zählte die angemerkten Balken ab. Fuhr lebhaft fort: »Wenn ich auch in der Schiffsbaukunst ein

Laie bin, so ist mir doch nicht unbekannt geblieben, daß alle Spanten vom Kiel ausgehen. Das Holz und die einfachen Regeln der Konstruktion werden sich gewiß nicht zu einem Wunder aufschwingen, um mich zum Narren zu halten.« Er schwieg. Und wartete darauf, der andere möchte einen Einwand erheben, den er dann mit Wollust zerfetzen würde. Da dergleichen nicht geschah, begann er wieder zu sprechen: »Es ist ein anderer Beweis dafür, daß im Kielraum ein Gelaß vorhanden ist, das sich bis jetzt unserer Erforschung entzogen hat. Da hinein mündet das Rohr, in das ich hinabgelassen war. Wo anders könnte es sich verbergen? Es ist wohl dick und fest genug, daß es nicht wie ein Dunst zerstieben kann, wenn unsere Augen von außen darauf treffen? In den Abschnitt der fünf Spanten hinein ist der Reeder verschwunden.«
Diesmal schien es so, als sollte er den Sieg über die Nüchternheit des Superkargos davontragen. Der graue Mann verbarg nicht, daß er unruhig war. Hatte man ihn hintergangen? Bogen sich die Geschehnisse nach der üppigen Phantasie des jungen Menschen?

*

»Ist das Verbrechen geplant gewesen und vollbracht worden?« Zitternd fragte es der Superkargo, als sie in den Kielraum hinabstiegen.
Gustav antwortete ziemlich frech: »Wir werden ein dreidimensionales Gebilde aufspüren. Und danach werden wir gewachsene Früchte in den Händen halten.«
Sie kletterten in den prächtigen Fundamenten des Schiffes umher. Mit den Lampen suchten sie die unnahbaren Bohlenwände ab. Das fünfspantige Gelaß, ziemlich mittschiffs gelegen, widersetzte sich ihrem Eindringen. Nirgendwo ein Kriechloch, eine Luke. Sich öffnende Wände, wie Gustav sie beschrieben hatte – der Befund strafte den Verlobten Ellenas Lügen. Es wäre ganz und gar verwerflich gewesen, der magischen Nachricht weiter nachzuhängen, wenn nicht errechenbar, durch Messen zu ermitteln, vergleichbar der Bahn eines unsichtbaren Planeten, der mit seiner Masse auf die Nachbargestirne wirkt, dies Ungeheuer eines verschlossenen Blockes, geradezu bedrohlich in seiner offenbaren Unverwendbarkeit und Größe, den niede-

ren Kielraum zweigeteilt hätte. Die jähe Kombinationsgabe des jungen Menschen, die die Scham, Verdächte auszusprechen, ausgerodet hatte, zwang den Superkargo in ihren Bann. Er verzichtete darauf, eine Meinung zu haben. Er spürte als dumpfe Erleichterung, das Geschehen war weit vom Frachtdeck abgedrängt. Mochten die Kisten Särge oder leere Attrappen sein, man würde sie nicht erbrechen.
Unterdessen war es ein paar Stunden nach Mitternacht geworden. Der graue Mann bat den jungen Gefährten, von weiteren Maßnahmen abzulassen, jedenfalls die Nacht verstreichen zu lassen und der Besinnlichkeit ein paar Stunden einzuräumen. Gustav war bereit, dem Rat zu folgen.

*

Die Entfaltung so vieler außerordentlicher Bewegungen vonseiten der beiden Männer mußte die Aufmerksamkeit des einen oder anderen Matrosen wecken. Die Geheimhaltung der Anstalten war unmöglich gewesen, man hatte sie kaum erstrebt. Der Mannschaft, zur Schweigsamkeit verurteilt, bemächtigte sich eine nicht geringe Unruhe. Die Dürftigkeit des Meinungsaustausches, das flüsternde Bewegen der Lippen bei den unerlaubten Mitteilungen, verursachte fast unerträgliche Spannungen. Man hatte Erwartungen, gab sich der gewissen Hoffnung hin, in unmittelbarer Nähe von Ereignissen oder Enthüllungen zu sein. Man wünschte sich den Skandal, um weniger schuldig zu erscheinen, den Druck eines übermäßigen Ernstes von sich abwälzen zu können. Ein bewiesenes Verbrechen unbekannter Herkunft würde die Meuterer reinwaschen. Ihre Laufbahn würde wieder gewöhnlich sein.
So mußte Gustav am nächsten Morgen garnicht nach dem Zimmermann suchen, um ihn etwas zu fragen. Er war ungerufen zurhand. Er war schon vorbereitet. Tausend Vorstellungen hatten sich während der Nacht seiner bemächtigt. Kein Befehl, keine Zumutung konnte ihn noch überraschen. Er hatte auch das Aberwitzige schon vorgekostet. Stumm, vergleichbar einem Hund, folgte Klemens Fitte dem Verlobten Ellenas in den Kielraum. Es war die vordere Hälfte, die dem Packdeck abgewandte. Der Superkargo war schon mit einer Lampe zurstelle.

Der Zimmermann ließ einen flüchtigen Blick, den er an diesen Menschen, ihm zuwider, hängte, nicht in sich hinein. Er warf das Bild eines Augenaufschlages zuboden. Es zerging grau und mehlig. Der Handwerker wandte sich voll zu Gustav, dem er blind vertraute. Er hörte ein paar Fragen gelassen an und erklärte als Antwort, man könne mit Leichtigkeit eine der Planken aus der Wand herauslösen. Es werde dadurch dem Schiff kein arger Schaden zugefügt werden. Das Loch wäre binnen weniger Stunden wieder zu verschließen. Es werde eine Angelegenheit sein, die keine Spur hinterlasse. – Zur Bekräftigung, und falls man mit dem einen oder anderen Unfall rechnen wolle, verwies er auf ein kleines Holzlager, aufgestapelte Bretter, Bohlen, Riemen und Latten, drei Pitchpinebalken verschiedener Länge und Dicke.
Nach dieser Belehrung gab Gustav die Anweisung, ein von ihm bestimmtes Holzstück zu entfernen. Er beglückwünschte sich, daß er, eigentlich unüberlegt, die der sich geräuschlos aufklappenden Wand (schleichend lautlos wie an den hinfälligen Mauern des Schlafes war es gewesen) gegenüberliegende Seite gewählt hatte. So entging man der Gefahr, einen vielleicht kostbaren Mechanismus zu zerstören. Es war jedenfalls ein gutes Vorzeichen, daß alle etwa nötigen Ersatzteile unmittelbar zurhand waren.
Klemens Fitte hatte eine Kiste mit Werkzeugen herbeigeschleppt und begann mit Schlegel und Stemmeisen zu arbeiten. Er hieb mit gleichmäßig schnellen Schlägen. Bewundernswerte Sicherheit seiner Hände. Die Späne hüpften in einem dünnen Fall zuboden. Der Verlobte Ellenas und der Superkargo schauten, Laternen haltend, stumm dem Arbeiten des Handwerkers zu. Bald erkannte man, die für die Holzwand verwendeten Planken waren ungewöhnlich dick. Die schräge Schnittfläche maß schon zehn Zentimeter, ohne daß ein Durchbruch sich anzeigte. Unaufgefordert machte sich der Zimmermann daran, die beiden benachbarten Dielen in das Vorhaben einzubeziehen. Schläge, rieselnde Späne. Der Mann ließ sich keine Zeit, Atem zu schöpfen. Endlich gab es einen leicht knisternden Ton vor der Spitze des Meißels. Der Handwerker brachte den Stemmspalt in ganzer Breite auf die gleiche Tiefe, überzeugte sich, durch einen leichten Druck gegen die letzten elastischen Holzfasern, daß er

die Holzdicke bis auf eine Winzigkeit weggeräumt hatte. Er kniete nieder und begann die gleiche Arbeit einen halben Meter oberhalb des Balkenwerkes, das die Bleiblöcke des Ballastes umklammerte. Vergewisserte sich noch, daß keinerlei Dübel oder Schrauben die herauszuhebenden Holzbahnen verwahrt hielten. Mit unvermindert ruhiger Eile fraß sich das scharfe Werkzeug abermals in die Wand. Den beiden Zuschauern schlug das Herz schnell. Sie fürchteten manches. Im nächsten Augenblick dem Gräßlichen gegenüberzustehen. Der Überrumpelung nicht gewachsen zu sein. Sie malten es sich nicht aus. Es war eine ungezähmte Erwartung, die keine Gestalt hatte. Klemens Fitte schnellte auf, langte ein Brecheisen herbei, setzte es an. Unter jämmerlichem Pfeifen und splitterndem Krachen wölbten sich die gelüpften Bohlen vor. Im nächsten Augenblick, noch weiter vorgewuchtet, stürzten sie herab. Kaum, daß der Handwerker geistesgegenwärtig genug war, ihnen im Fallen eine Richtung zu geben. Die beiden Zuschauer stürzten herzu, wichen aus, drängten sich, als die Planken ungefährlich zurseite rutschten, wieder heran. Und starrten auf eine kaum korrodierte Kupfer- oder Bronzeplatte. Ihre Enttäuschung war grenzenlos. Ein Wirbel von Einfällen überspülte ihr Bewußtsein. Unausweichbar war eine Inbeziehungsetzung zum runden Bronzeschacht. Nochmals hatte sich ein Schleier herabgelassen. Aber sie waren dem Geheimnis sehr nahegekommen. Sie hatten es eingekreist. Es verbarg sich, gewiß. Aber es verriet sich zugleich mittels der Materie, deren es offenbar bedurfte.
Der Superkargo ernüchterte sich bald. Er fand, man war so weit vorgedrungen, wie es zulässig war. Weitere Einbrüche zu wagen würde das Vorhaben zum Frevel machen. Man griff dann in eine Maschinerie ein, die, mochte sie empfindlich oder grob sein, ein Fachwissen voraussetzte, das allen mangelte.
Diese Bedenklichkeiten indessen steigerten die inwendige Wut Gustavs, die Bereitschaft, nichts mehr unversucht zu lassen, um endlich den Kern zu fassen. Seine Verblendung war ganz ungezügelt. Er schwor, hinter jenem Metallpanzer Ellena zu begegnen. Schrie, daß nur eine dünne Schicht sie vom Verwesungsgeruch trenne. Es sei zu begreifen, warum die Nasen der ehrenwerten Männer versagt hätten. Eine verlötete Grabkammer, ein Schlachthaus mit metallenen Wänden. Ein Irrer oder

Erzverbrecher, ein Genie des Teufels habe Ellena geraubt, um eine Mumie aus ihr zu machen. Ein Sammler weichhäutiger Statuen. – Seine Stimme überschlug sich.

Georg Lauffer erschrak. Er versuchte den Rasenden zu beruhigen. Aber er richtete nichts aus. Man müsse hindurch, erklärte der Verlobte Ellenas. Der Handwerker hatte nichts anderes erwartet. Er hatte sich schon umgedacht. Er wies auf einen der drei Pitchpinebalken, den kleinsten, und bezeichnete ihn als geeignet, damit die Metallkulisse einzurennen. Georg Lauffer rang die Hände, stellte sich Gustav unter die Augen, beschwor ihn, er möchte es genug sein lassen. Der Verlobte Ellenas hörte nicht auf Worte.

Merkwürdig, dem Superkargo gelang es in diesen Minuten nicht, sich aus dem Bann des jungen Menschen zu entfernen. Der graue Mann stammelte seiner geängstigten Seele vor, daß der ihm anvertrauten Ladung nichts Übles geschehen werde, daß das Auffinden der Leiche Ellenas auch ihn vom Fluch eines Verdachtes befreien würde.

Ohne daß jemand sie herbeigerufen hatte, waren sechs Männer zurstelle. Sie waren aus den Spalten des Schiffes hervorgequollen. Ihr Antlitz war schwarz von Ruß oder Farbe. Sie hatten keine Meinung, nur eine Berufung, waren ganz entselbstet. Mit ihren Händen hatten sie schon den Balken, den der Zimmermann bezeichnet hatte, gelöst und auf ihre Schultern gelegt. Mit rhythmischen Schritten schoben sie sich gegen die Metallplatte vor. Dumpf dröhnend fuhr der Kopf des Balkens zum erstenmal gegen das entblößte Erz. Georg Lauffer war es, als ob er mit einem schweren Traum ringe und nicht erwachen könnte. Er blickte auf das verzerrte, ganz und gar entmenschte Gesicht Gustavs, das feucht glänzte; auf die ungerührten, teerigen Häupter der Unbekannten. Die Lautlosigkeit des Vorganges, nur unterbrochen durch das schneidende Pochen eines langsam hin und her schwebenden Balkens. Er glich einem riesigen Schlüssel, der ein unüberschaubar hohes Tor aufsperren wollte.

Georg Lauffer fürchtete sich. Er wollte die Laterne von sich stellen. Tat es auch. Aber er bemerkte sogleich, er hatte sie in einen offenen Mund getan. Es war der offene Mund eines Männchens, das gerade, inmitten einer Stille zwischen zwei Schlägen, ein Wort sagen wollte. Das Wort kam nicht mehr.

Georg Lauffer konnte es erraten. Aber er weigerte sich. Er ergriff die Flucht. Er erreichte die Stiege, schwang sich hinauf. Der Donner eines neuen Aufschlages holte ihn ein.
Als der Superkargo gegangen war, verdoppelte sich der Eifer der Unbekannten. Der Balken pendelte schnell hin und her. Die Stöße waren hart. Gustavs Augen glommen auf. Neben dem Gedröhn gab es plötzlich einen klingenden Scherbenlaut, wie wenn ein großer Spiegel herabfällt und zerbricht. Die Männer horchten auf. In der gleichen Sekunde, Gustav glaubte seinen Augen mißtrauen zu müssen, stürzte blank, vergleichbar dem frischen Kamm einer anspringenden Welle, hinter der aufgeschlitzten Holzwand Wasser hervor.
Klemens Fitte zwang seinen Kopf auf die Brust, stellte sich auf ein Bein und begann fassungslos zu weinen. Mit einem Ruck warfen die sechs Männer den Balken von ihren Schultern. Ein klatschendes Aufschlagen der Flüssigkeit. Der Zimmermann sagte, nachdem das Neue sich an allen vergangen hatte und empfangen worden war mit dem Groll Gefesselter und Betrogener und weiter würgte mit den gewetzten Klauen der tödlichen Überraschung – Klemens Fitte sagte mit leiser Stimme: »Helfen!«, warf sich gegen das flüssige Schwert, preßte seinen Körper mit ganzer Kraft vor den Spalt. Er richtete nichts aus. Er riß sich die Jacke ab, stopfte sie gegen das Wasser. Sein Hemd war ihm nicht zu schade. Auch die anderen Männer reichten ihre Blusen. Es schien, als ob es Klemens Fitte gelingen sollte, den Einbruch zu verstopfen. Er hatte, nach einem ersten Anfall von Verzweiflung, ungeheuer planvoll gearbeitet. Jetzt leckte er an seinen Fingern. »Salzwasser!« sagte er tonlos. Sogleich streifte er sich die Hose herunter, ballte sie in die Wunde des Schiffes. Er stand unbekleidet da. Sah mit steigendem Entsetzen, das Wasser quoll jetzt von unten herauf. Er wagte nicht mehr, die Männer um ihre übrigen Kleidungsstücke zu bitten. Er eilte zum Holzstapel, schlug die Verschalung los, zog ein paar Bretter hervor. Unbegreiflich, daß er in der Verwirrung den überfluteten Werkzeugkasten fand, Nägel herausfischte und sie mit beispielloser Schnelligkeit ins Holz trieb. Es gelang ihm in kurzer Zeit, den Spalt in der Bohlenwand zu schließen. Aber seine Anstrengung war ganz umsonst. Das Wasser im Kielraum stieg unaufhaltsam. Es mußte sich von unten herauf drücken. Gustav stand

ohne irgendein genaues Gefühl reglos da. Das Wasser reichte ihm schon bis an das Knie. Der Holzstapel begann sich zu zerteilen und auseinander zu schwimmen. Die Schlingerbewegungen des Schiffes warfen die salzige Flüssigkeit mit leichtem Schwung wiegend hin und her.
Auf der Stiege erschienen Kapitän und Superkargo. Mit einem Satz war Waldemar Strunck herab, patschte sich vorwärts. »Zimmermann!« schrie er. Vor ihm erschien der nackte Mensch.
»Ich habe alles versucht«, sagte der Handwerker.
»Ich verliere mein Schiff«, sagte Waldemar Strunck.
»Ellena«, sagte Gustav, »Ellena ist tot!«
»Es ist nichts mehr zu sagen!« schluchzte Waldemar Strunck.
In einer ungeklärten Anwandlung umarmte er den jungen Verbrecher. »Es muß gehandelt werden.« Er jagte die Männer die Stiege hinauf. Er sah, der Superkargo stand noch unten im Wasser. »Was wollen Sie tun«, fragte der Kapitän.
»Ich weiß es nicht«, antwortete der graue Mann.
Klemens Fitte schob einige der schwimmenden Bretter über die Stiege durch die darüberliegende Luke. Gustav verlor seine Lampe in den Fluten. Sie erlosch langsam. Er fühlte, der nackte Handwerker zog ihn aus der Finsternis nach oben. Die übrigen Männer mußten schon davongestürmt sein. Klemens Fitte hatte die Aufgabe, die Luke zum vorderen Kielraum zu vernageln und abzudichten. Gustav schlich hinauf.
Andeck waren alle Gasten in fieberhafter Tätigkeit. Die Offiziere hatten die Freiwachen aus den Logis herausgeschrieen. Halbbekleidete Gestalten. Der Kapitän kommandierte ein paar Segelmanöver, riß selbst mit an den Flaschenzügen. Einige Matrosen liefen mit Eimern, um Wasser in die Pumpen zu gießen. Gruppen standen schon ungeduldig an den Hebeln, ganz närrisch vor Begierde, ausschöpfen zu dürfen.
Gustav erkannte, das Vorderschiff fiel schräge ab; er spürte, wie seine Muskeln sprunghaft erstarrten, sich nicht mehr einer Absicht unterordneten; er war ohne Hoffnung. Ein Steuermann hatte Zeit, ihn zu belehren, daß das Einsinken des Schiffes ohne Bedeutung sei, wenn nur der Zimmermann seine Arbeit zuverlässig besorge. Und das Zeug müsse vom Fockmast herunter. Da gingen auch schon die obersten Rahhölzer abwärts.

Gustav jagte durch Gänge, Treppen hinab, um sich, selbstverständlich unnötigerweise, davon zu überzeugen, daß der Zimmermann nicht von seiner Arbeit gelaufen wäre. Es war finster im Schiffsrumpf. Gustav fand Klemens Fitte nicht. Gustav tastete den Boden ab. Die Luke war gut verwahrt, mit Segeltuch abgedichtet. Er wollte Klemens Fitte finden. Eine Ahnung trieb Gustav nach achtern. Die Dunkelheit war für ihn jetzt unerträglich. Dick wie Blut. Man erstickte darin. Er spürte Angst, einen namenlosen bitteren Geschmack. Er rüttelte an der Tür des Superkargos. Niemand schien in der Kammer zu sein. Gustav trat ein. Auf dem Schreibtisch stand eine Handlampe. Gustav nahm sie. Da gewahrte er: reglos, mit wachsgelbem Antlitz saß der Superkargo auf einem Suhl. Keine Bewegung, kein Laut verrieten, daß er lebte. Seine Augen waren untergetaucht in eine ferne, unreine Welt. Aber das Geschehen in ihr war stumm. Und die Worte waren keine Entsprechung für die Abläufe. Gustav schlich hinaus. Der graue Mann hatte ihn gewiß nicht bemerkt.
Als der Verlobte Ellenas beim hinteren Kielraum anlangte, hörte er Hammerschläge. Licht drang aus der Luke herauf. Gleich wußte Gustav, daß Klemens Fitte auch hier einen ungleichen Kampf auszufechten hatte. Da war wieder das fluchwürdige unbarmherzige Element.
»Es ist vergeblich«, sagte der Handwerker, als er Gustavs gewahr wurde, »bis an den Nabel reicht es mir. Und kein Holz zurstelle.« Er watete heran, stolperte, richtete sich wieder auf. Danach vernagelte er auch das Einsteigeloch zum hinteren Kielraum.
»Wir werden zwei Meter tiefer eintauchen«, sagte er, wie um sich selbst und Gustav zu trösten.
»Wollen Sie nicht etwas Kleidung anziehen?« fragte Gustav.
»Noch nicht«, antwortete der Handwerker, »es gibt noch allerlei Arbeit.« Er lief davon.
Gustav fand, er hatte keinerlei Eile nötig. Er kehrte in seine Kammer ein und sagte laut vor sich hin: »Alfred Tutein hat die Pflicht, G e f a h r zu rufen!« Er hörte ein verdächtiges Getrappel über sich auf dem Deck. Matrosen, durch irgendwelche Kommandos hin und her getrieben.
Die Tür seiner Kammer öffnete sich. Der Zimmermann, noch immer unbekleidet, sprach herein: »Es ist besser, Sie begeben

sich nach oben. Ich ziehe auch sogleich eine Hose an.« Er wandte sich ab.
Gustav machte sich auf, den Rat zu befolgen. Auf dem Gange begegnete ihm Paul Raffzahn. Er erzählte vollkommen unbefangen, im Laderaum sei eine Dynamitpatrone explodiert, und nun sinke das Schiff. –
»Man braucht Sie an einer Pumpe«, sagte Gustav, »außerdem lügen Sie.«
»Das ist eine Beleidigung«, sagte mit Würde der Koch, »aber Sie verstehen ja nichts von der Seefahrt. Man sollte dergleichen Leute niemals anbord eines Schiffes lassen.«
»Darin haben Sie gewiß recht«, sagte mit traurigem Hohn gegen sich selbst Gustav, »sie sind zu gutgläubig.«
Der zweite Steuermann kam die Treppe herunter, stürzte sich auf den Koch, schlug ihn mit der Faust in den Rücken, sagte: »Man hat Sie an Deck befohlen. Warum kommen Sie nicht?«
Der Koch schlich nach oben. Der Offizier wandte sich an Gustav: »Eine böse Geschichte. Wir haben schon mehr Wasser über dem Kiel, als der Kapitän zugeben will. Gehen Sie doch hinauf.« Er nahm drei Stufen zugleich. Gustav folgte ihm.
Alle oberen Segel waren gerefft. Die Masten erschienen kahl. Das Schiff lag flach auf dem Meere. Man hielt es knapp am Winde. Waldemar Strunck hatte gerade mit dem Mann am Ruder gesprochen, als der Verlobte seiner Tochter ihm begegnete.
»Wo ist der Superkargo«, fragte der Kapitän.
»Es ist eine Veränderung mit ihm vorgegangen«, sagte stockend Gustav.
»Das kann nicht in Betracht gezogen werden«, sagte schnell Waldemar Strunck, »ich will wissen, wo er ist.«
»Er sitzt wie tot in seiner Kammer«, sagte Gustav.
»Er hat doch Pflichten«, stieß Waldemar Strunck hervor, »wir befinden uns in Seenot. Der Laderaum scheint Wasser zu nehmen. Jedenfalls sinkt das Schiff hinten ab.«
»Ich werde zu ihm gehen«, sagte Gustav.
Über das Deck trabten sechs Männer mit verteerten Gesichtern.

*

Als Gustav in die Kammer eintrat, fand er den Superkargo noch in der gleichen leblosen Haltung wie vordem. Der Verlobte Ellenas rief laut den Namen des Mannes, rüttelte an seinen Armen. Allmählich erwachte der Entrückte aus seiner Erstarrung.
»Der Kapitän glaubt, in den Laderaum dringe Wasser«, schrie Gustav.
Georg Lauffer erhob sich, brüllte: »Das Frachtdeck bleibt versiegelt.« Er klappte den Deckel des Schreibtisches auf, schaltete an seinen Apparaten, stülpte sich den Bügel zweier Hörmuscheln über den Kopf. »Ich erwarte den Befehl vom Kapitän, daß ich Hilfe herbeirufen soll«, sagte er heftig, »meine Apparate ersaufen.« Er drängte Gustav hinaus.
Der Verlobte Ellenas berichtete dem Kapitän: »Der Superkargo will den Befehl, Hilfe herbeirufen zu dürfen.«
»Seine Ladung hat Wasser«, erklärte empört Waldemar Strunck, »wir müssen uns um die Ladung bemühen. Es müssen im Hinterschiff Vorkehrungen getroffen werden.«
»Der Laderaum bleibt versiegelt«, sagte Gustav, »der Superkargo weigert sich, das Betreten freizugeben.«
»Der Mann ist seiner nicht mächtig«, sagte Waldemar Strunck, »dann verlieren wir das Schiff.« Er wollte selbst zu Georg Lauffer hinab. Da trat ihm der erste Offizier entgegen.
»Kapitän«, sagte er, »es geht schnell. Achtern muß ein Unglück geschehen sein. Wir werden da hinabgezogen. Keine Viertelstunde mehr. Wir müssen in die Boote.«
Gustav, der den Bericht mit angehört hatte, lief, so schnell er konnte, in die Kammer des Superkargos zurück. Dort schrie er: »Telegraphieren Sie. Es ist sonst zu spät. Nach zwei Minuten müssen Sie andeck sein.«
Georg Lauffer klappte den Deckel seines Schreibtisches zu. »Ich habe schon gehandelt«, sagte er mit kleiner Stimme. Gustav trat auf den Korridor. Der Superkargo schlug krachend die Tür hinter sich zu und tappte wie blind nach oben.
Waldemar Strunck hatte offenbar den Befehl, die Boote klarzumachen, noch nicht geben wollen. Als er Georg Lauffers ansichtig wurde, drang er sogleich in ihn, den Zimmermann in den Laderaum zu lassen. Der Handwerker, inzwischen mit einer Hose bekleidet, stand bereit, toll, auch das gefährlichste Wagnis zu bestehen.

Georg Lauffer bewegte müde verneinend den Kopf.
»Es ist mein Schiff«, schrie der Kapitän.
»Die Ladung ist mir anvertraut«, sagte Georg Lauffer.
Auch dieser Streit nahm ein jähes Ende. Der greise Segelmacher kam heran. Er zitterte mit den Lippen und an den Händen. Er sagte in schlechtem Englisch, die Segelkammer habe Wasser. Er zeigte auf seine Füße und wollte andeuten, wie hoch es schon gekommen sei.
Waldemar Strunck widerstand nicht länger. Befehl: »An die Boote!« Der erste Offizier rief es über Deck. Hart hinterher die Anweisung: »Nichts mehr retten.«
Paul Raffzahn, der durch eine Hüttentür ins Schiff hinabwollte, stand wieder dem zweiten Steuermann gegenüber. Der Offizier schlug dem Widersetzlichen mit geballter Faust ins Angesicht. Der Koch taumelte zurück und begab sich nach achtern, um in das Boot zu kommen, dem er zugeteilt war.
Der Kapitän, der Verlobte Ellenas und der erste Steuermann hielten sich noch andeck.
»Haben Sie die Schiffspapiere«, fragte der erste Steuermann.
»Nein«, antwortete Waldemar Strunck, »ich will nicht.«
Der Offizier schaute ihn fassungslos an. Dann kletterte er in das Boot, das er zu führen hatte.
Waldemar Strunck schob Gustav quer über das Deck, mit einer letzten Aufforderung, sich zu retten. Die Bootsmanöver vollzogen sich ohne jeden Zwischenfall. Als drei Boote schwammen und vom Schiff abgestoßen waren, wurde auch das letzte, das der Kapitän befehligte, hinabgelassen.

*

Die erste bewußte Feststellung Gustavs bezog sich auf die Mitinsassen des Rettungsbootes. Drei Matrosen mit hellen, ziemlich farblosen Gesichtern, drei Matrosen, unkenntlich gemacht durch eine triefende Teerschicht. Neben Gustav hockte der Zimmermann, nur angetan mit einer Hose, die von Wasser durchtränkt war. Hinter ihnen der zweite Steuermann. Vorne, eingezwängt, einen dünnen Mantel über sich geworfen, der Superkargo. Sein Antlitz war wieder gelb und versteint. Die Lippen blutleer. Mochte er atmen. Er suchte das

Leben nicht mehr, er wollte den Tod noch nicht. Er war in der Verdammnis.
Dann schweiften Gustavs Augen hinüber zum sinkenden Schiff. Unvorstellbare Kräfte mußten es hinten gepackt haben und hinabziehen. Das letzte Ringen zwischen Schwimmen und Untergehen vollzog sich langsam. Es war wie eine feierliche Handlung. Die Vernichtung schien Eile im Letzten und Entscheidenden zu verabscheuen. Mit jeder entrinnenden Minute schraubte sich der Hinterteil des Schiffes tiefer. Der Bug hob sich. Das lichte Grün der vom Seewasser korrodierten Kupferplatten unterhalb der Wasserlinie zeigte sich, wie ein sterbender Fisch die elfenbeinerne Bauchseite zeigt. Es war eine Bewegung voll wunderbarer, ganz unirdischer Spannung. Es waren die letzten Augenblicke eines vergehenden Waldes. Das Entrücktwerden des stolzen Baues des alten Lyonel Escott Macfie stand bevor. Der Verlobte Ellenas war seiner nicht mehr mächtig. Er erwartete sich in dieser äußersten Minute eine Rechtfertigung des Unheils, das er angerichtet hatte. Daß eine Tür aufgerissen würde, der Eigentümer des Schiffes herausschritte, in seinen Armen Ellena. Daß, am Rande der letzten Möglichkeit, ihr Tod widerrufen würde.
Da tauchte das Heck in die Flut. Steil richtete sich die Stange des Klüverbaums auf. Eine weiße Schaumlinie zeichnete sich in den Ozean. Das Geräusch gegen die leichte Dünung aufklatschender Segel blieb in der Luft. Senkrecht über dem Wasser, stehend, den treibenden Booten zugewandt, eine halbe Minute lang oder eine ganze, zeigte sich die Galeonsfigur. Aller Augen hingen an ihr. Niemand entsann sich, sie vorher gesehen zu haben. Ein Bild wie aus gelbem Marmor. Eine Frau. Statue einer schimmernden, rauh behäuteten Göttin. Venus anadyomene. Die Arme, nach rückwärts geschlagen, verfingen sich in braunes, meerumrauchtes Holz, die üppigen Schenkel umklammerten den stolzen Baum des Kiels. Ein mächtiger, verführerischer Gesang zu den Männern hinüber. Eine dreiste Verheißung strotzender Brüste. Dann war die Erscheinung verschwunden.
Klemens Fitte hatte sich aufrecht gestellt. Mit geröteten Augen starrte er auf die Stelle, wo das Urteil über alle gesprochen worden war. Er sah den grausigen Sturz des gefesselten eingesargten Fleisches. Seine Lippen bewegten sich; dünn, wie wenn

ihm der Atem ausgegangen wäre, sagte er: »Arme Mutter.« Er kippte über den Rand des Bootes. Er sank unter wie ein Stein. Man schaute ihm nach; aber man sah ihn nicht wieder.
Das Boot des Kapitäns war nahe herangekommen. Waldemar Strunck machte den Versuch, sich mit dem Superkargo zu verständigen. Als der leere, horizontlose Blick des grauen Mannes ihn traf, gab er die Absicht auf.
Da löste sich ein lautes, herzbrechendes Weinen aus dem fetten Leib des Koches. Schwere Tränen rollten ihm über die Wangen. Waldemar Strunck, sehr unbeherrscht, fuhr ihn an, er solle sich zusammennehmen. Der Koch, vollkommen unbelehrbar, verdoppelte die Ausbrüche seiner Klage. Begleitet von geheimnisvollen Grimassen, erklärte er nach geraumer Zeit den Grund seines Schmerzes: zwei Gläser, teure, unvorstellbar fein geschliffene Likörgläser, lägen jetzt auf dem Grunde des Meeres. Über Waldemar Struncks Gesicht ging ein drohender Schein. Man erkannte, er bezwang eine große Gemütsbewegung.
Die Boote trieben voneinander. Trümmer des Schiffes wiegten sich mit der Dünung. Hinter mit schwarzem Teer verdreckten Stirnen kam ein Gedanke auf, den grauen Mann zu erschlagen und zu seiner Fracht hinabzulassen. Aber der Gedanke stob scheu wieder davon. Denn das Tun der Armen konnte niemals im Verborgenen geschehen. Der Mord der Schiffbrüchigen würde öffentlich sein. Straflos zugänglich war ihnen nur der eigene Tod. Die Macht des unbekannten Menschen war groß.
Am Horizont zeigte sich eine Rauchfahne. Vielleicht die gepanzerte Staatsgewalt. Die Errettung ihres Lebens. Nackt, vom Weibe geboren. Gierig nach nacktem Fleisch. Die Auslieferung an das Gericht.

Die Lebenden sind wenige,
die Toten sind viele.

Hinduistisch

Zweiter Teil

DIE NIEDERSCHRIFT DES GUSTAV ANIAS HORN NACHDEM ER NEUNUNDVIERZIG JAHRE ALT GEWORDEN WAR

I

November

Vor Jahresfrist begegnete mir ein Mensch, der mir Vertrauen einflößte. Er hatte ein gutes, kaum verwüstetes Gesicht, obgleich er schon die Hälfte eines durchschnittlichen Lebens hinter sich gebracht hatte. Seine Hände waren auffallend regelmäßig und kraftvoll zugleich. Auch in der warmen, mit Tabaksqualm gemischten Luft des Gastzimmers im Rotna-Hotel schwollen die Venen unter der Haut nicht an. Ich konnte nicht darauf kommen, welchen Beruf der Mann mit diesen Händen vollführte. Jedenfalls verrieten sie eine ungewöhnliche Gesundheit. Ein normales Verhältnis zur Umwelt. Ich brauchte nicht zu fürchten, auf eine kranke Meinung zu stoßen, die mein Mitleid erweckt, zugleich aber die Vorurteile in mir auf den Plan ruft. – Die Menschen betrachten das Schicksal mit den Augen ihrer Krankheit; diese Lehre habe ich empfangen. Und die Krankheit ist recht allgemein, allüberall, manchmal aufgezwungen, zumeist aber gewählt. – Die Lungenkranken, die die Sonne so übermäßig lieben, sind ständig von Hoffnungen entzündet; gleichsam badet sich ihr Dasein allmorgendlich im Licht, das wiedererstanden ist. Ihre Furcht ist nur wie eine Nacht. Sie hat keine Dauer. (Musiker, die von der Tuberkulose befallen sind, machen einen übermäßigen Gebrauch von der fröhlichen, zuversichtlichen hellgelben E-dur-Tonart; – ich schwerfälliger Mensch meide sie.)
Und die Lueskranken, die einen gewaltsamen Aufschwung ihrer Geisteskräfte erleben, wie wenn sich ein unerschöpflicher Born in ihnen aufgetan hätte. Sie sind gewalttätig, überströmend. Die Herren dieser Welt. Es gibt deren welche, die preisen die Krankheit als eine heilige. Keine hemmende Vernunft stellt sich zwischen sie und ihren geraden Weg zu den

Zielen. Sie vermögen die Stunden der Nächte denen der Tage anzuhängen, ohne einer tiefen Ermüdung anheimzufallen. Flüchtige Gedanken sind ihnen gut genug, um eine Wahrheit daraus zu erstellen. Sie kennen nur den halben Zweifel und die ganze Überzeugung. – Bis das Stottern über sie kommt, die Dämmerung, die den hohen Flug ihres Könnens verwischt. – Freilich, die Krankheit, welches Kleid sie auch trage, macht Unterschiede und richtet ihr Wesen nach Ratschlüssen ein, die uns unbekannt bleiben. Manchem löst sie die Riemen, die ihn gebunden haben, damit er sich entfalten kann, ein getäuschter Liebling der Vorsehung; andere zerschmettert sie gleich. Oder sie stürzen Stufe um Stufe, ohne noch einmal den Blick aufwärts zu erheben. – Die Zahl der Krankheit ist zehntausend. Ihr Feldzeichen ist die Entstellung. Ihr Ziel ist Verwesung.
Ich beschloß, die Kameradschaft des Gesunden zu suchen, um ihm den entscheidenden Abschnitt meines Lebens zu erzählen. Vielleicht erhoffte ich, ein Urteil von ihm zu bekommen. Und das Urteil wäre mir wertvoll gewesen – als der Spruch eines nicht heimgesuchten Menschen.
Ich redete ihn an – es war in der Gaststube des Rotna-Hotels – es gibt in der Hafenstadt drei Gasthäuser –. Ich setzte mich zu ihm, da er nichts dawider hatte. Von den verhängten Fenstern her kamen die Geräusche eines Sturmes, der die Straße entlang keuchte. Ich horchte hinaus. Ich hörte das Brausen der Finsternis. Ich sagte ohne Überleitung:
»Als vor dreißig Jahren die ›Lais‹ unterging, war ich dabei.« (Es waren in Wahrheit seitdem nur siebenundzwanzig vergangen.)
Er antwortete mir schon:
»›Lais‹ war doch der Name einer hübschen Hure, die vor ein paar Jahrtausenden Athen unsicher machte.«
»Es war ein schönes Schiff«, sagte ich.
»Schön muß sie gewesen sein«, antwortete er, »es wird erzählt, daß sie nicht nur den zahlungsfähigen jungen Männern gewöhnlichen Zuschnitts gefiel, sogar der einfältige Diogenes, der später in einer Tonne hauste, sich nicht wusch und nach Einbruch der Dunkelheit mit einer Laterne ausging, soll sich vorübergehend bemüht haben, ein ordentlicher Mensch zu sein, um ihr angenehm zu werden. Der hinfällige Sokrates hat die Augen nach ihr verdreht und so den Anlaß gegeben, daß

seine Frau Xanthippe den griechischen Wortschatz um einige erquickende Latrinenausdrücke bereichern konnte. Übrigens war damals kein Mangel an drastischen Redewendungen.«
»Es war ein schönes Segelschiff«, sagte ich, »ein dreimastiges Vollschiff, aus Teak- und Eichenholz gezimmert, ein prächtiger Bau, ohne Fehler. Mit Kupferstangen und Bronzebolzen waren die Balken zusammengefügt. Eine grüne Haut überzog das Holzwerk unterhalb der Wasserlinie. Der alte, sehr ehrenwerte und berühmte Lionel Escott Macfie aus Hebburn on Tyne hatte es erbaut. Es ging auf der ersten Fahrt unter.«
»Vor dreißig Jahren«, antwortete er, »dessen wird sich niemand entsinnen. Es ist unwichtig geworden.«
»Vielleicht leben noch viele der Besatzung«, sagte ich, »und der Schiffbruch hat sich ihnen eingegraben. Des Nachts träumen sie davon. Es hat vielleicht ihr Leben verändert, wie das meine verändert worden ist. Ich wurde angefaßt und aus der Bahn geworfen.«
Er antwortete mir: »Jedenfalls ist es schädlich, die Vergangenheit für etwas Wirkliches oder gar für etwas Wahrhaftiges zu halten. Der Mensch verändert sich mit je sieben Jahren von Grund auf. Es sind nicht die gleichen Muskeln. Nicht der gleiche Augapfel schaut sich die Erde an. Das Blut ist vielmals ausgejätet. Eine andere Zunge schmeckt die Speisen. Andere Süchte keimen. Das Ehemals ist mit dem Hauch der Lungen davongeflogen, entronnen mit dem Wasser der Nieren; ausgestoßene Speisen, das ist die Vergangenheit.«
Ich sagte sehr entschlossen: »Ich entsinne mich jedes einzelnen Tages, als wäre es gestern gewesen. Ich habe die Reden noch in meinem Ohr und kann sie mit unverfälschten Worten wiederholen.«
Er sagte: »Die Gelehrten streiten noch darüber, ob nicht sogar unsere Knochen und das Mark in ihnen zehnmal auf den Kehrichthaufen gekommen sind, ehe wir, sichtbar für jedermann, dort landen.«
Ich antwortete ihm: »Es gibt Menschen, die hinter den Wänden eines Zuchthauses Jahrzehnte verbringen. Und die Allgemeinheit behauptet, das unwandelbare Verbrechen, die nie ermüdende Schuld dieser Unglücklichen rechtfertige die Grausamkeit.«

Er sagte: »Die Allgemeinheit weiß nicht, was sie tut. Nach einem Jahrzehnt gibt es keine Identität mehr zwischen dem Verbrecher und dem Bestraften.«
Der Ausspruch, mochte ich ihn auch mit meiner voraufgegangenen Rede bekämpft haben, erschien mir von so viel Wahrheit erfüllt, daß ich mich verwundet fühlte. Traurig prüfte ich meine Meinung und fand, daß unsere Übereinstimmung auf verschiedenen Wegen herbeigekommen war. Ich sagte:
»In den meisten Fällen wird die Identität schon nach einer Stunde erloschen sein.«
»Das ist die höchst unbrauchbare und gefährliche Theorie eines Weltverbesserers«, brauste er auf.
Ich nahm den Tadel hin, gedachte meines eigenen verflossenen Lebens und blieb dabei, meinem Ausspruch Beifall zu zollen. Laut sagte ich: »Unsere Knochen, wenn man sie in die Erde gebettet hat, vergehen nicht in dreißig Jahren.«
Er sah mir schief ins Angesicht und sagte: »Sie haben unstete Gedanken. Es müßte verboten sein, dergleichen zu erörtern, wie wir jetzt tun. Es macht die Menschen unruhig. Niemand wird es verteidigen mögen, daß Unschuldige lebendig vermauert sind. Niemand kann sich daran erbauen, daß seine Grabruhe gestört wird, solange er noch da ist. Gewiß aber geschieht das eine und das andere. Die Wißbegier ist unser Feind. Genaue Kenntnis der Zusammenhänge macht böse Gedanken. Wir haben schon zuviel davon. Überall entsteht Unordnung. Die Regierungen werden davon überflutet. Die Krankheiten werden zu Wichtigkeiten. Die Menschen verlernen es, unauffällig zu sterben. Sie wollen richten, wo es kein Urteil geben kann. Sie verlangen Gerechtigkeit und brauchten doch nur wegzuschauen, wenn ein paar Opfer zermalmt werden, um glücklich zu sein.«
Ich sagte: »Es wäre ein unechtes Glück, ein oberflächliches.«
Er lachte und antwortete: »Sie leben ungesund, wie mir scheint. Sie pflegen Ihre Seele. Die Erinnerung, deren Lob Sie singen, ist gewiß Ihr einziger Besitz. Sie retten ihn durch alle Fährnisse Ihrer Verwandlung hindurch.«
»Ich bin nicht ärmer als die vielen«, antwortete ich.
»Niemand kennt die eigene Armut«, sagte er, »solange er noch Geldeswert sein eigen nennt.«

Ich widersprach ihm. Aber vielleicht waren meine Argumente schwach. Er glaubte mich mit ein paar heftigen Ausfällen überrennen zu können.
»Die Armut«, sagte er, »erkennt man an der Langweile. Ein Mensch, der von früh bis spät arbeitet, ohne sich umzuschauen, ist niemals arm. Die, die in den Sielen umkommen, sind die glücklich Reichen gewesen. Sogar der Todeskampf wird ihnen erspart.«
Ich sagte: »Ich habe gesehen, wie ein alter chinesischer Lastträger in einer Straße von Cape Town starb. Er trug drei Körbe übereinander auf seinem Kopfe. Zufällig sah ich ihn zwanzig Schritte bevor er umfiel. Diese zwanzig Schritte waren ihm schwer wie nichts vorher in seinem Dasein. Und jeder nächste schwerer als der voraufgehende. Die Zähne gingen ihm auseinander. Die Augen wichen dem Wege vor ihm aus, so daß man nur das Weiße zwischen den Lidern sah. Ein gelber Schweiß stand ihm an der Stirn. Die Rippen hoben sich flackernd, als wäre die glanzlose, staubige Haut ein Tuch im Winde. Dann fiel er quer über die Straße. Niemand erschrak. Niemand beugte sich über ihn. Ich war der einzige, der stehen blieb. Negerkinder liefen herzu und stahlen die Körbe und ihren Inhalt. Nach geraumer Zeit kam ein Polizeibeamter vorüber, setzte seinen Fuß in den elenden Bauch des leise Röchelnden. Ich glaube, er trat fest zu. Ich wich zurück in den Schatten eines Hauses. Dort blieb ich stehen, bis ein Fuhrwerk kam, den Umgefallenen auflud wie einen Sack fauler Äpfel. Ich konnte nicht erkennen, ob der Lastträger den Engel des Todes schon begrüßt hatte. – Damals glaubte ich, ein äußeres Zeichen der unerbittlichen Armut erkannt zu haben.«
»Sie haben sich eben geirrt«, antwortete mir mein Gegenüber kurz und fügte sogleich hinzu: »Es ist doch Langweile, die Sie treibt, mir den Untergang des Segelschiffes zu erzählen. Ich habe nämlich weder danach gefragt noch sonst eine Anteilnahme bekundet. Unglücksfälle sind mir schlechthin zuwider. Bis jetzt hat niemand eine brauchbare Theorie zu ihrer Erklärung geschaffen. Ich befasse mich auch nicht mit der Frage, ob der Regen auf dem Mars aus roten Tropfen besteht.«
Ich antwortete ihm sogleich, daß gerade die Unerklärbarkeit der Ereignisse mich veranlaßt habe, aufdringlich zu werden.

»Sie sind an den Unrichtigen gekommen«, sagte er mit geruhsamer Stimme, »ich halte mich nur an die offenbaren Geschehnisse. Ich liebe die Gegenwart, mißtraue der Zukunft und hasse die Vergangenheit aus Instinkt.«
Ich sagte: »Die offenbaren Geschehnisse, wie Sie sie nennen, sind doch unergründlich wie der Weltenraum. Das ist ihr Wesen. Vor ihnen liegt eine Schuld, ein Gesetz, ein Anlaß, jene unentschleierte Kraft, die uns schwindeln macht, wenn wir ihren Hauch verspüren.«
Er blickte mich prüfend an. Ich konnte fortfahren: »Gewiß, wenn man den Tag liebt und nichts weiter braucht als die gegenwärtige Stunde, kann man sich mit wenigen Aufschlüssen begnügen. Ein paar Formeln und Übereinkünfte können weit tragen. Und das Fragwürdige ist nach vierundzwanzig Stunden vergessen. Wenn man jedoch in einen Strudel gerät, der einen auch nach einer Woche nicht freigibt, wenn man glaubt, in die fernen schneeigen Augen des Nichtwesens schauen zu müssen – wenn sich einem die Vernunft allmählich verdünnt und man die Dinge in die gleiche Verdünnung stürzen sieht, erst ins Durchsichtige und dann der großen Null entgegen –, dann reicht die handliche Lüge einer einfältigen Kausalität nicht aus.«
»Wenn Sie der Schuh irgendwo drückt«, sagte er sehr schlicht, »mir können Sie es anvertrauen. Ich bin nicht geschwätzig und, wie Sie wohl bemerkt haben, auch sehr vergeßlich.«
Ich schrak bei diesen Worten zusammen. Mir war, als hätte die Mitleidlosigkeit gesprochen, der Haß des Menschen gegen seinesgleichen. Die Anklage gegen sein Tun. Ich antwortete und schämte mich nicht der Absicht, den anderen zu verblüffen:
»Ich bin ein Abenteurer. Das ist mein Beruf. Sonst bin ich ein ehrenwertes Geschöpf. Der Wirt wird Ihnen ein gutes Zeugnis über mich geben.«
Er lachte maßlos.
»Hinter Ihnen steckt also doch ein vernünftiger Mensch«, sagte er. Und sogleich zog er aus seiner Rocktasche ein winziges, sehr schön gearbeitetes Roulettespiel hervor.
»Kennen Sie das?« fragte er.
»Ja«, sagte ich.

»Soll ich Sie lehren, wie man es fertigbringt, Herr über das Glück zu werden?«
Er wartete meine Antwort nicht ab, zog aus seiner Brusttasche einen Stoß Blätter hervor, die über und über mit Zahlen bedeckt waren.
»Die Mathematik regiert den Zufall«, fuhr er fort, »die Geheimnisse der Zahlen sind das Gesetz der Stunde. Im Anfang, merken Sie sich's wohl, waren die analytische Geometrie, das Integral und die Logarithmentafel. Die Bahnen der Sterne sind genau berechnet worden. Die ganze Schöpfung ist ein Kunststück der Algebra.«
Ich beruhigte mich bei diesen Worten ein wenig. Die Gedanken, die er von den Zahlen vortrug, mochte es auch grobschlächtig ausgedrückt sein, waren ja nicht unvereinbar mit meinen Fragen, die ich dem Fernen gestellt hatte.
Er sagte jetzt: »Wollen wir ein Spiel versuchen?«
Ich lehnte es ab.
»Ich denke, Sie sind ein Abenteurer?« antwortete er mir. Da stürzte ich wieder in das Mißtrauen hinein, das mich vor einem Augenblick berührt hatte. Er ließ die Tabellen und die Spieldose verschwinden.
»Sind Sie ein Freund von Pferderennen?« fragte er mich.
Ich antwortete nicht.
Er fuhr fort: »Es laufen ihrer zehn oder zwölf Pferde. Eines muß das erste werden. Hinterher ist eines das erste gewesen, und nur dieses und kein anderes konnte es sein. Wenn man eine Wette eingeht, kommt es darauf an, nur auf das eine zu setzen.«
»Aber es sind ihrer zehn oder zwölf Pferde zurstelle«, sagte ich nachäffend als Einwand.
»Das ist nur scheinbar so«, sagte er, »oder richtiger, es ist eine ungründliche Beobachtung. Es ist nur ein Sieger zurstelle. Es kommt darauf an, ihn zu sehen. Man kann ihn erkennen, ohne zu wissen, wie ein Pferd beschaffen ist.«
Er langte eine Liste von Pferdenamen aus seiner Manteltasche herbei.
»Ich erkenne den Sieger stets an seinem Namen«, fuhr er fort, »an der Zahl der Buchstaben und ihrem Verhältnis zu dem der Verlierer. Man muß ein wenig addieren, subtrahieren und dividieren, und alsbald kommt das Richtige heraus. Die lästige

Zeit vor einer Entscheidung kann man mit Hilfe der Intuition überspringen. Die Zeit ist so perspektivisch wie eine Landschaft. Ich wette oft, verliere nie. Die Rennbahnen aber meide ich.«
Er begann eine Anzahl von Pferdenamen von der Liste abzulesen. Mit lauter Stimme nannte er Quersummen. Zufällen der Druckanordnung legte er große Bedeutung bei. Er sagte endlich, daß im kommenden Frühjahr in den Oaks von Epsom die Stute Nelly Hill als Dreijährige gesiegt haben werde. Er schlug mir vor, seine Methode zu prüfen und einen Wettkontrakt abzuschließen. Es gebe Wettbüros, die zuverlässige Makler seien.
Ich unterbrach ihn und lehnte das Anerbieten ab. Unvermittelt wechselte er den Gegenstand des Gesprächs und fragte mich:
»Haben Sie je eine Schule besucht, auf der gelehrt wurde, wie man mannbare Mädchen gewinnt und ihrer wieder ledig wird, ohne zu viele Mühe mit den Tränen zu haben, die sie vergießen, wenn es ans Scheiden geht?«
Ich schwieg. Es ist ein Mangel an mir, daß ich nicht schlagfertig bin. Bei vielen Gelegenheiten schon mußte ich wie ein Dummer zurückstehen. Es ist eine Art der Wehrlosigkeit, die mir immer entehrend vorgekommen ist. – Die Gelegenheiten nutzen. – Das habe ich mein Leben lang versäumt.
Jetzt sprach er wieder: »Zu den Veränderungen ist man genötigt. Man ist nicht einmal grausam, man erweckt nur den Anschein. Wenn wir nach sieben Jahren nicht mehr die Gleichen sind, wie könnten wir dann noch denselben Menschen lieben? Und der gleiche Mensch ist auch nicht mehr er selbst. Was ist das überhaupt, unter vielen Millionen nur einen Menschen zu lieben? Man liebt ihn niemals so, wie es dargestellt wird. Man liebt sich selbst und erst im Schatten des Selbst den anderen. Aber man liebt zugleich den Schlaf, seinen Hund, ein Buch, einen Baum, das Wasser, den Sommer, das Angenehme, das am Wege liegt. Und man hadert mit den Störungen. Die große Liebe, die sò oft beschworen, aber nur selten wirksam wird, wächst aus der gleichen Wurzel wie das Verbrechen. Sie dauert sieben Jahre und ist eine abgrundtiefe Verirrung.«
Ich seufzte. Er sagte:
»Das gefällt Ihnen nicht? – Es kann bewiesen werden, die

Trennungen, nicht die ausgesprochenen, sondern die tatsächlichen, vollziehen sich in viel dichterer Reihenfolge, als sich die Liebenden träumen. Kleine Veränderungen, eine Halsentzündung, ein leiser Wechsel im Geruch des anderen, weniger: bis gestern aß man gerne Bohnensuppe, morgen schon mundet sie einem nicht – kleine Veränderungen der Konstitution machen einen großen Ausschlag auf der Skala der Gefühle. Wieviel mehr die großen Orkane, die über die Säfte unseres Körpers dahinbrausen! Man muß das wissen, wenn man sich nicht unnütz erschöpfen will.«

Ich hatte mich gesammelt. Ich sagte: »Ich bin auf eine andere Schule gegangen –.«

Er unterbrach mich sofort und sagte: »Ich weiß, daß es Ihnen nicht gefällt.«

»In der Tat«, antwortete ich, »es mißfällt mir so sehr, daß sich mir eine Reihe Entgegnungen aufdrängt, die ich zu ordnen Mühe habe.«

»Ihr Standpunkt ist verworren. Sie gestehen es selbst«, sagte er.

»Ich möchte mich gerne zurückziehen«, sagte ich, »aber es fällt mir schwer, die Nachrede, unterlegen zu sein, auf mich zu nehmen.«

Zornig fragte er mich mit voller Stimme: »Sind Sie etwa einer jener Unglücklichen, die das Verbrechen der Liebe auf sich genommen haben? Ist das Ihr beschwerliches Abenteuer? Fing es mit dem Scheitern des Segelschiffes aus Hebburn on Tyne an? Ist das schmale Erbgut, das Sie Ihr Erinnern nennen, auf Wucherzinsen gebracht, die dürftige Rechtfertigung Ihres Fehltritts? – Sie sind verblendet, Sie türmen nur Fluch auf Fluch, wenn Sie in Ihrer Verlassenheit und Armut verharren. Ein verschämter Armer sind Sie, der Straßenbettlern noch Pfennige gibt!«

Ich schwieg betroffen. Nach einer Weile sagte ich:

»Sie haben mich daran gehindert, zu erzählen. Daraus ist ein Mißverständnis entstanden.«

Er sagte: »Man sollte glauben, Sie wären unfähig, ja oder nein zu antworten.«

»Ich will nicht«, antwortete ich mit schwachem Trotz.

»Mich geht Ihr nutzlos vertanes Leben nichts an«, sagte er.

»Es ist bis jetzt nicht schlechter gewesen als der Durchschnitt«, antwortete ich.
»Sie kennen den Durchschnitt ja gar nicht«, sagte er.
Der Wirt hatte sich zu uns an den Tisch gestellt.
»Streiten die Herren miteinander?« fragte er.
Der Fremde schüttelte lachend den Kopf. Ich erhob mich, ging an den Nebentisch und bestellte ein Glas starken schwarzen Bieres. Es wurde sehr still in der Stube. Ich spürte den beginnenden Aufstand, den die Zweifel anzuzetteln vermögen. Ich trank das Bier hastig. Stoßweise wuchtete sich der Sturm durch die Straße. Er trieb eine leere Sehnsucht vor sich her. Die leichten Gegenstände flohen vor ihm. Kahle Zweige schlugen hilflos gegen die Dachtraufe. Eine schwere, eine warme Müdigkeit befiel mich. Meine Ohren hörten die geräuschvolle Nacht, meine Haut suhlte sich in der lauen Wärme. Der träge Augenblick wich schnell. Als ich das zweite Glas schwarzen Bieres bestellte, war der Fremde fort.

*

Es war kein gelinder Sturm. Er brüllte. Die Luft, schwarz, rein und dicht, fiel flockig in die Lungen ein. Und die Flocken schmeckten salzig; ich sog ein gewaschenes Gas. Am Ende der Straße, abwärts, lag der kleine Hafen. Die weißen Mauern aus Meerstaub mußten vor den Molen wachsen und wieder vergehen. Immer wieder hochgeschleudert der flüssig flüchtige Gischt, immer wieder das Zusammensinken, das Ausweichen in den schwarzen Urgrund des bewegten Wassers. Das Spinnweb der nackten frierenden Masten, aufgepflanzt auf den kleinen Segelschiffen, wiegte sich schaukelnd im Strom der Winde. Die Flötentöne der Takelage kippten sich in die rasende Bewegung hinein, vergingen, fanden sich wieder unter den Ziegeln der Dächer. Die Dunkelheit verbarg meinen Augen die klatschenden Sturzwasser und die winselnden Fahrzeuge, die nicht wissen konnten, wie stark die granitene Festung der Molenmauer war. Ich ging die gekrümmte Straße nicht hinab, um im Regen der Brandung zu stehen. Mich fror. Wie lauter feine Nadeln sickerte der Sturm durch das Gewebe meines Mantels und kam leckend bis an meine Haut. Er war mir im

Rücken. Er trieb mich die Straße hinauf. Wie schwarze Hunde jagte es an meinen Füßen vorbei, mir vorauf. Aber der Atem der nächtlichen Geschöpfe war kalt. Ich schritt aus. Meine Schritte wurden länger und länger. Mir war, als hätte der Novembersturm mich unter die Arme genommen. So erreichte ich die Höhe, wo der Weg im scharfen Winkel nach Osten abbiegt. Ich hielt nicht inne, wie ich so oft getan, um auf die Landschaft unter mir zurückzublicken. Sie war auch abgesunken bis auf den kleinen Kreis, zehn Meter um mich herum. Ich war ganz allein auf einer ertrunkenen Welt. Jetzt kam der Sturm mir seitlich entgegengeritten. Er preßte sich gegen die eine Hälfte meines Gesichts. Schlug die Wange, daß sie kalt erglühte. Von Zeit zu Zeit hielt ich meine Augen in die stoßenden Schwaden. Die flimmernde Kraft der Bewegung ätzte sich bunt in den fernen Hintergrund meines Gehirns. Ich schritt hastig aus. Ich hatte gewiß Maß und Häufigkeit meiner Schritte nicht vermindert, obgleich der Sturm aufgehört hatte, mein Förderer zu sein, und mich mit seinem Gewicht bedrängte. Da spürte ich, mein Herz schlug gewaltig. Der Rand meines Hutes saß mir wie ein Reif um die Stirn gepreßt. Ich riß ihn ab. Meine Haare troffen von Schweiß. Ich blieb stehen und gab meiner eingeschüchterten Seele den Bescheid, daß ich auf der Flucht sei. Ich war in den mir eigentümlichen Zustand des unbewußten Denkens gekommen. Ich hatte eine Wegstrecke lang mit dem Fremden vom Gasthause gehadert. Er war noch bis vor kurzem ein Teil der ehernen Donnerstimme am Rande meiner Einsamkeit gewesen, als mein überlegener Gegner. Ich hatte ihm das Luftschloß meines Lebens gezeigt. Das tugendlose Dasein, das ich mir nicht gewählt; nur verschmäht hatte ich es nicht. Ich habe die Zufälle hingenommen und mich mit ihnen eingerichtet.

Ich entdeckte auch nicht einen Bodensatz an Reue. Gleichsam entwich die Moral, wenn von mir berichtet wurde. Das Urteil über mich wurde als belanglos nicht ausgesprochen. Das Vergangene hatte kein Gewicht. Und doch spürte ich, mein Gegner war es, der mir mit seiner lässigen Verachtung mein Erinnern verdünnte, um mich zu verkleinern, hineinzustauchen in den Augenblick, der mich mit Armut überziehen mußte. Schon waren die Stimmen da, die mir sagten, ich hätte

nur gelebt, um meinen Bauch zu füllen, aus Pflanzen und Tieren Kot zu machen und die reine Luft des gläsernen Gewölbes mit meinem Atem zu trüben. Nicht einmal die Pflicht der kleinen Tiere, die da kommen und vergehen, hätte ich erfüllt, Kinder zu zeugen, ein Teil des Wachstums zu sein, das ferne Zeiten erreicht. Da hatte ich zu laufen begonnen.
Wie ich schweißtriefend stand, begriff ich, ich konnte jenem, der hinter mir geblieben war, Rede und Antwort stehen. Und so begann ich:
»Ich bin kein Prediger«, sagte ich, »den Armen Geduld reden, den Reichen Buße. – Mir fällt das ein wie ein Ding. Es ist ein Kiesel vor meinem Fuß. – Es ist ein falscher Ehrgeiz, nach dem Durst der anderen zu lechzen, um ihn würziger zu stillen, als sie es vermögen. Man kann nichts gegen die anderen sagen. Es ist alles richtig, was sie treiben, denn die Schuld ist verschleiert. Die Wege und Stege der Prediger gehen über die Trümmer aller Sinne, mit denen gegeben und genommen wird. Ich bin einer der anderen, die keine Gnade vor den strengen Augen finden. Ich habe meinen Durst oberflächlich, nicht mit Bedacht gestillt. Ich habe es gehalten wie die Tiere, die nicht Könige und Minister werden, Orden haben und Paläste bewohnen wollen. Ich bin abseits gewesen.«
Unter meinen Füßen knirschten Schotter und Kies; der Sturm schrie von unter mir herauf. »Es muß schlecht mit mir stehen, daß ich mich mit Gedanken plage«, sagte ich zu mir. – Gegen das Finstere, Unsichtbare, Unausschöpfbare eifern. Ich bin an allen Gliedern krank, wenn es der Zufall will. Ich stürze ohnmächtig hin, wenn mir ein Tropfen Blut außerhalb seiner Bahn ins Hirn dringt. Ich bin wehrlos. Und jener Stolze, der mich verfolgt, ist es auch. Auch für ihn wird einmal das Grab geschaufelt. Ich habe einen entlegeneren Pfad durch die kurze Zeit, die ich kenne, gefunden als die meisten. Ich bin am Rande des Abgrundes; aber es ist der Platz, der uns zukommt. Alle stehen dort. Die Älteren in den vordersten Reihen. Der Tod braust in der klatschenden Tiefe; der blaue neblige Schein, der heraufdringt, ist das eisige Feuer, in das wir gestoßen werden, der verzehrende Frost der Unendlichkeiten. Der Gottesodem, der uns die Gefühle ausweht.
Ich schritt aus als ein weniges einsames Fleisch, das einen

Schutz sucht. Ganz innen glaubte ich zu fühlen, daß ich ein Gerät sei, dessen Zweck verworfen worden ist und das nun zerbrechen muß. Ich fürchtete mich. Ich lief. Ich war auf der Flucht. Welchen Namen hatte meine Angst? –
Da kam ich in den Windschatten eines Waldes. Eine mir vertraute Landschaft. Bemooste feuchte Klippen, die schon fast im Humus ertrunken waren. Tümpel ohne Abfluß zwischen ihnen, hin und wieder ein jäher Spalt. Schlanke Birken gegen den Himmel. Ein züngelndes Rauschen von ihren Kronen herab fiel in den Windschatten. Ich glaubte in der Finsternis zu sehen, wie ihr schwärzeres Zweigwerk, gleich zerrissenen Wolken, brandend gegen den reitenden Sturm stieß. Knorrige Wintereichen am Rande des dürftigen Sumpfes. In ihren vergilbten Blättern raschelte es wie von tausend heimatlosen Tieren. Von fernher, wie mit weichen Schwingen, aus der Tiefe des Waldes, wo der modrige Boden hundertjährige Eschen ernährte, kam ein schweres Brausen, ein klagender zehntausendzüngiger Ton, hohl und tief, ein langhallender Anruf, ein verzehrender an- und abschwellender Laut. Ich blieb abermals stehen, bebend; über mich hinweg wälzte sich die Flut der Mahnung. Der Posaunenton, der dem Endlichen die Grenzen zieht. Welchen Namen hatte meine Angst? – Ich hörte nur den einen Orgelton. Gegen welchen Teil meines inwendigen Wissens wird jetzt geschlagen? – Es ist das Entsinnen an die Vergangenheit, an alle Begegnungen mit Menschen, Tieren, Pflanzen, Steinen, mit den Farben der Luft, mit der Vielfalt der Gegenstände, Wege, die meine Füße beschritten, unbekannt wie beim erstenmal. Der Geschmack auf meiner Zunge, brennend, salzig oder süß. Unser zuckender Leib im Strom der Stunden. Das Gedächtnis unserer Seele, die unauslöschliche Gegenwart der Gefühle, die unser Körper schon verloren hat, die aber bewahrt geblieben sind an einem innersten Ort, den wir nicht kennen. Und das plötzlich unser Dasein vor uns ausschüttet als die Summe ungeklärter Erfahrungen, ungeheilter Schmerzen, unwegsamer Begierden. Tränen, die wir den Sternen anbieten, dem schmachvollen Leid unserer Mitgenossen im Fleisch, den Wehrlosen und Tieren. – Könnten wir ihn fürchten, IHN, am Rande der Zeit, jenen Boten des bebenden Schweigens, den Flüsse furchtsamen Blutes umströmen, des-

sen schwarze Strahlen, funkelnde Sicheln, vor den Lauf aller Gehetzten gestellt sind, IHN, den brünstigen, unersättlichen, ewig mageren Tod – wenn wir seine rissigen häßlichen Schultern nicht vorher gesehen? Könnten wir das Vergehen fürchten, wenn es nicht mit grausamem Ausdruck um uns her blühte, üppig wie Anemonen im Frühling? Wenn nicht aus allen Schößen und Mündern, aus allen Krumen der Erde, aus allen Wassern, den fließenden und den gärenden, das graue borkige Antlitz aufgetaucht wäre und unsere Hoffnungen zerschunden hätte?
»Ich fürchte mich vor den Lehren, die meine Seele empfangen hat«, sagte ich zu mir selbst. »Sich zu rechtfertigen ist leicht. Das Unabwendbare hinzunehmen ist schwer.«
Das tiefklingende Brausen wuchs an.
»Ich muß mein Haus erreichen«, sagte ich zu mir selbst. »Ich darf mich nicht aufhalten. Meine Erklärung an meinen Peiniger ist kurz genug: Ich bin noch da, weil meine Vergangenheit bei mir ist. Noch ist mein Leben stark, weil mein Entsinnen wach ist. Ich sehe die Zeit deutlich, die sich an meinem Dasein gemessen hat. Meine Augen sind nicht ausgefallen, um nur noch diesen Augenblick zu sehen, den letzten, den einzigen, die tote Zeit und den toten Ort, die nichts mehr von der Schöpfung wissen, die den Lärm des Sturmes nicht hören, weil sie die Stille nicht kennen. Ich erschrecke; aber ich erstarre nicht.«
Aus dem Walde kam ein Schrei, der mich fast lähmte. Ich erkannte sogleich die Ursache; zwei starke Äste hatten sich wild stöhnend aneinandergerieben. Meine Vernunft konnte den Wirbel der Geräusche zerlegen. Rinde und Bast waren schon in der Vergangenheit zerschlissen worden; nacktes, hartes, zähes Holz rieb sich im Windmeer gegeneinander. Aber das Mark in meinen Knochen gefror trotz der Unterweisung, die mein Verstand gab.
»Bäume reden nicht. Bäume reden nicht. Bäume reden nicht.«
Das wußte mein Entsinnen. »Kreischend kommen die Schläge des Zufalls.« Ich lief. Der Sturm hatte mich wieder. Ich vergaß meinen Widersacher. Ich kämpfte gegen die Finsternis und gegen die Schreie. Ich hatte den Weg unter meinen Füßen. Das Unglück fing mich in jener Nacht nicht.

*

Ich kam im Hause an. Als ich Licht machen wollte, ein Zündholz anreißen, hörten meine Ohren, daß ich keuchte. Die Flamme sprang auf, aber der Strom aus meinen Naslöchern blies sie sogleich wieder aus. Das zweite brennende Zündholz zeigte mir, daß meine Hände zitterten. Ich machte große Schritte, um die Wohnstube zu erreichen. Hinter der Tür lag noch die Wärme des Ofens. Die wohnliche Wärme, ein mir vertrauter Ruch. Ich fand die Lampe, entzündete sie. An meine Füße schmiegte sich Joas, mein getigerter Kater. (Schon ein paar Monate später ist er in den Stürmen der Brunst umgekommen. Ein Gegner oder eine spröde Umworbene hat ihm ein Auge ausgerissen. Diese Wunde habe ich noch ansehen müssen. Ein paar Tage lang pflegte ich ihn. Dann nahm ihn, den Halbblinden, der Trieb, jagte ihn auf die Nachbarhöfe. Er verschwand.) Auf seinem Lager winselte leise Eli, der greise Pudel, schlug freudig und ungläubig den Fußboden mit dem Schwanz. Er hatte nicht an meine Rückkehr geglaubt. Der Zweifel stand in seinen Augen.

»Er weiß«, sagte ich mir, »es kann geschehen, daß ich ausbleibe. Er weiß, ein Mann, ein Gefährte, ist vor so und soviel Jahren ausgeblieben. Hat sich verändert. Ist aus einem Lebenden zu einem Toten geworden.«

Ich rief den Hund herbei. Allmählich wurde seine Freude ungetrübter. Die Angst wich.

Ich entschloß mich, trotz der späten Nachtstunde, noch einmal Feuer in den Ofen zu legen. Das weiße Birkenholz, spröde und trocken, duftete noch nach harzigem Wachstum, nach Erde, nach kühlem Laub. Ich riß sich kräuselnde Rindenfetzen von einigen Scheiten, hielt ein Zündholz daran. Mit roter, schwarz blakender Flamme verzehrte sich die Haut des Baumes; leise knisternd und fauchend rollten sich die schmalen Streifen noch enger ein – mit den Bewegungen der Schlangen. Der Duft der Flamme, seit Jahrzehnten ist er mir vertraut – wie die oft gelesene Seite eines Buches –, weckt Erinnerungen, läßt ein Land entstehen, seine Gebirge und Flüsse, Tiere, Menschen und Trolle: Norge. – Kristi aus Urrland hat es mich gelehrt, mit Birkenrinden das Feuer im Ofen zu entzünden. – Meine Augen, damals, entdeckten, daß die Zeichen auf der Rinde Noten waren. – Meine Hände schichteten über die dunklen Flammen einen kleinen Scheithaufen aus Spänen. Dünnere

Spaltstücke darüber. Helle, blauschimmernde Feuerzungen, genährt vom weißen Holz, leckten in die herben Schwaden weißen Rauches hinein. Festere Kloben tat ich ins Feuer. Prasselnd schälte erste Glut die Splitter von den Scheiten, überzog das reine Holz mit Flammen. So wuchs das Feuer. Ich starrte in den Brand dieser chemischen Hochzeit, ohne zu wissen, was ich dachte. Ich sah die Einzelheiten des Vergehens deutlicher als jemals vorher. Das Licht, die Wärme strahlten in mich hinein und kleideten mich mit einer süßen Traurigkeit aus. Ich spürte, Müdigkeit überfiel mich. Und mit dem Schlafhunger verbitterte sich die Traurigkeit zu einer weglosen Melancholie.

»Diese Stunde gehört mir noch«, sagte ich zu mir, »die nächste schon ist ungewiß. Das Morgen ist ungewisser, ungewisser noch das nächste Jahr. Am Rande meines Alters öffnet sich das kalte Tor, hinter dem es keine Stunden mehr für mich gibt.«

Ich schloß die eiserne Tür des Ofens, richtete mich auf, setzte mich an den Tisch, rückte die Lampe zurecht, so, daß ihr Schein auf die niedrige Teakholztruhe fiel, die an der Längswand des Zimmers steht. Ich sprach dann in Gedanken das eine und andere mit der Truhe, die ein Sarg ist. Eine schöne starke Kiste, braun poliert, von der Größe eines Sarges, wohl verwahrt mit langen und dicken Messingschrauben; im Innern, unsichtbar, mit Messingschienen zusammengeklammert, mit Pech verklebt. Und Alfred Tutein, mein Freund, liegt darin. Unerkannt, vielleicht nicht mehr erkennbar, eingelötet in einen Kupferbehälter. Seine letzte Gestalt, die er mir gezeigt hat, in meinem Erinnern notdürftig aufbewahrt. Eine Wirklichkeit von Knochen und mürbem Fleisch. Gebilde ohne Wert. Aber mir kostbar, die Summe meines Lebens. Eine schöne starke Kiste von der Größe und Gestalt eines Sarges, doch ohne die profilierte Feierlichkeit der Moderkisten, die man einscharrt oder verbrennt.

Hin und wieder hat ein Besucher seinen Blick daran gehängt, fragend, mißtrauisch. Oder auch gleichgültig. Ich bin dem Blick ängstlich mit meinen Augen gefolgt; aber es hat niemals Überraschungen gegeben. Ich bin unverdächtig; so muß der Kasten, nach einigem Bedenken, immer wieder gewöhnlich

erscheinen, seine Ausmaße zufällig und absichtslos. Kein gespenstischer Eishauch verrät mich oder den Toten. Man setzt sich darauf wie auf einen Stuhl. Lien, der Tierarzt, hat darauf gesessen, auch Selmer, der Redakteur, die beiden Gymnasiasten, ihre Söhne, ein paar Bauern, meine Nachbarn – Frau Lien war der Platz zu hart – so hat sie sich einmal geäußert. – Der Kater hatte sein Lager auf der Kiste. Der Pudel zuweilen streckte sich darauf aus, weil er dem Kater den Platz neidete. (Jetzt fühlt er sich zu alt, den Sprung hinauf zu tun, und Joas ist in der Fremde gestorben.)
Eines Tages, will ich nicht fahrlässig handeln, werde ich mich von dem Kasten trennen müssen, ihn irgendeinem Platz der Erde anvertrauen müssen. Denn mein Geheimnis darf nicht an den Tag kommen. Die willenlosen Glieder des Toten würden beleidigt werden. Mit jedem Jahre nimmt die Wahrscheinlichkeit, daß ich noch ein weiteres leben werde, ab. Ein zufälliger Tod darf mich nicht überraschen und uns, Tutein und mich, der barbarischen Meinung der Lebenden überantworten. Ich bin verpflichtet, ein besseres Schicksal zu erdenken.
Mein Geist ist nicht vorbereitet, den Tod mit offener Gleichgültigkeit zu empfangen. Ich bin noch nicht bis auf den Grund erschöpft. Die Maschine meines Körpers scheint noch nicht brüchig. Das Verlangen, zu denken, mich zu rechtfertigen, mein Schicksal, mein Tun zu ergründen, brennt mich noch.
An jenem Abend erhob ich mich, schritt hinaus. Der Pudel lief neben meinen Füßen mit mir. Auf dem Flur entzündete ich die Stallampe, schlürfte über den rauhen Boden aus langen Granitschwellen, trat eine Stufe hinab, stand neben dem Verschlag Iloks. Die Stute wieherte. Sie verlangte Futter und Trank von mir. Ich gab Körner und Heu, reichte einen Eimer mit klarkühlem Wasser. Ich trat neben das Tier, beklopfte ihm Kruppe und Hals, lehnte meinen Kopf gegen die befellten Schultern. Mit den Wangen, mit den Händen spürte ich die Wärme des Geschöpfes im Fleisch, Nachbar Tier, geboren wie ich. Die Wärme der Stute erquickte mich. Was für eine unvergleichliche Wohltat, die Nähe des Lebens wahrzunehmen! Männlich, weiblich, Mensch, Tier, Unterschiede, die kein Gewicht haben. Selbst der Kastrat, solange er lebt, ist brüderlich gegen die Mitgeborenen. Und schenkt seinen dunklen Herzschlag dem

Bedürftigen an seiner Seite. Selten nur, daß unsere Leidenschaft den ganzen Wunderbau des Lebendigen an sich reißen will und mit entblößten Zähnen auch nach dem Geschlecht wittert, nach der Erwiderung der Brunst, nach einem Augenblick, der seinen Platz im Vorhofe des Todes hat.
Dies äußerste Verlangen hat mich nur selten heimgesucht – selten ist es gestillt worden. Ich habe keinen Ruhm in der Wildheit. Das allgemeine Fleisch, das mich nicht begehrte, war mir meistens genug, meine Einsamkeit erträglich zu finden. Ich habe an der Gnade nicht vorbeisehen können, die ein Häschen in meiner Hand verschenkt – wie wenn etwas Jenseitiges mit großer Milde mein Herz berührte. – Das noch glänzende Gefieder eines toten Vogels konnte mich nicht täuschen.
Ich weinte neben der Brust der ruhig fressenden Ilok. Nach einigen Augenblicken fühlte ich mich getröstet und gestärkt. Ich ging in die Küche, brockte dem Hunde Schwarzbrot in eine Schale voll Milch. Auch der Kater schlich sich herzu. Mir selbst strich ich einige Scheiben Brot. Ich aß mit Heißhunger, mit Begierde. Die Beruhigung in mir wurde breiter.

*

So schickt sich unser Leib in den Krankheiten zur Genesung an, wenn er nicht vergehen soll. Die Schmerzen haben ihren Höhepunkt. Ihr Übermaß macht uns bewußtlos, stellt uns in die lichtlose Höhle, wo unsere Selbsterhaltung und Selbstachtung vergehen, wo wir uns an das Allgemeine verlieren und zu Dingen von geringem Wert werden. – Es ist gewiß, das Wohlergehen ebbt und flutet in uns, jahrein, jahraus. Dessen freuen wir uns. – Mir aber ist, als hätte ich ein Jahr empfangen, das mit kühner Bestimmtheit, mit krassen Gegensätzen mir diese Lehre hätte einprägen wollen: ich kann den mir angemessenen Verschränkungen meines Lebens, meiner Konstitution nicht entrinnen. Ich bin immer in ihr gewesen. Es gingen Stürme über mich hin; ein namenloses Dunkel hüllte mich ein, aus dem ich mit einer unbändigen Sehnsucht, dazusein, wieder auftauchte. Ich fühlte mich krank. Meinen Kopf durchzogen nicht nur die Bilder der Hölle; nicht nur, daß meine inneren Augen das Reich VERGEBLICH schauten: gräßliche Hirnschmerzen begannen mich zu plagen. Sie befielen mich mal um mal, bis mein Herz erlahmte. Mein Körper wurde mit kaltem Schweiß gebadet. Stöhnend sank ich in einen Winkel, zermürbtes Fleisch, das das Mitleid der Tiere nicht mehr wahrnimmt. Doch ich erwachte wieder. Aus unerquickendem Schlaf erhob ich mich, um aufs neue meine Triebe zu ordnen, aufs neue zu hören und zu schauen und mit beharrlichen Träumen Vorstellungen zu hegen. Ja, der Raum meines Schädels weitete sich zu den ausgedehnten Landschaften der Phantasie. Wie in den Jahrzehnten vorher schrieb ich Musiken nieder. Freilich, es war die Zeit nach der Vollendung der großen Ode-Symphonie, die ich »Das Unausweichliche« genannt hatte, in die die musikalische Besessenheit, der Schmerz, die Trauer, die Erfahrung und die Formsprache vieler Jahre entleert worden waren. Nun gab ich mir Mühe, neue Tonfolgen zu hören, gleichsam, als ob sie mir aus der Weite der Schöpfung entgegenflögen. Ich wartete mehr als ich sann. Meinen Verstand hielt ich an, das zufällig und langsam Inspirierte oder an der Stunde sich Entzündende zu kunstvollen Klangkonstruktionen zu verbinden, zu neuen Mitteilungen, zu imitatorischen Gebilden und Durchführungen von überraschender Handfertigkeit. Ich schrieb ein paar Stücke für das harte Klavier, zwei Präludien und Fugen für die riesenhafte Pansflöte der Orgel, deren Klangpalette so unerschöpflich ist – die den verhaltenen Schrei der Trompeten hat und die Gewürze der Mixturen, den Taumel stählern klingender Aliquote und den atmenden Druck weittragender Flöten, das Summen der Insekten und das dumpfe Gebell wilder Tiere – deren Pfeifenwald Licht und Schatten mischen kann – deren Tonwölbung von Dämmerung zu Dämmerung reicht – die das heidnischste unter den Instrumenten ist und in den Kirchen zur Frömmigkeit bezähmt wird. – So hat auch dies Jahr musikalische Wirklichkeiten gehabt; die beschriebenen Notenblätter sind mir wie Gegenstände in den Händen geblieben, Beweise, daß mein Geist mich noch in der Zeit der Zweifel weit getragen hat, über die Bahn meiner Füße hinaus. Die Luft um mich her ist aufgerissen worden; meine Wünsche sind mir abermals und abermals gezeigt worden, unerfüllbare – denen ich nicht näher kommen kann, als sie zu träumen. – Dieser ewige Glaube des Menschen, damit er

Tempel baut. Steinerne Räume, gewaltige Säulenhallen, überkuppelte Bogenvierungen. Angeblasene Metallpfeifen, deren satter und zugleich hohler Ton die Granitwände beschleicht. Ich sah Bronzeampeln herabhängen, zylindrische Mäntel, bunt durchbrochen, Ornamente, ehrwürdig durch ihr Alter und ihren vieltausendjährigen Sinn, den gekurvten Fluß der Jahre, Mondwege, rollende Sonnen, die Kreuze der Jahreswenden, die Brüste des Himmels und der Meere; Figurenspiele von wunderbarem Zufall strahlten Licht in die Gruft der Mauern. Riesige Radleuchter hingen an langen Ketten wie Anker über mir. Kerzen flammten. Ich glaubte, sie zählen zu müssen. Genau und ordentlich mußte mein Traum sein, so wirklich, als ob er wirklich wäre. Und ich zählte einhunderteinundzwanzig Flammen. Und ich ging und ging, bauend und vollendend.
Ich ging zwischen den Grabmalen meines Geistes. Meine Seele betupfte sich mit durstigen Flecken. Ohnmächtiges Ungestilltsein. Ich wünschte vor Durstgefühl nach Erfüllung am Ende nichts anderes als hinzusinken, einzuwachsen in die nächste Klippe; mein wirkliches Grab in den von Masse dichten Urgründen des gläsernen Gesteins zu finden. So verstrichen die Wochen. Unfruchtbares Begehren nach Wirklichkeiten, die ich selbst geschaffen. Überdruß an den Werken der anderen. Überdruß an der Sonne und an den schillernden Kräften der Schöpfung. Die Worte in den gedruckten Büchern: ein taubes Rasseln der Unwahrheit, gefälschte Abläufe, ein marktschreierischer Verzicht auf alle kristallische Gegenwart.
Ich war ein Schatten der Sehnsucht. Ein Sterbender, der noch auf Genesung hofft. Ein Gelangweilter, der in den Abgrund der ausgebrannten Hölle starrt. Aber mein Mund öffnete sich nicht zum Schrei. Die Tage, grau, strichen an mir vorüber; kaum, daß ich den Schatten der Nächte an mir wahrnahm. –

*

Nun kleidet sich der November mit Milde. Die Äcker liegen warm und reglos unter einem stillen duffen Himmel. Der Boden ist mürbe und krümelig, er träumt von kommender unendlicher Fruchtbarkeit. Die Bäume an den Rändern der Gehölze und tiefen Wälder stehen feierlich da, unbeweglich.

Die Laubpflanzen mit einem zerrissenen letzten feuergoldenen Schmuck der vergehenden Blätter. Es ist wie ein neuer Anfang, wie eine Hoffnung, die die Erfüllung schon für den nächsten Tag verspricht. Wenn der Himmel sich auftut, wird die Sonne sichtbar werden. Und wenn sie erstrahlt, wird das Wachstum hervorbrechen. Das Dasein wird ohne Not sein. Die Finsternisse werden nicht mächtig werden. Die Nacht des Winters und die Kälte, die unbarmherzig verzehrende Vereisung werden an der Schöpfung vorübergehen, ohne ihren lähmenden Zugriff zu tun. – Ach, wir träumen im Tau des schönen Tages! Die dunklen Stämme träumen. Die warmpelzigen Hasen hüpfen friedfertig über das leere Feld. Nichts hindert sie, die Höhe des Ackers zu erreichen. Ihre Gestalt steht scharf vor dem Himmel. Sie verschwinden hinter dem Hügel. Nur das Laub, grünbraun, tot, raschelt unter den Füßen. Es ist noch nicht zu Moder vergangen; aber Bäume und Sträucher haben es nicht mehr. Der Winter wird kommen. Der Himmel wird sich entladen. Nebel, Regen, Schnee, Kälte. Die schwarze Kälte wird herabfallen, wenn ihre Zeit da ist.
Ich bereue nicht. Gibt es überhaupt die Möglichkeit der echten Reue? Und wenn es sie gibt, stirbt man nicht augenblicks daran? Vielleicht, daß der Körper den Widerruf des Verflossenen um wenige Tage überdauert. Ist die Zerknirschung des Schuldigen nicht nur ein Kleid, das um die stockende Anklage gegen das Schicksal gehängt ist, das ihn schuldig werden ließ? Wird die Tat nicht in der Finsternis des geblendeten Frevlers getan? Und breitet sich die Reue nicht allein vor den geöffneten Augen eines Verwandelten aus? – Das Geständnis der Verdächtigten, Verbrecher oder nur Beschuldigten, hat seinen Grund nicht in der Reue oder in der Erkenntnis der Abgründigkeit. Die einen oder anderen stehen befremdet vor der Tat, hoffen auf Gnade und verkriechen sich vor der ungebeugten Erscheinung ihres Vergehens. Sie fürchten sich. – Ach, nur die unbeteiligten Zuschauer, irregeführt durch wohlfeile Worte, betrachten die Schuld durch das Guckloch der Strafe; und so finden sie Genüge am starren Gesetz, das die Mächtigen sich zum Wohlbefinden eingerichtet haben.
Ich halte mein Angesicht dem Fremden mit den unverbrauchten Händen breit entgegen: niemand kann die Identität zwi-

schen dem Täter und dem Beschuldigten beweisen. Das Geständnis steigt aus anderen Bezirken herauf und legt sich in den Mund. – Mir schlagen die Zähne aufeinander. – Das Geständnis steigt aus anderen Bezirken herauf und wird zu Worten. Das grausame Sichentsinnen. In sieben Jahren wird unser Leib abgebaut. In einem Tag schon verwüstet ihn das Fieber, die Angst, Schmerzen, Verwundungen. Aber unsere Träume suchen uns heim von der Geburt bis an den Tod. Unsere Knochen speichern die Bilder der Erinnerung, Jahrzehnt um Jahrzehnt, lagern sie ab, eine kieselige Unvergänglichkeit; unsere Auslegungen – lallende Fahnen, die zerfransen und bis zu den Sternen fliegen. Unser Dasein als Gerippe bereitet der Wiederkehr des Gewesenen kein Ende.
Das Geständnis steigt aus anderen Bezirken herauf und legt sich als Wort in den Mund. Einer nimmt die Schuld der anderen auf sich. Er tut die Tat der anderen. Er gesteht nicht, daß er die Tat der anderen getan hat. Er gesteht, es ist seine Tat. Er gesteht das Unvollbrachte. Man hat Menschen gefoltert. Man hat ihnen Bekenntnisse vorgesprochen. Sie haben die Bekenntnisse wiederholt. Wort für Wort, mit zerfetzten Gliedern. Ihrer Würde entkleidet. Und ihr Geständnis gedieh mit ihren Schmerzen. Oder die Scham, dies Instrument, das als krauses Murmeln die Verletzung der Seele anzeigen kann, machte sie sprechen, damit ein Ausgleich käme zwischen der Beleidigung, ihnen angetan, und der Kraft des Bösen. Sie ließen sich ins Bodenlose fallen. Schuldig geworden für alle Welt. – Was für ein Wert ist am Geständnis? Welche Verfehlung liegt in der Tat?
Der Fremde fragte mich: »Warum hadern Sie? Was kümmern Sie diese Sachen? Warum wollen Sie nicht im Frieden leben? Niemand nötigt Sie, die Zufriedenheit zu verlassen.«
Ich antwortete: »Ist denn die rohe, die barbarische Zeit vorbei? Abgeschafft die Folter? Es ist alles wie am Anfang der Geschichte. Ehrenwerte Schlächter haben ein bestimmtes Bild von der Tierseele. Der Knebel im Mund der lebendig Verbrannten erstickte den Schrei, nicht den Schmerz. Das Gift, das die Muskeln lähmt, täuscht den Tod der Opfer vor, die man lebend seziert. Aber der Schmerz, jetzt stumm, ist verzehnfacht.«
»Weltverbesserer«, höhnte der Fremde.

»Ich leugne die Verwirrung nicht, die Schwierigkeit, das Dasein richtig auszulegen«, antwortete ich, »ich sehe die Kraft der Täuschung. Ich finde den geraden Weg nicht. Keiner findet ihn.«

Nicht das Verbrechen beunruhigt die Menschenwelt: das Urteil der vielen, die alles besser wissen als der einzelne – die die gesicherten Normen, den Fleiß, das schöne Bild der Familie, den Pilgerzug der Generationen, Schuld und Sühne, Saat und Ernte so meisterhaft auf der Bühne der Zeiten darstellen. Das Schicksal derer, die mit nur halbvollen Händen dastehen, weil ihnen der Segen fehlt, die Kraft zur Arbeit, zur Liebe die Schönheit, zur täglichen Zufriedenheit das tränenlose Brot, zu harten Taten die Unbedenklichkeit, zur Grausamkeit der Glaube, um geachtet zu werden das verhüllende Kleid – das Schicksal derer, die dem Geist der Zeit nur wenig mehr hinterlassen als ihren Unfrieden – ist es so verachtenswert, daß Richter und Prediger dagegen eifern und keine Lehre daraus nehmen können? – Ja, ja, auch ich weiß: nach hundert Jahren ist alles vergessen, unwichtig, nicht gewesen, mit Ursache und Wirkung untergegangen.

Zum Wenigsten: ich bereue nicht. Noch bereue ich nicht. Ich will mich gegen die Reue verteidigen, solange ich es vermag. Das Schauspiel der Gerechten, so gut sie es auch spielen, ist voll Dünkel. Sie danken Gott, daß sie nicht gegen das Ritual der Übereinkünfte verstoßen – daß sie sich nicht schämen müssen, daß es die anderen sind, die beschämt werden, weil die Gewalten jene entkleiden, ihnen sogar die Lumpen abreißen, ihre Wunden enthüllen, ihr Krüppeltum bloßlegen, ihr unsauberes Bett ausstellen, ihre Tränen zu Wasser werden lassen. – Doch die Scham ist keine Schwester der Reue. Sie ist nur die vorlaute parteiische Stimme der anderen, deren Echo wir nicht verstopfen können. Wir wissen, wessen wir uns zu schämen haben: des Ungehorsams gegen die Verbote, die man uns von Kindesbeinen an eingeträufelt hat; – noch röten sich mir die Wangen, wenn ich daran denke, daß ich mir und einem Spielkameraden Speise aus erdigem Schlamm bereitete; denn man hatte mich zur Reinlichkeit erzogen – daß ich als Halbwüchsiger in eine Knabenschaft aufgenommen wurde, indem die Vereidiger, im Dunkeln stehend, mich und meine Sonntagskleidung mit war-

mem Harn berieselten; denn man hatte mich den Ekel vor den Ausscheidungen gelehrt –: der Öffentlichkeit unserer geheimen ätzenden Wünsche, daß wir es mit den Unterdrückten halten, mit den Tieren im Käfig, mit den Dirnen im Bordell, mit den gelynchten Negern – doch kaum mit häßlichen Geschöpfen, die schon in der Geburt verflucht wurden –: ja, unserer Liebe müssen wir uns schämen; nicht, daß wir dem Tier in uns nachgeben, davon erzählen selbst alte Weiber – unserer Liebe, die von Torheit zu Torheit schreitet und uns, ehe wir es bedenken, zwischen den Schneiden einer Zange hält. Wir wissen, wessen wir uns schämen müssen. Unsere Gedanken, unser Tun finden nicht den Beifall der Nachbarn. Wir verbergen uns und fürchten die Enthüllung. Wir sehen, daß nur Anmut und Schönheit Vorrechte haben. Und die Handhaber der Herrschaft. – Ach, wie untauglich ist auch diese Scham! Schau hin, wessen der Mensch, die Menschheit sich NICHT schämt. Siehe, welche Gedanken sie nicht zu verbergen braucht! Hände, die im Kriege und vom Tierblut rot sind, entehren ihn nicht, der sie trägt. Wohl kann es ein frommes Auge verletzen, einen entblößten Schenkel zu sehen; aber der Anblick eines aufgeschnittenen Huhnes bewegt die Tiefen der Sittlichkeit nicht. Die Lust wird verfolgt und ausgetrieben, die Grausamkeit darf öffentliche Brandhaufen errichten.
Man kann sie nicht als ein Gerät der Sittlichkeit hinnehmen, diese Scham. Man kann sie nicht brauchen, wenn man redet oder schreibt. Man darf sich ihr nicht anvertrauen.
Ich werde ihr nicht entgehen, denn ich bin erzogen worden. Ich werde sie mal um mal zurückweisen müssen, wenn meine Erinnerung in den Farben der Wirklichkeit aufleuchtet. Sie wird mich demütigen, sie wird mein Wort verfälschen, sie wird die Wahrheit schwer machen. Sie wird die Genauigkeit meines Entsinnens hassen, mein eigenstes Eigentum. Sie wird mir einflüstern wollen, daß ich schuldig werde, wenn ich diese Sittlichkeit, das Maß, ihre Sittlichkeit, ihr Maß, nicht zwischen mich und mein Schicksal stelle.
Ich begreife, es ist leicht, sich zu schämen und zu vergessen. Aber ich will nicht vergessen. Ich will noch immer die Gefahr, in meinen Wirrnissen umzukommen. Langsam das Urteil der Welt abstreifen. Immer noch abtrünnig sein, selbst mit schwa-

chen Kräften. Am Rande der Hoffnung stehen und nicht bereuen. Keines Menschen Freund mehr zu sein und doch bestehen, weil die Zeit noch da ist, die Zeit meiner Vergangenheit. Weil meine Gewöhnlichkeit nicht schlechter ist als die der anderen.
Ich bin mit keinen Vorrechten geboren. Mich zeichnet nichts aus. Meine Mutter hat diesen Menschen geliebt. Mein Vater hat ihm mißtraut. Die Gestalt ist fragwürdig. Die Maschine meiner Organe versieht ihren Dienst mit nur wenigen Störungen; so ist es immer gewesen. Meine Gedanken sind schwerfällig und wenig heiter. Ich habe Gelegenheit gehabt, mich mit anderen Menschen zu vergleichen; ich habe begriffen, meine Geistesgaben sind durchschnittlich, und habe mich dennoch dem Maß der vielen widersetzt. Nur eine Fähigkeit habe ich versucht, nachdem die Umstände mich gezwungen hatten, sie zu entdecken, mit Fleiß zu entwickeln: meine Veranlagung, Musiken schreiben zu können. Daß ein Talent in mir verborgen war und aufgerufen werden konnte, ist eine Überraschung gewesen. Ich habe mich gesträubt, in das Dickicht der Mühen einzudringen. Ich wollte, was meine Eltern wollten, von Schule zu Schule gehen, zu einem studierten Manne aufsteigen. Nur einmal gab ich meiner Sehnsucht nach, mich dem Abenteuer zu nähern, für das ich nicht stark genug war; ich wollte das nicht vorher Bezeichnete von außen berühren. Das Schicksal umstellte mich gleich mit Figuren, als ob ich ein Frevler wäre. Es spielte sie gegen mich aus. Tutein, Alfred Tutein war unter ihnen. Er war die Kraft, die meine Bahn veränderte, der mir Vater und Mutter und ihren Willen entfremdete, meine Geliebte ins Unerforschliche hinabstieß, der mit mir den Weg durch Gehölz und über moorigen Boden nahm. Ohne ihn wäre mein Leben ein anderes gewesen. Da es gewesen ist, wie es war, muß ich mich dazu bekennen. Es bereuen? – Ich kann nicht bereuen, der zu sein, der ich geworden bin. Mich dessen schämen? – Ich werde die Scham verlieren müssen. Mich bessern? – Wo könnte ich das Bessere finden?
Als der Domprediger Liddon der St.-Pauls-Kathedrale in London am Sarge Charles Darwins stand, um den Leib dieses Irrgläubigen für die Erde einzusegnen, entlastete er sein Gewissen und ersparte der Trauerversammlung ein Ärgernis, indem

er ausrief: »Heilig ist die Tatsache!« Sanctus, sanctus Dominus Deus Sabaoth. Pleni sunt coeli et terra gloria tua.
Was hülfe es, wenn ich mich der Tatsachen nicht entsönne? Nicht des Himmels, nicht der Erde, nicht der Natur, die sich mir zuneigte? Nicht Alfred Tuteins? Nicht des Schlimmen, nicht der Gefahren, nicht der Verstrickungen und der Auflösungen? Nicht des Schauplatzes? – Wenn ich mich weigerte, mich zu erinnern? Bereute? Und mein Leben, das mein war und ist, nicht mehr wollte?
Ich muß die Erinnerung wollen. Sie ist mein Maß. Ich darf nicht der Mensch sein, der nach vierundzwanzig Stunden vergißt. Ich will versuchen, mich zu entsinnen. Ich muß eine ganze Antwort geben. Eine ganze Antwort? – Sie wird irgendwo abbrechen. Sie wird zehntausend Lücken haben. Es gibt keine vollkommene Rückkehr des Ablaufs. Kein Traum ist groß genug, kein Hirn genau. Überall schließen sich die Türen. Ich weiß, ich weiß, die Türen schließen sich. Der Mächtigere schließt die Türen. Kein Eroberer hält die Länder in seiner Hand, wenn er stirbt. Ein wenig Erde kann man ihm hineintun. –
Ich erkenne meine Verwirrung; aber ich schreibe doch. Ich habe einen Plan.

DEZEMBER

Dezember

Seit Tagen streicht ein eisiger Wind aus dem östlichen Raum über das Land. Er hat den ersten Schnee hungrig aufgeleckt. Der Boden liegt wieder nackt da. Die gläserne Kälte verwandelt die Kruste der Erde. Ätzender Staub klirrt über die Äcker. Die kahlen Laubbäume schaukeln steif und leise klappernd. So ist es am Rande der hartgefrorenen Wiesen. Tiefer in den Wäldern gleicht der moosige weichtiefe Boden, plötzlich verwandelt, dem erhärteten Zement. Die Wurzeln der Pflanzen sind eingegossen wie in unerbittliches Gestein. Die Farben, die die Sonne gibt, sind von schmerzender Durchsichtigkeit. Die Schatten des Lichtes wie zurückgehaltene blaue Nacht.
Wenn die Dunkelheit hereingebrochen ist, füllt sich der Luftozean mit Unbarmherzigkeit. Die Erde hat keinen Dunst und keinen Geruch mehr. Gestern sah ich, die stark leuchtende Venus stand unter dem Halbmond. Und mit den Strahlen der Himmelskörper schien die Kälte des Alls herabzuregnen. Mich beschlich das Gefühl des Todes. Trostlos stand das warme Blut in der hereinbrechenden Kälte. Ich dachte an die Tiere, die irgendwo atmen, an die uns abgewandte Seite des Mondes, von der man sagt, daß ihr Wesen die Kälte sei, verloren an den verzehrenden Hauch der Unendlichkeit.
Ich schritt einen Feldweg entlang. Mich fror, mein Herz war verzagt.
Der Winter ist zeitig gekommen. In den Wäldern hallt es von Axtschlägen wider. Bäume, von ihren Wurzeln getrennt, kippen um. Auf den Straßen sieht man zuweilen Fuhrwerke, mit Birkenknüppeln beladen. Die Bauern denken sich nun, der Holzvorrat auf dem Hofe möchte vielleicht zu knapp sein, wenn der Winter streng und lang wird. Aus den Nüstern der Pferde strömt weißer milder Dampf.

Meine Sorgen für das Hauswesen werden nicht vermehrt. Tenne und Schuppen sind voll gestapelten Holzes. Für mich hat der Winter seit jeher ein Leben in geheizten Stuben bedeutet. Das Haus, das wir uns erbaut, Tutein und ich, ist ein Winterhaus mit dicken Mauern und tiefen Fensternischen, mit schweren Balkendecken, doppeltem Bohlenbelag und einem Zwischenboden aus Lehmschlaudern. Mein Vorausbedenken ist das gleiche, Jahr für Jahr. Im Walde, jenseits der Klippen, lasse ich Birken fällen; zuweilen, auf den Auktionen in den Forsten, kaufe ich Scheite aus Hartholz. Steen Kjarval, mein Nachbar (sein Hof liegt ein paar Kilometer entfernt hinter den Hügeln), hilft mir, das Holz zusammenzufahren. Eben derselbe Steen Kjarval überläßt mir im Sommer ein paar Fuder Heu und im Herbst zehn Säcke voll Hafer. Das heißt, ich kaufe das Futter bei ihm. Er bestellt mir den Streifen Ackerlandes neben der Wiese. Mir fehlen die Geräte; wir haben sie niemals besessen. Das tägliche Brot, wie man sagt, die Güter zum Leben, erwerbe ich mithilfe von Zinsen, die ich auf der Bank in Rotna abhebe. Es ist ein Wunder, es liegt dort Geld für mich, das sich vermehrt. Trotz mancher Anfechtung und Bedrohung hat die Erbschaft, die mir durch den Superkargo zufiel, den Jahrzehnten widerstanden. Sie hat gedient, meinen Lebensunterhalt und den Alfred Tuteins, solange er lebte, zu sichern. Und wenn nicht ein Einsturz der Ordnung in diesem Lande kommt, Krieg, eine zerrüttende Krise, Bankerott, wird sie weiter wie ein Märchenknecht für mich dienen. Es ist nichts redlich Erworbenes. Es ist fast so anrüchig wie Diebesgut. Es ist ein Wunder, wie ich ernährt und gekleidet werde, Muße habe und ein Pferd halte. Ich zähle zu den Nichtstuern, wenn ich auch meine Beschäftigung habe und Musiken schreibe. – Ich hatte einmal ein gelehrter Mann werden sollen. Jeder, der mich kannte, hat von mir erwartet, daß ich es werden würde. Aber das Abenteuer hat mich vor meinem Ziel eingeholt.

*

Die ›Lais‹ ging am 17. August unter. Achtundzwanzig Menschen der einunddreißig, die anbord gewesen waren, haben ihre Füße wieder auf den festen Boden der Erde gesetzt. Sie haben erlebt, was mit diesem Schiffbruch zu erleben war. Sie haben ihre Meinung gehabt, warum das gute Schiff untergehen mußte. In Porto Alegre hat man vor dem Konsul verhandelt. Der Kapitän ist sehr einsilbig gewesen. Den Ersten Offizier hat Waldemar Strunck mundtot gemacht. Die Mannschaft, zum größten Teil, war auf die Lippen geschlagen. Die Männer wußten so gut wie nichts. Und was sie aussagen konnten, war Geschwätz, Lüge, unzusammenhängende Ansicht, ohne die Stütze der Ursachen. Später, bei den Verhandlungen vor dem Seeamt, wird es nicht anders gewesen sein. Niemand hat verraten, was er erlebt hat. Das Schiffstagebuch war verloren. Die Zeitungen haben lange Berichte gebracht, erdichtete Einzelheiten. Der Superkargo ist in den Spalten der Blätter zu einer häßlichen Gestalt geworden. Waldemar Strunck entsagte dem Meere, er verkümmerte irgendwo auf dem flachen Lande, inmitten üppiger Gärten. Er hatte allerlei Schriftstücke angefertigt. Berichte. Rechtfertigungen. Vereinzelte Briefe haben mich erreicht; es spiegelt sich der langsame Verfall des Mannes darin, der ehrenwerte Untergang. Er hat Auskünfte von mir erbeten, hat meine Antworten zu deuten versucht.

Mir ist der Teil zugefallen, mehr zu wissen als die anderen. Es ist keine ganze Kenntnis. Es ist eine Kenntnis mit Löchern, wie jede andere.

Ein Greis, wenn er noch lebt, fern von hier, in meiner Vaterstadt, von der wir ausfuhren, Direktor Dumenehould de Rochemont, der Reeder, würde unsere Berichte und Auslegungen mit Wahrheit ausfüllen können. Er will es nicht. Er hat es niemals gewollt. Er wollte schweigen. Vielleicht ist er stolz. Vielleicht brüstet er sich mit seinem Verbrechen, das keiner enträtseln kann. Er kennt die Reue nicht. Er will so wenig mit ihr zu schaffen haben wie ich. (Es kann kaum anders sein.) Er wird sein Leben nicht hererzählen. Die Särge, seine Särge, sind versenkt. (Ich werde wohl darauf noch zurückkommen müssen.) Zwischen ihm und mir liegt eine unüberbrückbare Entfernung. Seine Aussagen über mich haben den Kummer meiner Mutter vermehrt, ihren Tod verdüstert. Sie haben meinen Vater mir zum Feind gemacht. (Vielleicht haben sie nur einen schon bestehenden unerklärbaren Haß vermehrt.)

Er ist ehrenwert geblieben. Die Versicherungen haben ihm Schaden und Überschaden bezahlt.
Zu meiner Rechtfertigung, vielleicht zu Tuteins, um die Wirklichkeit noch einmal zu erfahren – vielleicht, daß ich die Zusammenhänge besser ergründe oder richtiger auslege – schreibe ich mein Wissen nieder. Die Schriftstücke Waldemar Struncks erscheinen mir krank, weit ab vom Ziel. Es sind zerrissene Fetzen. Ich habe sie in Wirklichkeit zerrissen, damit sie meine Urteilskraft weniger bedrohen. Niemandem wird ein Schaden zugefügt, wenn ich jetzt meine Aussage mache. Alles ist verjährt. Er, dem ich schaden könnte, dem ich am wenigsten schaden möchte, Alfred Tutein, er ist tot. Ich kann mich auf eine Kiste setzen; und darin liegt der Leichnam.

*

Wir, die Schiffbrüchigen, wurden aufgefischt. Ein langsamer Frachtdampfer, wenige tausend Tonnen groß, nahm uns anbord. »Ist dies schäbige alte Eisen unser majestätischer Begleiter auf Abstand gewesen?« fragte mit höhnendem Groll Waldemar Strunck den Superkargo. Ich hörte es, sie standen, Gerettete, auf dem Deck des alten gutmütigen Packschiffes mit dünnem Schornstein.
Mühsam schickte sich der Superkargo zu einigen Bewegungen an. Es schien, er rief seine Augen herbei, breitete die neue Deckslandschaft vor ihnen aus, siebte seine Gedanken durch großmaschige Rauten. Die unhandlichen Blöcke seines Verstörtseins fielen nicht durch den Rost, lagerten sich ein wenig abseits. Das Übrige, groß und klein, er entsann sich.
»Nein«, sagte er zögernd. Die Haut seines Antlitzes und seiner Hände bekam eine flüchtige Röte; der trockene Tod der Oberfläche zerging. »Ich habe mich nicht entschließen können, den Schiffsunfall zu melden. Verschollen zu sein, es erschien mir eine tragbare Wendung.«
»Sie waren bereit, für ehrgeizige Ziele sich, die Schiffsmannschaft zu opfern? Untergehen sollten wir?« Waldemar Strunck sagte es mit bebender Verachtung.
»Wir waren in dieser Gefahr«, antwortete mit zuversichtlicher Ergebenheit Georg Lauffer, »aber es ist anders gekommen.«

Der Kapitän des Frachtschiffes gesellte sich ihnen bei. Er schickte sich an, die beiden auszufragen. Aber er erfuhr nichts als das Allgemeine. Er verwunderte sich, daß sechs der Matrosen beteerte Gesichter und Hälse hatten. Und sich weigerten, Wasser und Seife anzuwenden. Sie wollten sich nicht säubern. – Ob es Irre seien, fragte er. Doch er bekam keine Erklärung. Er half sich selbst mit einem Achselzucken. Es war nicht leicht, die neunundzwanzig Gäste, die das Meer beschert hatte, unterzubringen. Um die Not zu vergrößern, waren manche unter ihnen eigenwillig und anspruchsvoll; wortkarg einer wie alle. Der Superkargo verlangte einen eigenen verschließbaren Raum. Mit einer Kiste als Stuhl und einem Brett als Lager wollte er sich begnügen. Auf die Absonderung bestand er. Ein Leichtmatrose, Alfred Tutein, fiel in einen Weinkrampf. Er verlor eines Menschen gewöhnliche Gestalt; er glich einem zusammengekauerten Tier. Es war zu erkennen, er bedurfte des Beistandes.

Dem Kapitän des Dampfers verging die Lust zur Anteilnahme, als er einer Mauer zäher Verschlossenheit und Stumpfheit gegenüberstand, wie er meinte. Er hatte keine Geschwätzigkeit erwartet; aber Mundfaulheit, die ihm jede Frage unbeantwortet ließ, empörte ihn.

Er tat, was er vermochte, ohne die Schiffbrüchigen weiter zu behelligen. Sie sollten ihren Willen haben, umherstehen und trüb blickend in ihrer Vergangenheit beharren. Er nahm sich vor, an ihnen vorbeizusehen, bis sie anderen Sinnes geworden und sich als Kameraden benehmen würden. Er verschaffte dem Superkargo ein Loch, das aus verrosteten Blechwänden gebildet wurde, eine höchst ungemütliche Kabine. Ein kleines Bullauge erleuchtete den jämmerlichen Raum. Ihn einzurichten, diese Sorge wurde einem Schiffsjungen nach Gutdünken überlassen.

Achtern, gerade über der rumorenden und polternden Schiffsschraube, war ein zweibettiges Logis unbenutzt. Über der Eingangstür stand auf einem Porzellanschild: IV. MASCHINENMEISTER. Aber seit Jahren schon lief die Dreizylinderexpansionsdampfmaschine mit unzureichender Bedienungsmannschaft recht gut. Ihre Kolbenhübe und Umdrehungszahlen je Arbeitsstunde hatten sich allmählich vermindert. Aber daran trugen die Kessel und, nach Ansicht des Ersten Offiziers in der Maschine, die faulen Heizer die Schuld. – Waldemar Strunck, mit wohlgemeintem Entschluß, schob Alfred Tutein und mich fast gleichzeitig durch die Tür in das dumpfzitternde Logis.

Die Ladung des Schiffes bestand aus Roheisen. Die schweren Barren nahmen in den Frachträumen nicht viel Platz ein. Das zweite Deck war leer. Dorthin brachte man Hängematten aus Segeltuch. Die Dampfkessel und ihre Schlotstücke strahlten einen Teil der ungenutzten Wärme durch die dünnen Metallwände. Von unten herauf roch es mineralisch nach Erz, ein blauer harter Geruch. Jedem der Schiffbrüchigen wurde eine Matte hingeworfen, ein paar Tauenden. Die Besatzung, anfangs zögernd, suchte nach Haken und Vorsprüngen, um die Lagerstätten daran aufzuhängen. Bald schaukelten die Schlafwiegen gemächlich hin und her. Die Matrosen krochen hinein. Sie wollten weiter schweigsam sein, ein paar Gedanken ordnen, schlafen.

Dem Schiffskessel am nächsten, abgesondert, hingen sieben Kojen, darinnen sieben Männer mit schwarzen Gesichtern, der Halbneger und die Beteerten.

Der Kapitän des Gastschiffes stieg gelegentlich herab, betrachtete die verstockten Menschen mit grimmiger Neugier.

Ein Offizier der Brücke hatte seine Kammer Waldemar Strunck und dem Ersten Steuermann der ›Lais‹ abgetreten.

Paul Raffzahn, der Koch, unterschied sich von seinen Gefährten. Er machte sich schon an diesem Nachmittage nützlich, ging in die Küche zu seinem Berufsgenossen, half ihm und machte bald große Worte. Ich strich von Zeit zu Zeit an der offenen Tür vorbei und hörte mit an, wie er, der sich beim Schiffbruch unvorteilhaft, fast verächtlich benommen hatte, sich wieder entfaltete. Nicht zu ermessen, wieviele lästige Fragen sein eifriger Mund allen anderen ersparte. Willfährig gab er das Geheimnis preis.

»Eine kostbare Ladung hatten wir anbord«, sagte er mit gerundeten Lippen, »kostbare Gegenstände. Bilder. Verstehen Sie mich richtig, Meister Koch« (er sprach das englische ›Sie‹ und nicht das auf den Meeren gebräuchliche ›Du‹) »das Schönste, was man sich ausdenken kann. Ein Wald im Frühling, die

jungen Blätter, noch in der Geburt begriffen, kommen feucht aus den violetten Knospen hervor. Das Wasser läuft einem im Munde zusammen. Und eine Jungfrau (er sagte wirklich Jungfrau), vollkommen unbekleidet, auf einem Hirsch reitend, tritt auf eine Wiese, die gelb mit Blumen übersät ist. Von der Art waren die Bilder. Alles in den natürlichsten Farben gemalt. Verstehen Sie mich richtig, Meister Koch? Kennen Sie Marmor? Haben Sie einmal goldenen Marmor gesehen? Goldener Marmor, das ist wie Herdfeuer. Es ist selbstverständlich Marmor, aber das Gold zieht sich züngelnd hindurch. Wenn man nun Gegenstände daraus herstellt, es gibt dergleichen, man macht daraus Menschen, wie sie im Paradiese einhergingen – dann entsteht das Schönste, was der Mensch erfinden kann. Und das Kostbarste. Wir hatten viele Kisten voll derlei Sachen. Alles teuer, als wenn es aus gediegenem Silber gegossen gewesen wäre. – Und Gläser. Jedermann weiß, was es bedeutet, wenn man sagt: durchsichtig. Aber es gibt Rot, das durchsichtig ist, Grün, Blau, Braun. Und es ist durchsichtig. Man kann diese Durchsichtigkeiten zusammenschmelzen. Und es ergibt dann etwas. Figuren, durchscheinend, und doch der Grenze einer anderen Durchsichtigkeit angelagert. Es ergibt eine durchsichtige Lichtwelt. Man kann glauben, es ist die Seele der Welt, weil alles so rein, so glatt, so durchscheinend ist. Verstehen Sie mich richtig, Meister Koch? Es ist sehr schön und sehr kostbar. Wenn das Durchsichtige farblos wird, kann es immer noch Formen annehmen. Es ist ja hart, es steht in der Luft. Wiewohl man annehmen sollte, daß es sich gar nicht mehr von der Luft unterschiede, weil es ja farblos ist. Das harte Durchsichtige, man kann es beschleifen, man kann eine Geschichte, ein Märchen, eine ganze Stadt auf die Oberfläche eines Likörglases zusammendrängen. Es werden sehr kostbare Gläser. Und es ist so gehaltvoll, wenn das ganze Leben am Rande eines Likörglases zusammengedrängt hockt.«
Er hatte es mit würdiger Überzeugung vorgetragen. Danach liefen ihm Tränen aus den Augen über das Antlitz.
»Das Schiff ist leck gesprungen. Es ist alles hinab. Die Schätze sind auf dem Meeresgrund«, sagte er.

*

Ich wählte für mich die untere Koje; Alfred Tutein sollte in der oberen schlafen. Als wir uns, zwei junge Menschen nach starken Erlebnissen, ein flaues Abendessen aus der Küche besorgt und, auf dem Bettrand sitzend, schweigend verzehrt hatten, schickten wir uns an, uns schlafen zu legen. Alfred Tutein hatte sich beruhigt; aber er schien von großer Mattigkeit befallen. Seine Blicke hingen traurig an meinen Bewegungen, und ich wußte keine andere Vergeltung, als traurig Alfred Tuteins Gestalt mit meinen Augen zu umfassen. Langsam entkleideten wir uns bis auf das Hemd. Dann faßte ich den Leichtmatrosen bei den Füßen und schob ihn ins obere Lager hinauf. Nun lag er da, kniff die Augenlider fest zusammen. Ich stand eine Zeitlang neben dem Bett, schaute in das ungeordnete, mühsam den gefälligen Jugendjahren angeklammerte Gesicht. Ein süßer Schmerz umspann meinen Geist. Ich gab mir keine Rechenschaft darüber, was mich bewegte. Ich hatte mir seit diesem Morgen, an dem wir die ›Lais‹ versenkt hatten, keine Rechenschaft mehr gegeben. Ich hatte mein Schuldbewußtsein eingekapselt. Ich hätte mir alle Einzelheiten der Abläufe seit dem Verschwinden Ellenas zurückrufen können. Ich weigerte mich. Ich weigerte mich, das ganze Unglück zu sehen. Meine Traurigkeit wäre grenzenlos gewesen, hätte ich hingeschaut. Aber ich wollte nicht traurig sein. – Jetzt, nach fast drei Jahrzehnten, ist es mir so selbstverständlich geworden, daß Ellena anbord der ›Lais‹ verschwand, daß ich es fast vergessen hätte, niederzuschreiben. (Die uns selbst vertrauten Tatsachen und Gedanken unterschlagen wir am leichtesten; – oder, wenn wir uns vornehmen, sie auszusprechen, wiederholen wir uns beständig.) Also Ellena, meine Geliebte, die Tochter Waldemar Struncks, verschwand anbord der ›Lais‹. Spur- und grundlos, so erschien es uns damals. Wir suchten sie. Was hätten wir anderes tun sollen, als sie zu suchen? Dies Suchen wurde allmählich unsere Besessenheit. Zum wenigsten, einige unter uns waren besessen. Wir meuterten. Wir verwüsteten. Es war uns nichts anderes wichtig, als zu suchen. Um zu erfahren, was wir nicht erfahren sollten, auch ich sollte es erst später erfahren, setzten wir das Schiff und seine Ladung aufs Spiel. Und verloren es. Es ist das Unbegreifliche. Es gab Stunden, in denen wir gerne gestorben wären, so wollüstig und ekelhaft

zugleich war das Geschehen – so unaussprechlich traurig und peinigend süß.
Am Abend dieses Tages weigerte ich mich, die herzzerreißenden Gemütsbewegungen weiter zu ertragen. Ich dachte nichts mehr. Ich schaute in das Gesicht Alfred Tuteins als das Antlitz meines Schlafkameraden, zu dessen Beistand ich hier war, falls er nochmals in Schluchzen halb ersticken sollte. Ich seufzte leise, preßte die Luft aus den Lungen. Ich legte mich in die untere Koje.
Das strudelnde Wasser des Ozeans, von der Schiffsschraube herumgewirbelt, schlug wie mit Holzklöppeln gegen den Schiffsboden. Die Kolbenhübe der Maschine zitterten durch die Schraubenwelle heran und kicherten in den Spalten der Gegenstände. Alfred Tutein atmete; aber ich konnte seine Atemzüge nicht hören. Ich sagte mir: zweie trinken die gleiche Luft. Ich schlief ohne Furchtgedanken ein.

*

Unter den Aufzeichnungen des Kapitäns befand sich die Schilderung einer Begegnung mit dem Superkargo. Sie muß am nächsten Morgen stattgefunden haben. Waldemar Strunck hat großen Wert darauf gelegt, daß ich Kenntnis von diesem Gespräch erhielt. Bald nach seiner Heimkehr hat er mir wiederholt Abschriften davon in die Welt nachgesandt, bis mich eine, fast zwei Jahre nach der Katastrophe, in Norge erreichte. Irgendein Geist scheint dem Kapitän die Feder geführt zu haben. Ich glaubte eine auffallende Abweichung von seinem gewöhnlichen Schreibstil feststellen zu können.
Der Superkargo machte sich an Waldemar Strunck heran und nötigte ihn zu einer Aussprache. Georg Lauffer ergriff den Rockärmel des Kapitäns, zerrte an dem Kleidungsstück wie ein ungezogenes Kind. Die beiden Männer traten in die Höhle des Superkargos ein. Zwischen den vergehenden Wänden war jetzt eine Hängematte ausgespannt. Wie Georg Lauffer es sich gewünscht hatte, eine leere Kiste stand bereit, um als Sitzgelegenheit zu dienen. Für sich selbst wählte er die Hängematte. Er saß darin mit gekrümmtem Rücken, die Kniee bis an die Brust gezogen.

»In einer Woche oder nach zehn Tagen werden wir einen Hafen erreichen; dann wird das Licht des Himmels uns nüchtern und grau bekleiden. Wir werden uns nicht verbergen können. Wir werden uns rechtfertigen müssen«, sagte Georg Lauffer.
Waldemar Strunck schwieg.
»Einer von uns beiden muß anderswo ankommen«, sagte Georg Lauffer.
»Wir sind doch auf dem gleichen Schiff«, antwortete Waldemar Strunck.
»Ach«, sagte Georg Lauffer, »das Schiff hat seinen Kurs; aber wir sind nicht angeschmiedet.«
»Ich will Ihre Gedanken nicht erraten«, sagte Waldemar Strunck, »ich will Ihren Anregungen nicht vorgreifen; aber Ihre Pläne müssen notwendigerweise unfruchtbar oder schädlich sein.«
»Sie haben ein Urteil über mich«, sagte Georg Lauffer.
»Es muß Schluß sein mit dem Abenteuer«, sagte Waldemar Strunck, »ich weigere mich, das Vergangene mit dem Zukünftigen fest zu verknoten.«
»Sie beginnen etwas Undurchführbares, wenn Sie die Abläufe zerstückeln«, antwortete Georg Lauffer, »dem Schicksal ist noch keine Sühne angeboten worden. Die Tore einer Schuld stehen weit offen.«
»Ich habe meine Pflicht getan«, sagte Waldemar Strunck, »ein paar Kleinigkeiten abgerechnet. Ich fürchte keinen Tadel. Und welcher Art Bitternis sollte mir zu schlucken schwerfallen, nachdem Pferdepillen durch meinen Schlund gegangen sind? Welche Drohung könnte mich weich machen, den Kehricht der letzten Wochen wie einen verdaubaren Brocken zu bewahren?«
»Es war doch ein Unglück, ein harter Beschluß der Milchstraße, und wir waren die Werkzeuge«, sagte Georg Lauffer.
»Es war ein Unglück«, sagte Waldemar Strunck, »aber Sie bringen mich nicht dazu, mich wehmütig einer Fahrlässigkeit zu bezichtigen. Ich bange nicht um die gute Fortsetzung meiner Laufbahn. Auf mein Kapitänspatent wird kein Flecken kommen. Ich werde das Papier verteidigen, wiewohl es zukünftig für mich ein überflüssiges Zeugnis sein wird.«
»Sie weichen der Kraft der Veränderung nicht aus«, sagte Georg Lauffer, »Sie fühlen sich von Ihrem Beruf abgedrängt.«

»Mir ist ein stattliches Schiff, eins, wie man es zwischen Wachen und Schlaf getakelt sieht, verlorengegangen«, sagte Waldemar Strunck, »dem alten Meister Lionel Escott Macfie war es nur einmal in seinem Leben vergönnt, sich so voll des guten Materials zu bedienen. – Ein junges, ungebrochenes Schiff. Ich habe keine Fehler an ihm entdecken können. Und bei unbekannten Flüchen, die jemand mit hineingezimmert hat, will ich nicht verweilen.«
»Immerhin, derlei Gedanken haben Sie bewegt«, sagte Georg Lauffer, »es befriedigt mich; so brauche ich mich nicht zu schämen, wenn ich vermute, die reinen und harten Bäume des Waldes, die man zu Planken zersägt hat, sind mit Blut gedüngt worden.«
»Ich lehne solche Betrachtungen ab«, sagte Waldemar Strunck. »Bäume trinken kein Blut, ehe es nicht zu Moder geworden ist.«
»Aber wir wissen nichts von Moder«, sagte Georg Lauffer, »die Gläubigen, die ihrer Religion sicher sind, haben die Vorstellung, daß aus in Jahrhunderten aufgehäuftem Moder der Kirchhöfe, aus allen Grüften, auch den geschleiften, die Milliardenzahl der Leiber auferstehen wird. Und wir wissen nicht, welche Eigenschaften Pflanzen annehmen, unter deren Wurzeln man hunderttausend Menschenleiber zerstampft hat. Wenn die Seelen frei werden. Und der schwimmende Wald frei geworden ist.«
»Das sind Kunststücke der Rede«, sagte Waldemar Strunck. »Nur hunderttausend Neger. Warum soll ein Teakwald nicht über hunderttausend Negern gewachsen sein?« sagte Georg Lauffer.
»Das sind keine Gewißheiten. Es sind Abfallgedanken«, sagte Waldemar Strunck.
»Die unheimliche Beschaffenheit des Schiffes ist doch allmählich gewiß geworden«, sagte Georg Lauffer.
»Ich bin durch den Verlust nicht unvernünftig geworden. Dergleichen geschieht. Manche Schiffe haben nur eine kurze Geschichte«, sagte Waldemar Strunck.
»Sie gehen schnell in die Ewigkeit des unerforschlichen Meeresbodens ein«, sagte Georg Lauffer.
»Man kann das mit allerlei Worten ausdrücken«, sagte Walde-

mar Strunck, »ich bin nicht erschüttert. Dennoch soll es das letzte Schiff gewesen sein, das ich geführt habe. Denn die Angriffe gegen mein Dasein bereiten sich auf dem Meere vor. Mir haftet ein Verhängnis an. Vor einigen Jahren führte ich ein Segelschiff nach Chile. Als ich zurückkam, war meine Frau tot und begraben. Niemand, dem es eingefallen wäre, ihren Leichnam in einem Schauhause gefrieren zu lassen, daß ich ihn sähe. Man hat mir einen schlecht gepflegten Grabhügel gezeigt. Ich habe das Totenhemd nicht gesehen, nicht den Sarg. Ich habe die Erde nicht auf die Bretter fallen hören. Ich habe nichts zu ihrem Begräbnis getan. Für gutes oder schlechtes Geld ist sie ganz allgemein unter die Erde gekommen. Eine Krankenpflegerin, gegen ein reichliches Trinkgeld, ließ sich herbei, mir für Minuten lang von der tödlichen Krankheit vorzuschwatzen. Meine Tochter war bei fremden Menschen untergebracht. Das Kind war schüchtern, verwildert, sehr einsam. Es verschwieg seine Erlebnisse.«
»Und Sie weigern sich, an die hunderttausend in den Morast gestampften Neger zu glauben?« sagte Georg Lauffer.
»Ich erkenne genau die Linie, die meine Erkenntnisse eingrenzt. Ich will nicht auf dem Kopfe gehen. Ich kann nur die einfachen Übungen«, sagte Waldemar Strunck.
»Solche Kreidestriche im Gehirn können sich verwischen«, sagte Georg Lauffer.
»Ich trug eine Furcht in mir, die Tochter möchte eines Tages ebenfalls dahin sein«, sagte Waldemar Strunck.
»Ein bedenkliches Eingeständnis«, sagte Georg Lauffer.
»Schließlich gingen die Jahre dahin. Ich weiß nicht, ob die Furcht wuchs oder abnahm. Sie war eingeschlossen. Eines Tages zeigte sie sich wieder wie eine Versuchung. Sie spielte mit mir wie die Katze mit der Maus. So geschah es, daß ich erwog, das Mädchen auf meinen Reisen mit mir zu führen. Den Schluß kennen Sie«, sagte Waldemar Strunck.
»Um ein paar Sätze möchte ich Sie noch bitten«, sagte Georg Lauffer, »Sie erwogen etwas. Wie aber kam es zur Ausführung? Und warum erst vor ein paar Wochen? Wie ließ es sich an? Es waren doch einige Jahre verstrichen. Das Mädchen war mannbar geworden. Ein Geliebter hatte sich eingefunden.«
»Vielleicht brachte diese Freundschaft die Entscheidung«, sagte

Waldemar Strunck. »Väter mißtrauen den jungen Männern, die sich zu Liebhabern ihrer Töchter machen. Ich konnte den Verlobten nicht unter meinen Augen halten. Ellena empfing immer nur die angenehmen oder begehrlichen Worte ihres Freundes, keine anderen. – Die Reisezeit mit dem Segler war auf ein halbes Jahr bemessen«, sagte Waldemar Strunck.

»Man erkennt, die Vorsehung bediente sich der biologischen Abläufe«, sagte Georg Lauffer.

»Ich bat den Eigentümer des Schiffes, Ellena mit mir nehmen zu dürfen«, sagte Waldemar Strunck, »er willigte sofort ein.«

»Weiter«, sagte Georg Lauffer.

»Sofort zögerte ich, weil ich keinen Widerstand fand«, sagte Waldemar Strunck.

»Sie zögerten«, sagte Georg Lauffer, »und der Reeder begann Sie zu überreden, nicht wankelmütig zu werden.«

»Ich kann es nicht leugnen, er spornte mich an«, sagte Waldemar Strunck.

»Und es verstrich eine Woche«, sagte Georg Lauffer.

»Man wartete auf die Ladung«, sagte Waldemar Strunck.

»Die Tochter ist jetzt tot, und nicht einmal begraben«, sagte Georg Lauffer, »nirgendwo eine Barmherzigkeit, die Ihnen den Leichnam als letzten Trost gegeben hätte. Man wird Ihnen keinen schlecht gepflegten Grabhügel zeigen. Es hat für Ellena weder Totenhemd noch Sarg gegeben. Niemand hat Erde auf die Bretter fallen hören. Niemand wird sich gegen reichliches Trinkgeld herbeilassen, fünf Minuten lang vom tödlichen Ausgang ihres Daseins zu berichten.«

Waldemar Strunck liefen klare Tränen über die Wangen. »Hoffentlich ist sie mit dem Schiff hinab«, sagte er nach geraumer Zeit, »und nicht über Bord wie ein weggeworfener Gegenstand.«

»Man erkennt nicht, wer der Vater eines ungeborenen Kindes ist. Es ist die andere Seite«, sagte Georg Lauffer.

»Ich will Frieden haben, ich will die Hände, die aus dem Abgrund nach mir langen, abschlagen«, sagte Waldemar Strunck, »ich hasse den Ozean. Ich will Erde besitzen. Einen Garten. Bäume. Gras, in das ich mich ausstrecken kann. Ich will den Leichnam meiner Frau ausgraben lassen, den morschen Sarg und das Gebein sehen.«

»Sie werden den harten Zugriffen der Schuld nicht entgehen«, sagte Georg Lauffer.
»Schuld?« stieß Waldemar Strunck hervor.
»Ich wollte Sie fragen, ob Sie sich erschießen wollen oder ob Sie sich der Ansicht zuneigen, diese Rolle kommt mir zu«, sagte Georg Lauffer.
Waldemar Strunck schaute mit aufgerissenen Augen den Superkargo an. Er wollte etwas sagen; aber sein Kehlkopf war wie im Krampfe festgehalten.
»Einer von uns beiden muß wohl das Unglück bewirkt haben«, sagte Georg Lauffer.
»Sind es noch nicht genug Tote?« sagte mühsam Waldemar Strunck.
»Nein«, antwortete Georg Lauffer, »der Mord ist noch nicht gesühnt. Und das Schiff ist mit dem Mord verlorengegangen.«
Ein Ächzen stieg aus Waldemar Strunck auf. Mit dünner Stimme sagte er nach einer Weile: »Mord? Wo ist das Geständnis?«
»Das Geständnis ist abhandengekommen«, sagte Georg Lauffer. »Fräulein Ellena ist für gute oder schlechte Gefühle unbekannterweise ermordet worden.«
Waldemar Strunck antwortete mit einem keuchenden Lachen. Selbstmord oder Unglücksfall. Als ob jemals jemand etwas anderes vermutet habe. Sturzsee über die Reling. In die Wanten geklettert und gegen Lee abgeweht. Irgendwo das Genick gebrochen. – Er schüttelte sich eifervoll. »Nein«, schrie er, »hier wird faules Obst gereicht.«
Georg Lauffer blieb unbeweglich. Wohl bemerkte er, daß der Kapitän, wie von Kälte ergriffen, eine hastige Bewegung nach der anderen vollführte. Georg Lauffer fragte: »Wünschen Sie, daß wir losen?«
»Ich rate Ihnen, mir gleich, einen anderen Beruf zu ergreifen«, sagte Waldemar Strunck, »und Ihre unsicheren Finger von Spionagesachen zu lassen.«
»Ich sehne mich nicht nach einer Wiese mit Obstbäumen darauf«, sagte Georg Lauffer.
»Und ich lasse mich nicht in den Tod hetzen«, sagte Waldemar Strunck, »der unruhige Schlaf, den Sie haben, ist Ihr Eigentum.«

Er sprang auf, eilte nach der Tür, wandte sich über der Schwelle noch einmal um: »Ich wünsche Ihnen Kraft, das Gewesene zu verwinden. Die Vergangenheit ist wie sie ist. Hinterher unabwendbar.«
Die Tür schloß sich. Er war hinaus.
So hatten sie miteinander gerungen.

*

Am nächsten Morgen fand man den Superkargo tot zwischen den Bremsblöcken der beiden Ankermaschinen. Der Kopf des Mannes sah nicht appetitlich aus. Es war zu erkennen, er hatte unbemerkt sterben wollen; aber als Toter wollte er noch da sein, damit jeder genaue Kenntnis erhalte; er hatte sich nicht über die Reling gekippt.
Der Wind strich über die Brüstung des Buges. Der Tote lag im Schatten von Wind und Sonne. Nur die Haare um die nackte Stirn bewegten sich leicht wie daunige Federn. Mit dem Gefälle des Decks war das Blut abgeflossen, entlang den ausgestreckten Armen des Toten, und weiter bis an den Sockel der vordersten Winde.
Waldemar Strunck wand dem Toten die Waffe aus der Hand. Betrachtete sie. Ein alter Trommelrevolver. Dicke Bleikugeln. Ein Matrose des Frachtdampfers drängte sich hinzu und sagte, die Waffe sei ihm gestohlen worden. Waldemar Strunck gab sie ihm stumm zurück.
Bald war die Mannschaft des Holzschiffes vollzählig versammelt und umstand den Gerichteten, ihren Widersacher, wie sie meinten. Das Urteil war zu ihren Gunsten ausgefallen. Es mußte sie befriedigen. Der graue Mann schwieg. Die Meuterei, deren sie teilhaftig geworden waren, konnte im Buch der Geschichte ausgestrichen werden. Sie spürten es als eine Verheißung. Und erschraken gleichzeitig bei dem Gedanken, daß nun der Schuldige gefunden, der Mörder, der ungetreue Diener des Staates, der Verbrecher, der planvoll das Schiff versenkt. – So sind die harten Tatsachen auch hinterher noch veränderbar. – Merkwürdig weiß und faltenlos die Stirn über dem blutgefüllten Mund.
Die Männer schwiegen. Kastor und Pollux – so nannten wir

sie, die beiden ein wenig leichtfertigen Matrosen, die irgendwann gemeinsame Sache gemacht hatten und unzertrennlich schienen –, Arm in Arm, schoben sich wiegend an der Seite des Hingestreckten hin und her. Wie aus einem Munde sagten sie: »Er hat sich selbst gerichtet.«

Zu Häupten des Schweigsamen stand Alfred Tutein. Ich schaute auf ihn, über den Toten hinweg. Der Leichtmatrose schüttelte unablässig den Kopf. Allmählich trat ihm Schweiß aus allen Poren. Das Wasser, vergleichbar Tränen, rann ihm herab, hinein in die Brustöffnung der Bluse. Ich sah es, packte ihn bei den Armen, führte ihn davon.

Der Kapitän des Dampfers händigte ein Stück neuen Segeltuches und einen Eisenbarren aus. Die Leute des Segelschiffes stahlen von der Ladung zwei weitere Barren. Der Schinder sollte hinab, nicht etwa auf halbem Wege steckenbleiben.

Der alte Segelmacher nähte den Leichnam ein, wie er es gelernt hatte. Ein Barren zu Füßen des Superkargos; die beiden gestohlenen legte man ihm an die Seiten.

»Spare nicht mit dem Segelgarn«, sagten Kastor und Pollux, »der darf nicht entwischen.«

Allmählich wurde die Stimmung auf dem Schiffe ausgelassen. Die Offiziere des Dampfers schalten mit den unflätigen Gasten.

Der graue Mann lag eingenäht neben der Brüstung. Die Mannschaften, soweit sie nicht Dienst taten, waren versammelt. Der Kapitän des Dampfers gab Waldemar Strunck eine Bibel in die Hand. Der blätterte darin. Dann reichte er das Buch zurück. Er befahl vier Leuten, den Toten aufzuheben. Als sie ihn auf den Händen trugen, sagte Waldemar Strunck: »Er hatte keine Sehnsucht nach grünen Wiesen, nach Obstbäumen –.«

Nach dieser Rede ließen acht Hände den grauen Ballen über die Brüstung ins Meer gleiten. Er verschwand schnell. Sechs Matrosen wuschen ihre verteerten Gesichter. Es kam eine weiße lachende Haut hervor.

In der Hängematte Georg Lauffers lagen ein paar Bündel mit Geldscheinen, fest verschnürt. Bindfäden waren kreuz und quer vielfach herumgewickelt und verknotet. Das Ganze war mit Siegellack verklebt und ein Zettel war daran geheftet, mit

Datum und Unterschrift versehen (es war der 19. August); und darauf stand, man solle Gustav Anias Horn, mir solle man den Besitz aushändigen.
Alfred Tutein erbat sich vom Handwerker des Dampfers einen Ölstreichstein. Er begann, sein Messer zu schärfen. Er schliff Stunde um Stunde, als hätte er die Aufgabe bekommen, mit dem Stahl Haare zu spalten.

*

Ich selbst legte mich früh schlafen. Der Tag hatte an mir gezehrt. Die Bilder, die unruhige Trauer der Wenigen, die vermessene Freude der Vielen. Es gab auch das Gefühl, daß das Schicksal erst begönne. Man weiß, zwei, drei, vier Schläge erledigen den Lebenswillen nicht – und die so sicher gegründeten Ziele wanken nicht. Aber die Schläge können vermehrt werden. Vor einer Woche noch war man in Sicherheit auf dem festgezimmerten Bau des alten Lionel Escott Macfie. Nun galt die Sicherheit nichts mehr. Ein paar Menschen waren ausgestrichen worden. Man kannte die Zusammenhänge nicht, die eigentliche Absicht der Vorsehung. »Es gibt diese Willkür« – sagt irgendeine Stimme. »Wie wird es weitergehen?« fragt man. »Wer nicht erledigt wird, dessen Füße werden weitergehen.« Das ist eine Antwort. »Man kann uns ins Gefängnis stecken.« Das ist eine Auflösung des Rätsels. »Man kann, allenfalls, auch wenn man im Gefängnis gesessen hat, irgendein Studium betreiben.«
Kaum lag ich, gedachte ich Alfred Tuteins, und daß ich ihn als Schiffskameraden über mir vermißte. Die Mattigkeit der Glieder entfloh; die Bereitschaft, die Augen zu schließen, zerrann mit dem ersten Entsinnen, in dem sich der Leichtmatrose spiegelte. Das Schärfen eines Messers, ich hatte es bemerkt.
Ich sprang aus dem Bett, brachte die Hose über mich, ein Wams. Eilte davon, um den jungen Mann zu suchen. Ich entdeckte ihn nach einigem Umherirren hinter der verschlossenen Tür eines Abortes.
»Alfred Tutein«, sagte ich mit schmeichelnder Stimme, damit die gute Absicht sogleich erkannt würde.
»Es ist nichts«, kam die Antwort, »eine Verstimmung der Eingeweide.«

»Ich will nicht aufdringlich sein«, sagte ich, »ich habe schon im Bett gelegen. Mir fiel ein, daß ich es Ihnen mitteilen könnte.«
»Ach«, sagte Alfred Tutein, »Sie sind müde, aber Sie können nicht einschlafen, weil Sie sich vorgenommen haben, mich im Auge zu behalten.«
»Ich habe Sie nur vermißt«, sagte ich.
»Es fehlt mir nichts«, sagte Alfred Tutein, »ich bin hier festgehalten, das ist alles. Legen Sie sich nur. Ich verspreche Ihnen, bald nachzukommen.«
Die Stimme hinter der Tür war frei und schlicht gewesen. »Was hat mich hierher getrieben?« fragte ich mich. »Es ist schon eine alte Angst, eine schon eine Woche alte Angst«, antwortete ich mir. Ich ging, legte mich wieder, beschloß, den Schlaf mit vollen Zügen zu nehmen. Noch einmal, dünn und kraftlos, wie auf einem Leinwandtuch die Bilder einer Laterna magica, schon herausgebogen aus dem Gewissen ins Graue, legten sich die Ereignisse des Tages mir auf die Stirn, rankten sich, bewegliche Algen, auf den Meeresboden hinab, stiegen, leichenhaft schwimmend, wieder herauf, undeutliche Züge. Und ich schlief ein.
Und ich erwachte wieder, weil Schritte vor der Kammer vernehmbar wurden. Behutsame, städtische Schritte. Wie über ein Straßenpflaster. Und die Tür ging auf. Ich fuhr empor, weil es die behutsamen städtischen Schritte waren (und die Angst, die schon eine Woche alt war), die über die Schwelle kamen. Geblendet hielt ich die Hände vors Angesicht. Sengend war der Lichtkegel eines Scheinwerfers in meine Augen gekommen. Inmitten des brausenden Kampfes zwischen Licht und Finsternis, in den ich gestoßen worden war, befiel mich die Erinnerung an die Person des behutsam und städtisch Schreitenden. Den Takt geschmeidiger Sohlen, die grelle Handlampe, meine Wehrlosigkeit im Aufgestöbertsein – ich hatte es im Kielraum des Holzschiffes vorgekostet.
Es ist eine lange Geschichte. Ich war der blinde Passagier anbord der ›Lais‹, der im Kielraum des Schiffes versteckt wurde. Ellena versteckte mich. Wir hatten Gründe dafür, daß ich als blinder Passagier mit ihr die Freiheit des Meeres erreichte. Wir liebten einander. Das ist der beste Grund unter vielen. In der vollkommenen Nacht des Raumes – sie war so vollkom-

men wie keine andere Nacht, deren ich mich entsinnen kann – es war das Schwarze oder Lichtlose an sich –, hatte ich eine Erscheinung. Es erschien mir das Licht. Ein einziges Licht. Eine Blendlaterne. Eine Blendlaterne, die getragen wurde, die schwebte und sich bewegte, die eine Stimme hatte. Schließlich war es ein Mensch, der sie trug. Dieser Mensch war Herr Dumenehould de Rochemont, der Reeder. Er war die Stiege herabgekommen. Aber er verschwand in eine Wand, die sich öffnete, wie der Berg Sesam sich öffnete. Und sich wieder schloß, wie der Berg Sesam sich schloß. – Man muß das alles bezweifeln. Ich selbst bezweifle es. – Wiederum, ich bezweifle es nicht; nur meine Vernunft sagt, daß man es bezweifeln muß. Es sind viele Gründe zusammengetragen worden, die sich einig sind, daß man es bezweifeln muß: der Reeder war nicht anbord. Er stand auf dem Kai oder saß in einer Kneipe. Irgendwo auf dem festen Lande war er, und wir schwammen mit dem Meisterwerk des alten Lionel Escott Macfie, auf diesem hohlen Floß aus Kupfer, Eichen- und Teakstämmen, im Brackwasser eines viele Meilen breiten Flußarmes dem Meere zu. – Also konnte er es nicht gewesen sein. – Wände können sich nicht öffnen. Diese Wände konnten sich noch weniger öffnen, denn sie waren der mit Kupfer und Balken versperrte Zutritt in den Schlund des Wassers. Das haben wir bewiesen. Wir haben den Schlund aufgerissen. Wir haben das Wasser hereingelassen. Nicht der Reeder, nicht Ellena traten hervor, nur das Wasser preßte sich herein. Wir haben bewiesen, daß ich mich getäuscht haben muß. Jene Wände können sich nicht geöffnet haben.
Doch nun war er, der Reeder, Herr Dumenehould de Rochemont, soeben wieder bei mir eingetreten. Stand, woher auch immer entsandt, neben meinem Bett, verbrannte die unvorbereitete Purpurhaut meiner Augen mit seiner hingeschleuderten Helligkeit. Ich wagte nicht, die Arme von den Lidern abzuheben. Ich wagte nichts. Ich erwartete nichts. (Außer, daß die Angst, die eine Woche alte, nun einen Namen bekäme.) Eine inwendige Stimme sagte mir, daß diese Begegnung vorübergehen werde wie das erste Mal. »Dies wird vorübergehen.« Nur in meinem Herzen diese Wirklichkeit, schon kraftlos, wenn ein Dritter in die Nähe kommt. Das heimliche Treffen zweier Menschen, die einander belauern. Ich werde sagen: »Diesmal

entkommen Sie mir nicht.« Aber wie konnte ich es verhindern, daß er entkam, wenn man mir bewies, daß er unmöglich anbord des Frachtschiffes sein könnte? Sicherlich, er konnte anbord des Frachtschiffes sein. Wer würde denn beweisen (ich würde keinen veranlassen, es zu tun), daß er nicht hier sein konnte? Es konnte indessen keiner gleichzeitig auf dem Kai stehen und im Südatlantischen Ozean auf einem eisernen Frachtschiff schwimmen. – Ich mußte jedenfalls damit rechnen, daß er es war. Ich wußte bestimmt, daß er es war. (Es war damit zu rechnen, daß man mich doch widerlegen würde wie anbord der ›Lais‹.)

Da wurden meine Arme gepackt, von meinem Antlitz fortgezerrt. In meine entsetzten Augen wurde wieder der Brand der Laterne getan. Ich, überrumpelt, unfähig, mich einer Deutung hinzugeben, leistete nur schwache Abwehr. Vielleicht wollte ich schreien. Vielleicht hob ich die Zahnreihen voneinander. Ehe ein Laut kam, preßte sich ein Körper, ein wolliger schwarzer Körper, bekleidetes Knie eines Menschen, mir in den Mund. Ein lähmender Ruck keilte die Kiefern fest. Die verdorrende Zunge spürte die gerundeten Knochen eines festen Gelenkes. Ein heftiger Schmerz in den Mundwinkeln, als risse das Fleisch der Wangen auseinander. Ich schlug mit den Füßen, preßte die Fäuste gegen die nahen Schenkel eines Menschen. Einen Augenblick lang fühlte ich Zuversicht, mich mit Erfolg verteidigen zu können. Da ging eine warme Berührung über meine Augen, eine Hand. Ich spürte Finger, die mir mit unbedenklichem Zugriff die Nasenlöcher zupreßten. Ein vergeblicher Atemzug. Ein wirkungsloser Versuch des Saugens in meiner Lunge wie der Flügelschlag eines gefesselten Vogels. Meine Hände, merkwürdig, gingen plötzlich in die Irre. Meine Füße kämpften mit den Schlingen einer Decke. Ich begann zu unterliegen. Ein schwarzer Mond, eine erloschene Zeit rollten über mich hinweg.

Ich schlug die Augen auf. Die elektrische Glühlampe des Logis brannte. Neben meinem Bett stand Alfred Tutein. Er hielt ein Messer in der rechten Hand. Mit der linken riß er sich die Bluse ab, daß sie in Fetzen ging. Er setzte sich die Spitze des Messers auf die nackte Brust. Ich sah überdeutlich zwischen den beiden braunen Warzen, sie waren tiefdunkel, klein, genau abgezir-

kelt, den Punkt, in den das Messer eindringen sollte. Ich bewegte mich kaum. Das Bild, überraschend, war irdisch genug, standfest, fleischlich, ohne trügerische Dämmerung, die den Gebilden in den Verließen der Traumburgen anhaftet. Wie aber war die plötzliche Vertauschung der Personen zu erklären? Die Verkehrung der Handlung? Daß ich von einem Überfallenen, dem die Erwürgung drohte, zum bestellten Zuschauer einer Selbstopferung wurde? – Zum andern Mal auf dieser Reise erschien mir ein lebendiger gewachsener Mensch wie die Puppe in einem Wachsfiguren-Kabinett. Ganz ohne die treibende Kraft einer beharrlichen oder verwilderten Seele, erstarrt, der Motoren beraubt, unschlüssig, weitab von der Zeit, festgeschmiedet an eine Sekunde, die schon den Boden des ewigen Stillstands suchte, das Denkmal einer gewählten oder aufgezwungenen Rolle. (Als Georg Lauffer noch lebte, hatte ich mehrmals geglaubt, daß er tot sei, vielmehr, daß er gar nichts Fleischliches sei, also auch nicht gelebt habe. Wachs, hautfarbenes Wachs – ich bin einmal in einem Panoptikum gewesen, man vergißt es nicht –. Es war alles in diese eine Woche zusammengedrängt.) Alfred Tutein rührte sich nicht. Versuchend und lauernd beließ ich meinen Blick an der jungen bedrohten Brust. Deutlich, unter der Haut, das Sichheben und -senken der Rippen. Und die Schläge des Herzens quollen stoßweise erregt bis an die Oberfläche. Unter dem Druck der rechten Hand war die Spitze des Messers in einen blaubleichen winzigen Trichter neben dem linken Brustmuskel eingedrungen. Wie die Rinde eines Baumes, gekräuselt, der verkümmerte weibliche runde Doppelschmuck des männlichen Felles. (Allmählich erkannte ich sehr genau, wie diese Brustwarzen beschaffen waren, daß sie nicht nur klein, dunkel, kreisrund, sondern auch rauh und ein wenig erhaben waren.) Ich begriff nun, daß die Figur auf mich wartete. Ich richtete mich langsam halb auf, streckte die Hand behutsam aus, um, nach einer gewissen Zeit, den Schaft des Messers zu berühren. Der junge Matrose hielt still. Jetzt war meine Hand am Ziel, umklammerte den Griff, zugleich die Faust des anderen. Mit einem Ruck riß ich Faust und Messer an mich. Das Messer blieb mir; die Faust fiel schlaff neben dem Schenkel herab.
»Sie tun das Falsche«, sagte Alfred Tutein.

»Wie sollte ich das Richtige tun, wenn ich unwissend bin?« antwortete ich.
»Dann muß ich sprechen«, sagte Alfred Tutein.
»Es ist in diesen Minuten etwas geschehen, was ich nicht begreifen kann«, sagte ich.
»Ich habe Sie ermorden wollen – doch nur zum Schein –, damit ich endlich mein Urteil bekomme«, sagte Alfred Tutein.
Ich sprang aus dem Bett. Ich fühlte mich nicht länger in Sicherheit. Ich packte den ziemlich locker dastehenden Leichtmatrosen bei den Achseln, begann ihn zu schütteln, preßte ihn an mich, stieß ihm eine flache Hand klatschend gegen die Brust, versuchte mit ungeordneten Worten die nächste Vergangenheit wiederherzustellen. »Ihre Eingeweide waren in Unordnung«, sagte ich, »Sie waren auf dem Klosett.«
»Grimmige Schmerzen«, sagte Alfred Tutein, »Wasser und Schleim. Wie Verwesung bei lebendigem Leibe.«
»So haben Sie mich belogen«, sagte ich, »gleichviel.«
»Ich lüge beständig«, sagte Alfred Tutein, »aber jetzt will ich Schluß damit machen.«
»War es Ihnen ernst damit, sich den Herzmuskel aufzuschlitzen?« fragte ich.
»Ich hatte mir gewünscht – erwartet, Sie würden mir helfen – das Eisen hineinzustoßen«, sagte Alfred Tutein.
»Wie konnten Sie wünschen – und erwarten – vermuten, daß ich dazu bereit wäre?« fragte ich. »Was bedeutet diese – diese absonderliche Versuchung?«
»Ich habe Sie nicht versuchen wollen. Ich habe Sie bedroht«, sagte Alfred Tutein.
»Halt«, sagte ich, »es geht zu schnell. Ich – meine Gedanken – stehen anderswo – irgendwo zurück –.«
»Das Voraufgegangene – der Mordversuch also – mußte – sollte Ihren Zorn wecken. Sie hätten in Notwehr gehandelt. – Sie hätten in Notwehr gehandelt – das entschuldigt man –«, sagte Alfred Tutein.
»Es ist schon gleichgültig, ob Sie mich in die Irre führen«, sagte ich, »es ist sehr gleichgültig, ob Sie etwas beweisen – ob Sie beweisen, daß ER es nicht war. – Ich wußte, daß man es beweisen würde. – Auf die eine oder andere Weise – weil man nicht gleichzeitig auf dem Kai und hier auf dem Ozean –«

»Ich bin bereit, noch ein Geständnis anzuhängen, um Sie zu befeuern«, sagte Alfred Tutein.
Ein leichtes Schwindelgefühl bedrohte mich. Ich fürchtete umzusinken, weil meine Augen sich wie mit schwarzer Tusche ausgossen.
»Sie sind verstört«, schrie ich, mich überwindend, »krank. Man nennt das mit einem unheimlichen Wort. Ein unförmiger Gedanke hat sich Ihnen in den Weg geworfen.«
Ich sagte mir, daß ich weiterreden müsse, weil sonst die andere Seite, das Unwirkliche, von mir Besitz ergreifen werde. Ich spürte schon die Eisenplatten des Logis auseinanderfallen. Und die Süchte der undeutlichen Abenteuer boten sich mir an, jene Verführungen, denen wir uns mit Herzklopfen nähern, und denen wir so leicht erliegen, weil ihre Verheißungen sich in der Dämmerung verlieren.
»Ich habe in meinem Bett gelegen«, fuhr ich fort, »ich habe geschlafen. Ich hatte die Zeitmaße des Schlafes. Die Nichtschlafenden hatten ihr Maß, dies nie gleiche. Die Regungen meines Daseins haben keine selbständige Vergangenheit gehabt. Es ist die Vergangenheit meines Schlafes. Ich bin vom Abort hierher zurückgekehrt. An allen Gliedern war ich müde. Durch und durch war alles an mir müde. Verstehen Sie mich? Verstehen Sie mich, Alfred Tutein? Meine Liebe oder mein Haß, die Freude oder die Trauer richteten niemand und schmückten niemand. Ich gehörte keiner Partei an. Ich schlief unbewegt. Ganz unbewegt. Das kann wohl jeder verstehen. – Da erwachte ich, weil meine Ohren Schritte vernahmen. Das Auftreten von Füßen, mir bekannten Füßen, die einem Menschen gehören, der, gemäß aller Einsicht, nicht auf diesem Schiffe sein kann. – Hören Sie doch. Hören Sie doch, Alfred Tutein! Der Eigentümer des Segelschiffes, Herr Dumenehould de Rochemont, trat über die Schwelle. Er entwaffnete meine Augen, indem er sie mittels einer Laterne in eine Flut von Helligkeit stieß, in einen harten Gegensatz zur lauen Wölbung der Finsternis, die der Schlaf gespannt hatte. –«
Alfred Tutein sagte nichts.
Ich fuhr, gleichsam ernüchtert, fort: »Nach diesem Angriff aus der Ferne folgte ein Nahkampf. Mir wurde ein Knebel in den Mund gestoßen. Der Atem wurde mir abgewürgt. –«

Alfred Tutein sagte nichts.
Es entstand eine lange Pause.
Endlich, mit schwacher Stimme, antwortete er mir: »Das alles habe ich getan. Ich stieß mein Knie in Ihren Mund. Ich würgte Sie. Sie wehrten sich gut. Aber die Ohnmacht kommt schnell, wenn die Lungen nicht mehr in der Luft hängen.«
Seine Lippen bewegten sich, ohne noch einen Ton zu geben, eine Weile weiter.
Ich schaute den Leichtmatrosen verstört an, weniger ungläubig als mutlos. – Wenn es die dumpfe Not eines hinterhältigen unauffälligen Schmerzes gibt, Krankheit, die den Körper von innen aushöhlt – wie eine Raupe von den Larven der Schlupfwespe ausgehöhlt wird –, ohne einmal den Mund zu einer deutlichen Klage zu zwingen – plötzlich bricht die Haut ein wie eine brüchige Schale, das Herz erlischt mit einer kleinen Beklemmung –, wenn es das gibt, sagte ich mir, und ich sah mich zugleich als diesen, der mit dem schmerzlosen Schmerz kämpfte – dann ist es diesem ähnlich. Vielleicht ist es das – dies – dasselbe – ich kam nicht weiter als bis an halbe Gedanken.
»Ihnen habe ich nur einen unvollkommenen Mord angetan«, sagte Alfred Tutein, »Fräulein Ellena habe ich unwiderruflich –. Ihre Ohnmacht verdünnte sich sehr schnell – sehr schnell – und wurde endgültig. –«
Ich hörte die Worte. Der Leichtmatrose hatte sie ohne verkleidete Stimme vorgetragen. Sie vermochten nicht, mich einer anderen Empfindung auszuliefern als jener, die mich schon besaß. Am Ende war das Bekenntnis des Matrosen nur eine nachträgliche Erklärung für die zerlösende Traurigkeit. Der schmerzlose Schmerz, er hieß Traurigkeit, das konnte ich jetzt verstehen. – Ich starrte auf die Brustwarzen Alfred Tuteins. Es war sehr wichtig, daß ich sie anstarrte. Ich sagte mit unbewegter Stimme: »Das hätte ich nicht denken können. – Das hat man mir erzählen müssen.«
Das inmitten der Traurigkeit, den Schauplatz überblickend, ordnend und zerreißend, rastlos arbeitende Hirn stellte neue Ereignisse in den Innenraum der müden, längst entmündigten Augen. Auf der Oberfläche meines Bewußtseins kräuselten sich Wellen, sie murmelten unablässig: »Ich werde umfallen. Ich werde umfallen. Ich werde umfallen.« Deutlich sah ich die

bewegliche Gestalt eines bösen Gedankens. Einen lasterhaften Zwerg, ein schamloses nacktes Wesen mit aufgedunsenen Schwielen am Gesäß, scharlachrot (es waren syphilitische Schwielen), es war eine scheußliche Gestalt. Sie stieg aus dem Schädeldach des Reeders hervor; ein sich aufklappender Schädel, wie der Deckel einer Kiste. Die Nägel knirschten. Es war der leere Sarg, der leere ermeuterte Sarg. Einer der Särge des Reeders. Der böse Gedanke blieb seinem Herrn nicht treu. Er hatte keine Heimat. Jeder Ort war seine Heimat. Jeder Mensch war seine Amme. Er gedieh bei Regen und bei Sonnenschein. In der Helligkeit und in der Finsternis. Er war wie ein Oger, ein großer feuchter Fleck an einer Mauer, ein trockenes Moos auf dem Waldboden. Er verstand zu schleichen wie eine Schnecke, zu hüpfen wie eine Kröte, zu klettern wie ein Affe, zu flattern wie eine Fledermaus. Er schwang sich von Gegenstand zu Gegenstand, lief aus wie eine umgestürzte Flüssigkeit, rollte dahin wie eine Kugel. Die Takelung des Holzschiffes war ihm ein willkommenes Turngerät. Der Laderaum ein bekömmliches Versteck. Er hing sich an den Rock des Superkargos, ein grüner harter Käfer. (Es war eben kein Gedanke allein, es war etwas Massiveres. Etwas Sichtbares, Greifbares, eine Gewalt an sich, von der Substanz eines Engels, der auch einen nackten Leib hat, aber einen Rock trägt – doch eben dessen Gegenteil, der schlaue, freche, aber auch behutsame Diener einer Macht, die dem Schicksal die schwarzen Steine zum Bau liefert.) Es schien so, als wollte Georg Lauffer ihn abschütteln, aber es gelang ihm nicht recht. Manchmal fiel die Mißgeburt zuboden. Wieder aber, hinterrücks, klammerte sie sich dem grauen Manne an. Sie wurde, unbemerkt, durch alle Schiffsräume geschleift. Manchmal, zwischen Türrahmen und Tür, schien es, als müsse sie zerquetscht werden. Aber sie zerging nur, um sich wieder zu sammeln. Leichter als vorher, weniger lästig, ein unerbittlicher Schmarotzer, hing sie an ihrem Opfer. Manchmal, der Mann hatte die Augen geschlossen, als ob er schliefe, fuhr die ekle Hand des Zwerges ihm über die Stirn. Der Superkargo wurde zornig, ergriff den ätzenden Teufel, schaute ihm in die scharfen bösen Augen, lange, sehr lange, wie man einem stummen Tier verzweifelt oder sehnsüchtig in die Augen schaut. Dann schleuderte er die Krüppelgestalt von sich. Sie zerplatzte, ohne zu

vergehen. Wie ein Rauch zog sie langsam über das Deck. Den Rauch sog ein Kleidungsstück auf: die grobe wollige Hose Alfred Tuteins, der, sich in den Hüften wiegend, über das Deck schlenderte. Das langarmige Tier umsponn ihn. Sein Mund wollte gerade singen, da faßte den jungen Menschen der böse Gedanke. Die neue Herberge war dem morastigen Wesen bequem. Jung und schwach und unerfahren. –
Ein schnelles Schauspiel. – Aber der Engel trat nicht auf. Jedenfalls, noch war er nicht aufgetreten.
»Ich werde umfallen. Ich werde umfallen. Ich werde umfallen.«
Aber ich fiel nicht. Ich erkannte, ich weiß nicht, mit welcher Logik (es war das Gebot eines Gesetzes), daß mir der Eigentümer des Schiffes im Kielraum begegnen mußte. Es war unausweichlich gewesen. Daß er auch zu dieser Stunde diesen entlegenen Platz des Ozeans aufsuchen mußte, um über die Schwelle eines schäbigen Logis eines schäbigen Frachtdampfers zu treten: das mußte geschehen. Der Urheber des bösen Gedankens gab sich zu erkennen. (Ich meinte dies. Man kann beweisen, daß es ein Irrtum war. Es ist bewiesen worden. Es läßt sich alles beweisen.)
Ich starrte auf die Brustwarzen Alfred Tuteins, auf die dritte Stelle, wo das Messer hatte eindringen sollen. Die glatte Haut hob und senkte sich unter den Atemzügen. Das Herz schlug inwendig gegen die Leibeswand. Wie vor Minuten. Wie seit der Geburt.
»Erzählen Sie«, sagte ich mühsam.
Alfred Tutein versuchte die Trümmer seiner Bluse über die Blöße zu ziehen. Ich hinderte ihn daran, ich sagte:
»Man kennt die nächsten Minuten nicht. Man darf Ihr Fleisch zerreißen, denn es wird nur ein Schuldiger beseitigt. Ihr Leib gehört Ihnen nicht mehr, wiewohl er noch gesund ist.«
Ich verwunderte mich meiner Worte. Sie waren in der Tat zum Verwundern. Ich schämte mich ihrer und hatte zugleich den Wunsch, sie noch einmal zu wiederholen. Ich setzte schon an: »Man darf Ihr Fleisch –«, aber nun schmeckten die Worte nach Moder und Schlachthaus.
Die gewöhnlichen Stunden sind Straßen, diese war ein Gräberfeld. Die unnatürliche Rede war mir leicht über die Lippen gegangen. Vielleicht ist es für die Seele eine schwierige Aufgabe,

dem Mörder der Geliebten gegenüberzustehen, acht Tage nach der Ermordung. Gleichsam, er hält den letzten Schein ihres Lebens in seinen Händen: der gewalttätige Vertraute ihres Abschieds. – Der Mensch hat kein Verhalten bereit. Er ist für das Außerordentliche nicht erzogen worden. Die Erschöpfung stellt sich sogleich ein, wenn man den Ereignissen mit Herzklopfen begegnen muß. (Ich war noch sehr jung und sehr unnatürlich in dieser Jugend, weil ich nicht wußte, daß sie fleischlich ist.) –
Alfred Tutein antwortete mit einem schwachen Seufzen.
Wiewohl ich noch erwog, mit einer raschen Bewegung dem Matrosen das Messer in die Seite zu stoßen, spürte ich schon den Strom eines heißeren Gefühls, eines unsagbaren Glückes: zu verzeihen. In dieser Verwirrung, die über meine Kräfte ging, mich mit draufgängerischer Überraschung lähmte, mußte ich des Superkargos, des bleichen entbluteten Toten, gedenken, der die Sühne für die Tat schon auf sich genommen hatte. Auf sich genommen –. (Es gibt keine Identität zwischen Täter und Verurteiltem.)
»Erzählen Sie«, sagte ich abermals.

*

Alfred Tutein sah den Superkargo aus der Tür des Kartenhauses hervorschlüpfen. Das Gesicht des grauen Mannes schien gleichermaßen bittere Enttäuschung und höhnische Entschlossenheit widerzuspiegeln. Mit langen aber langsamen Schritten, in denen sich Eile durch Weile aufhob, stelzte er über das Hochdeck. Der Leichtmatrose war auf Wache; er hatte gerade den Auftrag erhalten, Speisezimmer, Anrichte und Treppenhaus zu säubern. Die Geräte hielt er in den Händen. Er folgte dem grauen Mann auf dem Fuße. Er sah ihn im Wohnraum Ellenas verschwinden. Bedachtsam, ohne den geringsten Lärm, verrichtete Alfred Tutein seine Arbeit. Seine ängstlichen und erwartungsvollen Augen gaben sich Mühe, jedes Staubkorn auf dem Holzwerk des Ganges und der Anrichte zu entdecken. Emsig vernichtete er diese Feinde, die gröberen Besudelungen und die feineren Trübungen. Den Aufenthalt im Speiseraum unterbrach er nach jeder Viertelminute mit einer Sekunde. Wenigstens den Kopf streckte er zur offenen Tür hinaus. In einer dieser Sekunden sah er Ellena und den Superkargo ge-

meinsam die Treppe hinabsteigen. Fast hätte er geschrien oder den Besen fallen lassen. Er schwankte, als ob er das Gleichgewicht verloren hätte. Er war dabei zu fallen. Er fing sich und das Gerät wieder auf. Eine schmerzende Berechnung machte ihn nüchtern. Er schlich den beiden nach. Er sah, wie sich eine Tür hinter ihnen schloß. Sie waren in der Kammer Georg Lauffers. Er fühlte eine Erschütterung. Der Morast einer verregneten Wagenspur, sein Schicksal ist es, einmal verkrustet auszutrocknen. Diese sich fast geräuschlos schließenden Türen. Sie waren hernach so unmitteilsam wie eine Wand. Diese bittere Seele, die den noch feuchten Schlamm beneidet, weil sie durstig ist, durstig und voll Fieber, obgleich sie weiß, daß er einmal austrocknen wird. –
Man mußte dem Leichtmatrosen die Geräte aus den Händen nehmen. Er hatte die ihm aufgetragene Arbeit noch nicht beendet, als er abgelöst wurde. (Aber niemand bemerkte es.) Er aß an diesem Abend nichts, legte sich nicht in seine Koje. Er trieb sich auf den Gängen umher, wich jedermann aus. Er fühlte das Herannahen eines Menschen im voraus und wußte sich zu verstecken. Aber er verfehlte doch nicht den Augenblick, wo Ellena die Kammer des Superkargos verließ. Es war spät geworden. Die Abenddämmerung hing noch vor den kleineren Sternen, die größeren, matt, waren schon entzündet. Alfred Tutein würde es nie vergessen, wie die Dunkelheit allmählich zwischen den flimmernden Lichtpunkten erstarrte. Ihm war, als hätte er die Hälfte seiner Jahre wartend auf den Gängen des Holzschiffes verbracht. Er wußte nicht, welcher Tag und welche Zeit es war. Er hatte keinen genauen Verdacht und keinen genauen Wunsch. Er dachte gar nichts. Nachdem Ellena in den Salon gegangen war, wartete er eine Stunde oder zwei Stunden. Er dachte gar nichts, er wartete nur. Er wartete weiter, wie er vordem getan hatte. Das Schiff schien ausgestorben. Dann trat er rasch ein. Er sah, Ellena lag in ihrem Bett. Eine Kerze brannte. Die Vorhänge vor den Bullaugen waren zugezogen.
»Was wollen Sie, Alfred Tutein?« fragte sie.
Er gab keine Antwort, ging zwei Schritte vorwärts.
»Was wollen Sie?« fragte sie abermals und fügte schnell hinzu: »Gehen Sie hinaus!«

Undeutlich spürte der Leichtmatrose, daß er sprechen, zum wenigsten etwas denken müsse. Nach einigem Überlegen wollte er mit schlichter Offenheit sagen, er habe Gustav gewarnt, aber jetzt sei es zu spät. Die Türen, die sich geschlossen hätten, könnten nicht wieder unschuldig aufspringen. – Aber er empfand es nur als den Anfang von etwas Unausdrückbarem. Er kam damit nicht weiter. Er vermeinte noch, an diesem äußersten Punkt, der Makler des Verlobten sein zu können, der Freund irgendeines Mannes. Da hörte er, daß sie drohend und laut sprach:
»Ich will, daß Sie hinausgehen. Sofort!«
Mit einem Satz war er neben ihrem Lager. Er sah sie nahe vor sich wie eine Erfüllung. Er stieß ihr das linke Knie in den redenden Mund. Er preßte ihr die Nasenlöcher zu. Sie wurde augenblicks reglos. Er richtete sich langsam auf. Und wußte plötzlich, daß er für sich allein dastand, ohne einen Hintermann. Er erkannte die Verheißung, die er sich selbst gegeben hatte. Er starrte in die klaffende Wunde seiner Lenden, in die Wildnis des Fleisches. Das zähe Schwarz seiner Begehrlichkeit war am Ziel. Er ergriff nicht die Gelegenheit. Er schaute auf das Gesicht Ellenas. Er erkannte es nicht mehr. Es füllte sich, schon ohne Gestalt, mit einem trüben Rot. Er war ohne Hoffnung. Er war so arm, daß er nicht einmal Furcht verspürte. Er blickte ins Leere. Es gab nur reglosen Stillstand. Selbst seine arglistigen gemästeten Sinne ruhten. Er war von jedem Gefühl verlassen. Nur seine Tat war da. Sie war das Sichtbare.

*

»Fürchten Sie sich zu sterben?« fragte ich.
»Ich fürchte mich sehr«, antwortete Alfred Tutein.
»Können Sie weiterleben?« fragte ich.
»Ich kann nicht mehr allein sein«, sagte Alfred Tutein.
»Ach«, sagte ich mit grausamer Aufdringlichkeit, »das ist ein Zwiespalt.«
Alfred Tutein begann, leise vor sich hin zu weinen. Ich fand, es war ein seltsamer Anblick. Der Leichtmatrose stand noch immer vor mir. Der Kopf war beschattet; die Tränen wurden nicht eher sichtbar, als bis sie, klare Tropfen, in die Herzgrube

fielen, zwei bei zwei sich zusammentaten und als dünnes Rinnsal über dem Nabel in den Hosenbund sickerten.
»Bereuen Sie?« fragte ich.
»Ich fühle mich schuldig«, antwortete Alfred Tutein, »aber ich vermag mir nicht mehr vorzustellen, daß ich es nicht wäre. Ich bin plötzlich verwandelt worden. Ich habe keinen Widerstand geleistet. Es kam nur auf den Widerstand an. Auf irgendeine Art Widerstand – deshalb bin ich zerschmettert worden. – Ich habe zu wenig nachgedacht.«
Ich entsann mich, der junge Mörder, noch in der frischesten Verdammung, vor einer Woche, hatte in meinem Logis anbord der ›Lais‹ gesagt, alle Schuld sei plötzlich. Nun fragte ich, ob der frevelhafte Entschluß zum Verbrechen dem Leichtmatrosen jemals gekommen sei, vorher – oder später – auf den Schneckenpfaden kriechender Gedanken.
»Niemals«, antwortete Alfred Tutein.
»Die Vorsehung hat kein Mitleid für Sie gehabt«, sagte ich.
»Viele werden hart angefaßt. Ich habe Leidensgenossen«, sagte Alfred Tutein, »die Armen, die an Seele, Brot und Wohlleben Armen, denen die Zügel nicht rechtzeitig in den Mund gelegt werden, sind berufen, die Werkzeuge des Bösen zu sein.«
Er sah mich mit flehenden Augen an. Er verharrte stehend und gab der Rührung nicht nach, die ihn übermannen wollte.
»Sie sind bedachtsam und nicht mutwillig«, sagte er noch, »diese Armen –«
Mühsam, stoßweise, gleichsam halb ertränkt in Tränen und Schleim, verschüttet unter den Schollen unaussprechbarer, nie vollendbarer Überlegungen, trieb er neue Worte aus sich heraus.
»Ich hatte damit gerechnet, Sie würden mir einfach das Messer hineintreiben – mit einem Faustschlag. Oder doch wenigstens meine Feigheit überwinden helfen, daß ich selbst mit einem Hammer oder mit einer letzten Kraft –. Man kann das noch jetzt. – Ich lege mich auf den Fußboden, halte das Messer – und Sie schlagen mit einem Klöppel darauf. – Dann haben Sie das Messer nicht geführt. Ich schaue in Ihr Gesicht über mir. – Doch Sie haben kein zorniges Gesicht. – Ich bin feige; aber Sie sind unentschlossen. – Eine solche Verfehlung

bekommt keine Vergebung. Ich muß beseitigt werden. – Wenn man mir den Prozeß macht – das wird das Ende sein, wenn wir über diesen kleinen Kraftaufwand nicht einig werden können – werde ich leugnen – widerrufen. Ich widerrufe. – Ich kann meinen Kopf nicht auf einen Richtblock legen. – Ohnmächtig mich festschnallen. – Ich widerrufe.«

Allmählich entglitt ihm die Stimme; Laute kamen, die sich nicht mehr miteinander verbanden. Er sammelte sich wieder, fuhr stotternd fort. Ach, diese kindliche Besessenheit, das Schicksal in den Worten auszuschöpfen. Er nahm mancherlei Anläufe, um zu beteuern: so ist er beschaffen, das hat ihn betroffen, und er steht da mit dem Wunsch, erschlagen zu werden. Aber er begreift zugleich die Unbarmherzigkeit, die ihn am Leben erhält. Stolz, Demut, Herausforderung, Unterwürfigkeit; er kennt die Kräfte seiner Seele nicht und spielt wie ein schamloser Schauspieler mit den Muskeln seines Antlitzes. Seine Jugend stürzt gleichsam ein. Seine Augen sind wie die Asche der Blindheit.

»Ich habe mich getäuscht«, sagte er mit vorwurfsvollem Ausdruck der Lippen, »mein Betragen ist nicht störrisch und gefährlich genug gewesen. Sie haben mich nicht wie einen tollen Hund erledigt. – Womit soll ich Ihre Geduld zum Bersten bringen?«

Ich sagte mir, jener ist nicht mehr er selbst; aber ich antwortete doch, wie auf eine vernünftige Rede:

»Ich hätte mir nur Ihre Rolle angeeignet.« Und ich bekam Antwort wie von der Vernunft:

»Das Töten geht mir offenbar leichter von der Hand.« Und Alfred Tutein fuhr fort, sagte eine kalte, böse Überlegung: »Wer weiß, ob ich mit zwei Morden für den Selbstmord gargekocht worden wäre?«

Ich sah nun, er schwankte hin und her wie eine schlanke Pflanze im Wind. Doch die Füße, wie die Wurzeln eines Strauches, blieben an ihrem Platz.

»Der freiwillige Tod des Superkargos ist als Sühne auch für Sie angenommen worden«, ich sagte es wie ein ungerührter beamteter Tröster, der darauf bedacht ist, die Schicksale der Leidenden in die Obhut eines überklugen Sternes zu geben.

»Mir ist der Mund aufgegangen, weil ich ihn habe liegen sehen,

ihn statt meiner«, antwortete der Leichtmatrose und zerriß mein Genügen an einer tauben Ordnung, »ich bin nicht erlöst. Ich bin doppelt verdammt. Ich habe nur noch den Mut zur Angst.«
Es wurde mir eng. Ich machte einen schnellen und herzlosen Überschlag. Die Unterhaltung mußte in eine sinnlose Peinigung einmünden. Kalte Beteuerungen würden verstreut werden. Versteinte Worte, die auch die ungefähren Tröstungen zermalmen. Und kein Ausweg. – Aber ich mußte wohl stillehalten, bis die Erschöpfung ein vorläufiges Ende der Erregung brachte, und die rauchende Nacht sich über die verwüstete Landschaft der Seelen senkte.
Ich verwunderte mich, daß die Wunden meiner Trauer um Ellena nicht stärker bluteten. Eine unedle lästige Schwere überzog die Empfindungen, verklebte die reineren Einsichten mit der lasterkranken Vielfalt des Unentschlossenen. »Ausgelaugt und verfärbt, so bin ich innen«, sagte ich mit unechtem Bedauern zu mir selbst, »ich bin dem Ansturm nicht gewachsen. Ich habe um Ellena geweint, jetzt vermag ich es nicht mehr. Wenn ich eine Entscheidung treffen soll, wird man auf mich warten müssen.«
Und schon schickte ich mich an, mich weiter zu verhärten, um weniger geschwächt in den nächsten Stunden zu stehen. Ich starrte auf die Brustwarzen Alfred Tuteins. »Es ist gewiß, ich werde das Messer nicht hineinstoßen«, belehrte ich mich sodann, »ich verhandle mit dem Mörder meiner Geliebten.«
Unwillkürlich begann ich zu lachen. Aber ich deckte das Lachen rechtzeitig mit einer Grimasse zu. »Ich führe mich auf wie einer, der nur halb geboren wurde.« Gleich wieder entschuldigte ich mich, weil mein inwendigster Teil sich mir verschließe. Doch die Enge in meinem Herzen nahm zu. – Keine Leidenschaft, keine sittliche Kraft. Ein ausgebrannter Ort bin ich. Kein Frühling in der Luft. Es regen sich nicht Wachsen und Verdorren. – Ich sah wohl den Abgrund neben mir; aber der Schwindel, vor wenigen Minuten noch der Gefährte der Gefahr, hatte mich verlassen. Es war töricht und vergeblich, das, was der Mund des anderen vorbrachte, aufmerksam zu zerlegen, es zu verwerfen oder von trefflicher Bedeutung zu finden. Diesen Menschen vor mir konnte man

nicht mehr in seinen Worten erkennen. Einzig: er war noch da. Bedrängt von Martern, voller gärender Verwundungen; aber ein noch zu Heilender, der noch nicht die abgenutzte Beute der Unterwelt war. Er wartete ermattet auf den Stoß ins Bodenlose. Er lechzte vielleicht schon nach dem Faustschlag – nach dem Faustschlag ins Angesicht, dem verächtlichen Kennzeichen, der Trennung von der Menschheit, die er für ehrenwert hielt. Vielleicht war er wirklich ergeben, den Streich der Ausstoßung von meiner Hand zu empfangen.

Alfred Tutein regte sich. Er sagte: »Sie können mich verraten. Ihnen habe ich mich ausgeliefert. Meine letzte schwere Aufgabe wird mir bald zugeteilt werden.«

»Erhoffen Sie sich noch etwas?« fragte ich.

»Ich bin dabei, mich zu überwinden«, sagte Alfred Tutein, »meine letzten Bemühungen, zu entkommen, scheinen fehlgeschlagen.«

»Ich kann schweigen«, sagte ich.

»Das rettet mich nicht«, sagte Alfred Tutein.

Ich begann mich der Trägheit meines Herzens zu schämen. Eine Auflehnung glomm in mir auf, weil ich verstockt war.

»Erzählen Sie«, schrie ich ungehalten.

Eine Flut von Tränen wusch Alfred Tuteins von Fetzen eingerahmte Brust.

»Erzählen Sie«, sagte ich abermals.

*

Das Sichtbare mußte verborgen werden. Alfred Tutein beobachtete, wie die Kerze allmählich herabbrannte. Daran ermaß er die Zeit. Er hatte die Tür verriegelt – bis auf weiteres. Er fühlte, er war mit dem Leichnam allein. Es war das erste Alleinsein. Er hörte die Schritte der Deckswache. Er riegelte wieder auf, lugte hinaus. Er nahm die entstellte Tote in seine Arme, trug sie fort. Über den Gang. Die Treppe hinab. Weiter ins Labyrinth des Schiffsrumpfes hinein. Er ging sehr vorsichtig zuwerke. Er fürchtete noch nicht, ertappt zu werden. Er handelte ungemein planvoll, erleuchtet von einer schlackenlosen Klarheit. Er fühlte sich überwach. Doch seine Körperkräfte schienen sich mit jagender Schnelligkeit zu verzehren. Die

Leiche wurde mit jedem Schritt, den er tat, schwerer und ungefüger. Die Glieder hingen herab und sträubten sich wie ungezogene Kinder. Und es war finster. Gleichsam plötzlich überkam es den Leichtmatrosen, daß es finster war und daß lauwarmes Fleisch über ihm hing. Er wußte nicht, wie er den Weg gefunden hatte. Er legte die Last in eine Ecke. Er tastete sich zurück, immer noch voller Schlauheit und Zuversicht. Sein Wagnis war ihm selbstverständlich wie ein Traum. Er ging in den Salon, ordnete das Bett, löschte die Kerze, schob die Vorhänge von den Bullaugen zurück. Dann begann er zu warten. Er wartete, daß er aufgerufen würde. Niemand rief. Er schlich davon. Er stahl sich in seine Koje. Mit aufgerissenen Augen lag er da, hörte den röchelnden Schlaf seiner Kameraden, das glucksende Spiel der kleinen krausen Wellen an der Haut des Schiffes. Er wartete, daß er aufgerufen würde. Trat zur Arbeit an. Wartete mit gräßlicher Ungeduld auf die Stimme. Wenn sein Name genannt wurde, schrak er zusammen. Aber mit der Zeit wuchs auch seine Verstocktheit. Sein Entschluß zu leugnen wuchs. Mit fieberhafter Gründlichkeit durchstöberte er die Sekunden des Verbrechens, die Nebenhandlungen, die die Spur verwischten, um immer gewisser in der Überzeugung zu werden, daß man ihm nichts würde beweisen können. Nichts schien ihm leichter, als zu leugnen und das Gewissen zu verbergen. Er hob das Antlitz gegen die Sonne, ließ die fernen weißen Flammen durch einen Spalt der Lider die Purpurhaut ätzen. Erblinden. Dann wäre immerwährende Nacht. Dann wäre ein großes Meer voll Finsternis, ein dickes, schweres Meer wie aus Quecksilber. Und an der Kimmung, fast herausgehoben, der vor Verwesung schimmernde Leichnam. Er wollte nicht erblinden. Alfred Tutein wollte die Freiheit. Die schöne Freiheit inmitten fröhlicher Sinne. In äußerster Bedrängnis konnte man einen Dritten beschuldigen. War der Superkargo nicht verdächtig? Hatte er nicht, höchst unklug, die längere Begegnung mit Ellena gehabt?

Im Überschwang, diesen Ausweg ergrübelt zu haben, machte der Leichtmatrose den Mund auf und sagte zu einem Kameraden: »Niemand hat heute Fräulein Ellena gesehen.«

Und der andere antwortete: »Sie und den Superkargo.« Es war

wie Balsam. Aber die Wohltat verflüchtigte sich nach einer Minute. Die Stunden begannen mit scharfen Zähnen zu beißen.
Wieder war der Dienst Alfred Tuteins beendet, und es war nichts geschehen. Die ungewisse Angst begann ihn zu bedrängen, wie den Ertrinkenden das Wasser. Er schluckte die Jauche seines schlechten Gewissens, und ihm wurde übel. Er vergaß, daß er dem Leugnen vertrauen wollte. Er gedachte des Sichtbaren, und das Sichtbare, die Tote, zog ihn an wie ein Magnet das Eisen. Sein Schritt war taumelnd. Die nichtermüdenden Stimmen, die sein Herz belagerten, zwangen ihn, wieder in die Finsternis der tiefen Schiffsräume zurückzutasten, wiewohl er sich davor fürchtete, wie ein Vogeljunges sich vor dem begehrlichen Schnabel der Krähe fürchtet. Er begann zu zittern, und seine Zähne schlugen aufeinander. Wiewohl er nichts sah, Decks und Schotten die beiden noch trennten, glaubte er doch unter sich die Tote zu erkennen. Wie in einem Grab war sie noch in ungefährlicher Ferne. Aber er spürte sich an Stricken gegängelt. Die Stricke zogen ihn vorwärts und abwärts. Er fand die Ecke. Er beugte sich nieder. Eiskalt berührte ein Mund seine Hand. Er sank um; aber sein Fallen gab der Toten nur neue Gelegenheit, ihre versteinte Meinung über das Verbrechen auszudrücken. Sie fing den Leichtmatrosen mit ihren erstarrten Beinen. Er schrie nicht. Das Entsetzen entfesselte eine dreiste Notwehr in ihm. Er griff zu. Er hob den Leichnam auf. Die unbarmherzige Nähe der Allmacht bekämpfte ihn jetzt. Er hielt einen erkalteten steifen Körper, den der Zwang, in einer Ecke zu hocken, gekrümmt hatte. Der Lebende und die Tote haderten miteinander.
»Das bin ich jetzt«, sagte das Mädchen, »kalt, steif, zäh und gekrümmt. Ich will durch keine Tür. Ich will bleiben wo ich bin.«
Er schleppte sie davon: »Du wirst mit mir durch diese Tür gehen«, sagte der Leichtmatrose.
Sie lachte und stank dabei ein wenig: »Ich gehe nicht, ich tanze nicht, ich sitze nur.«
Sie sträubte sich. Nacheinander hakte sie sich mit Kopf, Armen und Beinen am Türrahmen fest. Schweiß rann von Alfred Tuteins Stirn. Jetzt stemmte er sich gegen den widerspenstigen Leib. Er kannte keine Bedenken mehr. Mochte dem Bauch

geschehen was da wollte. Er sah die Krallen nicht, die der unsichtbare Raum für ihn bereit hatte. Mit den letzten Trümmern seiner Selbsterhaltung focht er weiter. Da gab Ellenas tote Muskelkraft nach. Alfred Tutein stürzte mit dem leblosen Fleisch durch die Öffnung. Er zerrte die Tote weiter. Hob sie abermals auf seine Schultern. Die Last war verdoppelt.
Ellena lachte und sagte: »Ich kann mich so schwer machen als wäre ich Blei.«
»Tu's, tu's«, schrie er, »dann zerstückle ich dich.«
Seine Kniee wurden schwach. »Weiter, weiter«, befahl er sich. Er ging Stufen hinab. Er tastete sich Viertelschritt bei Viertelschritt vorwärts. Er verbrachte länger als eine Stunde in der Hölle. Als er die Tote versteckt hatte, gähnte ihm der Rückweg entgegen. Er mußte mit Bewußtsein durch den Pfuhl. Er hielt den Arm vors Angesicht, damit wenigstens seine Augen nicht von den Gestalten gefressen würden, die sich um ihn geschart hatten. »Was ist mit dir, Alfred Tutein?« fragte eine Stimme.
»Nichts«, antwortete der Leichtmatrose.
Er eilte vor sich hin. Nach zwanzig Schritten nahm er die Hand von den Augen, öffnete sie. Geblendet mußte er sie wieder schließen. Er war andeck. Seine Bluse klebte ihm naß an der Haut. Die Hose, dunkelfeucht, strömte einen faden Geruch nach Harn und Verwesung aus. Todesschweiß, den die Angst seinem armen Blut abgenötigt hatte. Er ging, um sich notdürftig zu waschen. Er war ohne Hoffnung. Er wartete, daß er aufgerufen würde. Aber nicht mehr mit Ungeduld, auch nicht ergeben: wie ein Gemarterter auf einem brennenden Holzstoß die Rauchschwaden erwartet, die ihn ersticken, damit die Schmerzen verebben. Wehrlos. Er wusch sich.
So kam die Mittagszeit. Der Kapitän, der Superkargo, der Verlobte stürmten durchs Schiff. Die Männer glaubten gewiß, sich sehr zurückhaltend zu benehmen. Jedenfalls war ihr Forschen oberflächlich. Türen, hinter die sie schauen wollten, zogen sie behutsam und nur bis zum Spalt auf, um sie gleich wieder zuzuschlagen, als hätten sie nur eine gelegentliche Selbstverständlichkeit hinter sich gebracht. Alfred Tutein wurde dem Tun der anderen verkettet. Sein Herz schlug stark vor unerträglicher Spannung, als wollte es durch die Rippen an die Außenwelt heran. Die neugierigen Augen des Schuldigen glit-

ten unstet umher. Die schlaffe Unwissenheit der anderen half ihm. Das Spiel der Farben und Furchen in seinem Antlitz entging ihnen. Es entging ihnen die Unrast in seinen Gliedern. Bald strebten die Beine dem höllischen Ort zu, wo die Tote, an den Boden gepreßt, schweigend auf den Mörder wartete, bald flohen sie und trugen den verwundeten Bau der Seele davon. Jemand sagte: »Die Tochter des Kapitäns ist verschwunden.«
»Es ist kein Geheimnis mehr«, antwortete Alfred Tutein. Die Matrosen, mit dumpfen Hirnen, beratschlagten. Alfred Tutein träufelte Gift in ihre Worte. Und das Gift gedieh. Es floß Wasser über den durstigen Zauberwald Paul Raffzahns. Viel milder Regen, der geile Pflanzen zum Sprießen brachte. Die knorrigen, graugesichtigen Stämme, die laublos standen und laublos blieben – hoch in den abgestorbenen Zweigen von wilden staubigen Flechten behangen, gleich dem Haar Ertrunkener, deren Haut schon grüner Schlamm unter den Wurzeln der Kalmusstauden ist –, entrindeten sich und gebaren jenes ungeheuerliche Wesen, das Worte beschrieben.
Als der Kapitän, der Superkargo und der blinde Passagier sich in den Rauchsalon zu einer Aussprache zurückgezogen hatten, wartete Alfred Tutein gegenüber im Speisezimmer. Die Kameraden hatten ihn zu ihrem Abgesandten und Vertrauensmann gemacht. Er hatte keinen Plan. Er stand wartend in den Minuten wie bisher. Aber er ahnte doch, daß das Geschehen Fortschritte hatte. Die einsame Tat verwob sich mit den Seelen der Vielen. Abwechselnd trippelten Paul Raffzahn und der Küchenjunge durch den Raum, um den jungen Botschafter zu beschnüffeln. Sie hatten eine unmenschliche Meinung von dem unbekannten Mörder. Sie gaben sich Mühe, den noch unerfahrenen Vertreter ihrer langsam wachsenden Verschwörung zu belehren, gleichsam heranzuführen an die siedende Unterwelt. Ihre hölzernen Schrecknisse, ihre hinkenden Verdächte hatten eine wohltuende Wirkung auf den Leichtmatrosen. Die Unähnlichkeit mit dem Wirklichen war ihm ein Trost, eine unterste Stufe zu seiner Entschuldigung.
Die Tür des Rauchsalons wurde hastig aufgerissen. Nacheinander kamen der Kapitän, der Superkargo und der blinde Passagier heraus. Keiner der drei bemerkte den Leichtmatrosen, wiewohl er, hoch aufgerichtet, dastand und spähte. Waldemar

Strunck lief aufs Deck hinaus, die beiden anderen Männer gingen die Treppe hinab. Sie hielten einen gebührenden Abstand voneinander inne. Der Leichtmatrose folgte ihnen. Georg Lauffer suchte seine Kammer auf, der Verlobte Ellenas die seine. Eine Weile lang pendelte Alfred Tutein zwischen den beiden Orten hin und her; dann klopfte er bei dem Verlobten Ellenas an. Er wollte eine Aussprache.

*

Das Gespräch, das wir miteinander gehabt hatten, ich entsann mich dessen. Nun wurde es wiederholt, und ich begriff es besser. Die Verwirrung des Leichtmatrosen, sein Weinen. Seine eigenen Gedanken, die er, untermischt mit denen der anderen, zum Besten gab. Den Ekel, den er vor der Unreinheit seiner Tat empfand; aber er verbarg die Tat. Ich hatte nur den Ekel gesehen. Schon an der Grenze des Geständnisses, überwältigt, hatte er gesagt: alle Schuld sei plötzlich. Doch die eherne Selbsterhaltung hatte ihm neue Lügen eingegeben. Gehorsam haben Kehlkopf und Mund sie vorgebracht: die Anklagen gegen den Superkargo. Sie waren über die Zähne gerieselt. Alfred Tutein hatte sein Gewissen unterdrückt; es war ihm die Lüge gelungen, denn die Angst vorm Tode kommt nicht aus der Erfahrung.

*

Nachdem er hinausgenötigt worden war, beschloß er, auch dem Superkargo einen Besuch abzustatten. Er wußte nicht einmal, warum er es beschloß, weshalb es ihm nötig erschien, was er sich erwartete. Er erkannte weder deutlich noch trübe, daß es ein freches Vorhaben war, das ihn gegen üble Überraschungen gefeit machen sollte. Es war für ihn eine jener gewöhnlichen Handlungen: wenn man sich entleert hat, zieht man die Hose wieder hoch. Daß er seine Lügen stählen wollte, daran dachte er nicht. Seine Seele unerschrocken zu machen, daran dachte er nicht. Er trotzte der Wahrheit, das war das Ganze. Und daraus folgte, ohne daß er sich dessen bewußt wurde, er mußte etwas unternehmen. Er hatte schon etwas

unternommen, er hatte sich dem Gesicht des blinden Passagiers entgegengestellt, diesem jungen Gesicht, das sicherlich irgendetwas mit der Liebe zu schaffen hatte (die Augen, der Mund, vielleicht auch das Haar), die er zertrümmert hatte. Auch die Hände des Verlobten waren dagewesen, soweit er sich erinnerte, und diese Hände hatten, genau wie seine eigenen (Tuteins), vor so und so langer Zeit Ellena berührt. (Damals war sie noch blutwarm, sie war eine andere, damals.) Grund genug in diesen Gedanken oder Wahrnehmungen, in diesen Händen und in diesem Gesicht, daß er (Tutein) schwach wurde und ein paar unsichere Minuten hatte. Daß er dastand und nicht wußte, was er sagte. Zu sagen, daß alle Schuld plötzlich sei, welche Torheit! Er würde es besser machen. Er nahm es sich nicht vor, die Kraft der Selbsterhaltung nahm es sich vor.
Er fand den Superkargo auf den unteren Stufen der Treppe sitzend. Ein schwermütiger Ausdruck hatte die Züge verändert. Dem Leichtmatrosen entfiel sogleich sein Vorsatz. (Sofern es ein Vorsatz gewesen war.) Georg Lauffer rückte auf die eine Seite der Treppe, um den Menschen vorüberzulassen. Trotz dieser bereitwilligen Bewegung gewann Alfred Tutein den Eindruck, der andere hatte ihn nicht erkannt. Er war einem Schatten ausgewichen. Um dies zu prüfen, ging der Leichtmatrose die Treppe hinauf, blieb auf dem oberen Absatz stehen. Der Superkargo rührte sich nicht, schaute sich nicht um. Hingekauert lehnte er gegen das Geländer. Und die Zeit, ein stetiger unaufgeregter Strom, trieb langsam vorüber, dem grauen verkümmerten Stern zu, der das Gewesene speichert, um es allmählich zum Wirkungslosen zu verstauben. Die überwältigende Angst berührte aufs neue das Herz Alfred Tuteins. Er setzte sich auf die oberste Stufe der Treppe. Nun saßen zweie am Ufer der Zeit. Wie wächserne Wasserpflanzen trieben die Bilder ihrer Erinnerung dahin. Dann zerbrach ein Augenblick mit tückischem Zugriff Alfred Tuteins schlafgleiches Warten. (Weder ein Bild noch ein Schmerz, sondern nur dieser nackte Augenblick, der gar nichts enthielt, erweckte ihn zu neuer Verwirrung.) Er erhob sich verstört, schlich hinab, an dem unheimlichen Manne vorüber, lauerte vor Gustavs Tür, verkroch sich ins Finstere. Er wartete ohne Fassung auf das Unvermeidbare, das bevorstand. Endlich kam der Verlobte aus

seiner Kammer hervor. Der Superkargo schritt ihm entgegen. Dumpf tönend drang das Auf und Ab eines nicht enden wollenden Gespräches den Gang entlang und erreichte Alfred Tutein. Für ihn waren es nicht Worte, sondern das Geräusch eines fernen, unverständlichen zähen Kampfes, das Ringen unschaubarer, nur huschender, murmelnder Mächte. Der blinde Passagier kehrte in seine Kammer zurück. Der Superkargo verkroch sich ebenfalls. Der Leichtmatrose konnte sich das Verhalten der anderen nicht erklären.
Nach Stunden erscholl eine Stimme. Der Verlobte schrie den Namen seiner Braut: »Ellena!« Alfred Tutein erschrak, wich vor der Stimme zurück. Aber sie kam näher. Er wurde weitergetrieben. Der Name holte ihn ein. Der Leichtmatrose sagte sich, er werde nicht mehr entkommen. Man werde ihn fangen. – Er duckte sich, wich einem Lichtkegel aus. Er kroch der nächsten Ecke zu. Da, aus der Tiefe, unbegreiflich, flutete ebenfalls Helligkeit herauf. Der Verlobte Ellenas schien sich abzuwenden. Jedenfalls schritt er nicht weiter. Doch das Licht aus der Tiefe wuchs, entfaltete sich plötzlich grell. Es nahm die Richtung geradeaus, ließ den winselnden Leichtmatrosen in das Unerkennbare zurückgleiten. Es gab ein paar Worte zwischen dem blinden Passagier und dem Superkargo. Alfred Tutein benützte die Gelegenheit und entschlüpfte. Mit mühsamer Langsamkeit setzte der Verlobte seinen Weg fort.
Diese Nacht wollte kein Ende nehmen. Sobald Alfred Tutein sich zur Flucht anschicken wollte, die Freiheit des Decks zu gewinnen, warfen sich Fesseln um seine Glieder. Die Furcht, die Suchenden möchten das Versteck der Leiche finden, jenes zufällige Loch zwischen Brettern, hetzte ihn in die Nähe des schauerlichen Ortes. Seine Hände schabten an den Wänden und Böden entlang. Sie suchten, diese blinden Werkzeuge, nach mildtätigen Gegenständen, Fetzen von Packpapier, ausgedienten Säcken oder Teilen davon, die längst aus dem Erinnern ihrer Benutzer entschwunden: nach Abfall, über die Tote zu werfen, damit sich ein Schirm aus Gerümpel den Blicken der Suchenden entgegenstellte. Alfred Tutein warf, was er fand, über Ellena. – Mehlsäcke, die Paul Raffzahn, Brot und Klöße backend, geleert hatte, und die in einem unverschlossenen Raum des Küchenmagazins bereit lagen, daß Tutein sie ent-

wenden könnte – staubige Säcke ihr ins Angesicht, rieselnder Schmutz ihr in die halbgeöffneten Augen. – Wenn er sie entstellte, ihre Gestalt entmenschte, in Pech tränkte und mit den Fetzen verklebte – ein Ballen, den zu berühren niemand Lust verspüren würde – – Da tappte der blinde Passagier heran, mutlos, ohne Augen, den Lichtstrahl seiner Lampe gegen den Boden gesenkt. Alfred Tutein griff nach ihm, stumm, mit schweißnassen Armen, betastete den Hals des anderen, strich ihm über die Brust, landete mit zaghaftem Zugriff bei den Händen, deren eine die Lampe hielt, schob, drehte den willenlosen Verlobten, daß er auswich, angeekelt und furchtsam hastig ausschritt.

– Wenn er sie entstellte, ihre Gestalt entmenschte –. Jetzt war die Stunde gekommen, wo er, mit geringer Gefahr für sich, die grauenvolle Entstellung ausführen konnte. Es war nach Mitternacht. Die unruhigen Nachtwandler mit den erloschenen Augen würden bald in ihre Kojen sinken. Sie hatten das Schiff durchstreift. Sie hatten das ihre getan. Sie hatten den abscheulichen Ort, das Grab mit der offenen Verwesung noch nicht eingekreist. Der Leichnam durfte nicht anfangen zu stinken. Fremde Gerüche mußten herbei. Ätzende Gerüche. Das Fleisch zerstückeln: – es würde ihm nicht gelingen, die fürchterlichen Brocken unbemerkt über Bord zu werfen. Schließlich, er konnte es der widerspenstigen Toten nur androhen. Es vollführen, seine Kräfte würden nicht ausreichen. –

Er lief. Schwang sich nach oben. Ließ sich durch eine Tür wieder eine Stiege hinab. Er stand in der Segelkammer. Eine Sicherheitslampe brannte dort mit schwacher Flamme. Quer durch den Raum gespannt, über vielen Lagen eingeliekten harten Segeltuches, schaukelte eine Hängematte. Der alte Segelmacher lag darin und schlief. Alfred Tutein betrachtete ihn lange, ob die geschlossenen Lider nicht lögen, ob er den gleichmäßigen Atemzügen trauen könnte. Mit Befriedigung sog er den beißendend Ruch von Holzteer und Firnis ein. Der alte Mann schlief fest. Alfred Tuteins Augen suchten in dem weiten Raum, vollgestapelt mit Materialien. Nahebei stand eine Kanne. Vom nur lose verkorkten Hals war es braunschwarz herabgelaufen, klebrige Tropfen über den Bauch des Gefäßes, ein großes rotberändertes Etikett entstellend. Alfred

Tutein tat seine Finger daran. Beroch die Finger, an denen von der schmierigen zähen Flüssigkeit etwas haftengeblieben war. »Holzteer«, sagte er befriedigt. Er hob die Kanne auf. Sie hatte noch ein beträchtliches Gewicht. Er ging den Weg zurück, den er gekommen. Einen Augenblick lang sog er den frischen Hauch der schwarzen Meeresnacht ein; dann wieder die fade Innenluft des Schiffes mit seinen tief ins Wasser hinabreichenden Rippen. Er schleppte den Teer bis vor den Leichnam. Er tastete nach den Händen. Er gab einen reichlichen Guß darüber. Er griff nach dem Haupthaar. Er verklebte es mit dem zähen Inhalt der Kanne. Über das Antlitz Teer. Über die Brüste Teer. In den unordentlich bekleideten aufgedunsenen Schoß Teer. Er behing die Wehrlose mit den groben Fetzen, zog ihr einen weiten Mehlsack über den Oberkörper. Und entleerte den Rest der Kanne über das hingestauchte Bündel aus Sacktuch, Papier und Fleisch. Scharf beizend stiegen die Ruchschwaden auf. Alfred Tutein hatte kein Empfinden mehr. Er versetzte der leeren Blechtrommel einen Fußtritt. Er hörte, daß sie davonrollte. Irgendwo in das Unendliche hinein.

*

Am Tage darauf hatte sich der Superkargo eingeschlossen. Die Nachricht hiervon verbreitete sich schnell. Der Küchenjunge wußte es mit unumstößlicher Gewißheit. Er hatte den Befehl bekommen, zu den Mahlzeiten dem grauen Mann die zugerichteten Speisen vor die Tür zu bringen. Die spröde Stimme des Kapitäns pfiff der Mannschaft um die Ohren. Sie duckte sich. Es gab keine Auflehnung. Es war eine strenge Trauer anbord. Aber die Männer flüsterten miteinander. Ihre Verdächte reiften. Hinter den Stirnen dampften schluchtenvolle Bilder. Alfred Tutein befleißigte sich zu erfahren, ob die Nachricht verläßlich wäre, ob sie Gültigkeit hätte bei Tag und bei Nacht. – Er frohlockte über den Narren. Er wagte es, dem Kapitän unter die Augen zu kommen. Er fand Zeit, sich im Matrosenlogis breit zu machen, sog den Klatsch der Dummen ein wie eine süße Offenbarung. Er wurde Zeuge der Verwirrung des Zimmermanns, belauerte jenen traurigen und schmutzigen Wahn, die Mutter des Mannes, eine Hure, sei lebend als

Frachtgut in einer der Kisten der Ladung verpackt. Alfred Tutein ließ sich die gräßlichen Vermutungen des Handwerkers zergliedern; unerschrocken folgte er Schritt für Schritt in das Labyrinth des Wahnsinns hinein. Mit Pfiffigkeit lockte er tollkühne Geständnisse unter der Oberfläche hervor. Es war zu seiner Tröstung. Überall war das schauderhafte verluderte Reich. Die Sünde war allgemein, allüberall. Und die Ungenauigkeit der Berichte, die Raserei des Meineids. Trübe Sinne, die keinen Nebel durchdrangen. Trauer und Sudelei, nicht unterschieden. Alle steckten im Fleisch, das unersättlich begehrte und schon faulte, wenn es einen Tag lang vom Atem entfernt war. Sein Staunen, anfangs unschuldig, dann lüstern, schlug in die Kraft der Selbstsicherheit über. Der weite Ozean der Finsternis, auf dem die Menschheit segelte. Nur für die Heiligen war die Welt durchsichtig; für die erdigen Sinne bauten sich Mauern selbst vor die Sonne. Zu den Sternen abstürzen konnten nur die leichten Seelen. Das Fleisch der Millionen blieb an der Kruste haften.

Alfred Tutein bekam Mut, sich dem Verlobten in den Weg zu stellen. Ach, daß er ihm angeschmiedet gewesen wäre, damit er ihn lenken könnte! Daß sie miteinander Verschwörer würden! Eines Sinnes gegenüber den Verstrickungen! Ihm brannte der Mund. Er gab Fälschungen, mit der Demut der Wahrheit bekleidet, Aufklärung, die er mit dem unechten Zorn der Betrüger zudeckte. Er führte den Zuhörer in das Ungenaue hinaus, in die Öde der Unwirklichkeit – bis das verheißungsvolle Land, das ewig grüne, das Sonne und Mond erwärmt, das Ernte um Ernte verspricht – bis das Land der Lüge zu ihren Füßen lag. Von einem Berge schauten sie herab.

So kam der Abend, und Alfred Tuteins Dasein wurde wieder schwer. Gewiß, der Superkargo zeigte sich nicht; aber die Vertraulichkeit zum blinden Passagier zerbröckelte. Sie wurden Feinde, sobald sie sich im lichtlosen Schiffsrumpf voneinander trennten, und sie mußten sich trennen, denn es war die Aufgabe des einen, zu finden, was der andere verborgen hielt. Alfred Tutein hatte nur die eine Hoffnung, daß die Verzauberung, die alle Menschen anbord seit dem Tode Ellenas befallen hatte, anhalten möchte. Mit einer Art Verblendung glaubte er, die Verwandlung, wie eine Krankheit, würde noch um sich greifen, die Sinne mit größerer Blindheit belegen. Seine eigenen Augen brannten schon. Er hatte seit Tagen keinen Schlaf gefunden, oder doch nur dürftigen. Seine rot umrandeten Lider verklebten sich mit einem mehligen Schorf. Das Tollkühne und Einfältige halfen ihm bei seiner Notwehr. In dieser Nacht mußte er das Äußerste an Selbstverteidigung vollbringen. Er stand im Finsteren Wache vor dem teerigen Bündel. Irgendwo in der Ferne den Weg Gustav Horns umzubiegen wie in der Nacht vorher, er spürte dazu nicht die Kraft. Er hoffte einfach, weil ihm nichts anderes blieb, der Verlobte werde den Ort meiden, weil er ihn gestern gemieden. Gegen Mitternacht aber kam er. Er kam heran. Er stand vor der Wache Alfred Tutein. Er wollte vorüber. Das Bündel war schon im Schein seiner Lampe. Alfred Tutein wollte schreien. Er riß nur den Mund auf. Er spreizte die Beine. Er reckte die Arme seitlich nach oben. Der Verlobte sah ihn wie einen Gekreuzigten. Ein Schrecknis, das keinen Namen hatte. Der Verlobte wich zurück. Alfred Tutein ahnte, jener werde zurückkommen. Der Leichtmatrose hatte keine Überlegung mehr, keinen Willen. Die Tote sagte freimütig zu ihm: »Du mußt mich von hier forttragen.« Er schwieg. Sie wiederholte ihre Forderung. Er besann sich nicht länger. Er tat etwas. Er hob sie samt den teerigen Säcken auf. Er fühlte, die Last, die er trug, war etwas Vergehendes. Ein Aas redete mit ihm. Er dachte nicht mehr, dies sei Ellena. Er dachte nichts mehr. Die Verwesende umschlang ihn.

*

Er würde die dritte Nacht nicht bestehen. Das begriff er. Der Superkargo war wieder aus seiner Kammer hervorgekrochen. Er schien zu Entschlüssen gekommen zu sein. Er schlürfte über die Gänge, verschwand irgendwohin. Alfred Tutein, schon jenseits der Vorsicht, ausgesogen von Todesfurcht, schlich ihm nach. Er sah, der graue Mann stand in einem Gelaß, tief unten im Schiffsbauch, grinsend, betrachtete ein Bleisiegel, leuchtete es ab, zerrte mit den Fingern am Hanfseil, dessen Knoten die Plombe umschloß. Alfred Tutein, unbemerkt, ging in den Hinterhalt, wartete. Der Superkargo entfernte sich. Alfred Tutein, in seinem Hinterhalt, wartete, als wüßte er, der andere werde wiederkommen. Der Superkargo kam zurück, ging in das Gelaß, beleuchtete und befingerte das Siegel von neuem. Alfred Tutein glaubte zu erkennen, die Finger zerrten stärker an dem Seil. Sie zerrten daran; aber sie zerrissen es nicht. Der graue Mann lachte trocken. Er entfernte sich wieder. – »Es wird etwas geschehen«, sagte Alfred Tutein zu sich selbst. Er verging fast vor Ungeduld. Da kam der Superkargo zum drittenmal, stellte sich vor die versiegelte Tür, flüsterte das Holz an: »Öffne dich, öffne dich!« Das Bleisiegel schien ihm in den Händen zu brennen. Er nahm ein kleines Messer hervor. Aber das Seil zerschnitt er doch nicht. Er floh davon. »Es wird etwas geschehen«, keuchte Alfred Tutein. Seine Ungeduld vernichtete ihn fast. Die Wucht eines ungeheuren Planes erdrückte ihn. Er zog sein Messer, lief an die Tür. Das Seil schmolz unter der Klinge dahin. Das Bleisiegel fiel zuboden. Alfred Tutein jagte in seinen Hinterhalt zurück. Er wußte nicht, was er getan hatte, wußte nicht, was er noch tun würde. Die Leiche in den Packraum schleppen. Die Wände riefen es. Aus der Finsternis schlürfte es auf ihn zu. »Wer da?« schrie er. Sein Herz stand still. Er fiel um, kraftlos, abgemäht, ein Gras, eine Blume. Eine Stimme kam zu ihm: »Klemens Fitte, Zimmermann.« Alfred Tutein wunderte sich, daß er nicht tot war. Er stand auf. Er griff vor sich. Er hielt einen Mann. Und dieser Mann war der Handwerker.

»Es wird etwas geschehen«, sagte Klemens Fitte.

»Wahrscheinlich«, sagte mit halbem Atem Alfred Tutein.

Ein Lichtschein näherte sich. Gustav Horn ging in das Gelaß. Er sah das gebrochene Siegel. Er öffnete die geschändete Tür, trat hindurch. Klemens Fitte schob Alfred Tutein vor sich her. Bei der Tür stießen sie auf eine fette, schwachschimmernde Gestalt. Es war der Koch. Er war der Anführer einer nachdrängenden Kolonne.

»Es wird etwas geschehen«, flüsterte Klemens Fitte.

Sie drängten sich in den Vorraum hinein. Alfred Tutein war halb ohnmächtig wie vor Minuten; aber er stand. Klemens Fitte hielt ihn. Gustav Horn entdeckte die Nachdrängenden. Sie schoben sich zu ihm in den kleinen Laderaum hinein. Gustav Horn gab das Zeichen zur Meuterei. Alle Gasten verschworen sich durch Zeichen, alle wie einer zu sein. Alfred

Tutein glaubte vergehen zu müssen. Er dachte an den verwesenden Leichnam, der eine Stätte finden mußte, die anderen aber an Ellena, die sie suchen wollten.

*

Die Meuterei, eine taube Handlung, brachte die Kenntnis, daß leere Kisten anbord waren. Ach, viele leere Kisten, in deren eine man die Tote hätte legen können. Aber Alfred Tutein fand keine Gelegenheit, seinen brennenden Wunsch zu befriedigen. Die Meuterei konnte sich nicht entfalten. Sie erlosch schnell wie ein Strohfeuer. Der Superkargo höhnte. Ihm fiel der Triumph zu. Die Gasten wurden gemaßregelt. Die geschändete Tür kam unter den Schutz eines neuen Siegels. Alfred Tuteins Plan war gescheitert. Er war der Verzweiflung nicht mehr fähig. In der Nacht bequemte sich sein Körper zu schlafen. Beiläufig hatte er festgestellt, der Mitschuldige Gustav Horn und der siegreiche graue Mann waren verstört wie er selbst. Der Leichnam konnte ungeschoren und einsam im kalten Dampf seiner Verwesung liegen, niemand suchte ihn noch. Doch Alfred Tutein spürte, er durfte sein Bemühen nicht einstellen, ihn in den verschlossenen Laderaum zu schaffen. Viele Stunden täglich, wenn er Freiwache hatte, lauerte er vor der verriegelten Tür. So kam der Tag, wo seine Ausdauer belohnt wurde. Der Superkargo und der Verlobte erschienen vor der verwahrten Tür, erbrachen schlicht das Siegel, traten in den Vorraum, gingen weiter durch eine zweite Tür ins große Packdeck. Da faßte Alfred Tutein seinen Entschluß, fast über die Kraft. Er eilte nach dem Versteck der Leiche, hob das Bündel auf, das schon mehr als nach Teer nach Jauche stank, trug es herzu, warf es, das gestaltlose, tropfende, im kleinen Packraum hinter eine der entferntesten Kisten, die leer waren. Die beiden Männer, sie zeichneten vor ihren Lampen große Schatten, waren noch immer im Frachtdeck beschäftigt. Alfred Tutein, zitternd, selbst verpestet und besudelt, wartete. Die Vernichtung oder Befreiung war nahe. Die beiden Männer traten schnell heraus. Die Tür wurde verriegelt, eine neue Plombe wurde vorgelegt.

*

»Ellena ist auf dem Schiff geblieben, bis es versank?« fragte ich.
»Ja«, antwortete Alfred Tutein.
Ich schlug die Hände vors Angesicht. Mir kam vor die Seele, was in eben jener Stunde, in der der Leichtmatrose den Leichnam Ellenas herbeigetragen, mich mit Kälte angefallen hatte: die Vorstellung von Möglichkeiten, die jetzt widerlegt worden waren. Und doch hatten sie mit der Kraft der Wirklichkeit auf mich gewirkt, hatten mich niedergeworfen. Ich war weitergetrieben worden, gierig und besessen, bis das Schiff versenkt war. Und die anderen, gierig und besessen, waren in meiner Spur gegangen.
Ich schwieg lange. Meine Gedanken überprüften das Geständnis, verglichen es mit der Schauseite der Abläufe, die ich mit meinen Sinnen wahrgenommen hatte. Ich fand, die Gegenseite schmiegte sich genau allen Buckeln und Schrunden jener verwirrten Tage an. Das Geständnis war vollständig, eine Aufzählung schauderhafter Stunden. Die Schrecknisse, die Alfred Tutein durchlebt, er hatte sie kaum angedeutet. Eher verbarg er sie. Erst später, nach und nach, habe ich davon erfahren. Er hat sein Geständnis niemals erweitert. Nach einer gewissen Zeit, es mögen Wochen oder Monate darüber hingegangen sein, war es abgeschlossen. Von da an schrumpfte es ein. Nicht, daß er es hätte einschränken wollen; die Schuld wurde an sich und durch sich selber kleiner.
Ich schwieg lange, weil meine Betrachtungen sich allmählich verwilderten und mich den Ort vergessen ließen, den Anlaß zu jener Jagd hinaus in die Wüste der Rätsel, die wir vergeblich mit Bedachtsamkeit durchstreifen. Unsere Spuren verwehen. Und das Nachher ist wie das Vorher, es bleibt kein sichtbarer Pfad. Das Vorwärts ist so ins Ungewisse wie das Zurück. Die Fragen umrieseln uns, winzige Brocken eines riesenhaften zerstäubten Berges; nicht ein Korn wissen wir zu meistern.
Plötzlich schaute ich auf Alfred Tutein. Er stand da wie vor Stunden, noch unbeweglicher; sein Atem war dünner als vor dem Geständnis, und die Herzschläge zeichneten sich nur schwach zwischen den Brustmuskeln ab. Ich empfand jenes neue Gefühl, das weitab von meiner Vernunft geboren worden war, jetzt stark und rein. Es hat keinen Namen, und hätte es einen, ich würde ihn nicht aussprechen. Ich begann zu stam-

meln. Ich sagte etwas so Törichtes wie: »Ich verzeihe dir, Alfred Tutein.« Ich verstummte sogleich wieder, weil meine Stimme nicht zu meiner inwendigen Verwandlung paßte. Ich tat einen Schritt. Ich legte meine Hände unter der zerfetzten Bluse um seinen Rücken. Ich preßte meine Lippen auf seinen willenlosen Mund. Ich spürte das warme fade Fleisch, das sich staunend meinem Kuß öffnete. Ich roch den Angstschweiß des Mörders, der den jungen Körper zu zersetzen drohte. Ich taumelte vor Glück. Nach Sekunden, die süßer und köstlicher waren als jede Zeit, die mir je beschieden sein wird, wurde ich gewahr, Alfred Tutein erwachte aus der Erstarrung der Angst. Es war ein Erwachen voll Freude. Ich sah, er lächelte. Dann schloß er die Augen.

Er sagte: »Du bist mein ewiger Freund. Jetzt bin ich müde.«

»Dein ewiger Freund«, sagte ich. Mir rannen die Tränen über die Wangen vor lauter Glück. Ich war ihm behilflich, sich zu entkleiden. Ich half ihm in die obere Koje. Als er ausgestreckt lag, schlief er auch schon, lächelnd. Ich schaute ihn lange an. Ich wußte, ich hatte mein Leben verkauft. So schuldig oder unschuldig wie in dieser Stunde würde ich immer wieder werden. Ich begriff zugleich, es hatte nicht anders kommen können. Kein Mensch würde mir so benachbart, so vertraut sein, in aller Zukunft nicht, wie dieser eine; meinem Herzen näher anwachsen als dieser mit seiner unschuldigen Schuld, die mir eine Geliebte zerbrochen hatte, es war undenkbar.

Ich legte mich; aber ich schlief nicht sogleich. Ich dachte daran, ich hatte meine Meinung vom Abenteuer gehabt. Mein Abenteuer war anders ausgefallen. Ich prüfte meine Empfindungen. Ich konnte nur an den Menschen denken, der über mir schlief. Er war ein Teil von mir geworden, ein Besitz, wirklicher und gewisser als jeder andere. Ich schluckte den Geschmack einer Schuld. Aber mit unaufhaltsamer Wonne überströmte mich eine Süßigkeit, tausendmal voller als die Herzschläge beim Gelübde zu einer gerechten Verschwörung. Ich hatte gemeinsame Sache mit einem Mörder gemacht. Ich genoß das Urteil der Welten über alle menschliche Schuld wie einen Liebestaumel. Und ich schwor, ich wollte Alfred Tutein vor den Gewalten der Unterwelt retten. Ihm sollte vergeben werden. Und seine Vergebung sollte durch die Himmel hallen. – Es wurde heller

und heller in meiner Seele: ein neuer Mensch ist mir nahe, er ist mir unentrinnbar nahe. Er ist nicht männlich, er ist nicht weiblich, er ist befreundetes brüderliches Fleisch. Alles an ihm entzündet meine Liebe.
Ehe ich einschlief, zerlöste die Kraft des Zweifels den Gewinn meiner Seligkeit. Wir kommen immer wieder auf die Erde zurück.

*

Ilok ist eine kräftige Stute belgischer Zucht, eher klein als vierschrötig. Von tiefbrauner Farbe, mit üppiger Mähne und langem buschigen Schwanz. Sie war Tuteins Füllen – jedenfalls hat Tutein sie noch gesehen, als sie jung war. Sie ist mein Pferd geworden. Meine Freundin. Meine Freundin mit üppigen Nüstern, mit glänzendem Sommerfell und langer Winterbehaarung, mit dem gewaltigen schaukelnden Bauch ihrer Rasse, der Wiege im Geheimen wachsender Füllen, mit schwarzen fleischigen Wurflefzen, mit den krausen Zitzen eines an- und abschwellenden Euters, mit Augen, die die Weite der Landschaft umfassen, die Bänder der Straßen, die mich einschließen als unvergänglichen Teil ihrer Welt. Mit leisem Wiehern begrüßt sie mich, so oft sie mich sieht. – Sie zieht die Kalesche, deren ich mich zumeist als Beförderungsmittel bediene. Wir können, ohne daß ich sie überanstrenge, an einem Tage auf den hügeligen Wegen vierzig Kilometer zurücklegen. So bestimmt sich der Kreis meiner Heimat, der Heimat, die wir uns gewählt haben: zwanzig Kilometer in jede Richtung. Ich verlasse die Fläche, die der Kreis einschließt, kaum ohne Nötigung. Ich sehe das Meer, die kleine Hafenstadt, Klippen, die zum Meere abstürzen, Klippen, die bewaldet sind. Und beschreite Wiesen und Äcker, die der untergründige Granit trägt. Die Landschaft ist nicht reich oder üppig. Sie ist nicht großartig oder voll wilder Kräfte. Sie ist dünn besiedelt. Mir ist es genug, daß sie leicht bewegt über dem Tal der See aufsteigt. Ein paar Kuppen erheben sich an die zweihundert Meter hoch. Einer der Barren erstreckt sich nackt und unfruchtbar hinter meinem Hause. Wenn die Luft ungetrübt ist, sieht man weit. Ich sehe weiter, als ich die Absicht habe, meine Füße zu setzen. An der gebuch-

teten Küste flammen, wenn die Sonne hinab ist, die unruhigen Lichter der Leuchtfeuer. Ich kenne ihre Namen von der Landkarte her; die meisten der Türme, die Feuer tragen, habe ich niemals aus der Nähe gesehen. Man hat mir erzählt, sie sind weiß getüncht, geduckte Bauwerke aus Ziegeln oder Granit.
Ich habe vor dieser Zeit viele Landstriche und Küsten der Erde gesehen. Zu keinem Ort zieht es mich zurück. Die abwechslungsreiche Oberfläche der Erde lockt mich nicht mehr. Der Himmel ist auch hier mit seinen Wolken und seiner Klarheit. Die Sterne, große Leuchtfeuer an den Gestaden der Unendlichkeit – meine Füße werden mich nicht in die Ewigkeit hinaustragen. Ich sehne mich nicht. Und das Meer, es hat seine Schiffe, deren einige den Hafen aufsuchen. Andere, die größeren, fahren stolz vorbei, zeigen sich nur an der Kimmung. Manchmal, wenn die Wetterwarten Sturmwarnungen ausgesandt haben, sammelt sich auf der Reede eine Herde von Fahrzeugen. Und es ist lustig anzusehen, wie keines ein Ziel vor unserer Küste hat, nur wartet, der Sturm möchte sich austoben. Die Schornsteine der Dampfschiffe, sonst übereifrig im Qualmen, werden bescheiden darin, weil die Feuer unter den Kesseln nur gerade am Leben erhalten werden.
So gibt es in der kleinen Hafenstadt (es ist nicht die größte unserer Insel) bei allerlei Wetter manches zu sehen. Ich bin oft dort, mache meine Einkäufe in den Läden der Hafenstraße oder der geschwungenen bergigen Krummgasse, verbringe ein paar Stunden im Gasthaus, dem Rotna-Hotel, in dessen Stall sich Ilok ausruht. (Es war unsere erste Station auf der Insel.) Oder ich bin zu Fuß herabgewandert. Die Leute des Ortes kennen mich, begrüßen mich, sind arglos oder mißtrauisch, wie es ihnen gefällt oder entspricht. Dennoch bin ich hier ein Fremder, wenn es mir auch erstrebenswert erscheint, nicht anderswo zu sein. Ich bin einsam. Und wenn auch niemand meine inwendigen Gedanken oder das Geheimnis meines Daseins kennt, daß ich einsam bin, man liest es meinem Tageslauf ab; und es macht mich mehr zu einem Fremdling als der Makel, daß ich zugereist bin. Gleichviel. – Manchmal besucht mich Lien, der Tierarzt aus Borrevig. Oder Selmer, der Redakteur der Rotnaer Zeitung. Niemand zwingt mich, und es hat den Anschein, als ob es auch zukünftig nicht geschehen wird,

meinen Kreis, der sich so natürlich um meine Wohnstatt gelegt hat, zu verlassen. Und so bleibe ich in ihm. Denn ich habe keine Hoffnungen hinter der Grenze.
In wenigen Tagen wird man das Julfest feiern. Es ist das größte Fest des Jahres in diesem nördlichen Land. Und ich werde mit hineingezogen in den irdischen Glanz der Veranstaltungen. Ich widerstrebe nicht. Auch meine, vielleicht abgenutzte und müde Seele verlangt von Zeit zu Zeit nach einer unalltäglichen Regung. Es gefällt mir, Kerzen anzuzünden, an meine Eltern zu denken und zu weinen. Ich begreife, ich habe eine Kindheit gehabt, ein Vaterhaus, eine Mutter. Und ich bin von allem losgerissen worden durch meine Mitwisserschaft. Ich habe das Land meiner Geburt niemals wieder betreten. Vielleicht fürchtete ich, Alfred Tutein die Treue zu brechen. Vielleicht fürchteten wir beide uns vor der heimatlichen Polizei – als ob sie die durchdringenden Augen besäße, Schuldige zu entlarven. Die Vollzugsbeamten anderer Länder haben wir für weniger gefährlich gehalten. Jetzt sind meine Eltern tot, meine Mutter ist tot. Eineinhalb Jahrzehnte lang habe ich einen schmerzlichen Briefwechsel mit ihr geführt. Sie hat niemals mit Sicherheit erfahren, wo ich mich aufhielt oder umhertrieb. Ich berichtete ihr, daß ich lebte, gesund sei, an sie dächte. Sie antwortete mir in Briefen, die irgendwo lagern mußten, bis ich ihrer habhaft wurde. Sie ermahnte mich. Von ihr habe ich erfahren, daß mein Vater seine Meinung von mir mit jedem Jahre verschlechterte. Er hielt mich für den verlorenen Sohn. Er konnte mir nicht verzeihen, daß ich mein Studium aufgegeben hatte. Noch weniger, daß ich niemals zurückkam. Ich habe den Gram gespürt, den meine Mutter empfand, den sie mir anfangs verheimlichen wollte und doch nicht verbergen konnte. – Wovon lebst du? fragte sie. Welchen Beruf hast du? Welcher Art Menschen sind dein Umgang? – Und ich schwieg. Oder gab Auskünfte, die sie nicht glauben konnte. Eines Tages sprach sie es aus, mein Vater halte mich für einen Verbrecher, der aus Furcht vor Strafe die Heimat meide. Der sein Gesicht dem reinen Blick der Unbefangenen nicht preisgeben könne. – (Herr Dumenehould hat die Verdächte gegen mich genährt.) Und ich schwieg dazu. Der Vater verhärtete sich. Sie aber schwor (in den ersten Jahren meines Fortseins), daß sie meine

Schuld als gering erachte, daß sie an meine Laster nicht glaube, eher an meinen Stolz. – Jetzt ist sie tot, und ich bin ihr ein schlechter Sohn gewesen. Sie hat mich nicht wieder gesehen. Meine Gestalt ist ihr allmählich zerronnen. Ihre mütterliche Kraft konnte nicht so stark sein, daß sie allen Beschuldigungen trotzte. Sie liebte mich mit all meiner vermeintlichen Schuld. Und diese Schuld war groß. – Ich hätte wohl das Ärgste getan, was ein Mensch begehen könne, meinte sie, schon erloschen vor Ungestilltsein über mich, nachdem sie fast zwei Jahrzehnte vergeblich auf meine Rückkehr gehofft.
Es gefällt mir, an sie zu denken und zu weinen.
Die Frau Steen Kjarvals hat mir heute früh eine mit Pflaumen und Äpfeln gefüllte Ente gebracht. Das ist das Zeichen. Diese Gabe soll wie ein Geschenk aussehen. Und ich bedanke mich, als ob es ein Geschenk wäre. Ich sinne auf eine Gegengabe. In Wirklichkeit bezahle ich den schmackhaften Vogel zur Zeit der Heuernte, wenn der Bauer mir eingefahren hat und wir uns hinsetzen, um unsere Angelegenheiten abzurechnen. Er meint, ich sei reich. Und so muß es wohl auch sein, weil ich mich niemals mit körperlicher Arbeit plagen muß, um mein Brot zu verdienen. Steen Kjarval läßt sich willig das Geschenk bezahlen wie eine gelieferte Ware.
Ich habe mich aufgemacht und bin in die Stadt gefahren. Die Dämmerung des Nachmittags ließ nicht auf sich warten. Mit brennenden Laternen bin ich dort angekommen. Der Knecht des Gasthauses hat das Pferd abgeschirrt. Ich ging sogleich durch die krumme Gasse zum Hafen hinab. Hinter den Fenstern der Kaufläden flackerte rotgelb ein ungewöhnliches Viel von brennenden Kerzen. Die Eisblumen auf den Scheiben waren feucht dahingewelkt. Man sah den ausgestellten Reichtum. Den künstlichen Schnee, den metallenen Flitter, das Grün von Tannenzweigen. Bunte Bänder, kleine Papierfahnen, plump bemalte Holzpferde, rot und weiß und blaugrau, aus Stroh zusammengeschnürt hochmütige Widder, die heiligen Tiere eines alten Gottes. Inmitten dieser Pracht des Beiwerks standen und lagen die Waren, die die Kaufleute feilzubieten haben. Ich strich an den Fenstern vorüber und schaute. Ich ging in einen Tabaksladen und beschnüffelte umständlich das kleine Lager an Weinen und Schnäpsen, das der Inhaber für seine

Kunden unterhält. Der Tabaksverkauf allein kann den Mann nicht ernähren. Ich kaufte ein paar Flaschen Rotwein und einen bauchigen Krug voll Martinique-Rum. Ich bezahlte den verlangten Preis, ohne meine Ausgaben weiter zu überrechnen. Wieder in diesem Jahre habe ich von den anfallenden Zinsen einen kleinen Überschuß zurückbehalten. So hantiere ich sorglos mit dem Gelde. Als Alfred Tutein noch lebte, ging es zumeist den umgekehrten Weg; wir mußten vom Kapital nehmen, um die notwendigen Ausgaben bestreiten zu können; wir feilschten zur Zeit der Feste um den Luxus einer Flasche Wein. (So war es in den letzten gemeinsamen Inseljahren. Davor bereitete sein Handel mit Vieh und Pferden unseren Einnahmen ein wechselvolles Auf und Ab.)
Ich lebe jetzt gemächlich dahin. Wie soll ich es auslegen, daß mir das tägliche Brot zufällt? – Es fällt auch anderen zu. Die Unnützen oder nur halb Nützlichen bilden einen großen Orden. Immer wieder entdecke ich, daß ich dem nützlichen Tun meine Hochachtung versage. Der Ruhm eines Verkäufers hinter dem Ladentisch ist nicht übermäßig groß. Er hat seinen Platz. Er steht da, und es hat den Anschein, als hülfe er mit im großen Triebwerk der menschlichen Ernährung. Doch der Verdacht liegt nahe, daß er unwichtig ist. Seine Hand gebiert das Brot nicht, sie reicht es nur. Die Hungrigen könnten es sich gerade so leicht nehmen. Millionen und aber Millionen Menschen dienen der Bürokratie, jener unfruchtbaren Gewaltigen, die die Seelen verödet, die das Leben erfaßt und in die papierene Wüste treibt. Sie alle haben ihren Platz. Sie hocken in ihren Kontoren. Niemandem sitzt der Spott so lose, daß er sie für Werkzeuge hält, die die menschliche Ernährung fördern oder Wohltaten bereiten. Ich hätte eine Gestalt in ihren Reihen sein können. Irgendein Name mit einem kleinen Dünkel und ohne Ruhm. Ich hätte Geld in meine Hände bekommen, um mich sättigen zu können. Man hätte mir so und so viele Lebensstunden abgekauft. Ich habe mein Leben nicht anbieten müssen. Der Superkargo hat mir den Ertrag seines mühevollen Daseins und die Schiffskasse dazu übereignet. Und selbst auf das Brot fürderhin verzichtet. Ich esse geschenkte Speisen wie ein Gast in fremden Häusern; oder wie ein Dieb lebe ich vom Raub. Ich kann sagen: so ist es. Meine Gedanken darüber haben kein

Ende. – Das unterscheidet mich von den Millionen. Meine Mutter meinte, ich würde betteln, mein Vater meinte, ich müßte rauben, um meinen Bauch zu füllen. So nahe und so fern zugleich war ihre Vermutung meinem Dasein. Sie kannten seinen Schauplatz nicht. –
Ich gedachte in den Festtagen zu trinken.
Im Fleischerladen erstand ich zwei Kilogramm saftigen Rindfleisches. Ich gedachte reichlich zu speisen.
Und Obst kaufte ich, Nüsse, getrocknete Feigen, Backwerk, Schokolade und Marzipan.
Ich gedachte zu naschen wie ein Kind.
Und Kerzen kaufte ich, bunte und weiße, viele Schachteln voll, damit sie bis zum Dreikönigstage reichen würden.
Um mich selbst herauszuputzen, erstand ich ein Paar Handschuhe.
Steen Kjarval kaufte ich eine Mütze aus Schafspelz und seiner Frau ein seidenes Tuch.
Die eifrigen Händler versprachen mir, alles in den Wagen zu packen.
Und ich ging durch die Straßen, ein Überflüssiger, ein zufällig Ernährter, den nur Pferd und Hund und ein paar Musikbeflissene verehren. Einer, dessen Mutter gestorben ist, dessen Geliebte auf dem Grunde des Ozeans, dessen Freund ein schauriges Skelett in einer festen Truhe. Und der dennoch das Julfest feiert.

*

Die Festtage füllen sich wie von selbst mit Nichtstun aus. Darin besteht ein Teil ihrer Feierlichkeit, und darum auch reifen sie so leicht zum Überdruß. Selbst mein Alltag unterscheidet sich von ihnen. Ich habe regelmäßige Beschäftigungen, mögen sie auch unwichtig sein. Ich bewirtschafte das Haus und den kleinen Garten (er ist so klein, daß noch jeder, der mich besuchte, ihn übersehen hat), pflege den Wald, pflanze im Frühjahr Baumkinder, baue an einer großen Bruchsteinmauer, die die Pferdetrift umzäunt, säge Brennholz, spalte es, füttere und putze Ilok. Ich trage einen Arbeitsanzug und scheue den Schmutz nicht. (Als ich halbwüchsig war, hat es mich vor Kot und Unflat geekelt.) Vor allem: ich ziehe über die Felder, über die Heide, durch den Wald, bestarre den Boden, seine Gräser, die Vielfalt seiner Gewächse, die Tümpel, an deren Rande Binsengras wächst, mögen sie nun weichfließend oder eisig erstarrt sein, die Klippen, diese tiefreichenden Fundamente der Insel. Dann setze ich meinen Gedanken Aufgaben, ja, zwinge mich, lange und scharf zu denken. Freilich, ich kann es nicht verhindern, daß mein Geist sich in Träumen verliert und meine Absicht verrät. Meine Übung bedeutet, daß ich mich von mir fortbegebe, ein anderer werde und diesen anderen nötige, Aufgaben, die ich ihm stelle, zu lösen. Mag das Ergebnis gut oder schlecht ausfallen (zumeist wird es gar nicht erkennbar), es behelligt die Allgemeinheit nicht, denn es dringt nicht, allenfalls bis zur Unkenntlichkeit verwandelt, zu den Menschen hinaus. Mit meinen Lösungen, Berechnungen und Vorstellungen kann man keine Brücken bauen, Maschinen erstellen oder Ordnungen des Verhaltens einrichten. – Dies Gemisch magischen und realen Denkens, dies sinnliche Ergründen unerklärbarer Ahnungen ist wohl die Wurzel, auf der meine Begabung oder meine Sehnsucht zur Musik gewachsen sind. Der vergebliche Traum von einer besseren Schöpfung hat mich gezwungen, mich der Wirklichkeit da zu nähern, wo sie am unanfechtbarsten ist – wo es keine Morde gibt, damit der Magen Nahrung hat: im harmonischen Plan ihrer Formen, in der Mathematik des Wachsens und Vergehens, im Reich der Zahlen und Rhythmen, im überwältigenden Klang, der vom Donner der Sonnen und Berge bis zum unentsiegelbaren Schweigen reicht. – Ich habe vor ein paar Jahrzehnten begonnen, Musik zu berechnen – wie ich es zuweilen genannt habe. Wohl spüre ich hin und wieder die Fittiche des Genius, und das Reich, das ich betrete, ist voll samtenen Schwarzes, daß ich alles Grün und Licht vergesse und nur höre. – Aber ich wage nicht daran zu glauben – ich will es auch nicht –, daß der Engel in mir seine Schwingen regt, daß es mein Dichten und Denken ist, mein Eigentum. Mir gehört am Ende das Brüchige, das Unerreichte – die Qual der Grenze. Ich brauche das Handwerkszeug der Kompositionslehren. Ich zeichne die Noten aufs Papier. Ich teile die Werte der Zeitmaße rhythmisch. Ich lasse das Melos auf- und absteigen. Ich gebe ihm Gefährten. Ich

erfreue mich an kunstvollen Kanons. Zuweilen singe ich, als zwänge mich die Intuition. Aber ich weiß recht genau, daß ich nur die Möglichkeiten der Harmonie für mich erprobe, schrittweise mich im Dickicht der unendlichen Möglichkeiten des harmonischen und melodischen Ablaufs verliere. Der Hügel einer rhythmisch eingeteilten Tonleiter bereitet mir Freude. Ich habe manchmal Tage und Wochen damit verbracht, die rhythmische Gliederung einer Linie zu variieren. Es gibt immer eine hypothetische Lösung, die sich widersetzt.
Ich habe also meine Beschäftigungen an den Alltagen und enthalte mich ihrer zum Teil, wenn ich in der festlichen Stube mit verschwimmenden Augen vor den brennenden Kerzen sitze (und sie brennen fast den ganzen Tag lang) und meinen Bauch übersatt mache und meine Gedanken undeutlich aber friedfertig mit Wein. – Manchmal sage ich mir, die Mauer, die ich errichte, die Tutein und ich gemeinsam zu bauen begonnen haben, ist etwas lange Dauerndes. Ein Jemand wird das Werk einmal bewundern. Viele tausend große Steine sind neben- und übereinander gestapelt. Viele Generationen von Pferden und Rindern werden jenseits der Umzäunung grasen.
Die Festtage machen mich also faul, verändern mich. (Tutein hat den Brauch des zeitweiligen Müßigganges schon vor drei Jahrzehnten bei uns eingeführt.)
Ich putze das Pferd, stehe lange am Herd, um Speisen zu bereiten. Der Pudel schnüffelt begierig nach den Düften, die etwas Außerordentliches verheißen. Der Wein, die Kerzen, die Tage, die in jedes Haus den Glanz des Ausruhens und Genießens tragen, verschlagen mich in eine ungewöhnliche Landschaft meiner Erlebnismöglichkeit: ich erträume mir ein durchschnittliches Glück, ein Leben, das mir nicht gehört, das die anderen haben. Ich möchte aufstehen, hinausschreiten und vergessen, was nun fast fünfzig Jahre lang Gustav Anias Horn geheißen hat. Gleichzeitig aber will ich es gar nicht, sondern möchte wilder, zusammengedrängt auf einen Tag, das sein, was ich Jahrzehnt um Jahrzehnt gewesen bin. Mit dem Hauch einer Sekunde legen sich die wilden Süßigkeiten der Entscheidungen, an die ich mich je verloren habe, auf den Mund. Ich seufze wie in schwerer Lust. Der graue Abend lehnt sich gegen die Scheiben. Ich entzünde eine doppelte Anzahl Kerzen zu

dem großen Fest, daß ich noch da bin. Und noch festhalte, was nur mir geschenkt wurde, keinem anderen: mein Schicksal. Ich spüre deutlich, daß ich das Leben liebe, daß ich nicht frage, wie es mundet. Ich bin unbedenklich, meine Zähne in die Frucht zu schlagen. Wenn es mir auch an erdiger Kraft und sinnlichem Verlangen gebricht, wenn ich auch ein Stümper im Mut bin, die Genüsse an mich zu reißen, so verachte ich doch das Köstliche nicht, Fleisch im Strome wechselvoller Stunden zu sein, und zerstückle die Gnade nicht mit den kleinen Vorbehalten der Moral. Ich weiß, ich muß das Gefühl, da zu sein, bezahlen. Die Frucht ist zur Hälfte bitter. Und hinterher wird es sein, als wäre ich nie gewesen. Dann war es das gewöhnliche Leben, das entstand und verging.

Januar

Der Winter hat sich mit allen seinen Mitteln eingerichtet. Während der Julfesttage krochen ringsum blaugraue Wolken vom Horizont herauf. Der Wind sank in sich zusammen. Eine dunstige Wärme sammelte sich, als hätte es gegolten, die geronnene Kruste der Erde zu zerlösen. Nasser Schnee flockte herab. Auf dem durchkälteten Boden verharschte er zu Eis. Immer neue Schübe weißer Massen barsten im Zenith und entluden sich abwärts. Das Zweigwerk der Bäume verklebte sich. Engmaschig drängte sich die Vielfalt weißer Bänder, den Konturen der Äste folgend, durcheinander, verdunkelte die Durchsicht. Rauschend stäubte es hier und dort von den überladenen Zweigen. Mit einem schneidenden Krachen brachen die schwächsten, die die Last weder tragen noch abschütteln konnten.

Die warmen Ströme der Luft vermochten nichts gegen die eisgeladenen Wolken. Sie schütteten sich herab, bis der geschützteste Fleck des bestoppelten unebenen Landes zugedeckt war. Nur die Bäume und hohen Sträucher durften verraten, daß unter dem makellosen unfruchtbaren Weiß braune und modrige Erde lag. Als alles verschneit war, lichtete sich die Luft, wurde dünner und kälter. Noch einmal, während der Nacht, fiel Schnee. Er war fein wie Staub. Er dengelte mit leisem Gesang über den gläsernen Untergrund, vom Wind getragen, dahin. Mit dem mächtigen Strom einer härteren Kälte verlor er sich, wurde eins mit den mächtigen Schichten, die vordem gefallen waren. Noch vor Neujahr befuhr man die Straßen mit Schlitten. Und es ist eine Lust, dahinzugleiten, kreuz und quer in einer Landschaft, die ihre Begrenzungen und ihr Angesicht verloren hat. Und es ist mühelos für die Pferde,

die leichten Schlitten zu ziehen. Der Schnee springt, aufgerissen von den Stollen an den Hufeisen, von ihren schnellen Füßen. Der melancholisch süße Laut der Schellen! Wer könnte müde werden ihn zu hören, diesen dünnen flüssigen Erzton, der Frage und Antwort zugleich ist?
Ich fuhr zum Meer hinab, die Küste entlang nach Osten. Das salzige Wasser hatte es nicht vermocht, den einfallenden Schnee ganz zu zerlösen. Weiter draußen kräuselte es sich schwarz bewegt; am Strande hob und senkte es sich grützig trübe, gelähmt vom unzergangenen eisigen Geschiebe. Im Hafen sah es noch winterlicher aus. Die ersten Eisschollen hatten sich gebildet und wuchsen schnell über die schwimmenden Schneeballen hinweg. Ein paar Kutter, im Hafenbecken vertäut, lagen schon umkrustet da. Das war der Anfang des Eisgangs, der in den ersten Januartagen schon weit ins Meer hinausreichte. Jetzt treiben in der Ferne mächtige spiegelglatte Flächen auf und ab. Die Leute am Kai sagen, man kann einen Kilometer weit hinausgehen. Morgen wird es das Doppelte sein. Das Postschiff ist nicht mehr gekommen. Es soll irgendwo südwärts in einem Hafen festliegen. Wir sind von der Umwelt abgeschnitten. Man spricht darüber. Man wartet mit Plänen auf. Es ist töricht. Wir brauchen die Umwelt nicht, jedenfalls einstweilen nicht. Niemand wird Hungers sterben, niemand wird erfrieren. Es ist vorgesorgt. Auf ein paar Briefe und ein paar Waren wird man verzichten müssen. Was gibt es Überflüssigeres als Nachrichten, die nicht dringend sind, und Waren, deren Anwendung man erst erfinden muß? So freue ich mich über den Zustand und erbaue mich am Winter, der von Tag zu Tag gewaltiger wird, vom Land auf das Meer hinauskriecht. Niemand kann ihm folgen, wenn er des Nachts mit Meilenstiefeln ausschreitet. Freilich, die Kaufleute finden es arg, fern von neuen Zufuhren zu sein. Sie wachsen mit dem sich dehnenden Handel und nehmen ab mit dem Stillstand. Sie haben es so eingerichtet, daß man ihnen ihre Meinung nachspricht.

*

(Man wird die Geschichte einer versiegelten Tür erzählen können. Manchen wird sie langweilig oder müßig erscheinen. Vor

langer Zeit schon ist das Urteil gefallen: Alfred Tutein hat das Seil der Plombe durchschnitten. Er selbst hat es gestanden; man kann den Bericht nicht bezweifeln. Doch zwei weitere Menschen waren bereit, das Gleiche zu tun. Wäre die Reihenfolge nicht unerbittlich gewesen, die drei wären in dem gleichen Stück schuldig geworden. Ja, der Superkargo hat, ähnlich wie ich selbst, versuchend die Hand an das Siegel gelegt. Er ist, getrieben von einem kaum zu zähmenden Zwang, eine Entscheidung herbeizuführen, immer wieder an die Tür zurückgekehrt, mal um mal mit festerer Gesinnung, die Meuterei zu begünstigen. Er hat Zauberworte gesprochen, daß die Tür sich öffnen möchte. Er hat seine Bannformel unter das Zeichen eines bereiten Messers gestellt. Sein Wille ist allmählich so unvorbehalten und ausschließlich geworden, daß nur noch das Dazwischenkommen eines anderen sein Vorhaben hat anhalten können. – Der andere nahm auf sich die Schuld. – Im äußersten Augenblick geschah sein Wille allein mittels der Wunschkraft. Es kam ein zweites Schicksal und lagerte sich bettelnd dem seinen an, um es zu erfüllen. Der graue Mann hat niemals mit Entschiedenheit bestritten, selbst das Siegel verletzt zu haben. Vielleicht sah er nur seinen Wunsch, während ihm sein Tun in den Bedrängnissen unerkannt blieb.
Alfred Tutein ist zum Mörder geworden. Die Kluft zwischen dem Täter und dem Urheber des verschwiegenen Willens, der nicht zur Tat gekommen ist, scheint plötzlich so unüberbrückbar. Und doch hat den Superkargo das Entsetzen, das ihm nicht vor den Augen, sondern hinter der Stirn erschien, umgeworfen. – Oder war es der Verlust des Schiffes, der ein bürgerliches Ehrenopfer forderte? Und war es ein Ehrenopfer, weshalb stahl er dann die Schiffskasse? – Das Schweigen ist immer eine geeignete Antwort.
War meine Seele krumm oder unberaten genug, daß ich mein Leben mit dem Täter teilen konnte? Folgte ich einer eingeborenen oder erworbenen undeutlichen Sehnsucht? Befleckt es mich nicht tiefer, daß ich dem grauen Manne alles verziehen habe: die Mißverständnisse, die sich an ihm entzündeten, und die unbekannten Sünden seiner Wünsche?
Ich habe die Erzählung Alfred Tuteins immer wieder mit den Erlebnissen verglichen, die ich in eben denselben Stunden

gehabt habe. Es war die gleiche Zeit, es kann nicht geleugnet werden. Und die Handlungen der einzelnen Menschen waren ineinander verschränkt. Erst wenn der eine zurücktrat, wagte sich der andere vor. Bis zum Anprall der Berührungen kam es in diesem verzahnten Räderwerk. Und doch, noch in der Innigkeit des Durcheinanders bestanden verschiedene Wirklichkeiten, die sich nicht vermischen und einander erschließen konnten. Wie das Leben der Sterne, die die Entfernung vieler Lichtjahre voneinander trennt, so war unser aller einsames Dasein in jenen Tagen, verbunden nur durch ein Gesetz der Gravitation. Aber wir wußten es nicht. Wir sprachen miteinander; es war kein Austausch der Beglückten. Wir erkannten nicht, daß die Luft nur durchsichtig war bis an die Grenze unseres engen Vorstellungskreises. Wir sollten damals voneinander getrennt sein. Und so fielen die Schatten um uns wie Vorhänge herab.
Das Siegel der Tür aber muß wohl die Hand dessen gebrochen haben, dessen Not am größten war. – Wer in einem Wirtshausstreit umkommt, muß nicht der tollste Trinker und häufigste Gast gewesen sein.)
Das strudelnde Schlagen der Schiffsschraube hob mich allmählich aus dem Schlaf. Ich spürte das Zittern der Wände, hörte den leise zischenden Sog und den Anprall des herumgeschleuderten Wassers. So war es an den voraufgegangenen Morgen gewesen. An diesem Tage blieb ich wachend im Bette liegen und überdachte die Ereignisse der letzten Nacht. Mir war, als hätte die Freundschaft mit Alfred Tutein schon lange bestanden. Gleichzeitig spürte ich Neugier darauf, wie mein Freund anzuschauen sein würde. Ich kannte sein Antlitz kaum. Ich hatte es schon wieder vergessen. (Genauer wußte ich über seine Brustwarzen Bescheid, daß sie klein, abgezirkelt und dunkel waren. Es fanden sich keine Haare, die sie beschatteten. Den tatauierten Adler auf seinem Rücken hatte ich noch nicht mit Aufmerksamkeit betrachtet. Und von dem kleinen nackten Weib auf seinem Arm hatte ich nur gehört.) Was von den Zügen in mir haften geblieben war, mußte sich in dieser Nacht verändert haben. Es war mir selbstverständlich, daß sein Aussehen sich verändert haben mußte. Ich gab mir deshalb keine Mühe, ihn mir vorzustellen. Ich erwartete mir eine Art Beloh-

nung für mein Verhalten. – Oder hoffte ich noch auf eine Überraschung, die mich von der Mitwisserschaft befreien würde? – Es ist schwer, die Regungen in den Minuten nach diesem Erwachen genau zu deuten. Ich möchte niederschreiben können: ich fühlte mich angekettet. Aber wie wenig würde diese unsichere Behauptung der Wahrscheinlichkeit ähnlich sehen! Je ärger ich mich abmühe, desto weniger will es mir gelingen, spätere lästige Gedanken bis zu ihrem ersten Aufkeimen zu verfolgen. Es ist unmöglich, meine Seele kann nicht so voller Trug gewesen sein, daß schon damals, als Nachfolge heißer Erschütterungen, ein hassenswertes Gefühl der Abhängigkeit meine Begierde, Alfred Tutein die Treue zu halten, benagte. Vielleicht fühlte ich mich hinfällig. Wie nach einer Krankheit. (Ein Jahr später hätte ich denken können: wie nach einer Ausschweifung.) Ich war dem Erlebnis einer Nacht angeschmiedet. So ist es gewesen. – Diese Freundschaft habe ich geschlossen, und ich weiß nicht einmal, wie mein Freund aussieht. – Allenfalls entsinne ich mich seiner Brust. Ich weiß ziemlich genau, auf welche Weise er meine Geliebte ermordet hat; aber ich habe vergessen, wie er aussieht. Vielleicht erkenne ich ihn gar nicht wieder.
Ich empfand inmitten der klingenden Ungewißheit auch reine Befriedigung: daß ER schlafend über mir lag. Der neue Mensch, der so und so beschaffen war, was sich erst herausstellen würde, mit dem ich gemeinsame Sache machen würde, im Guten und im Bösen, und daß SIE, der dahingegangene Mensch, der Vertraute von einst, den ich glaubte, sehr genau zu kennen, der Tote, mit dem Schiff versunken war, festgehalten vom mächtigen festgefügten Plankenwerk, das im Salzwasser, in den verschlammten Grotten des Meeresbodens Jahrtausende erleben würde. Schattenrisse der Verwesung huschten an meinen Augen vorüber. Wie vergehender Schnee, so erschien mir die vertraute menschliche Haut. Ich lag und sehnte mich nach der unvertrauten.
Alfred Tutein regte sich in seinem Bett. Er fragte:
»Ist es wahr, Anias, daß du mein Freund bist?«
Er nannte mich an diesem Morgen Anias. Und so behielten wir es bei.
Ich antwortete:

»Gewiß, Tutein.«
Ich nannte ihn an diesem Morgen mit seinem Nachnamen. Und so behielten wir es bei. Er sprang mit einem Satz aus dem Bett, von hoch herab. Er stand da. Und ich konnte ihn betrachten. Ich redete mir ein, daß er ein schönes Gesicht habe. Ich betrachtete es. Ich kannte es. Aber ich behielt weder das, was ich kannte, noch das Neue, das ich nun ein Recht hatte zu entdecken. Er war gut gewachsen. Ich hatte ein Recht, auch das festzustellen. Ich hatte ungeheure Rechte an ihm. Ich konnte zu ihm sagen: dreh dich um, zeig mir deinen Rücken, ich will den Adler sehen. Und er drehte sich um, zeigte mir Rücken und Adler. Ich prüfte ihn also, und es waren gute Knochen in seinem Fleisch. Und das Fleisch war gut. Es war nur behaart, wo es eine Zierde bedeutete: auf dem Haupt, in den Achselhöhlen und am Bauch, wo es tief unter dem Nabel auf einer scharfen Linie sich zu kräuseln begann. – Ich begriff nicht, daß er schön war. (Vielleicht war er es damals nicht.) Doch schien seine Gestalt Tugenden zu haben, und ich freute mich an ihr wie am Anblick eines jungen Pferdes. (Es gab keine Pferde auf dem Ozean.) Ich zog ihn zu mir herab auf den Bettrand, prüfte ihn weiter mit meinen Augen. Er saß da, mir vertraut, lachte mir gegen die Stirn, sagte:
»Daß es so etwas gibt wie dich!«
»Es gibt mich. Aber man kennt mich nicht«, sagte ich zweideutig.
»Ich glaube, wir werden gut miteinander auskommen«, sagte Alfred Tutein mit ernster Zuversicht.
Ich wich aus und schwieg. Ich mochte nicht an die Zukunft denken. Ich hatte keinen Plan. Alfred Tutein gefiel mir. Das mußte bestehen bleiben. Es mußte viel vergessen werden. Wir hatten noch keine Übung, uns einzurichten. Die Vergangenheit stand wie ein lästiger Kram allerwege umher.
Im Laufe des Tages merkte ich, daß ich mich vor den anderen schämte. Ich konnte es nicht verheimlichen und wollte es auch nicht, daß Tutein mein Freund geworden war. Aber ich schämte mich dessen. Ich war noch sehr jung und hatte mancherlei Vorurteile. Ich war als Student auf einer Universität gewesen, aber noch in keinem Bordell; ich hatte ein gelehrter Mann werden wollen – das wußte jeder der Besatzung; Tutein war ein

armer Matrose, ohne Eltern – und hatte auf Mädchen gelegen wie auf einem Kissen. – Diese plötzliche Zuneigung füreinander mußte sehr unüberlegt erscheinen. Ich bildete mir ein, daß man etwas Unvorteilhaftes über uns dächte. Ich schämte mich endlich wegen einer vermuteten Unterstellung und kehrte ein trotziges Gesicht nach außen. Waldemar Strunck fragte mich, mit einem lauernden Nebensinn, ob ich mich in der Gesellschaft des Leichtmatrosen wohlbefände. Ich gab dem Kapitän ziemlich frechen Bescheid. Es war mir am erträglichsten, wenn ich mit meinem Freunde allein irgendwo zusammenhockte. Ich versuchte, ihn an meinen Gedanken teilhaben zu lassen, und wartete mit einem gehörigen Maß an Überklugheit auf. Er hörte mir demütig zu. Vielleicht spürte er, daß er nicht entronnen und noch immer überantwortet war. Er hatte mich als Quälgeist bekommen. Er wurde der Willkür eines Menschen ausgesetzt, der anders war als er. Dessen Gedanken sich auf andere Weise, mit anderem Ziel bildeten als die seinen. Und er durfte nicht sagen, daß es ihm nicht gefalle. Er mußte den Gegensatz zwischen ihm und mir einfach hinnehmen. Nicht einmal seufzen durfte er. Dafür blieb es ihm erspart, zu sterben. Es brauchte nichts Gewaltsames zu geschehen – seine Leiden, wie sie auch ausfallen mochten, waren in allen Stücken freiwillig gewählt. – Doch er hielt die Plagen für gering. Er lachte laut. Er lachte den halben Tag lang. Wie ihn dies Lachen kleidete! Wie es mir gefiel! Die beschworene Treue, die Freundschaft, die Verschwiegenheit betörten uns. Die Sehnsucht, ganz gleich zu werden, besaß uns. Aneinander gefesselt sein, es erschien nicht genug der Einigkeit. Ineinander verwachsen, einander vertraut werden wie echte Zwillinge, es war ein gutes Ziel. Ach, wir waren noch jung, um mehr als bereit zu sein, uns füreinander zu opfern. In irgendeinem dunklen Urgrund unserer Gestalt dürsten wir Menschen danach, uns an die Vernichtung hinzugeben. Und wir unterstellen, daß sie sinnvoll sein würde, gleichsam den Schmerz mit der Belohnung einer ausdrücklichen Liebe vergölte, die nicht anders als angesichts des Opfers offenbar werden könnte.

Ich legte es darauf an, die übermenschliche Erschütterung, die mich in der Nacht befallen hatte, wieder heraufzubeschwören. Ich hielt mich nicht mehr zurück, als mir Tränen in die Augen kamen, Tränen der Sehnsucht nach dem Glück einer Einigkeit. Ich wollte das unaussprechliche, das himmlische Gefühl, das mich wenige Augenblicke umsponnen gehalten hatte, wieder kosten. Gleichsam, mein Herz verlangte nach einer Bezahlung für die Mühsal, die mir bevorstand. Ich weinte schließlich unaufhaltsam. Tutein kam herzu, um mich zu trösten. Er umschlang mich, war milde wie der allerbeste Mensch, wie ein Muttertier zu seinen Jungen. Er war da, würde jederzeit da sein, wenn ich es verlangte. Er hatte keine Vorbehalte. Schließlich genoß ich meine Tränen, genoß seine Bereitschaft. Ich hing ihm willenlos am Halse. Und wußte nicht, ob das Erlebnis sich wiederholt hatte.

*

Nach Tagen gestand ich mir ein, ich hatte Pflichten eingehandelt; die Hoffnung aber, daß ich das GLÜCK erfahren würde, schwand dahin. Ich hatte mir nichts erwartet; darum war ich enttäuscht, daß ich nichts erhielt. Tutein zeigte mir mit vertraulichem Lachen die winzige Figur eines nackten Mädchens auf der Haut seines Armes. Er gab mir mit seinem Ellenbogen einen Stoß in die Seite, und ich glaubte zu spüren, daß er nach meinen Lenden gezielt hatte. Er war unfähig, seine Zuneigung zu mir oder seine Bereitschaft für mich mit den Mitteln des Geistes auszudrücken. (Er lernte es schnell.) Er wandte eine ungeordnete Mischung von groben und feinen Regungen an. Manchmal war er so plump, daß ich erschrak. Dann erschien mir sein Gesicht wie ein Stück ungeformten Fleisches. Nicht, daß es abschreckend gewesen wäre – es hatte eine vollkommene Haut und Augen so voller Leben, wie sie nur irgendeinem Menschen gegeben waren, und frische Lippen, über die ein gesunder Atem ein- und ausging, eine fast bleiche Nase von gerader Linie, deren Öffnungen zuweilen unerklärlich bebten –: es war noch voller falschen oder ungeklärten Ausdrucks – es war unvollendet. Als ich ihm erzählte, ich hätte noch niemals ein Bordell besucht, noch niemals ein Mädchen besessen, wie es ein Mann sich wünscht, auch Ellena nicht (es war schon am ersten oder zweiten Tage unserer Freundschaft), sah er mich einige Minuten lang bestürzt und ratlos an. Aber dann ent-

schloß er sich, mit furchtbarer Genauigkeit zu beschreiben, wie er für ein paar Schillinge in irgendwelchen Häfen (auch seine Vaterstadt war dabei) eine Genossin gekauft und unter sich zurechtgelegt. (Später erfuhr ich, daß das meiste davon Lügen waren, daß er zu meinem Vergnügen etwas Anregendes oder Belustigendes erfand, daß er damals noch unfähig war, die ihm eigentümlichen Empfindungen als etwas Tatsächliches aufzufassen: seine wirklichen Freuden, seine Enttäuschungen, seinen Schrecken, seinen Ekel. Er sprach von der allgemeinen Lust, wie sie hätte sein müssen oder können. Er hatte ganz vergessen, daß er in die Welt hinausgezogen war, mit dem festen Vorsatz, das Gute zu wollen – weil er das Böse vollbracht hatte.)
Doch gab es Stunden, wo sich seiner eine unbeschreibliche Milde, eine unirdische Harmonie bemächtigte, wo er meine Hände in die seinen nahm, sie lange betrachtete, mit den seinen zudeckte, wieder aufdeckte, wieder zudeckte, wo Gedanken oder Träume, deren Inhalt ich nie erfuhr, ihn verwandelten. Er konnte einfach dasitzen, durch kein Zeitgefühl berührt. Und alles, was er sagte, war dies wenige: »Zwei Hände, vier Hände.« Manchmal betete er. Er besaß einen Rosenkranz aus billigen Holzperlen. Aber es gelang ihm nicht mehr oder noch nicht wieder. Damals war es noch nicht entschieden, wie wir es mit der Religion halten würden. Ich stellte nur fest: »Du bist römischen Glaubens.« Er antwortete: »Ich beichte nicht. Ich beichte nicht mehr. Ich habe dir gebeichtet.« – Ich sah sein ängstliches Gesicht, den plötzlichen Hammerschlag der Verzweiflung.
Die Gemeinschaft mit ihm, mochte sie auch den Geschmack des Fleisches haben, war weitab von der Verzückung des Begehrens. Ich war ernüchtert und vollkommen unfähig, meine Rolle zu spielen. Die Umgebung, die Heimat des Schiffes und ihre Bewohner hinderten mich daran, Entschlüsse zu fassen, Vorstellungen in mir zu bilden oder gar einen Lebensplan aufzustellen. Ich wußte nicht, was ich in aller Zukunft mit Alfred Tutein beginnen sollte, und er war sicherlich genau so unwissend wie ich. Wir ahnten noch nicht, daß das Schicksal es so mit uns anstellen würde, wie es ihm gefiel. Wir dachten, daß es auf unsere Liebe, auf unseren Opfersinn, auf unser halsbre-

cherisches Grübeln ankäme. – Wir plagten uns mit der Frage, was wir nun wohl tun müßten. Aber ich brachte es mit meiner Anstrengung nicht einmal so weit, mein begonnenes Studium zu liquidieren. Ich wollte es auf die eine oder andere Weise fortsetzen. Was sonst hätte mir einfallen sollen? – Allenfalls dachte ich an das Geld, das ich besaß. Aber dieser Besitz war etwas Unheimliches. Ich wagte nur in Andeutungen davon zu reden. Niemandem verriet ich, wie groß er war. Selbst Tutein war lange Zeit im Ungewissen, wie es mit meinem Vermögen stand. Ich hätte in diesen ersten Tagen unseres Abenteuers im weiten Abstand von der Vergangenheit sein müssen. Aber mit den Gestalten der Mannschaft des Holzschiffes war das Unglück übergroß da. Eine verzweiflungsvolle Trauer drohte mich zu zerlösen, und es war doch erst der vierte oder fünfte Tag. Ein krasses Verlangen verschlug meine Gedanken zu Ellena. (Konnte Tutein, er war ein wenig jünger als ich, sich ein Mädchen zurechtlegen, warum war ich dessen nicht fähig?) Für mich war die Braut, trotz aller fantastischen Vorstellungen, nicht vergangen und dahingetaut wie Schnee. Ihr Bild, und ein anderes Bild, das leibhaftige, die Galleonsfigur, weiß aus dem Meere aufgestiegen, loderten wie eine Verheißung in mir. Ich unterschied nicht genau. Ich war in der Verdammnis. Ich wußte nur, daß meine Fantasie in das Grab der Lust einbrach. Ich mußte vor mir fliehen, und ich hatte nur eine Stätte: die Nähe Tuteins. Und dieser Mensch, mir willfährig wie ein Frommer den erkennbaren Prüfungen seines Gottes, war mir gleichgültig, außer wenn ich weinte. Aber ich wollte nicht den unfruchtbaren (und doch so berückenden) Trugbildern enteilen, um zu weinen. Ich wollte weder das eine noch das andere. Vergeblich auch, auf die Wiederkehr der großen brennenden Freude zu hoffen, die mich einmal mit Tutein verbunden hatte. Als ich sie töricht das zweitemal heraufbeschworen, war sie unkenntlich geblieben. Wie auch hatte ich mir einbilden können, daß flüchtige Minuten sich wiederholen würden? Ich wußte kaum noch, was sie so köstlich gemacht hatte. Ich sagte zu mir: »Tutein hat irgendeinen ersten Morgen, auf dem Bettrand sitzend, redend, sich darbietend, aufgeschlossen, neben mir zugebracht. Es war der einmalige Antrag eines überströmenden Dankes. So etwas wiederholt sich nicht. Die Augenblicke verweilen nicht. Die schönen Stunden kann man nicht mit Geld und guten Worten an sich locken wie Straßenmädchen –.« Meine Verzweiflung muß groß gewesen sein. Ich raste, um schließlich, wenn ich mich ausgerast, mich bei Tutein einzufinden. Oft wurde in seiner Nähe das Schlimme gelinder. Er war der einzige, der meinem Herzen nahe sein konnte. Es war schon eine Glaubensgewißheit. Ich tröstete mich damit, unsere Zukunft werde sich auftun, sobald wir die Füße aufs Land gesetzt hätten.

– – – – – – – – – –

Inmitten der Verwilderung meiner Gefühle begann mich das Geld wieder zu beschäftigen, das der Superkargo mir geschenkt hatte. Ich gab mir nun Rechenschaft über die Höhe der Summe. Sie war erstaunlich groß. Die behutsame Umschnürung und Verknotung hatte den Inhalt der Bündel unkenntlich gemacht; wahrscheinlich niemand, auch der Kapitän nicht, hatte den Betrag abgeschätzt. Man mochte aus dem Umfang der Bündel zu einer Mutmaßung gekommen sein. Sie mußte weit hinter dem vorhandenen Betrag zurückbleiben, weil die Scheine von großem Wert zwischen den kleineren verborgen gewesen waren. Zudem war die Summe jenseits der allgemeinen Vorstellung von der Höhe eines durchschnittlichen Reisekapitals. Daß der Superkargo seine Ersparnisse, umgewechselt in englische Pfunde, bei sich getragen hatte, mußte verwunderlich erscheinen. Es war gesagt worden, er hatte Unglück in seinem Leben gehabt, nur die kleinen Posten waren ihm zugefallen. Wie konnte er da in den Besitz so bedeutender Summen gekommen sein? Ich rechnete aus, daß das Kapital, auf geringe Zinsen gelegt, etwa hundertfünfzig Pfund Sterling jährlich einbringen würde. Das gab mir ein Gefühl von Zuversicht. Ich beschloß, mich zu verhärten und niemandem meinen Reichtum zu verraten, man möchte sonst darauf verfallen, ihn mir streitig zu machen. Auf genaue Fragen wollte ich mit Lügen antworten. Die Scheine von großem Wert trennte ich von den übrigen und verbarg sie.
Je mehr ich mich dem Grübeln ergab, daß mein Abenteuer auch diese, in den Märchen berichtete Wendung hatte, desto sicherer wurde ich in dem Glauben, daß ich meinem Schicksal

nicht entrinnen könnte. Ich stellte mir gelegentlich vor, sobald wir Boden unter unseren Füßen haben würden, möchte es geschehen, daß Alfred Tutein zur Linken ginge, ich zur Rechten. Ich sah ihn Tag für Tag in seiner Matrosenbluse. Und so meinte ich, er würde ein Schiff nehmen, die Meere überqueren, wie bisher. Ich war nicht sicher in meiner Vorstellung. Vielleicht würde es anders kommen. Ich spürte, daß sich mein Herz im Gefühl einer seltsamen Unruhe zusammenzog.
Es sollte sich erweisen, daß das Geld ein brauchbares Mittel der Lebensmächte war, um uns aus der Bahn zu werfen. Es gehörte mit zum Plan unseres Lebens. Wären wir arm gewesen, so hätte Tutein ein Matrose bleiben müssen, und alles wäre anders gekommen. Ich selbst hätte keinerlei Vorwand gehabt, meine Ausbildung abzubrechen. Vielleicht wären wir verdorben und gestorben, wie es in den Berichten heißt, irgendwo unter der Last des Daseins auf recht gewöhnliche Weise zusammengebrochen. Es kam anders. Es kam wie es kam. Es hätte schlimmer sein können. Es war recht gelinde, das Ganze, genau betrachtet, ganz meiner unheldenhaften Schwäche angepaßt. Die gröberen Klauen der Vorsehung, die sie an manchen versucht, hätten mich schon am Anfang zerbrochen.
Ich nahm mir vor, so unbedenklich wie möglich zu sein, um die Freundschaft mit Tutein zu bestehen. (Ich wußte noch immer nicht, was das Ganze bedeutete und wo hinaus es wollte. Erst nach Jahren schwemmten sich Bruchstücke einer Einsicht in meiner Seele an. Wir sind sehr langsam und fast immer ungehorsam gegen den Ablauf.) Ich flüsterte gegen die eisernen Schiffswände: »Dieser Mensch ist mein Eigentum, er gehört mir.« Ich dachte daran, es gibt Gegenden dieser Erde, wo man sich Menschen kauft. Knaben, Mädchen, Erwachsene. Diese Menschen verlieren ihren Willen. Sie unterstehen kaum den Gesetzen. Der Schutz, der ihnen von der Allgemeinheit kommt, ist nur eine Hypothese. Ihre Seele ist fast ein Nichts, es gibt keine Richtlinien der Moral für sie. Sie gehen durch den Schmutz, wenn ihr Besitzer sie dazu anhält. (Es ist für sie kein Schmutz, es ist das Selbstverständliche.) Daß man sie grundlos züchtigt, im Jähzorn verwundet, für mein behütetes Hirn war es fast unvorstellbar. (Aber es war das Selbstverständliche.) – Ich begriff, ich war dabei auszuschreiten, fort von den ummau-

erten Plätzen der Zivilisation. Ich durfte jetzt jede Scheußlichkeit denken, jede Möglichkeit der Willkür als ein Auchereignis hinnehmen. Die harten Begebnisse der Geschichte, ich schaute sie plötzlich an: daß die Juden, um Gott zu gefallen, vielen tausend Rossen die Sehnen der Fesselgelenke durchschnitten, daß die Römer Sklaven, die sich gegen ihre ungerechten Herren auflehnten, kreuzigten, daß man sie wie Heuschrecken hinmordete, wenn er, ihr Herr, sich gegen den Staat vergangen hatte oder dessen beschuldigt wurde, daß man in den zehntausend Schlachten zehntausend Menschen zerhieb, zerschoß, verbrannte, daß in den Kriegen jedes Verbrechen, jedes nur denkbare, jeder Frevel tausendmal begangen wurden, daß man Falschmünzern den Magen mit flüssigem Blei ausgoß, daß man Diebe in siedendem Öl lebend kochte, daß man Kulturen und Völker ausrottete, daß man Tutein kastrieren und an den Galgen bringen konnte, daß Hunderttausende, nicht von ihm unterschieden, mit einem Leben wie das seine, so geendet waren, daß die Hand eines Henkers einfach zugreifen konnte, um sich mit seinem Blut zu besudeln, mit furchtbarer Schamlosigkeit ihn anpacken. – Ich mußte mich diesen wenig humanen, aber echten Vorstellungen anpassen. Diese Wohlanständigkeit in mir, diese Auswahl von angenehmen Tatsachen, mit denen ich mich bisher überwiegend beschäftigt hatte, diese Lügen vom Fortschritt und von den hohen Zielen der Menschheit mußten untergetaucht werden. – Ich hatte jetzt meinen Sklaven.

Wenn berichtet wird, ein reicher Mann besitzt so und so viele Sklaven, wer erwartet oder fordert, daß er sie liebt oder daß er ihnen ein Freund ist? – Die Geschichte berichtet, daß er sie nicht liebt, daß er sie mißbraucht, ausbeutet, daß das Arge immer zwischen ihm und ihnen ist. Alfred Tutein aber forderte von mir, daß ich ihn liebte, ihn wie mich selbst. Wenn er mit Worten nicht wagte, so kühn zu verlangen, sein Stellvertreter, das stumme Mitleid, jenes dritte unsichtbare Wesen, das sich uns als Makler beigesellt hatte, nötigte mich, mein Herz anzubieten. Man wird am Ende jeder Inbrunst fähig, wenn sie das einzige Ziel der Seele ist. Man kann sich Gott abgewöhnen und einen Menschen zum Gott machen. Man kann ein Gesicht, das man noch gestern einen Fleischklumpen nannte, anbeten und sagen: »Liebes gutes schönes Gesicht, du bist das einzige menschliche Gesicht. –« Man kann lieben ohne zu lieben. Man kann einen Menschen für schön halten, so daß man gar nicht wahrnimmt, er ist es auch. – Alle vergessen wir, durch die Gewöhnung abgestumpft, mit der fliehenden Zeit unsere eigentliche frühe Sehnsucht. Mit stumpfer Beharrlichkeit gewinnen wir die Jahre und verlieren die selige Angst unserer Kindheit. Das schwere achtfüßige Zauberroß trabt in die Wolken hinein. Wir blinzeln mit müden Augen dem Sternbild zu, das Pegasus heißt. – Ich sah Tutein gar nicht mehr. Ich erkannte nicht, daß er sich verwandelte, sich entfaltete, daß die Natur sich an ihm verschwendete, um ihn liebenswert zu machen. – Er mußte mir ja auf alle Fälle liebenswert sein: als grobes Fleisch oder als ein Antinous. So entging mir das Köstliche, nach dem ich hungerte und dürstete.

*

Land, ein Hafen, eine Stadt. Der Aufenthalt auf dem Schiffe war mir fast unerträglich geworden. Wir hatten schon Land vor einem halben Tage gesehen, als das Schiff ins Haff dos Patos einfuhr. Als ich nun, nach so vielen Stunden der Erwartung, auf dem Kai stand, war mir, als sei eine große Veränderung geschehen. Nicht, daß ich eine Erleuchtung hatte: das Meer hatte mich freigegeben. Das Unglück lag in der Ferne und auf dem Meere. Ich war durstig nach Freude. Und ich wähnte, jetzt würde ich den Durst löschen können. Schon die Mannigfaltigkeit der Menschen entzückte mich. Die meisten, die umherstanden, waren Portugiesen und Spanier. Die etwas bleicheren mochten Deutsche, Polen oder Litauer sein. Zum ersten Mal, als etwas Dazugehöriges, sah ich reinrassige Neger, Caboclos und Mulatten (ich lernte sie später unterscheiden). Kinder liefen schreiend herbei. Ich stolperte über Eisenbahnschienen.
Es gab noch einmal eine Verzögerung im Enteilen. Es erschienen Polizeibeamte. Einen Augenblick lang sah es so aus, als ob die Mannschaft der ›Lais‹ geschlossen abtransportiert werden sollte. Aber die Bedrohung ging vorüber. Waldemar Strunck gab einigen Herren Erklärungen. Die Mannschaft erhielt Be-

fehl, sich in einem kleinen Hotel, nahe dem Hafen, einzufinden.
Es war das Hotel »Golden Gate«.
Arm in Arm mit Alfred Tutein war ich auf Umwegen dahin geschlendert. Ich wollte zuvor den Geruch der Stadt einatmen, den Dampf des Bodens, den Schweiß dieser Menschen. Ich wollte ihre Gesichter sehen, ihren Gang auf den Straßen, ihre Verrichtungen. Ich betrachtete die Buchstaben auf den Schildern an den Häusern, das Pflaster und die wüste Häßlichkeit der Straßenfronten, die mich jetzt seltsam labend beruhigten.
Waldemar Strunck hatte sich im obersten Stockwerk ein kleines Zimmer gemietet. Ich ging zu ihm hinauf. Tutein wartete in der Schenke, die im Erdgeschoß lag.
Der Kapitän saß an einem kleinen Tisch, hatte ein paar Bogen Papier vor sich, beschrieb sie mit eiligen Entwürfen. Ich meldete mich.
»Warte«, sagte der Kapitän.
Ich setzte mich. Waldemar Strunck unterbrach seine Arbeit nicht. Kaum, daß er einmal aufblickte. Meine Zeit hatte keinen Wert. So wartete ich eine Stunde lang. Ich dachte, Alfred Tutein wird sich in der Kneipe einrichten. Ich verlor nichts, indem ich hier untätig ausharrte. Dies war nun das Land, ein Erdteil, Südamerika, eine Stadt, ein Haus. Die Luft war milde und warm. Und ich saß untätig da, getrennt von meinen Wünschen. Ich dachte fast nichts, und das Wenige war unwichtig. Und diese Stube war wie alle armseligen Stuben in billigen Gasthäusern der untersten oder nächstunteren Stufe. Welches waren die Anlässe und Fügungen, daß Menschen in allen Erdteilen in solchen Stuben saßen und schliefen und dafür bezahlten? – Und die Häuser waren an allen Orten gefüllt oder halb gefüllt. Und Menschen wie wir hockten an kleinen Tischen, schrieben eilig etwas nieder. Oder was sie sonst taten. – »Es ist eine fremde und unbekannte Stadt«, sagte ich mir.
Wie gering, wie gleichgültig mochte alles gewesen sein, was ich in jener Stunde dachte.
Es wurde gegen die Tür gepocht. Der Erste Offizier der Brücke trat ein. Waldemar Strunck erhob sich. Er sagte zum Gast: »Es fehlt mir noch ein Absatz. – Also, ich habe Sie heraufbitten lassen, damit Sie dies lesen und es sich einprägen.

Ich habe den Schiffsunfall beschrieben. Es ist folgerichtig aufgebaut. Es sind keine Lücken vorhanden. Ich möchte nicht, daß Widersprüche in den Aussagen entstehen. – Sie finden also die Ereignisse in passender Anordnung zusammengefaßt.«
Der Offizier schwieg eine Weile. Und es fiel nicht auf, weil Waldemar Strunck weiterzuschreiben begonnen hatte. Danach hüstelte der Steuermann ein wenig. Plötzlich sagte er schroff:
»Wollen Sie meine Aussage beeinflussen?«
»Keineswegs«, sagte Waldemar Strunck mit gleicher Schroffheit, »ich will vermeiden, daß Sie die Unwahrheit sagen, denn, mir bekannt, wissen Sie nur oberflächlich, was sich zugetragen hat.«
»Das ist ein starkes Stück«, sagte laut der Steuermann.
»Ihre Kenntnisse haben Sie vom Hörensagen. Sie sind nirgendwo dabei gewesen«, brüllte Waldemar Strunck, »Ihnen ist keine Tochter verschwunden und kein Schiff versenkt worden. Wo eigentlich, wollen Sie's mir bitte verraten, haben Sie sich die Finger verbrannt, um die Ereignisse aufzuhalten?«
Der Offizier schwieg. Waldemar Strunck fuhr mit lauter Stimme fort:
»Ich befehle Ihnen, diese Blätter durchzulesen. Welche Nutzanwendung Sie für sich daraus ziehen, ist mir vollkommen gleichgültig. Wenn es Ihnen einfallen sollte, sich Ihre Laufbahn zu verpfuschen, mein Schade wird es nicht sein. Wenn Sie glauben, mit einem Geheimnis prahlen zu können, müssen Sie sich jedenfalls hüten, entlarvt zu werden. Wenn es dazu kommt, daß jemand den Mund auftut, um von Mord und Meuterei zu faseln, werde ich die Mannschaft, einschließlich der Offiziere, als verdächtig verhaften lassen.«
Der Offizier antwortete mit gedämpfter Stimme:
»Man kann Ihre Absicht nicht erraten.«
»Lesen Sie«, sagte Waldemar Strunck, drückte ihm die Blätter in die Hand, schob ihn zur Tür hinaus. Zu mir sagte er:
»Du ziehst mit diesem Leichtmatrosen umher. Könnte er sich nicht anschicken, die Mannschaft zu überreden, daß sie schweigt? Du bist am Ende nicht so dumm wie dieser Steuermann und verstehst, was ich beabsichtige.«
Ich antwortete mit einem bescheidenen Ja. Ich empfahl mich. Der Kapitän rief mir nach:

»Schluß, Schluß machen!«
Alfred Tutein saß noch in der Schenke und trank vom Bier dieser Stadt. Ich trug ihm sogleich mein Anliegen vor, die Mannschaft zu beschwatzen, daß jeder den Mund hielte, wenn er befragt würde.
»Man verlangt von ihnen nichts anderes als was billig ist«, sagte ich, »sie wissen nichts. Und wen kann es kümmern, welcher Art ihre beschmutzten Vorstellungen sind?«
Er schaute mich mit unsicheren Augen an.
»Ich habe daran gedacht«, sagte er kleinlaut, »aber bin ich denn geeignet für dergleichen Spiegelfechtereien?«
»Mir würde die Rolle nicht besser von den Lippen kommen«, sagte ich mit häßlichem Nachdruck.
Er fügte sich sogleich und sagte, er werde es besorgen, wie es von ihm verlangt werde. Man müsse die Mannschaft hereinbringen. – Er sah jämmerlich aus.
»Kannst du mir einen Anzug leihen?« fragte er ohne Übergang.
»Ich habe nur diesen einen, du weißt es«, antwortete ich.
»So leihe ihn mir«, sagte er, »du kannst dich derweilen ins Bett legen.«
»Das verstehe ich nicht«, sagte ich.
»Ich kann nicht, wenn ich in dieser Matrosenbluse stecke, große und kleine Worte machen, sie stinkt noch immer nach Leiche.«
Wir gingen hinaus. Wir strichen Straße auf und Straße ab. In einem Kleiderladen erstanden wir mit viel Beschwer, drei Sprachen versuchend, einen Anzug. Es war gewiß das teuerste Kleidungsstück, das man vorrätig hatte. Ich gewann den Eindruck, der Verkäufer schraubte für uns den Preis noch weiter hinauf. Wir hatten ja keinen Mund oder kein Ohr, je nach Gefallen. So verschlimmern sich die Ereignisse, denen man ohne Vorbedacht anheimfällt. Es erging uns nicht viel besser, als wir Tuteins Ausstattung in einem Wäscheladen vervollständigten.
Im Hotel mietete ich kurz entschlossen ein Doppelzimmer im ersten Stockwerk, damit Tutein sich umkleiden könnte. Nachtquartier brauchten wir sowieso. Ich war wieder dem Weinen nahe, als wir uns in dem kläglichen Raum befanden, in dem unbemittelte Ehepaare oder ältliche Dirnen mit ihren Beglei-

tern sich für flüchtige Nächte niederzulassen pflegten. Es fehlte jede Spur einer wohltuenden Häuslichkeit. Die Wände, ehemals weiß getüncht, waren ergraut und beschmutzt. Ein paar Stühle, die dastanden, waren so wenig einladend zum Sichniedersetzen, daß ich sie anfangs gar nicht bemerkte. Breit vor den Blicken, auf einem eisernen Gestell, stand ein weißes Spülbekken, wie ich mir einbildete zu wissen, daß Frauen es benutzen. Es war eine so einseitige hygienische Einrichtung, daß es mich beleidigte. Das Zimmer roch, trotz der milden und warmen Luft, die durch die geöffneten Fenster hereinkam, nach Beflekkung.

Nun stand Alfred Tutein in dem neuen Anzug da, der nach Webmaschinen, Appretur und Schneidersälen roch. Der Mensch war vorteilhaft verändert. Hoch aufgeschossen. Ein starkes und offenes Gesicht. Die Beine, bis zum Schritt zu erkennen, waren lang und stattlich, die festen Schenkel, die bei den hartknochigen Knieen begannen (einer Ermordeten in den Mund gestoßen), schwollen, von Sehnen durchschossen, mit angenehmen und der nicht mißratenen Menschengestalt eigenen Rundungen an und trugen den kurzen, offenbar fehlerfreien Oberkörper. Auf dem Boden lag der Matrosenanzug, die überweite Hose und die Bluse, gewöhnlich genug, daß sie alles hatten verhüllen können, was sich jetzt mit Vorteil zu erkennen gab. Alfred Tutein strich sich mit einem grobzähnigen Kamm die braunen Haare, putzte an den dichten Augenbrauen. Er war verändert. Jetzt sah auch ich es. Ich sank ganz in mich zusammen. Mir verging alle Meinung über die Welt und das Dasein. – Warum sollte Alfred Tutein jemals seine Matrosenbluse wieder anziehen, wenn er ohne sie ein besserer Mensch war? Warum sollte er je wieder die Meere überqueren, wenn die Bluse nach Leiche stank? Ja, warum sollte überhaupt das Gewöhnliche geschehen, das sich jeder Stümper vorstellen kann? – Ich verheimlichte mir nicht, daß ich dieser Stümper war, und daß in dieser Stunde die ganze Herrlichkeit der Wunder vor mir geschah – und mich zuboden warf. Daß die festlichen Stimmen über mir erbrausten und mich schalten. Ich hörte deutlich die Worte: »Dies ist ein Mensch. Dies ist ein Mensch, wie er im Anbeginn war und wie er hinausschreiten wird, den Sternen entgegen. Und es wird ihn nichts anfechten, außer die eigene

Kraft.« Ich fühlte, wie ich zum kleinen Ding zerging, das willenlos unter das Geschehen gebreitet wird, um vernichtet zu werden. Umsonst, daß mir das erhabene Bild in den salzigen Tränen, die meine Augen füllten, davonschwamm. Ich fühlte mich ausgeliefert an das unübersehbar Neue, das kommen würde. Alfred Tutein würde sich auf kein Schiff anheuern lassen. Er würde dableiben. Und ich wußte nicht, wie die Häuser und die Zeiten, die Straßen und die Nächte sich zu allem bequemen würden, wenn es ihnen bekannt wurde, daß er dableiben würde, als ein Stück von mir, ja, als ich selbst. Gleichsam sehr allein, aber mit einem Unflat behaftet, mit einem Hindernis, das in der Dummheit beharrte, in unbegreiflichem Unverstand gegenüber dem Wunder. Ich sah die Verwandlung, aber blieb verschlossen wie ein unfruchtbares Weib. Er schritt hinaus. Ich blieb vernichtet zurück. Und wußte nicht, an welchem Vorsprung des Kaos ich meine Empfindungen anseilen sollte. Ich konnte mich nicht vor der Überrumpelung retten, das schien ausgemacht. Ich konnte nur dahocken und in die graue Nichtbewegung starren, während die ewige Flut der Heere, die über die Wolken zu den Sternen wandern, davonbrandete.

Nach einer Weile erhob sich der, der noch immer nicht vernichtet war, sammelte den Matrosenanzug zusammen und legte ihn sorgsam an das Bettende. (Ich roch an dem Kleiderbündel. Ich konnte nur feststellen, daß es nach Tutein roch – nach seinem Schweiß.)

Ich ging hinunter. In der Kneipe schien es arg um die Einigkeit zu stehen. Die Mannschaft war vollzählig erschienen; alle schwiegen. Alle tranken Bier oder schlechten süßen Wein. Paul Raffzahn war von schwerem Verfall heimgesucht, dämmerte vor sich hin. Er hatte keinerlei Gesichte. Er trauerte seinem verlorenen Geschlecht nicht nach. Er war nicht geil mit Worten. Er war nur fett und abgestürzt. Ein verkümmerter Greis, wiewohl an Jahren noch ein Mann. Was war geschehen, daß dieser empfindsame Geist so sehr mit Auflösung geschlagen war? – Man war am Ende der Reise. Anstatt voll Spannung zu sein, war man verbraucht. Man fürchtete sich. Die geringen Leute, Männer mit tatauierten Armen und Brüsten, ducken sich vor den ehernen blinden Gewalten. Es gab in diesem Kreis keine Schuldigen, außer dem einen, der durch ein Wunder schon über sie erhoben war, und dem Schiffsversenker, mich selbst; aber sie waren eine bereite Menge für die unersättliche Strafe, die, vom Thron des Staates, ein wildes Tier, entsandt, die vom Weibe Geborenen fraß. Sie fürchteten sich jetzt. Etwas anderes war nicht mit ihnen. Es stand ihnen bevor, sie sollten morgen vor einem hohen Beamten des allmächtigen Staates erscheinen. Wie würden sie bestehen? Wie würde der Zorn, den man nicht kannte, sie anfallen? Sie waren kleinmütig. Nicht viele würden heute nacht zu Huren gehen, wiewohl die meisten in den scharfen Geilheiten gesotten worden waren, Woche um Woche. Das Schlimme mußte erst überstanden sein. Was ist der beste Mann, wenn man ihn einen Verbrecher heißt? Wer zu packen ist, kann auch verloren sein. Sie waren ratlos und verlassen, allesamt verstoßene Kinder des großen Gottes. Und ihre Verlassenheit ist untröstlicher geworden, nachdem der jüngste Offizier erzählt, der Erste Steuermann habe getobt und geschworen, es werde für die Mannschaft ein Unglück geben, dick genug, daß man auf allen Schiffen der Weltmeere Lieder davon singen würde. Sie hofften nicht mehr, bestehen zu können. Sie dachten wohl noch, daß man das Netz, in dem sie gefangen werden sollten, dem Superkargo würde überstreifen können. Aber mit Bekümmernis stellten sie fest, daß er tot war. Sie hatten sich zu seinem Ende gefreut und wußten jetzt nicht, warum es zum Freuen gewesen war. Ihre Hände waren leer, und die Anschuldigungen waren gemästet. Es war berichtet worden, man hatte Millionenwerte versenkt. Unausdenkbar, wie dergleichen jemals sollte bezahlt werden. Der Schiffsunfall war jedenfalls riesenhafter, als sie in ihren öden Hirnen sich bis jetzt hatten ausmalen können. Die Gerüchte dampften durch die Straßen. Jemand, der die ungefügige Sprache dieses Landes oberflächlich verstand, hatte erzählen können, daß die Zeitungen mit fetten Überschriften jedermann die Neuigkeit auftischten, eine verbrecherische Schiffsmannschaft hat ihre gottlosen Sohlen auf die geheiligte Erde dieser Stadt gesetzt. Vor diesem schäbigen Hotel hatten Polizeibeamte Aufstellung genommen. Und Alfred Tutein, noch vor dem Mittagessen ihresgleichen, ein Leichtmatrose, war ihnen durch ein Wunder unähnlich geworden. Sie waren zu verzweifelt, um noch mit

sich ins Reine zu kommen, was es bedeuten mochte. Jedenfalls war es nichts Gutes. Und wenn es nichts Gutes war, mußte es etwas Böses sein. Aber man konnte gar nichts dazu sagen. Vielleicht hatte der Lausejunge sich die Hosen zerrissen, und der kopfkranke blinde Passagier oder was er sein mochte, hatte von seinem Gelde auf die Straße geworfen. Wie es auch sein mochte, und ob es gefährlich war oder ob es dergleichen Sachen waren, über die man an keinem Platze der Welt eine Meinung hat, es war das Beste, zu schweigen. Wie aber sollte man tagaus, tagein schweigen, wenn man Tag für Tag und womöglich auch nächtlich unablässig befragt wurde? Es gab Geschichten, die davon berichteten, daß man Menschen einfach zutode fragte. Bis sie umfielen. (Man nannte das Verhör im dritten Grad.) Und hinterher stand zu lesen, sie hatten das und das ausgesagt. Und ihre Namen hatten sie mit eigener stümperhafter Hand daruntergesetzt als Zeugnis, daß dies nun die Wahrheit sei. (Am Ende des dritten Grades öffneten sich gräßliche Tore.) Es konnte somit auf mancherlei Weise ein schlimmes Ende mit ihnen allen nehmen. Schließlich, sie hatten erfahren (wenn auch alle menschlichen Erfahrungen klein und unvollkommen bleiben), der Entwaffnete richtete seine Verteidigung am besten ein, wenn er stumm wird. Die Armen müssen schweigen, wenn sie nicht untergehen wollen. Wen man vergewaltigt, tut gut daran, das Maul zu halten, sonst kann ihm ein Eisen ins Gedärm gehen. Wer angeklagt wird, versuche nicht zu beweisen, daß er es nicht war. Sein Alibi zerschlägt man ihm, und so ist er neben dem Täter ein Lügner dazu, ein durch und durch Unglaubwürdiger.
Inzwischen sagte Alfred Tutein etwas. Er sagte, was allen mißfiel, wiewohl alle, ehe er es ausgesprochen, ihm beigepflichtet hätten.
»Gasten«, es ging ihm nicht leicht von den Lippen, »daß ich ein geringer Mann bin, man kann es aus meinem Heuerbuch ersehen. Aber abgesehen davon – und gleichgültig ist es auch, wer es vorbringt –, wir müssen zu einer Einigung kommen.«
Die Gesichter der Vielen wurden ganz unleserlich.
»Wir haben einander die Ohren vollgelogen, als wir noch aufsee waren. Es gibt Menschen, die sich um den Hals lügen. Und es gibt Menschen, die falsches Zeugnis ablegen. Aber ich

denke doch, es ist keiner unter uns, der waghalsiger ist, als es der Seefahrt zukommt. Wir müssen einmal mit der Wahrheit heraus. Und diese Wahrheit ist, daß wir nichts gesehen haben und nichts berichten können.«
Ihm trat Schweiß aufs Angesicht. Und alle waren ohne Mund.
Er trieb seine Rede weiter.
»Einige meinen, und ich zähle zu ihnen, daß der Superkargo alles angerichtet hat, was es nun sein möge. Aber er ist tot, und man braucht sich dabei nicht aufzuhalten. Und wenn man's doch will: wo beginnt es, und wo endet es? Wenn die Suppe kräftig werden soll, muß sich ein Mann finden, der gesehen hat, daß ein Totschlag gewesen ist. Und dieser Mann ist nicht aufzutreiben. Einfach nicht aufzutreiben. Und die anderen Sachen, das, was wir geredet haben, ist es nicht Kleinkram? Kann man es überhaupt in der Hand halten? Und geht es jemand an? Das, was du und ich gesagt haben oder nur gemeint haben. Und wir haben es nicht einmal gemeint, wir haben es nur gedacht, wie man sich seine Gedanken macht: so könnte es gewesen sein. Aber es muß ja nicht so gewesen sein. –«
Er schwieg. Er schien das Schlimmste hinter sich gebracht zu haben. So eine öffentliche Rede an alle, wie schwer war es, wie unnatürlich – mit seiner Lüge im Bewußtsein.
»Ich meine nur, wenn wir uns einigen wollen, die Wahrheit zu sagen, die wirkliche Wahrheit, wir wissen nichts.«
Nach einer langen Pause sagte er noch:
»Wir schweigen.«
Jetzt waren alle untereinander Feinde. Kein Ja, kein Nein, keine Entgegnung, keine Zustimmung.

*

Der Kapitän verbrachte auf die eine oder andere Weise den größten Teil des nächsten Tages im Hause des Konsuls. Als er endlich wieder im Hotel anlangte, war er ein freier Mann, der seine Sehnsucht nach blühenden Gärten ungehindert in die Weite schweifen lassen konnte. Der Erste Offizier der Brücke hatte die richtige Nutzanwendung aus den Kenntnissen gezogen, die ihm der Aufsatz des Kapitäns vermittelt hatte. Die übrige Mannschaft war taub und stumm gewesen, obgleich ihr

Tuteins Rede in der Schenke mißfallen hatte. Der Leichtmatrose selbst war dem Trubel der Verhandlungen ferngeblieben. Er war unter den Augen aller auf der Straße in seinem neuen Anzuge davongelaufen. Aber niemand hatte das Desertieren wichtig genommen. Es mochte etwas dahinterstecken. Und so war es gut, wenn man es nicht bemerkte. Man hatte ja offen genug davon erzählt, es waren Spitzel anbord gewesen.
Die Mannschaft wurde entlohnt, ausgenommen Alfred Tutein, der desertiert war. Mit den Toten befaßte man sich nicht weiter. Ihr Angedenken war im Bericht des Kapitäns in gebührender Weise niedergelegt. Die Männer zerstreuten sich. Die Speisewirtschaften, Tingeltangel, sich schnell schließende ungewisse Straßentüren und Perlenvorhänge verschlangen sie. Einzelne waren schon vor Abend auf Schiffen, die aufs Meer hinausfuhren, der Heimat oder dem Ungewisseren zu. Andere, in der Trunkenheit, gingen zur Ruhe und wußten nicht, wo sie erwachten. Sie bezahlten bar und kamen auf ihre Kosten. Soviel ist das Leben wert. Jedes hat seinen Preis. Das Fleisch wird pfundweise ausgehandelt, die besseren Stücke werden besser bezahlt. Die Haut unterhalb des Nabels ist begehrenswerter als die oberhalb. Ausgenommen das Drücken der Brüste. Was wäre ausgenommen, wenn es ums Ganze geht? Es war um das Ganze gegangen. Es ging immer darum.
Ins »Golden Gate« kamen nur die Offiziere zurück. Alfred Tutein war nicht zu rechnen; er war desertiert.
Waldemar Strunck ließ mich zu sich rufen. Er saß wieder hinter dem kleinen Tisch. Er blickte mich ernst an, nachdem ich in das kahle Zimmer eingetreten war.
»Wann willst du abreisen?« fragte er mich, »morgen Abend läuft ein Schiff von hier aus mit einem günstigen Reiseziel und kurzer Fahrtdauer.«
»Ich will nicht reisen«, sagte ich knapp.
»Du willst noch morgen nicht reisen«, verbesserte er mich.
»So ist es«, sagte ich.
»Das mußt du halten, wie es dir behagt«, sagte er, »du hast reichlich lange Wasser gesehen.« Seine Augen wurden haßerfüllt. »Dein Schicksal geht mich nichts mehr an.«
Ich konnte stillehalten. Seine Stimme kam wieder. »Du hast Geld an dich genommen. Mit meiner Einwilligung, zugege-

ben. Geld, das ein toter Mann ausgehändigt hat. Der Superkargo hat bedeutende Summen bei sich geführt, wie man mir heute mitgeteilt hat, ihm anvertraut. Die Kasse ist nicht gerettet worden, jedenfalls ist sie verschollen. Es sollen an die viertausend englische Pfunde darin gewesen sein.«
Ich kramte eine Handvoll Scheine aus meiner Jacke hervor, immer noch stumm, aber bereit, mit verbissenen Lügen aufzuwarten.
»Hast du das Geld nachgezählt?« fragte er.
»Ja«, antwortete ich.
»Wieviel war es?« fragte er.
»Reichlich zweihundert Pfund Sterling«, antwortete ich unterwürfig.
»Das kann nicht stimmen«, sagte er grob, »zwei Bündel.«
»Es waren kleine Scheine«, sagte ich und warf ihm die losen Blätter bedruckten Papieres auf den Tisch.
»Und der Anzug Tuteins?« fragte er kühl.
»Tutein hat dafür das Geld besessen«, sagte ich.
»Er hätte besser getan, seine Seeausrüstung zu vervollständigen«, sagte der Kapitän.
»Tutein hat Geld besessen«, wiederholte ich.
»Er ist desertiert«, sagte der Kapitän, »er ist nicht ordnungsmäßig abgemustert worden.«
»Er ist noch hier. Man kann es nachholen«, sagte ich, »wie soll man wissen, wie die Formen aussehen, wenn ein Schiff untergeht?«
»Er war nicht beim Konsul«, sagte der Kapitän, »er hatte Befehl, sich beim Konsul einzufinden.«
»Ich hatte keinen Befehl«, sagte ich.
»Du bist ganz überflüssig«, sagte der Kapitän, »nur eine Beschwernis für mich.«
»Man wird das Seemannsbuch Tuteins noch in Ordnung bringen können?« fragte ich.
Er antwortete mir darauf nicht. Waldemar Strunck erklärte etwas, stellte fest: »So kann es die Schiffskasse nicht gewesen sein. Es ist mir lieb, daß sich meine Aussage vor dem Konsul hinterher bewahrheitet: das Geld ist mit hinab.« Er wurde fast heiter. »Warum auch sollten die Druckerzeugnisse der Bank von England heiliger sein als ein heiliges Schiff und eine heilige

Ladung?« Das Lächeln wich nicht von seinem Mund. Nach einer Pause fuhr er fort: »Im übrigen darfst du das Geld behalten.« Er schob die Scheine zurück. »Damit du die Rückreise bestreiten kannst, habe ich für dich beim Konsul noch fünfzig Pfund erwirkt. Verlust ist Verlust.«
Er schob mir zehn, fast neue, weiße Fünfpfundnoten zu. Ich nahm sie, dankte kaum.
»Du wirst dich einrichten müssen«, fuhr er fort, »du kannst auf mich nicht mehr rechnen. Ich schiffe mich morgen als Passagier nach Europa ein.«
Er sagte es, und so kam es auch.
(Erst viel später war es ihm wichtig, sich daran zu erinnern, daß ich der Verlobte seiner Tochter gewesen bin. Er gebrauchte in seinen Briefen herzliche und vertrauliche Worte. Es machte ihn glücklich, daß er nach Jahren erfuhr, ich war noch immer nicht verheiratet. Er war närrisch, meine Musiken zu hören, und unternahm deshalb lange Reisen.)

*

Hatte der Superkargo gestohlen, so war ich zum Hehler geworden. Da ich betrügerische Aussagen gemacht und mich damit zum Hehlen bereitgefunden hatte, war der Diebstahl so gut wie bewiesen. Die Tatsachen jedenfalls waren sehr zu unseren Ungunsten. Ich fand es erträglich, mich freiwillig in die große Schar der Verbrecher einzureihen. Ich entging damit dem Lärm von Anklage und Verteidigung in meinen Gedanken. Ich wurde neben Alfred Tutein gleichsam ruhiger, weil ich nun meine Schuld hatte, die mich ernährte, und die alles in allem bekömmlich war. Sie erledigte in meiner Vorstellung eine lange Reihe bürokratischer Vorgänge. Ich brauchte nicht an hintergangene Erbschaftsanwärter zu denken. Die Rechnung ging in den Kassen der Versicherungsgesellschaften auf. Ich war einer aus der Masse der gezeichneten Luder, die von faulen Wechseln, gefälschten Schecks, von Straßenraub, als Zuhälter oder vom gewerbsmäßigen Feilbieten noch nicht entjungferter Kinder leben. Und mir war ein Streich gelungen. –
Ich hatte eine sehr unvollkommene Vorstellung von jenen

Geschäften, die im Schatten betrieben werden; ich dachte mit einer Art Verklärung an die Unglücklichen, die sich und andere auf dem Altar der Anarchie darbringen. Meine Einsichten waren ungründlich und an keiner Wirklichkeit erhärtet. Schließlich war es mir eine Lust, an romantische Gauner zu glauben. Die Scheußlichkeit, die doch so leicht zu entdecken ist, entzog sich mir immer wieder. Ich wollte in ein Bordell, ich wollte, Tutein sollte mich dorthin führen. Aber er weigerte sich. Er weigerte sich so entschieden, daß ich erschrak. Auch er, er schwor es, würde nicht, niemals mehr, nicht allein und nicht im Trunk, über die Türschwelle, durch den Perlenvorhang gehen. Er würde lieber, hundertmal – er sagte es mit einem gemeineren Wort als Diogenes. Er beschimpfte mich fast, daß er mir einen solchen Rüpeldienst erweisen sollte, zu helfen, mich zu besudeln. Mein Anfall war offenbar nicht heftig gewesen. Auch ich ging nicht allein oder im Trunk. Ich blieb an der Oberfläche meiner Betrachtungen. Mir wurde geholfen, daß ich mit einer Art duldsamer Erbauung in die neue Lebensführung hineinglitt. Am Ende brauchte ich eine einfältige Begründung dafür, daß ich nicht in meine Heimat zurückkehrte. Wie hätte ich es auch nur eine Woche lang in dem jämmerlichen Hotelzimmer aushalten sollen, wenn ich mich nicht als einen kleinen Teil der menschlichen Unterwelt gefühlt hätte? – Und doch haben wir, Alfred Tutein und ich, ein halbes Jahr lang darin gehaust. Die schäbige Umgebung wurde uns zur vertrauten Wohnung, in der wir uns einrichteten, ja, die Dürftigkeit, die abstoßende Öde dieses Heimes wuchsen uns ans Herz mit den Begründungen, die wir für unser Elend erfanden. Wir hätten vielleicht Jahr um Jahr zwischen den vier kahlen Wänden zugebracht, wenn die Ereignisse, die sich uns beigesellten, uns nicht vertrieben hätten. Wie hätte ich auch, wenn ich mich nicht zum Gestrandeten, von der Wohlanständigkeit abgefallen erklärt hätte, die dauernde Gemeinschaft mit Alfred Tutein ertragen können? (Sie war am Anfang schwer und wurde erst nach Jahren leicht.)

Ich sah wohl, daß er zunahm. Ich hatte das Wunder seiner Verwandlung nicht vergessen. Aber er war doch nicht die Gestalt des Fleisches, nach der ich zu schreien begann. Und doch wuchsen wir aneinander. Wenn wir uns auch nicht durchdrangen wie einerlei Wasser, wir waren doch Bäume, die ihre Rinde gegeneinander wundrieben. Und das unvermeidbar Peinliche, das Schamlose und die Leere der toten Augenblicke pflanzten sich in uns auf. Auch das wurde unser gemeinsamer Besitz. Wir waren zu dürftig und zu unerfahren, als daß wir hoheitsvoll nebeneinander geblieben wären. Wir konnten uns nicht voreinander verbergen und wollten es auch nicht. Wir rissen uns Wunden, weil wir verschiedene Menschen waren, die auf den Brücken der Worte nicht zueinander kommen. Und wir beschützten einander mit der gegenseitigen Wärme, weil wir Geschöpfe unter der Sonne, ein versprengter und entlegener Sinn der Weisheit, die uns als Leiber gebildet. Und sein Leib nahm zu an Anmut und Kraft; aber ich sah es nicht.

Eines Tages packte mich Angst, mein Besitz, das Geld, das ich bei mir trug, möchte abhandenkommen oder sich durch den unablässigen Verbrauch so vermindern, daß es, schneller als berechnet, dahinschwände. Ich beschloß, den Hauptteil des Vermögens gewinnbringend, für mich selbst schwer erreichbar, festzulegen. Ich hatte keine Erfahrung in Geldgeschäften und keine verläßliche Anleitung, wie man Kapitalanlagen am zweckmäßigsten vornimmt. Aber in meinem Vaterhaus hatte ich doch manches an vernünftigen Grundsätzen gehört, und daß es nichts Trügerischeres gebe als Beteiligungen, die hohe Zinssätze versprächen, ganz zu schweigen vom Spiel an den Börsen, bei dem man den windigen Krisen der Weltmärkte ausgesetzt war, den Launen der großen und kleinen Ernten, der Eingeweihten und jeweils Mächtigen, den heimlichen und offenen Kriegen. So kam es, daß ich am Ende dem Rat eines Menschen folgte. Er hieß Domingos Figueira, ein halber Narr, ein noch recht junger Halbnarr, der kleine Beamte einer großen Bank. Er kam an jedem Nachmittag, doch nicht des Sonntags, in die Pinte des »Golden Gate« und trank ein einziges Glas Zuckerrohrbranntwein. Er trank es sogleich und in einem Zuge; dann saß er eine Stunde lang oder zwei, in Gedanken verloren, ohne sich zu rühren.

»Der Zuckerrohrbranntwein schmeckt mir«, sagte er, »ich kann es mir leisten, jeden Tag ein Glas davon zu trinken. Zweie gehen über meine Verhältnisse. Ich bin ein nüchterner und rechnender Mann. Ich habe bescheidene Ersparnisse; aber diese

Ersparnisse werden wachsen. Ich kann es mir nicht erlauben, zu heiraten. Es ist auch besser, nicht zu heiraten. Man kann die Liebe in mäßigen Mengen genießen, ohne ihrer Eigentümlichkeit verlustig zu gehen. Wenn man das Ziel hat, zu sparen und dadurch wohlhabend zu werden, muß man entsprechende Maßnahmen treffen.«

Wir konnten nicht umhin, ihn kennenzulernen. Er war neben uns der einzige Stammgast. Als ich ihn zum ersten Male zu einem zweiten Glase Branntwein einlud, sagte er:

»Sehr gern, mein Herr – aber Sie dürfen sich nichts erwarten; ich kann mir nur ein einziges Glas leisten; ich kann es Ihnen unmöglich vergelten.«

Er vergalt, als die Zeit dazu gekommen war, mit seinem Rat. Er half mir sogar, das Geschäft, das er vorgeschlagen hatte, bei seiner Bank zu ordnen.

Er trug mir etwa folgendes vor: – Das Geld kann sich nicht vermehren, es kann auch keine Zinsen eintragen. Es ist im Grunde ein gebrechliches Ding wie alle anderen Gegenstände, die mit der Zeit abnehmen und verfallen. Dem Gewinn auf der einen Seite steht der Verlust auf der anderen gegenüber. Wohl scheint es so, daß es immer die einen sind, die verlieren, die Leichtsinnigen oder Dummen, und die anderen, die gewinnen, die Bedachtsamen und Verläßlichen. Es wird viel getan, um den Ruf des Geldes aufrechtzuerhalten. Schwarz und Weiß wird mit durchtriebenem Verstand zwischen Glück und Unglück verteilt. Aber die Beweise bedecken immer nur dem Augenblick die Blöße. Kein Bankhaus erlebt ein Jahrtausend, kein Produktionsgebiet ist unerschütterbar. Kein Staat entgeht dem Verwelken oder dem Einsturz. Es gibt keine Sicherheit dafür, daß die Zinsen bis in alle Ewigkeit vom Himmel regnen. Freilich, auf ein paar Jahrzehnte, auf ein halbes Jahrhundert im Voraus kann man eine Sicherheit versprechen. Die arbeitenden Hände wird man nicht alle an einem Tage abschlagen, und eine Weltmacht zerfällt nicht in wenigen Jahren. Wir wissen aus der Geschichte, daß auch die mächtigsten Reiche verblassen; aber ihr Verfall kommt anfangs schleichend. Die großen Anstürme der Gegner vermag so ein Weltreich ein paarmal abzuschlagen. Wir haben jetzt das englische Weltreich. Es hat ungefähr seine größte Ausdehnung erreicht. Man erkennt schon unter der

Oberfläche Risse in dem mächtigen Gebilde. Aber es wird noch nicht auseinanderfallen. Man kann auf ein halbes Jahrhundert gutsagen. Noch sind keine starken Gegner da, um den Koloß zu verwüsten. Der Entschluß allein genügt nicht. Und wenn sie sich einmal gefunden haben werden, dreimal werden sie zuvor zerstampft, ehe ihnen der Zugriff zum Herzen des Reichtums gelingt. Karthago wurde zerstört, wiewohl Hannibal schon vor den Toren Roms gestanden.
Englische Staatsobligationen werden noch ein paar Jahrzehnte lang am Leben bleiben. Es wird Sklaven geben und viele gute und brauchbare Waren, die den Ertrag der Zinsen einverdienen. Der englische Staat bietet eine hohe Gewähr für Sicherheit. Nach fünfzig Jahren, sollten Sie dann noch am Leben sein, müssen Sie Ausschau halten, wo eine neue Sicherheit winkt, sofern die alte bis dahin bröckelig geworden sein sollte. Aber wer weiß, vielleicht hat eine Krankheit, die Sie heimsucht, oder ein Anspruch, der sich einfindet, es gibt so mancherlei Bedürfnisse, alles Geld aufgezehrt. Oder Sie sind einer der wahrhaft Glücklichen geworden, zu deren Füßen sich der saure Schweiß der Arbeit ausschüttete. Gold, Gold, was vorher Schweiß und Hunger war. Die Ordnung der Welt sieht Reichtum und Armut vor. Wer mit den Händen schafft, gewinnt keinen Besitz. Der Besitz haftet am Handel. Und je roher der Handel, je ungediegener in seinen Mitteln, desto schöner sind die Goldblüten, die er trägt. Als es noch für wohlanständig galt, Negersklaven zu rauben und das Nichteigentum zu verkaufen, gab es sichere, ganz und gar vom Zufall unabhängige Geschäfte. Kein Mord, keine Grausamkeit, keine Unzüchtigkeit konnten die reinen Spalten der Geschäftsbücher in Verwirrung bringen. Die Opfer hatten keine Stimme, die über den Ozean drang. Ihre Schreie waren wie das Röcheln in einem Schlachthaus. Aber diese glücklichen Zeiten sind einstweilen vorüber. Es ist deshalb allen Vorsichtigen zu raten, sich mit den kleinen Gewinnen zu begnügen, die die Obligationen des jetzigen Weltreiches einbringen. –
Ich kaufte also unter seiner Anleitung und mit seiner Hilfe Staatsobligationen des jetzigen Weltreiches. Ich bekam feierlich bedruckte Bogen ausgehändigt. Und die Papiere gaben Ertrag wie ein Acker. Ich war, nachdem ich das Geschäft abgeschlos-

sen hatte, mit allerlei Wohlbefinden ausgefüllt. Ich war willens, mich zukünftig nach der Decke meiner Einkünfte zu strecken und auch Alfred Tutein meine Einstellung zum Gelde und zur Zukunft aufzunötigen. Wir verzichteten auf eine bessere Wohnung als die, die wir innehatten. Wir überzeugten uns bald, daß man mit dem Wirt handeln konnte. Ein noch billigeres Quartier hätte eine Ortsveränderung verlangt, vor der wir uns, recht unerklärlich, fürchteten. Eine Hauptmahlzeit bereitete man uns im Hotel, die Nebenmahlzeiten kauften wir in den Läden ein und verzehrten sie auf dem Zimmer. (Das Bidet hatte Melania, die Aufwärterin, auf meinen Wunsch hin entfernt.)

*

Die Wochen vergingen. Die Monate vergingen. Sie verkrochen sich wie hinter eine Nebelwand. Meine Gedanken waren ausdruckslos und sprunghaft. Sie hatten keine deutliche Ursache und entglitten ins Unverfolgbare, ohne eine Spur zu hinterlassen. Die heftigsten Erinnerungen waren nach wenigen Sekunden verbraucht. Die Fragen nach der Zukunft wurden stumpf. Die dunklen und giftigen Ströme der Leidenschaft, die am Ende der Meerfahrt begonnen hatten, mich zu peinigen, versiegten. Die Begierden schliefen ihren unheimlichen Schlaf. Manchmal war mir, als ob ich etwas erwartete. Mit trüben Augen schaute ich dann in einen unerschlossenen Traum. Mein Hirn mußte an einer Urenttäuschung müde geworden sein.
Diese Stadt hatte Straßen, aber sie gingen mich nichts an. Sie waren da, damit ich meine Schuhsohlen daran wetzte. Keiner dieser zwei- oder dreihunderttausend Menschen erweckte meine Anteilnahme oder warf sich auf, mir die seine anzutragen. Ich schlenderte durch Bordellstraßen, ohne jemals den schmählichen Angriff auf eines der unglücklichen oder oberflächlichen Mädchen zu wagen. Nicht, daß ich Vorbehalte sittlicher oder hygienischer Art machte. Ich hatte damals keine Vorsätze, mich vor anderen mit Tugenden auszuzeichnen. Im Gegenteil, ich haßte meine Befangenheit und Unerfahrenheit. Ich kannte die paradiesische Dürftigkeit der gewöhnlichen Armut noch nicht und verwandte allerlei Zeit darauf, das Versäumte nachzuholen. Höchstens, daß Warnungen Tuteins, mit denen er

nicht sparte, mich behinderten. Die alltäglichen Laster in ihrer rührenden Gleichartigkeit, von denen man sagt, daß sie die Armut würzen, enttäuschten mich. Ich erkannte den grausamen Zwang, dem alle untertan sind. Die Schöpfung läßt sich herbei, mittels einer nie ermüdenden Täuschung zu verführen. Vor jeder Verirrung ist der Genuß als Verlockung aufgestellt. Aber die Augenblicke des Vergessens sind kurz. Es gab Männer, nicht gerade von der besten Sorte, die sich darauf verstanden, die Augenblicke gedrängt aneinanderzureihen, häufige Gäste des Lasters, die gleichsam schnell lebten, schnell dahinschwanden. Ihre Augen trübten sich, waren seit langem ungerührt. Ich glaubte zu spüren, sie brachten die Armut oder das lästige Dasein auf die bequemste Weise schnell hinter sich. Sie sahen gleichsam ständig das Ziel, das sie erreichen mußten: das Spital oder das Gefängnis, in dem sie erledigt werden würden, zerschrottet oder ausgeweidet. Sie hatten ihre Herkunft, die Kindheit, bereits vergessen. Sie nahmen die Bissen der Verheißung ohne Zaudern, doch nicht gierig, eher gelangweilt, daß es schon wieder so weit war, die Rolle des Verführers oder des Besessenen zu spielen. Eine lächerliche Aufgabe, eine unangenehme Vorstufe der Brunst.
Ich sah viel, ich lernte wenig, ich erlebte nichts. Denn ich unterschied mich von den anderen. Ich war ein halbes oder ein schwaches Tier. Die starken Hengste stellen sich den brünstigen Stuten bereit. (Die Warnungen Tuteins waren dringlicher geworden.) Ich gewöhnte mich an den Gestank. An die Ausdünstungen der Menschen, an den beißenden Ruch des Wassers, mit dem kleine Kinder Lumpen benetzen, wenn es verfault ist. An die gärenden Schwaden feuchten Tabakrauches und sauer ausgedünsteten Alkohols. An den jauchigen Geschlechtsgeruch schweißtriefender, längst ungenierter Männer und Frauen. Keine Spelunke war mir zu finster oder zu eng, keine Gesellschaft zu fragwürdig, kein öffentliches Haus zu billig und gemein, daß ich mich bedacht hätte, einzutreten. Ich wollte meine Vorurteile ausräumen. Ich nahm keinen Anstoß. Ich betrachtete die Brüste kleiner Halbnegerinnen und griff hinein. Aber ich erfuhr von den Menschen doch nicht mehr als das Notdürftigste, die äußeren Bewegungen ihres Daseins, eine Summe von Mißgeschick und Schwierigkeiten, von Fehlern,

Tollheiten, Krankheiten. Irgend etwas entging mir, das Wesentliche. Man verbarg es mir. Das Selbstverständliche, von dem sie alle wußten und deshalb nicht mehr sprachen: den inneren Weg, den sie gegangen, als sie ausgestoßen und bemißtraut die ungeheure Last der Selbstbehauptung weiterzuschleppen sich anheischig machten. So wie ich schwieg, schwiegen auch sie. Ihre Worte, winzige Brocken des aufgeschichteten Gerölls, blieben mir in der fremden Sprache unverständlich oder ohne Zusammenhang. Es war nicht mehr auszusagen, als daß wir alle in einer Spelunke saßen und deshalb der Wohlanständigkeit verdächtig waren.
Ich hatte nicht einmal Mitleid mit ihnen. Ich vergab ihnen alles wie ein blinder und tauber Gott es tut; aber ich verspürte kein Verlangen, ihnen zu helfen oder mich in ihre Angelegenheiten zu mischen. Wir waren in einer zufälligen Gemeinschaft, die sich leicht auflösen ließ, die ständig in Auflösung begriffen war. Manche erwachten schon nicht zum nächsten Tag, manchen begegnete das Glück, das sie emporhob in die reinere Schicht der Bürgerlichkeit. Andere nahmen ein Schiff, und die würzige Luft unter dem unbefleckten Himmel läuterte sie, bis sie in einem anderen Hafen wieder unter die Gewalt der Finsternis gerieten. Alle waren einander, trotz der körperlichen Vermischung, feindlich und wußten sich voreinander zu hüten. Nichts zerschliß die Nerven so sehr, als wenn es sich darum handelte, gemeinsame Sache zu machen. Wenn man flüsterte, war es selbst für eine Hure gefährlich, sich hinzuzustellen. Man wußte, dieser und jener, die den Augenblick nicht verstanden hatten, waren die Zähne eingeschlagen worden. Auch die Helden der Verbrechen, vielleicht sie mehr als andere, strotzen vor Selbsterhaltung.
Tutein konnte mich noch immer von allen diesen Bildern fortführen. Seine Erklärungen waren für mich deutlicher als die Wirklichkeit. Es ist fast überflüssig, von meiner kalten Leidenschaft, von den verdorrten Monaten zu berichten. Aber mein Gang in die nutzlose Schule trug mir am Ende eine Bekanntschaft ein.

*

Es war der Chinese Ma-Fu, Vater Pferd, wahrscheinlich ein angenommener Name. Ich begegnete ihm zum ersten Mal in einer Kellergastwirtschaft. Er saß an einem winzigen runden Tisch in eine Ecke gezwängt. Hinter ihm lief in blanken Tropfen Kondenswasser von den glatten kalten Wänden, wieder verdichteter Atemdunst, Schweiß, Tränen feuchter Augen, Kaffeedampf, wäßriger Alkohol. Als ich hereingeschlendert war, fiel mein Blick sogleich auf ihn. Er hatte kein Alter. Er saß da, absichtslos, zufällig hierher verschlagen. Er würde aufstehen, verschwinden, niemals wieder sichtbar werden. Aber gerade das dünkte mich unerträglich. Zwar, mir fiel dergleichen erst ein, nachdem er verschwunden war.
Drei Tage lang verfolgten wir einander. Ich trieb mich rastloser umher als bisher, durchjagte die Kneipen der Gegend. Er spürte mich auf. Jedenfalls kreuzten sich unsere Wege. Ich versuchte, zurückhaltend zu sein, mich nicht zu verraten. Er war ein Meister darin. Seine Neugier war ganz in Zögern eingeschlossen. Als er mich endlich anredete, geschah es mit kindlichem Verwundern, als ob er mich gerade jetzt zum ersten Male gesehen und mit seiner arglosen Freude darüber nicht hätte an sich halten können. Und er bereute auch schon das Wort. Es legte sich ein schmerzlicher Verzicht um seine Stirn. Und seine Erscheinung wäre gewiß zergangen, wenn ich ihm nicht in meiner Muttersprache geantwortet hätte, daß ich ihn nicht verstünde. Ein höfliches Bedauern, mich belästigt zu haben, umschlich seinen Mund. Aber er entfernte sich nicht. Er sagte mit gewählten Worten seinen Satz, den ich wohl verstehen mußte, weil er jetzt meine Muttersprache angenommen hatte. Überrascht gab ich ihm Rede zurück.
Er besaß einen Laden, ein lichtloses Lokal, dessen Wände vor der Fülle aufgestapelter Gegenstände nicht sichtbar wurden. Bis unter die Decke bauten sich seltsame und fantastische Gebilde aus allen Teilen der Welt auf. Von verrufenen Orten und Tempeln gleichermaßen herbeigetragen, von Geistern, deren Gestalt unsichtbar blieb, geformt. Niemals wieder, außer in schweren Träumen, habe ich eine solche Fülle verschiedenartiger Gegenstände gesehen. Und sie alle waren auf ihre Weise zwecklos. Es war ihr Zweck, zwecklos zu sein. Es gab nicht ein einziges nützliches Gerät inmitten der überwältigenden Schau.

Alles war abgründigem Spiel, wildem Zauber, der ätzenden Leidenschaft, die mit Dämonen ringt, und der zähen Geduld einer schon verwesenden Erkenntnis entsprungen. Vergeblich, an arbeitsame Hände von Menschen zu denken. Eher fielen einem die schauderhaften Krallen riesenhafter Spinnen ein: Mordwerkzeuge, die ein Gott vor lauter Irresein mit einem Wald feinster Haare übergossen hat. Als ich zum ersten Mal durch das Labyrinth geführt wurde, endete es damit, daß ich in lautes Weinen ausbrach. Ma-Fu stellte sich vor mich hin und sagte mit leiser Stimme:

»Der Oberflächliche denkt zu gering von den Menschen. Wer unnütz gelebt hat, kann gleichwohl nützlich gewesen sein.«

Als ich wieder auf der Straße stand, wußte ich nicht mehr, was ich gesehen hatte. Die Erinnerung war mir zerronnen. Mir saß ein Ruch in der Nase, süß, unwiderstehlich.

So kam ich wieder, schon am nächsten Tage, mit dem törichten Vorwand, etwas kaufen zu wollen. Der Chinese ging darauf nicht ein. Ich stand ohne Schutz in der Dürre seines Schweigens. Und spürte, wie seine Seelenkraft alles verwandelte. Die Luft im Laden war kalt und grau an Farbe. Die Gegenstände waren ohne den Wert des Zaubers, gleichsam nackt, als stünden sie dem Ewigen und Vollkommenen gegenüber, vor dem das Zeitliche, die Geschichte, die Leidenschaft und die vergänglichen Stoffe nicht bestehen. Mit fürchterlicher Deutlichkeit drängten sich mir die Materialien auf, als hielte ich eine Hand voll Kram aus der Hosentasche eines Knaben oder den Plunder eines Medizinmannes: abgegriffenes Holz, von Rissen durchfurcht, Stein, von dem es in der weiten Welt unter dem offenen Himmel Berge gibt. Seidene Fetzen, brüchig, kaum noch fähig, den vergehenden Tand der Farbe zu sammeln. Vergoldung, abgeschabt, den braunen oder roten Lack unter der Oberfläche bloßlegend, Gips und Leim und schrundiges Leinöl –. Und diese schmalen Hände, mit den Fingern eines Müßiggängers, langnägelig, waren es die Segen bereitenden eines unverwüstlichen Gottes?

Mit äußerster Anstrengung nur vermochte ich bei der Form der Kostbarkeiten zu verweilen. Ich sah sie gleichsam schon zerschlagen, angeätzt von einer gierigen Zerstörung, zerfallen auf dem Grunde ihres fernen Schicksals. Vergeblich versuchte ich

das heilige Verwundern, das mich am Tage vorher trunken gemacht hatte, wieder vor die Sinne zu locken: ich sah nur das entstellte Antlitz zerschlissener Dinge.
Endlich schickte ich mich an, um meine innere Verwundung zu verdecken, ein Schiff zu betrachten, ein dreimastiges Segelschiff, die kunstvolle Arbeit eines Seemannes, dessen Hände sich verselbständigt hatten und, einer abtrünnigen Fantasie untertan, das genaue Abbild einer eingebildeten Wirklichkeit geschaffen hatten. (Vielleicht hatte der alte Meister Lionel Escott Macfie, als er den Kiel, die Spanten und Innenräume der ›Lais‹ entwarf, mehr an das Geheimnis als an ein Schiff gedacht.) – Zu Tausenden haben sie, eingezwängt in Flaschen, umbrandet von Wogen aus Farbe und Kitt, ihre Schiffe getakelt, die Segel gebläht – der Bug umschäumt, weil die wirklichen Laken über ihnen schlaff in der Sonne hingen. Die Langweile, der Spieltrieb, die Sucht, geschickter zu sein als der Kamerad, das Gedenken an einen fernen angenehmen Menschen, haben den Stunden Fittiche gegeben. Der millionenfache Flügelschlag des beschwingten Pferdes, der Gesang aus Tiefen und Höhen, der gegen die enge Brust prallt und die Unfähigkeit besiegt und die Trägheit des Herzens verscheucht. – Aber dies Schiff war von einem anderen Gedanken abgestürzt. Die trockene Gründlichkeit, mit der die Form des Rumpfes und der Geräte nachgebildet waren, verdeckte eine verzweigtere Vorstellung: den inwendigen Teil. Es gab eine Welt unter Deck. Vom Kiel ansteigend nach oben schichtete sich das Gewirr der Schiffsräume über- und nebeneinander. Durch winzige Bullaugen konnte man einen flüchtigen Blick erhaschen. Auch die fernste und nur langsam sich bildende Anschauung von den Dingen war genau nachgeschaffen, nicht nur angedeutet. – Mir war, als ob gelb und weiß die Galleonsfigur sich durch mich hindurchpflügte. Ich mußte stärker an den Bau des alten Lionel Escott Macfie denken, an das zwecklose Bronzegelaß, das mit Meerwasser gefüllt war. Ich wandte mich ab. Ich sagte: »Es ist nicht mein Geheimnis. Es gibt viele dreimastige Segelschiffe.«
Die Augen des Chinesen glitten über mich hin. Ich spürte den lahmen Stich ihrer stummen Frage. Aber dies war nicht der Tag, mich geschwätzig zu machen. Mit unwilliger Neugier

wanderten meine Blicke an den leblosen Überbleibseln der Leidenschaft vorüber und bissen sich wieder fest. In eine flache Steintafel war die dürftige elende Gestalt eines Menschen gegraben. Die hageren ausdruckslosen Glieder, überlang, waren in die harte Scheibe nicht eingemeißelt: mit härterem Diorith oder Porphyr waren sie herausgeschliffen, langsam mühevoll mit verkrampften Handballen in das Bett des Steines eingeschliffen worden. Es war zu einer Zeit geschehen, wo die Geräte des Menschen weder erzen noch eisern waren. Und der mühsam Erschaffene war ein Gott. Nicht nur, daß er reich und gesegnet war an schaffendem Geschlecht: seine Hände wuchsen, groß wie Bäume, aus den Schultern hervor und streckten sich segnend, umfassend in die Weite vor seinem Blick, den man erraten konnte. Mächtiger Gott. Aber als ob der schaffende Mensch sich der frechen Unterstellung noch nicht ganz verschrieben, Gott müsse ihm gleichen, war dem mächtigen Wesen ein heiliges Tier beigegeben, seine zweite Gestalt: ein Widder oder ein Hirsch, ein Rentier. Ich hatte schon von solchen Steinzeichnungen gelesen. Aber wieviel erschütternder war es, den lebendigen Göttern, den ewigen, in einem Raritätenkabinette zu begegnen. Die tausendfache Gestalt des Höchsten verdichtete sich mir gleichsam zu dieser einen rauhen, sagenhaften, zaubernden Gestalt: die stolzen Tiergötter Ägyptens, die Widder- und Stiersphinxe an den Straßen zu den chinesischen Kaisergräbern, die weichlichen Leiber des marmornen Olymps, die Legionen Gottmenschen indischer Pagoden, die goldene Pracht der katholischen Götter und der häßliche Tod des einen nackten. Millionenfache Erscheinung, überall ist sie hervorgequollen aus jener zeugenden Null der Leere; überall ist sie vergangen, und wir Lebenden flehen zu den Trümmern, die stehengeblieben sind, nachdem die Welt der Inbrunst, die inwendige Gewißheit mal um mal zusammengestürzt ist – mit jedem Lebenden, der den Geist aushaucht, mit jedem Jahrtausend, das die alten Tempel schleifte. Man hat die Götter zerschlagen, man wird sie immer wieder zerschlagen. Des Menschen Tun ist Entweihung. Die Gestalt ist unnütz, sagen die Besserwisser. Wie jämmerlich war mir zumute, als ich die Ewigen von ihren Burgen herabgefallen sah, den Brand ihrer Tempel und das Aufreißen der Gräber der Heiligen, die sich um ihre fromme Wohnung versammelt! Dieser Verrat in den Worten, diese unfruchtbare Wut im Recht der Lebenden! – So war mein Herz bei den geschlachteten Göttern aus Stein, Holz und Bronze. Da sahen meine Augen das Weib, steinern wie jener Gott früher Jahrtausende, jünger, geschmückt mit den eifernden Worten der Überlieferung: Eva. Ein blasser Sandsteintorso, der einstmals an einer Kathedrale gelebt hatte. Jetzt ein maskenhaftes Gesicht über schwellenden Brüsten und schwellendem Bauch. Auch sie die Nachfahrin einer Göttin. Doch irdischer, Rippe eines gestürzten Engels, Gebärerin der Menschen, Urmutter, Verführerin zu den Lüsten, die uns immer wieder heimsuchen, auf daß das Fleisch bestehen bleibe. Und sein Gejammer.

»Die Ordnungen und die Herrschaft der Menschen werden ein jähes Ende finden, denn die Weisheit hat keinen Raum mehr. Die Unklugheit wohnt schon in den Wäldern und auf den Bergen«, sagte der Chinese.

Hatte er meine Gedanken erraten oder nur von meinem Gesicht die Bekümmernis abgelesen und sie mit einer allgemeinen Betrachtung unterlegt?

Ich antwortete: »Die Harmonien der Welt werden bestehen bleiben. Sie sind deutlicher als der Stoff. Sie haben nicht das Maß des Guten und Bösen.«

Ich wandte mich den heiligen Trümmern der Welt wieder zu. – Die Hände ruhen in ihren Gräbern. Und viele Gräber, in denen es keine Hände mehr gibt.

Meine Gedanken waren umnachtet. Ich war im Geiste von den verrufenen Orten und von den heiligen Stätten enttäuscht. Die Leidenschaft der Seele und des Körpers war mir vergeblich, mangelhaft, schlimmer noch, lästig erschienen. Ich mied den Laden eine Woche lang. Dann aber kam ich wieder.

Ma-Fu hatte mich erwartet. Er hatte hinter der Ladenscheibe gestanden, spähenden Auges. Als er meiner gewahr wurde, huschte er ins Hintere des Ladens. Als ich durch die Tür trat, stieg schon der Rauch von Harzen auf, die er über glühende Kohlen geworfen hatte. War seine Hand hastig gewesen, zu wenig gelassen, das genaue und feine Maß der borkigen Körner zu treffen, daß statt eines unwägbaren Dunstes grüner und roter Qualm aus dem Becken aufstieg, in dem nun eine Schicht

über der Glut blasig zähe kochte? Oder sollte ich Zeuge und Opfer einer größeren Kunst werden? – Ich nahm mir vor, nicht zu erliegen. Und doch folgten meine Augen bald willenlos dem Schauspiel der strudelnden aufwärtsstrebenden Farbwolken. Die Farbströme, anfangs getrennt, mischten sich in der Höhe. Doch kaum, daß sie zu einem trüben violetten, flachen Ballen geworden, leuchteten sie gelb auf, als wäre ein Nebel schimmernden Goldes zur Oberfläche vorgedrungen. Und alsbald zerteilten sich die Schwaden, breiteten sich aus und fielen auf die Gegenstände herab wie feinstes Flitterwerk. Ich glaubte zu erkennen, auch das Gesicht des Chinesen erglänzte fettig bronzen. Ein eigentümlicher kühl saurer Geschmack netzte mir die Lippen, daß ich Durst nach saftigen Früchten bekam. Ich schaute in den zähen Brei, der die glühenden Kohlen verklebte, aus dessen berstenden Blasen der Qualm sich aufhub. Ich sagte mit unnachgiebiger Stimme:
»Mein Abenteuer ist nicht hier.« Und dabei wies ich kreisend mit meinen Händen auf die Götter, auf die Schiffe, auf das eingetrocknete Fleisch von Mädchenbrüsten und langsam geräucherter Schädel, auf eine verdeckelte Glaswanne, in der in Alkohol oder Formalin ein zu früh geborener Kaiser lag, auf die unflätigen Bilder, in Jade eingegraben, auf die siedenden Freuden dieser Welt, in Elfenbein geschnitzt, in Messing gegossen, mit Tusche auf sanftes Papier gemalt, auf die rätselhaften fußhohen sechskantigen Säulen harten Bergkristalls, auf das ganze heilige Gerümpel von Gottes- und Menschenhand: die unruhigen Träume der Schaffenden, der elende Fleiß der Halbbegabten, die kitzelnde Überraschung der Irren, der tönerne Wille der ewig gleichen erdigen Triebe.
Er antwortete langsam: »Die Zahl der Geheimnisse ist groß.«
Ich wurde kühner. »Dieser Rauch«, sagte ich, »schwer genug, einem die Augen zu verkleben, den Mund lüstern zu machen, die Sinne zu verkehren, daß man vergißt, was einem am Herzen liegt, ist nur ein kurzes vergängliches Spiel, dessen Gold morgen trübe ist.«
»Es ist nicht kürzer als die Lust«, sagte er, »und man kann es wiederholen und dichteren Rauch ernten als mittels des Zaubers der Herzen.«
»Ach«, sagte ich, »man kann schale Speise nicht mit der Lüge

würzen, daß sie schmackhaft wird. Gerümpel, vergoldet, gewinnt nicht an Wert, es täuscht nur. – Was wollen Sie von mir, daß Sie mich bald ernüchtern, bald mit schnellen Vorstellungen betäuben? Was nützt es Ihnen, daß sich Ihnen ein Hirn öffnet, das nicht zuverlässiger ist als ein krankes?«

»Nichts«, sagte er.

»Soll ich geprüft werden? Oder verlockt?«

»Nichts«, sagte er.

»Sie entlocken mir die Gestalt meines Abenteuers nicht«, sagte ich.

»Es steht Ihnen frei, zu gehen«, sagte er, »wenn die gastliche Abwechslung, mit der meine bescheidene Weisheit Ihnen angenehm sein wollte, Sie bedrängt oder Ihr Mißtrauen erweckt. Sie müssen nicht fürchten, ohnmächtig umzusinken oder in das Garn einer giftigen Verzauberung zu kommen. Nichts des unschuldigen Rauches dringt tiefer als bis an die Haut.«

Während er sprach, entzündete er eine Anzahl bunter Papierampeln. Ihr kleiner Schein färbte die goldene Luft, wie wenn sie von einem Regenbogen berührt worden wäre. Aus dem Dämmern der Decke hoben sich Gestalten hervor, undeutlich gemalt, uralte Linien, und ein Teppich mit runden Feldern, in denen Fasanengefieder aufleuchtete. Ich schwieg eine Weile. Dann hub ich wieder an:

»Rotes Gift, rotes Gift, fürchterliches, stark genug, um lebendiges Fleisch damit aneinanderzukleben –«

Er schaute mich entsetzt und traurig an. Er schaute lange, und ich begriff, er fragte mit Stummheit. Er schien einzuräumen, ich war ihm in einem Punkt überlegen.

»Rotes Gift«, sagte er nach langer Zeit, »es ist davon berichtet worden. Vor Jahrtausenden. Aus Blut gewonnen –« Er schien sich zu schämen, nicht mehr zu wissen, nur Ungenaues zu wissen.

Ich war außer mir vor Selbstzufriedenheit, daß mir ein Einfall gelungen war. Aber schon hellten sich die Züge Ma-Fus auf. Seine Wangen wurden rund. Seine Stirne glatt.

»Das rote Gift besitze ich«, sagte er.

Ich erschrak. Er bückte sich. Als er sich wieder aufgerichtet hatte, hielt er eine rote Kugel in Händen. Eine glatte, blanke Kugel. Nicht ein schrundiges Gebilde, zu dem, wie man sich

vorstellt, ein eingedickter Absud werden muß, wenn knetende Hände ihn hastig formen. Der Chinese reichte mir die Kugel. Ich nahm sie zögernd, fürchtend, der Zauber möchte das unheimliche Wachstum zwischen jenem und mir entfalten, daß wir ein Fleisch würden. Aber die Kugel glitt wie jeder andere schlummernde Gegenstand gefügig in die Höhlung meiner Hände. Und wägend, betrachtend, kam ich zu dem Schluß, es ist ein Ball aus Elfenbein, gedrechselt aus dem riesigen Stoßzahn eines Elefanten. Ich machte noch Vorbehalte, denn bis dahin hatte der Mann mich nicht mit einer gewöhnlichen Dummheit bedient. Endlich aber sagte ich doch:
»Ist das alles?«
Er lächelte. Er nahm die Kugel wieder an sich, brachte sie auf dem Knöchel seines linken Zeigefingers in Rotation. Plötzlich griff er mit der freien Hand zu, preßte die Pole mit der Zange, die er aus Daumen und Zeigefinger gebildet hatte. Die Kugel sprang auf. In den zwei Hälften lagen, jetzt getrennt, genau nachgebildet, mit Farben ausgelegt, lebendig anzuschauen wie Fleisch, durch das der Blutstrom kreist, der männliche und weibliche Geschlechtsort zweier Menschen. Die Organe waren der Kugelschale beweglich eingefügt, schwebend wie in einem Kardangehänge, damit sie beim Schließen des Balles sich vereinigen konnten, ohne daß das Elfenbein, das hier wie weiche Muskeln die Form von Druck und Aneinanderschmiegen wiedergab, zerbrach. Eine kaum merkliche Entstellung oder Übertreibung verkehrte den furchtbaren Ernst ins Wunderliche.
Mein Antlitz übergoß sich rot. Ich hatte manche Hexerei geahnt; aber es war mir unvorstellbar gewesen, daß sprödes Elfenbein so vollkommen gefügig einer schlüpfrigen Form sein konnte, so überwältigend deutlich und herausfordernd, nicht zu widerlegen. Wie ein Siegel, das man nachgiebigem Wachs einprägt, so preßte sich mir diese schauerlich krasse Form der Vereinigung ins Hirn. (Auch in den verwüstenden Erlebnissen tut sich uns das Absolute auf. Jetzt schaute ich der Zeugung zu, als wäre ich ein Elementargeist gewesen.) Ich stammelte, um den Preis für die Kugel zu erfahren, die ich besitzen wollte. Er schloß die Hälften, die sich so schaukelnd zum Ineinandergleiten fanden. Er sagte:

»Rotes Gift, um lebendiges Fleisch damit unlöslich zu vereinigen.«
Glühend beharrte ich dabei, die Kugel zu erwerben.
»Sie haben mich überwunden«, sagte ich schlicht und fest.
Er antwortete mir langsam, sehr leise: »Ich könnte Ihnen das Kunstwerk schenken. Es widerspricht den Grundsätzen, die mir helfen, mein Leben zu fristen. Ich könnte Ihnen einen sehr hohen Preis abverlangen und würde in Zweifel kommen, ob dadurch nicht die Anteilnahme, die wir füreinander haben, unecht würde. – Wir haben soeben ein gemeinsames Erlebnis gehabt, und der Gegenstand, der uns zusammenführte, hat damit den allgemeinen Handelswert verloren, auch für mich. Ich werde meine Tochter in den Laden rufen; sie soll den Preis mit Ihnen ausmachen.«
»Ihre Tochter?« fragte ich verwirrt, ohne zu erkennen, welcher Art Beschämungen mir bevorstehen könnten.
Er entfernte sich schon. Ich blieb sehr lange allein. Die Kugel lag vor mir. Erwartete der Mann, ich sollte sie stehlen und mich davonmachen? Ich wartete, mehr als ungeduldig, und das Wort ›Tochter‹ zerrann mir zu einem Vorwand, zu Silben ohne Bedeutung. Aber ich wagte doch nicht, zum Dieb zu werden. Endlich, schon erschlafft von der Unruhe, ergriff ich die Kugel, und es gelang mir, sie zu zerlegen. Als ich das Schnitzwerk enthüllt hatte, rührte sich etwas im Hintergrunde des Ladens. Schritte. Ein Mädchen, fünfzehn oder sechzehn Jahre alt, stand vor mir. Ich wollte die Kugel verbergen; aber sie nahm mir die Hälften aus den Händen, setzte sie behutsam zusammen, drückte die Schalen gegeneinander, spielte mit dem Ball, indem sie ihn hochwarf, gegen die Wangen drückte. Sie lächelte frisch und belehrt zugleich. Ganz unerfahren, aber auch ohne den Stolz, Ekel zu spüren. Während ich flammend, gedemütigt, dastand, unverwandt in das milde ungefurchte Antlitz schauend, nannte der makellos geformte Mund den Preis, den objektiven Handelswert. Ich sah große regelmäßige Zahnreihen, die redenden Lippen entblößten sie. Die tiefbraunen Augen des reifen Kindes umhuschten die erdige Grube der meinen. Ich erkannte unter dem seidenen Überwurf junge spitze Brüste, die vorstoßenden runden Warzen. Ich erkannte, zu spät, daß ich dem Gift verfallen war, und daß bei meinen

Jahren kein Schutz zu finden. Ein schändliches Vorgefühl sagte mir, nur noch wenige Augenblicke trennten mich von einer unflätigen Dreistheit. Ich würde Worte aussprechen, deren beleidigender Inhalt nicht verziehen werden konnte, die mich unglücklich machen würden, mich bloßstellen, wie es der unwürdige Handel noch nicht vermocht. Wiederum redete ich mir ein, jeder gerade gewachsene junge Mann würde meine Rolle genau so spielen wie ich. Befangen, töricht, aber doch entschuldigt. Ich war von Sinnen vor Verlangen, das Tier zu sein, dessen Lust wir alle begehren. Und das Blendwerk des Augenblicks gaukelte mir vor, auch das erblühte Kind müßte sich, einig mit mir, zum heißen Strom meiner Sehnsucht finden.
Der Vater errettete mich. Ehe ein Wort gesprochen wurde, war er neben seiner Tochter. Sie schritt davon. Er fragte:
»Welchen Preis hat sie genannt?«
»Vier Pfund zwei«, sagte ich.
»Es ist gut«, antwortete er. Er ließ die Kugel in meine Rocktasche gleiten.
»Gefällt Ihnen die Tochter?« fragte er.
»Oh«, sagte ich, und eine heiße glückliche Sekunde gab mir den Geschmack eines himmlischen Trankes in den Mund.
»So gefällt sie Ihnen?« fragte er nochmals, mit etwas Zuversicht in der Stimme.
»Ja«, sagte ich.
»Aber Sie haben keinen tieferen Gedanken?« fragte er.
»Doch«, stammelte ich; aber ich wußte nicht, was die Frage bedeuten sollte.
»Die Jahre, die ihr bevorstehen, werden nicht mir gehören«, sagte der Chinese.
»Das Kind in ihr erlischt«, sagte ich, ihm beipflichtend, und hatte daneben andere, unwiderstehliche Gedanken.
»Was werde ich noch von Ihnen über die Tochter hören?« fragte er ängstlich.
»Gutes, nur Gutes«, schrie ich. Aber ich begriff sogleich, es verlangte ihn nicht nach einer billigen Auszeichnung.
»Sie wird viele Prüfungen bestehen«, fügte ich hinzu, »sie ist schön«, fügte ich hinzu. Und dann schlug ich die Hände vors Angesicht, weil ich begriff, wenn ich nur heftig begehrte,

würde sie mir zufallen. Nach einer Minute verleugnete ich meine Vergangenheit, meinen inwendigen Schmerz um Ellena, die Ketten meines Schicksals. Der Brunnen der neuen tiefen Augen öffnete seine kühle Weisheit meinem einfältigen Leben.
»Die erste Nacht kostet hundert Pfund. Die zweite Nacht kostet zweihundert Pfund, weil sie die köstlichste ist. Über den Preis der dritten spricht man noch nicht«, sagte Ma-Fu leise.
»Verkaufen wollen Sie das Mädchen?« pfiff ich durch die Zähne. Er begann zu keuchen: »Soll ich sie mir stehlen lassen? Ist das nach Ihrem Geschmack, einen Vater zu berauben?«
Mir fiel ein Wort ein, und ich sagte es: »Liebe.«
»Ach«, erwiderte er eisig, »wer versteht sich darauf? Wer wäre wohl so bescheiden, daß er die Freude an einem jungfräulichen Körper vorübergehen ließe, wenn sie ihm ohne Mühe und Kosten zufiele? – Alter macht nicht dumm, es schärft die Kraft der Beobachtung, wenn auch die Bewegung der leiblichen Glieder langsamer wird. Die große Liebe, mit der sich junge Taugenichtse brüsten, ist kurz. Den erdigen Trieben erliegen, das ist ein Spaß, nicht länger als das Gackern eines Huhnes.«
Ich sah, sein Mund bebte, und fetter Schweiß trat ihm auf die Stirn. Ich gedachte meines eigenen Verhaltens und hätte ihm nichts entgegnen können. Aber die allgemeine Bereitschaft zum Widerspruch machte mich stark.
»Das eigene Kind zum Verkauf anbieten. Ausstellen und verhandeln«, sagte ich.
Er antwortete mir, und sein Speichel begann zu schäumen: »Sind Sie zu jung für diesen Handel oder schlecht erzogen, daß Sie mich mit unehrenhafter Schamhaftigkeit täuschen wollen wie ein Viehhändler den Bauern? – Meine Liebe, die nicht schlechter, wohl aber länger ist als die Ihre, sagt mir, wieviel die Tochter gelten muß. Ich habe schlaflose Nächte seit einem Jahr, weil ich sie von mir geben muß, denn sie hat das Alter. Meine Liebe ist groß, größer als das Wort und auch bedachtsam, denn das Kind ist unter meinen Augen geboren worden als Frucht eines Leibes, der mir angenehm war. Und es ist aufgewachsen unter meinen Blicken. Und ich habe es groß gemacht wie Väter Kinder groß machen, denen die Mutter früh gestorben ist. Ich habe in den Krankheiten den heißen dünnen Atem ängstlich belauscht. Ich habe die Körner rechten Verhal-

tens, die ich habe auflesen können, der schmiegsamen jungen Seele eingepflanzt. Ich habe ihr von der Stirn die Schatten der Furcht gewischt, die den Unbelehrten befallen, wenn Erde und Blut über ihn kommen. Ich habe sie dem unbekannten Manne brauchbar gemacht, daß sie milde sei, arglos und schön. Das ist meine Liebe. – Und nun sollte ich sie hinausstoßen an einen Fremden, ohne auch nur noch ihren Wert zu erwähnen? Wie einen räudigen Hund, dem man Obdach versagt, hinausdrängen? Dem Fremden aushändigen, der den Beweis seiner Liebe schuldig bleibt? – Mit seiner Brunst prahlt er, als ob nicht jeder davon hätte.«

Plötzlich, auf dem letzten Wort, hatte sich seine Stimme gesenkt und war wieder milde und unerregt geworden. Er sagte noch:

»Gibt ein König sein Reich freiwillig einem anderen Fürsten, ohne zuvor im Brand einer Liebe oder Freundschaft geschmolzen zu sein? Vergießt ein Freund sein Blut für den Gefährten, ohne zuvor in Tagen und Nächten die würdige Gleichheit der Gesinnung erprobt zu haben? – Die Kälte verschenkt nicht. Die Gleichgültigkeit verschenkt nicht. Um dem Unbekannten ein Lächeln abzugewinnen, gibt niemand seine Eingeweide preis. – Der Freund ist fern und vielleicht schon gestorben, dem ich mein liebstes Eigentum hinschenken könnte. Und wenn's kein Schenken sein kann, ist es ein Verstoßen, Ausliefern, Überantworten, ein blindes Verteilen an die Tiere. – Wer keinen Preis bezahlen will, der achtet die Braut nicht.«

Er schwieg erschöpft.

Er jagte mich nicht davon. Er begann aufs neue:

»Sie ist von großer Anmut für die Augen. Ich will sie dem Fremden für einen kleinen Preis zeigen. Sie ist unberührt; aber doch bereit, einem Manne alle Wärme zu geben. Ich will sie keinem Häßlichen in die Arme legen, ob er auch bezahlte. Ich will den Preis von einem, dem ich nicht mißtraue. Ich will das Unglück nicht für sie.«

Ich wagte das Angebot nicht anzunehmen, nicht abzulehnen. Ich nahm mir vor, wiederzukommen und um den Preis zu handeln. Ich reichte ihm die Hand. Ich sagte: »Morgen.« Und plötzlich stürzten mir die Tränen aus den Augen. Ich hörte seine Stimme, leise und mild. Ich spürte seine Hand auf mei-

nem Haar. Ich fühlte mich bereit zu beichten, zu jener gefährlichen Offenheit, die uns befreit, weil wir ein Urteil ernten, das wir auf uns beziehen, während es doch nur für den kleinen Spalt gilt, den wir in unser Schweigen gerissen haben. Ich sagte: »Ich habe mich noch niemals mit einem Mädchen vereinigt.«
Er antwortete: »So habe ich mich nicht getäuscht, Sie sind noch ein Kind. So weiß man nicht, was an Schrecklichem oder Mildem in Ihnen wohnt.«
»Ich möchte für eine kleine Bezahlung mit meinen Augen Ihre Tochter sehen«, sagte ich mit halbem Atem.
»Sie prahlen mit einem Abenteuer. Ist das Ihre tägliche Lüge, um eines zu finden?«
»Nein«, sagte ich.
»Dann muß die Bekanntgabe Ihres Geheimnisses in den Preis mit eingehen«, sagte er.
Ich schrie: »Sind Sie neugierig?!«
»Welche Bürgschaft bieten Sie, daß meine Tochter nicht beleidigt wird?« fragte er schlagfertig.
Ich schwieg lange. Dann sagte ich: »Das Geheimnis.«

*

Im trockenen lästigen Licht der Straße wußte ich, ich muß Tutein ins Vertrauen ziehen. Ich hatte ein Angebot gemacht und konnte es nicht widerrufen. Ich hatte mich zu einer Liebe bekannt, die mit den ungestüm pulsenden Säften meiner Lenden gekommen war. Mit Keulenschlägen war ich betäubt worden. Ich war noch besinnlich genug, die ganze Rechnung aufzumachen. Meine Füße gingen über das Pflaster; aber ich spürte den Druck meiner Schwere auf die Sohlen nicht. Der Preis in barem Gelde: fast ein Zehntel meines Kapitals würde verzehrt werden. Und das war nur ein Anfang. Die dritte Nacht würde folgen. Die Möglichkeit bestand, ich konnte ausgeplündert werden. Ich erledigte meine Angst, indem ich die Ehrenhaftigkeit des Vaters außer Zweifel stellte. Eine Ehe würde mir meinen Einsatz zurückbringen. Doch ich erschrak bei dem Gedanken, daß eine so einschneidende Veränderung meiner Lebensführung unmittelbar bevorstehen könnte. Ich fand es ratsamer, schlicht mit dem Vater um den Einsatz zu handeln. Man lügt, es ist so allgemein zu lügen, man besitzt die

Summe des Einsatzes nicht. Betrug in diesem Punkt, ich fand ihn kaum entschuldbar. (Es war ein Spiel mit den Möglichkeiten der Lüge.) Ma-Fu hatte mich unter den Vielen aufgelesen. So mußte er Gefallen an mir gefunden haben. Vor den prüfenden Augen eines schlauen bekümmerten Vaters bestanden zu haben, schon bespült vom Hauch des inwendigen unbezähmbaren Ungeheuers, es war ein Verdienst. Oder hatte er auf geheimnisvolle Weise von meinem Besitz erfahren? Zählte Domingos Figueira zu seinen Bekannten? War er, schlimmer gar, ein Polizeispitzel?
Ich rechnete, während sich vor meinen Augen die Bilder des Mädchens dichter und dichter drängten. Die jungen spitzen Brüste, der runde kräftige Schmuck der braunen Warzen. Ich verringerte meinen Besitz freiwillig im Vorgefühl eines höchsten Glückes. Die Tote hatte nur noch eine schwache Stimme. Ihr Antlitz war durchsichtig, ihr Leib war ohne Verführung. – Ich hatte freiwillig versprochen, ihr Angedenken preiszugeben, die letzte schwache Verehrung. Ich widerstrebte noch; aber ich würde erliegen. Und schloß mein Geheimnis nicht auch Alfred Tutein ein, den Freund, den Mörder? Hatte ich nicht den bindenden Schwur getan, sein ewiger Kamerad zu sein und schweigsam bis an den Tod? – Es begann mich zu schaudern. Die Wirrnis in meinem Herzen nahm überhand. – Ich beuge mich der Kraft sinnlichen Verlangens, weil ich fleischlich geboren bin und gewachsen bin durch den gierigen Zugriff meiner verdauenden Eingeweide; – aber ich hadere doch mit meinem tierischen Gefühl, daß es mir auf Augenblicke nichts meines Vorsatzes der Treue ließ, nichts meiner Erinnerung, in der ich den Abglanz des großen Raumes, einer stillestehenden Zeit, der wirklichen Lust des ungehemmten Geistes zu spüren glaubte. – Und daß ich das junge chinesische Weib in meinen Gedanken mehr mißbraucht als geliebt habe, ohne je zu erfahren, ob es nicht ausersehen war, wie eine Fee, meinen Weg durch die Zeit leicht zu machen. – Nun weiß ich nur, sie war eine kurze, schöne Erscheinung, und ihr Vater sagte von ihr, sie sei ein Mensch, erzogen, sich anderen Menschen gegenüber richtig zu verhalten.

*

Als ich vor Alfred Tutein stand, flossen triefende Ströme Schweißes von meiner Haut. Er war im Hause, das heißt im Hotelzimmer, das wir bewohnten. Er stand, wie so oft, am offenen Fenster und schaute in den freudlosen Hof. Kahle, unverputzte, verräucherte Ziegelsteinmauern, Fenster, mit Maßen, die das Auge beleidigten. Ein nacktes, von Rost beätztes Eisenrohr, in den unregelmäßigen Fetzen Himmel ragend, ein Schornstein. Ein abgehärmter Esel stand auf dem Grunde des Schachtes. Ein Bretterschuppen verdeckte ihn halb, so daß man immer nur die Kruppe, die Hinterfüße und den Fliegen peitschenden Schwanz sah. Den Kopf des Tieres habe ich niemals gesehen. Es war eine Stute. – Alfred Tutein hatte seine Augen dem Ausschnitt des blauen Himmels zugewendet. Er mußte vor kurzem heimgekommen sein. Er war mit einer hellen Hose bekleidet, die ein Riemen hielt, darüber ein gelbes baumwollenes Hemd, kurzärmelig, mit weitgeöffnetem Kragen. Die Haut glühte ihm braun und rot; er mußte sich irgendwo vor der Stadt am Jacuhy, am Haff oder auf einer Wiese der Sonne ausgesetzt haben. Ich erschrak auch diesmal vor der verhaltenen Kraft seiner Gestalt, vor der Selbstverständlichkeit, mit der er ein Mensch war. Die Jahrzehntausende seiner Vorfahren waren an ihm wie ein Tag, die langen Jahre füllte er mit seiner arglosen Selbstverständlichkeit aus, die nicht die Wiederkehr einer Vergangenheit schien. So nötigte er mir eine Anerkennung ab, die ich niemals mit der Vernunft oder mit einem heißen Gefühl habe begründen können. Es war nichts an ihm, das zu herrschen verlangte. Er war mir gegenüber mehr nachgiebig als beharrlich. Er war etwas Vollkommenes. Sündig und tugendlos genug, daß kein Geruch der Heiligkeit oder Frömmigkeit sich ihm anlagerte. (Er betete heftig; aber er beichtete nicht.) Er war gut wie ein Tier, das sich nicht durch unsere Seelenqualen rühren läßt, das aber gleichermaßen anhänglich ist in den Stunden unserer Trauer und Freude. – Ich aber fürchtete mich vor dieser Herzensgröße, die kein Ziel hatte, und verdächtigte sie oft, wenn sie vor dem einzigen Daseinsproblem, das Alfred Tutein zu beherbergen schien, zu entweichen drohte. Es wurde niemals in ihm ausgelöscht, daß er ein Mörder war. Nicht nach sieben Jahren, nicht nach zweiundzwanzig Jahren. Auf dem Grunde seiner Seele

war diese künstliche, blutende, nie heilende Wunde, deren Eiter die Angst war.
Ich erzählte ihm ohne Einleitung und ohne Einschränkung mein Erlebnis. Und hielt inne, nachdem ich das Angebot des Vaters und den Preis für das Mädchen genannt hatte. Es war gleichsam der erste Teil meines Berichtes, der Inhalt meiner Begegnung, wenn ich sie nicht durch meine unkluge Rede und mein voreiliges Prahlen mit meinem Abenteuer fragwürdig gemacht hätte. Er antwortete mir mit leiser Stimme, in der kein Schwanken, kein Erstaunen, nicht Vorwurf noch Unruhe war: »Was gedenkst du zu tun?«
»Ich wage das Angebot nicht anzunehmen – nicht abzulehnen«, sagte ich.
»Es gibt Mädchen, die billiger sind«, sagte er.
»Das ist mir bekannt«, sagte ich.
»So scheint dir, sie hat ihren Wert?« sagte er.
Ich schwieg nun und dachte, weil er so ruhig sprach, er wird Feuer fangen. Es werden sich ihm Zeichnungen ins Hirn ritzen. Die Kraft seines reinen und freien Körpers wird sich entfalten. Ihm wird die Beute so willkommen sein wie mir. Es wird ein Wettstreit beginnen, und ich werde unterliegen. Ein hartes Gefühl, daß ich ihn beneidete, beschlich mich. Und ich sagte, um meinen Vorteil zu bewahren: »Ich liebe sie.«
»Das ist nicht gut«, sagte er langsam.
Ich bildete mir ein, jetzt beginnen wir zu ringen. Er ist ein hungriges Raubtier, ich bin es auch. Und keuchend erzählte ich ihm den Schluß von Rede und Widerrede im Laden Ma-Fus, gleichsam um anzudeuten, daß ich vor nichts zurückschrecken würde, wenn er sich die leichte Rolle, mein Nebenbuhler zu werden, wählen sollte. Es ist mir nachher unverständlich gewesen, wieso meine Unterstellung so schnell hat reifen können. Es lag mir fern, ihn zu beleidigen. Ich rechnete mit ihm wie mit mir selbst. Ich entsann mich der dreisten und ungeschliffenen Worte, die er zuweilen gebrauchte. Und schloß daraus, sein Körper müßte so heftig sein wie diese Worte. – Ich kannte ihn noch immer nicht. Ich kannte nur Teile von ihm. Ich kannte den Adler an seinem Rücken, aber nicht die Geschichte der Narbe, die der Adler verdeckte. Ich wußte nichts

von Georg, nichts von Tuteins Vater und seiner Mutter. Er war für mich erst ein halbes Jahr alt. Seine Geburt begann für mich mit Ellenas Tod. Es war ein arges Mißverhältnis zwischen meiner Anschauung von ihm und den Wirkungen seiner Konstitution. Die Gleichzeitigkeit unseres Daseins hatte sich auf verschiedenen Schauplätzen vollzogen, vollzog sich noch immer fast unabhängig voneinander. Er hatte irgendwo nackend am Strand oder auf einer Wiese gelegen, ich hatte so und so viel eben derselben Zeit im Laden Ma-Fus zugebracht. Er hatte seinen Körper gegen Anfechtungen abzuhärten versucht, ich hatte mich in den blindmachenden Strudel fallen lassen, ohne irgendwelche Widerstände anzurufen. – Wir haben viele Mißverständnisse und Abweichungen von der Einigkeit nach und nach zu berichtigen versucht, mehr zögernd als freimütig. Es war in einer späteren Zeit. –

»Du mußt auf das Chinesenmädchen verzichten«, sagte er mit bebender Stimme, doch sehr leise.

»Warum muß ich?« fragte ich unnachgiebig, noch ganz unbelehrt.

»Du darfst niemals wieder in den Laden gehen. Es ist schon zuviel gesprochen worden«, sagte er. »Du kannst mich nach so kurzer Zeit nicht verraten. Du kannst noch nicht aufhören, mein Freund zu sein. Du darfst mich nicht allein lassen.«

Während er sprach (und er sprach bestimmt nicht länger, als ich es hier vermerke), geschah die Verwandlung seines Wesens, die zu fassen oder zu deuten über mein Vermögen war. Sie kam so heftig und aus so großen Tiefen einer unterweltlichen Landschaft, daß es verwunderlich blieb, wieso der Körper dem vulkanischen Feuer standhalten konnte und nicht verdorrte. Die Gestalt blieb, die sie war, doch der Raum, der sie gütig umspannt gehalten hatte, geriet in Zorn und umwitterte sie mit jauchigem Haß. Der Duft der Haut erstarb, und von innen drang gelbes Wasser durch alle Poren nach außen. Der innere Stolz dieses Menschen, der mich immer wieder wünschen ließ, ich möchte er sein, diese frische, überwindende Erscheinung, zerbrach. Und eine geknechtete ohnmächtige Seele entblätterte das menschliche Antlitz, daß nur ungeordnete Muskeln blieben, die nichts weiter ausdrückten als den anatomischen Bau.

Die Augen schienen zu vergehen, wie wenn sie zum Ausgerissenwerden verurteilt wären. Der Mund, groß, fleischig, öffnete sich halb.
In diesem Augenblick überwältigte mich ein Mitleid, ein lustvoller Schmerz von so unnennbarer Stärke, daß ich alles vergaß, was meine Sinne und meinen Geist bewegt hatten. (Es war wie beim ersten Kuß, den ich ihm gab.) Mit voller Hingebung erneuerte ich mein Gelübde. Das übervolle Maß namenlosen köstlichen Gefühls hob sich nochmals meinem lechzenden Verlangen entgegen. Ich stürzte meine Lippen auf den faden fleischigen Mund. Ich genoß diese Minuten, in denen ich ihm etwas wert war, mochte er mich auch eine Sekunde lang verabscheut oder gehaßt haben. Ich spürte, das rote Gift durchtränkte unsere Haut, daß das Fleisch ineinanderwachsen konnte.
Und so schnell wie die Angst Tutein befallen hatte, so schnell wich sie wieder. Das Mark in seinen Knochen erstrahlte wieder und durchbrach die innenräumliche Finsternis mit dem Licht der Freude. Mit wieviel Bereitschaft umhegte er mich jetzt! Mir begann zu schwindeln von der Verschwendung an unbedenklichen Kräften des Angenehmen, der er fähig war. Ich ließ mich sinken. Ich ließ mich von ihm tragen. Ich schloß die Augen. Und war ganz sicher, daß auch ich getröstet war, daß es mir leicht war, auf die Tochter Ma-Fus zu verzichten.
Wir haben kaum ein paar Dutzend Worte gesprochen. Der Abend kam, und wir hatten einen Frieden, tiefer und milder als der, von dem in den Büchern der Religionen gesprochen wird. Die Sterne flammten auf. Ich war so ernst und so erfüllt, daß ich nach seinem Herzen fassen wollte. Und er war so feierlich und heilig stumm, daß es mir schien, er faßte nach meinem Herzen. Aber es blieb die Haut, die wir berührten, die wir einander wundtasteten. Endlich war es zuviel des Glücks. Wir gingen hinaus, schlenderten straßauf und straßab, ließen uns im Hofgarten einer Weinstube nieder. Tranken eine Flasche. Es gab keine Schuld, groß genug, daß ich sie nicht hätte tragen können. Die Sterne leuchteten zwischen den Baumkronen hindurch in den Hofgarten hinein. Ich nahm die rote Kugel, öffnete sie, zeigte das verfängliche Spiel Alfred Tutein. Er lachte. Er fragte mich:

»Bereust du, daß du mit mir und einer Flasche Wein vorliebnehmen mußt?«
»Nein«, sagte ich.
»Brennt das Gedenken an die schöne Chinesin nicht?« fragte er.
»Nicht jetzt«, sagte ich.
»Die Stunden sind verschieden«, sagte er und trank mir zu.
Er schloß die Kugel wieder. Ich sah, ein Schatten ging über sein Gesicht. Ich trank ihm zu. Er lachte wieder.
Am nächsten Tage sandte ich dem Chinesen vier Pfund zwei Shilling als Bezahlung für die rote Kugel, die ich ihm schuldig geblieben war.

*

Der Mensch zaudert, vom echten Eigentum seines Glückes zu berichten. Die Millionen Liebespaare nehmen es auf sich, daß man sie mit den allgemeinen Vergnügungen, die jeder zu kennen glaubt, bespottet. Sie verschweigen die eigentlichen Ursachen ihrer Verzückung. Die Augenblicke, feurig genug, meinen Geist überschwenglich dem höchsten Gefühl einzuschmelzen, sind mir knapp zugeteilt gewesen. Aber sie waren gesättigt vom Guten und Bösen, zusammengeflossen aus Leid und unverbrauchter Gesinnung der Verschwörung, daß ich vergangen wäre, hätte mich die Leidenschaft oft übermannt. – Tuteins Weg war ein anderer. Er war durchwirkt von jener allgemeinen Lust, die dem Sein anhaftet, wenn es von Martern frei ist. Er war dazu bestimmt, sich zu verströmen. Während ich bestrebt war, meine kümmerliche Rolle zu suchen, fiel die seine, üppig, ihm gleichsam zu. Ich begriff allmählich, daß er eine magische Anziehungskraft auf die Menschen ausübte, daß alle für ihn bereit waren, ob er sich auch versagte, und daß ich, wäre meine Freundschaft zu ihm von freier Wahl gewesen, beständig hätte eifersüchtig werden können. Doch unsere Verkettung miteinander war unlöslich; und so gingen die Sturmfluten der Monate und Jahre über uns hin, der Haß aneinander, die Liebe aneinander, Körper, die durch den Zauber roten Giftes miteinander verwachsen. Nicht Zwillinge, im Mutterleibe in naher Nachbarschaft gebildet: mit den Mündern, den Händen, mit den menschlichen Worten von Schuld und Erlösung, unverbrüchlich, der eine tritt für den anderen ein, wir sind einsam, unsere Freundschaft ist nicht plump. Wir sind an das Gesetz und an das Leben ausgeliefert, es ist, wie es ist, wir kennen das große Glück der Anarchie, gegen alle zu stehen, wir haben die Geliebte zwischen unseren Körpern zermahlen. So verflochten wir uns. Die Vergebung soll durch die Himmel hallen.

Und doch war ich dem Gefühl der Abhängigkeit bald ausgeliefert. Eines Tages war es deutlich da und nistete in mir, als gäbe es im weiten Umkreis keinen anderen Baum für diesen abscheulichen Vogel.

Wir verließen diese Stadt Porto Alegre noch nicht. Zwar fürchtete ich mich, dem Chinesen oder seiner Tochter wieder zu begegnen. Meine Streifen durch fragwürdige Straßen hörten auf. Ich wagte nicht mehr in einem dunklen Winkel einer dunklen Kneipe zu sitzen und auf die nächste zufällige Äußerung der schlierigen menschlichen Gesellschaft zu warten. (Ich begriff nicht einmal mehr, warum ich es jemals getan.) Meine Kräfte, das Abenteuer zu suchen, hatten mich verlassen. Ich wurde, vereinsamt, wieder der Schatten des behüteten Schulknaben, dessen Versuchungen ein heimliches Drama auf den Feldern des gezähmten Geistes aufführten. Was bedeutete es schon, daß mein Mißbehagen an dieser Stadt wuchs, daß sie vor meinen sehenden und geschlossenen Augen zerfiel, solange sie Tutein ein erträglicher Hintergrund für die Entfaltung seiner unverbindlichen Anziehungskraft war? – Ich glaube, er genoß sich selbst: daß seine Gestalt, seine Kleidung, seine Sorglosigkeit, sein Überschwang, sich selbst genug zu sein, allen angenehm war. Er verbrachte die Monate damit, das Gefühl in sich zu beschirmen: er ist kein Matrose mehr; er ist ein Mensch mit einer ungewissen Zukunft; aber er hat die Gabe, die Zukunft von sich fernzuhalten; er altert nicht, weil der Ablauf nicht herzu kann; er verdünnt die Augenblicke, weil seine Füße in der Ewigkeit stehen; die alte Zeitrechnung ist in Trümmer gegangen; er ist ein Fabelwesen geworden; ein Raubtier Leib: der Matrosen-Mörder; eine beflügelte Brust: die Freund-Erlösung. Eine uranfängliche Theologie. Er betete noch immer, fromm und glücklich.

Aber er täuschte sich: die Abläufe ereilten ihn doch. Menschen verfielen ihm, mit denen er noch nicht zu schaffen haben konnte: Mädchen. Folgendes geschah am vorletzten Tage unseres Aufenthaltes in Porto Alegre:

*

Gegen Abend schlenderte ich nachhause. Ich war, wie so oft in letzter Zeit, am Hafen gewesen, hatte auf den Kaimauern gestanden, zugesehen, wie man die vertäuten Schiffe staute und löschte. Es waren keine großen Schiffe, die über den Strandsee hereinkamen. Trampdampfer, Leichter, kleinere Frachtschiffe mit Massengütern. Es wurden unzählige Bierflaschen verladen, gefüllte und leere. Der allgemeine Schiffahrtsweg berührte nur Rio Grande, am Hals des Haffs.
Das Verlangen, fortzureisen, riß an mir. Meine Augen wandten sich gegen Süden, wo das Hafenbecken dem Fernen angrenzte, wo die Schiffe hinaus mußten, die den Ozean suchten. Die Sucht, andere Länder zu sehen, eine Freiheit zu gewinnen, die der zufällige Platz, an dem man wohnt, erwürgt hat, hatte sich allmählich verstärkt. Ich verabscheute diese Stadt, ihre Menschen, die Felder, Flüsse und Berge, die sie einfaßten. Das Heimweh fütterte den trüben Neid auf das Schicksal aller Unbekannten, die auf dem Meere fuhren und fremde Küsten erreichten. Ein Schiff besteigen. Auf und davon. Der Vergangenheit enteilen. Man bringt es nicht über sich. Man trauert mit verglasten Augen und starrt ins Unendliche, wo sich die Wünsche am ewigen Stillstand verlieren.
Ich trat ins Zimmer. Beim letzten Licht des Tages erkannte ich, ich war nicht allein. Tuteins Bett war in Unordnung. Ein Mensch lag darin. Und ich setzte voraus, er müsse es sein. Ich trat hinzu. Und wiewohl ich gleich erkannte, es war der Kopf der hübschen Melania auf dem Kopfkissen, ergriff ich die Decke und schlug sie weit zurück. Da lag Melania nackt. Und das gedämpfte Licht der letzten Tagesstunde tuschte tiefe Schatten über ihren makellosen Körper, daß er unheimlich lebensvoll, überräumlich – nicht flach – wie von braunem Nebel umströmt, und doch gelähmt wie eine Statue erschien. Ich sagte kein Wort. Sie sagte kein Wort. Ich blickte nur auf den dampfenden Leib. Und plötzlich, wie ein Stein zuboden fällt,

stürzte ich mich schluchzend über sie, vergrub Kopf und Hände an ihre Haut, preßte meine Lippen gegen die Reglose wie ein Verdurstender den Mund zur Quelle senkt, übereifrig, ihn in das Naß einzutauchen.
Das war Melania, die seit Monaten unser Zimmer gerichtet und uns aufgewartet hatte, die uns hundertmal in Kleidern begegnet war, auf die wir nicht weiter geachtet hatten, bis sie, einfältigem Trieb folgend, sich zeigte.
Ich kenne die Dauer der Minuten nicht, die ich, wie ein Toller winselnd, verlangend, voll grenzenlosen Rausches verbrachte. Da spürte ich, sie schob mich von sich. Ihre kräftigen Arme preßten meinen Kopf zur Seite, daß er auf die Bettkante fiel, und mit schneller Bewegung hatte sie die Decke wieder über sich gebracht. Mit kläglicher Stimme winselte sie unablässig: »Dom Tutein, Dom Tutein, Dom Tutein –« Und sie hörte nicht damit auf, als perlende Tränen ihre Wangen benetzten.
Ich begriff nur zu gut, wie überflüssig, wie lästig ich war. Die Vernichtung beschlich mich. Gewiß, nur das Tier in mir war geprügelt worden. Aber ich war so jung, daß ich mich ganz eins mit meiner Brunst fühlte. Es war einfach schrecklich, daß das junge Mädchen unablässig dabei blieb, den Namen ihres erwählten Gebieters auszusprechen. Als ob ich noch immer nicht überzeugt wäre, oder als ob sie, eine große Sünde abbetend, auf den Knieen vor einem Altar in einer Kirche die erdrückende Zahl erfrorenen Flehens an den Holzperlen des Rosenkranzes abzählte. Ich hätte fliehen müssen. Aber ich blieb, verstockt. Ich wollte meine Erniedrigung, meinen Untergang. Ich wollte den sieghaften Liebhaber, meinen Freund Alfred Tutein, mit meinen Augen schauen, wie er sich nahm, was für ihn bereitet war. Ich wollte von ihm ein Almosen erbitten, eine Nachlese seines Wohlgefallens am Weibe. Er sollte mich zu seinem Zwillingsbruder einsetzen. Ich saß auf einem Stuhl und schaute auf die Greuel, die mein Hirn zum Leben rief. Aber meine Seele wollte lieber den Tod. Die Brücken: unverbrüchlich, der eine tritt für den anderen ein, wir sind einsam, unsere Freundschaft ist nicht plump. Wir sind an das Gesetz und an das Leben ausgeliefert. Es ist wie es ist. Wir kennen das große Glück der Anarchie, gegen alle zu stehen – die Brücken stürzten ein.

Es war schrecklich, daß das junge Mädchen fortfuhr, den Namen Tuteins herzusagen. Es war eine Ernüchterung, der mein innerer Aufruhr allmählich erlag. Ausgeräumt wie ein Leichnam, der einem Rudel Studenten in die Hände gefallen ist, hockte ich da. Ein Toter, der am Bette einer Wahnsinnigen Wache hält.
Endlich, nach einer Zeit, die nicht gemessen werden kann, kam Tutein. Das Mädchen verstummte augenblicks. Tutein benötigte eine Weile, um sich im Finstern zurechtzufinden. Er hatte gewiß erwartet, daß Licht wäre, weil er mich zurstelle glaubte. Nun schritt er zum Kopfende seines Bettes, knipste die elektrische Armlampe, die von der Wand ins Zimmer hineinragte, an. Er sah Melanias Kopf, plötzlich, wie vordem ich. Er trat einen Schritt zurück. Er erblickte, auf einem Stuhle sitzend, mich. Nur eine Sekunde lang schien er sich zu befragen, was dies bedeuten könnte. Dann sah ich, wie sich sein Gesicht von der Erwartung zur Zuversicht entspannte, hell wurde von jener Gewißheit, die mir durch das Gejammer des Mädchens schon verraten war. Ich weiß nicht, welcher Art die Gedanken waren, die er mir widmete. Vielleicht war ich ihm gleichgültig. Er tat den Schritt zurück, zog die Decke von Melania und betrachtete sie stumm geraume Zeit. Er schaute mit prüfender Strenge auf den menschlichen Körper. Melanias Augenlider schlossen sich langsam. Sonst blieb sie unbeweglich. Ein Lächeln huschte um Tuteins Lippen. Er schien Wohlgefallen an der Entkleideten, die ihm verfallen war, zu finden. Sein Kopf senkte sich, eine erste Bewegung, daß der Mensch sich zu seinem waghalsigen Genossen niederneigte. Aber plötzlich vereiste das Sichhinneigen. Wie von Fingern eingepreßt höhlten sich Tuteins Wangen; die hinteren Muskeln des Unterkiefers schwollen an. Eine Maske wie aus eigenwilligem Glas überwuchs seinen Kopf, sodaß die Haut wie gegen eine fremde durchschimmernde Form gepreßt, erglänzend sich den Zügen eines Dämons fügte. Tutein griff mit der rechten Hand rücklings in seine Hosentasche. Im nächsten Augenblick stach er mit seinem Messer auf das Mädchen ein. Nur dem ersten Streich folgte ein entsetzter Aufschrei, der zweite und dritte schlitzte sich stumm in den unbeschützten Leib.

Die Reihenfolge meines Handelns ist mir nicht in der Erinnerung geblieben. Ich entwand Tutein das Messer, drückte ihn in den Stuhl, auf dem ich selbst noch vor Augenblicken gesessen. Melania lag unbeweglich, ergeben, vielleicht ratlos, in ihrem Herzen schlimmer verwundet als an den Muskeln. Ich muß sehr schnell an ihrer Seite gewesen sein. Aus zwei Wunden an einem ihrer Schenkel rann Blut; der dritte Schnitt, seitlich gegen den Bauch geführt, zeigte die fast blutlos aufgeklaffte Haut; der Schrecken des scharfen Eisens haftete noch an den Wundrändern. So erkannte ich, daß keine lebensgefährliche Verletzung bestand. Melania war bei vollem Bewußtsein; aber kein Laut kam von ihr. Sie schien tief nachzudenken. Sie machte keinen Widerstand, zuckte nicht zusammen, als ich mich anschickte, die Wunden zu waschen und mit Taschentüchern und Servietten das Blut zu stillen. Anfänglich ließ ich das Leinen sich tränken, wrang es im Wasser aus. Mir schien, ich sammelte eine Wanne voll Blut und begann zu fürchten, ich müßte fremde Hilfe herbeirufen. Endlich vertraute ich meiner Beobachtung, es handele sich nur um stark blutende Fleischwunden, und so verwahrte ich sie unter dicken Lagen sauberer Tücher, zog die Bettdecke über Melania.
Mit zitternden Knieen ließ ich mich auf dem Bettrand nieder. Alfred Tutein blickte vor sich auf den Fußboden. Sein Antlitz hatte sich entspannt, aber es drückte unendliche Traurigkeit aus. Wir verbrachten stumm eine Stunde oder länger, drei Menschen. So sitzt man beisammen und weiß nicht, wieso es dazu gekommen ist. Ich hob die Decke von Melania, um nach ihren Wunden zu schauen. Die Blutflüsse beruhigten sich allmählich. Melanias Antlitz war blaß geworden. Wir schwiegen weiter in die Nacht hinein. Vielleicht berührte uns, diese drei Menschen, eine Einigkeit, jene heilige Einigkeit, die unsinnlich und ziellos ist.
Da sagte Alfred Tutein: »Ich habe es nicht gewollt.«
Und als er es gesprochen hatte, neigte Melania mir ihren Kopf zu und sagte, sie will in ihre Kammer geführt werden. Sie erhob sich, schritt weiß, mit blutbenetzten Tüchern behängt, durchs Zimmer, warf sich ihr Kleid über. An der Tür mußte ich sie stützen. Ich half ihr die vier Stockwerke zu ihrer Kammer hinauf. Ich legte sie ins Bett, verband noch einmal

ihre Wunden. Ich fühlte, sie hatte beständig ihre Augen an mir. Sie bat um ein Glas Wasser. Als sie getrunken, sagte sie mit klarer Stimme:
»Verzeihen Sie mir –.«
Ich ging.
In dieser Nacht fiel es mir schwer, Alfred Tutein zu erreichen. Vielleicht war ich weniger bereit als sonst. Ich dachte an das Mädchen, und daß ein Schein von Glück an ihrem Mund gewesen war. Daß ihr Körper im Grabe noch, wann auch immer sie sterben mochte, die Narben dreier Wunden tragen würde, die sich erst allmählich im Schlamm der Verwesung verwischen würden. Ich brachte einen Vorwurf gegen die Raserei Tuteins vor:
»Es hätte schlimm kommen können, wenn du dein Ziel besser gefunden hättest.«
»Ich habe es nicht gewollt«, wiederholte er.
»Dein Handeln ist ein bedenkliches Zeugnis gegen dich«, sagte ich.
»Ich habe nichts überlegt. Ich habe einen nackten Mädchenkörper gesehen«, sagte er.
»Du hast ihn übel zugerichtet«, sagte ich, »ein Wunder, daß du ihr das Gedärm nicht zerschnitten hast.«
»Sie rief eine Erinnerung in mir wach«, sagte er, »sie war anmutig.«
»Man straft die Anmut nicht mit Vernichtung«, sagte ich.
»Ich darf etwas Weibliches, das wohltut, nicht meinen Händen greifbar nahe haben«, sagte er.
»Ich bin bedenklich geworden, nach diesem Vorfall, welcher Art dein erster Mord gewesen sein mag«, sagte ich mit Herausforderung.
Er schwieg lange. Dann antwortete er: »Jedenfalls habe ich dich nicht belogen. Und vor jener Zeit habe ich, zwar ist es selten genug gewesen, die Mädchen mit mir zugedeckt.«
»Warum war es heute anders?« fragte ich.
»Ich weiß es nicht. Vielmehr, ich möchte es nicht wissen. Aber es ist da. Du weißt es auch. Jedenfalls, du könntest es wissen. Ellena ist durch meine Hände gestorben. Daß ich sie möglicherweise geliebt habe, es fiel mir plötzlich ein. Und ich hatte nicht die Kraft, sie heute zu vergessen.«

Ich unterbrach seine Betrachtung: »Jedenfalls bist du gefährlich.«
»Es ist das letzte Mal gewesen. Ich werde keinem mehr gefährlich sein. Ich habe begriffen, es ist an allem Fleisch etwas Ähnliches. Wäre ein Tuch über Melanias Gesicht gewesen, dann hätte ich nicht unterschieden, dann wäre es anders gekommen. Die Toten haben ihr eigenes Gesicht, aber einen allgemeinen Leib.«
Es fiel mir schwer, das Echte vom Falschen in seinen Worten zu trennen. Sein Verhalten in dieser Nacht hatte eine neue Kluft zwischen ihm und mir gezeigt. Er war zum Messerstecher geworden. Seine ungeordneten, recht wilden Gefühle hatten sich nicht unauffällig glätten können. Er hatte die menschlichen Übereinkünfte abermals niedergetreten. Ich konnte mir keinen Grad der Erregung vorstellen, der mich zu ähnlichem Tun hätte treiben können. Und sogleich taten sich die Trennungen auf, die jeden Menschen einsam machen und die kein noch so langes Wandern überwindet.
Ich fühlte mich auch verletzt, daß mein Erinnern an Ellena so viel schwächer, opferarmer sein sollte. Seine Gewalttätigkeit schloß die Verächtlichmachung meines wirren ungeläuterten Verlangens ein, diese schwankende Brunst im Wind der Jahre.
Trotz seiner nachträglichen Reue und Trauer blieb die harte Frische des störrischen Helden an ihm. Er konnte den zweiten Mord begehen, weil er den ersten nicht gewollt hatte, gleichsam das Schicksal an sich selber rächend. Ach, wenn er nicht so milde, so hilflos, so wenig frech gewesen wäre, würde es in dieser Nacht zu einer Prügelei zwischen uns gekommen sein. Aber immer wieder hatte mein Dünkel der Wohlanständigkeit einen krausen Beigeschmack: mir mundete das Recht, über das die blinde Göttin gesetzt ist, nicht. So blieb es dabei, es war nichts Ehrenvolles für uns beide.
Wir faßten in dieser Nacht noch eilige Beschlüsse. Ich zwar war überzeugt, Melania werde die Polizei nicht gegen uns aufbringen. Tutein war unsicher in seiner Meinung. Er erwog: enttäuschte Liebe sinnt auf Rache. Die Wunden sind nur ein kurzer Trost und eine lange Mahnung zur Vergeltung; das Verhängnis kann mit dem ersten Menschen, der zu Melanie ans Bett tritt, kommen.

Am Morgen verließen wir das Hotel. Ich war noch einmal in Melanias Kammer gewesen, um mich davon zu überzeugen, daß keine Verschlimmerung ihres Zustandes einer baldigen Genesung im Wege war. Wir nahmen den Zug nach Rio Grande. Nach zwei Tagen schifften wir uns ein, um frei von den Fesseln der Angst zu werden, in die jene Stadt und die Gestade des Haffs uns zu schlagen begannen.

*

(Ich denke zurück. Es ist keine Täuschung in dem, wessen ich mich erinnere. Aber das Vergessen rafft Zeit, Bilder und Worte zusammen. Die Straßen und Häuser in jenen Begebnissen sind wie die Straßen und Häuser aller Städte; die Glocken auf den Türmen läuten wie überall; der Strandsee mit dem flachen Arm seiner Landzunge gleicht den vielen Landschaften, in denen es wenig Erhebung und viel Horizont gibt. Das Hotelzimmer, die Eselin im Hof, der Laden Ma-Fus, der Leib Melanias, in den Tutein hineinstach, ein paar Bäume, ich weiß nicht einmal mehr welcher Art, im Hofe einer Weinschenke, das ist das Meiste, das schwer Vergängliche. – Immer wieder das Bild abgewetzter Pflastersteine und schreiende Buchstaben, die Verkündigung, daß Brot, Bier, Wein, Käse, Fleisch, Fisch, Gemüse, Früchte, Wollstoff, Linnen, Seide, fertige Kleider, Eisenkram, Schmuck, Hausrat, Möbel, Medizin, Seife, Parfüm verkauft werden oder der Ort nützlicher Verrichtung der hundert oder tausend Berufe sich findet; die Stätten der Vergnügungen, des Bahnhofes und der Polizei, der Banken und Hebammen, der Abtritte und Grabsteinerzeuger werden bezeichnet, die Namen der Straßen. Jedes hat sein Wort und seine Bedeutung. Nichts ist namenlos. Die Menschen, alle haben sie einen Namen. Ich hatte begonnen, eine andere Anschauung von ihnen zu gewinnen als die es war, mit der man mich erzog. Vielleicht verlor ich schon damals jede Hoffnung, daß es für die Menschheit eine bessere Zukunft geben könnte, daß die Fortschritte, die man so sehr rühmt, eine Fata Morgana, das Ergebnis einer falschen Beobachtung. Die katholische Kirche lehrt – oder widersetzt sich nicht, daß es gelehrt werde: es müsse Arme und Reiche geben. Wer kann ihr widersprechen? Wer kann auch nur einen vollkommenen Staat erdichten? Allenfalls kann man den Reichtum abschaffen, nicht die Armut. Eine Kuh gibt am Tage zehn Liter Milch. Ein Mann kann zwanzig Kühe füttern und melken. Zweihundert Liter Milch bringen acht Kilogramm Butter. Der Preis für acht Kilogramm Butter ist die Grenze des Verdienstes für den Melker oder Bauern, der die zwanzig Kühe hält. Steigt der Preis der Butter, muß es den Lohnempfängern schlechter gehen. Steigen die Löhne, muß es dem Melker schlechter gehen. So hat der Wohlstand seine Grenze. (Aufklärung und Gelehrsamkeit haben ihre Grenzen, alles Erlernbare, alle Geschicklichkeit, aller Fleiß haben ihre Grenzen.) Jede Arbeit hat ihren Wert, und der Wert ist nicht groß genug, daß er Wohlleben einbringt. Schon jetzt zermürbt die Leistung der Industrie den kleinen Mann mit unerschwinglichen Lasten. Das elektrische Licht der Städte, die Kloaken, die Straßenbahnen, die Wasserleitungen, die Pissoire, Gas, Telephon, Feuerwehr, Krankenhäuser, die Autos, die Flugzeuge, schwimmende Schiffspaläste, Eisenbahnen und Bürokratien verteuern die Lebenshaltung. Statt zehn Pfund Brotes kann man nur noch eines kaufen. Statt Wein muß es Zichorienwasser sein. Aber man lebt in diesem Fortschritt. Man fördert ihn, soviel man kann. Das Gewimmel, die Zahl, für die es keine Hoffnung gibt, lebt darin, glaubt, hört auf zu glauben, wächst. (Ich bin nicht hochmütig; doch ich sehe, es ist keine Hoffnung bei den Schulmeistern, bei den Staatsmännern, bei den Zeitungsschreibern, bei Doktoren, Professoren, Ingenieuren, bei den Agitatoren; nur das blinde Wort des Priesters ist den Mühseligen und Beladenen ein Trost; den Hunger und Kummer stillt es nicht, aber es macht sie vergessen.) Niemals werden die Kriege vorüber sein, solange diese Zahl besteht und Grund hat, sich zu streiten, unterschiedliche Sprachen spricht und unterschiedlich von der Sonne gebräunt ist, unterschiedlich hungrig, unterschiedlich grausam, schlau und gleich unverantwortlich. Solange sie an den Schwall der Worte glaubt. Und woran sollte sie sonst glauben? Solange sie den Schmerz der Tiere nicht wahrnimmt, und die Habsucht und Rachsucht so leicht sind, und die Lügen so geschmeidig, die Fälschung so unauffällig, der gute

Gedanke so stumm. – Sie standen am Kai, sie waren auf den Straßen, in den Häusern, diese Portugiesen, Spanier, Franzosen, Deutsche, Polen, Litauer, Indios, Neger, Chinesen und Mischlinge ihrer alle. Sie waren in einer Stadt versammelt, die leiblichen Überreste einer furchtbaren Geschichte, Sieger und Besiegte, Sklaven und Herren, Proletarier und Gemästete, ausgestreut, gesät und aufgewachsen. Unter ihnen ich und mit mir Tutein. – Was soll aus ihnen werden? Was soll aus uns werden? Wann wird das Gehirn unter dem Schädeldach zu denken anfangen und das wirkliche Mitleid entdecken? Die wirkliche Versöhnung wollen? Nicht nur die Surrogate, das Halbe, das Oberflächliche der Begriffe? Wann werden Weisheit und Liebe, die bessere Vernunft die Gewinnsucht, das Bedürfnis zu herrschen überwinden? – Ich frage. Ich erhoffe wenig. Ich sehe die Menschen auf irgendeinem Kai sich zusammendrängen. Es mögen Auswanderer sein, ein Truppentransport, die neugierigen Bewohner einer Stadt oder jenes Völkergemisch, das ich zum ersten Male wie ein Wunder betrachtet hatte. Meine inneren Augen sind nicht scharf genug, die Schauplätze auseinanderzuhalten. Es ist auch unwichtig. Ich habe keine Heilslehre für die Vielen erfinden können. Ich habe die Hochachtung für Ordnung und Gesetz verloren. Ich stehe auf dem schwachen Platz eines Einzelnen, ein Abtrünniger, der zu denken versucht – der seine Abhängigkeit von den Bewegungen und Maßnahmen seiner Zeit kennt, in dessen Ohren die Worte gellen, die man spricht, lehrt, verkündet, nach denen man richtet, in denen man stirbt – und der ihnen nicht mehr glaubt. Der nicht an Elektrizitätswerke, Kohlengruben, Ölquellen, Erzschächte, Hochöfen, Walzwerke, Teerprodukte, Kanonen, Film und Telegraphen glaubt – der einen Irrtum vermutet.

Und nun kann mein Erinnern die Bilder nicht lückenlos zusammenhalten. Überall klafft der Auseinanderfall, die Ratlosigkeit, die ungenügende Entscheidung. – Damals waren Alfred Tutein und ich sehr jung. So jung, daß er in ein lebendes Mädchen hineinstach. Wie kann man die Hände eines Knaben schelten, die eine Kaulquappe zerquetschen? Gilt es nicht allein festzustellen, daß wir wie ein Feuer brannten? Es ist wie es ist. Wann wird es einmal anders sein als es gewesen? Wir verließen eine Stadt, das ist das Ganze. Wir kamen in einer anderen Stadt an. So ist die Heimat des Menschen beschaffen. Und es gibt im Häusermeer alles zu kaufen, sofern man Geld hat.)

FEBRUAR

Februar

Die Vorsteher der Krambuden und die Herren des großen und kleinen Handels haben mit ihren besorgten und so wohlbegründeten Reden keinen Einfluß auf den eigenwilligen Winter gehabt. Auch der Postmeister hat etwas von seiner Würde eingebüßt, denn er kann die Briefe, die man auf das majestätische Haus, das er verwaltet, getragen hat, nicht befördern. Er erklärt rund heraus, daß er machtlos sei. Es ist ein bedenklicher Zustand, wenn Beamten zu Menschen werden, die sich den Elementen beugen. Die Telegramme, die von Ungeduldigen in die Welt hinausgesandt werden, bringen keine nennenswerten Ergebnisse. Man muß sagen, die Herren, die die besseren Häuser bewohnen, leiden unter einer gedrückten Stimmung. Sie beklagen sich sogar darüber, daß sie frieren müßten, weil die Mauern ihrer Wohnung sich in Eisblöcke verwandelt hätten. Nur die Schankwirte haben einen Vorteil vom Zustand der Dinge. In ihren Zimmern hockt die uralte Erfahrung. Dort weiß man, vor genau achtundvierzig Jahren hat man einen ähnlich strengen Winter erlebt. Es fror mehrere Monate lang. Und warum sollte es diesmal anders kommen? Die Sonne wird wohl zum Gefallen der Zimperlichen ihre Glut nicht vermehren. Und im übrigen ist heißer Punsch wunderwirkend für die innere Erwärmung des Menschen. Geradezu eine Gottesgabe gegen Nacht- und Eisgreuel.
Vierzehn Tage lang haben Schneestürme die Insel heimgesucht. Der Mond ist von einer schmalen Sichel zum vollen Kreis angewachsen und rückläufig wieder zur kleinen Sichel geworden. Sein weißes Licht rieselte mit der Kälte des Weltenraumes herab. So sehr ich mich der Majestät des Winters freue, die frühen Abende voll Tod machen mich doppelt einsam. Es ist

ein unendliches Schweigen zwischen der Erde und dem Netz der Sterne, und der kurze plötzliche Laut klirrend aufspringender Schwundrisse im Eis hallt wie eine Schreckensbotschaft über die weißgestreiften Klippeninseln. Das Meer, so weit man schauen kann, ist besiegt. An der Kimmung konnte man tagelang die kaum merklichen Bewegungen eines starken Schiffes beobachten. Es war ein Panzerkreuzer, den man zum friedlichen Werk, eine Fahrrinne zu schaffen, befohlen hatte. Mit Eifer besprachen die Herren Händler dies Werk. Sie standen (auf Umwegen) in telegraphischer Verbindung mit der riesigen Kriegsmaschine und kannten alle Absichten des Vorhabens und die Feinheiten des Kurses. Anerkennend bewerteten sie den gigantischen Einsatz der Verwaltung, des unermüdlichen Kommandanten, der braven Matrosen und der pflichteifrigen Heizer. Sie zogen die große Familie jenes Vorpostens ihres Landes gleichsam an ihr weiches, stummrechnendes Herz. Sie vergaßen die Uneinigkeit, die grollend zwischen ihnen und der unfähigen Regierung des Landes bestand, die niemals wachsam genug den Nutzen bedachte, den die tüchtigen Männer der Nation ihrem Lande bringen konnten, wenn man die Freiheit ihrer Beschlüsse nicht durch hohe Steuern und unkluge Verwaltungsmaßnahmen, Verschwendung am unrichtigen Platz und Sparsamkeit, wo Aufwand lohnend sein mußte, einschränken würde. – Auch diesmal galt der Einsatz hauptsächlich dem Schiffe einer fremden Nationalität, das, vom Eis blockiert, irgendwo im Norden einem ungewissen Schicksal entgegenging. Doch mußte man die großzügige Hilfsbereitschaft billigen, zumal sie den Gewinn für die Insel brachte, daß die Fahrrinne dem örtlichen Handel zustatten kam. So war, trotz des allgemeinen Stillstandes, für ein paar Stunden am Tage eine angenehme beschauliche Bewegung der Gemüter entfacht. Ein erhabener Einwand gegen den unfeinen Mund der Trunkenbolde, die sich in Schadenfreude und unliebsamen Prophezeiungen ergingen.

Als sich der Mond, abnehmend, nur noch zur Hälfte zeigte, setzte das Geschehen ein. Niedrige, zerfetzte Wolken segelten über den Himmel. Zwar, man konnte sie nicht eigentlich als Boten beginnenden Tauwetters nehmen. Den Hafenvogt stimmten sie geradezu bedenklich. Er erkannte nicht einmal an, daß es Wolken seien und bezeichnete die Dunstlappen als zerriebenen Nebel, der so gut bei Archangelsk als auch über dem Ladogasee gebraut sein könne, und vielleicht nur vom durchgeschnittenen Mond herabgefallen sei. Grützer Schnee, das wäre eine Verheißung gewesen, aber diese Dunstschauer: »Das riecht nur ein wenig nach dem Festland«, sagte er zu seinen Freunden.

Doch man hatte so etwas wie einen halben Sturm, und das Eis würde brechen. Die Temperatur stieg gelegentlich bis auf einen Grad über dem Gefrierpunkt, und jedermann bekam es eilig, seine Vorbereitungen für das Ende der winterlichen Knechtschaft zu treffen. Freilich, das Meer übergoß sich mit einer Dunstschicht, die alle Aussicht nahm. Und als der Wind sich legte, stand draußen eine Nebelmauer, in der es keine Bresche gab. Schließlich hüllten sich auch der Strand, die Straßen und das Land in Undurchsichtigkeit. Der erlösende Regen ließ auf sich warten. Undurchsichtiger Dampf, das war die Gabe des milderen Wetters. Der Schnee schmolz nicht, und das Eis wurde kaum mürbe. Man hörte in der Ferne einen bekannten Ton, den die Dampfpfeife des Postschiffes gab. Es war an einem Abend, und die halbe Stadt zog zum Hafen hinab, um das heldenhafte Schiff, diese Brücke über das Wasser, diese festlich helle Straße zur großen Welt, mit stummer Bewunderung zu begrüßen. Die Oberen der Stadt waren sich diesmal nicht zu vornehm, um wartend am Kai zu stehen. Sie schauten auf das Gewimmel der erwartungsvollen Menge, auf die Rüpel der Straßen, die sich schmutzigen Schnee in die Münder stopften, auf die Männer mit strotzenden Schultern und muskelgeschwellten Armen, die ihr Amt, Kisten und Kasten zu bewegen, diesmal mit einer Art Ungeduld erfüllten. Die schwangeren Frauen und die nicht gesegneten, die jungen und alten, die Handwerker, ihre Gesellen und Lehrlinge, die Herren des Handels mit ihrer Gefolgschaft, Postmeister, Polizei, Arzt und Bürgermeister, auch Selmer, der Redakteur der Zeitung, sie alle warteten beglückt. Selbst die Saufbrüder waren erschienen, um das Ereignis mit ihren unreinen Aussprüchen zu würzen.

Aber das Schiff kam nicht herein. Die Stimme der Dampfpfeife kam nicht näher. Der Nebel verbarg das Schauspiel des Kampfes, in dem das Schiff nur langsam, Zoll um Zoll, durch die

Eismassen vorwärtskam. Endlich erlahmte die Erwartung der großen Versammlung. Der eine und der andere erkannte, daß Geduld eine schlaflose Nacht und kalte Füße bringen würde. Und alle, die kein Geschäft wahrzunehmen hatten, verschwanden nach und nach vom Kai.

Gegen Morgen fiel der Nebel als Reif herab, nicht als Regen, wie man gehofft hatte. Gegen Morgen kam auch das Postschiff in den Hafen, ein erschöpfter Riese. Der Kapitän legte sich sogleich schlafen, und der Steuermann vom Dienst verfluchte die alles verfluchende Mannschaft. Und mit tausendfachem Gruß an die unendliche Höllensau wurden die Luken der Laderäume geöffnet.

Nun war wieder gelinder Frost. »Scheußlich, scheußlich«, sagten die Herren, die sich so arg betroffen fühlten. Und sie wußten auch schon, daß der Panzerkreuzer, um wichtigere Aufgaben zu lösen, ins offene Meer hinausgedampft war, mit östlichem Kurs, um mit dem Gewicht seiner neuntausend Tonnen die weiße Blockade der Ausfallstraßen des Landes zu brechen. Die großen Umschlagplätze der Waren, die Häfen mit schönen alten Kirchen, grünkupfernen Türmen vor der Weite des Meeres –: wer ein Kaufmann an diesen gesegneten Stätten sein könnte! Oder ein Schiffsreeder, ein Herr über bunt zusammengewürfelte Mannschaften! Die Krämer spürten die Armut, die Kleinheit unserer Inselwelt. Die Abgeschiedenheit. Die Vergeblichkeit, auf die festlichen Tage unermeßlichen Reichtums zu hoffen – an diesem Platz. Und sie wußten es schon, und man sah es auch mit den eigenen Augen, daß das inzwischen befreite Schiff fremder Nationalität draußen vor der Küste, kaum zwei Kilometer vom Lande entfernt, erneut im Packeis festsaß. Und der Himmel wurde hoch und leicht und kalt. Es gab Abende mit leichten gestreiften Wolken, hinter denen es grün schimmerte. Und das Postschiff würde den Hafen nicht verlassen können. Und die Waren, die man ausgeladen hatte, gerade ihre Notwendigkeit war überschätzt worden, und das Dringliche fehlte. Die Briefe mochte niemand lesen, weil es alte Briefe waren. Und wer erfuhr, ihm war eine Tante gestorben oder ein Bekannter, dem man den einen oder anderen unauffälligen Platz seines Entsinnens gegönnt, konnte den gemächlichen Schluß ziehen, der Tote war vor soundso viel

Wochen schon begraben worden unter dem Beistand derer, die es anging. Und war vergessen oder halbvergessen. Und die Zeitungen legte man mit einer Art gedämpfter Empörung von sich. Die Nachrichten, die sie enthielten, waren überboten oder gar wie die kurzbeinigen Lügen gar nicht ans Ziel gekommen. Man hatte durch den Telegraphen oder am Telephon bessere Aufschlüsse bekommen. Die plötzliche Vergangenheit der Neuigkeiten hatte etwas Beunruhigendes, sie vernichtete das Vertrauen in die Wahrhaftigkeit der Abläufe und des Weltgefüges, in die Göttlichkeit der wechselvollen Ereignisse, in den klaren Aufbau der erkennbaren Ordnung. Die frommen und unfrommen Herzen wurden vom Schatten der Zweifel verdunkelt. Und es fror. Und die Mannschaft des Schiffes vor der Küste würde eines Tages anland steigen. Das Schiff hatte den vieldeutigen Namen »Abtumist«, und es war ein englischer Trampdampfer.

*

Es war gegen zwei Uhr nachts, als wir den Laufgang vonbord des Schiffes hinabstiegen, um unsere Füße auf das Gemäuer eines unbekannten Kais im Hafen der unbekannten Stadt Bahia Blanca zu stellen. Das Frösteln auf der Haut. Von hoch oben das graugelbe ungerührte Licht elektrischer Lampen. Ein breiter Saum beschmutzter Granitschwellen, eingelassene Ringe aus Schmiedeeisen, dick und groß wie für Riesen bestimmt, ein abgeschlissenes Pflaster, von den Rillen einer Eisenbahnspur durchschnitten. Diese Wirklichkeit, von Ingenieuren erstellt, die uns in den tausend Hafenstädten begegnet. Tränen vergießende Augen des Menschen, damit die Steine nicht nur vom Tau benetzt werden. Diese Sucht, das Ferne zu suchen; dies Heimweh, wenn die Fremde sich auftut. Und die Ähnlichkeit der nächtlichen Stadt mit unseren Träumen. Wir kennen die Straßen und Plätze. –
Wir gingen und glaubten uns nicht verirren zu können. Die Schnittpunkte zweier Straßen. Die Ecken, um die man biegt, um den Blicken der einen zu entschwinden, den Augen der anderen zuzufallen. Türen und Torgänge, die den einen verschlingen, den anderen ausspeien. Hinter den toten Mauern die

Zimmer, die wir alle kennen; und doch gibt es nicht ihrer zwei, die sich ganz gleichen, nicht zwei Schicksale, die sich ganz ähnlich sind, wie ein unveränderbarer Geschmack in einem nüchternen Munde dem gleichen, etwa der salzige des Salzes, sich selbst.

Es ist nicht auszumachen, welches Gesetz für uns entschied, in welches Hotel wir uns einmieten sollten. (Und doch war es sehr wichtig, daß wir gerade das Hotel wählten, das wir am nächsten Tage gewählt hatten.) Wir umschritten einen Häuserblock, ein Viereck, von vier Straßen umsäumt. In jeder Straße in diesem Block oder ihm gegenüber gab es ein kleines Hotel, von der Art jener, die kein deutliches Antlitz haben. Man erkennt nicht, wenn man die Flucht der Fenster hinaufschaut, mit den Augen gegen die herabgelassenen Vorhänge stößt, ob es nur dürftige Wohnungen sind, jämmerliche Zellen, beladen mit dem Geiste des Ungemachs und der Hoffnungslosigkeit, oder ob schwüle Freude darin zuhause ist, jene schreckliche Ekstase, die auch die Armseligkeit für Minuten mit Pracht behängt. Irgendwo im Erdgeschoß oder ein paar Stufen aufwärts ein kleines Schank- oder Speisezimmer. Vielleicht nach hinten, tief einem Hof zu, ein Versammlungsraum für nutzlose Vereine oder kunstlose Orgien.

Als wir den Block, unschlüssig, welche Gaststätte wir wählen sollten, doch schon entschlossen, einzig in diesem Block, nicht anderswo, den Versuch zu machen, unterzukommen, zum erstenmal umschritten hatten, war das letzte Licht in einem der Häuser verloschen. Wir wanderten weiter. Und es verging das Licht im zweiten und dritten. In das vierte traten wir ein. Ein finsterer Gang. Zur Rechten eine Tür, die in ein Gastzimmer führte. Wir waren die einzigen Menschen in einem schwach erleuchteten Raum. Aus dem Hintergrunde kam eine Frau herbei. Es gab ein Geklirr von aneinanderstoßenden Flaschen. Sie sagte statt eines Grußes:

»Gerade wollte ich das Licht löschen.«

»Ein Zimmer für die Nacht«, sagten wir.

»Zu trinken, bitte«, sagte ich.

»Brot und Käse«, sagte Tutein.

Die Frau ließ ein paar elektrische Birnen aufleuchten. Aus der Dämmerung sprang der Raum uns an, plötzlich. Häßlich, mit

grüner und blauer Ölfarbe bemalt. Und der Geruch der Luft war trübe und alt.
Unsäglich entmutigend.
»Es ist kein Bordell«, sagte ich.
Wir hatten einen Tisch gefunden, an dem wir uns niederließen.
»Die Herren schlafen gemeinsam in einem Zimmer«, sagte die Frau.
»So schlafen die Leute vom Lande, die den Markt besuchen, auch, die Viehtreiber, die frommen Offiziere der Kauffahrteischiffe«, sagte Tutein, »ehrbare Leute, ehrbare Leute.«
Ich erhob mich, ging der einen Wand zu. Es gab dort ein elektrisches Klavier. Ein hoher Aufbau reichte fast bis an die Decke des Raumes. Ich klappte den Deckel auf. Da waren Tasten wie bei den tausend Instrumenten, die wir kennen. Ich schloß den Deckel wieder. Ich strich im Hintergrund umher. Ein kleiner Kasten mit einem Schlitz für Geldstücke; darüber eine Belehrung, in Messingblech graviert: »Nach Einwurf einer Münze wird das kunstvolle Instrument der Gebrüder Monzzi ohne weiteres Hinzutun des erlauchten Spenders seine schönsten Melodien hören lassen und dazu die angenehme Vielfalt überraschender Lichteffekte zum Besten geben.« – Mechanisch schob ich eine Münze in den Schlitz. Man hörte, elektrische Kontakte schlossen sich mit knackendem Geräusch. Der Aufbau des Klavieres übergoß sich hie und da mit einem roten Schein, den versteckt angebrachte Glühlampen gaben. Aus dem Kasten tönten mit gedoppelten Akkorden die ersten barbarischen Takte eines Marsches. Die Stille der Nacht, die unauffällig dagewesen war, stürzte von hoch herab zusammen. Ich sah, selbst Tutein erschrak; er sagte: »Was für ein Lärm!« Aber nach wenigen Sekunden, nachdem die Stille ausgerottet war, schien es mir, als löste sich aus dem wilden Wirrwarr der Töne der matte Abdruck eines Geschehens, das unser inneres Ohr, Augenblick um Augenblick, in Musik verwandelt. Diese ungebrochene Reihe der Gegenwart, in der die Vergangenheit noch nicht vernichtet ist, und die die Zukunft mit gewisser Zuversicht ahnen läßt. – Ich schlug den Deckel abermals auf. Die Tasten bewegten sich, wie von unsichtbaren Händen gespielt. Ich griff nun ein paar Tasten, schlug hart zu, und es wurden Töne erzeugt, die denen, die der Mechanismus wußte,

glichen. Doch sie waren fremd in diesem Spiel. Sie mischten sich, soweit das Gesetz es zuließ. Aber auf dem Grunde unserer Sinne gerann der Gegensatz der Harmonien und Melodien zum Kaos. Ich fühlte einen tiefen Schmerz. Heimweh und Sehnsucht. Irgendwo zu erstarren wie ein Bildwerk und zu bleiben und gleichzeitig auszufließen an ein namenloses ortloses Schicksal.

Ich rückte einen Stuhl herbei, setzte mich vor die Klaviatur, schloß die Augen, verschloß mich dem Getön, das das mechanische Hirn auswendig gelernt hatte, griff mit vollen Händen ein paar tragische Banalitäten. Einen melodischen Schrecken: f-moll, Fis-dur. Aber die im Instrument heimlich verborgene perforierte Papierrolle war stärker als ich. Sie wußte ihren Inhalt, ich den meinen nicht.

»Es ist schrecklich, was du machst«, sagte Tutein.

»Ja«, sagte ich. Ich öffnete die Augen weit, um mir selbst klarzumachen, daß ich das, was ich begonnen, nicht weiterführen dürfe, daß ich gar keine andere Rolle hätte, als zu genießen, was der kunstvolle Apparat der Gebrüder Monzzi darzubieten hatte. Erst jetzt gewahrte ich, daß recht in der Mitte der Schauseite ein bewegliches Gemälde angebracht war, eine Landschaft, Weg und Feld und Baum, dazu auf einem Hügel eine Windmühle im Hintergrund, und die vier Flügel der Mühle bewegten sich langsam, als ob das ohnmächtige Kreisen des kleinen Kreuzes die Wirklichkeit hätte vortäuschen können. An einem Himmel, mit Wolken schwer beladen, hing eine Sonne, die nicht leuchtete. Vielmehr, es leuchteten die roten und gelben Lampen hinter kleinen Jalousien. Plötzlich belebte sich die gemalte Straße. Ein Fuhrwerk, von einem Esel gezogen, glitt vorüber. Ein Mensch saß auf dem Wagen. Er bewegte die Arme. An seinem Rücken wölbten sich fette Säcke, viel zu schwer für das geplagte Tier aus Blech oder Pappe. Die Räder des Wagens, altertümlich, einem früheren Jahrhundert entstammend, massive Holzscheiben, drehten sich nicht. Aber der Wagen glitt vorüber, langsam, der Mühle zu.

Es verwandelten sich die Lichteffekte an der Schauseite des Kastens. Aus einer roten Stimmung wurde eine solche grüner und blauer Farben (nicht unähnlich der freudlosen Bemalung der Stube). Und ich wußte sogleich, es sollte Nacht bedeuten.

Die Sonne mußte sich dazu bequemen, ein Mond zu werden, und es gelang ihr recht gut. Auch während der Nacht zog der Wagen vorüber. Tag und Nacht. Als ich entdeckt hatte, es gab auch Morgen und Abend in dieser gemalten, dürftig angestrahlten Welt, endete die Papierrolle. Die Kontakte wurden unterbrochen. Die Beleuchtung des lebenden Bildes erlosch. Die Mühle stand still, der Wagen hielt. Auf die nachschwingenden Stahlsaiten legte sich ein Dämpfer. Aber der Kasten war noch nicht tot; er schlief nur. Man hörte, im Innern spulte sich die Papierrolle automatisch zurück, um für den Einwurf der nächsten Münze in Bereitschaft zu sein. Dann erstarb auch das Schnurren der inwendigen Organe. Und die Stille der Nacht war deutlicher denn je.
Als die Frau uns Speise und Trank aufgetragen hatte, gab sie das gleiche Musikstück auf eigene Rechnung nochmals zum Besten.

*

Die Frau, die uns am ersten Abend empfangen hatte, war die Besitzerin des Hotels. Sie legte Wert auf den Titel einer Dueña und nannte sich Uracca de Chivilcoy. Sie war kinderlos. Eine Witwe oder unverheiratet. Sie fand bald Gefallen an uns und versuchte, uns durch Mütterlichkeit angenehm zu werden. Aber sie wagte nicht mehr, als daß sie uns alles verzieh, was wir, ihrer Meinung nach, an Bösem oder Ungehörigem anstellten. Es gab nichts Anrüchiges in diesem Hotel, sofern es nicht anrüchig ist, Tiere zu verhandeln, die bestimmt sind, geschlachtet und in Blechdosen verlötet zu werden. Ehrbar. Nüchtern. Billig. Genau. Sauber. Alles roch nach Seife, nicht nach den Gästen, ausgenommen die große Wirtschaftsstube, in der der Dunst von Tabaksqualm und Alkohol nicht auszurotten war. Die Fremden, die hier verkehrten, hatten fast alle ein ihnen äußerlich anzusehendes Geschäft in der Stadt. Sie trieben Vieh- oder Fleischhandel, wirkten als Makler, waren Herren einer Schafherde, die ins Schlachthaus wanderte und so einen Gewinn erbrachte, oder sie unterhielten einen Stand in einer der Markthallen und verkauften dort an gewissen Tagen in der Woche die nährenden Erträge der Äcker, Käsereien und Zukkerschnapsfabriken. Eine ländliche Bevölkerung, die den Vorteil des Handelns schon erkannt hatte und Geschmack gefunden am Wagnis, das mit dem rücksichtslosen Streben nach Profit verbunden ist. Keiner der Männer, die nach und nach auftauchten, schien vom Strudel einer abwegigen Phantasie erfaßt zu sein. Sie kannten das genaue Ausmaß ihres Einsatzes und die Möglichkeit ihres Gewinns oder Verlustes. Der Wohlstand, den sie schon besaßen oder den sie erstrebten, war nichts Plötzliches; sie lebten in der Sphäre eines langsamen Vermehrens, wie sich die Viehherden vermehren. Das Urteil der Männer war am unauffälligen Wachsen auf den Feldern geschult. Sie brachten zuweilen den scharfen Ruch kraftvoller Tiere mit. Ihre weißen Mäntel, kaum beschmutzt, stanken nach Kot, seltener, daß der herbe unwiderstehliche Dampf eines Rudels Schafe mit ihnen hereinwehte. Alle schienen einander zu kennen. Und waren sie einander fremd, so trafen sie gerade hier zusammen, um die gegenseitige Bekanntschaft zu machen.

Man sprach über Äcker, Luzernefelder, über Pferde, Kornpreise, Schlachthöfe und Fleischmehlfabriken, über die jeweiligen Anliegen des Tages. Sie sprachen zumeist leise, als wären ihre Mitteilungen Geheimnisse, die dem Dritten unbekannt bleiben müßten. Die Gäste tranken wenig, aßen wenig. Ihr Verzehren stand geradezu im Widerspruch zum üppigen Bau ihres Körpers. Und zu den gefüllten Börsen, deren Inhalt sie gelegentlich recht offen sehen ließen. Es geschah nicht oft, daß ihre Sparsamkeit in Verschwenden überschlug. Und die Gründe für eine solche Ausschreitung blieben dunkel. Jedenfalls gab ein gutes oder schlechtes Geschäft nicht den Ausschlag, eher, daß eine verhaltene Wut, eine Sackgasse, in die sich ein kleines Unrecht verirrt, das Ausbrechen aus der Gewohnheit veranlaßte. Alle schienen eine genau bestimmte, unverrückbare Meinung voneinander zu haben, die sie geflissentlich zu verbergen suchten, etwa wie die Mitglieder einer Familie, die einander noch nicht entwachsen sind, das nackte Urteil übereinander verbrämen. Bei heftigen Gegensätzen gibt es die weiteste Flucht in das Schweigen. Der Zweck des Zusammenseins ist noch nicht erloschen, also muß man wohl oder übel nebeneinander bestehen, auch in den Stürmen des fanatischen Zankes, bis Wachs-

tum und Zeit, Triebe und Liebe zu Fremdlingen, unausweichliche Arbeit, mit der man das Brot gewinnt, die Einordnung in einen neuen Lebensplan die Trennungen bringt. So erschienen Männer, ihrer zwei oder drei in Gefolgschaft, setzten sich stumm an einen Tisch und begannen zu würfeln. Es ging nicht um hohe Einsätze. Es ging darum, das Beisammenhocken zu erleichtern. Am Ende mußte der, der verlor, die dürftige Zeche bezahlen. Die Achtung der Gäste voreinander war nicht groß. Sie behandelten sich gegenseitig mit einem Wohlwollen, das genau abgemessen war und das, dürftig in jedem Fall, noch Unterscheidungen zuließ. Auch in dieser Gesellschaft gab es eine Art Ausgestoßener, geringe Männer, deren Geschäfte schlecht gingen, deren Herden klein waren oder deren Verläßlichkeit in den verworrenen Begebnissen des tätigen Lebens nicht ausreichend war. Der eine oder andere hatte versucht, mit ihnen Pferde zu stehlen, wie man zu sagen pflegt; aber die Getreuen waren schwatzhaft gewesen oder kannten die Ehre des Halbpartmachens nicht. Sie hatten ein Vertrauen, das man in sie gesetzt, enttäuscht; deshalb hatte man sie fallen lassen, soweit es tunlich oder möglich war. Schließlich war jeder von jedem enttäuscht, mit feinen Unterschieden. Da waren Brüder, die sich umarmten und küßten, Freunde, die selbst bei Geldgeschäften zusammenhielten und einander aushalfen; der Verdacht gegeneinander saß nur flüchtig in den Augenwinkeln. Ein kleiner Vorbehalt. Eine nahegehende Frage, die sogleich abgeschwächt oder eingezogen wurde. Daneben kalte Männer, die in freundlichen Worten stinkenden Haß und die Bereitschaft zum plumpen Betrug verbargen. Aber man kam miteinander aus.
Ich verwunderte mich nur, daß diese Menschen, die einander nichts bedeuteten, außer daß sie gemeinsame Geschäfte hatten, wie mir schien, ohne Bedenken und nur mit oberflächlicher Verständigung, zwei bei zwei die Zimmer des Hotels bezogen. – Es ist zu vermuten, die meisten hatten einen gesunden Schlaf, und ein Bett von durchschnittlicher Güte war für ihre Bedürfnisse ausreichend. Sie waren nicht empfindlich, daß sie einander mit den Gebrechlichkeiten oder Gewohnheiten ihres Körpers bedrängt hätten. Und der Aufenthalt war jeweils auf eine oder ein paar Nächte beschränkt. Und das Hotel verfügte nur

über zwanzig Zimmer; so mußte man sich einrichten, so gut es gehen wollte. Und so war es gewesen von altersher.
Eines Tages fragte ich die Besitzerin, Dueña Uracca de Chivilcoy, warum man die Art der Schlafstellen beibehalte, und ob es den Gästen nicht willkommener sein würde, für sich allein in einer kleineren Kammer zu wohnen. Ich ging so weit, ihr Vorschläge für einen Umbau des Hauses zu machen. Sie antwortete mir:
»Es ist besser, es bleibt wie es ist.«
»Es scheint mir nicht gut«, beharrte ich.
»Es ist gut für unsere Gäste. Sie wollen es so und nicht anders«, sagte die Wirtin.
»Man wird sie nicht gründlich befragt haben oder doch nur ihrer einige«, sagte ich, »und man hat eine Antwort bekommen, die von der Gewöhnung herrührt.«
»Auch bei uns kann jeder ein Zimmer für sich haben«, sagte sie bestimmt, »aber niemand wünscht das.« Sie fügte mit leisem Unwillen hinzu: »Sie sind der erste, der sich beklagt.«
»Aber nein, verstehen Sie mich bitte richtig«, eiferte ich, »es geht nicht um mich und meinen Freund. Wir kommen gut miteinander aus. Ich habe mich nach der Sitte erkundigen wollen, und warum sie allgemein ist, daß kaum eine Ausnahme eintritt.«
Meine Beredsamkeit schien sie zu versöhnen. Vielleicht verstand sie das für sie Bedeutsame: wir waren nicht unzufrieden.
Alfred Tutein war herzugetreten. Er sog sich den Rauch einer Zigarette in die Lungen, blies ihn mit gewaltigem Strom wieder von sich.
»Es gefällt uns hier«, pflichtete er mir bei, fuhr aber nüchtern, halb anerkennend, halb verächtlich fort, »freudlose Leute in Arbeitskleidern. Es ist ein Hotel für den Alltag.«
»Die Sonntage sind still«, sagte die Frau.
»Wir sind gewiß die einzigen, die auch an den Feiertagen hier wohnen«, sagte ich mit warmer Stimme, um Tuteins Ausspruch aufzulockern.
»Nein«, sagte sie, »es gibt immer Reisende. Sie tauchen plötzlich auf. Sie verschwinden wieder. Viele Menschen verschwinden. Es gibt viele Geheimnisse in der Welt; aber man verlernt das Fragen, wenn man die Jugend verloren hat.«

Ich stotterte meine Zustimmung. Sie fuhr fort:
»Ich kann Ihnen die Geschichte erzählen. Andere kennen sie. Und es hat sich vor langer Zeit begeben. Ich muß Sie sowieso bitten, in der nächsten Woche das Zimmer, das Sie innehaben, zu räumen, denn ich möchte nicht, daß Sie erschrecken. In der Nacht nämlich, am Jahrestag des Mordes, erscheint der Tote, legt sich, wer auch sonst darin liegen möchte, in das Bett, in dem er so unvorbereitet gestorben ist.«
»Ein Ermordeter?« fragte Tutein. Ich sah, eine große Blässe bedeckte sein Antlitz.
»Ja«, sagte sie, »ein reicher Viehhändler. Es war ein Markttag. Einer jener großen Märkte, wo die Fleischfabriken der Herren Knorr und Faulkner und die Extraktfabriken und Trocknereien viele Rinder kaufen. Fünfhundert Rinder oder fünftausend Rinder, wie nun die Preise liegen mögen oder die Nachfrage nach Büchsenfleisch. – Der Mann hieß Sulliver, ein unfeiner Mann, aber reich. Er hatte einen dicken Bauch, und eine schwere goldene Uhrkette reichte von der linken zur rechten Seite in einem großen Bogen über die gewölbte Weste. In der Mitte hingen, in Gold gefaßt, eine Löwenkralle und ein Siegelamethyst mit dem Wort Sulliver in Spiegelschrift. Und dies Wort, irgendwo aufgedrückt, war Goldes wert. – Der Mann war groß und ohne Furcht. Was er kaufte, bezahlte er bar. Was er verkaufte, verlangte er bar bezahlt. Es gab keinen anderen Weg. Er mißtraute jedem, aber er traute dem Gelde. – Der Mann hatte Rinder gekauft und verkauft. Und der Tag war zuende. –«
Sie stockte. Sie schaute mit weichen Augen auf mich und Tutein. Sie seufzte. Sie begann wieder:
»Der Tag war zuende. Die Dämmerung war wie ein Rauch, als ob sie jedermann blind machen wollte. Die Petroleumlampen – damals gab es noch kein elektrisches Licht in unserer Stadt, die Stadt war kleiner als sie jetzt ist – vermochten nichts gegen das Eindringen der Nacht. Die Wände blieben schwarz. Und die Männer saßen da, schwatzend, rauchend, wie es sich ergab. Damals trank man noch mehr Zuckerrohrschnaps als heute. Vielleicht war man auch laut, wie es an den großen Markttagen gewöhnlich war, weil die vielseitigen Geschäfte, mochten sie nun günstig oder unbefriedigend verlaufen sein, eine Unruhe

in den Menschen zurückließen, die nur langsam verebbte, eigentlich erst in den Nachtstunden, wenn die Händler in den Betten allmählich Schlaf fanden. Sulliver saß allein an einem Tisch. Er gab sich Rechenschaft wie die anderen; aber er tat es stumm und allein vor sich selbst, ohne Geschrei. Gelegentlich blickte er auf. Vielleicht bemerkte er, daß an diesem Abend die Wände schwarz waren. Man weiß es nicht. Er zog seine gefüllte Brieftasche und betrachtete die Bündel der Geldscheine, und einen Lederbeutel, groß wie eine Ente, der ganz mit Goldstücken gefüllt war. So war es an diesem Abend, oder doch von ungefähr war es so. Die Jahre verschlingen das Genaue. Man weiß nicht mehr, welche Stunde eigentlich die düsterste war. Sulliver ging früh auf sein Zimmer, um sich schlafen zu legen. Das war seine Gewohnheit an Tagen der großen Abschlüsse. Vielleicht fürchtete er, wenn er lange unter Menschen wäre, sein Geld zu verlieren. Oder was es nun sein mochte. Er war vorsichtig, mißtrauisch, auch sich selbst gegenüber. – Und so geschah es denn an diesem Abend oder in dieser Nacht, schlafend in seinem Bett, daß er mehr verlor als nur sein Geld.«
»Er wurde also ermordet?« fragte Tutein.
»Jemand mußte sich unter seinem Bett verborgen gehalten haben«, sagte Uracca de Chivilcoy, »man fand den Viehhändler am nächsten Mittag mit durchschnittener Kehle. Geschlachtet, beraubt.«
Tutein fiel ihr in die Rede: »Auf irgendeine Weise müssen die siebenhundertachtzig Morde, die täglich in der Welt geschehen, zur Ausführung kommen.«
»Siebenhundertachtzig Morde?« schrie die Frau.
»Täglich«, sagte Tutein, »ungerechnet Pogrome, Lynchungen und religiöse und nationale Mordbrennereien, das ist der Durchschnitt.«
Ich wußte nicht, woher er die Zahl nahm, welche statistische Weisheit ihm zugeflossen, und ob die barbarischen Reiche mitgerechnet oder nur die Gebiete der Zivilisation. Vielleicht log er. Mir fiel noch ein, ich hatte eine ähnliche Geschichte als Kind erzählen hören. Auch in meiner Heimat hatte es sich um einen reichen Viehhändler und um einen Burschen, unter einem Bette verborgen, gehandelt. – Und dies Begebnis, vor

vielen Jahren hier in einer kleinen Stadt Südamerikas, war die Ursache, daß die Gäste eines billigen Hotels zwei bei zwei im gleichem Zimmer hausten.
»Was geschah mit dem Mörder? Wurde der gefaßt?« fragte Tutein.
»Er entkam, war entkommen, als man die Tat entdeckte«, sagte die Frau.
»Gut«, sagte Tutein, »war er jung oder alt?«
»Er ist entkommen«, sagte die Frau.
»Kam kein Verdacht auf?« fragte Tutein.
»Es kam ein Verdacht auf«, sagte die Frau.
»Gegen wen und auf welche Weise?« fragte Tutein.
»Der Hausbursche war in der gleichen Nacht auf Nimmerwiedersehen verschwunden«, sagte die Frau.
»Der Mörder war jung«, stellte Tutein fest.
Die Frau schaute abermals mit weichen Augen auf Tutein und mich.
»Kannten Sie den Hausburschen?« fragte ich.
Die Frau begann zu weinen.
»Damals war das Hotel noch nicht mein Eigentum«, sagte sie, »ich war hier Magd.«
»Sie müssen uns nichts beichten«, sagte ich entschlossen.
Ich fürchtete mich in jenem Augenblick vor einer Enthüllung. Ich hatte einen Verdacht. Aber die Frau sah mich mit großen Augen an, unschuldig.
»Er war mein Verlobter«, sagte sie, »das ist alles.«
»War es das rechte Bett oder das linke?« fragte Tutein, »ich meine, das dem Fenster oder das der Tür benachbarte?«
»Ich konnte ihn nicht vergessen«, sagte die Frau, »ich habe nie an seine Schuld geglaubt.«
»Das Bett, in dem der Mord geschah, ich fragte danach«, sagte Tutein mit Ungeduld.
»Das Fensterbett«, antwortete die Frau verspätet.
»Ich werde das Zimmer in der Mordnacht nicht räumen«, sagte Tutein, »wie sich's fügt, ist es das Bett, in dem ich schlafe. Dem Fettwanst wird es nicht gelingen, mich zu verdrängen. Er soll sich nur anschicken, sich kalt neben mich zu legen, ich werde ihm einige Erkenntnisse über Mörder und Ermordete zumbesten geben. Gespenster, auch wenn sie verstockt sind,

werden gründlichen Belehrungen nicht verschlossen sein. Der Mann war so reich, daß es eine Schande war, und alt genug, daß ihn auch der Schlagfluß hätte treffen können. Sein Schicksal ist kein Hammerschlag in das ebenmäßige Antlitz der Weltordnung. Er ist keine ausgeweidete Jungfrau, kein gekreuzigter Neger, kein aufgespießter Säugling, kein totgepeitschter Sklave. Man muß der Gerechtigkeit den ihr gebührenden Platz anweisen und die Weltgeschichte richtig auslegen. Man muß dies Gespenst wenigstens auf einen Irrtum aufmerksam machen, daß seine Rolle durchaus belanglos, und daß es eine Anmaßung ist, gekränkt zu sein, wenn man, schon am Ziel des Lebens, unversehens ermordet wird. Plötzlich und in Geschäften.«
»Je, je«, sagte die Frau, »was ist mit Ihnen?«
»Es gibt Schlimmeres«, schrie Tutein, »das wird man wohl einem nichtsnutzigen Toten erklären können. Ich werde ihn fragen wieviele Rinder er in seinem Leben hat schlachten lassen. Und ob er daran nicht verdient hat. Wir werden gemeinsam zum Schlachthof gehen; vielleicht begegnen uns dort die Geister der Getöteten.«
Ich unterbrach ihn, packte ihn beim Arm.
»Es geht hier um einen Rechtsgrundsatz«, schrie er weiter, »es geht darum, ob ich mich vor Toten dieser Art zu fürchten habe. Ich will mich ja nicht von den ungebildeten Gespenstern aller Städte anfallen lassen.«
Er lärmte weiter. Er wiederholte, er will das Zimmer nicht räumen. Er schwatzte sein Geheimnis nicht aus. Er hat es niemals ausgeschwatzt. Nicht in den Stunden schwarzer Verzweiflung, nicht in den verworrenen Trugwelten des Rausches. Er gab sich keinen anderen Vertrauten als mich. Er überzeugte die Wirtin von der Richtigkeit seines Entschlusses – oder sie beugte sich dem Schwall seines wilden Vortrages.
In jener Nacht, die nun bald da war, schlief er tief und traumlos. Er hatte den aufgedunsenen Schatten eines Viehhändlers nicht zu fürchten. Auch ich kam schlafend über die Mitternachtsstunde. Gegen Morgen konnte ich keinen Schlaf mehr finden. Ich horchte auf die ruhigen Atemzüge Tuteins. Ich wagte mich nicht zu rühren. Ich dachte unergeben an die Fügung der Abläufe.

*

Wir hatten reichliche Zeit zu mancherlei Gedanken. Und Langweile genug, daß die Erfindungen uns aufsuchen konnten. Auch in den einsamsten Stunden wurde ich kein Anbeter der Maschine, etwa des mechanischen Klavieres oder der vollkommeneren Stufe, der Selenzelle, die Lichtschattierungen in Wechselströme verwandelt, die ihrerseits Spulen indizieren und, durch elektrische Aggregate verstärkt, eine Eisenmembran in Schwingungen versetzt, die einem Trichter den Odem gibt, zu tönen. Ich bewahrte meine Kälte gegenüber den Wundern der elektrischen Wellen, der Flugzeuge, Kriegsmaschinen, des Brückenbaus, der Wasserturbinen und Hochdruckdampfkessel, in denen sich bei kritischem Druck Wasser in Dampf gleichen Volumens verwandelt. Manchmal, vor den Weisheiten chemisch-physikalischer Einsicht, schien mir der rhythmische Gesang des Weltenbaus durchzuschimmern, das Rätsel der Harmonie, das große Schöpfungsgesetz, nach dem Werden und Vergehen von Ewigkeit zu Ewigkeit donnert. Ich ertappte mich dabei, daß meine Augen in den Weltenraum hinausstrebten, von Stern zu Sternen eilten, ein dumpfer Versuch meines Hirns, die Abgründe schwarzen Nichts oder, wie jemand gesagt hat, die Diamantgebirge der Gravitation zu durchstreifen. Meine Betrachtung der menschlichen Leistung nötigte mir nur eine Feststellung ab, daß die Maschine sich verselbständigt hat, daß Kupferspulen genauer und besser denken als das mißbrauchte Menschenhirn. Ihnen ist es gleichgültig, ob die Wechselströme Wahrheit oder lügenhafte Laute flimmern. Das menschliche Hirn wählt die Lüge, die Gemeinheit, die Zerstörung, es wählt das Ungenaue, ein brüchiges Gefühl, das mehr am Neid als an der Gerechtigkeit erwachsen ist. Und seine Genüsse sind längst der Verfälschung verfallen. Die Apparate überholen seine Einsichten in die Kombinationsmöglichkeiten. Die Zahnrädchen der Rechenmaschinen und Kontrollkassen irren sich nicht, weil sie mit der Überzeugung nur einer Form in der Flut der weicheren Luft stehen. Und die perforierte Papierrolle des elektrischen Klavieres ließ es nicht zu, daß falsche Tasten gegriffen wurden. Mir schien, das Wesen und Schicksal der zivilisierten Menschheit war von den Hirnen der Wenigen abhängig, die noch die Freiheit des Denkens besaßen oder den Zorn, zu verführen. Die Auswahlgelehrsamkeit der

Wissenschaft und Technik stellte die Agenten, die den Erdenraum mit Maschinen bevölkerten, mit den Ersatzgeräten der Natur, mit einer Auswahl des Möglichen, um die Vielfalt des Daseins, des Handelns und Entscheidens, Genießens und Leidens abzuschaffen. Ich dachte sehr gering vom Hirn des Menschen.
Ich versuchte, dem elektrischen Klavier ein Konkurrent zu werden. Ich setzte mich vor die Tasten und spielte. Ich mühte mich Woche um Woche, aber keine Beschwingung erfaßte mich. Es bereitete mir kein Vergnügen, auf dem Klavier zu spielen; die Qualität der Töne war zu gering. Ich stellte fest, daß meinem Geschmack eine Verfeinerung anhaftete, die mich den rauhen Tönen gegenüber wehrlos machte. Die pneumatische Maschine des Instruments war keinem Vorbehalt untertan; sie würde ihre vorgeschriebene Virtuosität auch zumbesten geben, wenn die Stahlsaiten des Klavieres sich um halbe oder ganze Töne gegeneinander verstimmt hätten. Das Können der Maschine war weniger an die Zeit gebunden als das meine, sie hatte ihre Gegenwart schon in der Zukunft. Auf dumme oder kluge Weise mußte ich die Rechnung aufmachen. Ich war unterlegen. Ich begriff, die Freiheit des Fühlens und Denkens war dem Zorn der unerbittlichen Wiederholung unterlegen. Die unerbittliche Wiederholung. Das Massenfabrikat, die Massenlüge, die Auswahl der Sittlichkeit und Gerechtigkeit für die Massen. Millionen elektrischer Glühlampen, Millionen Wasserklosetts, Millionen Geburten, Millionen Gräber, millionenfach der mittelmäßige Querschnitt menschlichen Daseins.
Eines Tages griff ich in die Akkorde hinein, die die Papierrolle spielte, nicht als ein phantastischer Besserwisser wie in der ersten Nacht meiner Bekanntschaft mit der Musikmaschine, sondern als Diener, als Mitgeschleppter, als Rekrut, der die gleichen Harmonien exerzierte: ich steigerte die Kraft des Instrumentes. Meine Hände ersetzten ein paar Löcher in den Papierrollen. Verdoppelung der Akkorde, Verdoppelung der Läufe, einfallende Terzgänge, hineingetuschte Triller.
Ich hatte großen Erfolg mit meiner Sklavenleistung. Die anwesenden Gäste rotteten sich um mich zusammen. Sie klatschten,

sie klopften mir auf die Schulter, sie schrien bravo und Meister. Und alles nur, weil ich mich der Maschine unterworfen hatte und den Tyrannen übertyrannisierte. Auch die Wirtin war von meinem Tun entzückt. Sie drängte mich geradezu, hin und wieder vor den Gästen meine Kunst zu zeigen. Ich begriff, ihr Geschäft nahm dadurch einen Aufschwung, und ich zierte mich nicht. Bald konnte ich alle Papierrollen in genau dem ihnen innewohnenden Tempo begleiten. Ich vervollkommnete mich in den zusätzlichen Einfällen, ich überbot mit der Kraft meiner Hände das Getöse der dynamischen Höhepunkte und wünschte mir, verführt, zuweilen die Hände verdoppelt, um die ausschweifende Klangpracht mit noch dichteren Ergänzungen zu füllen.
Gelegentlich sah ich im Schaufenster einer Werkzeughandlung runde Schlageisen liegen, wie man sie zum Ausstanzen von Löchern in Leder verwendet. Der Anblick löste in mir eine Erfindung aus. Mit einem fiebrigen Glücksgefühl eilte ich nachhause, maß, so fehlfrei ich es vermochte, den Durchmesser der Stanzlöcher in den perforierten Rollen, hastete zurück und erstand ein Eisen, das genau dem gewonnenen Maß entsprach. Das Schlageisen, angefertigt mit dem Ziel, Schnallenlöcher in Lederriemen zu treiben, bekam einen anderen Zweck. Ich benötigte noch die glatte Hirnholzschnittfläche eines feinkörnigen harten Holzes. Ein Tischler verfertigte mir die Arbeitsbank aus Rio Yacaranda.
Ich fand mich sehr schnell mit den Rollen zurecht. Die Takte skizzierte ich durch Querstriche; nach einiger Zeit genügte mir das ungefähre Maß meiner Augen, weil ich ja an den vorhandenen Perforierungen die zeitlichen Einsätze ablesen konnte. Die Lage der Töne verzeichnete ich mir auf einer Mensur, die ich von den Sauglöchern der metallenen Gleitbahn des pneumatischen Apparates nahm, und legte den Stab, parallel zu den Taktanzeichnungen, quer auf das Papierband, damit mir kein Fehler in der Harmonie unterliefe.
Und nun schlug ich zwei Hände voll, vier Hände voll Akkorde, wie es mir einfiel, in das wehrlose Papier hinein. Ich entdeckte sogleich, daß es nicht nur auf die Menge der Töne ankam, ich besaß auch die Möglichkeit, figurale Meisterleistungen anzubringen, bei denen jeder Virtuose sich die Finger

würde zerbrochen haben. Haltetöne löste ich auf, als müßte ich einen Blätterbaum modellieren. Kurz, ich verwandelte die vorliegende Komposition in einen Urwald. Schlingpflanzen umwucherten mächtige Stämme. Krachend schlugen sie um – Kaskaden von Harmonien – wie vom Blitz getroffen. Nur eine Ehre ließ ich dem Komponisten, daß ich seine Melodie, wenn auch eingesunken wie ein Stein in schwankenden Moorgrund, bestehen ließ, und, der Einfachheit halber, mich an die vorgeschriebenen Harmonien hielt, die sowieso unter der Last der Übergänge und Durchbrüche an Bedeutung einbüßten.
So zerstörte ich die Rolle, dies Massenfabrikat, und machte sie nutzbar, mich nachzuahmen, wie ich, frivol und besessen, als Musiknarr aufgetreten war. Ich machte ganze Arbeit. Ich lieh mir im Geiste zwei oder drei Hände, wenn es mir von guter Wirkung schien. Die Geläufigkeit meiner gewachsenen Finger hatte ich mit so und so vielen Rekorden meiner Stanztechnik überboten. Ich spie in die Hände, sammelte meine Einfälle zu neuen Überraschungen und trällerte vor mich hin, daß dies etwas Ungewöhnliches werden würde. Ein Schabernack, den ich den Kunstbeflissenen spielte, ein Hohngelächter ins Gesicht der kontrapunktischen Weisheit. Meine Kühnheit war nicht gering.
Tutein schüttelte den Kopf, wenn er mich arbeiten sah. Aber er belästigte mich nicht, weder mit Reden noch mit untätigem Zuschauen. Er war nicht oft anwesend.
Nach einer Woche war ich mit meiner Arbeit fertig. Ich war stolz und erwartungsvoll. In einer Nachtstunde, damit niemand außer mir einen Vorgeschmack der Wirkung bekäme, legte ich die Rolle in den Apparat, löste den Mechanismus mithilfe einer Münze aus. Und über mich hinweg, wie aus einer anderen Welt, klirrte die wilde Jagd gehäufter Töne. Für mich war diese erste Vorführung schlechthin überwältigend. (Mein Urteil ist immer sehr langsam gewesen.) Es schien mir die größtmögliche Summe an Wirkung erreicht zu sein. Niemals vorher hatte ich ähnliche Dämonien einem Klavier enttönen hören. Ich dachte, eigentlich meinem inneren Wesen fremd, ausschließlich an die überrumpelnde Wirkung meines Kunstwerkes, nicht an die Feinheiten, die ein Zeichen des Geistes sind. Meine ganze Lebensanschauung schien gleichsam

umgestimmt angesichts des ersten Erfolges, den ich mir selber beimaß.
Mein Rausch hatte nur einen öden Beigeschmack. Auf Augenblicke schien es, als ob die Maschine nicht genügende Mengen von Saugluft austreiben konnte, so daß einzelne erhaben starke Stellen unter einem matten Anschlag der Klavierhämmer litten. Gleichsam, der Höhepunkt meiner Komposition fiel matter aus als der Dichtigkeit der Perforierung entsprochen hätte. Ich nahm mir vor, den Kommutator des Elektromotors gut abzuschmirgeln und die Bälge der Luftpumpen zu prüfen, ob sie schadhaft seien; vielleicht, daß Risse oder Undichtigkeiten in den Falten zu finden wären. – So gab ich noch einen Tag daran, um die Maschine in höchste Bereitschaft zu bringen.
Ich besprach mich mit der Wirtin. Ich wollte meine Kunstfertigkeit vor einem größeren Publikum zeigen. Sie lächelte wohlgefällig. Den Tag würde sie bestimmen. Sie sah mich mit weichen Augen an. Ich spürte, sie war stolz auf mich. Von der Notenrolle verriet ich nichts.
An einem Abend der nächsten Woche ging es in der Gaststube hoch her. Tutein sprach mit einigen der Stammgäste und verkündete, so daß auch fremde Besucher es hören konnten, sein Freund werde den ehrenwerten Gästen auf eine neue Weise vorspielen: mit Händen und Füßen und einer Papierrolle dazu, wie sie es schon vordem gehört, aber doch beispiellos schwieriger in der Ausführung, als akrobatische Leistung, unter Zuhilfenahme aller Extremitäten, auch der Nase. Usw. Ich wurde beglückt und befangen zugleich. Ich bat mir aus, daß das Licht ein wenig abgedunkelt würde und daß die Gäste mir nicht über die Schulter gucken möchten, gebührenden Abstand hielten, denn ich müsse meine Gedanken zusammenfassen wie ein Trapezkünstler in den Augenblicken, wo die Musikkapelle im Cirkus zu schweigen beginnt und nur ein dumpfer Trommelwirbel den Herzschlag der Zuschauer im Gleichmaß hält. Man bewilligte meine Wünsche. Ich setzte mich an die Klaviatur, hielt die Hände gespreizt bereit. Tutein, im Hintergrund, warf eine Münze in den dafür bestimmten Kasten, und die mit Löchern überschwemmte Papierrolle entfesselte die Symphonie der passenden und unpassenden Übermalungen einer Komposition, deren Einfall nicht von mir stammte. Ich bewegte

meine Hände wie rasend über die auf- und abwogenden Tasten, schlug auch mit dem Kopf darauf, wie Tutein es angekündigt, doch vermied ich, sie zu berühren, damit das musikalische Geschehen nicht ins Kaos gestürzt würde. Ich begann zu schwitzen wie niemals vorher, wenn ich die Tasten wirklich bewegte. Endlich ging die Komposition zuende. Ich gestand mir, ein paar Stellen waren auch diesmal matt ausgefallen, und ein schimpfliches Gefühl der Beschämung verließ mich nicht. Aber ich wurde sogleich, nachdem der letzte Ton verklungen, herausgerissen. Ein ungezügelter Beifall wälzte sich heran. Und schon war ich bereit, an meinen Triumph zu glauben. Als sich der Papierstreifen in der Maschine zurückgerollt hatte, mußte ich meinen Auftritt wiederholen. Gewiß beherrschte ich, meine Arbeit des Stanzens war ja nicht weiter fortgeschritten, nur die eine Nummer, und ich bereute, so voreilig eine öffentliche Vorführung gewagt zu haben; doch ich tröstete mich und die Zuhörer mit der Versicherung, es sei ein neuer Versuch, und meine Fertigkeit hinge zu sehr von den Vorbereitungen ab, daß man, falls man Abwechslung verlange, sich mit meiner früheren Art einer einfachen Ausschmückung der Papierrollen begnügen müsse. Man trampelte, man verlangte Wiederholung. Und schon ließ Tutein eine neue Münze in den Kasten fallen. Die Flut der Töne ergoß sich abermals. Als aber die Hälfte des Musikstückes vorüber war, gab ich mein Spiel zum Schein auf, erhob mich, verließ die Tastatur, ging zu den Gästen und überließ der Maschine die Ausführung des Restes. Ich glaubte damit das Wunder der Darbietung ins Ungemessene zu steigern.
Das Ergebnis meines Tuns aber war niederschmetternd. Das Publikum kam allmählich zu der Überzeugung, daß es enttäuscht war. Man konnte sich das Ganze nicht erklären. Und als man es sich erklärt hatte, fühlte man sich genasführt. Mit schlecht verborgener Verärgerung erfragte man sich technische Einzelheiten. Tutein versuchte meine Niederlage wettzumachen, indem er mit lauter Stimme richtige und unrichtige Aufklärung gab, die Mühsal meiner Arbeit beschrieb, Loch für Loch in die Papierrolle zu hacken, tausend Löcher, zehntausend Löcher, und daß jedes seinen richtigen Platz erhielte. – Auch er vermochte die laue Stimmung nicht wegzuräumen. Papierrolle

blieb Papierrolle, und welcher Art die Löcher sein mochten, war den Zuhörern gleichgültig; ob eine Lochmaschine das Ganze hundertfach nach einer Schablone gestanzt oder ein Hirn, zwei menschliche Hände einen Einfall erstmalig sozusagen jungfräulich hergerichtet, es war für sie nichts Verschiedenes. Diese einfältigen Herzen entschieden, daß ich eine Fälschung begangen. Meine Arbeit konnten sie nicht abschätzen, die ruchlosen Erfindungen meines musizierenden Hirns nicht aufnehmen oder deuten, der Schwung der Kaskaden war nicht in ihr Herz gedrungen. Sie hatten einen Mann sehen wollen, der, zweihändig, mit dreißig Fingern zugleich spielte. Erst später begriff ich, daß ich nicht nur sie, sondern auch mich selbst getäuscht habe.
Um nicht zu sehr zu verzweifeln, entschloß ich mich, den Gästen wenigstens die Neige eines Genusses zu geben. Sie sollten nicht davonlaufen, damit Uracca de Chivilcoy keinen Schaden hätte. So untermalte ich ein paar der übrigen Rollen mit meinen Beigaben. Ich spielte so emsig, mit soviel mühevoller Gewandtheit, wie ich mir abringen konnte. Bei voller Beleuchtung schaute man mir auf die Hände, faßte nach meinen Schultern und Ellbogen, ob ich nicht auch diesmal betröge. Ich nahm die Finger von den Tasten, und die Musik wurde dünn; ich setzte wieder ein, und sie schwoll an. Man erkannte an, daß ich diesmal ehrlich war, und nach einer Weile erntete ich eine schwache Anerkennung für meine Mischung aus Fingerfertigkeit und Maschine.

*

Ich nahm eine zweite Rolle und machte mich daran, die Komposition zu verändern. Der Mißerfolg hatte noch keine tiefe Wirkung in mir getan; aber ich erwog doch schon, meine Ausschmückungen dünner, und als Folge dieses Vorsatzes, auch geschmackvoller, mit Geist und musikalischen Einfällen gewürzt, anzubringen. Zufällig kam ich darauf, den leeren Papierraum des Anfangs für einen Auftakt, eine Einleitung zu benutzen. Ich maß mit dem Zollstock aus, daß ich gut sieben Takte Phantasie anbringen konnte. Ich zeichnete meine Hilfslinien, skizzierte ein paar diagonale Striche. Schnell vervollständigte ich Zeit- und Tonraster mit ein paar Figuren, die ich geflissentlich durch die Erkennungsharmonien der Komposition legte. Dann schlug ich, wie ein Wind über die Baumwipfel eines Waldes streicht, die Schnittpunkte im Koordinatensystem aus. Das war gekünstelt und mit harmonischen Berechnungen beschwert. Aber ich sah doch auf dem Papier die Ordnung von Strichzeichnungen entstehen, Licht und den Schatten der schwarzen runden Punkte. Ich konnte mir einbilden, es waren die Marschkolonnen von Soldaten, die hintereinander, windschief vorrückten. Es waren Männer, von sehr hoch herab betrachtet, eben nur die Schlaglöcher meines Stanzeisens.

Meine Überarbeitung der zweiten Rolle verlor sich überwiegend in Experimenten. Ich konnte mich dem Einfluß bildhafter Zeichnungen nicht entziehen, und manchmal unterlief es mir, die vorliegende Komposition zu vergessen, um meiner freien Phantasie zu folgen. Freilich, ich war nicht eigentlich stolz auf die Entgleisungen, zumal ich mir ausmalte, wie unbarmherzig das Klavier den Widerspruch vortragen würde. Ich war nun in den Irrtum meiner ersten Begegnung mit dem Maschinenklavier zurückgefallen. Ich verquickte meine Regungen mit denen eines fremden Gehirns. Ich half mir mit der Entschuldigung, daß es Versuche seien, nichts Endgültiges.

Ich spielte die zweite Rolle nur mir allein vor. Ich war ergriffen von den wenigen Takten der Einleitung. Es war ein kühler erzener Geschmack daran, ein fremder Ausdruck, wie die Landschaft eines unbekannten Erdteils. Irdisch, aber nicht heimatlich. Die Fortsetzung, so ausgeklügelt sie dem Bestehenden auch angepaßt war, litt unter einer gräßlichen Ausdruckslosigkeit. Harmonisches und Disharmonisches war durcheinander gewürfelt, eine Zimmerpflanze, die man vom Fensterbrett heruntergestoßen hat; Blätter und Blüten erschrocken inmitten von Tonscherben, zerbröckeltem Humus und zerschrundenem Wurzelwerk. Die Abschnitte, in denen ich die Komposition mit der Übermalung zerfetzt hatte, gewannen, wenn man das Ohr der ursprünglichen Melodie verschloß, etwas hart Glitzerndes, Eiszapfen, deren Oberfläche Sonnenlicht schmilzt, damit die herabrinnenden Tropfen, wieder gefrierend, die Spitze des geronnenen Wassers vergrößern.

*

Ich sandte Briefe in die Welt, um in den Besitz leerer Papierrollen zu kommen. Ich vertiefte mich weiter in die Geheimnisse der Harmonielehre. Einstweilen frischte ich alte Erinnerungen auf. Ich schrieb Einfälle nieder. Aber meine Phantasie war auf magische Weise vom Zeit- und Tonraster der perforierten Bänder beeinflußt.
Ich begnügte mich bei meinen Niederschriften zumeist damit, Bewegungen schematisch mithilfe von Notenköpfen festzuhalten. Ich wich von den angestauten Lehren der Komposition weiter ab als zuträglich war. Ich dachte in Strichen, Flächen und Räumen. Ich verschob die harmonischen Abläufe ins Graphische, ohne doch ganz den Boden der Überlieferung aufzugeben. So vergingen die Monate. In diesen Monaten vereinsamte ich mehr und mehr. Tutein ging eigene Wege, und ich wußte nicht, was er trieb. In Stunden, die mich erschöpft fanden, verdächtigte ich ihn mancher Dinge. Ich spürte mit wachsender Zeit das Nagen des Verlassenseins. Ich erkannte den Unterschied zwischen ihm und mir mit größerer Strenge (doch wußte ich noch immer nicht richtig, wer er war): seine Bevorzugung durch die Natur, daß er klar, gesund, einen verläßlichen Körper hatte, eine ansprechende Schönheit zur Schau trug und ohne die teuflischen Versuchungen eines empfindlichen Geistes war, dessen Durst nur immer notdürftig gestillt wird. Ich hingegen konnte mich nicht auf eine einfältige Daseinskraft berufen, auf das weitverzweigte Wunder, daß ich geboren war; mir fehlten die körperlichen Merkmale des Auserwähltseins. Wenn mein Geist hochmütig wurde und meine ungerechte Vernunft dem Freunde Untugenden beimaß, hat es nicht lange gewährt, bis ich ihm meine schwarzen Unterstellungen habe abbitten müssen.
Er kam eines Tages betrunken nachhause; es hätte nicht viel gefehlt, daß ich gefragt, in welchem öffentlichen Hause man ihm die Füße vom Boden gelüpft hätte. Aber er sagte unaufgefordert sehr schlicht, die Erfahrung der Alten sei nicht zu widerlegen: man könne als Saufaus keine vorteilhaften Geschäfte abschließen. Ich fragte nun nach seinen Geschäften, und es kam heraus, er hatte sich auf dem Markt vom bloßen Zuschauer und Eckensteher allmählich zum kleinen Viehmakler entwickelt. Anfangs hatte er sich versuchsweise für ein paar

Stunden in den Besitz einiger Schafe gebracht. Allmählich aber war er zum Bankhalter für Käufer und Verkäufer geworden. Das Vertrauen, das er genieße, ernähre ihn, sagte er. Er legte Münzen und Scheine vor mich hin.
»Zukünftig werde ich die Hotelrechnung bezahlen«, sagte er ohne Überheblichkeit. »Heute gab es einen Verlust«, fuhr er fort, »ich habe etwas getrunken. Also, es soll nicht wieder geschehen. Ich hatte eine unruhige Nacht; ein altes Indianerweib hätte mich schwach machen können. Aber es ist vorüber.«
Er nahm seine Zuflucht nicht zum Gebet. Er weinte in meinen Schoß hinein. Ich begriff, er war stolzer geworden. Eine trübe Hülle, die ihn noch entstellt hatte, war abgefallen. (Es geschah im Laufe der Zeit noch mehrmals, daß er, irgendwelchen Sinnen sichtbar, einen höheren Grad der Menschlichkeit erreichte.) Er weinte, bis er ganz nüchtern war. Er stand wieder aufrecht im Zimmer, gereinigt, mit einem zufriedenen Lächeln an den Lippen.
»Wir gehen hinunter und trinken gemeinsam einen Zuckerrohrschnaps«, sagte er.
Wir gingen.
Tutein war also ein Viehhändler oder, wie man hier sagte, Kommissionär geworden. Er hatte es mir verheimlicht, solange er konnte, ohne zum Lügner zu werden.

*

Es gab auch für uns den bürgerlichen Alltag, nämlich die sechs Wochentage, an denen wir emsig wie jeder andere, der sich plagen muß, Brot und Salz und Wohnung zu schaffen, unserer zufälligen Beschäftigung nachgingen, als ob sie eine Notwendigkeit gewesen wäre. Wir waren auf der Flucht vor unserer Zukunft. Wir wollten seßhaft werden, jedenfalls Tutein wollte es. Ein Viehhändler vor den blutigen Toren der Schlachthöfe. Das Gebet allmählich abschaffen. Durch sich selbst gerechtfertigt und beruhigt werden.
Die Sonntage verbrachten wir gemeinsam in einer Art Müßiggang. Tutein kleidete sich an den Morgen der Festtage um-

ständlich an; sein nackter Körper brannte in der Zuversicht, mir angenehm zu sein, und das Bekleiden schritt nur langsam voran. Schamhaft war er nur, wenn er mir den Rücken zukehrte. Da prangte blau wie die Warenmarke auf einer Kiste ein die Schwingen reckender Adler. (Das Weib auf seinem rechten Arm war nur ein kleines Figürchen. Mit einem Taschentuch konnte er es vollauf bedecken. Und er tat es zumeist, indem er sich einen Fetzen darüber knotete, als habe er sich gerade eine Verwundung zugezogen.) Er war nicht sparsam im Gebrauch von Lavendelwasser, und wenn die Gelegenheit sich eingefunden hatte und der Vorsatz gefaßt war, nur langsam, unter mancherlei Übungen und Gebräuchen in die Kleider zu kommen, begoß er sich die Haut mit Alkohol, der mit einigen Tropfen Parfüm gemischt war. Mit Öl, bedachtsam verrieben, zauberte er sich einen matten Glanz über die Glieder. So wurde die Begierde nach einem wohlversehenen Morgenkaffeetisch gesteigert. Es kam nur selten vor, daß er vergaß, mich mit ein paar Delikatessen oder Leckereien zu überraschen. Sobald er wahrzunehmen glaubte, daß mir die Mahlzeit mundete, wurde er noch heiterer als er schon beim festlichen Erwachen gewesen war. Er hatte die schöne und bekömmliche Gabe, Wolken, die sich über meinem Gemüt zusammenballten, davonzublasen. Er konnte es anstellen, daß sich mir die Lippen kräuselten, auch wenn ich traurig war. Allmählich wurde seine Liebe zu mir von der Art, daß sie nur Genüge fand, wenn ich ihm verfallen war, ganz abhängig wurde von seiner gesunden erfindungsreichen Fröhlichkeit. Es kam so weit mit seiner Bereitwilligkeit, daß ich die Selbständigkeit meiner Erlebnisse einbüßte.
Tage, die so ohne Schatten begannen, lösten sich in Stunden auf, die, wie eine Quelle unaufhaltsam klares Wasser gibt und jede herzugetragene Trübung beseitigt, von Kümmernissen befreit sprudelten. Und so wurde es Abend und Nacht, ohne daß ich des Tages mit dem ihm eigenen Gewicht, das das zufällige Wetter oder das Bild des Planetenstandes ihm verleiht, gewahr wurde.
Dueña Uracca de Chivilcoy, die sich den Viehhändlergästen kaum auffällig gekleidet zeigte, benutzte die stillen Tage, um sich herauszuputzen. Sie gehörte zu jenen alternden Frauen, die

freiwillig und endgültig auf das krause Wellenspiel der Liebe verzichtet haben, aber den Anschein aufrechterhalten, als wären sie große Kokotten. Sie besaß prächtige und auffallende Roben. Es gefiel ihr, wenn sie mit dem Ankleiden fertig war, sich zu uns an den Tisch zu setzen und mit möglichster Ausdehnung zu plaudern. Ihr Gesicht beschattete meistens ein radgroßer Hut aus feinstem Strohgeflecht, von einer mächtigen Straußenfeder eingefaßt, unter dessen Rand sie beständig an ihren Haaren ordnete. Ein Korsett trieb ihre Brüste nach oben; ein gewaltiges Rund aus Pelz, um ihren Hals gelegt, entsprach dem Rad des Hutes. In der kühlen Jahreszeit prunkte sie mit einem grünen oder schottisch gewürfelten Kostüm aus bestem englischen Tuch. Ihre Hüften waren gleich dem Busen wie Gummiblasen herausgearbeitet und zitterten anstößig. In der warmen Jahreszeit schillerte ihr Oberkörper in Kakadufarben, die irgendein Modekünstler erfunden hatte und in die das Gespinst der Seidenraupen eingefärbt werden konnte. Fast niemals fehlte ein Blumenstrauß an ihrer Hüfte, und eine Wolke süßen Parfüms sickerte aus allen Falten des Aufputzes. Ihre Hände verhüllten Handschuhe aus Goldleder, über die sie solche aus feinstem durchsichtigen Tüll zog. Anfangs mißdeutete ich diese gelassene Aufdringlichkeit. Später wußte ich, sie spielte die Rolle einer vermögenden Mutter, die die Natur verbessert, damit ihre erwachsenen Söhne in ihr eine ehemalige Amazone erkennen, die prächtige Beute von Männern, die sie zu Vätern machte.
Sie hatte uns in ihrem Herzen adoptiert. Sie wollte uns nicht verführen. Sie wollte zeigen, daß sie verführerisch gewesen. – Außerdem, sie mußte eine Gelegenheit erfinden, um sich vom Zimmermädchen, der Köchin und dem Hausburschen zu unterscheiden. Einmal in der Woche wollte sie, auch sichtbar, die Dame des Hauses sein.
Unser Alltag unterschied sich von diesen merkwürdigen Räuschen. Auch Tutein mußte im toten Wasser treiben, damit sich seine Seele, nach der Bedrückung im Schlamm, aufs neue zu einem freudvollen Aufschwung anschickte. Ich erfuhr früh genug, er überhörte das Brüllen, Blöken und Röcheln der Schlachttiere nicht. Er hat sich nicht gescheut, zuzusehen, wie sie starben. Er hat versucht, diese Welt auszuloten. Das unver-

hüllte Antlitz der Sünde erschaut niemand. Aber man kann dahin kommen, die eine Hand zu höhlen und mit Tierblut zu füllen und die andere mit Kot, in das entsetzte gebrochene Tierauge zu schauen und auf das ebenso entsetzte vorgefallene Gedärm. Man kann das weißblutige grützige Gehirn mit dem schwangeren Tragsack vergleichen, ausgelaufene Milch und ausgelaufenen Harn sich mischen sehen. Man sagt dazu: »So ist es.« Und läßt Blut und Kot zuboden fallen, wäscht sich die Hände, doch keineswegs gründlich, eben nur oberflächlich. Man hört auf, nach Gott zu fragen. Man vergißt, daß die Perlen des Rosenkranzes eine Forderung bedeuten. Man hat seit langem nicht mehr gebeichtet und die Lossprechung erhalten. Man will das Gefühl der Schuld gar nicht verlieren, man hat den Vorsatz, weiterzuleben, Muskeln unter dem Gaumen zu zerkauen, Blut und Milch zu trinken und das Entsetzen beiseitezustellen. Tutein sagte einmal: »Ganz ohne Schuld kann Gott nicht sein.« –

Wenn er mir entzogen war – und sein Handel entzog ihn meiner Nähe, und war es der Handel nicht, so waren es die Tage schlechthin, die ihn, wegen ihrer Bestimmung, der Arbeit, der Beschäftigung, dem Getriebe der Menschen zu dienen, verbrauchten – war mir immer, als wäre er ins unendlich Ferne entglitten. Mein Geist behielt nicht, wie er aussah. Ich konnte mir nicht vorstellen, daß er nun an die Vielen, wahllos, an Menschen und Tiere, an Bauern und Metzger, an Fleischverlader und Extraktkocher den Glanz seiner guten Veranlagung verteilte. Und kam ich zu dem Schluß, daß es doch hin und wieder so sein müsse, daß es an Beweisen nicht fehle, wie sehr seine arglose, wohlgefällige Haltung allen Menschen behagte, erschienen meine eigenen Beziehungen zu ihm mir schal und ohne Auszeichnung. Etwas Allgemeines, das man auch auf der Straße von ihm auflesen konnte. Wenn so das Düstere meine Gedanken bedeckte, gestand ich mir immer wieder ein, daß ich ihn nicht kannte. Ich gestand mir tausendmal ein, daß ich ihn nicht kannte, daß alle Vertraulichkeit uns einander nicht vertraut gemacht hatte, daß sein Verhalten für mich unberechenbar war wie am ersten Tage – daß die Zeit, die er abgewandt von mir verbrachte, ein Loch war, das sich mit keiner Vorstellung von seinem Tun füllen wollte. Mir war angst um ihn, ich mißtraute ihm. Mir wurde leicht, wenn ich ihn wiedersah, als wäre er einer Gefahr entronnen. Und ich war erstaunt, daß er unberührt von jener verdächtigen unbekannten Befassung war, daß nichts an seinen Kleidern haftete, kein Blut, kein Geruch (außer dem von Tieren). Daß sein Gesicht unzerfurcht die ungetrübten Augen einfaßte. Ich mußte viele schwarze Gefühle schlucken und hatte keine Freiheit. Eine Mutter, die ihr Kind liebt und es gefährdet glaubt, kann sich einbilden, wenigstens die Hälfte des Stoffes zu kennen, aus dem es gebildet ist. Sie versucht, die Kräfte der Unordnung und des Widerstandes abzuschätzen, ermißt ihre eigene Gesinnung; ich konnte nichts ermessen. Ich konnte ihn nur anschauen. Und sah immer nur die Grenze seiner Haut. Höchstens, daß ein seidiger Abgrund aus dem Glas seiner Augen hervorschimmerte.

– – – – – – – – – –

Als endlich aus Europa ein Papierballen eintraf, glattes gelbes Papier, genau nach dem Maß des Spielapparates zugeschnitten, sorgsam um einen Buchenknüppel zu einer festen Walze aufgerollt, stürzte ich mich besessen in die Arbeit. Ich eroberte im Geiste ein Land. Mir wuchsen Flügel. Ich griff, beim ersten Ansturm meiner schöpferischen Eingebungen, auf das Material zurück, das ich schon niedergeschrieben hatte. Die Gleichzeitigkeit verschiedener Rhythmen, wie sie von den Musikern der Gamelans geübt werden und von den Meistern des Jazz, fesselte meinen Geist vor allem. Ich räumte ein, daß unsere Sinne, irdisch und eng, nicht geschult am Gesang der Sphären, dem mathematischen Geflecht nur schwer folgen können, ja geradezu zahlenverlassen der Überlagerung von geraden und ungeraden Schlagfolgen preisgegeben sind. Daß die prickelnde Zerlösung des pendelnden Zeitmaßes dem warmen Strom polyphonen Fließens gegenüberstand. So erscheint das Vorrükken einer Kreuzerformation in brandender See wie die Ordnung eines vielstimmigen Kanons, der festgefügte Gesang läßt sich weder zerdehnen noch zum Schrumpfen bringen. Es gibt nur die eine Freiheit des regelmäßigen Vorwärtsdringens. Wie anders die Bahn der Planeten, das weiträumige Feld der kühnen Annäherungen und Entfernungen, dieser Zerfall der tyrannischen Zeit!

Traumhaftes Räderwerk einer Uhr, die den Beginn aller Abläufe noch in der späteren Gegenwart abbildet, diamantene Kugel der Gravitation, an deren äußerster Sphäre das Licht keiner Zeit vergangen ist. Die Zahl, der bescheidenste Baustein des Allgesangs. – Ich dachte der Zahl ein schwaches Opfer darzubringen, jenen Tribut, dessen mein klügelndes Hirn fähig war.

Weltvergessen wuchtete ich meine Arbeit vorwärts, rechnend, stanzend, den Irrgarten harmonischer Zufälle durchtappend. Wenn mir mein Tun nur noch Gestrüpp schien, dachte ich an die geläuterte Form harter Kristalle, zeichnete ihre Umrisse und Projektionen auf das Papier, das ich zu stanzen vorhatte, suchte die reinen Durentsprechungen des Bildes, die harten Klänge des Glaubens. Mir fielen die archaischen Aussagen des Tedeums ein, und wie sie ein alter Mann, dem Krieg und Pest Weib und Kinder entrissen hatten, vor dreihundert Jahren für sich ausgelegt hat, Samuel Scheidt:

Ich klammerte mich daran wie an ein eisernes Gitterwerk, um nicht den Halt zu verlieren. Ich suchte eine augenfällige Entsprechung zwischen den Linien, die ich aus den Kristallen herleitete, und den ehernen harmonischen Mitteilungen. Ich kam dazu, die Winkellinien schöner Figuren zu stanzen. Das Bild von Pentagrammen und Bienenwaben ging in den Raster aus Zeitmaß und chromatischen temperierten Tonfolgen ein.

Und so verstrichen die Monate in Zweifel und Zuversicht. Und die Zahl der von mir gestanzten Rollen mehrte sich. Meine Arbeit erschöpfte mich. Oft übermannten meine Vorstellungen mich, daß ich arbeitete, bis ich in Tränen ausbrach. Und Tränen der Erschöpfung spornten mich zu weiterer Arbeit.

*

Ich sprach mit Alfred Tutein zum erstenmal in dieser Stadt vom Schiffbruch der ›Lais‹. Ich sprach von fetten Wolken, die von Horizont zu Horizont schwammen. Von den Wolken jenes Tages, die friedlich waren und langsam, barmherzig wie Gesichter, die keine Augen haben, doch ohne die Wunde der Blindheit, die uns entsetzt. Während mein Mund voller Worte war, überkrochen die Versuchungen mich. Bebend beschrieb ich die Galeonsfigur, wie sie die salzige Wasserwüste mit dem Hauch ihrer Weiblichkeit erfüllte, wie ihre mächtigen Glieder lebendigen Fleisches Aussehen bekamen, den Schimmer warmrinnenden Blutes unter einer alabasternen Haut.
Er schaute mich an, kühl und fragend. Er sagte mit leiser Stimme:
»Sie war ein hölzernes Weib. Roh geformter Baumstamm.«
»Milchweiß oder gelb wie fetter Rahm«, sagte ich.
»Dunkler«, sagte er, »gebräunt und zerschrammt von den beißenden Spritzern der donnernden Wellen.«
»Glatt und üppig, gewölbte Muskeln, ich täusche mich nicht, ich weiß es bestimmt.«
Er schwieg, schaute mich abermals an, lange, kühl, verwundert.
»Das Holz war rissig und zeigte Adern wie alles Holz, das feuchten Wind trinkt«, sagte er. Er sprach jetzt behutsam, wie man zu einem Kranken spricht.
»Adern des menschlichen Leibes. So nahe dem lebendigen Atem war die Figur«, sagte ich.
»Adern des Baumes, tote, trockene geborstene Adern«, sagte er ein wenig lauter.
Ich blickte ins Leere. In der Ferne, wie eine Verheißung, glomm der Leib eines Mädchens auf. Spitze, gestraffte Brüste,

beweglich wie perlendes Quecksilber, fleischgewordener Raum, warm wie der Atem aus dem Spalt naher flüsternder Lippen, ausschreitend, mir entgegen, um meine bereiten Hände mit der Lust der köstlichen Berührung zu füllen.
Meine Augen streiften das starre Gesicht Alfred Tuteins. Ich las darauf gleichgültige Abwehr, einen müden Schrecken. Das Holz, das die Gestalt des menschlichen Weibes angenommen hatte, wollte sich ihm, zum Trost oder zur Pein, nicht beleben. – Der Tod hockt über den Stangen verdorrter Masten. Die verwilderten Segel sind braune Hautfetzen. – Das konnte er sich einbilden. Und ich, wie ich die Gemeinschaft unserer Erinnerung zergehen fühlte, dachte nichts Besseres als einen Wald voll starker sich gabelnder Baumstämme. Ich war mit meinen Versuchungen allein.

*

Im Laufe von zehn Tagen oder zwanzig Tagen zerstörte ich das Idyll unseres wohlgefälligen Lebens. Nach vier Wochen schon waren wir die anrüchigen Passagiere eines Trampdampfers, der die Küsten Afrikas bestreichen sollte.
Damals und immer wieder warf ich mir vor, daß ich Ellena an das Abenteuer verraten hätte, daß ich sie verraten hätte schlechthin. Aber der Vorwurf war ein Gedanke ohne Entwicklung und Ansporn. Er war kraftlos inmitten meines von den vorbestimmten Säften durchströmten Fleisches. Er war nicht im Einklang mit der Tatsache, daß ich noch lebte, und mit der Bereitschaft meiner Jugend Speise und Trank, Tage und Nächte, die Millionen Bilder vor meinen Augen, die Genüsse und Widerwärtigkeiten der Gerüche, die Berührungen und Begegnungen mit Menschen und Tieren hinnahm, mich in den Strom des allgemeinen Lebens stellte, zwar nicht als gewalttätig Fordernder, eher bescheiden; aber doch nicht entsinnlicht, verstümmelt. Ich konnte schwören, daß ich bei jeder Stunde Ellena lieben würde, in welcher faßbaren Gestalt auch immer sie mir entgegentreten würde. Doch sie hatte keine Gestalt mehr. Ihre Umrisse waren in mir zerronnen. Ihr Gesicht war weich, ein warmer Schatten; aber ich spürte den Druck ihrer Lippen nicht. Ihre Brüste glichen den Brüsten aller Mädchen,

die ich als Statuen sah oder fleischlich, mit unerlaubten Blikken erstohlen. Bücher voller Abbildungen, zufällige Zeichnungen hatten meine Vorstellung überschwemmt und meine Begehrlichkeit ins Allgemeine hinausgestoßen. Ich war weniger bereit zu lieben als vor Monaten, doch in der Gefolgschaft eines unaufschiebbaren Genusses. Mir kam, im äußersten Drang meines Verlangens, die Photographie eines Negermädchens in die Hände. Eine schöne junge Gestalt, ein halboffener fester Mund, dessen zurückgehaltenes Lächeln man nicht deuten konnte. Gierig umfaßte ich dies Rätsel mit meinen heißen Augen. Die blanken Schenkel des jungen Menschentieres, der gewölbte Schatten ihrer Leibesmitte warfen mich in einen roten Strom, wo es keine Gedanken gab, keine Verantwortung, kein Sichentsinnen, keinen Reichtum, keine Armut, keine Jugend, kein Alter. – Ich winselte in meinem Hunger, erbettelte mir Krumen. Und die dunkle schimmernde Haut, der wilde Mund, der gar nicht erreichbare Blick der stille stehenden Augen dieser Fremden, die ich nicht betasten konnte, deren Duft mir fern war wie der Erdteil, in dem sie lebte, entrangen mir die gefälschten Worte: »Ellena, Ellena.« Die tote Geliebte gab mir auch diese Verheißung und erfüllte sie nicht.

Da begann ich Alfred Tutein zu bedrängen: »Wir wollen nach Afrika.« Er lehnte es ab. Verstohlen zeigte ich ihm das Bild, meinen Schatz, die Verkündigung, das Glück der fernen Gestade. Er schaute flüchtig hin, bewegte verneinend den Kopf.

Am nächsten Tage oder nach zweien forderte ich unseren Aufbruch mit frecherem Nachdruck. Tutein stemmte sich dagegen mit gewichtigen Einreden. Nach abermals einigen Tagen oder einer Woche ballte ich meine Fäuste, um die Wildheit meines Wunsches darzutun. Er aber schlug die seinen krachend auf die Tischplatte und sagte: »Nein.« – Er habe sein Geschäft zu verteidigen. Ob ich meine Vernunft an Bedürftige verschenkt habe und nun selbst am Bettelstabe sei? –

Ich entsinne mich der heftigen Schläge gegen das dumpf grollende Holz. Ich wurde nicht überwunden. Nur zurückgedrängt. Auch diesmal. Er begriff das. Er sann auf einen Ausweg. Er konnte mich nicht anfallen und erwürgen. Die Zeit des Mordens und Messerstechens war vorbei. Er schleppte ein braunhäutiges Mädchen in unser Zimmer. Das war am nächsten oder übernächsten Tage.

*

Ich habe niemals erfahren, welcher Art seine Bemühungen gewesen sind, ihrer habhaft zu werden, sie gleichsam mir, sich selbst, einem krausen Plan dienstbar zu machen. (Vielleicht sollte ich schreiben, daß das, was ich hernach davon erfuhr, ans Phantastische grenzte und sich somit der genauen Vorstellung widersetzt.) Sie war mannbar, aber sehr jung, ungefähr vierzehn Jahre alt. (Die Natur, die die Stute in zwei oder drei Jahren vollendet und die meisten unserer Vögel in einem Jahre, die die Vergreisung einer Negerin mit fünfunddreißig oder vierzig Jahren bestimmt, macht zwischen zehn und zwanzig Jahren aus Menschenkindern Erwachsene.) Diese war keine Ware, die man schon ausgehandelt hatte. Die ersten Käufer waren wir. Sie war eine Wirklichkeit für mich, wie kein weibliches Wesen vor ihr. Sie war arglos und unerfahren. Sie hatte, um ihre Vorstellungen und die mancherlei Stufen ihrer Gefühle bekanntzugeben, nur wenige ausdruckslose Worte bereit. Ihr Gesicht war ernst oder es lächelte. Aber es konnte nicht weinen oder einen Schimmer echten Glückes bekommen. Es war starr, unverbraucht, von strenger Einfalt; die Haut der Wangen war körnig wie gebörtelter Marmor, doch dunkel wie teergetränktes Tauwerk. Sie stand plötzlich im Zimmer; ein dürftiges Kleid aus Baumwolle, von schmutziggrüner Farbe, hing wie eine Besudelung an ihr. Gleich einem vergrößerten Schatten bewegte sich Tutein unmittelbar hinter ihrem Rücken, schritt nach links, wenn sie es tat, wich zurück, wenn sie sich dazu anschickte. Auf seinem Gesicht lag die Ruhe einer tiefen Zufriedenheit. (Er wußte, daß er bereit war, mehr für mich zu tun als seine Seele und sein Gewissen vermochten.)
Noch ehe es zum Austausch irgendwelcher Worte kam, begann er an ihrem Kleide zu nesteln. Es fiel plötzlich von ihrem Körper ab, und die junge Negerin bot mir die volle Pracht ihrer schrundenlosen mattglänzenden Haut. Wie nur auf dem Grunde unserer angstlosen Träume, wo die Erfüllungen, die uns die Wirklichkeit unseres Wachseins verschließt, uns während einer

Sekunde streifen, um wieder zu zerschellen, den Durst nach jener vollkommenen Harmonie hinterlassend, so war dieser Augenblick. Die fleischlichen Formen so natürlich in der Wärme des atmenden Menschen, so tierhaft zum Milchabsondern vorbestimmt die feste Rundung der jüngst erwachten Brüste, und doch alles – als ob wir es nicht im Traume wüßten – nur ein durchsichtiges Glas. Zu überwältigend wirklich, um auch nur Sekunden bestehen zu können. Zu neu für meine Sinne, als daß ich ein Urteil hätte gewinnen können. (In meiner Erinnerung ist es wieder durchsichtig, unbestimmt wie die Form eines Gegenstandes auf dem Bettgrund eines heftig bewegten Baches.) Ich schritt schwankend in die Landschaft meines Schlafes hinein, umbekümmert, ob dies der Tod oder das Leben war. Ich faßte nach dem jungen Menschen. Ich preßte ihn, betastete ihn, ich warf ihn nieder. Ich schmiegte mich ihm keuchend an. Mein Genuß war zuende, ehe er in mir vorbereitet war. Doch mein Fleisch war weiser als ich, es betrog mich diesmal nicht, es gab mir die zähe Kraft einer gewalttätigen Überzeugung; daß ich ein wildes Recht ausübte, daß ich Blut mit Blut mischte, daß ich erst schweißnaß und erschöpft bekennen würde, dankbar und wunschlos zu sein.
Sie ertrug den Überfall ohne Widerstreben. Sie war schmiegsam, bereit, aber ohne Dressur. Sie gab sich an meine schmerzenden Umarmungen verloren. Sie lachte nicht, sie weinte nicht. Ich war über ihr. Und es war ihr vorbestimmt, daß jemand über sie kommen würde.
Als ich schwer atmend im schwarzen Strom der jagenden Pulsschläge dalag, bemerkte ich einen Gestank. Ein Abscheu beschlich mich. Ich glaubte, mich erbrechen zu müssen. Die Haut der schwarzen Gefährtin roch nach Knoblauch und Asa foetida. –
Ich werde nie fassen können, welche Umhüllungen mich bewahrt hatten, die Entdeckung erst so spät zu machen. Denn der Geruch mußte ihr unverändert, von allem Anfang an, angehaftet haben. Ich wandte mich ab. Die begehrliche Kraft, sie zu streicheln, entwich aus meinen Händen. Ich rollte aus dem Bett heraus, mit Widerwillen beladen. (Wieviel stärker ist die Erinnerung an den üblen Geruch als an alles, was meine Augen schauen durften!) Ich suchte die Blicke Tuteins, einen Trost. Er

stand lächelnd da, ganz ungerührt, als wäre jene dem Dritten peinliche Vereinigung zweier Menschen fern von ihm vollzogen worden; als hätte er die Rolle eines wohlmeinenden Gratulanten, der gerade angekommen und sich auf ein Gläschen Süßwein und feines Gebäck freut, als Belohnung für einen unbekümmerten Glückwunsch. Ich fühlte mich nicht beschämt, wohl aber verlassen. Ich ging ans Fenster, um das würgende Gefühl der Übelkeit zu zerstreuen. Dann wollte ich zurück ans Bett, um meinen Dank abzustatten, einen überströmenden Dank, meine Ergebenheit, meine Versicherung einer unbezähmbaren Liebe, mein Bekenntnis, daß ich jetzt diesem einzigen Fleisch verfallen in den Gluten und Kälten, daß ich erlebt, was mir in meinem Alter zukam.

Ich stand und starrte hinaus und tat nichts von dem, was ich mir vornahm. Endlich legten sich Tuteins Hände um meinen Hals. Er drehte meinen Kopf zurück. Ich sah, das Mädchen war fort. Ich fragte nicht nach ihr. (Vielleicht hielt ich jetzt alles für einen Traum.) Tutein legte mich, wie ich war, halb entkleidet aufs Bett. Er setzte sich neben mich, schaute mir ins Antlitz. Er fragte mich:

»Es war das erste Mädchen?«

Ich nickte mit dem Kopfe.

»Sehr schön, sehr schön«, versicherte er, »die meisten Menschen erleben es schlimmer.«

Ich verwunderte mich sehr.

»Sie roch«, sagte ich mit heimlichem Entsetzen.

»Neger riechen stark«, sagte er.

»Ich habe davon gehört«, sagte ich, »aber es soll ein voller nußartiger Geruch dabei sein.«

»Man weiß es nicht genau«, sagte er.

»Es war kein menschlicher Geruch, nichts, was vom Fleisch kommt«, sagte ich.

»Ach«, antwortete er, »die Verwesung kommt auch vom Fleisch.«

Ich brachte meine Hände vors Angesicht, um es zu bedecken. Ich schlug sie augenblicks zurück. Sie stanken den fürchterlichen Gestank der dunklen Menschenhaut. Ich betrachtete die Handflächen. Sie hatten einen öligen Überzug bekommen.

»Das Fett an meiner Hand stinkt«, schrie ich. (Die Überraschung war so heftig, daß ich einen entsetzlichen, kaum vorstellbaren Zusammenhang für möglich hielt, etwa, daß ich es mit einem Leichnam zu schaffen gehabt hätte.)

»Fett, welcher Art Fett?« fragte er beunruhigt.

Ich brachte meine Hände vor seine Nase.

»Kein starker Geruch«, sagte er.

Ich warf mich herum. Ich sagte zu ihm: »Du belügst mich.«

Er schien bestürzt. Er gab mir keine Antwort. Ich fuhr fort:

»Du hast bis jetzt keine Beweise für eine schwache Nase gegeben. Dies ist der erste.«

»Das Urteil über einen Geruch muß verschieden ausfallen«, sagte er bedrückt.

»Auch ein weises Wort kann dumm sein«, sagte ich. Ich preßte ihm meine Hände ins Antlitz. »Hast du jemals dergleichen gerochen?« fragte ich.

»Gewiß nicht, nein.«

»Knoblauch ist es. Asa foetida«, sagte ich.

»Sie wird sich damit eingerieben haben«, sagte er.

»Um mir zu gefallen?« stöhnte ich. »Du weißt, du hast gewußt, weil wir uns lange genug kennen, daß mir der Geruch dieses Zwiebelgewächses zuwider ist. Mag sie unnachdenklich sein, sie ist nicht töricht. Niemand ihrer Bekanntschaft wird ihr geraten haben, sich für die Begegnung mit einem Manne widerlich zu machen. Wenn sie Freunde oder Angehörige hat, die um den Handel wissen, werden sie eher zu einem süßen Parfüm geraten haben. Sie werden kein Geschäft verderben wollen, das ihre Billigung gefunden hat.«

»Ich weiß nicht«, schob er gelassen ein.

»Du hast sie gefunden, du hast sie heraufgebracht. Und es gibt mancherlei Anzeichen dafür, daß du einige Vorbereitungen getroffen hast. Du hast sie niemandem geraubt, das ist wohl zu begreifen. Du hast sie nicht mit Drohungen und Faustschlägen gefügig gemacht, sondern nachdrückliche Absprachen im Kreise ihrer Häuslichkeit getroffen; es mag ärmlich oder verrucht um sie her zugehen; oder der Tod der Gleichgültigkeit beschleicht den Ort wo sie wohnt. Du weißt wie sie lebt. Du hast womöglich ihr elendes Lager gesehen, auf dem sie schläft, hast den dürftigen Mahlzeiten zugeschaut, die sie ernähren, du kennst die kreisende Bahn des Fluches, der sie heimsucht. Die

unablässige Not, die kein Erbarmen kennt, hat deinen Plan gefördert, diese Armut, von der ihr Kleid ein Zeugnis ablegt.« (Wußte ich noch, gegen wen ich eiferte? Wünschte ich der Geliebten ein besseres Dasein um den Preis, mir nicht zugefallen zu sein? – Ach, ich tastete mich erst in meine Anklage hinein.)
»Du hast das Kind verleitet, sich mit dem Saft der weißen Zwiebel die Haut zu beizen, und beteuert, daß es zum Sinn des Vorhabens gehöre. Aber es war dir nicht genug des Frevels, du glaubtest, ihre Jugend, die volle gesunde Haut möchten stärker sein als der üble Dampf der zerriebenen Knollen. Du wolltest mich zum Erbrechen bringen. Du suchtest einen Apotheker oder Drogenhändler auf und verlangtest ehrbaren Gestank. Er gab dir, was dir bis dahin unbekannt war, ein braunes Harz, den Abstrich des Teufels, wie man sagt. Ich kannte dies Brechmittel und erkenne es wieder. Du bist überführt; aber du wirst nicht gestehen.«
Er schwieg. Ich erhob mich, um mir die Hände zu seifen. Ich kehrte, nachdem ich mich ein wenig geordnet hatte, an das Bett zurück. Es sammelte sich in mir aller Schmerz, der die bange Seele eines ungeläuterten Menschen heimsuchen kann. Ich begann zu weinen. Ich zerging an den Tränen. Ich schluchzte und jammerte, bis die Ursache meines Weinens vergessen war. Und nur noch die verlassenen und unbelehrten Organe meines Körpers das Echo des Schmerzes schaudernd und krampfhaft zurückgaben. Leere Trompetenstöße in den vereisten Weltenraum hinaus. Die Rippen bebten über den heimgesuchten Lungen und dem zitternden Herzmuskel. Da gewahrte ich, Tutein hielt sich über mich gebeugt. Seine Brust war entblößt. Seine Brustwarzen zeichneten sich undeutlich vor meinen ertränkten Augen. Wie ein lichter Himmel mit einer dunklen Sonne und mit einem dunklen Mond. Groß, rund, ungenau, fern und nah zugleich wie die Erdschollen in einem Grab. Ich konnte nicht mehr weinen. Die Drüsen in meinen Augwinkeln waren ausgetrocknet. Mein Atem ging pfeifend, weil meine Nasengänge vom Schleim verstopft waren. Allmählich kam ich wieder zu mir. Ich lag unter dem weißen Himmel und starrte gegen die warme Wölbung, verwundert und ergeben wie ein Tier, das, eben noch verfolgt, die Rettung

in einer Höhle gefunden hat. Ich hatte keine Neigung, mich mit der Art oder Entstehung meiner Zufluchtsstätte auseinanderzusetzen. Solange ich mich ohne eigentliche Gedanken in Ruhe verhalten konnte, würde das Asyl bestehen bleiben; nur meine Ungeduld würde das Gewölbe über mir zum Einsturz bringen. Ich schloß die verquollenen Augen und legte mich in den Strom der abfließenden Zeit. Schließlich schlug ich die Lider wieder auf, die weißen Grabschollen waren noch da. Die dunklen Sonnen waren noch da. Meine Nase hatte sich vom Schleim befreit und sog die Atemluft mit freieren Zügen ein. Ich spürte, ein Duft mischte sich bei, ein Duft nach Menschenhaut und englischer Seife. Tutein mußte im Bade gewesen sein. Ich erkannte zugleich seine Bereitschaft, mir zugetan zu sein. Es war gleichsam das Höchstmaß an gefälligem Geruch angestrebt, die unmittelbare Frische des Körpers, diese unvergleichliche Verführung mittels einer natürlichen Ausstrahlung. Aber der Körper der Negerin war verfälscht worden. Ich schob die Brust über mir mit hartem Druck meiner Arme beiseite.
»Warum hast du das Mädchen nicht mit dir ins Bad genommen?« fragte ich scharf.
Er beantwortete mir auch diese Frage nicht. Er knöpfte sich das Hemd über der Brust zu. Er schaute mich mit leeren Augen an. Er war tief verwundet. Ich konnte ihm nicht grollen. Ich hatte in ihm Eifersucht erweckt.

*

Am nächsten Tage entschied es sich, ich hatte ihn überwunden. Er brachte die Negerin wieder herauf. Ihre Haut war frisch, duftete in tiefen Tönen nach Nuß und englischer Seife, nach ihr selbst, ein schwacher Ruch nach angesengtem Horn und Verwesung. Wir blieben lange beisammen. Ich genoß meine junge, meine erste Liebe, die bis zur Frucht der Seligkeiten ausreifen durfte. Tutein hatte uns allein gelassen. Er kam erst spät in der Nacht zu uns herein, nahm Egedi, das war ihr Name, geleitete sie durch die schlafenden Straßen, während ich in meinem Bette liegenblieb und mit offenen Augen die unsäglichen Träume des süßen Fleisches träumte. Den Geschmack milder heldenhafter Traurigkeit, das Entzücken am Vorgefühl zukünftiger Freuden, die Einfälle, tiefe Wunden davonzutragen, Glieder zu opfern, dem Tod anheimzufallen, um eine Schmach auszutilgen, die der Geliebten nachgeschrien wird. Die unablässige Rückkehr des Geistes zu den unausschöpflichen Berührungen, zum Meer des Glückes, das das tierische Sich-Einanderankrallen birgt. Die helle Begeisterung beim Erschauen plötzlicher Bilder, wie ein weißer Leib sich in den schwarzen senkt, eine Verheißung, daß aller Welt der große Segen, eine Menschheit zu sein, widerfahren wird.

Nun bemerkte ich an einem der folgenden Tage, Tutein war verweint, als er die Negerin von mir fort durch die nächtliche Stadt geleitete. Er war noch immer der Vermittler zwischen ihr und mir. Ihre Wohnung wurde mir verheimlicht. Und sie bewahrte das Geheimnis so gut wie er.

Ich empfand Reue wegen seiner Tränen; aber das Gefühl war zu ungenau; es warnte mich nicht; wir trieben weiter in die Ereignisse hinein. Weit und breit zeigte sich mir keine namhafte Gefahr. Gewiß, es kam auch in mir eine Unruhe auf, die schweigsame Geliebte möchte mehr an einen Kauf als an meine Liebe glauben. Aber ich meinte mich durch Ma-Fu belehrt, daß man in der eingezäunten Welt, die der Mensch so ganz mit Geld durchflochten, die Liebe nicht mit Geiz veröden dürfe; daß die Gefühle des Herzens durch Wohlbehagen anderer Art sich nur freudiger aufschlössen. Vielseitiges Verschenken dürfe beim Gelde nicht einhalten, weil sich sonst der Beweis selbstverständlich einfinde, daß Menschenkörper wertlos seien, allenfalls noch nicht gelebte Jahre mit ein paar Münzen bezahlt würden. Mir war zu wohl, als daß ich meine Gedanken weiter schärfte. Ich rechnete aus, ich bin ein weißer Mann und habe meinen Wert, wenn sie den ihren hat. Wir sind einander gleichgestellt, wenn es zum Austrag kommt. Die meisten Brautleute betrachten einander auf diese oberflächliche oder selbstgefällige Weise. Man vermutet, angenehme Abläufe seien einem für lange Zeiten vorbestimmt, weil der Körper sich so freudvoll entfaltet. Man begibt sich des Rechtes, die widrigen Zeichen zu prüfen, weil man das Anerkennen einer Gefahr als unvereinbar mit dem Zustand der gelockerten Seele hält.

Noch ehe eine Woche vorüber war, trat die Wirtin, als wir beim Mittagessen saßen, zu uns an den Tisch. Sie schaute

Tutein mit weichen Augen an, sie gab mir den gleichen Blick, teilte gleichsam gerecht zwischen meinem Freunde und mir; doch inmitten der ausgedehnten Milde, eine Sekunde lang, gerann das Schwarz ihrer Pupillen zu einem stechenden Vorwurf.
Nach einer Weile sagte sie zu mir: »Ein anständiger Mensch vereinigt sich nicht mit Tieren!«
»Oho«, sagte ich. Weiter reichte meine Schlagfertigkeit nicht.
Sie hatte gesagt, was ihr am Herzen fraß. Jetzt entfernte sie sich schnell, damit ich nicht Gelegenheit fände, die Überrumpelung wettzumachen.
»So steht es also«, sagte ich gelassen zu Tutein.
»Sie meint die schwarze Haut«, antwortete er, »es ist ein Angriffspunkt. Die Menschen haben ihre Vorurteile.«
»Ich habe meine Überzeugung«, sagte ich eilig.
»Die anderen werden von den ihren nicht ablassen«, sagte er scheu.
»Ich muß mich auf dich verlassen können«, sagte ich beschwörend, »dann werden Beschimpfungen und Bedrohungen, ohne Schaden zu tun, dahinschwinden.«
»Ich habe es so heimlich angestellt, wie ich es vermochte«, sagte er.
»Es kommt jetzt auf deinen Mut an, nicht auf deine Schlauheit«, sagte ich.
»Ich bin nicht feige«, antwortete er, »aber das Hotel ist kein öffentliches Haus.«
»Und du bist kein Zuhälter«, schrie ich, »nur ich bin der gierige Strolch, der die schöne Ordnung eines ehrbaren Hauses stört und so zum lästigen Gast wird.«
»Ich habe dergleichen nicht vortragen wollen«, sagte er erschrocken.
Ich grollte. Zaghaft entwarf er einen unflüggen Plan, um mich aus der Schlinge eines üblen Leumunds zu befreien.
»Die Wirtin«, sagte er, »als sie jung war, hat ihre Liebe einem Burschen zugewendet, dem man einen schweren Verdacht hat anhängen können. Und nichts ist entkräftet worden, weil er die Flucht als seine beste Verteidigung wählte. Mit ihr wird man einen Vergleich schließen können, schlicht um schlicht.« Er sah mich hilflos an. »Ich werde ihr zusetzen, so gut ich kann.«

*

Drei Tage später geschah das Unglück. Es war ein sonniger Nachmittag. Egedi kam allein ins Hotel, wir hatten es verabredet. Sie trug ein gefälliges Straßenkleid, schöne braune Schuhe. Wir hatten diese Ausstattung am Tage zuvor gekauft. Es sollte nichts Fragwürdiges an ihrem Äußeren sein; weder Armut noch anrüchigen Prunk sollte man ihr vorwerfen können. Sie schritt die Treppen hinauf. Vom Fenster aus hatte ich sie schon herannahen sehen, leichtfüßig. Mit einfältigem Anstand trug sie die neuen Kleider. Manchmal schaute sie auf die Schuhe, wie ein Kind tut, das sich eines Geschenkes noch einmal mit aufmerksamen Blicken vergewissern will. Nun horchte ich auf ihre Schritte. Sie kam nur bis zum ersten Treppenabsatz. Zwei Männer packten sie, warfen sie nieder. Man zog ihr den Rock über den Kopf, um sie augenblicks wehrlos zu machen, schleifte sie bei den Armen einige Stufen hinauf. Dies Amt hatte wohl der eine der Männer übernommen. Der andere ließ einen dicken Knüppel auf ihre fast entblößten Schenkel sausen. Er schlug und schlug. Ihr muß die Haut zersprungen sein. Sie schrie. Sie schrie anfangs bei jedem Schlag. Dann noch ein Schrei, der dahinstarb. Ich stürzte aus dem Zimmer, schaute den Treppenschacht hinab. Ich sah die Lyncher bei ihrem Verbrechen. Mein Herz stand still. Ich begriff nicht, was vor sich ging. Ich taumelte. Ich faßte nach Tutein, der hinter mich getreten war. Ich gurgelte ihn an, flehte um seine Hilfe. Er jagte hinab. Zwei Stufen, drei Stufen nahm er zugleich. Als er beim nächstunteren Absatz angekommen, waren die Männer verschwunden. Und was gräßlicher war, Egedi mit ihnen. Kein Laut von ihr. Keine Spur. Unfaßbar. Ein paar Türen waren in der Nähe, aber keine schien sich geöffnet oder geschlossen zu haben. Als wenige Augenblicke später (ich war Tutein gefolgt) das Unbegreifbare mir als das Schicksal erkennbar wurde, das uns schon überholt hatte, spürte ich den Boden unter mir schwanken. Ich hörte den dumpfen Ton brandender Wogen. Ich schrie: »Egedi, Egedi!« Und danach: »Ellena, Ellena!« Ich schrie die Namen der beiden Geliebten. Ich begann an den nahen Türen zu rütteln. Sie waren verschlossen. Ich durchbrüllte das Haus. Niemand zeigte sich. Auch Doña Uracca zeigte sich nicht. Ich stürzte die Treppen wieder hinauf, wähnend, ein Grundirrtum meiner Sinne müßte mich genarrt haben. Ich durchstöberte unser Zimmer. Ich hastete am Fenster vorüber. Unter mir lag die Straße. Ich sah einen Teil der Fahrbahn und den gegenüberliegenden Fußsteig. Es war ein sonniger Nachmittag. (Es war ein sonniger Tag seit dem Morgen gewesen.) Menschen gingen vorüber und warfen Schatten von der Länge ihrer aufrechten Größe, sodaß man sich einbilden konnte, sie führen liegend dahin. Dann sah ich Egedi. Sie lief. Sie lief davon. Mit einer Hand verschloß sie sich den Mund, mit der anderen schien sie dem runden Fleisch ihrer Glutäen einen Schutz geben zu wollen. Ich stieß die Fensterscheibe ein. Ich rief ihren Namen. Sie hörte mich nicht. Und wenn sie mich hörte, so floh sie gleichwohl. Es gab keinen Irrtum, sie war es; aber sie lief davon. Ich flog die Treppen hinab. Der eine Flügel der Haustür schlug krachend gegen sein hölzernes Rahmenwerk. Ich sah in der Ferne Egedis neues Kleid. Ich riß im Laufe einen Menschen um. Ich wurde zwei oder drei Sekunden lang aufgehalten. Meine Augen mußten sich von ihrem Ziel abwenden. Sie fanden es nicht wieder. Egedi mußte um eine Ecke gebogen sein. Ich lief, so schnell ich konnte. Ich fand sie nicht mehr. Ich irrte Stunde um Stunde umher. Sie lebte, das war eine Gewißheit. Sie war den Lynchern entronnen oder freigegeben worden.

Als die Dämmerung kam, schlich ich ins Hotel zurück. Mein Geist war verwüstet. Nur die eine Begrenzung der inwendigen Folterungen: Egedi lebte. Ich vertraute meinen Augen. Ich hatte keinen Verdacht gegen Tutein, aber ich vermeinte ihn jetzt zu hassen, weil seine bloße Gegenwart mein Glück auslöschte. Er hatte Ellena ermordet, auf die Tochter Ma-Fus hatte ich verzichten müssen, und nun war dies Grauenhafte geschehen, eine Lynchung, beinahe unter meinen Augen – nur drei Stockwerke, ein Treppenschacht, drei Stockwerke hoch, hatten mich von der Richtstätte getrennt. Ich begriff nicht, warum ich mich nicht hinabgestürzt hatte. Ich faßte nicht, daß ich alles mit angesehen, ohne daß ich eine Hilfe hatte bringen können. Dies Schauspiel, drei Stockwerke unter mir – und keines Menschen wurden wir habhaft, weder der Lyncher noch Egedis. Tutein, der schneller gewesen war als ich, hatte keinen

mehr gesehen, als er unten ankam. Und ich, der Spätere, fand nur verschlossene Türen.
Wenn der Haß gegen Tutein zahm blieb, so nur, weil mich mein Zorn gegen Doña Uracca vollkommen ausfüllte. Es war einfach nicht möglich, daneben ein anderes heftiges Gefühl großzuziehen. Ich konnte Tutein also nicht mit nennenswerter Kraft hassen, weil ich Doña Uracca beschuldigte, die Anstifterin der Lynchung gewesen zu sein. In dieser Stadt der Fleischfabriken, Getreidesilos, Zuckerschnapsbrennereien und Leinölpressen, wo Neger so selten waren wie Elefanten, gab es keine Pöbelzusammenrottung gegen die Träger dunkler Hautfarbe. Diese Arbeit war bestellt. Und in Dueña Uracca de Chivilcoys mittelmäßigem Hotel war sie zur Ausführung gekommen. Sie selbst stand hinter ihrem Schanktisch und würde sagen, daß sie nichts gehört habe. Meine Raserei gegen die Wirtin war erzunflätig, blind. An ihr wollte ich mich rächen; darum mußte ich Tutein schonen. Er kam für meine Rache nicht in Betracht. Ich konnte ihn nicht beschuldigen, das Verbrechen angestellt zu haben; so war nur seine Gegenwart, seine unverrückbare Nähe ärgerlich. Er hatte auf mich gewartet. Was auch hätte er sonst anstellen sollen? Wenn er Doña Uracca nicht verprügelt hatte, mußte er auf mich gewartet haben. Er saß vor dem zertrümmerten Fenster.
»Wo wohnt Egedi?« fragte ich schroff.
»Wir werden zu ihr gehen«, antwortete er demütig.
»Wir räumen sofort das Hotel«, sagte ich.
»Wir sollten nichts übereilen«, wandte er schüchtern ein, »es ist keines Menschen Schuld erwiesen.«
Ich hörte nicht auf ihn, ich grinste ihm in die verstörten Augen. Ich warf aus Schrank und Schubladen einige meiner Habseligkeiten zuhauf, ohne sie doch geordnet oder wüst in die Koffer zu packen. Nach halbgetaner Arbeit raste ich hinaus, nahm die Treppen im Lauf. Im Gastzimmer traf ich, wie ich vermutet hatte, Doña Uracca, warf ihr eine angemessene Summe für den letzten Abschnitt unseres Aufenthaltes auf den Schanktisch. Dann begann ich zu reden. Meine Worte steigerten sich, überschlugen sich. Ich schämte mich nicht, wie ein unerzogener Mensch zu brüllen. Ich beschuldigte sie, ihren Geliebten von einst, einen Mörder, gedungen zu haben, als Lyncher aufzutre-

ten. Ich stieß zu; sie war wehrlos gegen einen schlimmeren Verdacht: – Sie hat ihrem Bettburschen beigestanden, das abscheuliche Verbrechen vor zwei Jahrzehnten auszuführen, mit gutem Rat, als Horcherin, als Stubenmädchen, das einen fetten Viehhändler bediente, wie es ihm behagte. Sie hat ihren Lohn bekommen, Anteil an der Beute. Schamlose Hehlerin, in der sich nichts sträubte, Eigentümerin des Hotels zu werden, in dem sich die Gemeinschaftstat von Mord und Raub zugetragen. – Was sich vor wenigen Stunden im Treppenhaus eben desselben Hotels ereignet hatte, wenn sie es nicht wußte, jetzt erfuhr sie es in dröhnender Schilderung.

Sie schwieg. Sie strich das Geld ein. Ich verließ die Gaststube.

Jetzt packte ich meine Koffer. Tuteins Sachen ließ ich unberührt.

Er fragte mich:

»Wohin ziehst du?«

»In das nächste Hotel um die Straßenecke.«

Er machte keine Anstalten, mir zu folgen. Er stand gelähmt wie ein Gerät im Zimmer. Sein Gesicht hatte keinen Ausdruck, es war wächsern. Ich hatte keinen Anhaltspunkt, ihn zu verdächtigen. Ich spürte nur, ich verabscheute ihn, weil er da war, weil mit ihm, als unsichtbarem Zwillingsbruder, das Verhängnis geboren worden war. Und ich war hinzugekommen, mit hineingeworfen in diese Geburt, ein Teilhaber, ich weiß nicht welcher Verstrickungen. Ich kümmerte mich nicht um ihn, legte meine Schritte um ihn herum. Plötzlich schlug ich die Tür auf, ergriff mein Gepäck und ging grußlos fort.

*

Ich mietete mich in dem Hause ein, das ich Tutein bezeichnet hatte. Ich verbrachte die nächsten Stunden im Zustande eines niedrigen Rachedurstes. Auf Augenblicke kamen mir die Wahrnehmungen meiner Ohnmacht, meiner Ratlosigkeit, meiner Verlassenheit, meiner Sehnsucht nach Egedi. Dann war ich bereit, zu Tutein als meinem Vermittler zu laufen. Aber ich verjagte die brünstige Trauer immer wieder und stürzte mich in die schwarzen Vorstellungen einer unmenschlichen Vergeltung.

Kurz vor Mitternacht erschien Tutein. Er trug nichts seines Gepäcks bei sich. Darüber verwunderte ich mich. Er sagte:

»Wir wollen zu Egedi gehen.«
Ich antwortete: »Ja.«
Wir machten uns auf, ohne der späten Stunde zu gedenken. Die Straßen waren menschenleer. Wir kamen an den sogenannten kleinen Hafen, wo Kai, Eisenbahn, Fahrstraße, Fußweg und eine Unzahl von Läden, Kneipen, Speichern, Missionshäusern, Schiffsmaklerkontoren und Ausrüstungsgeschäften zu einem Knäuel menschlicher Einrichtungen zusammengeknotet waren. Jetzt lag der Schauplatz der vielseitigen Tätigkeit still, feierlich in die Nacht eingebettet. Grüne und rote Ampeln bezeichneten hie und da die Orte, wo jedermann für gutes Geld ein unvollkommenes Vergnügen einhandeln konnte, eine Beruhigung, die eine kurze Strecke der elenden Zeit verwischt. Kellergewölbe, in denen die Vorsteher der Schanktische Wein, Bier und Schnaps an die Kunden aushändigten, ganz ihren Wünschen untertan, solange sie bezahlten. Hinterzimmer, in denen die Lobgesänge angestimmt wurden, deren Fleisch und Seele fähig sind, wenn das Vergessen sich über Mühsal und Arbeit senkt. Der Kehricht blendet den Diamanten nur für eine Weile. Die Fähigkeit zum Leuchten bewahrt er auch im Schmutz.
Hie und da an den Fronten der Häuser ein erleuchtetes Fenster, unwirklich aus dem Schwarz der Nacht herausgeschnitten.
Wir stolperten über das Pflaster, bogen in eine Seitengasse ein, die steil einen Hügel hinaufführte. Nach geraumer Zeit lag die Stadt seitlich zu unseren Füßen. Die Häuserreihen hatten sich aufgelöst. Eine ländliche Umgebung tat sich auf. Den Weg rahmten grasbewachsene Gräben ein. Felder legten sich heran. Hin und wieder erkannte man die Frucht, die sie trugen. Hoch aufgeschossener Mais mit üppigen Kolben. Der beißende grüne Duft großblättrigen Tabaks. Den kühlen medizinischen der blauen Luzerne. Weizen und Leinsamen. Der Wald von Sonnenblumenstauden, die den schweren, fast reifen Kopf des körnerreichen Fruchtstandes gesenkt hielten. Dazwischen Wiesen, über die sich ein feuchter weißer Schimmer gezogen hatte. Doch nur das unmittelbar Nahe war zu erkennen; das Ferne lag als Berg und Tal einer Hügelkette da.
»Wir sind außerhalb der Stadt«, sagte ich zu Tutein, um mich

mittels seiner Antwort zu vergewissern, daß es seine Absicht war, in dieser ländlichen Gegend umherzustreifen.
Er bestätigte mir diese Feststellung. Wir schritten rüstig weiter, bis von der Stadt und ihren Ausläufern nichts mehr wahrzunehmen war. Hinter einer Böschung sprang uns ein Lichtschein an, der durch das Fensterpaar eines Hauses drang. Es war ein zweigeschossiger Bau; das untere Stockwerk wurde aus weiß getünchten Mauern gebildet, das obere war hölzernes Drempelwerk mit einem ziemlich flachen Satteldach. Der Grundriß mußte etwa quadratisch sein. An einer der Seiten war ein von Plankenwerk umgebener Hofplatz angelegt. Durch einzelne Ritzen der Bohlen drang ebenfalls Licht. Man mußte vermuten, auf dem Hofplatz brannte eine Lampe. Ich verwunderte mich sehr. Ich schätzte, es mußte weit nach Mitternacht sein.
»Hier ist es«, sagte Tutein.
Ich hatte es erwartet. Ich konnte mir keine andere Erklärung für die nächtliche Erleuchtung erfinden, als daß Egedi hier wohne.
Tutein schritt mir voran. Er öffnete ein Tor im Plankenwerk. Wir traten ein. Auf dem dunklen Geviert, recht in der Mitte, flackerte eine Sturmlampe. Neben der unruhigen Flamme auf dem Boden stand ein gebrechlicher Stuhl. Auf dem Stuhl saß eine Frau und sog an einer stark qualmenden selbst gedrehten Zigarette. Die Frau war ungewöhnlich dick. Ihre nackten Arme quollen aus den kurzen Ärmeln einer grauen Bluse hervor. Und die Brüste des Weibes, kaum durch das Baumwollgewebe gestützt, glichen zwei aufgepumpten Tierblasen. Die Frau schien keinerlei Beschäftigung zu haben, außer zu sitzen und zu rauchen.
»Das ist Egedis Mutter«, sagte Tutein leise zu mir.
Ich erschrak so sehr, daß ich mitten im Ausschreiten meine Beine vergaß und einen Fehltritt tat, der mir so heftigen Schmerz bereitete, daß ich das Gesicht verzog und stehenblieb. Tutein schaute sich nach mir um.
»Das Weib ist ja hellhäutig«, schrie ich überlaut, befeuert durch das Ungemach des Augenblicks, »allenfalls zu einem Viertel Indianerin, kein Negerblut.«
»Stiefmutter oder Pflegemutter«, begütigte Tutein.

Das Weib lachte über unser Gezänk, dessen Inhalt ihm verschlossen blieb.
»Wo ist Egedi?« fragte sie, »wo habt ihr das Kind versteckt? Wem habt ihr sie verhandelt?«
Sie lachte, erhob sich von ihrem Stuhl und schritt, schneller als ich es ihr zugetraut hatte, zum Hoftor, legte einen hölzernen Riegel vor und verbolzte ihn umständlich.
»Das kostet eine schöne Extrasumme, jeje. Der Friedrich wird es eintreiben. Von zweien wußten wir. Jetzt seid ihr zwei und bringt die Liste der Kunden.«
Sie wollte sich vor Lachen ausschütten.
Ich fragte in die Luft hinein: »Ist Egedi hier?«
»Wie sollte sie wohl? Wie sollte sie wohl? Ist sie euch davongelaufen?« Das Lachen schwand dahin.
Ich stieß Tutein in die Seite. Er sagte, was zu sagen war, daß wir Egedi seit Stunden vermissen, daß wir auf der Suche nach ihr sind, daß sie hier sein muß. – Daß Lyncher sie mißhandelt hatten, er verschwieg es noch.
Das Weib schrie drohend gegen das Haus: »Friedrich, Friedrich!«
Ein Mann trat aus der Tür. Er stand hoch aufgeschossen gegen die grauweiße Mauer des Hauses. Er hatte hellblondes Haar, wasserhelle Augen. Er war glattrasiert, trug ein weißes Hemd, Reithosen, Wickelgamaschen und feste Nagelschuhe. Ich würde das Alter des Mannes auf dreißig Jahre geschätzt haben; doch es gab in seinem Gesicht etwas, das diesem Urteil zuwider war: vom linken Auge aus verliefen zwei tiefe Falten über Wange und Schläfe. Die eine verlor sich im Haar, die andere auf halbem Wege zur Ohrmuschel. Furchen einer schweren Nierenkrankheit oder eines unvorstellbaren Lasters.
»Der Vater«, sagte Tutein.
Ich gab auf diese unsinnige Belehrung keine Antwort. Der Mann mußte in diesem Lande ein Fremder sein wie wir.
»Die ehrenwerten Herren haben Egedi verschleppt«, schrie die Frau.
Das Gesicht des Mannes überflogen Schatten. Die Furchen neben dem linken Auge gruben sich tiefer. Er antwortete nicht sogleich, und als er sich zu einer Äußerung entschlossen hatte, brachte er sie ruhig vor.

»Das wird viel Geld kosten«, sagte er.
Ich begriff sogleich, es kam nicht auf die Worte an, die der Mann sprach. Sie entsprangen gleichsam einem Wesen, das gar nicht gegenwärtig war. Anwesend war ein Mann, dem die Sprache fehlte, dessen Antlitz wie eine Flamme züngelte. Ich wich einen Schritt zurück.
Der Mann schaute mich mit unruhigen Blicken lange an.
»Unbekannt«, sagte er leise und hielt mich weiter mit seinen Augen fest.
»Es riecht nicht nach Polizei«, ereiferte sich die fette Frau, »die Burschen stottern wie alle, die von jenseits des Meeres kommen.«
Die Belehrung schien den Mann zu beruhigen. Er wandte sich Tutein zu.
»Wir hatten einen Vertrag«, sagte er, »jede Nacht sollte mir Egedi zurückgeliefert werden. Auf den Schlag zwei Uhr als spätester Stunde. Wo ist sie?«
»Ihrer Wege gegangen«, sagte Tutein kühl.
»Sie kann nicht ihrer Wege gegangen sein. Sie hat keine eigenen Wege«, sagte der Mann, »außerdem waren Sie verpflichtet, sie zu begleiten. Außerdem hatte ich sie hypnotisiert, daß sie zurückkommen mußte.«
»Ich habe mich zu dem einen und anderen verpflichtet«, sagte Tutein, »nicht aber dazu, die Straßen mit einem Netz abzusperren, daß man sie jederzeit unter den Menschen herausfischen kann.« –
Er wollte weitersprechen. Aber der Mann schnitt ihm das Wort ab, indem er sagte:
»Ich glaube gar nichts. Es ist ja selbstverständlich, daß man immer nur Lügen bekommt. Machen Sie mir lieber Ihre Vorschläge.«
»Ich habe keine Vorschläge zu machen«, sagte Tutein, »ich bin der Überzeugung, daß Egedi sich in Ihrem Hause aufhält, zumal sie unter dem hypnotischen Zwang stand, hierher zurückkehren zu müssen, wie Sie einräumen.« –
Das fette Weib lachte laut auf und gurgelte dabei: »Mein Friedrich, mein Friedrich, das bieten dir diese jungen Leute!«
Tutein fuhr fort: »Das Mädchen befindet sich in einem beklagenswerten Zustand, den ich jetzt nicht näher beschreiben will.

Ich will, genauer gesagt, einen gewissen Vorfall, der sich heute zugetragen hat, nicht erörtern, jedenfalls nicht in diesem Augenblick; ich möchte vielmehr das erste Wort in dieser Sache von Ihnen hören.«
»Was für Reden sind das?« schrie die Frau.
»Ungewisse Reden«, sagte Tutein, »aber ausreichend für den, der nicht unschuldig ist.«
Ich beherrschte mich nicht länger. Ich glaubte zu erkennen, Tutein war dabei, in eine Sackgasse zu geraten. Wenn wir den hageren Mann beschuldigten, einer der Lyncher gewesen zu sein, durften wir auf keinen Vorteil mehr hoffen. Jedenfalls gab es keinerlei augenscheinliche Beweise dafür. Welches Geschäft sollte sich daraus herleiten lassen, ein Negermädchen, das ihm bereits Gewinn brachte, womöglich zum Krüppel zu schlagen? Und wollte man damit rechnen, die Vernunft dieses Mannes ist auf schiefer Bahn, er zerstört, wo es ihm bekömmlich wäre zu pflegen, hätte jedes Ergebnis, durch Überlegung gefunden, falsch sein müssen. Er entwaffnete durch sein Verhalten den Verdacht. Während Tutein die Rätsel aufgab, die die Frau in Erregung versetzten, beschlich das Gesicht des Mannes eine tiefe Müdigkeit. Es erlosch gleichsam vor Langweile oder gesteigertem Unwillen, das Geschwätz anzuhören. (Nicht zu ergründen, auf welche Weise Egedi in die Gewalt dieses Menschen geraten war.) Sein Untertauchen in ein zeitloses Nichts erschreckte mich gleichermaßen wie das verzehrende Flackern seiner Haut vor wenigen Minuten. Ich hielt nicht an mich und erzählte den Überfall auf Egedi, daß fremde Männer sie geschlagen, daß man ihre Entführung versucht, daß sie aber auf die eine oder andere Weise entkommen sei, jedenfalls die Straße erreicht habe, sich eilends davongemacht. –
Die Frau stieß einen langen klagenden Laut aus. Aber es brauchte geraume Zeit, ehe sich die müde Vereisung aus dem Gesicht des Mannes löste. Er erwachte wie zu einem lästigen Tagewerk.
»Sie wird in den Bergen sein«, sagte er gelassen, »ihr Vater wird sie geholt haben. Ein stämmiger Bursche, aber schwarz wie Kohle.« Er sprach wieder sehr leise, schaute mich lange an. »Ich glaube gar nichts«, fügte er hinzu, »selbstverständlich Lügen, das Ganze. Erstens ist dem Jimmy ein Arm gebrochen

worden, was ich weiß, weil ich ihm die Knochen eingeschlagen habe. Zweitens lyncht ein Nigger nicht seine schwarze Tochter, außer, er liebt sie mehr als sich selbst. Und das ist zu bezweifeln, weil er sie mir für eine angemessene Summe zur Ausbildung überlassen hat. Daß ich ihm später ein Ohr abbeißen und den Arm zertrümmern mußte, ist nur ein Zwischenfall, der nichts mit dem Herzen zu tun hat. Drittens, man kann sie nicht zurückholen, ohne vorher diese Bestie abgeschossen zu haben.«
»Ich werde zu ihm gehen«, sagte ich.
Er streifte mich mit einem verächtlichen Augenaufschlag, schnippste mit den Fingern.
»Ich habe keine Tinte gesoffen«, erklärte er; »ich werde unbegabte Grünschnäbel nicht in meine Geschäfte einweihen. Die Herren haften für den Schaden, das ist einfach genug.«
»Wir sind nicht hierhergekommen, um mit Ihnen zu handeln, sondern um Egedi zu suchen«, sagte ich laut.
Die fette Frau begann zu weinen. Sie sagte dabei: »Mein Friedrich, mein Friedrich.«
»Weshalb Sie gekommen sind, kümmert mich nicht«, sagte der Mann, »aber ich werde Sie beide mit einer Gehirnerschütterung auf die Straße legen, wenn Sie mich weiter belästigen.«
Auch diese Anrempelung sagte er leise. Indessen bereitete sich in dem langen Körper ein Ausbruch vor; es war, als ob sich ein Gift unter der Haut sammelte. Eine furchtbare Anspannung prägte jetzt das aschgraue Gesicht. Ich machte für mich die Rechnung auf; ich war dem Manne an Körperkräften unterlegen, mir fehlte jede Erfahrung beim Austrag eines Faustkampfes. Ich nahm mich zusammen, zupfte Tutein am Ärmel, sagte:
»Wir wollen jetzt gehen.«
Tutein streifte meine Hand ab, spreizte die Beine. Ich sah, der Mann schritt mit erhobenen Armen auf mich zu. Tutein sprang vor und schlug ihm eine geballte Faust gegen den Bauch. Der Mann hielt im Schreiten inne, wandte sich mit aufgerissenen Augen dem neuen Gegner zu; aber er griff nicht an, er schwankte. Ein zweiter Faustschlag traf ihn mitten ins Gesicht. Ich fühlte plötzlich, die Frau packte mich rücklings, warf mich zuboden, war im nächsten Augenblick mit ihrem Gewicht über mir. Offenbar handelte sie nach einem bestimmten Plan und

erwartete die Unterstützung des Mannes im nächsten Augenblick. Da sie ausblieb, gewann ich Zeit, mich soweit zu befreien, daß ich meine Fäuste gebrauchen konnte. Ich hämmerte gegen das nachgiebige Fett. Ich richtete nicht sehr viel aus, weil ich, von einem anerzogenen Vorurteil gegängelt, diesen Zweikampf mit zuviel Zurückhaltung ausfocht. Schließlich begriff ich, daß ich auch dem Weibe unterliegen würde. Da wählte ich mir ihre tief ins Fett gebetteten Augen als Ziel. Das half. Ich bekam die Füße frei, setzte ihr ein Knie zwischen die aufgeschwemmten Brüste. Dann stand ich.

»Jetzt wollen wir gehen«, sagte Tutein.

Der Mann war am Boden. Aus den Naslöchern floß ihm in zwei Strömen Blut. Das Weib richtete sich halb auf, überblickte den Kampfplatz und jammerte vor sich hin: »Mein Friedrich, mein Friedrich.«

Tutein machte sich am Tor zu schaffen. Nach einigen Versuchen gelang es ihm, den Bolzen zu lösen.

»Wir waren eingesperrt«, sagte Tutein.

»Ich möchte noch ins Haus, um mich zu vergewissern, daß Egedi nicht hier ist«, sagte ich.

»Du hast keinen Verstand«, sagte Tutein, »wenn wir laufen, können wir heil davonkommen. Wenn dem Mann die Därme zu brummen aufhören, wird er uns ein paar Kugeln nachschicken.«

Wir liefen. Ich merkte, daß mir die Zähne aufeinanderschlugen.

*

(Er war ein anderer geworden. Meine Nähe hatte ihn verändert, zwei Städte hatten ihn verändert. Der Viehmarkt, das Hocken in Gastwirtschaften, das Bewußtsein seiner Schuld, die langsame Auseinandersetzung mit Gott, das letzte späte Wachstum seines Körpers. Er war nicht nur schlagfertig, er war auch gelehrig. Die Gespräche, die wir miteinander hatten, glichen oft einem Frage- und Antwortspiel. Seine Wißbegier war niemals ganz zu befriedigen. Kam es dazu, daß er die eine oder andere Kenntnis aus unserer Unterhaltung erwarb, benutzte er sie sogleich, um neue gedankliche Kombinationen damit anzustellen. Er las viel. Was an Büchern ihm in die Hände kam, er konnte den Inhalt verwerten und selbst am Unsinnigen seinen Gesichtskreis erweitern. Er hatte die Gabe, die Schlacken, die in den gedruckten Zeilen waren, beiseite zu lassen. Er war hellsichtig für das Wesentliche. Er scheute keinerlei Mühe. Ich hatte Grund, mich immer wieder zu verwundern, mit welcher Besessenheit er ungewohnten Betrachtungen nachging. Wenn er auch zumeist mein Schüler war, so fühlte ich doch Neid und Beschämung, wenn ich die einfältige, unerschöpfliche Kraft des sich Aneignens, des Behaltens und sich Erinnerns, des schöpferischen Zusammenfügens an ihm beobachtete. Die oberflächliche Gelehrsamkeit, die mich Jahr um Jahr durchsetzt und mich schwächer gemacht, mich meinem Selbst entfremdet hatte, an ihm gedieh sie wie eine selbständige Einsicht, die seine Persönlichkeit stärkte, seine Seelenkräfte förderte und seinen Karakter uneinnehmbar machte. Er wuchs. Die Auswahl des Wissens, er vermochte das Stückwerk zu einer Einheit zusammenzubringen. Er konnte das Mosaikspiel aus Instinkt, Erinnerung, Erkenntnis und Beobachtung wie ein Meister handhaben. Auch bei heftigen Wortgefechten berief er sich nicht auf unechte Überzeugungen; seine Rede hatte nichts Anmaßendes und Angelerntes. – Wie sehr habe ich ihn oft beneidet! Mit wieviel Stolz erfüllte mich sein ungezwungenes Wesen! Wie mißtrauisch war ich immer wieder gegen die Leichtigkeit, mit der ihm der Austausch von Gefühlen und Gedanken gelang! Am Ende beugten sich meine Zweifel seinem Verhalten. Die tätigen Kräfte, die sich seiner angenommen hatten, erweiterten ihn unablässig. Er hatte zugenommen. Er nahm beständig zu. Die Fortschritte wurden mir immer erst bewußt, wenn sich eine Krise unserer bemächtigte und das Verhängnis zwischen uns ausgehadert wurde.)

Ich begann:

»Wir haben einiges erfahren, aber nicht das Ganze.«

»Es ist das Wesen der Ereignisse, daß nur wenige ihrer Kanten dem Menschen sichtbar werden. Jedem wird eine andere Schauseite geboten.«

»Nun ja, wir empfangen Lehren. Das Meiste der Weisheit vergessen wir wieder, als ob wir die Schulbank niemals verließen. Und das, was haften bleibt, ist uns nicht gegenwärtig,

wenn wir in der Prüfung stehen und peinlich befragt werden. – Einige Auserwählte sind furchtlos und beschämen mit ihrer Schlagfertigkeit die Hüter der Erfahrungen.«
»Ich meine, die Welt, in der wir leben, besteht aus durchsichtigen Stoffen. Wir durchdringen vielleicht das Wichtige, das für uns keine Gestalt hat, und ein nebensächlicher Zug des Geschehens gerinnt vor unseren Augen zu etwas Festem, das wir fassen können und in unserer Erinnerung behalten. Die große Welt des Durchsichtigen ist nicht für unsere Sinne. Alles ist nur Auswahl, eine höchst ungeordnete; unser Tun, unsere Gefühle, unser Wissen. So ist es im Großen und Kleinen. Welche Straßen einer Stadt man durchschreitet, auf welche Stühle man sich setzt, an welchen Menschen man mit den Augen hängenbleibt, welche Bücher einem unter die Hände kommen, ob man ein Zuhälter oder ein Gelehrter wird. Jeder sieht nur einen Weg, den er gehen kann, er sieht die anderen nicht, die für seinesgleichen offen sind.«
»Und die Bequemen, die man die Frommen nennt, schon im Vorwege blind, schließen auch noch die Augen, erledigen die Bücher, indem sie ein Buch erfinden, sich der Autorität verschreiben und die Qual, das Unglück und das Gemetzel aus einer weisen Güte erklären, die jenseits der Sterne und jenseits der Zeiten thront. – Aber nicht davon wollen wir sprechen.«
»Ich weiß nicht, wovon wir sprechen wollen. Wir rennen davon, weil wir die Kugel eines Mädchenhändlers fürchten, eines kranken Europäers, einer Maschine aus Fleisch, die falsch funktioniert, wie wir meinen, die in ihrem Verhalten abwegig ist, gefährlich, herzlos. Wir meinen das, und so sieht es aus. So sieht es für uns aus. Aber es ist nur unser Erlebnis. Es ist nicht das Erlebnis Egedis, denn sie hat sich niemals über den Mann beklagt. Vielleicht steht es jetzt so, daß sie sich über uns beklagt, weil ihre Bekanntschaft mit uns ihr die Züchtigung durch die Lyncher eingetragen hat.«
»Wir kommen, wenn wir uns so in die Weite verlieren, an kein Ziel. Vielleicht sollen wir an kein Ziel kommen. Jedenfalls, wir sind nicht auserwählt. Und darum hat die Vorsehung mit uns nichts anderes vor, als uns herumzujagen, bis wir erschöpft ins Grab sinken. Jeder muß das Leben, das ihm geschenkt worden ist, auf die eine oder andere Weise zuende bringen. Es wird

durch keine Überlegung abgekürzt, es reicht immer von der Geburt bis an den Tod. Der Besitzer eines atmenden Körpers mag denken oder anstellen was ihm einfällt, darüber grübeln, ob er das große Geschenk, dazusein, willkommen heißt oder widerwillig vertut; das darf er, das ist sein einziges Recht.«

»Du schweifst weiter und weiter.«

»Kann sein. Ich suche nach einem Punkt, wo ich haltmachen kann, um dann zu sagen: so ist es. Einstweilen ist nichts so, wie es ist, das heißt, es muß nicht so sein, wie es scheint, es ist einfach noch schlimmer, als man es sich ausmalt. In jeder Wirklichkeit, und wenn's auch nur die meine ist, fallen wir schon ins Bodenlose. Und mit uns stürzen die anderen Gemetzelten. Die Schweine, die Rinder, die Schafe, die Fische, die Käfer, die Menschen, ein ganzer berstender Stern.«

»Wir gehen in einer milden Nacht auf einer ländlichen Straße.«

»Das bemerkst du zufällig, während es mir entgeht, genauer gesagt, bis jetzt entgangen war. Du nimmst dir eine Wahrnehmung, ich mir eine andere. Da sind wir wieder beim Anfang. Wir erleben eine bescheidene Auswahl aus den möglichen Erlebnissen. Es gibt Menschen, die sind dazu berufen, immer die prächtigste Schauseite, die bewegenden Kräfte, gleichsam den Kern der Abläufe zu sehen. Ihnen scheint sich der Sinn der Schöpfung zu enthüllen, und sie verfallen oft genug darauf, sich für Anwälte Gottes zu halten. Ihr Leben geht dahin voller Spannung, in Fülle, brausend, schillernd, von keinem Stillstand bedroht. Wollte man ihren Aussagen glauben, wäre das menschliche Dasein eine überaus bekömmliche Schule, in der man von der Dummheit zur Gelehrsamkeit aufsteigt, von Erfolg zu Erfolg kommt, von der Armut zum Wohlstand, von der Kindheit zum Ruhm. Aber es ist nur eine enge Auswahl, die nicht von den erbärmlichen Bildern zerschmettert wird. Es wird überhaupt keine Behauptung zerschmettert. Die Worte sind ungeheuer mächtig. Es sind andere, die feststellen, die meisten Menschen müssen sich mit dem Aufleuchten der dürftigen und schmutzigen Schichten begnügen. Vor ihren Blicken zerfällt die Schöpfung in gut und böse. Und sie leben in der Gewißheit, daß es Strafe und Vergeltung gibt, daß die Dummheit eine Tugend und die Ehrbarkeit Ziel und ausreichender Lohn zugleich sei. Sie werden nicht in die Begeisterung der

Lobgesänge hinausgestoßen. Sie verharren in der Armut, in der Schalheit, in der Langweile.«

»Ich kann Steine hinzutragen, ich kann etwas davon nehmen, es verändert sich damit nicht viel. Ich kann auch sagen, du bist von trüben Stimmungen heimgesucht, und die Schuld fällt auf mich, weil ich Egedi liebe und der Ablauf dieses Tages sich mit ihrem Schicksal befleckt hat. Wir betrachten ein Flechtwerk, das eine folgt aus dem anderen, weil die Zeit ein langer Faden ist. Diese Nacht ist anders, als wir sie uns erwartet hatten, sofern wir uns mit einer Erwartung abgegeben haben. Es ist für mich plötzlicher als für dich, denn mir war das Landhaus, dem wir jetzt fliehen, bis vor kurzem völlig unbekannt.«

»Wir sind ein paar Taugenichtse, und es hat seine Bewandtnis mit uns. Man wird aus unserem Tun und Lassen keine Erkenntnis für die Menschheit herausdestillieren können. Ich erwarte mir von der Zukunft nichts. Die Zeit wird vergehen, das kann ich von den Zeigern einer Uhr lernen. Die Tage werden sich aneinanderreihen, und bei irgendeinem Zeitpunkt werden sie aufhören, sich für uns bereitzustellen. Wir werden in die Zeit eingehen, die uns vor der Geburt schon so gut mit Schlaf bedient hat. – Aber da gibt es diesen Mädchenhändler und das fette Weib. Gewiß, man kann einwenden, auch sie sind Taugenichtse und eine Landplage. Egedi, ein Negermädchen, dessen Vater schwarz wie Kohle ist, das an Männer verhandelt wird, nachdem es ein paarmal menstruiert hat, man kann ihren Wert nicht beweisen. Man kann den Wert eines einzelnen gar nicht beweisen. Man kann ihn ansetzen, wenn man den Mut zu einer Überzeugung hat. Und die einen entschließen sich in der Tat dazu, von den Seelen zu reden. Sie vergessen zwar die Tiere. Immerhin, sie gewinnen eine Grundlage für den Wert der Menschen. Eine unsichere. Ihre Skala ist es, die uns verächtlich von Taugenichtsen und menschlichen Landplagen sprechen läßt. Vielleicht ist es besser, wenn man von den Gruppen spricht. Arbeiter. Bergwerksarbeiter. Kohlenbergwerksarbeiter. Kohlenbergwerksarbeiter unter Tage. Das ist eine große Gruppe. Eine Auswahl, abgegrenzt durch ihre Beschäftigung. Sie bringen ihr Leben zuende.«

»Du meinst, es ist nicht erbaulich.«

»Ich wollte ausdrücken, diese Gruppe von Menschen würde

nicht in dieser Nacht, um ein Negermädchen zu suchen, zu einem Mädchenhändler vor die Stadt traben. Sie würden in ihren Schacht hinabgestiegen sein.«

»Egedi suchen, das würden andere Menschengruppen gleichfalls nicht tun. Die Priesterschaft der Welt würde auch nicht in dieser Nacht, um eines Negermädchens willen, zu einem Mädchenhändler vor die Stadt traben. Sie liegt in ihren Betten.«

»Vielleicht würde diese Gruppe es dennoch tun, um eine eingebildete Seele zu retten; sie würde es aus einem anderen Grunde tun als wir. Aber sie würde mit der Gruppe der Kohlenarbeiter der gleichen Meinung sein, daß es sich um eine Hure handelt.«

»Oho.«

»Du aber meinst, es handelt sich um die Liebe.«

»Und was meinst du?«

»Ich gehöre zu den anderen. Aber als dein Sklave bin ich dein Echo.«

»Deutlicher konntest du nicht sagen, daß wir Toren sind. Es läßt sich einwenden, daß ein Priester und ein Kohlenarbeiter aus Liebe zu einem Negermädchen, uns gleich, gleichwohl vor die Stadt hinaustrabt.«

»Nun sind wir wieder bei den Taugenichtsen und Landplagen. Wir können feststellen, es ist so, wie es ist. Seit unserem Erwachen heut früh ist ein Tag verronnen und ein Teil der Nacht dazu, und Tag und Nacht sind voller Ereignisse gewesen. Und wir haben unseren Teil zugewiesen bekommen. Und es war ein beträchtliches Maß. Und wir stehen vor der Vergangenheit und erkennen weder ihren Sinn noch ihre Wirkung auf die Zukunft, weil uns ein paar zufällige Beobachtungen ausfüllen und alles andere uns entgeht. Und es gibt schon keine Ähnlichkeit mehr zwischen der absoluten Wirklichkeit und ihrem Widerschein in uns. – Warum eigentlich bringen wir uns außer Atem? Die Gefahr ist vorüber.«

»Ich habe nicht an Gefahr gedacht. Ich habe an Egedi gedacht. Ich bin noch nicht dazu gekommen, die Nutzanwendung aus all der Weisheit zu ziehen, die wir uns vorgeschwatzt haben: daß du mehr vom Schicksal Egedis weißt als ich. Du hast andere Gedanken von den Zusammenhängen, eine andere Vorstellung von ihrem Vater, dem der Arm gebrochen wurde, ein

Ohr abgebissen, und von ihrer Erziehung, die der blonde Europäer vorgenommen hat. Ich habe noch niemals daran gedacht, daß sie menstruiert hat, und der Handel, von dem wir so oft gesprochen haben, ist für mich ein leichtes Wort gewesen, während es, ich begreife es allmählich, doch so schwer wiegt wie ein Urteil, das einem Menschen das Leben abspricht. Dir muß der Mädchenhändler zu irgendeinem Zeitpunkt als ein umgängiger Mensch erschienen sein, denn sonst wären wir heute nicht in Gefahr gekommen. Du bist Nacht für Nacht bis an sein Haus gegangen, hast vielleicht jedesmal deinen Fuß über die Schwelle gesetzt. Und das fette Weib hat dir Gelegenheit gegeben, das Lachen, das sie immer bereit hat, als eine Frucht der Einfalt oder Gutmütigkeit erscheinen zu lassen. Du hast ein solches Wissen von diesen Sachen, daß du mein Lehrer werden kannst. Und du wirst verstehen, daß ich begierig bin, etwas zu erfahren.«

»Es ist wenig.«

»Das entscheidest nicht du. Wer die Kenntnisse hat, dem erscheinen sie immer gering, weil er empfindet, was ihm fehlt, um klüger zu sein. Ich frage also.«

»Ich hätte mir schon früher überlegen können, daß eines Tages deine Neugier erwachen würde.«

»Ich bin bis jetzt mit dem zufrieden gewesen, was mir freiwillig angeboten wurde. Nun dürstet mich nach deinen Erlebnissen, weil meine gefährlich bedroht sind. Daß du dich zu den anderen zählst, es ist schon zwischen uns ausgemacht. Daß du mir die Brunst mit Gestank hast vergiften wollen, wir haben uns schon am ersten Tage darüber gezankt.«

»Du nimmst es, wie es in dir eingegangen ist.«

»Ich nehme es mit meinen Sinnen in menschlicher Unvollkommenheit. Wir sind noch immer nicht ineinander verwachsen, es sind unerfüllte Wünsche. Wir kennen uns nur von ungefähr, wenn es uns auch manchmal geschienen, als hätten wir in einem süßen Rausch, bei einem kühnen Opfer die Siegelabdrücke unserer Seelen vertauscht. Wir sind die zwei geblieben, die wir immer waren. Wir sind einander verläßlich, soweit Menschen verläßlich sein können. Wenn ich verlange, du sollst mir deine Hand geben, abgeschlagen, wahrscheinlich, ich erhalte sie, nach mancherlei Murren, nachdem ich dich mit guten

und schlechten Gründen überwunden und die Lügenwahrheit beigebracht, daß gerade diese abgeschlagene Hand unserer Freundschaft angemessen, daß ich diesen und keinen anderen Beweis brauche, um unwiderruflich zu erfahren, daß du mir ergeben bist, mein Sklave, wie du sagst. Es ist also mancherlei zwischen uns sicher. Und das übrige muß sich fügen. Das ist so gut und so schlecht wie es sein kann. Das ist alles höchst absonderlich, werden die anderen sagen. Es ist so gekommen, unausweichbar, werden wir sagen, wenn wir uns noch einmal verteidigen müßten. – Ich frage also.«
»Es kommt nichts Gutes dabei heraus.«
»Gleichviel. Ich frage. Und hier ist die Einleitung: mich verlangte nach einer Negerin. Ich wollte nach Afrika. Du wolltest nicht nach Afrika. Du wolltest nicht, daß mich nach einer Negerin verlangte. Aber mein Verlangen, so schien dir, war stärker als dein Widerstand.«
»Man kann es so ausdrücken.«
»Wie fandest du Egedi?«
»Ich suchte sie nicht, ich fand sie, und nachdem ich sie gefunden, wurde mir erst klar, daß dein Verlangen stärker als mein Widerstand. Hätte ich sie nicht gefunden, wäre mein Widerstand stärker als dein Verlangen gewesen.«
»Sie lief dir über den Weg. Womöglich bot sie sich dir an.«
»Sie bot sich mir nicht an. Sie stand plötzlich da, wie die Figur in einem Drama, die der Dichter zur Überraschung der Zuschauer plötzlich auf die Bühne treten läßt, und die sogleich Worte spricht, die niemand erwartet hat.«
»So sagte sie etwas.«
»In der Tat. Sie sagte: ›Kennen Sie Herrn Friedrich? Er war soeben an meiner Seite, und jetzt ist er fort.‹ Ich antwortete, daß ich ihn nicht kennte, und sie beschrieb mir den blonden Mann mit den wasserhellen Augen, den du inzwischen kennengelernt hast. Und sie sagte, nachdem sie nochmals nach ihm gespäht hatte, so müsse sie den langen Weg allein nach Hause gehen. – Da erbot ich mich, sie zu begleiten.«
»Ein guter Anfang.«
»Jedenfalls bereitete er keine Mühe.«
»Du gingst an ihrer Seite den uns beiden jetzt bekannten Weg.«
»Er war lang genug, daß ich das eine und andere Gespräch

versuchen konnte. Schließlich war ich frech genug, sie mir genau zu betrachten.«
»Du fragtest sie nach ihrer Herkunft.«
»Auch danach. Und so erfuhr ich, daß sie nicht bei ihren Eltern wohne, daß sie gleichsam die Eltern gewechselt und bei Herrn Friedrich in Erziehung gegeben worden sei.«
»Was hatte sie von ihrer Erziehung begriffen?«
»Recht wenig, eigentlich nichts. Sie sagte sogar, man habe noch nicht mit der Schule der großen Einsicht begonnen. Die Stunde sei noch nicht gekommen. Das erste sei die Schule der Armut. Die Schule der Armut mache die Seelen gleich und gefügig, vorurteilsfrei und verkläre den Schmutz.«
»Welche Weisheit! Du lügst. Sie kann es nicht gesagt haben!«
»Sie sagte: vor wenigen Tagen habe die Schule der Waschungen begonnen. Aber sie wußte nur das Wort und kannte noch keine geistige Auslegung für die Sauberkeit. Sie sagte in diesem Zusammenhang, das fette Halbindianerweib sei ihr widerlich.«
»Herr Friedrich war ihr nicht widerlich?«
»Herr Friedrich war ihr Vorbild. Ein Quell der Weisheit.«
»Schade, daß ich ihn unterschätzt habe.«
»Jedes Dasein liegt in der Mitte zwischen den Meinungen.«
»Du schrittest mit dem Kind zur Stadt hinaus und erkanntest an der Form ihres Körpers die Reife. Wie alt ist sie?«
»Älter als zwölf, jünger als fünfzehn.«
»Wer ist ihr Vater?«
»Ein Neger. Du hast es aus dem Munde des Herrn Friedrich gehört.«
»Wer ist ihre Mutter?«
»Es ist niemals davon gesprochen worden.«
»Sehnte sich Egedi zum Vater zurück?«
»Sie bewunderte Herrn Friedrich und war ihm verfallen. Sie erhoffte sich von ihm eine Zukunft. Ihrem Vater konnte sie nur das Dasein danken. Das nackte Leben ist für sie kein Gegenstand von großem Wert.«
»So sehnte sie sich nach dem Abenteuer?«
»Sie war bereit, die Winke Herrn Friedrichs zu befolgen.«
»Hat dieser Herr sie jemals mißbraucht?«
»Ich glaube, er steht seinem Geschäft nicht im Wege. Er ruht

im Schutz seines Lasters. Junges Fleisch ist ihm zu fade. Darum kann er es für andere zubereiten, ohne davon zu kosten.«
»Auch die Tugend hat mächtige Förderer.«
»Deine Rolle ist einfältig, und die meine ist nicht ehrenhaft.«
»Du machtest ihr einen Antrag?«
»Ich fragte sie, ob sie jede Weisung ihres Erziehers befolgen würde. Sie bestätigte es mir mit leuchtenden Augen.«
»So gabst du es auf, um sie zu werben?«
»Ich versuchte ihr zu gefallen, ohne es dem hohen Vorbild gleichtun zu können. Und war ihm doch ähnlich, weil ein milder Abstand zwischen ihr und mir blieb; es gab keine Torheiten zwischen uns. Es war wie eine Freundschaft.«
»Ich hätte keinen besseren Abgesandten als dich finden können. Du besitzest das richtige Maß des Verführers. Den beherzten Zugriff eines jungen Matrosen und die feine Trübung schlauer Worte, die du zu handhaben gelernt hast, nachdem wir Lebensgefährten wurden.«
»Deine Anerkennung bezeugt mir, daß ich gelehriger war, als ich mir zugetraut hatte.«
»Ihr kamt an das Haus. Tratest du in das Haus?«
»Egedi öffnete das Tor, durch das wir beide heute abend geschritten. Ich folgte ihr. Im Hofe saß das fette Weib, die Mutter, und Herr Friedrich war im Hause, an jenem Tage genau so wie heute nacht. – Er habe Egedi in den Straßen der Stadt verloren, sagte er, und sei dankbar für die Fügung, daß sie einen so bereiten Begleiter nach Hause gefunden, einen jungen und schönen, einen Müßiggänger, was auf Wohlhabenheit schließen lasse. Er brachte das alles mit jener müden leisen Stimme vor, die du kennengelernt hast. Er machte mir mein Ansinnen leicht.«
»Dein Ansinnen?«
»Mein Ansinnen, Egedi für dich zu kaufen. Ich spürte den Duft verwegener Möglichkeiten. Ich hatte nichts zu wagen. Schlimmstenfalls würde ich ausgescholten werden. Zwei Europäer können, so dachte ich mir, ein offenes Wort über ein Negermädchen wechseln.«
»Und welche Antwort gab man dir?«
»Der Mann prüfte mich mit Blicken. Er sagte langsam, ihre Ausbildung sei noch nicht beendet. Er könne für befriedigende

Geschicklichkeit nicht garantieren. Doch ihren Preis müsse sie gleichwohl einbringen.«
»Du nahmst die Rede hin, ohne zu erschrecken?«
»Sie wurde natürlich vorgetragen. Gleichsam mit jenem Anstand, der die Geschäfte der königlichen Kaufleute auszeichnet. Es wurden zugunsten Egedis alle Vorbehalte gemacht. Sie sollte zu nichts gezwungen werden. Sie sollte als freier Mensch in ihre Laufbahn eintreten. Sie sollte ihre Bindung an das Haus, das ihr eine Heimat bedeutet hatte, nicht lösen. Sie sollte ihrer Neigung folgen dürfen, der Eingebung ihres Herzens. Sie sollte ständig das Recht zur Verweigerung behalten. Und auch befristen mußte ich das Abenteuer. Und auf Treu und Glauben versichern, daß du gesund seiest, wohlmeinend, mehr gezähmt als wild. Selbst deine Jugend war Bedingung.«
»Aber du rechnetest nicht mit mir.«
»Mein Herz pochte stark. Ich dachte daran, welche Ungeschicklichkeiten ich von deiner Seite zu erwarten hatte.«
»Du spieltest ein Spiel. Und hattest im Sinne, es schnell zu beenden.«
»Ich lieh sie mir zur weiteren Erziehung.«
»Du gestehst, daß du mich hast verwunden wollen. Du wolltest mir den Überdruß in die erste Lust pflanzen. Du wolltest –«
»Ich erkannte schon damals, es war ein schlechter Kauf. Ein teurer Kauf. Du willst noch immer nicht begreifen, daß wir betrogen sind. Betrogen beide. Betrogen beide. Betrogen beide.«

*

Wir standen vorm Toreingang meines Hotels. Er gab mir die Hand zum Abschied. Ich verwunderte mich, daß er den letzten Satz so leidenschaftlich dreimal hervorgeschleudert hatte. Und daß er sich sogleich davonmachen wollte. Ich hielt seine Hand fest und fragte ihn, ob er nicht mit mir hier Wohnung beziehen wolle. Er wehrte ab. Er lief mir einfach davon.
Ich konnte lange keinen Schlaf finden. Ich versuchte mir Rechenschaft zu geben; aber jedes Resultat, das ich gewonnen glaubte, zerrann mir sogleich wieder. Das Verhalten Tuteins. Die Zufluchtstätte Egedis. Ihr Schicksal. Ihre Bedeutung für

mich, nachdem einige Hüllen von ihrem Schicksal abgefallen. Die entsetzlichen Bedrängungen durch meine wirre Liebe. Ich war allein. Ich lag in meinem Bett und fühlte, wie das Gefüge meiner Absichten zerging. Wie meine Zuversichten vergingen. Ich hätte weinen mögen; aber ich vermochte es nicht. Endlich überwand mich die Müdigkeit. Ich fiel aus meinem Bewußtsein heraus und durchjagte mit den befreiten Seelenkräften, denen die Zeit nichts anhat, die den Raum überwinden, Stadt und Land und ferne Gebirge. Aber sie verrieten der Oberfläche meiner Vernunft nicht, was sie erfuhren.
Am nächsten Morgen erschien Tutein wieder bei mir und brachte einen Stapel gestanzter Papierrollen, mein Werkzeug und den Vorrat leeren Papieres. Wieder fragte ich, ob er nicht zu mir übersiedeln wolle. Er erklärte, wie während der Nacht, er vermöge es nicht. Vielleicht lasse es sich binnen weniger Tage einrichten. Ich drang in ihn, mich nicht mit allgemeinen Ausflüchten abzuspeisen. Ich wolle mich bezähmen und leichtfertige Verdächte gegen ihn unterdrücken; aber meine innere Ungeduld verlange, daß ich Einsicht in Tiefen und Untiefen seines Tuns erhalte. – Er antwortete mir, er verbirgt mir nichts, nichts Belangvolles.
»Was denn hält dich in dem verruchten Hotel, in dem Mörder und Lyncher begünstigt werden?« schrie ich.
Er sah mich lange ratlos an.
»Da türmst Trennungen auf, die du nicht wieder einreißen kannst«, sagte ich drohend.
Er antwortete mir diesmal: »Ich kann die Hotelrechnung nicht begleichen. Ich wohne dort als Pfand für unsere Schulden. Der Vertrag, den ich abschließen mußte, damit man mir Egedi überließ, hat das Kapital, das ich mit meinem Handel gewonnen hatte, aufgezehrt.«
»Das allein ist der Grund?« fragte ich befreit.
»Ich hatte es übernommen, für unseren Lebensunterhalt zu sorgen«, fügte er hinzu.
»Die Rechnung der Wirtin habe ich gestern bezahlt«, sagte ich, »du mußt nur dein Gepäck herüberschaffen.«
Er wollte sich sogleich aufmachen. Ich hielt ihn zurück.
»Ich werde dir den Verlust deines Betriebskapitals zurückerstatten«, sagte ich.

»Ich werde es nicht annehmen«, sagte er, »es ist eine große Summe gewesen. Ich habe zu teuer gekauft. Es war mein freier Entscheid. Wir dürfen den Stock deines Vermögens nicht antasten. Ich beginne aufs neue. Es wird mir nicht schwer fallen, denn ich habe meinen Ruf, der auch ohne klingende Münze gut genug ist.«
Er schob sich zur Tür hinaus.

*

Wir verbrachten den Tag damit, Pläne zu machen und sie wieder zu verwerfen. Nach Einbruch der Dunkelheit umlagerten wir das Haus des Herrn Friedrich. Uns kam keinerlei Kundschaft aus dem Vorhaben. Die Sturmlampe brannte die ganze Nacht lang auf dem von Planken umgebenen Hof. Wir gewahrten den schwachen Schein durch die Ritzen des Holzwerkes und am Leuchten der grauschimmernden Kalkwand. Vielleicht saß das Weib unter freiem Himmel und wachte. Weitere Speise erhielt unsere Phantasie nicht. Wir waren besessen genug, das gleiche drei Nächte lang zu wiederholen. Auch bei Tage umstrichen wir das Haus, flau und furchtsam. Allmählich verglomm in uns die Zuversicht, daß wir Egedi wiedersehen würden. Die Theorie, daß sie zu ihrem natürlichen Vater in die Berge geflohen, daß beide, vom Ruch der Gefahr getrieben, weiter, über die Pampas, in die Wälder der Millionen Quadratkilometer gewandert, gewann in uns Überlegenheit beim Abschätzen anderer Möglichkeiten. Ich war über diese Einbildung fast so untröstlich, als hätte ein Lyncher sie erschlagen. Ich vermeinte in der Ferne die bewaldeten Gebirgszüge zu sehen, mächtige von den Göttern aufgestellte Feinde. Weglose Täler. Unerklimmbare Felswände. Eine ungeheure Falle aus wildem Wachstum, in der die Waldkrankheit mich packen würde, wenn ich mich zu dem Wagnis anschicken sollte, einzudringen.
»Warum«, jammerte ich, »mußte sie verschwinden? Warum wiederholen sich die Abläufe? An einem Tage noch war sie bei mir. Wir waren einander angenehm. Am nächsten lief sie, erschreckt vom Überfall, geprügelt, verwundet davon. Ich sah sie entschwinden. Aber ich begriff doch nicht, wohin sie

entschwand. Ich konnte ihre Absicht nicht erraten. Ich war blind, ich war taub, ohne Geruch, ohne Gefühl, ich fand keine Fährte. Ich war ein unbegabter Mensch im Strom der Menschen auf den richtungslosen Straßen einer Stadt, die aus Feindschaft erbaut ist.«
Tutein antwortete sehr weise: »Die Zahl der Schicksalsträger ist so groß, daß sich schlechthin Wiederholungen ergeben müssen. Die Natur strebt nach der grenzenlosen Mannigfaltigkeit; sie verabscheut die Gleichheit zweier Bildungen, Kräfte oder Geschehnisse, sie würzt die Zustände mit den Veränderungen. Aber sie wird überrannt von der Zahl der Schicksale, die ihr zur Bestimmung vorgelegt werden. So prägt sie die Typen der Formen, Erscheinungen und Ereignisse, die untereinander eine angenäherte Ähnlichkeit aufweisen. Eine absolute Gleichheit scheint niemals vorzufallen; dessen würden sich die ewigen Gesetze schämen. Der Beistand aber, daß jemand oder etwas zum Auserwählten wird, ist nicht häufig. Es ergibt sich selten. Es bedarf zu vieler Ursachen und Voraussetzungen. Es bedarf, soweit es sich um den Menschen handelt, sogar des Anscheines, als ob er einen freien Willen hätte. Und doch ist ihm der versagt. Seine Entschlüsse gehören ihm nicht. Sie sind Eigentum der Stunde, sind vorbestimmt durch den inwendigen Bau seiner Veranlagung, durch den Stand seines Wohlbefindens, durch die jeweilige Phase seines seelischen Aufschwungs oder seines Nachlassens im Beschluß. Ermüdung und Wachsein entscheiden mehr als wir uns eingestehen. Die Natur hält für alle Zwecke zehntausend Genies bereit; die meisten läßt sie unbenutzt verkommen.«
»Wo hast du das gelesen?« fragte ich.
Er antwortete: »Ich entsinne mich nicht. Natürlich bin ich nicht ohne Anregung auf solche Gedanken gekommen. Ich bin auch verführt, daß ich etwas anderes ausgesprochen habe, als was ich mir vorgenommen hatte. Ich habe begriffen, worauf du mit deiner Klage zielst: Ellena ist eines Tages von dir verschwunden, und Egedi macht es ihr nach. Oder es ist das Gleiche gedoppelt. Und der Schmerz ist doppelt. Du siehst dich im Netze hängen wie ein zappelnder Fisch. Du gibst die Negerin verloren, weil Ellena verloren ist. Und doch mußt du einräumen, der Schluß ist voller Irrtümer. Ellena ist tot, sie ist mit der

›Lais‹ versenkt worden. Dafür stehe ich ein. Das ist eine Gewißheit. Das habe ich angestellt. Aber niemand ist da, der über Egedi Verläßliches aussagen könnte. Ich jedenfalls habe keine Kenntnis, die weiter reicht als die deine. Aber unsere Vermutungen sind auch nicht so zerstörerisch wie die deinen in dem Augenblick, als das Holzschiff versank. Es handelt sich jetzt nur um deine Trauer, daß Egedi dir fern ist. Vielleicht, Gefühle des Zorns und des Mitleids wegen ihrer Mißhandlung plagen dich. Ihr eigenes Schicksal kann sich durch das aufgezwungene Erlebnis zum Guten gewendet haben. Wir haben eine Anschauung vom Geschäft des Herrn Friedrich, daß es anrüchig sei. Wir meinen, daß Egedis Bewunderung für ihn auf Irrtum aufgebaut ist. Daß sie getäuscht wurde, um mittels einer schlechten Zufriedenheit den Weg ihrer Opferung lächelnd antreten zu können. Es ist zu vermuten, daß wir – ein bescheidenes Lob fällt uns zu – milde Werkzeuge der Belehrung für sie waren. Jedenfalls kann der Schaden, den sie genommen hat, nicht groß sein. Von ihrer Bestimmung, ein weibliches Wesen zu sein, kann keine Macht der Welt sie erretten. Wenn sie aber durch das zufällige Flechtwerk aus oberflächlichem Glück und Mißhandlung gezwungen worden ist, Herrn Friedrich entfremdet zu werden, ergibt sich ein Gewinn. Und sollte ihr tierhafter Instinkt, eine plötzlich wissende Scham sie angetrieben haben, ihren Vater zu suchen, oder sollte er selbst sich des Mittels einer harten Strafe bedient haben, um sie wieder zu gewinnen, so muß man in dem einen oder anderen den Weg zu einer Besserung ihres Schicksals erkennen.«
Er sprach in die Weite und Breite. Ich antwortete ihm, daß ich Egedi liebte und daß ihre Zukunft in meiner Nähe sicherer in die Bezirke der Freude gerückt worden wäre. – Tutein bewegte verneinend den Kopf. Ich schrie laut auf vor Qual. Ich sagte, die Scham könne sie übermannt haben, daß sie den Tod gesucht. Die Lyncher könnten sie aufs neue gefunden und ihr Werk vollendet haben, daß sie erhängt, zerfleischt, in irgendeiner Einsamkeit, von Verwesung überschüttet, zerfalle.
»Der Möglichkeiten sind viele, weil die Vorsehung sich keine Grenzen setzt«, sagte er, »aber es ist außerhalb unserer Kraft, auch nur eine Wahrscheinlichkeit zu erfinden, die mit der Wirklichkeit vollkommen übereinstimmt. Ich habe keine Ge-

walt über das Außeruns. Wir kennen nicht einmal sein Aussehen. Die Begegnungen in der Ferne können wir nicht ermessen. Der Schauplatz ist anders als unser lebhaftester Traum. Unsere Zeit ist eine andere als die der anderen. Wir haben nicht einmal Gewalt über Erinnerung und Vergessen. Wir wissen niemals, welche Vorstellungen an die Oberfläche unseres Geistes gelangen. Wir plagen uns mit Tröstungen, deren wir nicht bedürfen, und vergessen die Wohltat, die uns Linderung bringen könnte. Die Schatten unserer Seele liegen nicht nur lichtabgewandt, sie umstehen uns drohend wie Dämonen, sobald wir das Gleichgewicht der ebenmäßigen Dämmerung eingebüßt haben. Inneren und äußeren Beistand, wir erflehen ihn vergeblich. Wir hadern vergeblich mit den Sternen und mit unseren Freunden.«
Ich erkannte mit Schaudern auf dem Grunde meiner Existenz die Hoffnungslosigkeit. Ich schickte mich an, weiterzuhoffen, weil es meine Bestimmung war, weiterzuleben. Ich weinte mir die Augen rot, um mit geröteten Augen einen undeutlichen Gedanken zu fassen, der dem deutlichen nicht mehr ähnlich sah, der mir vorher begegnet und der die gleiche Ursache gehabt.
(Tutein betete nicht mehr. Ich sah ihn niemals mehr beten. Er hatte Reden geführt, die sein Gebet zur Heuchelei gemacht hätten.)

*

Eine Woche war noch nicht seit dem Verschwinden Egedis verstrichen. Wir hockten freudlos im Zimmer beisammen, begegneten einander mit schwierigen und gewundenen Reden; schwiegen stumpf, wenn wir der nutzlosen Worte überdrüssig waren. Und die verbitterten Lippen zogen sich in eine verdrießliche Ruhestellung. –
Es wurde hart gegen die Tür gepocht. Sie wurde unmittelbar danach aufgerissen. Im Türrahmen erschien ein Polizeibeamter. Ein Mann in Uniform. Eine hohe vierschrötige Gestalt. Grobe Hände lugten aus den Ärmeln der Litewka hervor. Ein Helm, von einem Sturmband gehalten, gekrönt mit einem Busch aus Hahnenfedern, verfinsterte das Gesicht des Eintre-

tenden. Er fragte nach Alfred Tutein. Tutein lief quer durchs Zimmer, dem Beamten entgegen.
»Bitte«, sagte Tutein.
»Es ist eine Anzeige gegen Sie ergangen«, sagte der Beamte. »Sie werden beschuldigt, ein minderjähriges Mädchen verschleppt zu haben.«
»Unsinn«, sagte Tutein. Er wandte sich mir zu, flüsterte, ich solle ihm eine Fünfpfundnote zustecken. Er lief dem Beamten wieder unter die Augen. »Sie werden mir die Geschichte erzählen; das ist eine Verdächtigung, die ich nicht ohne Einrede hinnehmen kann.«
»Die Polizei schuldet niemandem Auskunft, welcher Art ihre Ermittlungen sind«, sagte der Mann, »oder auf welche Aussagen hin sie die Verfolgung der Schuldigen aufnimmt.«
»Gut, das versteht sich«, sagte Tutein, »aber es ist mir gestattet, zu behaupten, es handelt sich um eine anonyme Beschuldigung, eigens zu dem Zwecke erfunden, um mir zu schaden, mich in diesem Lande verdächtig zu machen. Nennen Sie mir Ihre Beweise.«
Er bereute offenbar den letzten Satz, war unzufrieden mit dem frechen Tonfall seiner Stimme. Er ließ dem Beamten noch nicht das Wort, hieß ihn sich niedersetzen, suchte ein Glas und goß ihm braunen Whisky ein. »Es macht die Zunge geschmeidig«, sagte er noch.
Ich hielt unterdessen den geforderten Geldschein bereit. Tutein nahm ihn, steckte ihn zu sich.
»Ich selbst nehme mir auch eine Erfrischung«, sagte Tutein, schenkte dem Beamten abermals ein, nahm sich selbst eine Neige und trank dem anderen zu.
»Erzählen Sie bitte«, sagte Tutein demütig.
»Es ist nicht viel zu berichten«, sagte der Beamte, »ich soll ermitteln, ob der Verdacht begründet ist oder ob wir die Akten darüber schließen können.«
»Das steht in Ihrem Ermessen?« fragte Tutein.
»Ich ermesse nichts. Ich fertige einen Rapport an«, sagte der Beamte. »Sie haben also ein Mädchen verschleppt. Es war vierzehn Jahre alt. In diesem Lande geboren. Aufgezogen im Heim der Kosteltern. Ohne Wohnungsangabe, wie ich sehe –«
»Mir unbekannt«, sagte Tutein.

»Nicht namhaft gemacht, wie ich sehe«, sagte der Beamte und schaute in ein Protokoll, »das ist wenig, ich muß es gestehen.«
Er schien auf Antwort zu warten. Aber Tutein schwieg.
»Sie gestehen also, gegen das Gesetz verstoßen zu haben«, sagte der Beamte langsam.
»Ich wiederhole, dergleichen Unsinn reizt mich nicht nur zum Widerspruch. Ich werde vom Denunzianten Sühne fordern«, sagte Tutein.
»Das wird Ihnen nicht gelingen«, sagte der Beamte.
»Eine anonyme Anzeige«, ereiferte sich Tutein, »halten Sie mich bitte nicht zum Narren und räumen Sie es ein.«
»Ich will Ihnen entgegenkommen«, sagte der Beamte, »wir haben einen Brief ohne Unterschrift erhalten.«
»Ich dachte es mir«, sagte Tutein, »demgegenüber ist man rechtlos und machtlos. Man hat nur die eine Zuflucht, den wohlwollenden Dienern des Staates zu vertrauen.« Er zog den Geldschein hervor und drückte ihn, zu einem kleinen Brief zusammengefaltet, in die große Hand des Beamten. »Ich möchte nichts mehr von der Angelegenheit hören.«
Der Beamte schielte auf seine Hand und erhob sich eilig.
»Ich werde der Wahrheit gemäß berichten«, sagte er. Er stellte noch ein paar Fragen, die Personalien betreffend. Er verabschiedete sich und ging.
»Ein teurer Spaß«, seufzte Tutein, als jener hinaus war, »aber einige Gewißheiten haben wir eingehandelt. Egedi ist nicht in den Klauen dessen, der die Polizei verständigt hat. Wäre sie mit im Spiele, hätte die Anzeige gegen dich kommen müssen. Wir brauchen uns auch nicht länger zu plagen, die Person des Briefschreibers zu erraten. Herr Friedrich, der Mädchenhändler selbst, hat zur Feder gegriffen. Er konnte nicht ahnen, daß seine Erpressung nur dem Beamten etwas einbringen würde. Er hatte Grund, Namen und Wohnung zu verschweigen. Jedenfalls wird er Vorsicht anwenden müssen, wenn er sich ins Licht der Öffentlichkeit begeben will. Er kannte nur meinen Namen hinlänglich genau.«
»Und was erwartest du von der Polizei?« fragte ich.
»Fünf englische Pfunde werden ein wasserklares Leumundszeugnis schaffen. Aber damit ist nur ein Vorsprung gewonnen. Dies ist ein Anfang. Wir kennen die Fortsetzung nicht.«

Während der nächsten Stunden entwickelte sich ein zäher Kampf zwischen ihm und mir. Er bekannte seine Furcht. Er will nicht in diesem Lande bleiben. Er will nicht in einer Falle gefangen werden. Egedi lebt, lebt bei ihrem Vater. Diese Wahrscheinlichkeit muß mich trösten. Einen anderen Trost gibt es für mich nicht. Sie ist für mich verloren. Die Absichten des Herrn Friedrich wird man nicht vorausberechnen können. Die Beziehungen des Mädchenhändlers zur Polizei kann man nicht abschätzen. Des Mannes eigenes Geständnis ist ein Zeugnis dafür, daß er nur unbedeutende Vorbehalte hat, Gewalttaten zu begehen. Sein Mangel an Hemmungen läßt vermuten, daß die höheren Stellen ihm einen förmlichen Schutz angedeihen lassen. Keinesfalls darf man mit einer Beilegung des Streitfalles rechnen. Die Folgen einer unvorteilhaften Wendung sind gar nicht zu ermessen. Tutein kann sich nicht weiter preisgeben. Er will nicht gezwungen werden, fernerhin Geld auszuschütten. Er will auf und davon. In ein anderes Land, einem anderen Erdteil zu. Nach Afrika.
Mit der gleichen Besessenheit, mit der ich vor kaum vier Wochen die Abreise gefordert, widersetzte ich mich. Egedi für mich verloren? Ich war gewiß ohne Hoffnung; aber ich konnte meiner Seele den vollen Verzicht nicht gestehen.
Tutein nannte sie eine schwarze Hure, eine der Hunderttausend, die man an allen Orten der Welt wiederfindet. Es gereute ihn das Geld, das das Abenteuer verschlungen. Die Abfindung befähige unseren Gegner, eine Hetze gegen uns treiben zu lassen. Morgen, übermorgen, nach einer Woche würden wir ins Gras beißen müssen, unterlegen, von einer Polizeistreife niedergeknüppelt oder Lynchern überantwortet. Oder in den Kasematten der Gefängnisse würden wir verschwinden. Ob es etwa einen Schutz für uns gebe? Ob wir uns auf eine Unschuld oder auf die Macht eines Vaterlandes berufen könnten? Ob wir nicht Vagabunden, die jenseits der Gesetze ihr Leben fristen?
Ich konnte ihn nicht widerlegen. Ich konnte mich nur dawiderstemmen, daß die Tage der Zukunft einen anderen Hintergrund bekamen als die der Vergangenheit. Er aber hatte keine Wahl. Er mußte mich von Egedi abdrängen. Er verhieß mir einen Erdteil voll Negermädchen. Er drohte. Er verkündete unseren Untergang. Er lockte mit dem Glück der Fremde. Er

zergliederte mein brünstiges Erlebnis, demütigte mich mit der Vorgeschichte, hielt mir einen Spiegel vor, damit ich mich erkennte, damit ich die wahre Gestalt der in mir wirksamen Kräfte erkennte. Mit meinen Worten von einst äffte er mir die Pracht der hölzernen Galeonsfigur vor. Er warf ein Bündel Photographien auf den Tisch, männliche und weibliche Menschen, bleich und dunkelhäutig, schmale Leiber, flache Leiber, üppige Leiber. Fleisch, Fleisch, Fleisch! Um mich zu verwirren, um meine Erinnerung auszulöschen. Und das Gejammer meines Herzens mit Wiederholung, mit Vielfalt zuzudecken, um die kärgliche Auswahl meiner Sinne zuschanden zu machen, daß ich weiser würde, weniger besessen. Daß mein Wille gebrochen würde. Daß ich mich der Vernunft beugte. Daß ich mich auf nichts anderes mehr besänne als auf die Freundschaft zwischen uns. Auf das Unverbrüchliche, mich dem einzigen schwimmenden Wrackstück anklammerte, das uns das Leben retten könnte. (Er handelte in Notwehr.)
Ich aber wollte auch diese Wiederholung nicht: zu Schiff davonfliehen.
Wir wechselten abermals das Hotel, mieteten uns prunkvoller ein. Wir fälschten unsere Namen im Gästebuch. Allmorgendlich, nach dem Frühstück, flohen wir hinaus, abends spät erst kehrten wir heim, jedesmal befreit, wenn wir bei einem Groom erfuhren, niemand habe nach uns gefragt.
Endlich kam der Nachmittag, an dem man unser Gepäck anbord eines dreitausend Tonnen großen Dampfers brachte. Um Mitternacht stach das Schiff in See. Die Abendmahlzeit hatten wir schon im kleinen Speisesaal des Dampfers eingenommen. Wir waren die einzigen Passagiere. Der Kapitän begegnete uns mit Achtung und Mißtrauen. Wir würden während zweier oder dreier Monate seine Gäste sein. Wir bezahlten dafür, wie sich's gebührte. Wir waren ein einträgliches Frachtgut. Die Beamten der Zollbehörde und der Hafenpolizei hatten uns vergessen, als wir uns gegen zehn Uhr in unser Logis zurückzogen und taten, als ob wir, übermüde, Schlaf noch vor der Abfahrt suchten.

*

Binnen kurzem, gegen Ende dieses Monats, wird der Mond sich zur vollen Scheibe runden. Seine Kraft ist schon jetzt verzehrend und scharf. Sein Licht bedrängt das Land, wenn er die Abenddämmerung überwunden hat und frostigen Glanz herabträufeln läßt, daß die Wesen und Dinge harte schwarze Schatten hinterlassen, ein unheimliches Zeugnis ihrer Bedrohung. Der gleichmäßige beharrliche Frost der letzten Wochen hat auch mein Lebensgefühl beeinflußt. Die Haut unter meiner Kleidung ist empfindlich geworden. Ein leichtes Frösteln weicht selbst während der Nacht, wenn ich unter warmen Decken liege, nicht von mir. Ich halte den Ofen gut, spare nicht mit den festen Scheiten aus Birkenholz. Er strömt eine unablässige Flut leicht brenzlich duftender Wärme aus. Die Schamotteplatten des Feuerloches sehe ich hellrot und feuchtgelb im Beben der Glut flimmern, wenn ich die Eisentüre öffne, um über die blauzüngelnden, heißvergehenden Kohlen neue würzige Kloben zu legen. Die Wände und Fenster des Hauses wirken der mildtätigen Wärme entgegen. Von den Mauerflächen fließt die kalte Luft ab und sammelt sich zu meinen Füßen. Zuweilen stehe ich des Tags am Fenster. Die Eisblumen sind bis auf einen schmalen Rand vom Glas zurückgewichen. Die Luft ist trocken geworden. Ich begreife am Gegensatz, der sich zwischen der Landschaft und meinem Zimmer auftut, daß es mir wohl ergeht. Draußen die klirrende Kälte, die wie gesteigerte Dürre das Reich der Pflanzen heimsucht. Der Schnee ist schon an vielen Stellen eingeschrumpft und verdampft, brauner Staub färbt die weißen Streifen und Flächen, die sich noch erhalten haben. Drinnen ist Wohlleben. Im Stall der würzige Ruch des Heus, der beißende von Pferdeharn. Und meine Stube ist getränkt von der stillen Einfalt ausgeglichener Tage. Ich habe es kurzweilig gehabt. Ich habe Stunde nach Stunde damit verbracht, meine Erinnerung aufzudecken und niederzuschreiben, was mir wichtig erschien. Daran ist meine Beruhigung größer geworden. Ich fühle mich frei von Sehnsüchten und ohne Verdruß über die kleinen Widrigkeiten, die so leicht ein fast nutzloses Dasein vergällen. Ich fühle mich wieder mitergriffen von der gegenwärtigen Zeit der Menschheit. So reich und so arm wie ein Einsiedler es sein kann, der sein Ausgeschiedensein als ein

Ergebnis begreift, als die Folge von Erlebnissen, die er nicht abschwören möchte.
(Es ist mir sehr wichtig, auszudrücken, daß Tutein nur mit fürchterlicher Langsamkeit von meinen Sinnen begriffen wurde. Jetzt, in dieser Stunde, wo ich wieder an ihn denke, wo mein Geist zum zehntausendstenmal seine Gesichtszüge zusammensetzt, erkenne ich, daß sie zerfließen wie es im Anbeginn war, daß das Undeutliche über das Deutliche siegt. Genauer als seiner guten braunen Augen mit den mattschwarzen Pupillen, seiner straffen Wangen, seines merkwürdig geschwungenen, oft halboffenen Mundes entsinne ich mich seiner Brust, der kleinen runden braunen Brustwarzen, der glatten unbehaarten Haut über dem Herzen. Weil die vielen tausend Menschen, denen ich begegnet bin, mir ihre Brust nicht gezeigt haben, sondern nur ihr Angesicht. Ihr Angesicht frißt das seine. Ihre Hände fressen die seinen. Aber das Schild vor seinen Lungen und vor seinem Herzen, ich sehe es noch wie etwas Wirkliches, wenn ich meine Erinnerung anstrenge. – Und daß wir jung waren. Ich möchte mich davon abhalten zu fälschen. Ich wußte nicht, wie es gekommen war, daß ich zweiundzwanzig Jahre alt geworden. Aber um diese Zeit war ich gesund. Auch Tutein war gesund. Es gab die Belehrung, wir waren junge Männer, wir konnten der Sehnsucht nicht entgehen. Wir hatten miteinander einen Vertrag auf Lebenszeit. Wir wollten ihn nicht brechen. Wir einigten uns, daß es uns nicht zustand, mit schwülen Gedanken unablässig von den Mädchen zu träumen, auf Straßen, in Torwegen, auf Tanzböden Bräute umfangen zu halten. Aber die Sehnsucht wollte, daß wir es trieben wie die anderen. Es blieb uns nur der Ausweg, einander zu verzeihen. Es war sehr wichtig, daß ich Egedi liebte. Tutein stellte fest, daß es wichtig war. Er sagte: »Es ist notwendig gewesen, daß du erfuhrst, wie die Mädchen beschaffen sind. Du bist gesund. Wie könnte ich wünschen, daß du nicht gesund bist? Ein kastriertes Tier ist kein schönes Tier.«
Er wußte, die Krisen mußten sich wiederholen. Er wünschte sie später sogar herbei, damit er sie mit seiner Kunst erledigen konnte. Er war nicht ein Feind meiner Freuden. Er wollte verhindern, daß ich mich verheiratete. Er wünschte, unsere

Freundschaft sollte stärker werden als die Sehnsucht. Er nannte seine und meine Lenden: »Traumverließe unseres Körpers«. – Wir waren sehr jung. Es stand mit uns nicht besser. Er wußte es. Ich wußte es. Aber wir bemeisterten uns soweit, daß wir fast immer die Hälfte unserer Liebe füreinander anwandten. Ich habe auch Egedi verloren, ohne krank daran zu werden. Und sie hatte doch die reichliche Hälfte meiner Liebe. Noch immer weiß ich sehr genau, wie sie anzuschauen war. Ihre Haut war braunschwarz. Ich habe nur selten eine so schwarze Haut gesehen. Viel schwärzer als Tuteins dunkle Brustwarzen. Ich habe auch ihn verloren.)

*

Mit wachsendem Mond erfaßt mich ein Unbehagen. Nach Einbruch der Dunkelheit wird mir die Brust enge, meine Arbeit stockt, die Wände erscheinen wie große Schatten, die das Licht der Lampe nicht verdrängen kann. Und durch die Scheiben hindurch beißen die unbarmherzigen Strahlen des kalten Trabanten.

Vorgestern, als der Mond aufgegangen war, erfolgte ein jäher Kälteeinbruch. Der Temperatursturz war nach so vielen Wochen anhaltenden Frostes unerwartet und peinigend. Ein knirschendes Abwürgen des Lebens. Die unbeschirmten freien Tiere sterben entkräftet dahin. Man sieht ihr Sterben nicht; aber das geronnene Blut in ihren Adern strömt ein furchtbares Schweigen aus. Der lähmende Hauch läßt sich nicht aufhalten, dringt ins Haus. – Ein Schauder beschlich mich. Ich hielt es in den Stuben nicht aus, zog meinen Mantel über und wanderte davon. Die Luft stach mir die Lippen, meine Augen füllten sich mit Wasser. Der Mond brannte wie saugendes Feuer. Das schirmende schimmernde Gewölbe der Atmosphäre war wie aufgelöst, und durch den verdünnten kristallenen Ozean stürzte die Kälte des Weltenraumes herab. Die Schleusen des Todes schienen geöffnet. Der Odem des ewigen Stillstandes breitete sich aus. Ich fühlte mein Herz heftiger schlagen, während meine Augen das geronnene Land wahrnahmen, über das die Schwingen der Stille hinglitten.

Als ich die schneidende Kälte an meiner Haut spürte, erwachte

ich aus meiner Trauer und eilte, so schnell es gehen wollte, nachhause zurück. – Meine Vernunft sagt mir, am Tage des Vollmondes wird die Kälte gebrochen sein.
Gestern plötzlich begann ich mich dafür zu interessieren, wie meine Mitmenschen den atmosphärischen Ereignissen begegnet sind, wie sie standgehalten, und welcher Art Gedanken sie bewegt haben. Ich bedurfte eines Austausches. Ich entschloß mich, am späten Nachmittag in die Stadt hinabzusteigen, an den Hafen zu gehen, das Wirtshaus aufzusuchen. Die ›Abtumist‹ würde noch immer, vom Eise festgehalten, vor der Küste liegen; ihre Mannschaft würde seit langem das Land betreten haben.
Ich konnte mich nicht entschließen, das Pferd aus dem Stall zu ziehen und im Schlitten zu fahren. Ich kannte den Zustand der Straßen nicht; vielleicht, daß grusige Stellen auf manchen Strecken den Schnee verdrängt. Ich fürchtete auch das Meer aus Kälte, in das ich mich, steif sitzend, versenken würde. – Ich ging zu Fuß. Es begegnete mir kein Mensch, kein Fuhrwerk. (Die Straße war in der Tat an manchen Stellen von Schnee entblößt.) Die Ohren hatte ich unter einer Wollkappe wohl verwahrt, Nase, Augen, Mund bedeckte ich von Zeit zu Zeit mit den behandschuhten Händen. Der frühe Mond warf meinen Schatten seitlich auf den Weg. Eine ätzende Leere verdarb die Luft. Hinter der Stirn fühlte ich kleine zuckende Schmerzen, Nerven, die sich gegen die Abkühlung des Schädelknochens sträubten. Ich wagte nicht, in die weiße Scheibe zu blicken. Ich fürchtete, quälende Träume würden mir eingebrannt werden.
Die Straßen der Stadt waren wie ausgestorben. Das Leben hatte sich hinter die Türen verkrochen. Von den Firsten der Dächer schlug beißender Rauch herab. Ein Viertel der Fenster etwa war erleuchtet. Ein leichter Wind strich von der See herüber. Auch der Hafen war unbelebt. Anbord des Postschiffes waren einige Petroleumlampen entzündet. Ihr gelber Schein verstärkte den Eindruck der Öde. Das Meer lag grauweiß draußen vor den vereisten Molen. Die Klippen des Gestades waren von unregelmäßig zerbrochenen Schollen umsäumt. Die ›Abtumist‹ lag wie gestrandet in der Eiswüste. Ihr Rumpf, ihr Schornstein, Masten und Ladebäume erschienen in dieser hel-

len Nacht schwarz, flach wie ein Stück betuschter Pappe, das man zur Form eines Schiffes ausgeschnitten. Das Fahrzeug hatte offenbar kein Feuer unter den Kesseln. Die spärliche Beleuchtung schwacher Lampen drang kaum durch das weiße Licht der Nacht herüber. Winzige gelbe Punkte, die man übersah, sobald man die Augen weniger scharf auf Nahes und Fernes gleichermaßen richtete. Ich wandte mich ab und eilte dem Wirtshaus zu.

In der Gaststube waren einige Menschen versammelt. Ich ließ mich in einer Ecke, nahe dem Ofen, nieder und bestellte starken Punsch. Mich fror. Eine Zeitlang war ich ganz in mich gekehrt, bebend vor innerer Abkühlung; allmählich erst öffnete ich meine Sinne der Umgebung, betrachtete die Menschen und nahm ihre Reden auf. Es waren drei Matrosen von der ›Abtumist‹ unter den Gästen. Sie waren anfangs wortkarg. Hin und wieder mühten sie sich ab, ein Mittel der Verständigung zu erfinden, das allen Anwesenden zugänglich wäre. Man hatte offenbar noch keine großen Erfolge gehabt und klammerte sich immer wieder der englischen Sprache an, die kaum einem der übrigen Gäste geläufig war. Aber das Bedürfnis, sich mitzuteilen, war noch nicht erloschen; und die Kühnheit, sich auszudrücken, machte Fortschritte mit jedem neuen Glase heißen Punsches oder kalten Schnapses. Endlich war man dabei, die Unverständlichkeit der Worte durch laute Ausrufe wettzumachen. Zuweilen glückte es, daß alle Anwesenden gleichzeitig lachten, weil einer der Matrosen sein Geschrei mit einer merkwürdigen Bewegung der Hände unterstützte, die jeder zu begreifen vorgab. Und vielleicht lag wirklich eine tiefe Einigkeit der Auffassung vor, denn die erotische Phantasie ist an allen Orten dieser Erde unter Menschen die gleiche. Und hier ging es um die grobe Außenhaut des Daseins.

Ich vermochte diesem Spiel einer mit Lärm verbundenen Taubstummensprache keinen Gefallen abzugewinnen und war schon entschlossen, aufzubrechen. Da löste sich einem der Matrosen die Zunge. Er begann meine Muttersprache zu reden. Der englische Seemann fiel von ihm ab. Ich horchte auf. Ich rief hinüber, man werde ihn in dieser Sprache verstehen. Ich erntete Beifall von einigen der einheimischen Gäste. Es

waren der achtzehnjährige Sohn eines Fischers, der die Lateinschule besuchte, ein Kramhändler und der Salzmeister.
Der Zuspruch der Letztgenannten erstaunte mich. Es erwies sich bald, die drei hatten nicht nur mit eingebildeten Kenntnissen geprahlt. Der Händler hatte vor ein paar Jahren in einem kleinen Hause am Hafen ein Geschäft gegründet. Ich kannte die Redensart, mit der man ihn bedachte: er betet weniger als seine Konkurrenten, darum ist er noch nicht so fett wie sie. – Vom Salzmeister hatte ich manchmal einen kleinen Lachs gekauft, der wegen seines geringen Gewichtes nicht tauglich zum Versand gewesen war.
Die Gesellschaft zerfiel, nachdem ich mich eingemischt hatte, sogleich in zwei Gruppen. Es rückten fünf Männer an meinen Tisch, der Matrose, die drei Sprachkundigen, dazu einer, der im Vorgefühl, gratis Punsch zu erhalten, sich zu unserer Gruppe schlug. Ich bestellte auch sogleich das Getränk für die kleine Tafelrunde und erwartete mir nicht mehr, als daß man mich zwischendurch in einer mir vertrauten Sprache anreden würde. Der fremde Matrose war ein etwa fünfzigjähriger Mann. Er trug keinen Bart; aber die Stoppeln waren ihm lang aus der Haut hervorgeschossen; man erkannte, die Hälfte der ehemals braunen Haare hatte sich weiß gefärbt. Die Schläfen waren bis hoch hinauf kahl. Ein alternder Mensch. Wahrscheinlich ohne ein Heim zulande. Ein Mann, der nicht befördert wurde.
Der gemeinsame Punsch erheiterte alle. Der Matrose fühlte sich verpflichtet, eine Erzählung zum Besten zu geben. Seine Stirn legte sich in Falten. Er strich sich abwechselnd mit der linken und rechten Hand über den Kopf. Es waren schwere verwitterte Hände. Er dachte nach; aber die Erinnerung schien ihm nur langsam zuzufallen. Er sagte endlich:
»Ich danke dem Herrn für die Freundlichkeit.« Dann verstummte er wieder.
Der Kaufmann drängte sich zum Ausspiel. Er fragte in einwandfreier Sprache: »Wie lange fahren Sie zur See?«
»Seit meinem sechzehnten Lebensjahr«, sagte der Matrose, »erst seit meinem sechzehnten Lebensjahr. Zwei Jahre habe ich verspielt. Von vierzehn bis sechzehn. Das geschieht so leicht, wenn man hübsch ist.«
»Verspielt?« fragte der Achtzehnjährige.

»Ohne Beruf«, sagte der Matrose, »besser waren die späteren Jahre auch nicht.«
»Sie haben es nicht zu Wohlstand gebracht«, sagte der Salzmeister.
Der Matrose lachte heiser: »Zu Armut habe ich es gebracht. Es ist bergab gegangen.«
»Wer angeheuert wird, der hungert nicht«, sagte der Salzmeister begütigend.
»Wie lange noch?« sagte der Matrose. Er begriff, seine Klagen konnten keinen Gefallen wecken. Er wandte sich an mich und fragte:
»Bezahlen Sie mir noch einen Punsch?«
Ich nickte.
Der Salzmeister sagte:
»Jetzt ist die Reihe an mir.«
Der Wirt war behende, er ließ uns nicht lange warten.
»Während der ersten Jahre fuhr ich auf Segelschiffen«, sagte der Matrose, »es war die beste Zeit. Die Arbeit war nicht leichter als auf den Trampdampfern, wo später meine Muskeln mürbe gemacht wurden. Es war eine bessere Kameradschaft, und das Meer war größer. Auf den Dampfern wird die Welt klein.«
»Die Segelschiffe werden verschwinden«, sagte der Krämer.
»Wenn sie scheitern oder zerrosten, fällt es keinem Reeder ein, Neubauten dieser Art zu bestellen«, bekräftigte der Matrose, »das weiß ein jeder. Man trifft kaum noch hohe Masten in den Häfen.«
»Die Maschine ist billiger als der billige Wind«, sagte der Salzmeister, »die Segelschiffe sind nicht zeitgemäß. Die Löhne der Mannschaften stehen in keinem guten Verhältnis zur langen Reisedauer der Segler.«
Ich wollte mich einmischen und zum Besten geben, daß auch ich einmal eine weite Reise mit einem von Segeln gezogenen Schiff gemacht hätte. Doch ich erkannte meine Voreiligkeit rechtzeitig und nahm, anstatt zu reden, einen Schluck Punsch.
»Ich habe einen Schiffbruch erlebt«, hub der Matrose wieder an.
»Ein alter Matrose hat wohl das Recht, bei irgendeinem Schiffbruch dabeigewesen zu sein«, ließ sich der Achtzehnjährige vernehmen.

Wieder wollte ich mich in das Gespräch einmischen, aber der Matrose antwortete dem jungen Menschen sogleich:
»Wer wird von Recht reden, wenn es sich um Zufall handelt.«
Er maß den jungen Mann, den Sohn des Fischers, mit Blicken. »Ich war nicht älter als Sie, und der Unfall war eigentümlich und ganz unerwartet. Ein neues, gut gebautes Schiff begann bei ruhiger See plötzlich zu sinken. Und es gab keine Rettung für das Fahrzeug.«
»Das ist allerdings kein alltägliches Erlebnis«, sagte der Krämer.
»Häufiger als man gemeinhin annehmen möchte«, entfuhr es mir.
»Sie können Ihre Meinung haben«, sagte der Matrose. »Daß Schiffe leck springen, hat man zuweilen gehört, auch, daß man kein Mittel findet, sie schwimmend zu erhalten, bis der Schaden ausgebessert ist. Aber mit dem Schiff, von dem ich erzähle, hatte es eine eigene Bewandtnis. Es sank, ohne daß man je den Grund erfuhr. Die Mannschaft ging in die Boote, und es gab dabei keinerlei Unfall, weil die See ruhig war. Wir warteten das Ende des Fahrzeuges ab, weil wir auf hoher See waren und niemand auf den Einfall kommen konnte, eine Küste zu erreichen. Wir hätten allesamt umkommen müssen, wenn wir nicht im Kurs eines Schiffes geschwommen wären, das uns auffischte, ehe es zu spät war. – Wir hatten also Muße genug, von unserem Schiff Abschied zu nehmen. Es sank hinten ab. Es warf sich ein wenig auf die Seite. Masten, Segel, Takelage klatschten ins Wasser. –«
»Ach«, seufzte ich auf.
»Das Meer kochte, wo der Schiffsrumpf versunken war«, sagte der Matrose, »doch die Galeonsfigur wollte nicht mit hinab. Aufrechtstehend blieb sie über dem Wasser. Die Figur war ein Mensch, eine üppige Frau, aus Holz kunstvoll geschnitzt, in natürlichen Farben bemalt, ganz unbekleidet von den Zehen bis zum Kopf. Sie wollte nicht versinken und hielt das überspülte Schiff noch in der Schwebe. Wir mußten den Anblick ertragen. Wir ertrugen ihn eine Stunde. Wir ertrugen ihn mehrere Stunden. Dann brach uns die Fassung. Zwei Boote ruderten heran. Da stand das Weib übergroß, hoch wie zwei Menschen, greifbar. Wir betasteten es. Endlich nahmen wir Äxte. Wir schlugen

den Stahl der Äxte in die Brüste, in die Schenkel. Wir spalteten den Schädel und den Bauch. Erst als wir die Gestalt zerstört hatten, konnte das Schiff vollends untergehen. Wir schauten einander mit schlechten Gesichtern an, als alles vorüber war. Wir schauten auf die Schneiden der Äxte. Und da sahen wir, sie troffen rot von Blut. –«

»Das ist eine Lüge«, sagte ich fest.

»Ich habe den ersten Streich gegen die linke Brust geführt«, sagte der Matrose, »ich habe das Gefühl davon in mir bewahrt. Es war wie Fleisch.«

»Das Schiff hatte den Namen ›Lais‹«, sagte ich.

»Woher wissen Sie das?« fragte der Matrose.

»Es war ein dreimastiges Vollschiff«, sagte ich.

»Es stimmt«, sagte erstaunt der Matrose.

»Es war aus Eichen- und Teakholz in Hebburn on Tyne vom alten Lionel Escott Macfie erbaut«, sagte ich.

»Es war ein neues Schiff aus Eichen- und Teakholz«, sagte der Matrose.

»Ich war dabei, als es unterging«, sagte ich.

»Nun«, sagte der Matrose, »wenn Sie dabei waren, werden Sie wissen, daß wir die Galeonsfigur geschlachtet haben, so wie ich es eben erzählt habe. Daß das Holz blutete, und daß wir fast von Sinnen kamen.«

Er schaute mich fest an. Ich konnte seinen Blick nicht ertragen. Unter der Asche der Gegenwart lag die Glut der Vergangenheit. Ein Erlebnis, das den Jugendlichen erschüttert hatte, das durch seine Sinne gegangen war. Ich schämte mich meiner Kleingläubigkeit. Ich dachte daran, wie wenig ich mit Alfred Tutein wegen der Galeonsfigur hatte einig werden können. Daß ich vor wenigen Wochen in diesen meinen Heften von der Zwietracht berichtet. Daß der Koch davon gesprochen, Blut werde aus den Planken des Schiffes hervorsickern, wenn man sie anritzen würde. Und nun berichtete ein Matrose das Selbstverständliche: man hatte einen Menschen geschlachtet. Konnte ich den Mord meiner Geliebten, den gewaltsamen Tod Ellenas leugnen? War mein Entsinnen besser oder wahrer als das des Matrosen? Waren meine Augen verläßlicher? War die Wirklichkeit der Ereignisse nicht verjährt? – Ich sagte still:

»So ist es gewesen. So ist es gewesen.«

Der Matrose antwortete mir: »Ich wußte, Sie würden mir beipflichten, sobald Sie die Scham überwunden hätten.«
Nun konnte ich ihm befreit ins Antlitz blicken. Ich versuchte, ihn wiederzuerkennen. Ich sagte:
»Sind Sie nicht einer der beiden Matrosen, die die kristliche Seefahrt gemeinsam, stets zu zweien auf den gleichen Schiffen, ausüben wollten? Die wir Kastor und Pollux nannten? Und die sich diesen Namen gefallen ließen?«
Er antwortete: »Sind Sie nicht der Verlobte der Kapitänstochter, von der man sagte, daß die Galeonsfigur ihrer Gestalt nachgebildet gewesen wäre?«
Ich zuckte zusammen. Ich sagte mühsam: »Ich glaube, Ellena war schlanker.«
Er lächelte nachsichtig. Er sagte: »Damals dachten wir, daß üppiges Fleisch eine Tugend sei.«
Ich wurde über und über rot. Ich sagte: »Sie sind Kastor oder Pollux.«
»Pollux«, sagte er.
»Was ist aus Kastor geworden?« fragte ich, »ist die kristliche Seefahrt zu zweien gescheitert?«
»Es war sehr bald vorbei«, sagte Pollux.
»Hat es Streit gegeben?« fragte ich.
»Alwin – also Kastor, ließ sich beim Reeder als Diener anwerben«, sagte der Matrose.
Ich begann an allen Gliedern zu zittern. »Erzählen Sie doch«, flüsterte ich über den Tisch.
Die übrigen Gäste saßen schweigend da und hatten ihr Erstaunen noch nicht überwunden. Ich bestellte eine neue Runde Punsch, diesmal auch für die zweite Gruppe, goß das heiße Getränk, nachdem es aufgetragen war, hastig hinunter, forderte die Gesellschaft auf, es mir gleichzutun, und bestellte aufs neue. Der Salzmeister wehrte ab, der Krämer ebenfalls. Aber ich bedeutete ihnen, es enthalte keine Verpflichtung für sie, ich feierte ein Wiedersehen mit einem Landsmann, einem Mitschiffbrüchigen, dem Mitschlächter einer lebendigen Galeonsfigur.
Sie lachten, sie hielten mich für betrunken. Ich machte mich wieder an Pollux heran. Ich erkundigte mich näher nach dem Kameraden Alwin. Unter welchen Umständen er die Stellung

als Diener bekommen. Ob er sie noch innehabe. Oder ob die Jahrzehnte die immer bereite Veränderung herbeigebracht. Ob der Reeder noch lebe, er müsse ja inzwischen ein alter Mann geworden sein. Welches sein Wohnort.
Pollux konnte mir sagen, vor fünf oder sechs Jahren sei im Hause des Reeders alles unverändert gewesen wie vor zwei Jahrzehnten.
Nichts Genaues. Ich selbst wußte, daß Herr Dumenehould de Rochemont vor einigen Jahren noch gelebt hatte. Nun erfuhr ich, auch Kastor lebte möglicherweise und war noch immer sein Diener. Vielleicht, irgendwo verborgen schmerzte es Pollux, Kastor verloren zu haben, den er seinen Freund genannt hatte. Nun kannte er ihn kaum noch. Er hatte keine hohe Meinung vom Beruf des ehemaligen Matrosen; aber er vermaß sich nicht, Unvorteilhaftes anzudeuten, die Einkünfte Kastors waren größer als die seinen. Zehn Jahre mochte es her sein, da hatten sie eine Nacht zusammen verbracht, sinnlosem Trunk ergeben. Sie waren besudelt wieder zum Bewußtsein gekommen.

– – – – – – – – – –

Ich habe einen Zettel vor mir liegen, darauf die Anschrift Alwin Beckers, genannt Kastor, Diener im Hause des Reeders, Herrn Direktors Axel Dumenehould de Rochemont.

März

März

Der Vollmond stieg bis zur Hälfte seiner Höhe auf. Er verbreitete ein weißes Licht, das die unfruchtbare Reinheit des Weltenraumes hatte. Ich sah, in einem Tümpel stand dürres, halbgeknicktes Röhricht, ein schmerzendes Bild der Vergänglichkeit. In der Ferne, dem Monde abgewandt, lagerten Wolkenbänke. Sie wälzten sich schnell heran, ohne daß ein härterer Wind spürbar wurde. Nur manchmal schüttelte es klappernd im kahlen Astwerk der Büsche und Bäume.
Dann umjagten ihn Wolken. Er verschwand. Nur ein weicher Dunst blieb in der Finsternis als Zeugnis seiner Kraft zu leuchten.
Am Morgen peitschte ein Weststurm das Land. Er trieb staubfeinen Schnee vor sich her. Die Eiskristalle fielen so dicht, daß die Landschaft wie in schweren Nebel eingehüllt erschien. In der Nähe aller Gegenstände rieselte es dampfend gleich einem zerstäubenden Wasserfall.
Die Bäume, Sträucher, Gräser, Mauern, Latten, Erhebungen der Findlinge und Klippen, die Unebenheiten des Bodens überzogen sich weiß auf der dem Winde zugekehrten Seite. Die Fenster meines Zimmers bedeckten sich allmächlich ganz mit einer trüben Schicht rinnenden Schnees. Auf der genauen Grenze des Glases begegneten sich die meinem Wohlbefinden angepaßte Wärme des Zimmers und die unwirtlichen Schwaden brodelnder eisgemischter Luft.
Ein paar Stunden lang noch hielt der Frost dem Ansturm der wärmeren, vom Westen herangeschleuderten Luftmassen stand. Großflockig allmählich schlug die Last des geronnenen Wassers zuboden. Hohe Schanzen warfen sich auf. Lawinen polterten stäubend vom Dach. Die Bäume wurden von unvor-

stellbaren Gewichten umklammert. Krachend erlagen die dichteren Zweige der Nadelbäume den Lasten und brachen. Ohne irgendeinen Übergang löste platschender Regen das Schneetreiben ab. Alles vereiste. Nun half es auch den kahlen Laubbäumen nicht mehr, daß sie sich im Winde schütteln konnten. Ihr Zweigwerk verklebte. Das Schwache an ihnen knackte. Aber der Regen war unablässig wie vorher der Schnee. Er durchtränkte den Schnee, spülte die Eiskrusten fort, riß die Schanzen mit Bächen und Wasseradern auf. Über die Felder ergossen sich Schlammflächen, sickernde Rinnsale der schmächtigen Quellen verwandelten sich in schmutzige Ströme murmelnden Wassers. Milchig hing die Luft über dem Boden. Drei Tage lang rann der Regen. Er zerlöste die letzten sichtbaren Spuren des Winters. Nur die Kälte hielt sich noch in den tieferen Schichten des Bodens. Die Oberfläche des Landes wurde zu einem tiefen schlüpfrigen Morast.

Ich konnte mich nicht entschließen, das Haus zu verlassen, um größere Ausflüge zu machen. Ich hätte gern Pollux noch einmal gesprochen; aber ich machte mir klar, das Tauwetter war Anlaß genug, daß keiner der Mannschaft das Schiff verlassen durfte. Das verkrustete Meer mußte in Bewegung gekommen sein. Ein unberechenbarer Eisgang steht bevor.

– – – – – – – – – – –

Ich habe mir rechte Mühe geben müssen, um ein verworrenes, vielleicht sogar schändliches Dokument anzufertigen: einen Brief an Alwin Becker. Viele Entwürfe, weitschweifige Darstellungen, die den Empfänger hätten befremden müssen. Knappe Zusammenfassungen, die ihn vollends im Ungewissen über das Ziel der Hinwendung gelassen hätten. Streichungen. Hinzufügungen. Es fehlte nicht viel, und mein Plan wäre an der Unlust, die mich allmählich ergriff, gescheitert. (Man kann mich für verrückt halten. Mein Herz, der Sitz meiner Ahnungen oder schattenhaften Gefühle, wiederholt mir immer wieder, daß ich eine Forderung an den Reeder habe, daß er mir die Preisgabe seines Geheimnisses schuldet, daß es mein Recht ist, mit Gewalt in die Bezirke seines Daseins einzudringen; aber meine Vernunft, das Triebwerk ineinandergeschachtelter Gedanken, mit den tausend Zahnrädern der Ratio, erklärt mir,

daß ich nur töricht und besessen bin. Was soll ich tun? Wohin soll ich horchen? Ich habe diesen Brief geschrieben. Ich habe damit einer geheimnisvollen Kraft nachgegeben. Ich bin der Schauplatz eines Gaukelkampfes geworden, der sich in vollkommener Finsternis vollzogen hat. Ich weiß nicht, welche Gegner aufeinanderstießen. Ich habe mit Widerstreben und Ansporn – bald hatte die Unlust, bald der Eifer die Überhand – ein Mittelmaß an äußerer Länge und innerer Unwahrhaftigkeit zu Papier gebracht.) So schrieb ich denn von jener Zeit vor dreißig Jahren, wo sie beide, Kastor und Pollux, sich der Seefahrt verpflichtet hatten und diesen Beruf als unzertrennliche Kameraden bestehen wollten. Vom Schiffbruch der ›Lais‹, vom blinden Passagier, dem Verlobten Ellenas, der unter den Geretteten war. Und stellte ihn als den Briefschreiber vor. Sodann mein Anliegen: ihn zu sehen und zu sprechen, den Zeugen jener für mich so verhängnisvollen Wochen, weil die Einsamkeit meiner Vorstellungen die alten Bilder zu einer bedrängenden Undurchsichtigkeit verdichten. – Ich schrieb: »Könnte ich mir das volle Vergessen willkürlich aneignen, ich würde mich nicht bedenken, es zu wählen. Aber der Zugang zu ihm aus freiem Entschluß ist jedermann versperrt.« Ich bat, mich nicht für einen Narren zu halten und mir eine Antwort zu geben; mehr, ich verriet meine Ungeduld und gab sie als Entschuldigung für meine Aufdringlichkeit. – An den Schluß des Briefes setzte ich eine Einladung, mich zu besuchen. Für die Reiseunkosten würde ich aufkommen.
Der Brief ist schlecht. Er verdeckt nur eine Lüge. Die Dürftigkeit der Begründung ist offenbar und stellt den Erfolg infrage. Aber ich bin ungeübt in der Kunst des Täuschens. Mein Geheimnis durfte ich dem Brief nicht anvertrauen. Woher rührt mein Entsetzen, wenn ich an jenen Menschen denke, den ich kaum kenne, den Reeder, der keine Schuld auf sich geladen hat, die man beweisen kann, während Tutein und ich als Gezeichnete aus dem Abenteuer des Schiffbruchs hervorgingen? Welches Geheimnis? Welcher Kraft versuche ich noch immer zu trotzen? Welches Geschehen will ich ungeschehen machen oder mit anderer Bedeutung ausstatten? Ich rüttle an einem Tor und stehe in der Gefahr, daß es dahinter leer ist. Es ist möglich, es ist wahrscheinlich, daß es gar nichts zu erforschen gibt. Der

Brocken eines geringfügigen Ereignisses wurde hingeworfen, damit unser Schicksal sich daran verwirrte. Mein Wahn widersetzt sich der einfachsten Kausalität. »Hätte ich den häßlichen Burschen nicht geküßt«, sagte das Mädchen, »hätte ich kein häßliches Kind in den Schoß bekommen.« – Ich weiß nicht, ob der Brief jemals den Empfänger erreichen wird. Es ist ein Brief ins Leere. Ich kenne den Menschen nicht, den ich anspreche, sehe sein Antlitz nicht, während ich spreche. Es ist natürlich, daß ich den Diener des Herrn aushorchen möchte, denn ich suche meinen Gegner, den greisen Reeder. Der Matrose von einst ist mir gleichgültig. (Ich kann es mir ersparen, über diesen Brief zu brüten; ich muß mich nur entschließen, nichts zu erwarten. Keine Antwort zu erwarten.)

*

Ich habe ihn verschlossen, ohne ihn nochmals zu verändern. Ich habe mich in die Stadt aufgemacht. Das Postschiff lag bereit auszufahren. Ich händigte dem Sekretär, der den Geschäftsbetrieb in seinem kleinen Kontor anbord wieder eröffnet hatte, den Brief aus und bezahlte das Porto.
»Nun beginnt das Reisen wieder«, sagte der Mann.
»Wann werden Sie ausfahren?« fragte ich.
»Heute oder morgen, wenn das Eis mürbe genug ist«, sagte er, »der Kapitän bestimmt es nach Weisung und Gutdünken.«
Das Meer lag unkenntlich in Nebel. Man erzählte mir, die ›Abtumist‹ sei ins Treiben gekommen; glücklicherweise habe der Sog der Eismassen sie von der Küste abgezogen. Ihr Rumpf habe seitlich ein paar Beulen davongetragen. Aber die Eisenhaut sei nicht gerissen. Inzwischen sei das Eisgeschiebe kraftlos geworden, weich wie Ochsentalg.
Die Straßen sind belebt. Die Menschen genießen das mildere Wetter. Die Gestalten tauchen zwischen den Häusern aus dem Nebel auf, verschwinden wieder. Jedermann glaubt, der Frühling wird in diesem Jahr zeitig anheben. Eine unbegründete Fröhlichkeit hat alle erfaßt.
Ich schritt in den Nebel hinein und verschwand. Ich war ruhig wie nach einer großen Entscheidung. Der Brief wird den Empfänger suchen.

*

Unsere Reise nach Afrika gehört zu jenen Erlebnissen meines Lebens, die am wenigsten Ähnlichkeit mit der Erwartung hatten. Afrika ist groß. Tutein hatte im Überschwang für meine Augen hunderttausend Mädchen versprochen. Wir haben fast nichts des Landes und nur einzelne seiner Menschen gesehen.

Ich beginne mit den Vorstellungen meiner Jugend. Als ich die Schwelle der körperlichen Reife überschritten hatte, zogen mich meine Gedanken oft nach jenem Erdteil. Ich erfuhr von ihm jenes Ungefähr, das man sich aus Büchern zusammenliest. Die Bewohner der heißen Erde, die Neger, sind in meinen Wunschgedanken stets weniger als Menschen, eher als wunderbare Tiere aufgetreten. In dieser Rangordnung ist wahrlich keine Herabsetzung enthalten. Wenn ich an die schönsten der Tiere denke, an Pferde, dann wird es traurig und gefaßt in mir, als beherbergte ich eine reine Leidenschaft, eine Leidenschaft für arglose Geschöpfe, für den Geruch begnadeten Fleisches, für das Wunder des sanften Felles, das man nur mit dem Glauben begreifen kann, nicht mit dem Wissen eines Anatomen. Wenn ich die Neger zu den Nachbarn der auserwählten Geschöpfe gerechnet habe, so bin ich einer Grundneigung meines Geistes und meiner Sinne zum Einfältigen gefolgt. Es würde mir allerdings nicht einfallen, etwa die Milliarde der Asiaten oder auch nur die Inselbewohner Ozeaniens als wesensverschieden von meiner eigenen Existenz zu betrachten. Ich würde immer nur Gradunterschiede der Erkenntnis und der Wesenheiten einräumen; ich würde mich vielleicht vor dem starren überlegenen Geist eines geschulten Chinesen fürchten – und mich meiner Leiblichkeit schämen, wenn mir die makellose eines Balinesen entgegenstrahlte. Ich würde meine Erziehung und Ausbildung bereuen; aber ich würde die Sicherheit bewahren, daß meine Menschlichkeit sich jenen anders gerichteten anpassen könnte; ja, daß meine eigenen Vorurteile von der Gerechtigkeit und vom angemessenen Verhalten eine Ergänzung der fremden Sitten bedeuten könnten.

Ich muß recht weit ausholen, wenn die Rechenschaft in dieser Sache befriedigend ausfallen soll.

Meinem Vater entglitten zuweilen Äußerungen, die gar nicht

zur strengen Konvention seiner Anschauungen zu passen schienen. Er griff, gleichsam im Übereifer, aus der Menge der Menschen einige heraus, um sie zu brandmarken. Vielleicht hatte er die Vorstellung, dadurch die menschliche Gesellschaft zu entsühnen. Und es war ihm gerade recht, daß es hochgestellte Persönlichkeiten waren, die sein Zornstrahl traf. Bei seinen Betrachtungen ließ er geflissentlich das Verbrechen vor dem Gesetz aus, denn es hob sich für ihn durch die Strafe auf, die als Rache oder Tilgung darüber verhängt war. Der Mörder war ihm ein ungeeignetes Beispiel, um daran die Sünde oder das Böse im Menschen vorzuführen. Wahrscheinlich konnte er sich die Tat überhaupt nicht erklären. Er sah die Gefahr, in der der Täter schwebte, und wußte aus Erfahrung, in der Mehrzahl der Fälle wurde er zermalmt.

Ich erkenne den Abendbrottisch, um den wir saßen. Der Vater, die Mutter und ich, der Schüler. Ich denke, so ähnlich muß es in jedem Haushalt sein. Ich war die unwichtigste Person und zugleich unentbehrlich. Die Liebe der Eltern fiel auf mich. Ich war ihr Nachfolger in der Zeit und ihres Geistes, das verjüngte Fleisch, und sie gaben sich Mühe, mir die größte Würde ihrer Seele zu zeigen, damit ich daran lerne. Was gesprochen wurde, wahrscheinlich wurde es nur meinetwegen gesagt, damit ich reif würde in meinem Urteil und sicher in meinem Verhalten. Gewiß, es schien so, als sprächen die Eltern nur unter sich; aber sie berechneten, daß meine Ohren dabei waren.

Ich greife eines unter den fünf oder zehn Anklagegesprächen heraus, die ich im Laufe meiner Kindheit im Elternhaus habe anhören müssen. Die übrigen, die von doppelter Moral, Korruption, Priestern und Missionaren, von den Staatsverwaltungen, den Beamten und der Politik handelten, haben mich weniger betroffen. Sie haben Kleinigkeiten meiner Gesinnung verändert, zum Klugen oder Unklugen.

»Man nennt sie königliche Kaufleute«, sagte mein Vater, »diese Begründer der reichen Handelshäuser und Schiffahrtslinien, und sie haben schöne Grabsteine über dem Moder ihrer Gebeine. Aber ihr Reichtum ist nicht ehrlich erworben. Sie waren Seeräuber und Sklavenhändler. Ihre Nachfahren haben sich wenig oder gar nicht gebessert, seitdem ihre Väter oder Groß-

väter die Geschäftsbücher mit Blut schrieben. Ich kenne deren einige, die sich kein Gewissen daraus machen, morsche Schiffe, schwimmende Särge, wie die Seeleute sagen, mit hochversicherter Fracht hinauszuschicken; und die in der Kirche zum Herrgott beten, der zerrostete Kasten möchte mit Mann und Maus spurlos verschwinden, die Masten über dem faulen Kiel möchten in den Stürmen der See um Kap Horn knicken, damit sie, die Herren, die Versicherungssummen einstreichen können. – Leichen geben kein Zeugnis, so sagen sie, ein geretteter Matrose hat eine böse Zunge. Sie vergessen es niemals und lieben deshalb die Polizei auf ihre Weise. Zugegeben, das Feld des erlaubten Frevels ist kleiner geworden; fünfzig Jahre haben vieles verändert; aber immer noch ist es groß genug, daß die Berufenen die schlaue Kunst ausüben können.«
»Du solltest dergleichen nicht aussprechen«, wandte die Mutter ein.
»Der Sklavenhandel, nur ein verruchter Mensch hat sich damit befassen können. Das Gold ist vom Blut rot geworden. Ehedem war es weiß wie Silber oder Platin. Die Greuel sind nicht auszudenken, die im achtzehnten und neunzehnten Jahrhundert begangen wurden. Ach, was hilft es, daß einige der europäischen Länder zu Wohlstand aufstiegen! Die Vergeltung stirbt nicht, sie schläft höchstens. Jede Vorstellung versagt. Ich kenne nur wenige Plätze in Afrika mit Namen, zwei oder drei, die mit der Schande des Sklavenhandels verknüpft sind. Runbek oder Wau oder Angola, wo man Knaben und Jünglinge zu Eunuchen machte. Man grub sie in den Sand ein, verstümmelte sie mit einem einzigen barbarischen Schnitt, brannte die Wunde aus oder spie darauf und erlaubte dem Unglücklichen, sich selbst das Blatt eines Baumes darüber zu hängen. Wieviele starben? Niemand weiß es. Niemand kennt die volle Wahrheit.«
»Höre bitte auf mit solchen Schilderungen«, sagte die Mutter heftig und beleidigt, »das ist nichts für die Ohren eines Kindes.«
Mein Kopf glühte.
»Ach was«, sagte der Vater eifrig, »entweder er versteht es mit seinen vierzehn Jahren oder er versteht es nicht. (Ich verstand es nur zu gut, denn ich war, mit böser Wirkung für meine

Lenden, in ein Kellerloch gefallen.) Es tut gut, wenn man sich von früher Jugend an darauf vorbereitet, welcher Scheußlichkeiten der Mensch fähig ist, wenn er sich nicht bezähmt.« Er fuhr fort: »Und die Jagden, die Gewinnung der Handelsware. Wer könnte das schildern? Es sind Millionen Neger einfach geschlachtet worden, um hunderttausend nach Amerika, nach Arabien oder Ägypten zu exportieren. Und die Ware, diese Männer, Weiber, Kinder – man hat gesagt, wie Schlachtvieh zusammengetrieben. Was für ein dichterischer und unwahrer Bericht! Angekettet, Baumstämme über die nackten Rücken und daran angeschlossen ihrer zehn oder fünfzehn. Karrees zu hundert, wo die Toten mitgeschleppt wurden, bis sie verfault auseinanderfielen oder ein Verzweifelter, ein Irrer die fade Last an einem Stein zerfleischte. Die Füße blutige Wunden, die nackten Rücken enthäutet vom Schlag der langen Peitschen. Die jungen Frauen, nur noch ihre Eingeweide reizten die Bestien.«
Die Mutter erhob sich weinend. »Schluß«, sagte sie.
»Du kannst sitzenbleiben«, sagte der Vater. »Und dieser Handel, dieser unvorstellbare Handel, der Abtransport, die Verfrachtung der Ware, die Verteilung an Agenturen, ihr Ausbieten an fremden Plätzen, in anderen Erdteilen, das Ganze bürokratisch zusammengefaßt, Unkosten aufgeführt, Löhne angesetzt, Schiffe für das Untervieh eingerichtet, Mannschaft für die Beseitigung der Leichen bereitgestellt, Gewinne berechnet – und Gott am Sonntage gedankt; das alles fasse, wer kann. – Nur noch die arabischen Händler konnten den Greuel überbieten.«
Die Mutter entfernte sich. Der Vater schwieg. Er war für eine Weile nicht er selbst gewesen. Diese Empörung gehörte nicht zu ihm. Er hatte eine vorteilhafte Meinung von der Ordnung der Welt. Er schnitt die Unordnung heraus wie etwas Fremdes, Ungehöriges, mit dem menschlichen Dasein nicht Vereinbares. Er wußte nicht, daß er bei solchen Anlässen ein Revolutionär war. Er wollte kein Revolutionär sein. Er wurde aufgebracht, wenn man ihn einen Sozialdemokraten nannte. Er war es auch nicht. Er war ein Arbeitgeber wie so viele andere Arbeitgeber, die eine Belegschaft von zehn oder zwanzig Mann beschäftigten. Er forderte nur Sühne. Er war fähig, sich selbst zu zerknirschen.

Das Ausmaß der Wirkung auf mich vermag ich nicht anzugeben. Ich war bereits so alt, daß man uns in der Schule die inneren Organe von Mensch und Tieren auf bunten Tafeln zeigte. Vielleicht hatte ich den Blutkreislauf von Kaulquappen unter dem Mikroskop beobachtet. Ich war in der Lage, das Urteil meines Vaters über die gegenwärtigen königlichen Kaufleute zu berichtigen. Mir erschien seine Anklage als ein Stück seiner Jugendgedanken, ein Prozeß in der Vergangenheit, der nur wiederholt wurde. Ich hätte das nicht ausdrücken können. Aber ich war der grausamen Wirklichkeit, der er noch nahe gewesen, verschlossen. Das Verbrechen, das eine Summe von Millionen Verbrechen war, ging über mein Fassungsvermögen; es blieb eine leere Behauptung. Die Entwicklung der Menschheit hatte es ausgeebnet. Vielleicht ahnte ich, trotz dräuender Gefühle und der Erfahrung am eigenen Leibe, ganz und gar nicht, was es bedeutete, einen Menschen zu verstümmeln. Der Tod war mir faßbar, aber nicht eine Verwundung, die den Tod der natürlichen Seelen nach sich zieht. Der poetische Bericht war mir gemäßer: Sklaven, zusammengetrieben wie Schlachtvieh. An den Verkaufshallen des städtischen Schlachthofes zog ich zweimal täglich auf meinem Schulweg vorbei. –
Neben mir auf der Schulbank saß der Sohn eines königlichen Kaufmannes, und ich glaubte ihn zu lieben. Er war weich und sehr anhänglich, bedürftig, nicht stolz auf den Besitz seines Vaters. Es kam niemals dazu, daß ich zu ihm ins Haus eingeladen wurde; aber er besuchte mich zuweilen. Ihm vertraute ich mich an. Mit sehr milden Worten begann ich von der Schiffahrt, vom Handel, von der Sklaverei zu sprechen. Er schaute mich erschrocken an. Dann begann er zu lächeln, strich sich mit den Fingern durch das lose blonde Haar.
»Papa sagt«, antwortete er mir, »wir hätten jetzt andere Zeiten. Unsere Familie will nichts beschönigen. Papa ist ganz ehrlich und verbirgt nicht einmal vor mir seine Gefühle. Er leidet an der Vergangenheit, am Geschäft unserer Vorfahren. – Er sei anders als der Großvater. Er tauge nicht zum Viehhändler und darum auch nicht zum Sklavenhändler. Übrigens hätten alle Geschäfte ihre Zeit. Irgendwo beginne die Kapitalbildung im Dunkeln. Der Grundstock sei überall anrüchig. Die starken Persönlichkeiten scheuten sich nicht, Makel auf sich zu laden,

sie hätten gleichsam das Vorgefühl zukünftiger Rechtfertigung. Sie sähen das große Gebäude einer glückhaften Vollendung im Geiste und mühten sich um den Aufstieg mit allen Kräften, mit den ehrbaren und mit den unsauberen. Sie hätten im Grunde eine vollkommenere Anschauung von den Möglichkeiten des Menschen gehabt als wir. Sie hätten die Sklavenjäger weder erzogen noch ausgesandt, sie fanden sie vor; sie hätten einfach mit der Entfaltung des Bösen unter ungebundenen Verhältnissen bei einem mörderischen Klima gerechnet. Weil der Mensch ein grausames Tier sei. Sie hätten ihre eigene Härte, ihren Geiz oder ihren Spürsinn ruhig betrachten können, mit einer Art Anerkennung für sich selbst, als einem Werkzeug oder einem Mittel, über das sie unter allen Umständen verfügen konnten, und das vor jeder Rührung, vor dem melodischen Saitenspiel des mitleidigen Herzens verschlossen war. Sie hätten den Wert des Geldes gekannt, die Macht, die es verleiht, und den Adel, den es dem Besitzer anhängt. Es könne nicht davon die Rede sein, daß sie die Grausamkeit begünstigt oder gar gefördert hätten. Die große und schöne Nation der Vereinigten amerikanischen Staaten habe die Sklaverei der Neger als eine selbstverständliche, als eine fromme Einrichtung betrachtet. Gewiß, zwischen dem fertigen Sklaven, der seinen endgültigen Herrn gefunden, und seiner Gewinnung, sofern er nicht in der zweiten Generation oder einer späteren als Sklave geboren, habe eine harte, eine unmenschliche Zeit gelegen, doch niemandem sei es eingefallen, unnötiges Leid zu rechtfertigen. Es sei indessen ein Kennzeichen jener Abläufe gewesen, daß die Kenntnis von den furchtbaren Geschehnissen die Auftraggeber immer erst erreichte, wenn sie der Vergangenheit angehörten. Man habe sich nicht eingebildet, daß sich der berufsmäßige Menschenraub in Afrika ohne Übergriffe, ohne empörende Härten und ohne große Opfer durchführen lasse. Alles in allem habe man ihn als Teil eines Krieges, als Mittel der Eroberung eines Erdteiles betrachtet, und die Freiheit der Betroffenen als eingezogen hingestellt. Wie es ja auch den Staaten gefalle, lästigen Einwohnern die Freiheit zu nehmen. Augenscheinlich sei ein gütliches Verhandeln, etwa wie mit einer besiegten Nation, unmöglich gewesen, und die ungeordnete Gewalt habe den Vertrag ersetzen müssen. Verträge, Menschenfleisch zu liefern, seien in der Geschichte an sich nichts Neues oder Seltenes. In allen Erdteilen und zu allen Zeiten seien sie im Schwange gewesen. So hätten die Mexikaner noch zur Zeit Montezumas von den unterworfenen Indianerstämmen jährlich zehntausend junge zeugungsfähige Männer eingetrieben, die auf dem Gipfel einer Pyramide dem Kriegsgott geopfert wurden. Priester hätten den Bejammernswerten den Bauch über der Magengrube mit steinernen oder goldenen Messern aufgeschlitzt. Dann sei ihre Hand in den Leib eingefahren und habe das schlagende Herz herausgerissen. Die Leichname habe man zerstückelt und die Abhänge der Pyramide hinabgeworfen, damit sich das umherlagernde Volk der Siegernation darüberstürzen könne, um sie zu verspeisen. Willkommene Festspeise zum alltäglichen Mais. Diese sicherlich unhumanen Voraussetzungen in der Welt, über die sich die europäischen Kaufherren der letzten Jahrhunderte einigermaßen klar gewesen seien, hätten doch nicht den Freibrief für schrankenlosen Mord, Mißhandlung, Verstümmelung ausgestellt. Die Beschuldigungen der späteren Zeit gegen die Organisatoren dieses Handels seien ungerecht und übertrieben. Auch der lebendige Neger sei eine Ware von gutem Wert gewesen. Seine Gewinnung habe Unkosten bereitet. Welcher Kaufmann hätte so töricht sein können, daß er die Ware verdürbe oder soweit vernachlässigte, daß sie entwertet würde, da sie doch zweifellos einen Teil seines Kapitals darstellte? Toll seien die Großväter und Urgroßväter nicht gewesen, auch nicht schlecht im Rechnen. Vielleicht habe ihr Geiz getötet, nicht ihre Vernunft. – Von den Käufern der schwarzen Menschen, jedenfalls von den meisten unter ihnen, könne man sagen, sie hätten sich berufen gefühlt, das Leid und die Wunden ihres lebenden Besitzes zu heilen oder zu lindern. Diese menschliche Verpflichtung sei durch ein wirtschaftliches Gebot unterstützt worden. – Natürlich sei es leicht, hinterher festzustellen, daß auch falsche Berechnungen angestellt wurden. Die unerbittliche Auswahl des schwarzen Menschenmaterials, die eine Forderung jedenfalls der amerikanischen Besteller gewesen sei, habe Menschen von großer Widerstandsfähigkeit geschaffen, von ungeheurem Zeugungsdrang und von unbändigem Selbsterhaltungstrieb. Man erkenne jetzt, wie die befreiten Neger vom Süden her allmählich Amerika durchsäuern und erobern. – Papa sagt von sich, er sei schwach, aber er bewundere seinen Vater und seinen Großvater, er bewundere die ehernen Seelen, er bewundere die unfaßbare Entschiedenheit, mit der sie das Verflossene als abgetan betrachteten und die täglichen Maßnahmen unverrückbar der Zukunft zuordneten. – Ich sei noch schwächer, sagt er. Ich bewundere Großvater und Urgroßvater nicht. Ich will human sein. Ich will, wenn die Reihe an mir ist, mildtätig sein und Not lindern, wo ich sie aufspüre.« –

Ich bewunderte ihn. Ich weinte Tränen an seinen Wangen. Wir waren fast fünfzehn Jahre alt.

*

Der Zoologische Garten unserer Stadt veranstaltete in jedem Jahre während der Sommermonate eine Menschenschau. Das bedeutete, eine Handelsagentur oder der Impresario für willenlose, halbverkaufte, halbbestochene Menschen vermittelte dem halbwissenschaftlichen Institut die Einwanderung einer Gruppe von Afrikanern, Indios, Südseeinsulanern oder Ceylonesen. Diese sehenswerten Menschen wurden hinter Barrieren in einer künstlichen Landschaft mit nachgebildeten Dörfern oder Hütten, um ein natürliches Dasein in ihrer Heimat vorzutäuschen, untergebracht.

Meine Freundschaft mit dem Sohn des königlichen Kaufmannes bestand noch. Seine Familie besaß eine Aktie des Tiergartens; statt einer Dividende genossen die Besitzer das Recht freien Eintritts für sich und ihre Angehörigen. Der Sohn des königlichen Kaufmannes, er verfügte immer über kleine Beträge Taschengeldes, stand mit den Aufsehern und Tierwärtern auf gutem Fuße; er kannte die Kunst der Bestechung mittels einer Zigarette; und wenn der überwundene Erwachsene rauchte, tat er es auch, im Schatten einer gemeinsamen Schuld. Er log mich als Verwandten von sich ohne Bezahlung in den Zoologischen Garten hinein. Nachdem er mehrmals mit mir gemeinsam die Pforte »für Aktionäre« durchschritten, wagte ich den Gang auch ohne ihn, und man ließ mich hineinschlüpfen. In jenem Sommer, ich war auf dem Wege vom vierzehnten zum fünfzehnten Lebensjahr, zeigte man eine Truppe von

Somalileuten. Ich lief so oft zu ihnen, wie ich es einrichten konnte. Zu ihnen und zu einem Tiger, der mein Herz überwunden hatte. Ich habe einmal vor seinem Käfig geweint. – Die erwachsenen Somalimänner mit den gescheitelten eitlen Frisuren und die drei oder vier abgehärmten Frauen waren mir gleichgültig. Ich verachtete sie vielleicht, weil sie (ihr Vertrag schrieb das vor) Tänze aufführten, die unecht waren; weil sie sich wie wilde Menschen benahmen, und doch in Wirklichkeit von der Langweile benagt waren. Ihre Gier richtete sich auf den Tand der weißen Menschen. Sie verkauften Postkarten und Zuckerholz. Sie wurden, damit die den Tiergarten besuchenden jungen Damen in nicht zu große Gefahren gerieten, einmal wöchentlich in ein Bordell gefahren. (Das erzählte mir mein Freund, der Sohn des königlichen Kaufmannes.) Wir entrüsteten uns, aber wir hatten keinerlei intime Kenntnisse.
Bei der Truppe war ein zwölfjähriger Knabe. Anfangs glaubte ich, er müsse so alt sein wie ich. Es war die Gleichheit der körperlichen Entwicklung, die mir diese Meinung eingab. Ich versuchte mit ihm zu sprechen, aber er kannte nur die Bedeutung weniger englischer und französischer Vokabeln, und meine kunstvollen Ausführungen in diesen Sprachen schienen jenseits seines Fassungsvermögens zu sein.
Er lächelte mich entsagend an. Unwillkürlich bezog ich sein Verhalten auf den unvorteilhaften Unterschied zwischen ihm und mir. Ich sah ihn hinter Gittern wie jenen Tiger, wie alle Tiere dieses verfluchten Ortes.
Ich kann ohne Reue die Schmach gestehen, ich besuchte am Ende nur seinetwegen den Zoologischen Garten, nur um auf Augenblicke sein Gesicht, die Würde seiner Gestalt zu sehen. (Jetzt habe ich beides vergessen.) Ich weiß, die Gedanken, die mich Tag und Nacht bewegten, waren frevelhaft, es waren absolute Wünsche, die jenseits der Vernunft, ganz und gar unklug und ungezügelt waren. Ich wollte die Adler befreien, ich wollte den Tiger befreien, ich wollte *ihn* befreien. Ich wollte eine Gemeinschaft mit ihm, von deren Wirklichkeit ich nicht die entfernteste Vorstellung hatte. Das grenzenlose Begehren, in seiner Nähe zu sein, stand in vollkommenem Gegensatz zur Ratlosigkeit, die mich befiel, wenn ich neben ihm war, nur durch ein Gitter getrennt. Hätte er, klüger als ich, die

Wirrsal meiner Seele gedeutet und mir die Liebe angetragen, nach der ich dürstete, ich wäre geflohen. Aber er lächelte entsagend. Vielleicht verachtete er mich. Vielleicht belud seine körperliche Entwicklung ihn mit dem gleichen unerfüllbaren Begehren, mit dem reinsten und unbedingtesten Gefühl, zu einer neuen Möglichkeit bereit zu sein.
Eines Tages öffnete ich die Gittertür des künstlichen Adlerhorstrevieres. Ein Wärter entdeckte die offene Tür und schloß sie wieder. Keiner der Adler war davongeflogen. Ich erfuhr es später. Aber mit diesem Anfang der Befreiungshandlungen waren meine Kraft und mein Mut erschöpft. In mir hauste jetzt die Angst, daß ich ein Verbrecher sei. Die Vorstellung, daß ich den Tiger freiließe, ging über mich hinweg und warf mich zuboden. Die Befreiung des Äthiopierfreundes zu einem Menschen, ich konnte den Weg nicht erkennen. Die Barriere war ja übersteigbar; aber das Nachher war zähe Finsternis, die keine Einbildung erleuchten konnte.
Ich besuchte den Zoologischen Garten nicht wieder. Ich gestand mir in unheilvollen Nächten, daß ich den Somaliknaben mehr liebte als den Sohn des königlichen Kaufmannes, und mit frostiger Ehrlichkeit kündigte ich diese Freundschaft. Es wurde Herbst, und die Truppe der Äthiopier zog davon. Ich war verbittert und einsam, krank an mir selbst. Meine Sehnsucht hatte kein Ziel. Die kalte Zeit meiner körperlichen Reife war da. Diese fürchterliche Verlassenheit, in der man nicht einmal sich selbst besitzt.

*

Ich habe die letzten Blätter wieder durchgelesen. Ich spüre einen Zweifel: es ist möglich, mein Alter kann schon fast sechzehn Jahre gewesen sein. Mein Geist und meine Seele sind lange unreif gewesen: kindlich und nur trotzig. Selbst als sich Begabungen in mir zu regen begannen, waren meine Gefühle sehr unfertig.
Ich habe die Einsicht, es ist mir nicht erlaubt, den wohlgemeinten Gegensatz zu den Bewohnern Afrikas aufrechtzuerhalten. Als Stanley im Jahre 1870 nach Zanzibar gekommen war, schrieb er: »Hier erkenne ich, daß die Neger Menschen sind

wie wir, daß sie Leidenschaften und Empfindungen haben wie alle anderen Menschen.« Ich muß das Gitter entfernen. Die Zeit der Sklaverei schwindet allmählich dahin. Das Gewesene darf nicht die Leuchtkraft des Bösen bewahren. Ich muß das Gewebe aus Mitleid, aus heimlicher Lust an den dunklen Gestalten zerreißen. Die Wirklichkeit muß die Träume verdrängen. Nach zweihundert Jahren wird es keine Sklaven mehr geben. Das Entsetzen, vom Hörensagen genährt, das Blendwerk der tausend Meinungen, das süße sich dem Fremdartigen Hinneigen, es muß vorbei sein. Für mich ist es leicht und ohne Hinterhalt gewesen, an schöne Tiere zu denken. Ich wollte sie nicht schießen. Ich habe sie nicht schlachten wollen. Aber meine eigene Erfahrung, die Zeugnisse der menschlichen Kultur stehen der schmeichlerischen Theorie entgegen. Es ist eine andere Zeit als die vor hundert oder zweihundert Jahren. Menschen von dunkler Körperfarbe besinnen sich auf ihre Rechte. Die greisen granitenen Tempelmauern von Zimbabwe sind ein stärkeres Zeugnis als die kaufmännischen Spekulationen einiger Nationen, die den Glauben an Tempel törichten Zwecken geopfert haben. Es ist Menschenblut in den Negern, befähigtes, das nur aus dem Schlaf der Unterdrückung und Armut erweckt zu werden braucht, um wieder brausend zu einem Schöpfungsstrom zu werden. Der Haut einer Negerin angeschmiegt, habe ich den ersten vollen Genuß meiner Sinne genommen. Ich bin nicht kleinlich, wenn es um das Maß meiner Schuld geht. Ich stürze nicht aus meiner Ruhe, wenn man mich der Sodomie bezichtigt. Aber es war ein Mensch, ein Mensch wie ich, eine Festung des Leids. Vielleicht ist ein Halbneger, ein Bastard, mein Kind. Nichts, was Bestand hätte in den schneeigen Zeiten des Später: ein Mann, rüpelhaft wie die Vielen und allgemein wie die Ungezählten, die ihre Hände bewegen, um nicht Hungers zu sterben: ein Weib, eine Hure, eine Mutter, ein Werkzeug der Vermehrung, eine Pforte, durch die das Leben schreitet: ein Mensch, ein Mensch, auf den ich alles Erbarmen herabflehe und wäre er der Verworfenste.
Egedi. Ich verwirre mich. Es war damals vorbei. Und sie verschwand. Es ist wie es ist. Ich handelte wie ein männliches Tier zur Zeit der Brunst. Es ist kein Platz für Reue. Ich kann die Rechnung nicht abschließen, das bedrängt mich. Ich weiß

weniger als mir bekömmlich ist. Es ist nichts Ehrbares. Ich bin nicht vor dem unehelichen Kind davongerannt wie junge Burschen zuweilen tun. Sie lief in die Berge, in die Wälder, in denen ich waldkrank geworden wäre. Vielleicht starb sie, und ich wußte es nicht. Es gibt keinen Plan in meinen Vorstellungen. Die Wirklichkeit hat mich nicht einmal erreicht. Und sie ist unwiederbringlich. Es ist die Zeit, die vergangen ist. Ich kann niederschreiben: so ist es gewesen. Es ist nur vor mir so gewesen. Ich wurde nicht von Lynchern geprügelt. Ich war nicht vierzehn Jahre alt und die Tochter afrikanischer Eltern. Ich wurde nicht geschwängert. Ich lief nicht in die Wälder. Ich starre ins Leere. Meine Fragen bekommen keine Antwort. (Ich kenne ihn nicht, diesen Bastard, meinen Sohn, meine Tochter, dies Schicksal eines anderen Menschen, den sich die Natur ermischte.)

*

Vier Wochen lang gurgelte sich der Dampfer durch das Wasser des Ozeans. Es ist eine beträchtliche Zeit, und die Gedanken, lange Fäden, Spinnwebsfäden zogen durch mich hin. Ich war erschöpft wie nach einer Krankheit. Ich war nüchtern. Mein sinnliches Verlangen war verebbt. Eine Kruste wuchs über meinen Schmerz. Vor mir lagen weite Strecken der Beruhigung und Ergebenheit wie satte grüne Wiesen. Die gelben feisten Blumen breiteten sich darüber, erschlossen, halb erschlossen, schon verwelkt, meine unwichtigen Gefühle, die namenlosen. Der Brunnen quoll, der die Murmelzeile sprach: »Du bist da, ein Mensch.« Ich galt nicht viel, weniger als die meisten, die nützlich waren. Aber die Wolken, die von Horizont zu Horizont schwammen, sagten es auch: »Du bist da, ein Mensch.«

An den Abenden sprach ich mit Alfred Tutein. Ich sah, wie er bei mir war. Ich wußte, daß er dableiben würde. Es würde kein Ende mit unserer Freundschaft nehmen. Und ich wünschte mir, der Ozean möchte seine Gestade verlieren, damit alles unverändert bliebe, wie es jetzt war, die Tage, die Nächte, die ziellosen Gespräche, die gurgelnde Fahrt des Schiffes. Ich war dabei, die Mechanik des Schicksals zu erklären, die Mechanik

meines Schicksals. Andere, wenn sie auf Schiffen müßiggehen, betrinken sich oder zerschlagen chinesische Geduldspiele. Ich versuchte mir zu erklären, warum es so mit mir gekommen war.
Der Kapitän war mit seinen Passagieren sehr zufrieden. Wir lebten mäßig, bereiteten keinerlei Beschwernisse, redeten nicht viel, wurden nicht unheimlich durch Schweigen.
Auch achtzig Längengrade nehmen ein Ende. Wir vertauschten das Festland Amerika mit dem Festland Afrika. Die beiden Erdteile waren große und erhabene Gebiete unserer Heimat Erde. Die Winde umbrausen die Kugel, die Meeresströme mischen die gewaltigen Wasser. Der gleiche Gesang des Weltenraumes träufelt auf alle Gefilde des langsam kreisenden Balles herab. Als wir Cape Town erreichten, war es uns, als ob die Veränderung des Ortes nicht auffallend sei. Die Erwartung, mit der man die Ankunft an einer fremden Küste schmückt, war schon zergangen, nachdem wir uns ein wenig in der Stadt umgetan hatten. Menschen, überwiegend Europäer und Afrikaander, Malaien, Neger, Mischlinge. Aber sie unterschieden sich nicht voneinander außer durch den Besitz, der ihnen unterschiedlich zugeteilt war. Wäre ich noch mit Sehnsüchten beladen gewesen, meine Enttäuschung hätte grenzenlos sein müssen. Aber ich glich jenem Neugierigen, der einen Tanzsaal aufsucht, nicht, um ein Mädchen zu finden, mit dem er gemeinsame freundliche Stunden verbringen will, sondern der den Vorsatz hat, alle zu belächeln, die der gemeinsamen Sache des Vergnügens erlegen sind und im Schweiße ihres Angesichts die Torheit der Geselligkeit büßen. Hier, auf afrikanischem Boden, erkannte ich im ersten Augenblick hellsichtig, daß mir das Lebendige entgehen würde, daß ich keinerlei Berechtigung hatte, mich auf meine Weise den Tieren und einheimischen Menschen zu nähern. Was ich sah, war eine weiträumige hübsche europäische Stadt, mit einem Blumenmarkt, wie man glaubt, daß es ihn nur in einer Stadt Hollands geben könnte. Die Luft war weich und voller Düfte. In den Nachmittagsstunden spien die Verlagshäuser Zeitungen aus. Ich konnte in englischer Sprache lesen, ein Neger habe Selbstmord begangen, weil ihm der Versuch, den Europäern zu gleichen, nicht gelungen war. Seine Hautfarbe war ihm im Wege gewesen. –

Ich würde nur Asche in meine Hände bekommen. Ein einfacher Reiseführer, den ich bei den Herren Cook erstand, zeigte die Probleme schwarz auf weiß gedruckt: eine halbe Million Weißer, ein wenig mehr Mischlinge, einundeinhalbmillion Schwarzer am Kap. – Ich wies von Zeit zu Zeit auf Menschen und sagte zu Tutein: »Sieh diesen, sieh jenen.« Und es war gleichsam das Häßliche oder Närrische, das mir bemerkenswert vorkam. Nur die Engländer schienen hübsche Gesichter zu haben. Schon während der ersten Stunde trabte uns eine Doppelgängerin jenes Weibes entgegen, das wir bei Herrn Friedrich gesehen hatten, eine Negerin, in grauen Tuchrock und weiße Bluse gekleidet; und ihre Brüste waren so unförmig, wie es das Euter einer ergiebigen Kuh nicht sein kann. Um die Fülle wenigstens zu bedecken, hatte sie zwei große quadratische Taschentücher oder Servietten dem oberen Bekleidungsstück aufgenäht. Ich lachte. Ich verzichtete freiwillig auf Egedi, indem ich lachte. Tutein drängte mich in eine Kneipe. Wir tranken einen schweren süßen braunen Wein. Die Straße zerfiel vor meinen Blicken; eine leichte Feuchtigkeit sammelte sich an meiner Stirn.

»Willst du Negermädchen sehen?« fragte mich Tutein.

»Ich will in kein öffentliches Haus«, sagte ich.

Wir tranken weiter vom schweren Wein, langsam, sehr langsam allmählich, um nicht die Füße vom Boden zu verlieren. Ich dachte, ein fremdes Mädchen, das ich schon morgen wieder vergessen muß, es ist eine mechanische Freude. Ein Gerät, ein Gefäß, eine Station der Ratlosigkeit. Etwas, was die Schöpfung bereit hat. Es ist nicht notwendig, die gedemütigte Kreatur weiter zu beleidigen, wenn man sich eingesteht, daß das Ende des vergänglichen Augenblicks das Ziel der kunstvollsten Erfindung ist. Wir müssen nicht nur das Dasein bestehen, wir müssen auch die Launen des vielfältigen Tieres austragen, das unsere Haut bedeckt. Selten nur streift uns der Schimmer des harmonischen Geistes, die Gewißheit, daß die Überwindung unserer Süchte, das gemäßigte Verhalten in unseren Entscheidungen den Lohn in sich selbst trägt. Unsere Sinne wollen beständig, daß wir uns übereilen. (In der Hanover Street sahen wir den ausgedehnten Triumph der Rassenmischung. Gesichter aller Farben und Zuschnitte. Unwahrscheinliche und liebenswürdige Kreuzungen. Erhaben schöne Köpfe und ihr Gegenteil, unverständliche Häßlichkeit. Die Natur ist sehr schwer zu begreifen.)

*

Drei volle Tage und eine Nacht dazu lag unser Schiff im Hafen von Cape Town. Wir kamen jede Nacht in unser Schiffsquartier zurück. Wir ergingen uns wie ehrbare Ausflügler, die ihre Füße bewegen und ein bißchen Boden an den Sohlen fühlen wollen. Wir schlürften Wein und aßen dazu, was wir an bekömmlichen Leckereien erhalten konnten, Früchte, Gemüse, frische Speisen. Es fiel kein Schatten auf den Gleichmut meiner Seele. Wir vermieden die engeren Straßen, um nicht der Qual zu begegnen. Manchmal schaute ich beiseite, wenn ein abgehärmter Mensch, ein von seinen Vorrechten abgestürzter Afrikaander oder ein ohne Vorrechte entwurzelter Bantu in unsere Nähe kam.
Am letzten Tage fanden wir uns schon einige Stunden vor Sonnenuntergang anbord ein, weil die Stunde der Abfahrt nicht feststand. Die Luken der Laderäume waren geschlossen und verwahrt. Ein kleines Heer schwarzer Arbeiter füllte die Bunker mit Kohlen. Ich sah der Arbeit zu. Zweihundert Schritt vom Schiff entfernt waren mehrere beladene Prahme an der Kaimauer vertäut worden. Mittels einer kleinen Handwinde hoben die Neger Körbe, mit grober Kohle gefüllt, bis zur Höhe der Granitmauer. Es waren ihrer zwei, die an den Kurbeln des hölzernen Kranes drehten und ihn herumschwenkten, sobald die Last in die rechte Höhe gewunden war. Und ihrer zwei im Prahm füllten die leeren Körbe, die man hinunterließ. Sobald sich der Kran herumschwenkte, stand ein Mann bereit, um sich die Last auf den Rücken fallen zu lassen. Er trug sie im Eilschritt davon, schwankte über einen Laufsteg anbord des Schiffes und entleerte den Inhalt seines Korbes durch eine der runden Bunkeröffnungen in den Schiffsrumpf. Eilte auf einer etwas schwächeren Planke an den Kai zurück, lief, gab seinen Korb an einen der Männer beim Kran und ließ sich abermals beladen. In die Reihe der Läufer waren sechs oder sieben eingegliedert. Von der Reling aus, mit den Augen eines

Menschen gesehen, der den Frieden eifriger sucht als die Wahrheit, nahm sich das Vollbringen der Arbeit wie ein anmutiges Spiel aus. Etwas fremdartig, etwas einfältig, ein zu großer Aufwand an Menschen. Ich hatte dem braunen schweren Wein wieder zugesprochen. Und das Gefühl der Ermattung, die Langsamkeit, mit der die Eindrücke in mich eingingen, gleichsam die ungenaue flimmernde Wirklichkeit bestärkten die Beruhigung, die ich um jeden Preis suchte. Ich hätte Stunden damit verbringen können, zu schauen, ohne auf einen Widerspruch in mir zu stoßen. Plötzlich aber fuhr mir ein allmächtiger Schmerz über die Stirn. Ich blieb im harten Licht der Nachmittagsonne aufrecht stehen, wiewohl ich mich besser befunden hätte, wenn die harte panische Belehrung mich hingestreckt hätte.
Ich sah, auf dem Kai, am Rande der beiden Fußpfade, auf denen die Träger dahinschlüpften, stand ein Europäer, in einen grauen Leinenanzug gekleidet. Sein Gesicht war glatt barbiert; es war hager; tiefe Furchen umschossen den Mund. Ein Träger lief gerade an ihm vorüber. Der Korb, den er trug, war übermäßig voll beladen, zuoberst lag ein ungewöhnlich großes Kohlenstück. Das Kohlenstück kippte über den Rand des Korbes, schlug krachend auf das Pflaster des Kais auf, fiel ins Wasser. Der Europäer marschierte einige Schritte vor und versetzte dem Neger einen Tritt gegen die Schenkel. Der Getroffene knickte in den Knien ein, entleerte den Korb in das Hafenbecken und stürzte selbst in die Tiefe nach. Die Arbeitskameraden des Verunglückten schienen den Vorfall überhaupt nicht zu beachten. Sie waren blind. Ihre Füße bewegten sich ein wenig schneller. Der Europäer schaute dem Gestürzten über den Rand des Bollwerks nach, mehr neugierig als erschrocken. Er stellte fest, Mensch und Korb trieben auf der Wasseroberfläche. Der Neger machte Schwimmbewegungen. Er ergriff den treibenden Korb mit einer Hand, mit der anderen langte er nach einem eisernen Ring. Die eingerammten Pfähle, die die Steinquadern trugen, dienten ihm als Stützpunkte. Eine herabhängende Stahltrosse war geeignet, sich daran hochzuziehen. Zuerst erschien der Korb, dann der Mensch auf der Höhe des Kais. Der Europäer war wortlos wieder an seinen Platz zurückgetreten. Der Neger ging zum Handkran, um seinen Korb den

Kurbeldrehern abzuliefern. Er nahm einen gefüllten Korb auf die noch feuchten Schultern und trabte davon, als ob nichts geschehen wäre. Die kurze Hose klebte durchnäßt an den mageren Muskeln seiner Schenkel. Er lief über die Planke. Er kippte die Kohlen in den dunklen Schacht des Bunkers. Ich sah ihn ganz nahe, den nackten braunen Oberkörper, bedeckt mit der schwarzen Borke verklebten Kohlenstaubes. Ich sah den großen schwammigen Wulst der Männlichkeit in der naß nachgiebigen Hose: das Bild der ewig zeugenden Armut. Hinter meinem Kopf war plötzlich die Stimme des zweiten Steuermannes:
»Sabotage wird nicht geduldet«, sagte er mit einem grimmigen Lachen.
»Ich habe es gesehen«, sagte ich mit fester Stimme.
»Es war hübsch«, sagte der Steuermann.
Ich blieb an der Reling stehen. Mit einer Art von Fleiß versuchte ich die Abstammung der Kohlenträger, ihre Herkunft zu ergründen. Aber es gelang mir nur, gemeinsame Züge an ihnen festzustellen. Entwurzeltes Proletariat. Und die nasse Hose, ich werde sie nur schwer vergessen, die das Zeugen der Armen pfiffig zur Schau stellte. Den Grund allen Leidens, und den einzigen Trost, den Minutentropfen geben. (Es war nicht das erste Mal, daß ich sah, ein Mächtiger versetzte einem weniger Mächtigen einen Fußtritt. Die Bilder wiederholen sich. Ich bin Zuschauer und Mitwirkender bei vielen unerquicklichen Ereignissen gewesen, von noch mehr habe ich berichten hören. Anfänglich gewiß erschien mir die Mannigfaltigkeit der Übergriffe unüberschaubar. Später entdeckte ich, daß das Schicksal sich mit Wiederholungen brüstet. Irgendwo an meinem Schulwege wurde ein Haus gebaut. In der Mittagspause tranken die Maurer Braunbier und Schnaps. Ein Lehrjunge mußte in einer nahen Gastwirtschaft den Schnaps holen. Ich sah eines Tages, dieser Lehrjunge reichte einem Arbeiter die flache Brustflasche, auf der Gradstriche ins Glas gepreßt waren. Der Arbeiter hielt die Flasche gegen das Licht, sodaß die hellgelbe Flüssigkeit darin hin- und herschöppte. Die Flasche war halbvoll. Ich weiß nicht mehr, ob der Mann den jungen Burschen schalt. Ich entsinne mich keines Wortes. Aber ich weiß, daß der Bursche beschuldigt wurde, vom Schnaps getrunken zu haben, und daß

er der Wahrheit gemäß berichtete, er habe es nicht getan, für fünfunddreißig Pfennige werde nicht mehr verabreicht. Das Ganze war sicherlich ein sehr wortarmes Gespräch. Es endete damit, daß der Arbeiter dem Lehrjungen seinen Fuß mit dem Holzschuh darauf mit aller Kraft in den Arsch stieß. Der Junge fiel nicht, eher versuchte er, dem Stoß auszuweichen. Eine halbe Minute später rann ihm ein dicker Blutstrom aus der Nase. Ich habe damals berichtet und auch wohl fest daran geglaubt, der Bursche sei gegen einen Gerüstpfosten geschleudert worden. Ich wußte noch nicht, daß jungen Menschen das Blut plötzlich, fast grundlos aus der Nase hervorstürzen kann. Ich legte mir die Ursache nach meiner damaligen Erkenntnis zurecht. Später erlebte ich, daß einer meiner Schulkameraden während des Examens einen solchen Nasenblutsturz bekam, und die Schreibbogen vor ihm wurden in Blut getränkt. Und abermals ein paar Jahrzehnte später widerfuhr das gleiche Egil, als er auf dem Heuboden stand und sich nicht von einem vierschrötigen Knecht beschämen lassen wollte, der ihm, auf dem Wagen stehend, durch die Luke das Heu hinaufreichte und sich darin gefiel, den Berserker zu spielen, um seine Überlegenheit an Körperkräften zu zeigen. – Man kann, nach einer einigermaßen langen Lebensstrecke, immer eine Reihe gleicher oder ähnlicher Ereignisse zu Synonymen zusammenstellen. In Cape Town sah ich, daß ein Bantu oder Halbbantu einen Fußtritt erhielt.)

_ _ _ _ _ _ _ _ _ _

Ich suchte nach einer übernatürlichen Erklärung für die Ergebenheit – für den Verzicht der Masse Mensch. Ohne Unterschied der Rasse wird er mit der Bürde der Arbeit beladen. Die Überlegung führt dahin, daß es nicht anders sein kann. Immer schwieriger erschien es mir, das Lob der Armut zu sprechen. Und auch die Reichen waren in ständiger Gefahr. Genügt es, das wenige Fleisch zu besitzen, das sich, man weiß kaum welcher Lust, hingibt, um Zufriedenheit zu finden? Sind wir alle soviel Wurm, daß die schnelle Verwesung der Nahrung im Schlauch der Bauchhöhle das Wohlbefinden unüberwindlich macht? Die Erfahrung lehrt: nur krasser Hunger und verweigerte Brunst vermögen den Aufstand zu schüren.

Mir scheint, der Inhalt der letzten Seiten stellt die Wahrhaftigkeit meiner Aussage infrage. Ich will nicht nach so vielen Jahren bezweifeln (und was hülfe es, wenn ich es täte?), daß ich mir in Cape Town die unsagbar klägliche Rolle des ziellosen Genießers wählte, der, inmitten der Gedankenlosigkeit, auf sich selbst, auf die menschliche Gesellschaft und auf die Moral gleichermaßen bedacht war. Auf ein Wohlergehen, ein Gleichgewicht, das keinen Bestand haben kann. Ich könnte aber mit guten Gründen sagen, dieser Mensch, den ich vorgebe abzubilden, war nicht ich. Und wenn ich es war, so habe ich von hundert Teilen seines Wesens neunundneunzig unterschlagen. Ich war, als ich afrikanischen Boden betrat, von einer grauenhaften Angst besessen. Ich fühlte, die Zukunft kam mir mit Riesenschritten entgegen; ich hörte ein Brausen in der Luft, ich fürchtete den Ausbruch eines grenzenlosen Mitleids. Ich fürchtete von der Wirklichkeit der menschlichen Betriebsamkeit, vom Hochmut der Vermögenden und vom Elend und der Erniedrigung der Armen überwunden zu werden, sodaß ich von den Lawinen des Kaos erfaßt würde und nur noch in einer anarchischen Gesinnung die Befriedigung einer Rache finden könnte. – Und die Gefahr, vom Mitleid zerfleischt zu werden, die Gott unwürdige Not der anderen nicht länger ertragen zu können, die selbstquälerische Befassung mit dem Unrecht, mit dem Schmerz, der das Lebendige zerreißt, hat mich ständig umlauert. Ich bin von der Abfindung eines falschen Trostes zur Abfindung einer anderen betrügerischen Auffassung geflohen. Meine Hände sind leer geblieben. Es kann ja nicht anders sein als es ist. Die Verzauberungen des Himmels in den Tagen und Nächten, der Landschaften in den Jahreszeiten, nicht einmal die volle Bereitschaft eines menschlichen Herzens haben die Sprünge verdecken können, die mir durch die harmonische Ordnung zu gehen schienen. Ich habe meine Fähigkeit zu leiden am Mißgeschick, an den Demütigungen, am Unglück der anderen gemessen. Gleichsam, als ob das Fleisch mir und die Eingeweide roh auf der einen Seite meines Körpers heraus-ständen. Und ich habe mich gewehrt, wie ich jetzt meine, mittels eines künstlichen Gemütsaufbaues. – Wenn nun jener Vorgang am Kai hier als ein in sich geschlossener Vorgang erscheint, der seinen Anfang und sein Ende hatte, dann erkenne ich das Unzulängliche meiner Darstellung. Ich will keine Anklage gegen jenen einen Europäer vorbringen, ich müßte, wollte ich nicht willkürlich sein, ihrer tausend nennen (und habe schon den zweiten und dritten genannt), und es wäre immer nur eine Spur meiner Eindrücke. Ich möchte die unablässig träufelnden Stunden zusammenflechten, jenen Strom, der mich erfaßte und hinausführte und in das Gift tauchte, unablässig in das Gift des unerkennbaren Daseins, bis der Ekel gegen mich selbst so sehr anstieg, daß die Triebe meiner Selbsterhaltung nur mit Mühe die kreatürliche Existenz in mir bewahrten. Ich möchte nicht lügen. Ich möchte die Gabe haben, den Ausdruck für eine Verallgemeinerung zu finden, die es erklärt, daß ich die Becher an Lust, die ich schlürfte, wie ein Verdurstender hinnahm, um ein neues Gefühl zu gewinnen, ohne das ich hätte nicht weiterbestehen können, weil meine Vernunft oder mein Glaube nicht fähig waren, den grausigen Gang der Einzelschicksale zu ertragen. Die künstliche Ergebenheit zerbrach mir mal nach mal in den zitternden Händen. Und ich müßte erklären, daß ich eine andere Art Mensch bin als zum Beispiel Tutein es war. Ich müßte erklären, daß seine prächtige Bereitschaft für mich, sein Angebot, sich vorbehaltlos zu opfern, sich zu besudeln, eigene Tränen mit Lachen zu besiegen, eigene Vernunft in Unsinn zu verkehren, seine Bestimmung als Mensch jeder Fälschung zu unterziehen, mich von der Vernichtung errettet hat. Daß mein schwacher Edelmut, ihm ein Freund zu sein, hundertfach vergolten wurde, ohne daß die Knospe der Freude in mir jemals erblühte. Immer wieder bedeckte düsterer Schlamm den Boden meiner Seele. Ich wurde nicht frei von mir. Es gab keine innerliche Vergebung der Sünden. Es gab kein Sichfügen in das Schicksal, das Negern und Tieren mit der Geburt geschenkt wird, und das Weise und Alternde lernen. Am Ende der Verzweiflung stand der Sprung ins Bodenlose. Und Tuteins Arme fingen mich auf. Und wenn unsere Seelen einander niemals kennengelernt haben, seine Arme haben mich kennengelernt, weil sie es wollten, weil sie nichts anderes wollten, als mich zu behüten. Und wenn ich ihn niemals geliebt habe, so hat keiner diesen Ruhm, denn nur er blieb da. Alle anderen gingen zu den Träumen ein. Er blieb in meinen Knochen und verkümmerte nicht unter meinem Hirndach. Ich sitze, mir im Rücken, dem Aussehen nach eine schlichte feste Truhe, die Kiste mit seinem Leichnam darin. Aber ich, der sich vor Toten fürchtet, ihn fürchte ich nicht. Ich spüre noch die Vereinigung mit ihm, daß er das Stärkste an mir ist, daß ich ohne ihn ein Schwächling bin. Daß er aus den Winzigkeiten meiner Veranlagung und Säfte einen Menschen hervorgelockt hat, der das Abenteuer zu leben mit einigem Anstand bestanden hat.

– – – – – – – – – –

Ich muß mir große Mühe geben, den Standpunkt zu finden, der mich befähigt, meinen Aufzeichnungen die Kraft und Einfalt der Tatsachen zu geben. Schon beginnt mich die Unzahl der Episoden zu verwirren. Die lange Reihe der Jahre belastet die Wahrheit. Ich muß gestehen, ich kann keine Auskunft mehr über das Wetter eines kleineren Zeitabschnittes geben, sofern das Wetter nicht das Hauptereignis war. Der genaue Geruch einer Straße oder Stadt trübt sich mir, und trotz meiner zuversichtlichen Einbildung verschließen sich mir wichtige Begebnisse, die gegen meinen Willen aus meiner Erinnerung ausradiert wurden oder mir durch das Versagen der Fibrillenmaschine nicht im rechten Augenblick zur Verfügung stehen. Ich muß mein Vertrauen im Entschluß finden, die Zuverlässigkeit zu wollen. Ich spüre, dadurch kommt mir eine Hilfe. Aber wird sie die Beschämung über das Unzulängliche aufheben? – Mir ist, als hätte ich mich unterfangen, eine Sache zu tun, für die mir die Berufung fehlt. Ich will meinen Freispruch. Das ist etwas Natürliches. Ich will, die Schöpfung soll die Anklage gegen mich fallen lassen. Ich will, daß mein Leben so wertvoll gewesen ist wie das eines jeden. Denn weshalb sollte ich sonst wohl berufen worden sein? – Ich schreibe meine Verteidigungsschrift und werde ermahnt, bei der Wahrheit zu bleiben. Gegen grobe Lügen wird man Einspruch erheben.

*

Der Nebel steht noch immer wie ein dichter Pelz über dem Lande. Meine Augen dringen nur bis zu den nächsten Bäumen vor. Manchmal nimmt der graue Dunst auch ihre Gestalt von mir; dann wieder gibt er etwas des Ferneren frei. Es entsteht so eine unvollkommene Perspektive. Die Undeutlichkeit der Tiefenerscheinung und das verlorene Größenmaß für die Kategorien der Außenwelt schaffen eine neue Landschaft, in der die Willkür der Bilder vorherrscht. Seit Tagen betasten meine Augen das wechselvolle Spiel, das voll unendlicher Trauer ist. – Ich stocke, indem ich es niederschreibe: so umdampft sind auch die Bilder meiner Erinnerung. Das Ferne der Zeit liegt im gleichen grauen Schatten, den keine Sonne durchdringt, keine gereinigte Luft umspült. Manchmal scheint die Fülle der Gesichte bedrängend anzuwachsen und in einer Flut von Farben zu prangen; aber wenn ich den Blick beharrlich darauf richte oder auch nur eine Einzelheit ganz nahe vor meine Seele stellen will, fällt der Glanz ab. Ich bekomme einen faden Geschmack in den Mund. Ich muß mich an die Bewegungen der Marionetten halten. Ich sage mir, mein Verhalten damals muß Ähnlichkeit mit dem Tun haben, das ich jetzt an den Tag lege. Es muß eine Konstante meines Wesens geben, ein unveränderbares Prinzip im Urteil meiner Aufnahmeorgane. Wahrscheinlich ist sie das Zentralsystem, nach dem sich alle Erinnerungsbilder zu einem sinnvollen Ganzen fügen. Ich spüre die Gewißheit, daß ich nicht nur Scherben auflese, die sich nicht ergänzen können. Ich habe darüber nachgedacht: es ist unmöglich, daß ich Gespräche, die direkte Rede authentisch wiedergeben kann, wenn mich viele Jahre von ihren Augenblicken trennen. Sie wurden nicht in den Trichter eines Grammophons hineingesprochen. Ich verrücke den geographischen Ort von Bauwerken, dehne oder verkürze Wegstrecken. Straßenzüge schieben sich ineinander wie die Wagen eines entgleisten Eisenbahnzuges. Jedenfalls kann ich mir nicht vorstellen, daß die Zellen meines Hirns oder des Marks in meinen Knochen gleichsam automatische Weisungen zur Aufbewahrung empfangen haben, die nun auf Verlangen meiner unruhigen Seele wieder erscheinen, meinem inneren Ohre vorgetragen. Ich ertappe mich zuweilen dabei, wie meine Leidenschaft, die Leidenschaft dieses Jahres, als Ausdeuter daran teilnimmt und die Redenden, das Ich, das ich ehemals war, und die anderen, die mir entrückt sind, ermahnt, nun durch Eigenwillen nicht den schönen Vortrag zu stören, sondern sich sklavisch in die Rolle zu fügen, die ihnen in dem

Zusammenhang, den das schreibende Ich für sie gewählt hat, zukommt. Jeder Mensch erliegt der Versuchung, ja dem Zwang, im Hinterher die Rechtfertigung für seinen jeweiligen Entschluß zu suchen. Ja, er setzt voraus, daß er jederzeit die Wahl zwischen mehreren Maßnahmen gehabt hat und gesteht höchstens ein, daß er hinterher an sein unwiderrufliches Handeln gebunden ist. Unsere Selbstachtung schreibt uns vor, daß wir selbst unser Tun nicht zum Närrischen erklären. Wie könnten wir sonst die Kraft finden, allmorgendlich die Sonne zu begrüßen?

Ich bin durch die Vernunft gedrängt, Ungenauigkeiten und Unrichtigkeiten in meiner Niederschrift einzugestehen. Ganz zu schweigen von den grundsätzlichen Auslassungen und groben Versehen, zu denen meine Unfähigkeit, vollständig zu sein, mich zwingt. Aber ich glaube doch, daß ich das Echo der verlorenen Zeit nicht fälsche. Daß ich den Spuren folge, deren Abdrücke sich noch finden. Ich muß unerschrocken genug sein, dem Klang der Stimmen, die vernehmbar werden, zu glauben, auch wenn die einzelnen Worte ergänzt sind oder schon zu den verlorenen gehören. Ich muß mich damit abfinden, daß ich selbst das Instrument bin, dem der Widerhall aus großer Ferne die Worte entlockt. Eine Art Wunder, daß der Wind der Zeiten über mich hinstreicht und auf mir spielt wie der Sturm über den Ländern an aufgehängten Äolsharfen, an den Ziegeln unter den Dächern, am kreischenden Gebüsch der Wegraine. Ich muß daran glauben, daß ich noch immer der gleiche Mensch bin, den meine Mutter geboren hat, daß etwas nur schwer Veränderbares in mir ist.

Ich kann es auch nicht vermeiden, daß ich mir widerspreche. Und die Wiederholungen sind mein Schicksal, sind jedes Menschen Schicksal. Seine Gestalt gelingt der Natur erst, wenn sie ihn immer wieder in die Form der gleichen Voraussetzungen gießt. Wem einmal das Drastische oder Groteske begegnet, dem muß es immer wieder begegnen, weil es ihm sonst das erstemal gar nicht erschienen wäre. Wer einmal seine Geliebte verliert, muß sie immer wieder verlieren. In wessen Nähe einmal ein Mord geschah, der sollte beständig auf den zweiten vorbereitet sein. Wer einen Freund so wider Willen gewann wie ich Tutein, der kann ihn niemals verlieren, nicht endgültig.

Und wenn er gestorben ist, wie mir Tutein gestorben ist, dann muß es eine Begegnung geben, eine schreckliche Begegnung, etwas Unausdenkbares, an dem die Erinnerung unwiederbringlich zertrümmert. –
Wir haben uns in Cape Town für die Fahrt an der Westküste Afrikas entlang, dem Äquator entgegen, ausgerüstet. Als ein neuer Morgen da war, wiegte uns der Ozean wieder, die Küste lag fern. Berge erschienen wie eine kaum gefärbte stillestehende unveränderbare Wolke über dem Wasser.

– – – – – – – – – –

Weit vor der Küste legte sich der Dampfer auf die Reede. Es war die erste Station. Den Strand bespülten sehr lange schäumend anreitende Wellen. Weiße krause Striche, die aufleuchteten und wieder verschwanden. Unablässige Wiederholung. Der Stapelplatz mußte sehr klein sein. Für das Auge war er gar nicht vorhanden. Ein paar Polsterbüsche, eine Doppelreihe von Palmen parallel zum Strand, von der Länge eines halben Kilometers. Das Hinterland war ansteigend, leer. Die Trockenheit des Bodens rauchte zum Himmel. Und doch kam durch die Brandung eine größere Anzahl von Booten zu uns heran. Sie waren mit Ballen gepreßter Wolle beladen. Auch ein paar geschlachtete Schafe brachten sie mit. Als überflüssige Fracht hatten die schwarzen Arbeiter einige Mädchen herangerudert.
Der Kapitän fragte: »Wollen Sie anland gebracht werden?«
»Wie lange wird das Schiff hier ankern?« fragte Tutein.
»Einige Stunden«, sagte der Kapitän.
»So werden wir uns die Zeit anbord vertreiben«, sagte ich.
»Dann werde ich allein anland gehen«, sagte der Kapitän, »ich hätte Sie einem Geschäftsfreund vorstellen können.«
Wir schwiegen. Er entfernte sich. Nach geraumer Zeit kletterte er das Fallreep hinab.
Ehe das Frachtgut anbord kam, legten die Boote sich längsseits des Schiffes. Schnell und geschmeidig wie Katzen kletterten die Mädchen, ihrer drei oder vier, die Stufen des Fallreeps hinan. Sie schwärmten über das Deck, standen irgendwo stille und lachten ein schönes argloses herausforderndes Lachen. Sie waren dürftiger bekleidet als die schwarzen Arbeiter, die die Uniform des Proletariats, eine zerschlissene kurze Hose trugen,

damit die Lenden bedeckt seien. Einige Männer der Freiwache schlürften heran. Große rauhe Hände legten sich über die nackten schweren oder spitzen Brüste, die schaukelnd die Seefahrer zu den Freiheiten eingeladen hatten. Die Paare verschwanden. Unerwartet schnell kamen die Mädchen aus den dämmerigen Kammern wieder andeck. Lachten ihr schönes argloses herausforderndes Lachen. Es war ganz unverbraucht, für den nächsten Mann genau so wohlfeil und unverfälscht wie für den ersten. Und dieser nächste Mann kam, die groben Hände fanden sich, die die matt glänzenden Brüste abermals drückten. Und das Davoneilen in das Dämmern des Schiffsrumpfes hinein.
Tutein legte seinen Arm um meinen Hals.
»Wie einfach ist das«, sagte er, »und wie unschuldig. Oder doch entschuldbar.«
Mit dem Hals, gefangen in der Öse des gebeugten Armes, wandte ich meinen Blick seinem Gesicht zu, um darauf eine Auslegung der Worte abzulesen.
»Der Mensch tut, was ihm Behagen bringt«, fuhr er fort, »immer sind es die Gedanken, das alte Erinnern, die Last unfruchtbarer Verpflichtungen und die Hochachtung vor einer eingebildeten Persönlichkeit, die das Angenehme und den natürlichen Ablauf der Stunden verdrängen. – Ach, diese Behinderung durch den Reichtum an Gewissen!«
»Die Mädchen sind auch für dich da«, sagte ich kurz.
»Ich habe nicht von mir gesprochen«, sagte er ohne Betonung, »ich habe vom Menschen gesprochen, der seine Mutter vergessen hat, keinen Feind besitzt und kein Mörder wurde.«
»Du faßt mancherlei zusammen«, sagte ich, »du nimmst uns aus und viele andere auch.«
»Ich meine die meinen Augen gefällige Wirklichkeit der anderen«, sagte er.
»Es ist wieder das Lob der Armut«, antwortete ich, »eine neue Variante. Man kann manches dagegen einwenden. – Wir stehen vor den zolldicken Glaswänden eines Aquariums. Zwischen rötlichen Grotten, romantisch aus Sandstein aufgeschichtet, bewegen sich, gelbschwarz bepanzert, wohlgenährte Hummer. Mit dem ungleichen Paar ihrer mörderischen Klauen bedrohen sie das Lebendige, auf das sie lüstern sind. Die

Weibchen tragen elf oder zwölf Monate lang zehntausend oder zwanzigtausend Eier unter ihrem Hinterleib mit sich durch die kühle salzige Schwere des Wassers, bis die Tausendzahl unter ihnen lebendig wird. Wenn man die Schalentiere im kochenden Wasser tötet, soll man ihren Kopf zuerst untertauchen – als ob der Mensch wüßte, wie sie sterben. Aber der Mensch kennt den Übergang nicht. Er sieht das lebendige Tier und das tote, dessen Panzer sich verfärbt, und er hilft der Verwandlung nach, indem er ein glühendes Stück Eisen in den Sud eintaucht. Schließlich, er ist nicht dafür verantwortlich, daß von den zehntausend oder zwanzigtausend fast zehntausend oder zwanzigtausend sterben, ehe sie gekocht werden. – Wir haben unsere Gedanken vor den zolldicken Glaswänden. Aber wir sind nicht auf dem Grunde des Meeres.« – (Und vielleicht sagte ich noch: »Jemand hat diese vier Mädchen dressiert, damit sie das tun, was sie tun. Keine Natur hätte ihnen eingegeben, sich unbekannten Seefahrern an den Hals zu werfen. Vielleicht hätte die Natur ihnen eingegeben, sie zu schlachten und zu fressen. Man erkennt sehr deutlich das Böse. Nicht ihr Handeln ist böse, es ist sogar sehr unschuldig; aber es entbehrt des Grundes. Es bringt Geld ein. Man hat sie belehrt, daß es Geld einbringt. Es gibt einen Staat, der ihnen Geld abfordert. Sie sind abgerichtete Huren; sie werden so lange fröhlich sein, bis die Syphilis oder der rotzige Eiter ihr schauderhafter Gast ist.«)
»Wir stecken in unserer Haut und nicht in der der anderen, die sich soeben gelabt haben. Wir sind Zuschauer, aber gerade darum hat unsere Aussage Gültigkeit«, sagte Tutein.
»Die Männer schämen sich bereits, sie schicken die Mädchen allein nach oben«, sagte ich.
»Kann sein, daß das Gefühl ihrer Freiheit schon dahin ist«, sagte Tutein.
»Und daraus folgt, daß unser Gespräch vom Lob der Armut ungehörig ist«, sagte ich.
»Man kann jede Beobachtung auflösen«, sagte Tutein, »man muß nur die Verläßlichkeit der Sinne bezweifeln oder die Bereitschaft verlieren, dem frischen Augenblick zu vertrauen.«
»Es gibt einen angeborenen Widerwillen, den erst die Not, eine nicht mehr zu sammelnde Spannung niederbrechen«, sagte ich.
»Darüber ließe sich streiten«, sagte er beharrlich, »was du

angeborenen Widerwillen nennst, ist doch wohl zumeist ein Ergebnis der Erziehung oder einer noch allgemeineren Gewohnheit, die bequeme Denkweise für eine Tugend zu nehmen. Man wird mit schön geputzten Schuhen aus feinem Leder nicht gerne im gemischten Kot eines Bauernhofes umherstampfen. Und die geschulten, mit Vernunft getränkten Abwehrkräfte werden uns belehren wollen, daß wir nicht nur den Verlust der Schuhe zu befürchten haben, sondern daß der üble Geruch, die Beschmutzung, der Dung an sich unser Unbehagen hervorrufen muß. Die Gründe für ein durchschnittliches Verhalten sind ungemein leicht zusammengestapelt. Und doch ist an dem Bündel unserer Vorstellungen nur das eine echt, das uns den Verlust oder die Beschädigung der Schuhe fürchten läßt. Alles andere ist Aberwitz. Kein Bauer und auch nicht sein Knecht werden in ihrer Seele einen Winkel haben, in dem die städtischen Begriffe einer sterilen Reinlichkeit wohnen. Die selbstverständlichen Eigenschaften der Dinge sind noch mit keinem Vorurteil belastet. In diesen Tagen gerade habe ich in einem Buche gelesen, daß sich die jungen Krieger der Massai ziemlich ausschließlich von Milch und Blut ernähren. Ihre Seele ist wild und kühn wie die eines Adlers (sie alle sind Mörder); aber ihr Körper ist edel und ihre Haut so glatt und geschmeidig wie kaum bei anderen Stämmen. Von den Mädchen, die sie sich zu Frauen nehmen, die sie für soundso viel Stück Vieh kaufen, verlangen sie Jungfräulichkeit; aber die Haushaltungen, ihre Lagerplätze, starren von Schmutz und Unrat. Ein gewaltiger Gestank geht von ihnen aus. – Die Nuer, die in den Sümpfen des oberen Nils wohnen, färben sich ihre Haare leuchtend rot mithilfe von Lehm, Kuhmist und Rinderharn. Rinderharn ist als Schönheitswasser bei ihnen so hoch geschätzt wie Eselsmilch im alten Rom. (Übrigens haben die Römer ihre Seife aus Knabenurin bereitet.) Man kann beweisen, sofern einem daran liegt, es zu beweisen, daß beide Produkte eine mit außerordentlicher Sorgfalt gewonnene Flüssigkeit sind, Ausscheidungen empfindlicher, höchst edler Organe – und sie liefern, sofern sie nicht erkrankt sind, eine keimfreie Lösung oder Emulsion, die sich freilich beide an der Luft leicht zersetzen und dann stinken. Die Hunde bewerten den Gestank anders. Und die Arbeiter in den Schlachthöfen

auch. Es ist undenkbar, daß ihnen der Dampf der Eingeweide Ekel erregt und Blut ihnen geisterhaft riecht. – Der zivilisierte Mensch glaubt an das Sterile wie an die Kanonen. Es ist kein humaner Fortschritt darin enthalten. Es ist nur leeres, herzloses Gerassel. Er kann die Nase rümpfen. Das ist eben nicht viel.« –
»Was willst du zum Ausdruck bringen«, fragte ich ungeduldig, »daß wir unseren Vorurteilen angeschmiedet sind, daß die Ketten unseres ungenügenden Wissens bei jedem Schritt, den wir tun, klirren? Ist es das? Mit soviel Gründlichkeit wirst du nichts weiter gewinnen als Mißverständnisse.«
»Nein«, sagte er, »mir scheint nur, der Tisch ist für Hungernde öfter und reichlicher gedeckt als man gemeinhin zu beobachten wagt. – Warum glauben die Menschen eigentlich den Ärzten und Staatsmännern, wenn sie doch sehen, daß der Arzt, der sie behandelt, ihre Krankheit nicht heilen kann, und der Staatsmann, dem sie vertraut haben, Krieg und Unglück über ihre Heimat bringt?« –
Ich überhörte seine Parabel. – »Oft und reichlich«, höhnte ich, »es fehlt nicht viel, und die Lehre vom paradiesischen Dasein in der Armut bekommt ihre unerschütterlichen Grundfesten.«
»Die Ansprüche der Seele sind unermeßlich«, sagte er, »das Unglück gedeiht unter den schwarzen Strahlen des vergeblichen Verlangens. Es wird nicht zu wenig ausgeteilt, man fordert zuviel.«
»Du denkst nicht an die Bezahlung«, sagte ich gelassen, »du hast mancherlei Begründungen ins Treffen geführt, daß der angeborene Widerwille, diese Auflehnung gegen das saftige und drastische Verlangen des Fleisches, den Hörigen, die dem Leben verfallen sind, arm oder reich, notwendigerweise abgehen müsse –, daß ich einer berüchtigten Fälschung der Erziehung anheimgefallen sei und die schaffende Kraft der Freiheit gleichsam durch bösen Leumund erwürgt hätte. – Man kann nicht, ohne zu heucheln, einen echten Widerwillen gegen Handlungen aufbringen, die man zu tun begehrt. Aber man muß notwendigerweise das Angenehme am Preise messen, der einem als Entgelt abverlangt wird. Unser Fleisch, mögen wir uns so bequem mit ihm einrichten wie es unser Gemüt versteht, wirft uns zu den Verbrechern, und wir erleiden die Strafen, schwere und leichte, wie es sich trifft. Wir werden an

Erlebnisse gekettet, die zur Hälfte einem anderen gehören. Und dieser andere bleibt unseren Sinnen unüberschaubar. Er hat seine Krankheiten, seine Süchte, sein Verhalten und seine Erfahrung, und er macht sein Schicksal zum Maßstab, nimmt Rache oder teilt Brunst aus, lechzt danach, dem anderen die Seele zu verkehren, oder jammert und stöhnt im Verlangen, es möchte ihm das eingeborene Wesen ausgesogen werden. Wen aber gelüstet es, sich so am Blut des Nächsten zu sättigen? Oder selbst peinlich geprüft zu werden? Wer könnte eine lange Zeit gegen sich selbst sein? – Wenn du es nicht Widerwillen nennen willst, heiße es Angst, Angst, zu teuer zu bezahlen, mit einem Mißverständnis zurückgelassen zu werden, mit einer Besudelung, mit einer Krankheit. Sie fürchten das Hinterher, wenn sie auch nicht die Kraft haben, der Ursache des Verfalls auszuweichen. – Sag nur, der Tisch sei gedeckt! Aber es sind grobe Speisen aufgetragen, die nur wenigen munden. Sie greifen zu, weil Hunger weh tut. Aber sie werden aufsässig, weil sie die Schmach empfinden, die darin liegt, daß man ihnen die bessere Kost, die ihnen munden würde, vorenthält.« –
Er unterbrach meine eifrige Rede. Er sagte: »Man kann dem Leben nicht begegnen wie einem Traum. Die wirkliche Zeit mit ihren Wirklichkeiten kennt keinen Widerruf. Es gibt nur den Ausweg des Vergessens. Es gibt den Segen der Trennungen. Der eine gleitet nicht in den anderen über und verwirrt sich nicht zu einer Doppelgestalt. Die Gegenwart ist ein dünn geschliffener Strich, an dem sich die Zukunft zur Vergangenheit läutert. Die Toten erwachen nicht wieder. Außer im Traum, der ohne Zeit, ohne Raum, ohne das Gewicht der Dinge ist, der sich wie ein vielfältiger Geschmack auf uns herabsenkt, die Theorie einer Schöpfung, die nicht zur Ausführung kam. Der Gewinn des Wachens ist das Erlebnis. Es ist ein unverrückbarer Anker im Strom der Zeit ausgeworfen worden; ein Boot wiegt sich auf den unbedeutenden Wellen eines Flusses; es pendelt an der Halteleine hin und her; es schwimmt am gleichen Platz vom Morgen bis zum Abend; und auch in der Nacht, wenn man es nicht erkennen kann. – Man kann das Gewesene bewahren, man kann es fortwerfen. Vieles wird uns bewahrt, vieles wird uns fortgeworfen. Wir bestimmen unser Erinnern nicht eigenmächtig. – Das Drücken der schaukelnden

freudigen Brüste, das ist doch ein Glück, das ist doch ein Glück der Männer.« –
»Wir wissen sehr wenig«, sagte ich nachgiebig, ohne überzeugt zu sein.
»Ach«, sagte er, »Weib ist Weib für alle, denen die Traube voll gewachsen ist.«
Ich lächelte dumm und spürte, daß mein Blick in der Ferne erlosch. Ich dachte: er sagt etwas, um daran zu glauben. Die Meinung kommt nicht aus ihm. Er will, daß sie in ihn eingehe. Er will, daß die wirkliche Schöpfung, die zur Ausführung gekommen ist, sich als durch und durch unanfechtbar erweist. Er will nicht mit Gott hadern. Der erste Glaubensartikel ist nicht umzustoßen, auch wenn die übrigen des apostolischen Symbolums verblassen: Credo in unum Deum, patrem omnipotentem, factorem coeli et terrae, visibilium omnium et invisibilium.
Die Mädchen gingen vonbord, die Boote suchten den Strand. Der Kapitän stieg schwitzend durch die Pforte in der Reling. Der Dampfer strudelte davon, nördlich, dem Äquator entgegen. Es wurde heiß.

*

Als die Anker vorm Bug sich abermals am Grund einer Reede verhakt hatten, gingen wir mit dem Kapitän vonbord. Man hätte glauben können, alles sei eine Wiederholung: die Küste, der Platz, die Doppelreihe der Palmen parallel zum Strand, das ansteigende Hinterland, die Boote, die herangerudert kamen, mit Wollballen beladen, die schwarzen Arbeiter. Auch zwei geschlachtete Schafe lagen zwischen der Ladung. Nur die überflüssige Fracht der schwarzen Mädchen, die mit vollen schaukelnden Brüsten den seefahrenden Männern hätten entgegenwinken können, fehlten. (An diesem Platz war die Dressur der Menschen ein wenig anders ausgefallen.) Es war eine andere Station, ein anderer Tag. Andere Menschen. Wir selbst wurden anland gerudert. Wir wurden durch die Brandung gezogen. Wir wanderten durch die Doppelreihe der Palmen. Wir erweckten die Aufmerksamkeit der schwarzen Bevölkerung. Wir waren willkommene Gäste der hierher verschlage-

nen Weißen, einige Männer ohne Frauen, zergehende Menschen, die ihre Langweile, ihr Ungemach und ihre Gier nicht mehr erkennen konnten. Mit ihrem Mund, mit ihrer Küche und ihrem Haus waren sie freundlich zu uns. Vielleicht freute sich ihr Herz über den Besuch.
Es wurde sogleich Gin getrunken. Und Salzmandeln dazu gegessen. Wir tranken wenig. Aber die Händler und der Kapitän tranken viel. Der Kapitän vergaß sein Schiff. Es waren die Vertreter zweier Handelshäuser – es gab deren nicht mehr – und ein Viehzüchter, ein Herr über große Schafherden, zusammengelaufen. Es hatte nicht den Anschein, daß es viel zu besprechen gab. Man tauschte ein paar Briefe und Papiere aus. Man schwieg dazu. Es war nur eine Handreichung. Ein schwarzer Koch, einer jener unvergleichlichen geschickten Menschen, die die Bedeutung der Stunden genau abzuschätzen wissen, wartete in seiner Küche auf den Trommelschlag der hohen Herren, um sein Können in erhabener Weise zu entfalten.
Nach einer angemessenen Zeit grunzte der Kapitän mit schwerer Stimme ein paar Worte, und die Gastgeber verstanden und rührten die Trommel. Es war an der Zeit. Fast lautlos gingen die Sohlen der Boys über den Boden, der mit Bastmatten belegt war. Und es erschienen die schimmernden wohlgefälligen Inhalte der Konservendosen. Oxfordwürste, Sardinen und Thunfisch, durchwachsener Speck, in Zucker geronnene fast durchsichtige Erdbeeren, wie Rubinglas, und evaporierte Sahne. Frischer Salat prangte grün in einer Schale. Heiße Suppe, herrlich duftend nach Curry, Fisch und vollem Kuhfleisch. Schön gebratenes Vogelwild. Man zeigte uns, wie willkommen wir waren, und daß wir das Einerlei des täglichen Daseins niedergebrochen hatten. Der festliche Tag war mit der eisernen Maschinenkraft des Trampdampfers an diesen Strand gekommen.
Die eineinhalbhundert Palmen an der Küste bildeten eine schöne besäumte Straße, eine zweischenkelige Sackgasse. Nur ein paar Laufwege zweigten zwischen den Büschen und Häusern nach den Hütten der schwarzen Menschen ab. Und es geschah, daß es uns gelüstete, auf dieser Straße hin- und herzuwandeln. Der Kapitän schien von weither, aus einer anderen Welt zu-

rückzukehren, als er unseren Wunsch aufgefaßt hatte. Sein Gesicht bedeckte sich mit grauer Sorge. Aber unsere Gastgeber lächelten mit müder Anerkennung. Sie erhoben sich. Es schien ihnen einzufallen, daß sie etwas zu erledigen hätten. Sie gossen etwas Whisky in sich hinein, umstanden uns. Der Kapitän blieb sitzen.

»Es ist ungefährlich«, sagte der Herr der Viehherden, »wir werden unsere Augen offenhalten.«

»Sie brauchen kein Chinin zu schlucken«, sagte der eine der Herren Händler.

»In keine Hütte gehen«, sagte der andere, »Sie sind unsere Gäste, es wird Ihnen an nichts fehlen, verlassen Sie sich auf uns.«

Wir dankten für soviel Freundlichkeit. Wir fragten den Kapitän, wann das Schiff insee stechen würde.

»Es ist noch nicht so weit«, sagte er.

»In einer Stunde spätestens erwarten wir Sie zurück«, sagte der eine der Gastgeber.

Als wir langsam hinausschritten, umstrichen uns die Stimmen der vier Männer.

Die Palmenstraße ist nicht lang. Der Strand ist wie jeder Strand. Nicht in die Hütten gehen. Immer nur auf- und abwandern. Wir werden Sie nicht vergessen. Sie werden nicht zu bereuen haben, wenn Sie auf uns hören. –

Sie hatten eine Zeitlang ihre Geschäfte ruhen lassen; jetzt verschrieben sie sich einer kümmerlichen Stunde, der Stunde unserer Abwesenheit. Das begriffen wir. Wir setzten unseren Fuß auf die mit runden Kieseln beschüttete Palmenstraße. Ferne Augen schwarzer Menschen betrachteten uns. Das Lächeln halbwüchsiger Mädchen streifte uns. Schnelle und launenhafte Füße sehniger Burschen huschten vor uns über die Kiesel, bewegten sie und hinterließen kleine Vertiefungen statt der Abdrücke der Fußsohlen. Es war noch heiß. Wir schritten unter den Palmen aus. Wir schauten auf die wenigen weißgetünchten Häuser, auf Wellblechbaracken, auf das Meer, das diesen flachen sandigen Strand mit weißen Lippen betupfte. Uns trat der Schweiß auf die Stirn. Die Straße endete. Lehmiger Fels und Polsterbüsche waren der Anfang des Unbekannten. Wir lenkten unsere Schritte zurück.

Nun standen die Bewohner des Platzes vor uns wie eine Schranke, doch schweigsam. Wir schritten darauf zu. Die Schranke öffnete sich. Unsere unmittelbare Nähe entlockte den Afrikanern ein befangenes flüsterndes Lachen. Hohe Töne aus den Kehlen der Mädchen, etwas Trockenes und Kaltes aus den Gurgeln älterer Männer. Wir pendelten die Palmenstraße zurück. Und erreichten das andere Ende, wo die Landschaft der hundertfünfzig Palmen aufhörte. Ich spürte, wie sich meine Haut überall mit Schweißwasser bedeckte. Wieder öffnete sich die Schranke, und wir schritten hindurch. Ich schaute festen Blickes auf den Teil der Menschen, die nach meiner Seite ausgewichen waren. Sie waren eine Gesamtheit, ein Drittel oder ein Viertel der Bevölkerung des Platzes. Alte und Junge. Männliche und Weibliche. Keine einheitliche Familie. Nebeneinander gestellte Gegensätze. Hübsches und Häßliches. Offenes und Verschlagenes, eingebildete Reiche, Arme und Verwahrloste. Europäische Kleider, europäische Fetzen, europäischer Tand, afrikanisch die letzte frostige Handfertigkeit verfemten Kunstfleißes, afrikanisch die teilweise Nacktheit der Haut. Wir gingen vorüber. Wir waren verstummt. Wir sahen das Meer mit durstenden Augen an. Wir wußten nicht, weshalb wir es anschauten. Auf der Reede lag der Dampfer. Die Prahme schaukelten noch neben den Eisenwänden. Wir schritten noch mehrmals die Palmenallee auf und ab, schweißgebadet, versuchten dem unruhigen Hirn diese Stunde mit allen Einzelheiten einzuprägen. Plötzlich schien es mir, als ob sich die dunklen Gestalten der Neger in der Luft auflösten. Sie verloren ihr Gesicht, ihre Glieder. Nur die Flüsterstimmen blieben; und ihre Kleider wandelten als weiße oder schmutzige Flecken neben uns her. Die Sonne war am Verschwinden. Die Luft wurde leer und schwarz. Noch einmal, von einer Art Entsetzen befeuert, kochte mir der Schweiß aus den Poren der Haut. Dann beschlich mich ein Frösteln. Ich zerrte Tutein am Arm. Wir kehrten zu unseren Gastgebern zurück.

– –

Wir hatten vergessen, daß vier betrunkene Männer beisammengehockt hatten. Jetzt erkannten wir, ihr Zustand der Berauschung war bedenklich. Sie empfingen uns lallend oder mit

stummen tränenvollen Blicken. – Es wird Ihnen an nichts fehlen. Sie sind unsere Gäste. Verlassen Sie sich auf uns. Nicht in die Hütten gehen. Wir haben vorgesorgt. Trinken Sie, unsere Freunde. Die Nacht ist lang. Vor Tag wird das Schiff nicht insee stechen. Der Kapitän weiß, was er seinen Passagieren schuldig ist. –
Sie schwatzten, aber sie erhoben sich nicht von ihren Sitzen. Der Herr des Hauses schlug ein paarmal mit der Hand in die Luft der grauen Dämmerung. Merkwürdigerweise konnten wir die bleichen Finger erkennen. Und auch jemand anders im Raum, den wir noch nicht bemerkt hatten, mußte das Zeichen erkannt haben. Es wurden zwei Petroleumlampen hereingetragen. Für unsere Augen war das gelbe milde Licht verwirrend hell. Nach Augenblicken erst erkannten wir zwei Gestalten, die in japanischen Seidenkleidchen steckten. Ein Durcheinander von bunten Mustern. Grün, Tiefblau, sprühendes Rot. Und aus dem Stoff lugten samtschwarze Arme hervor und samtschwarze Hände umfaßten, zwei bei zwei, den Fuß der Lampen. Die Lampen wurden auf ein niedriges Büchergestell gesetzt. Als die Gestalten sich von der Lichtquelle entfernten, war zu erkennen, es gab Gesichter über den Seidenkleidern. Dunkle, starr lächelnde junge Gesichter. (Ich weiß nicht, welchen Stammes sie waren.) Die beiden Mädchen trugen Gläser und einen Teller voll halbierter Zitrusfrüchte herbei. (Auch ein schwarzer Diener tauchte auf, aber er verschwand sogleich wieder.) Mit den Händen preßten sie den Saft je einer halben Frucht in die Gläser, taten einen Löffel voll feinen Zuckers hinzu und füllten sie bis nahezu an den Rand mit Gin. Das eine Mädchen nahm sich meiner an, das andere bediente Tutein. Die vier Männer schauten schweigend auf uns. Ihre Gedanken schienen stillezustehen. Während eines einzigen köstlichen Augenblicks schien auch mir die Zeit anzuhalten. (Ich sah den Diener noch einmal im Türrahmen erscheinen.) Eine angenehme Minute, die nicht erwartet war, löschte alles Bewußtsein und alle Erinnerung. Ein Nebel senkte sich über die Schmerzen und Zweifel. Ich sah, Tutein hob sein Glas. Es war ein Weltereignis. Ich spürte die Minute der Wunschlosigkeit zerrinnen. Ich hob das meine. Wir tranken den Männern zu. Sie gaben uns mit todernsten Gesichtern den Trinkgruß zurück.

Eine Stunde schlich davon. Eine zweite. Unser Dasein erlosch. Es wiederholte sich mehrmals: die Mädchen preßten mit ihren Händen halbe Zitrusfrüchte in leere Gläser, gaben Zucker dazu und füllten, was noch an Maß in den Trinkgefäßen geblieben war, mit wasserklarem dünnen flüssigen Gin. Und wir tranken. Der Saft der Früchte bewirkte, daß ein Winkel meines Hirns sich nicht verschloß. Eine kleine Insel meines Bewußtseins schwamm über dem Nebelmeer. Ich empfand, daß ich mich langweilte. Daß die Ruhe, die mich beschlichen hatte, nicht erquickendem Schlaf gleichzusetzen sei. Alle waren verstummt. Tutein begann zu gähnen. Er zeigte es ohne Scham. Er hob nicht einmal die Hand an den Mund. Verstohlen taten meine Kiefermuskeln es den seinen nach.
Der Kapitän reckte den Kopf hoch, schleuderte mit ungelenken Armbewegungen die Bruchstücke ungenauer Wahrnehmungen beiseite und vereinigte die wirren Betrachtungen zu einer Feststellung:
»Es ist soweit«, sagte er.
Ich meinte, wir müßten jetzt aufbrechen. Irgendwo in meinen Ohren fand sich die Erinnerung an den Ton der Dampfpfeife unseres Schiffes. Ich stand auf den Füßen, Tutein lehnte sich mir an. Aber es war Irrtum in meiner Auslegung gewesen. Der Kapitän hat nur die Feststellung machen wollen, wir seien reif zum Schlafengehen. Und seiner Feststellung wurde allgemein beigepflichtet. Es geschah nicht viel anderes, als daß die Gastgeber sich entfernten und den Kapitän mit sich zogen. Er sollte im Hause des Herdenbesitzers schlafen. Tutein und ich, wir blieben im Zimmer, dessen Lampen nicht gelöscht wurden. Aber wir waren auch nicht allein. Die beiden Negermädchen hockten noch im Hintergrund. Sie schienen sich von uns etwas zu erwarten. Allein, wir konnten sie nicht ansprechen, da sie uns nicht verstanden hätten; wir bezupften unsere Ratlosigkeit und suchten nach einer Lagerstatt. Man hatte uns keine angewiesen und gänzlich im Ungewissen gelassen. Da erschien der Hausherr noch einmal, ordnete an, daß die beiden Mädchen die Lampen ergriffen und vor uns hertrügen, gegen zwei Türen im Hintergrund. Ich zögerte noch. Ich sah den Hausherrn, Tutein und das eine der Mädchen verschwinden. Meine Augen stellten fest, daß nur noch die halbe Helligkeit im Raume war. Doch

fiel das weiße Licht eines noch nicht vollendeten Mondes seitlich durch die Scheiben. Ich nahm es erst bei der schwächeren Beleuchtung wahr. Der Hausherr kam wieder herbei. Nun schritt das Mädchen, das mit mir gezögert hatte, endlich aus, öffnete für mich die Tür. Der Hausherr schob mich mit freundschaftlicher Gewalt nach. Ich stand in einem ziemlich kahlen Zimmer. Der Mond kam auch hier mit seinem Licht durchs Fenster. Ein Bett war aufgeschlagen. Neben dem Bett waren Matten ausgebreitet. Als ich die Ausstattung in Augenschein genommen hatte, entsann ich mich, daß Tutein, die Schwelle seiner Tür überschreitend, die Stirn gerunzelt und leise gesprochen hatte: »Wir sind liebe Gäste. Es fehlt uns an nichts. Man hat für alles vorgesorgt.« –

Das Mädchen ging also nicht von mir. Es blieb. Ich konnte es nicht anreden. Ich wußte, es würde mich nicht verstehen. Ich dachte, daß nun auch Tutein mit einem Mädchen allein in einem Zimmer sei. »Wir sind betrunken genug, um etwas tun zu können, was wir bereuen werden«, wiederholte ich mir immer wieder. Ich wagte nicht, mich zu entkleiden. Ich horchte an der Wand nach dem benachbarten Zimmer. Aber kaum ein Geräusch drang hindurch. Endlich, das Herz voll bangen Gefühls, entledigte ich mich der Kleider und kroch ins Bett. Liegend horchte ich noch immer, ob irgendein Geräusch, ein Schrei alles verwandeln würde. Ich schaute auf das Mädchen. Ich wußte nun, es würde nicht von mir weichen, außer, ich erfände den Befehl, den es begreifen würde. Ich blies einen hohlen Seufzer durch die Zähne. »Er hat dir versprochen, nicht mehr mit Messern gegen Mädchen zu wüten. Er wird sich Mühe geben, sein Versprechen zu halten«, betete ich mir vor.

Während ich dalag und Trost in den alten Worten Tuteins suchte, fiel das japanische Seidenkleidchen von den Schultern der Negerin. Sie stand da, frisch, mit trocken glühender Haut, zitternd. Ich schloß die Augen. Ich wußte, daß ich nicht widerstehen würde, wenn die gräßliche Veränderung des Augenblicks ausblieb, jener Schrei oder der schnelle Laut eines Tumults, denen meine Furcht entgegenwanderte. – Saftig zergehende Früchte, klarer duftender Wein überrieseln unseren Gaumen, und es ist der Genuß des Lebens, es ist unser Genuß, dazusein. Es ist unsere Stunde, nicht die der anderen. Die

Lampe wurde gelöscht. Ich faßte ins Dunkle. Das Zimmer war plötzlich tief und breit. Der Mond malte mitten in den Raum eine violettgelbe Gestalt; er erfand eine Farbe, die schwärzer als schwarz war, die die Umkehrung der leuchtenden Flamme war. Es war so schön, daß meine Furcht zunahm.
Diese Nacht verging. Tutein war am Morgen sehr klar, sehr kühl. Er zog aus seiner Geldbörse zwei Sovereigns hervor, je einen für die beiden Mädchen. Aus dem Manschettenansatz seines Hemdes nahm er einen in Silber gefaßten Doppelknopf, zwei bleiche Mondsteine, zerbiß mit den Zähnen die Spange, die die Knöpfe vereinigte, und reichte jedem der Mädchen einen kleinen Schmuck. Sie schrien vor Entzücken auf; aber gleich danach lachten sie leise. Sie lachten mit ihren Herzen. In ihren Augen schwamm der trübe weißliche Schein der runden Mondsteine.
»Wir geben mehr, als wir empfangen haben«, sagte Tutein, »wir können fröhlich Abschied nehmen.« Er pfiff einige Noten. Er stieß die Tür auf.
Der Kapitän war schon auf den Beinen. Er sah, uns im Rücken, die beiden lachenden Negermädchen. Er schien sich erst jetzt des Vortages zu entsinnen. Auch er lachte, höflich. Der Ton der Dampfpfeife rief vom Schiff herüber. Wir nahmen von unseren Gastgebern Abschied, ohne das Frühstück, das sie uns angeboten hatten, eingenommen zu haben. Der Kapitän hatte plötzlich Eile. Als wir uns in das Boot schwangen, das uns zum Schiff hinausbringen sollte, sahen wir, auf der Palmenstraße standen zwei Negermädchen in japanischen Seidenkleidern. Ihr Gesicht war jetzt ernst und unbeweglich. Sie waren mir schon unerkennbar. Ich fühlte, mir stürzten Tränen aus den Augen. Tutein packte mich bei der Schulter.
»Du bist ein Narr«, sagte er, »du weißt ja gar nicht, worüber du weinst.«
»Doch«, sagte ich, »ich habe weder die Kraft noch die Geduld, das aufzufassen, wonach ich mich so lange gesehnt habe. Ich weiß schon, daß dieser Erdteil nicht für mich gemacht wurde. Ich bin nur ein Mitschuldiger an seiner Verelendung. Gleichwohl, heute nacht hat mir der Mond etwas gezeigt, was ich nicht erwartet hatte, wovon ich niemals geträumt: eine Farbe. Ich kann die Überraschung, die von ihr ausging, mit jenem Fuß

vergleichen, der in einem Grabgewölbe aus einem geborstenen Sarge hervorstak. Es war ein hundertundfünfzigjähriger Mädchenfuß, schmal, ein wenig gelb, doch unverwest. – Wenn ich damals, in jenem Grabgewölbe, etwas Ungewöhnliches erwartet hätte, mein Geist hätte auf kahle Schädel oder nacktes Gebein geraten. Aber ich sah einen hübschen Mädchenfuß und betrachtete ihn genau, indem ich meine Kerze nahe heranbrachte. Ich war allein im fast unzugänglichen Kirchenkeller. Ich war heute nacht allein mit der vom Mond gefärbten lilanen Haut.«

»Für mich ging es um Tod und Leben«, sagte er, »es handelte sich einzig darum, ob das Heute noch sein würde. Ich war in der Gefahr, in der Dunkelheit umzukommen. In mein Zimmer schien der Mond nicht. Ich vermute, ich bin heil geblieben. Und das ist ein Gewinn, der manches Ungemach aufhebt.«

Wir glitten durch die Brandung. Das breite Boot hob und senkte sich zum rhythmischen Gischtzischen des Ozeans. Die Muskeln in den Armen der Ruderer spielten die gleichen Wellenberge und -täler: Anspannung – Erschlaffung.

*

Der Kapitän hatte die Überzeugung gewonnen, er hatte es trefflich mit uns angestellt. Und nichts würde zur Vollkommenheit der Trampfahrt fehlen als die Wiederholung. Ich selbst wartete noch immer auf die Stimme, die mir sagen würde, daß ich dies Afrika noch nicht verloren. Ich schaute den wachsenden Mond an und wie sein Licht gleich einem unermeßlichen grauen Dunst über dem Wasser hing. Ich suchte die unwahrscheinliche Farbe. Und in der Farbe die sich auflösende Gestalt. Das sich Auflösende war das Vergängliche. Die Farbe überdauerte die Form. Ich spürte eine unbehagliche Spaltung in mir, Ellena, Egedi, die Chinesin, sie hatten einen Platz in meinem Bewußtsein. Aber in den tieferen Schichten der wunderbaren Träume, wo verlangende Triebe sich mit den heiligen Formen der Gestalten meiner Erinnerung mischten, konnten gräßliche Vertauschungen geschehen. Das Wärmere, das Gegenwärtige, das abtastbar Erschaubare war eine Wirklichkeit höheren Grades. Gleichsam, ein fremdes Negermädchen (das nun auch schon zerging), das vor meine Augen gekommen war, sammelte schon die flachen Bilder meines Entsinnens und schmolz sie der Oberfläche einer greifbaren atmenden Statue an. Die Verheißungen, die mir von ihr entgegenströmten, waren nicht kühler oder geringer als irgendwelche Verheißungen, die mir jemals geworden waren. Ich war unbedenklicher, sie zu nehmen. Ich erkannte meine Eingeschlossenheit, daß ich stumm war, und daß meine Gedanken, die bewegten Handlungen meiner Seele, in mir blieben wie in einem verlöteten Kasten aus Blei.

Ich bildete mir ein, Tutein habe eine innere Befreiung erlebt. Ihm sei eine Erkenntnis durch die mächtigen Sinne gekommen. Seine Bemerkungen waren dunkel, aber nicht gefährlich. Er sprach sich nicht aus, und ich vermutete das Beste.

Die Gelegenheit zur Wiederholung bot sich dem Kapitän schon nach wenigen Tagen. Er brachte seine Einladung zu einem abermaligen Spaziergang auf afrikanischem Boden zuerst Tutein. Tutein schaute den Mann mit festen Blicken an. Die braune Iris seiner Augen schien sich zu verdunkeln. Er sagte schnell mit gemeinem Tonfall:

»Die Neger fressen anders, sie scheißen anders, sie pissen anders, sie lieben anders als ich.«

Der Kapitän fand keine Entgegnung. Er wandte sich ab. Vielleicht war er stolz und wollte einem kläffenden Hund nicht zureden. Ich sagte zu Tutein:

»Das sind Gewöhnungen. Die Erziehungsformeln zerstückeln die Menschheit. Und doch ist nichts leichter zu beseitigen als das Angelernte.«

»Wie Pech klebt es«, antwortete er, »um einen Menschen zu erziehen, braucht es fünfzig Jahre. Wer will bei diesem kurzen und beschwerlichen Leben soviel Zeit zweimal vergeuden? – Weshalb soll es hierüber Erklärungen geben? Ich habe meine Meinung gesagt. Man kann sie nicht berichtigen. Man kann eine andere haben.«

Ich wollte ihm nochmals erwidern; aber plötzlich gebrach es mir an Worten. Er hatte etwas anderes erlebt als ich vermutet hatte. Ich sah eine unheilvolle Trennung zwischen ihm und mir. Aber ich hatte nicht den Willen und die Fähigkeit, die innere Ursache unserer Entzweiung aufzuspüren. Ich vertagte

die Untersuchung. Wir waren zwei unterschiedliche Menschen. Das war das Gewisse. Und es gab keine Einheit zwischen Zweien. Nur die religiöse Mystik war darauf gekommen, den mathematischen Begriffen und den physikalischen Tatsachen eine chemische Hochzeit jenseits der Grundstoffe entgegenzustellen. Ich entschied in mir, damals wie immer, daß ich verloren wäre, wenn ich meinen Sinneswahrnehmungen die Wirklichkeit absprechen würde, um die durchsichtige Welt des unbekannten Gottes mit neuen flüchtigen Gestalten zu füllen.
Auch ich schlug die Einladung des Kapitäns ab. Diesmal und ein nächstes Mal.

*

Die Verlockungen, mit denen die Kräfte eines Erdteils auf mich gewirkt hatten, wichen von mir. Das Schiff hatte den Äquator geschnitten; die unheilvolle Waldzone, die verdichtete Luft aus Feuchtigkeit, Wärme und schweren, fast giftigen Wachstumsströmen des Bodens wirkte weit bis auf die offene See hinaus. Ich fürchtete mich vor einer Fiebererkrankung. Ich schluckte Chinin, lag in der Dunsthöhle meines Moskitonetzes. Meine Wahrnehmungen brieten in einem schwelenden Halbtraum. Verschwommen nur zeichneten sich die Eindrücke der Erlebniskette. Die Augenblicke waren ein Durchgang und verwischten sich im Strom der Aneinanderreihung. Eine schwarze Schultafel, über die ein feuchter Schwamm fährt. Die weisen Belehrungen unterrichtender Herren, als ob sie nie gewesen wären. Das Hinterher eine leere schwarze Tafel. Die geschwollenen Stunden unter dem höchsten Stand der Sonne waren schier unerträglich. Die Schiffsräume voll zähen Geruchs ohne Deutlichkeit, weder angenehm noch widerlich, nur lästig durch die Wahrnehmbarkeit. Und Schwüle, die die Haut mit Dampf zermürbte, daß sie schlaff und aufgeweicht wurde, als wäre sie mit nie trocknender Seifenlauge bestrichen. Fleischheiße, stillestehende Luft, deren das Herz so überdrüssig war, daß es hämmerte, hämmerte. Warm gärende Schwaden über allen Dingen, die unsere Augen verschwommen abtasteten, schlierig die feste Substanz unseres Leibes. An schattigen Plätzen des Decks lagen wir und keuchten.

Die Heizer standen nackt vor den Feuern.
Die Sonne rollte flach, eine schwarze Scheibe, am aschigen Himmel. Das Schiff fuhr, man erkannte es am taktfesten Zittern der Maschine. Plötzlich erlosch das schwarze Licht, es stürzte herab, und Finsternis erfüllte den Himmel. Eine Veränderung war geschehen. Meine Sinne hatten Mühe, die ganze gefährliche Wirklichkeit auszuloten. Das Schiff, der Ozean waren von dieser Erde verschwunden und in den Weltenraum hinausgeschleudert worden. Die Sonne war zerschellt. Und ihr gefräßiges Licht, schon seit langem verdächtig durch den vollkommenen Mangel an Glanz, war wie wolkige Tusche ausgelaufen und hatte die unermeßliche Welt mit schwarzem Qualm erfüllt. Ich sprang von meinem Liegestuhl auf, stürzte an die Reling. Das Wasser rauschte noch unter mir, aber es verlor sich nahebei trübe an einer verkohlten Begrenzung. Etwas Dräuendes, Gestaltloses hatte sich statt der Himmelswölbung aufgerichtet. Um mich vollends zu verwirren und gegen Meer und Luft blind zu machen, begannen die elektrischen Glühlampen andeck aufzuglimmen, schwach rot und zaghaft anfangs, dann mit der vollen Kraft ihres Leuchtvermögens, flackernd durch ihre Abhängigkeit vom Gang des Dynamos tief unten im Maschinenraum.
»Was ist?« fragte ich Tutein, der noch im Halbschlaf ausgestreckt auf seinem Liegestuhl ruhte, »es ist doch erst Nachmittag.«
Er fuhr auf, rieb sich die Augen, blinzelte. »Nanu?« sagte er ein wenig beklommen.
Mir war, als gischtete eine Sturzsee über das Schiff, so rauschte es herbei. Aber es kam keine Erschütterung. Nur ein trommelnder Schauer von Spritzern fegte über uns hinweg.
»Es wird ungemütlich«, sagte Tutein, »das sind Regentropfen, mit Schöpflöffeln ausgeteilt.«
Ein vielfarbiges Feuer brannte vom Himmel herab. Ich sah keinen Blitz, nur eine unvorstellbare Helligkeit. Und in diesem Dom aus grellem Licht erkannte ich die Schluchten fürchterlicher Wolken. Abgründe, hingelagerte flache Bänke und hastig quellende Ballen, die zu bersten drohten. In den nächsten Sekunden schon geschah die Überrumpelung. Das Wasser schlug von den Wolken mit so dichten Strahlen herab, daß es

uns schwer wurde zu atmen. Das Deck, das gewölbt nach Steuerbord und Backbord abfiel, füllte sich mit quirlendem Wasser. Wir standen mit den Füßen in einem gischtenden See. Der Lärm der auftreffenden Strahlen war so stark, daß im knatternden trommelnden Brausen jedes andere Geräusch unterging. Das Grollen der Blitze wurde unhörbar. Nur einmal, als das Feuer in unmittelbarer Nähe des Schiffes aufschlug, in mächtiger Verzweigung wie ein riesenhafter Flammenbaum, hörten unsere Ohren das peitschende Knistern der zerreißenden Luft.
Ehe wir die Flucht ergriffen, war die Angst in uns geweckt worden, Angst vor einem unbekannten Verlorensein. Die Blitze, die Sekunde um Sekunde die Finsternis zerrissen, die sich grün, violett und rot zwischen den ungeheuren elektrischen Potentialen entluden, waren nur ein Schauder neben dem entfesselten Wasser, das uns niederschlug und das Schiff in den Ozean hineindrückte. Auch Tutein war der Angst erlegen. Wir erreichten die Tür zu den Innenräumen des Schiffes. Minutenlang noch schleuste sich das Wasser aus der Finsternis auf das Schiff herab. Die Flammen brannten aus dem Meer heraus gegen die Wolken. Unser Herz pochte verzagt, mit wilder Schwäche. Als das Unwetter vorüber war, fühlten wir uns erschöpft, todmüde. Unsere Kleider trieften.

*

Der zweite Maschinenmeister erkrankte an Malaria. Es erging ihm ziemlich schlimm. Jemand der Besatzung, der ihm nahestand, übernahm die Pflege, löffelte ihm Chinin ein und versorgte ihn mit Bittersalz. Meine Furcht, Tutein oder ich möchten der gleichen Krankheit verfallen, nahm zu. Ich wünschte nur, wir möchten der Nähe des Äquators entronnen sein.
Zum ersten Male in meinem Dasein spürte ich deutlich, daß mit den Kräften der Seele zugleich die des Körpers verbraucht worden waren. Ja, daß es in Wahrheit nur ein Vorrat ist, von dem unser Schicksal zehrt. Das Leben, das wir geführt hatten, war schwer gewesen, weil ihm die gewisse Hoffnung gefehlt hatte. Das Abenteuer, das wir durchschritten, war ganz ohne Geheimsinn, ein verkehrter Ablauf. Und es hatte uns ver-

braucht. (Die Arbeiter vor den Schmelzöfen, in den Minen und auf den Feldern werden auch verbraucht.) Ich fragte mich, warum Tutein nicht mehr bete, warum ich darauf verzichtete, mein Studium fortzusetzen. – Ich spürte das Herannahen wichtiger Entscheidungen.

Nachdem ich Afrika verloren (vielmehr, es hatte sich überhaupt nicht geöffnet, und ich war zu feige gewesen, mein Leben einzusetzen, um Erkenntnisse und Erlebnisse zu gewinnen), war meine Zuversicht noch schwächer geworden. Irgendetwas mußte aus uns werden, und sei es auch nur das, daß wir verkämen. Selbst das Verkommen währt seine Zeit, und mit fünfundzwanzig Jahren stirbt man nicht, sofern man bis dahin gesund war, auch wenn man zum Trinker wird, Kokain schluckt oder sich die Syphilis besorgt. Man muß noch ein Stück Weges weitergehen. Man muß dreißig Jahre oder fünfunddreißig Jahre erreichen.

Ich erwog, mich von Tutein zu trennen. Es würde eine weithin sichtbare Entscheidung sein. Aber ich erkannte die Schwierigkeit, diesen unübersehbaren Vorsatz durchzuführen. Hinter dieser Trennung gähnte ein rundes schwarzes Loch. Ich würde allein sein. Von allen erbaulichen Kräften verlassen sein. Ich würde diesen Menschen nicht mehr besitzen. Ich würde mit keinem Menschen abermals gemeinsame Sache machen können. (Ich dachte an seine Augen, an seine Hände, an seinen Nabel, an seine Brustwarzen, an den Klang seiner Stimme – und was es mich gekostet hatte, um von alldem die genaue Kenntnis zu haben, die ich wirklich hatte.) Ich vertagte die Entscheidung. Wahrscheinlich war es mir gar nicht ernst damit. Aber mit jeder Seemeile, die wir nördlicher kamen, näherte sich der Entschluß. Nicht mein Entschluß, nicht unser Entschluß, der Entschluß an sich, die Zukunft, die schon in der Vergangenheit gewesen war, die die Gegenwart erreicht hatte und nun unaufhaltsam in die Größe des Unausweichlichen hineinwuchs.

*

Las Palmas war die letzte Station. Hier standen wir am Scheidewege. Wir hatten die Wahl, die Heimreise des Schiffes nach

Südamerika mitzumachen oder einen anderen Platz der Erde als geeigneter für die Fortsetzung unseres Daseins zu suchen. Als das Schiff an der Außenmole von Isleta vertäut war, um Bunkerkohlen einzunehmen, hatten wir noch eine Frist von zwei Tagen.
Tutein sagte: »Es ist dort leicht, einen passenden Viehhandel zu betreiben.« (Er dachte an eine kleinere Stadt Südamerikas, die auf den Landkarten einen Namen hatte und auf der Erde ihren Platz. Bahia Blanca würden wir nicht wiedersehen.) »Man kann sich dort so benehmen, wie es der Landessitte entspricht. Wir müssen das Sichtbare unseres Wandels überall der Umwelt anpassen. Wir haben es gelernt.« Ich fragte ihn, wiewohl ich die Antwort kannte: »Du willst niemals wieder zursee fahren?«
Er schaute mich traurig an. »Nein«, sagte er, »das ist doch zwischen uns ausgemacht. – Du sehnst dich nach einer Trennung von mir.«
Ich log. Ich sagte: »Keineswegs. Ich habe nur Furcht vor der Zukunft. Unser Zusammenleben ist kein voller Erfolg gewesen. Es bleibt etwas zu wünschen übrig, für dich und für mich.«
»Allerdings«, sagte er, »die Einrichtungen der Schöpfung haben sich unsertwegen nicht gewandelt. Die unablässigen Erfüllungen, die in dieser Welt nicht vorkommen, sind ausgeblieben. Darüber ließe sich noch manches sagen. Doch du willst darauf nicht hinaus. Du hast die Wahrheit halb ausgesprochen, und das genügt mir, sie ganz zu verstehen. Indessen, ich kann nicht von dir gehen, auch wenn du mich beleidigst und erniedrigst. Ich kann nicht. Wenn du meiner ganz überdrüssig bist, bleibt dir der Ausweg einer heimlichen Flucht. Du ersparst dir, die Folgen zu sehen.«
»Ich will ja nicht fliehen«, sagte ich kurz.
Er wurde nicht froh. Auch unruhig wurde er nicht.
Ein Fährboot brachte uns und unser Gepäck an die Mole von Sta. Catalina. Wir drangen nicht bis Las Palmas vor, wir fanden eine kleine Pension in Puerto de la Luz, inmitten von Speichern, Lagerplätzen, Schiffshandlungen und Kontoren, jenseits der Grenze der Wohlhabenheit, wo das Licht des europäischen Lebens schon verdämmerte. Die Straße roch nach Teertauen, Ölfarbe und verfaulendem Obst. In den ersten Tagen unseres

Aufenthaltes strich ein lästiger Wind. Staub und Sand von den Dünen her nistete einem in Nase und Augen. Die schöne Stadt mit den weißen Häusern und der verschwenderischen Herrlichkeit stolzer Palmen, die, wie man sagt, aus der Ferne afrikanisch anzuschauen ist und doch so europäisch in ihren Einrichtungen und ihrem Gehaben ist wie nur irgendeine ihrer Schwestern im katholischen Spanien, die weiße Stadt mit dem weniger weißen Hafen war mir gleichgültig. (Doch ich lernte es, mich ihrer zu freuen.) Es gab hier die immer wiederkehrenden eintönigen Geräusche der zwischen den beiden Städten hin- und herpendelnden Dampfstraßenbahn. Es gab den Lärm der Schiffe und Mannschaften anbord und auf den Kais, das Gekreisch der Winden und Nägel in berstenden Kasten, das Rattern der Wagenräder, das ungeduldige Hupen der Automobile. Es gab den Gegensatz zwischen der Promenade am Strand und den ungepflegten Straßen. Es gab Menschen. Hinter Kleidungsstücken, die von dunkler Armut starrten, erkannte ich das unbegreifliche Menschenblut wieder, die unbegrenzte Zahl der Mischungen, die mich schon in Cape Town überwältigt hatte; aber die dunkle Hautfarbe war den lichteren Tönen gewichen. Neben den weißen und stolzen Spaniern, den Herren, auch wenn sie als Gepäckträger auf der Mole standen, fanden sich Gruppen ungewisser Erdensöhne, die auf die eine oder andere Weise gezeichnet waren. Letzte Sprößlinge von Königen, deren Mumien man in den Museen dieser Insel aufbewahrte, ohne Land, in der Verbannung, im Mutterleibe schon geschändet, und zehnmal geschändet in den Vorfahren, und immer wieder geknechtet, von Kindesbeinen an. Und es war ihnen nichts geblieben als die Fahne roter Haare oder der blaue Meerblick in ihren Augen. Graue, grüne, wässerige Pupillen in den bleichen oder nur leicht gebräunten körnigen Gesichtern. Kolumbus hatte an diesem Strand gebetet, in der Kapelle Antonio de Abad, und es würde seinem kristlich unmenschlichen Karakter entsprochen haben, wenn er an eben diesem Strand dienende Indios, »unkundig des Gebrauchs eines Schwertes«, als Sklaven ausgesetzt. Und hatte er es versäumt, andere Seefahrer schleppten die lebendige Ware herbei. Söhne Afrikas, vom Osten her, sind hierher verschlagen worden, stolze Bayots von riesigem Wuchs und das duftige junge

Fleisch zarter gewachsener Stämme. Dunkle Brunnen die Brüste und Schöße, die vor Kummer nicht unfruchtbar wurden. – Gesindel, Tagediebe, Bettler, Gelegenheitsarbeiter, wie man sagt, mehr feige als verwegen, geringe Menschen, die sich nichts weiter erhoffen, als das Leben fristen zu können. Zuweilen, mitten unter ihnen, gesegneten Wuchses, ein wiedererstandener König, schwarz oder weiß, Bayot oder Kanarier.

Tutein lehnte es ab, an einem Entschluß mitzuwirken. Meine Gedanken waren langsam. Das Zögern, durch keine Willensäußerung Tuteins gestört, nahm überhand. Ich begann, ohne einen besonderen Anlaß, an Heimweh zu leiden. Ich dachte viel an meine Mutter, und daß sie sich meinetwegen die Augen rot weine. Ich war ihr einziges Kind. Und verschollen. Ich schrieb ihr. Meine Worte wurden wärmer als ich mir vorgenommen hatte. Ich teilte ihr mit, daß ich am Leben sei, daß es mir gut gehe: gesund; Geld genug bei der Hand, um die täglichen Ausgaben bestreiten zu können; mit schönen Aussichten für die Zukunft, soweit es das Wirtschaftliche betreffe; in nichts verstrickt, was mir zum Nachteil gereichen könne. An meinem Schicksal sei nichts auszusetzen; nur in die Heimat wolle ich nicht zurück. Die Gründe müsse ich für mich behalten. Ich sprach von den Wechselfällen des Lebens, von den Verstrickungen und vom Weg, der uns bleibt, solange wir nicht erliegen und dem Tod anheimfallen. – Ich war nicht deutlich. Aus meinen dunklen Worten kamen ihr bange Ahnungen, die ich später vergeblich niederzuschlagen versuchte. Ich teilte ihr mit, daß ich keine feste Adresse hätte, daß ich später von mir hören lassen würde, wie und wo ich Antworten entgegennehmen könnte. – Mein Vater schloß aus meiner vergifteten Mitteilung, daß ich im Gefängnis säße. – Allmählich, in den Jahren, die folgten, wuchs meiner Eltern Mißtrauen gegen mich. Sie konnten, trotz mancher Einwände ihrer Seele, nicht anders, als mich einen bösen Menschen nennen. Ihr Schmerz wuchs und wuchs, bis sie mich für verloren hielten. Und ich tat nichts, sie aufzuklären. Seltsam, sehr seltsam. Auch ich hatte das Vertrauen zu ihnen verloren. Wir wurden aneinander schuldig, wir leisteten den Mißverständnissen Vorschub. Und doch habe ich oft vor Sehnsucht geweint. Und weine auch heute. Und weiß, meine Mutter ist erloschen. Mein Vater ist dahin. Für ihn, in

den letzten Jahren seines Lebens, war ich schon tot. Ich eilte seiner Auflösung voraus, doch nicht als Held. Er konnte meiner nicht als eines früh Vollendeten gedenken. Die Briefe, die ich schrieb, galten meiner Mutter, nicht ihm. Ich bilde mir ein, er hat mich nie geliebt. Er hat mich erzogen. Er ist gegen mich gerecht gewesen, so gut er die Gerechtigkeit verstand. Er hat mich behütet. Ich bin sein Kind gewesen, das ihn mit Stolz erfüllte. Ich sollte sein Nachfolger sein. Sein Nachfolger in den Geschäften unter Menschen, sein Nachfolger als Mann. Seines Blutes, seines Wesens, ausgestattet mit seinem Verhalten. Und ich war anders. Er übte Nachsicht. Er war nicht roh, er stellte keine Anforderungen. Er verkrüppelte mein Dasein nicht. Er fragte seine Vernunft, was mir zum Besten dienen würde. Er vertraute sich nur maßvollen Überlegungen an. Es gibt nicht viele Väter, die geduldiger mit ihren Söhnen sind als er es mit mir war. Aber ich glaube mich zu entsinnen, seit meinem zwölften Lebensjahr geschah es nur einmal, daß seine Hand mir über den Kopf strich, um mich zu trösten. Nur einmal. Und ich war oft trostbedürftig und kleinmütig. – Ich bin bereit, meine schlechte Unterstellung zu widerrufen. Aber wem hülfe ich noch damit?
Für mich Heimatlosen war das träge Verweilen an einem zufälligen Platz Teil einer Genesung. Es ist etwas vom Baum in mir. Wenn der Boden nicht giftig ist, treiben die Wurzeln Ausläufer und halten mich fest. Und die Blätter bewahren ihre grüne Farbe. – Solange ich im Halbschlummer des Anwachsens war, stand keinerlei Veränderung bevor.

– – – – – – – – – – – – – – – – – – – –

Die Lasttiere wurden auf offener Straße unbarmherzig geprügelt. Die Weiber lachten dazu. Die den romanischen Völkern eigentümliche Grausamkeit gegen Tiere empörte mich wieder; aber ich hütete mich, es zu zeigen. Ich wußte, es würden dringendere Gelegenheiten kommen, wo ich der Landessitte zuwiderhandeln mußte. Ich schaute auf dunkle Häupter mit strähnigem schwarzen Haar, die keiner bestimmten Rasse anzugehören schienen. Auf den Gassen begegneten mir immer wieder Männer von kaltblütiger Brutalität und gleichzeitig kindlicher Liebenswürdigkeit, das eine mit der rechten Hand, das andere mit der linken dargeboten. Münder, die schalten und lachten, fraßen und küßten, gleichzeitig. Ein junger Vater, sein halbnacktes Kind auf dem Arm, drei oder vier Jahre alt, verzehrte eine Tomate. Im nächsten Augenblick nahm er die Geschlechtsteile des Knaben in den Mund, heftig wie vorher die Tomate, als ob er sie verschlingen wollte. Aber es war Freude, Stolz, Liebe, und der Kleine lachte. Vater und Sohn lachten, als er den kostbaren Besitz wieder ausgespien. Dann zerdrückte er noch eine Tomate zwischen Zunge und Gaumen, und der Saft floß ihm von den Mundwinkeln. Es gab Früchte. Herrlich anzusehen, herrlich sie zu verzehren. Aber ich verdarb mir am zweiten Tage schon den Magen und wurde nach mancherlei Leiden vorsichtig im Genuß. – Trauben, Bananen, Tomaten, Pfirsiche, Feigen. Und Federvieh. Ich bekam einen Ekel vor Hühnern.

Tutein verschwand von meiner Seite. Wir schliefen des Nachts gemeinsam in einem Zimmer. Wir nahmen die erste Mahlzeit am Morgen zu zweien. Dann ging er, und erst der benachbarte nächtliche Schlaf brachte die Eintracht in unbewußten Stunden.

*

Ich hätte mir errechnen können, daß er litt. Aber ich mühte mich nur ab, zu ergründen, was er wohl anstellen mochte. Endlich mühte ich mich auch nicht mehr ab, mir seinen Tageslauf vorzustellen. Er war mein Schlafgenosse. Und ich ging meiner Wege, wie er es mir vorgemacht hatte. Ich weiß nicht, ob wir einander entfremdet waren, oder ob wir nur büßten, einander quälten wie auf Verabredung. Wäre ein Dritter neben uns gewesen, er hätte vielleicht verkündet, wir seien einander widerlich geworden. Aber dieser Dritte fand sich nicht, und es gab keine Verkündigung, die uns auseinandergerissen hätte.

Eines Tages gingen wir gemeinsam in die Kathedrale. Tutein sagte, man müsse sie einmal anschauen. Das unbändige Gefühl seines überwucherten Glaubens nahm ihn sogleich. Er tauchte seine Finger ins Weihwasser, benetzte meine Hand mit ein paar Tropfen, machte das Zeichen des Kreuzes. Eine Weile lang starrte er, aufrechtstehend, gegen die Wölbungen; er betrachtete die Altäre, die Pracht der Gemälde, die Fülle der Gestalten, selbst verwundert, daß er den Trotz aufbrachte, zu schauen und nicht andächtig zu sein. Dann aber fand er die Richtung zum Allerheiligsten, zum Brot, das in Fleisch verwandelt war, zum Thron der Monstranz. Er kiete nieder. Ich blieb neben ihm stehen. Ich nahm wahr, er betete. Ich bewunderte ihn und seine Religion, diese ungeheure heidnische Welt, in der Gott wie ein zerklüftetes Gebirge steht. Eine Millionenschar von Heiligen klettert auf ihm umher, die Geister der Tiefe, die Nymphen der Brunnen und Bäche, die Untergötter der Bäume, Wege, des Feuers, des Wassers, der Äcker, heilige Tiere und Luzifer selbst, der Drache. Am Ende sogar der Mensch, der niedergekniet war, die ganze Menschheit, die tausendmal gestorbene und die gegenwärtig lebende. ER ist von Mittlern, Engeln, Teufeln und Erlösten umstellt, von den Verdammten, vom Kor der Hölle angefletscht. Sein himmlisches Reich ist so voller ungezählter Instanzen und Registraturen, so voller Bewegung und Pracht, voll malerischer und theatralischer Ereignisse, voll altertümlicher Geschichte, vom Klatsch der Legenden erfüllt, von Hymnen durchwebt, von Weihrauch und Weisheit geschwängert, daß Sünden, Kummer und Armut dieser trostlosen irdischen Welt nur wie ein Anhängsel des himmlischen Kolosses erscheinen, als das durch und durch Vergängliche, das unter allen Umständen verziehen und rückgängig gemacht wird. Im Feuer der Gnade schmilzt es dahin. – Ich sah, wie wenig Frömmigkeit angesichts dieses Kosmos ausreichte (Tutein war schon einer der Unfrommen), um ein starkes religiöses Erlebnis zu erzeugen. Ich dachte mit Schaudern an den protestantischen kristlichen Glauben, in dem ich erzogen worden war, an dies rationale Seelengeschäft und seine heimtückischen Praktiken, an das Gezänk, an das Besserwissen, an den ewigen Unfrieden der Bibelausleger. Nicht einmal die Musiken der Genies haben die Lehre in Güte und Segen verwandeln können.

Auf der Straße fragte ich Tutein nach dem Brot, vor dem er gekniet hatte.

Er antwortete: »Ich bin kein Katholik mehr. Ich widersetze mich der Beichte. Die Verwandlung des Brotes ist ein Sakrament. Auch in unserem Körper werden Brot und Wein in

Fleisch und Blut verwandelt.« Gerade fuhr ein zweirädriger Wagen vorüber, und das Pferd, das ihn zog, mistete. »Sieh«, sagte er und zeigte auf das Tier, »Hafer, Mais, Gras und Wasser werden auch in Fleisch und Blut verwandelt. Es wird alles auf dieser Erde, seiner Bestimmung nach, verwandelt.« –
Ich erschaute im Geist noch einmal den Koloß des katholischen Himmels. Ich sagte: »Wir nehmen uns, was wir brauchen können.«
»Das ist das Recht der Lebenden«, sagte er, »wenn das Dasein aufgetragen ist, darf man zugreifen. Manche bestreiten das. Denn es führt zu Konflikten. Dennoch ist es wahrscheinlich, daß man zugreifen darf. Gewiß ist ein Verstoß gegen die Lehre darin enthalten. Doch die Vergebung der Sünden ist auch ein Grundsatz der Barmherzigkeit.«
»Die Religionen sind besser als ihre Handhaber«, sagte ich.
Er antwortete mir nicht sogleich. Nach einiger Zeit sagte er: »Das Niederknien, selbst das Gebet, es ist eine Gewohnheit, der man nachgibt, wenn der Ort feierlich genug ist, weil sie ehemals bekömmlich war. Aber glaube mir, ich denke vom Hafer nicht schlechter als von der Hostie.«

– – – – – – – – – –

Es kamen große Schiffe auf der Reede an, beladen mit Fremden, die dafür bezahlt hatten, daß man ihnen ein herrliches Land und ein herrliches Wetter zeige, dazu das eine oder andere Zweideutige. Die Männer verstanden sich darauf, ihre eigenen heimlichen Wege zu finden, und für die Augen der Frauen und Mädchen gab es, in aller Ehrbarkeit, ein paar Stücke schönen männlichen Fleisches. Sie verstehen sich darauf, es zu prüfen. Sie handeln nicht umsonst in den Läden und Warenhäusern. Es standen immer ein paar junge Männer auf der Mole Sta. Catalina. Sie konnten Koffer tragen, Feigen oder Mandeln feilbieten, betteln oder einfach dastehen und die Blicke einfangen. Einige saßen nackt umher, nur mit einem Tuch um die Lenden. Sie waren immer bereit, ins Wasser zu springen. Dafür schenkte man ihnen Zigaretten und kleine Geldstücke. Man schenkte sie ihnen, wenn sie wieder aus dem Wasser stiegen. Es kam darauf an, daß man sie nackt und feucht, mit glänzender beperlter Haut, mit dem aufgeweichten, fast durchsichtigen Lendentuch

wieder am Kai oder auf dem Gitter einer Reling sah. Sie waren schön gewachsen. Sie unterschieden sich voneinander; aber wiederum war der Unterschied nicht bemerkenswert. Sie waren einander fast so gleich wie ihr Alter gleich war. Manchmal freilich warf man die Geldstücke ins Meer, dann tauchten die Schwimmer danach und holten sie herauf. Sie hielten die Münzen zumeist zwischen den Lippen, wenn sie wieder auftauchten. Sie preßten die Lippen mit eigenartigem Vergnügen zusammen; sie bedienten sich nicht der Zähne. Das Tauchen war nicht der Höhepunkt ihrer Kunst. Gewiß, ihrer einige, die sich auf der Außenmole aufhielten, hatten es zu großer Vollkommenheit gebracht, im klaren tiefen Wasser des Ozeans neben den Stahlwänden der Überseeschiffe auf den Grund hinabzurudern. Sie sahen in der Tiefe wie unheimliche Tiere aus. Man wurde an riesenhafte Tintenfische erinnert. Bei Sta. Catalina aber galt es als höchste Kunst, sich wie Delphine im Wasser zu tummeln. Die Schwimmer ruderten in unmittelbarer Nähe der Fährboote und kleineren Dampfschiffe, sie tauchten unter den Kiel der Fahrzeuge und ließen sich bald links, bald rechts sehen. Sie wagten sich in die Nähe der strudelnden Schiffsschraube und gaben das Schauspiel, als ob sie sie mit der Hand zum Anhalten bringen wollten. Das alles war sehr erregend. Niemand dachte daran, daß die Armut diese gefährlichen Künste erfunden hatte, und daß die kleinen Münzen, die die Männer ernteten, Brot bedeuteten. Zwei oder drei unter ihnen hatten blaues Haar. Und eine Haut, so voll wie ein Tierfell. Schwarz. Und doch nicht negerschwarz. Ein Gesicht, angefüllt mit dem Schmerz und der Verachtung aller unterdrückten Menschenrassen. Und doch ebenmäßig wie die Nabelgrube auf griechischen Statuen. Sie saßen zumeist auf den Glutsteinen des Kais. Ich sah bleiche Männer, die ihnen mit flacher Hand auf die Schenkel klatschten. Ich sah Weiber auf das Lendentuch starren. Ich saß am Kai und gewann einen Freund.
Ich sagte zu einem der Schwimmer: »Warum willst du ins Wasser springen, wenn jemand eine kleine Münze verliert?«
Er antwortete nicht, sah mich nur verächtlich an. Dann warf er sich ins Wasser, tauchte wieder auf, zwischen den Lippen trug er ein kleines Geldstück.

»Weil du davon nichts hast«, antwortete er mir, nachdem er wieder auf der rostwarmen Kaimauer saß.
Ich schob ihm wortlos eine halbe Pfundnote hin. »Das«, sagte ich, »damit du mich nicht verachtest.«
Statt Freude kam Trauer in sein Gesicht. Die untere Lippe fiel ihm herab.
»Wohin gehen wir?« fragte er.
Ich schüttelte den Kopf. »Wir werden uns unterhalten. Und vielleicht werden wir uns gut unterhalten.«
Er schwieg. Ich war ihm unheimlich. Er zog den Geldschein zu sich, und eine halbe Stunde lang betrachtete er den aufgedruckten Text. (Er konnte nicht lesen; dennoch wußte er, daß es ein wertvoller Zettel war.) Ich beobachtete ihn. Ich erkannte eine Eigentümlichkeit an ihm, die ich noch bei keinem Menschen gesehen hatte. Die Brustwarzen waren wie aus Eisen, scharfkantig abgesetzt, daß man meinen konnte, beim Berühren würde man sich daran verletzen. Seine Ohren waren klein, fast kreisrund, die Haut rotschwarz, nur auf dem einen Arm gab es ein helles Stück Haut, einen weiß eingelegten Ring. (Ich war ungemein davon angetan, daß er sich so von allen Männern unterschied, die ich bis dahin kennengelernt hatte; besonders gefiel mir das Eiserne seiner Brustwarzen, weil ich sie nie und nimmer mit denen Tuteins verwechseln konnte. Mir erschien das sehr wichtig, denn ich konnte, auch jetzt ergeht es mir nicht besser, den Körper eines Menschen sehr schwer behalten. Ich bin als bekleideter Europäer aufgewachsen und nicht als Afrikaner.)
›Was für ein Tier, was für ein herrliches Menschentier!‹ dachte ich. Er war, wie viele der Schwimmer, eher fleischig als mager. Er hatte große grobe, aber nicht schwielige Hände, die wie märchenhafte Zweigstümpfe auf den Bäumen der Arme saßen. Er hungerte nicht. Er erntete größere Münzen mit dem Lobgesang seiner Gestalt, die Vater und Mutter ihm vermacht, diese Gestalt mit aller inwendigen Vollkommenheit, als da sind Lungen, Nieren, Gedärm, Adern und Herz. Ich habe nie erfahren, wie es in seinem Hirn aussah. Wäre nicht ein müder schmerzvoller Zug an seinem Munde gewesen, man hätte meinen können, die Plage der Gedanken wäre ihm erspart geblieben.

Nach ein paar Tagen schon nahm er es als selbstverständlich, daß ich meine Stunden auf dem Kai verbrachte. Er hatte einen festen Platz. Ich konnte ihn nicht verfehlen. Ich drehte ihm Zigaretten. Er nahm sie in seine feucht salzigen Hände. Ich entsinne mich nicht, daß wir jemals ein schweres Wort ausgetauscht hätten. Wir sprachen nur das Allgemeinste. Meistens schwiegen wir. Ich schaute ihn an. Er schaute mich nicht an. Hin und wieder tauchte er. Manchmal bat er mich, eine Münze ins Wasser zu werfen. Allmählich kam ich darauf, größere Münzen zu wählen. Und so ernährte ich ihn, ohne daß er beschämt wurde. Er holte das Seine von der Tiefe herauf. Den Fremden gegenüber, die mit den Hotelschiffen kamen, wurde er zurückhaltend. Den schmalen Verdienst überließ er jetzt bereitwillig den anderen Schwimmern. Wäre ich aufmerksam gewesen, ich hätte schon am ersten Tage bemerken können, daß er nicht gerne tauchte. Er war ein Delphin, der die Oberfläche des Wassers immer wieder schnell erreichen mußte. Es kam dahin, wir verabredeten die Größe der Münze, und diese eine Münze ertauchte er sich täglich. Verwunderlich, ich habe auch nicht einen winzigen Zug der privaten Sphäre dieses Schwimmers kennengelernt. Nie erfuhr ich, wie und wo er wohnte, ob er Eltern oder Verwandte hatte, ob er irgendwo zum Tanz ging, eine Geliebte besaß oder einen Freund. Ich sah ihn niemals ein Bedürfnis verrichten. Ich habe ihn nicht in Kleidern gesehen. Er verschwand, wenn der Tag am Kai zuende ging. Er fand sich ein, wenn er begann. Und sein Name, den er mir nannte, war ein gefälschter Name. »Augustus«, sagte er. Welches Weib mit humanistischer Bildung mochte ihm die Torheit, sich so zu nennen, eingeblasen haben? Es war auch nicht notwendig, daß ich seinen wirklichen Namen kannte. Ich rief ihn niemals an, ich begrüßte ihn niemals redend. Nur einmal hätte ich gerne mehr von ihm gewußt! Als er starb. Ich sah ihn sterben. Nicht seinen letzten Atemzug aushauchen. Es war anders.

– – – – – – – – – –

Wie eine Pflanze war ich, die täglich an die Sonne gestellt wird. Ich hatte meinen Platz bei der Anlegestelle der Motorboote und kleinen Dampfer, die die Ozeanriesen nach hier entsandten. Es war sein Platz, den er mit mir teilte. Und es war trotz des regen Verkehrs und des Lärms, den der Hafen hervorbrachte, ein einsamer Platz. Manchmal verstellten Kisten uns den Blick in die Ferne. Fast immer schwelte ein Gestank an uns heran. Einige Male wurde ich mit faulen Früchten beworfen. Einige Male wollte ein halbwüchsiger Bursche Muscheln mit mir teilen, weil er sich einen Vorteil davon versprach. Einmal spie ein Greis von der Brüstung herab, auf die er geklettert war, mir auf den Fuß. Und von eben dieser Brüstung herab entleerte ein Kind seine Harnblase in meinen Hals hinein. Aber es waren seltene Vorkommnisse. Die Wochen waren ungemein gleichmäßig. Ich gewann die Fähigkeit, ganz ohne Traum und Gedanken in der Sonne zu vertrocknen. Mich nährten die dürftigen Worte, die der Schwimmer, an meiner Seite hockend, für mich übrig hatte. Das war die einzige Speise meiner Seele. Ich ernährte seinen prächtigen Körper. Nicht nur mittels klingender Münzen. Die Tage sind lang. Die Sonne ist heiß. Es gibt Hunger und Durst. Überall Duft und Gestank reifender und schon faulender Früchte. Ich brachte welche und dazu Brot und Wein. Er nahm nur Brot und Wein. Ich kam darauf, er aß am liebsten Fleisch. Zähes Ziegenfleisch. Salzige Suppe, in der es schwamm, unappetitlich und lederhart. Ich entdeckte einen Pastetenbäcker, der in einen nach Oliven schmeckenden Teig Langustenschwänze und Hühnerbrustfleisch einbuk. Er aß diese Pasteten mit Leidenschaft, und ich aß sie auch.

An den Abenden, wenn ich allein war, fragte ich mich, was meine leere Kameradschaft bezwecken solle, was ich mir erwartete, wie sie enden werde. Es gab nichts zu ergründen, nichts zu enthüllen. Ich betrachtete ein schönes Tier, tagein, tagaus. Hätte ich schlimme Gedanken gehabt, vor ihm würde ich mich geschämt haben. Ich war nicht auf der Suche nach wohlfeilen Gelegenheiten. Am wenigsten aber erwartete ich, was mir beschieden wurde.

Ich wollte nicht wiederkommen. Aber alles, was mein Vorsatz ausrichtete, war, daß ich am nächsten Tag zwei oder drei Stunden später erschien, nachdem ich mich ohne jeden Gewinn in den Straßen umhergetrieben hatte. Ich übte mich im Entschluß, ich wiederholte meine unfruchtbare Verspätung. Einmal geriet ich in eine Kirche. Das Innere war geschwärztes

Gemäuer, aus dem mit vergehendem Gold barocke Formen hervorwuchsen. Aus einem Gewölbe quollen gemästete Engel herab, Engelskinder, ehemalige Eroten, dicht gedrängt wie die Masse Mensch. Ich spürte das vergoldete Fleisch wie eine fürchterliche Bedrohung. Diese Kinderwaden, Pausbacken, gekerbten Hintern, ausgebohrten Nabel, unförmigen Arme, halbgelähmten Hände, und mitten in der Bewegung steif gewordenen Flügel und Lendentücher. Ich roch den süßlichen Dampf des Weihrauchs, eine brenzlige Luft wie von abgebranntem Pulver, eine schwüle Feuchtigkeit, als atmeten Leichen unter den Fliesen. Und ich blieb mehrere Stunden an diesem Ort. Ich sah Kerzen niederbrennen. Ich sah, wie die Ärmsten der Armen hier ihren Schmerz verloren. Ich sah, wie Krankheiten, die sich in der Brust, im Bauch, in den hinfälligen Gliedern geballt hatten, für Augenblicke eingedämmt wurden. Ich spürte, wie etwas des schäbigen Goldes sich auf die Lippen der Beter senkte. Ich sah tief unter mir einen finsteren Strom, der mich von allen Tröstungen und Erlösungen abschnitt. Ich spürte die Verdammnis an mir wie ein Kleid. Eine Träne stieg mir ins Auge. Aber ich hatte keine Reue. Ich hatte den Stolz eines erwachsenen gestürzten Engels. Entweiht und stolz. Ohne ein Gebet im Hirn. Mit Vorwürfen kam ich. Ein Gott stand irgendwo, eingekleidet in einen weiten Mantel, ein langer alter Bart wusch ihm das Kinn. Seine Hände waren knöchern und seine Augen kurzsichtig. Er war nicht für mich da. Ich ging wieder, wie ich gekommen, ungeläutert. Ich suchte den Kai auf. Wir fraßen Pasteten, wir tranken Wein. Und meine Gedanken verloren sich, wie die Gedanken sich an großen Schmerzen verlieren. Und die Zeit verging, und es veränderte sich nichts. Das Geschehen mußte zu mir kommen; ich kam ihm nicht entgegen.

– – – – – – – – – –

Es geschah, daß es Augustus gelüstete, seine Kunst vor vielen zu zeigen. Er überwand die Faulheit, die ihn allmählich bewucherte. Er stieg anbord eines Pontondampfers, auf dem viele Fremde Platz genommen hatten. Er setzte sich auf das Gestänge des eisernen Gitters, das die Plattform des Schiffes einfaßte. Er krümmte den Rücken, umfaßte die eine der Stangen mit seiner übermächtigen Hand. Er schaute zu mir herüber, verächtlich, gelangweilt, seine Unterlippe fiel herab, als wäre er aller Lüste, der schon genossenen und auch der zukünftigen, überdrüssig. Und mir fiel ein, er war mir vollkommen unbekannt, trotz der täglichen Begegnung. Ich hatte keine Vorstellung von seinem Dasein und von seinen Trieben.

Das Schiff kam ins Gleiten. Die Schraube gurgelte im Wasser. Dick grün, mit weißen Blasen untermischt, strudelte das Flüssige über die ausgelotete Haut der Hafenbucht hinaus. Einige Münzen tropften über die Reling. Augustus warf sich rücklings über Bord; er spielte den Delphin. Er tauchte auf, prustete, verschwand wieder unter dem flachen Kiel. Das Schiff glitt davon. Es gewann einen beträchtlichen Abstand von der Kaimauer. Die Augen der Fremden stießen sich an der Oberfläche des Wassers. Sie suchten, wo der schwarze Sklave wieder auftauchen würde.

Mir begann das Herz gewaltig zu pochen. Nach wenigen Minuten verlor ich alle Hoffnung. Ein schwarzer Filter legte sich mir über die Augen. Ich sagte mir, ich dürfe nicht ohnmächtig werden. Das Pontonschiff schob sich dem offenen Meere zu. Nicht zu erkennen, was die erregten Passagiere sich vornahmen. Vielleicht waren sie schon wieder in der Ruhe und fühlten sich betrogen.

Ich schaute nach einem Boot aus. Ich ließ mich langsam an einer Leiter am Bollwerk hinab. Ich löste zaghaft das Tau, machte schwache Ruderschläge. Meine Augen suchten. Da sahen sie plötzlich, sein Gesicht trieb schaukelnd auf den kleinen Wellen. Ich ruderte an die Stelle. Ich winkte den Tauchern, die am Kai saßen, sie möchten herbeischwimmen und mir helfen. Nicht einer rührte sich.

Ich sah, der Kopf war tot. Ich faßte in die strähnigen harten Haare und versuchte, den Körper ins Boot zu ziehen. Vergeblich. Ich sah mit Schrecken, das Wasser in der Nähe des leblosen Körpers verfärbte sich. Ein dünnes Rot. Ich band ein Tau um den Kopf, verknotete das freie Ende um meinen Leib. Dann begann ich wieder zu rudern. Weit fort von der Stelle, wo sich dies ereignet hatte. Vor einer Minute hatte ich noch gehofft, er könnte am Leben sein. Ich hoffte nicht mehr. Der Zug, den die Bewegung des Bootes hervorbrachte, trieb den

Leichnam nach oben. Statt der vollen braunen Haut des Bauches erkannte ich bleiche rosa und graue aufgelöste Fetzen. Ich schaute hin und schaute doch nicht genau. Ich ruderte weiter, ich wußte nur, er ist tot.
Ich ruderte so lange, bis sich ein Entschluß in mir ordnete. Dieser Tod war meine Sache. Ich konnte nicht davonlaufen. Ich war dabei, zum Meer hinauszutreiben. Das wollte ich nicht. Aber ich gewann Zeit. Ich wiederholte mir, dieser Tod sei meine Sache. Dieser Leichnam sei mein Leichnam. Nichts des lebenden Menschen hatte mir gehört, nun gehörten mir die Trümmer. Ich hielt mit dem Rudern inne. Ich beugte mich über den Rand des Bootes. Ich wiegte den Körper mit meinen Armen zur Oberfläche des Wassers herauf. Ich wollte die Wunde sehen. Ein kalter Nebel umeiste mein Gehirn. Mit tränenlosen Augen sah ich, der Bauch war eingeschlagen und aufgerissen. Die Schiffsschraube mußte ihre Schaufeln in das süße Fleisch gegraben haben. Die Eingeweide lugten hervor. Aber fürchterlicher, das Becken war zertrümmert. Ich ließ den Leichnam wieder von mir gleiten, so daß nur das Tau wie vordem ihn und mich verband. Ich ruderte, so schnell ich konnte, landeinwärts, um, da ich in meinen Vorsätzen sicher geworden war, die Abläufe zu beschleunigen. Einige Minuten lang spürte ich die untragbare Last meiner Einsamkeit. Ich hatte keinen Gedanken, nur dies eine, dies jämmerlichste, dies alles vernichtende Gefühl, einsam und abgeschieden zu sein, ohne Liebe, ohne Hoffnung, ohne Vertrauen. Ich rettete mich in den Gedanken, daß die Schuld dieses Sterbens vielleicht auf mich komme. Meine törichten Besuche am Kai hatten den stolzen Menschenkörper ein wenig verwöhnt, womöglich gemästet, für das schwierige Armenhandwerk geschwächt. Ich hatte ihn jedenfalls, sicherlich nicht mit böser Absicht, doch mit einer gewissen Wirkung, gehindert, sich für die Gefahren noch besser zu üben. Wie hätte ihn, wäre er auf dem höchsten Stand seiner Rüstigkeit gewesen (seine Muskeln waren, als ich ihn kennenlernte, ungewöhnlich fleischig und fest zugleich, und nun vielleicht ein wenig weicher, und die Nerven um eine kaum meßbare Zeit unentschlossener), die Schraube eines Fährdampfers erfassen können? Wie konnten sie es? War es wirklich Erklärung genug, daß dem gesunden Körper ein

wenig Fett zugegeben worden war und ein wenig Muskelfleisch abgezogen? Ich kam an eine Stelle des Hafens, wo man eine granitene schiefe Gleitfläche gebaut hatte, um Schiffe ans Land ziehen zu können. Da laufen eisenbeschlagene Bohlen ins Wasser. Algen und Muscheln haben sich auf diesem Helgen angesiedelt. Die Anlage ist leer. Ein starker bromjauchiger Geruch steigt von den Gewächsen des Meeres herauf.
Meine Füße glitten auf den breiigen schlaffen Algen aus. Nur die Scherben der zerdrückten Muscheln gaben den Füßen einen Halt. Halb zog ich das Boot hinauf, halb ließ ich es im Wasser treiben. Den Leichnam, auf dem Rücken liegend, schleppte ich wie einen Erhängten die schiefe Ebene hinan, aufs Trockene. Das Lendentuch war fort. Man sah die fürchterliche Verstümmelung. Ich wandte mich ab. Ich sprach einige Männer an, die langsam herangetreten waren. Ich bat sie, einen Polizeibeamten zu benachrichtigen. Ich selbst wollte den Leichnam nicht verlassen. Sie antworteten mir nicht. Sie betrachteten den Verstümmelten. Sie sprachen das Gräßliche aus, daß der Tote aufgehört habe, ein Mann zu sein. Ich wartete und hielt das Tauende, an dem ich den Leichnam heraufgezogen hatte, in meinen Händen. Die Sonne brannte herab. Der Männer wurden viele. Kinder liefen herbei und stießen seltsame Schreie aus. Ein paar Frauen jagte man davon. Ich war daran, vor Ratlosigkeit, Beschämung und Traurigkeit zu vergehen. Ich hielt mich nur aufrecht, weil ich den Leichnam nicht verlassen wollte. Das hatte ich mir vorgenommen. Dieser Tod war meine Sache. Darum stand ich da, beschämt, traurig, mir ganz entfremdet, ein Feind aller Menschen.
Die Umherstehenden erklärten dem Polizeibeamten alles, was sie wußten und was sie nicht wußten. Und er wußte es bald besser als alle zusammen. Mich fragte er nur:
»Was soll geschehen?«
Diese Frage wunderte mich. Denn ich hatte erwartet, er würde mit Befehlen um sich werfen, würde sogleich den Versuch machen, mich von dem Leichnam zu trennen – und ich hatte mich gewappnet, mich seinen Anordnungen zu widersetzen. Ich antwortete deshalb stockend:
»In ein Krankenhaus. –«
Ich mußte Zeit gewinnen, in eine andere Umgebung kommen.

Was zu ordnen war, ich würde es leichter ordnen können, wenn mein Hirn sich an den Schrecken gewöhnt hatte. Jetzt hielt ich nur passende und unpassende Lügen bereit, um den Beamten von irgendwelchen Maßnahmen, die er ergreifen mochte, abzudrängen. Ich bereute schon meinen Ausspruch. Ich ergänzte ihn:

»– Nicht ins englische Krankenhaus.«

Es lag nahebei. Die Zeit, die es währen würde, dorthin zu gelangen, war zu kurz. Er aber fragte weiter:

»Haben Sie Geld?«

Ich nickte mit dem Kopfe. Meine Hand griff in die Tasche. Ich zog einen Schein hervor und reichte ihn dem Beamten. Er wehrte ab.

»Haben Sie mehr?« fragte er.

Ich nickte mit dem Kopfe. Er entfernte sich. Die Menge schlug einen Kreis um mich und den Toten. Sie wahrte einen Abstand der Achtung, des Ekels, des Befremdens, des Nichtbeteiligtseinwollens. Ihr Instinkt hatte sie belehrt, hier geschah etwas Ungehöriges, etwas Verwerfliches, das sie nicht hindern konnten, weil ein Fremder, ausgestattet mit krausen Gedanken und unreinen Gebräuchen, der Urheber war. Sie besannen sich auf ihren Stolz. Sie waren Spanier (die meisten unter ihnen, und die anderen wollten es sein). Ihre Vorfahren hatten die Guanchen beinahe vollständig massakriert. Sie waren wie die Pest gewesen. Und die Pest war mit ihnen gewesen. Aber dieser Taucher oder Schwimmer war weniger als ein grünäugiger Guanch. So ein Halbindianer, Halbneger, irgend etwas Sklavenhaftes, ein ganzes Knäuel von Sklaven, in das man ein Stück weiße Haut eingepreßt hatte.

Der Polizeibeamte schritt einer Tartana voran, einem zweirädrigen Wagen mit rundem leinenen Verdeck, den ein Maultier zog. Ein Hochmut, dessen Ursache ich nicht erkennen konnte, hatte von ihm Besitz ergriffen. (Wir erkennen niemals die Ursache des Hochmutes derjenigen, die das Gesetz gegen uns aussendet.) Mit scharfer Stimme befahl er mir, den Leichnam auf den Wagen zu legen. Ich zögerte. Er trieb die Gaffer um einige Schritte zurück. Ich überlegte mir, ich würde den Toten auf die eine Bank legen und mich auf die andere setzen. Vielleicht würde der Polizeibeamte es für seine Pflicht halten, mir Gesell-

schaft zu leisten. So packte ich denn den Körper, hob ihn in meine Arme und trug ihn zum Wagen.
»Aufsteigen«, befahl der Polizeibeamte. Er nötigte mich, dem Leichnam gegenüber Platz zu nehmen. Er hieß den Kutscher das Tier antreiben. Er selbst schritt hinter dem Gefährt einher. Ich sprach zum Verdeck hinaus.
»Nicht ins englische Krankenhaus«, wiederholte ich.
Die losen Eingeweide gaben leise klatschende Laute, wenn der Wagen über Unebenheiten holperte. Der Mund meines stummen Freundes erbrach ein wenig Wasser und Schleim. Das Verächtliche, das im Leben das Gesicht umspielt hatte, war einem gramvollen Ausdruck gewichen. Unverändert schienen nur die starken Arme und die prächtige Brust. Die Straße, die wir nahmen, führte bergauf. Manchmal schauten Menschen uns nach. Die Füße Augustus' standen waagerecht zum Karren hinaus. Der Polizeibeamte hob seinen Kopf vertraulich zu mir auf. Ich beugte den meinen vertraulich zu ihm hinab. Ich sah, wie seine Hände sich auf den Wagenrand stützten, damit sein Gesicht dem meinen nahekommen konnte, ohne daß er das Gleichgewicht verlor oder stolperte.
»Sie hatten einen Geldschein für mich bereit«, sagte er.
Merkwürdigerweise verstand ich ihn sogleich, obgleich die Räder ratterten. Ich zog den Schein hervor und reichte ihn unauffällig.
»Das Krankenhaus des Alten liegt auf einer Anhöhe über der Stadt«, sagte er, »in einem Kastanienwald. Sie werden sehen, Sie müssen Ihre Angelegenheit selbst ordnen.« Er schrie den Maultiertreiber an:
»Mach deinen Eltern und deinem Heiligen keine Schande.«
Der Hochmut des anderen war größer. Er antwortete:
»Ich habe noch niemals dergleichen gefahren, einen Verrückten und einen unbekleideten Toten; aber meine Seele nimmt keinen Schaden daran, denn sie weiß sich einzurichten. Ich werde dem alten Professor das Unsaubere nicht vorenthalten. Man kann sich auf mich verlassen.«
»Der Herr bezahlt«, sagte der Beamte. Er war plötzlich verschwunden. Ich stieg vom Karren ab und ging nebenher. Wir ließen die Stadt hinter uns. Der Weg führte weiter bergauf. Er wand sich in Kurven. Sorgfältig beackerte Felder wechselten

mit Palmen- und Feigenpflanzungen ab. In der Ferne ein Hain mit schönen Lorbeerbäumen. Die Straße dampfte vom heißen Staub. Wir langten bei einem Kastanienpark an. Eine große Baracke, mit verzinkten Eisenplatten bedacht – das war das Krankenhaus. Oder weniger, eine fragwürdige medizinische Station.
Ich wollte den Leichnam, wie ich ihn auf den Wagen gelegt, auch wieder herabheben. Doch dazu kam es nicht. Es erschienen zwei Ordensschwestern mit einer Bahre. Der Ausschnitt der Gesichter, den die Tracht freigab, war weich und anmutig; die Hände waren männlich und unbarmherzig. Mit roher Entschlossenheit packten sie den Toten und warfen ihn auf die Bahre. Noch ehe ich eine Einwendung vorbringen konnte, hatten sie das Gestell aufgehoben und ins Haus geschafft. Ich wollte ihnen nacheilen; aber der Maultiertreiber verlangte Bezahlung. Ich verlor kostbare Minuten. Ich rechnete mit dem Mann in aller Hast ab. Dann drang ich ins Haus ein. Eine dritte Ordensschwester versperrte mir im Innern den Weg.
»Was wollen Sie?« fragte sie scharf und verächtlich.
Ich verlor sogleich die Fassung. Ich starrte in das Antlitz. Es war unerkennbar. Eine Maske hatte lebendige richtende Augen.
»Sehe ich Ihr ganzes Gesicht?« fragte ich, von Haß und Angst ergriffen, zurück.
Sie bewegte sich nicht und nichts an ihr.
»Was wollen Sie?« wiederholte sie.
Ich schwieg ein paar Sekunden, sammelte mich.
»Ich möchte den Herrn Professor – den Herrn Alten – wie man sagt – so habe ich es verstanden –«
Sie entfernte sich schnell, als flöhe sie. Nach einer Weile kam sie zurück.
»Welches Anliegen haben Sie?« fragte sie mich erneut statt eines Bescheides.
»Ich habe es gesagt«, antwortete ich, »ich will den Herrn Professor sprechen.«
»Er ist nicht zu sprechen, wenn Sie mir Ihr Anliegen nicht anvertrauen«, sagte sie.
»Ist der Tod eines Menschen nicht Anlaß genug?« schrie ich sie an.

»Ich werde es berichten«, sagte sie und verschwand wieder. Sie kam zurück und teilte mir mit: »Es ist zur Zeit keine Sprechstunde.«

»Ich lasse mich nicht hinauswerfen«, erklärte ich erhitzt, »ich habe hier einen Toten eingeliefert, man wird mich anhören müssen.«

»Was wollen Sie denn?« sagte ein Mann, der plötzlich vor mir stand, »wie kommen Sie hierher? Was haben Sie mit dem Kadaver zu tun?«

Ich erkannte sogleich, er, der gesprochen hatte, war der Alte. Ich sah seine grünen Augen. Sie sah ich zuerst. Und dann erst seinen riesigen ungepflegten Vollbart, der bis unter die Augen hinaufgekrochen war. Daß es in diesem Gesicht auch einige Flecken bleicher Haut gab, kam mir erst später zum Bewußtsein. Der Bart war weniger weiß als rot. Er war eine mächtige abwärtslodernde Flamme. Die Stirn war eine wächserne leblose Platte; das dünne Haupthaar, wie eine Perücke gebürstet (wer wüßte, ob es nicht eine Perücke gewesen?), war mit perlendem Fett gescheitelt. – Ich fühlte, wenn mir jetzt nicht ein guter Gedanke zuhilfe kam, war ich verloren, denn ich wußte ganz und gar nicht mehr, woran ich war und wen ich vor mir hatte. Dies Wort »Der Alte« war unzureichend. Das Gestrüpp der Barthaare begann mich weiter zu verwirren. Ich sagte zu mir selbst:

›Der Mensch hat kein Kinn; er verbirgt, daß er lächerlich ist.‹

Zugleich aber sah ich, er war hoch, fleischig, von großen Körperkräften; er hätte mich mit seinen unbewaffneten Händen erschlagen können. Er war ein Riese; ich hatte das einfach im ersten Augenblick übersehen; als ob er in dieser Minute um Haupteslänge gewachsen wäre. Wieso ich das einfache Größenmaß hatte außer acht lassen können, war mir schon ganz unbegreiflich. In meiner Ratlosigkeit suchte ich wieder die grünen Augen, die jetzt, ich sah es zum erstenmal, hoch über mir wie geschliffene Steine glänzten. Sie leuchteten in unheimlicher Wißbegier und auch schadenfroh, wie mir schien. Gleichzeitig aber, oder doch unmittelbar nach dem glasartigen Aufleuchten, erloschen sie oder schlossen sich vor Ekel und Müdigkeit. Ich schaute frech in das redende Gesicht.

»Was haben Sie mit dem Kadaver zu tun?« fragte er erneut.

»Sind Sie der Herr Professor?« fragte ich zitternd gegen die Wand seines mächtigen Körpers.
»Jedenfalls trage ich die Uniform des Arztes, wie Sie sehen«, gab er zurück, »den Mantel aus gebleichtem Drillich mit blankgeputzten Nickelknöpfen daran.« Er fuhr mit dem Daumen seiner rechten Hand in eines der Knopflöcher, um das Auge des Knopfes vorzustoßen, daß es mich sengend ansehe. Der Knopf sprang durch die Luft und fiel zuboden.
»Unordnung«, sagte er, »alles vergeht.«
Ich war vollkommen vernichtet. Ich nannte meinen Namen.
»Schön«, sagte er, »wollen Sie mir bitte Ihr Anliegen vortragen. Aber ich warne Sie, erzählen Sie mir bitte nicht, daß Sie etwas mit dem Toten zu schaffen hätten. Ich glaube Ihnen nichts Abnormes. Immerhin, wenn Sie es versuchen wollen, spicken Sie mich nur mit Lügen. Sie können ja etwas Absurdes erfinden. Sie können ja sagen, daß es sich um einen Verwandten handelt.«
Er schien sich über mich lustig zu machen. Aber mir kam, weil ich mein Anliegen – ich wußte kaum noch, was ich wollte – für vollständig kassiert hielt, ein unwahrscheinlicher und sinnloser Mut.
»In der Tat«, sagte ich kühn, »es ist mein Bruder.«
Diese Lüge war so toll, daß die Zeichen der Unwahrhaftigkeit sich wie von selbst auflösten. Ich hatte, weil der Alte mich sofort ertappen mußte, meine Haut war ja weiß wie Kirschblüte und die des Toten braunschwarz wie Makassarebenholz, auch schon eine Ausrede bereit. Ich wollte mein Wort in Menschenbruder umdeuten, in etwas Erhabenes und Allgemeines. – Er aber schwieg und sah mich nur staunend an.
»Darauf war ich nicht vorbereitet«, sagte er endlich, »ich habe einige Kenntnis vom menschlichen Samen; aber daß elterliche Lenden so unterschiedliche Sprößlinge hervorbringen können, ist mir neu.«
Ich errötete und bereute meine Aussage. Ich brachte indessen meine Umdeutung nicht an. Ich schämte mich zu sehr und stammelte etwas von einem Halb- oder Stiefbruder.
»Schade«, sagte er, »ich hatte gedacht, Sie wären weniger feige. Immer noch überschätzt man die Kreatur, wenn man sie zum ersten Male anblickt.«

Um mir jedes weitere Wort abzuschneiden, packte er mich hart am Arm, ja, er umschlang mich, als wollte er mich mit seinen Gliedern zerpressen – so ergeht es dem flügellahmen Vogel in den Krallen der Katze – und zog mich mit sich fort. Wir landeten in einem sehr kleinen Zimmer, es war gleichsam nur ein Durchgang, in dem zwei gepolsterte Doppeltüren einander gegenüber angebracht waren. Die, durch die wir eingetreten waren, schlug er unbeherrscht zu. Aber sein ausholender Arm und die Windesfahrt der Tür verursachten keinen anderen Laut als ein gepreßtes Stöhnen, wie ein Blasebalg es von sich gibt, dem die Luft entweicht.

Er ließ mich los; freilich, zuvor preßte er mich, als wollte er mir die Rippen brechen; aber er schien es kaum zu bemerken, daß ich vor Angst und Schmerzen mit den Zähnen knirschte. Er warf sich, nachdem ich seine Kraft gespürt, in einen Stuhl, der vor einem winzigen Schreibtisch, ohne jedes Gerät darauf, stand. Mich nötigte er, auf einer hölzernen Bank Platz zu nehmen.

»Haben Sie einen gemeinsamen natürlichen Vater oder eine gemeinsame Mutter?« fragte er kühl und laut.

»Eine gemeinsame Mutter«, sagte ich, weil es mir einfacher erschien, sein letztes Wort aufzunehmen.

»Verwirrte Familienverhältnisse«, sagte er streng, »man kennt dergleichen. Bei einem angeblich gemeinsamen Vater hätte sich Ihr Fall leichter erklärt. Aber es geht auch so.« –

Er ließ seine Augen auf mir ruhen, sehr lange, unheimlich lange. Er schwieg und machte es mir durch seinen Blick unmöglich, ein einziges Wort hervorzubringen. Schweiß begann sich an meiner Stirn zu sammeln. Und der Schweiß trocknete wieder ein. Und es blieb still. Endlich, wie aus großer Ferne, kam seine Stimme wieder:

»Ein hübscher Bursche ist der Tote gewesen. Natürlich glaube ich nicht ein Wort Ihrer Lügen. Sie wollen einfach dabei sein, wenn ich ihn zerschneide. Aber ich möchte doch nicht, daß Sie widerrufen. Die Lüge ist die einzige Waffe des einzelnen im Kampf mit der Anarchie der Umwelt. – Beruhigen Sie sich nur. Und schweigen Sie, bis Sie sich wiedergefunden haben. Ich habe weder Papier noch Schreibzeug zurhand, um den Blütenstrauß Ihrer Phantasie in einer Niederschrift zu verewigen. Es gibt hier kein Hauptbuch. Ich trinke den Tau Ihrer geplagten Seele ganz allein und geheim. – Ich würde Sie hinausgeworfen haben, wenn Sie mir nicht vom Satan beschattet vorgekommen wären. Kennen Sie den Saft der Gnade? – Den haben Sie noch nicht getrunken. Den wird man Ihnen niemals reichen. – Ich bin ein einfältiger Mensch, dem die Erziehung nichts hat anhaben können. Ich sehe, wie es mit Ihnen steht. Man müßte Sie niederschlagen. Ich, ich tue es nicht. Sie können unbesorgt sein. Man hat mich nicht zu einem Mächtigen gemacht. Ich bin nur ein Riese mit vierschrötigem Geist. Ich zahle meinen Tribut an die Menschheit. Sie würde mich sonst mit Dynamit in die Luft sprengen.«

Ich sagte nur soviel, ich wolle nicht dabei sein, wenn er ihn zerschneide. Ich wolle verhindern, daß er ihn zerschneide.

»Davon verstehen Sie nichts«, sagte er, »Sie verstehen ja nichts von den Gesetzen. Man braucht überhaupt nicht auf Sie zu hören. Sie würden nicht einen zweiten finden, der auf Sie hört. Sie haben nicht einmal Verstand genug, um ausdrücken zu können, was Sie hier wollen.«

Ich schwieg. Ich hatte mich noch nicht gefunden.

»Ich bin ein schlechter Arzt«, fuhr er fort, »das ist etwas Gemeinsames mit den meisten Ärzten. Aber ich bin auch nachlässig im Beruf und unehrerbietig gegen die Krankheit; ich versage ihr meine berufliche Hochachtung. Damit werde ich zum besseren Diener der natürlichen Kräfte. Die Heilkunst ist ja so rückständig. Es werden überall Medizinalbeamte eingerichtet, eine Bürokratie der chemischen Fabriken. Die Krankenhäuser werden für die Ärzte gebaut, damit sie zu besseren Herren werden, nicht für die Kranken.«

Er sprach langsam, gleichsam über lange Zeiträume verteilt, ohne doch zu stocken oder in seiner Offenheit schwankend zu werden. Er wandte nur eine Vorsicht an: mich nicht aus den Augen zu lassen. Ich schien ihm ungefährlicher, je länger er sprach, je mehr er sich bloßstellte.

»Sie sind ein Ausländer«, sagte er, »wahrscheinlich einer jener haltlosen Reisenden, die unfähig sind, das Gewicht der Ereignisse abzuschätzen. So sitzen Sie einem unbekannten Arzt gegenüber und hätten nicht gedacht, daß es so kommen könnte. Was wollen Sie von mir? Was geht Sie der Tod dieses – dieses schwarzen Tieres an? Was haben Sie damit zu schaffen?«

»Es ist meine Sache«, sagte ich, »ich möchte ihn sehen. Ich habe bis jetzt nicht den Mut gehabt, genau und fest hinzuschauen. Ich möchte, daß der Leichnam begraben wird.«
»Fürchten Sie, daß ich nichts von ihm übriglasse, wenn ich ihn zerstückele?« fragte er.
»Ja«, sagte ich kurz, »ich kenne Sie nicht. Sie haben, zwar entsinne ich mich nicht genau, allerlei angedeutet.«
Er erhob sich, trat zu mir, packte mich wieder, stieß die Tür auf, die der anderen, durch die wir eingetreten waren, gegenüber war.
Wir kamen in einen weiß getünchten großen Saal. Er war niedrig. Der Fußboden war ziegelrot. Quadratische Sandsteinfliesen bedeckten ihn. Es war nicht ihre natürliche Farbe; sie waren mit einem roten Mehl, das an ihnen haftete, bestrichen. Das Licht drang von der Decke her durch Milchglasscheiben. Die Wände waren kahl. Nur zwei kleine Schränke, aus Spiegelglas gefertigt, die ärztliche Instrumente enthielten, standen wie zwecklos gegeneinander gewinkelt in einer Ecke. In der Mitte des Saales, gleichsam überdeutlich unter dem Licht von oben, ein Stuhl und ein Tisch. Auf dem Tisch lag der tote Augustus.
»Hier ist er«, sagte der Arzt, »die beste Beleuchtung, die man sich wünschen kann. Sofern Sie durchschnittliche Sehkraft besitzen, wird Ihnen nichts entgehen.«
Er stieß mich zu dem Toten.
»Ich stehe Ihnen Rede und Antwort«, sagte er noch. Dann setzte er sich auf den einzigen Stuhl.
Das Licht fiel mit furchtbarer Unablässigkeit auf das menschliche Fleisch, das langsam seine Süßigkeit verlor, auf die gräßliche Wunde, die schon bitter war, durch und durch. Ich sah die beginnende Verjauchung. Mit einem Schrecken, der unvergleichlich war, daß das mit Gas gefüllte Gedärm sich in der offenen Wunde bewegte. Meine Angst war so ohne Grenze, daß nur das Zugreifen meiner Hände mich davor bewahrte, einen tierischen Schrei auszustoßen. Ich faßte in die Verstümmelung hinein, gleichsam, um eine Erscheinung zu bannen, die mich mit Vernichtung bedrohte.
»Wir müssen die Leiche kühlen, wenn sie sich noch länger unverändert erhalten soll«, sagte der Mann auf dem Stuhl.

Meine Finger indessen hielten einen aus dem Bett der Muskeln herausgeschleuderten Knochen.
»Ich löse ihn für Sie heraus«, sagte der Mann auf dem Stuhl, »ein Teil des Beckens, mehrfach gebrochen. Eine Erinnerung aus dem tiefsten Innern eines Menschen.«
»Nein«, sagte ich entschlossen.
»Doch«, antwortete er, »das wollen Sie. Es ist ein greiser Wunsch in allen Menschen, einen Teil des geliebten Toten bei sich zu bewahren.«
»Ich will nicht, daß er zerstückelt wird«, sagte ich noch einmal bebend.
»Die Zerstückelung hat das Schicksal besorgt. Wir nehmen nur die losgebrochenen Scherben.«
Mit zwei geschickten Schnitten löste er die Bänder der Muskeln. Den mit Fleisch bemoosten Knochen legte er dem Toten auf die eherne Brust. Ich sagte:
»Nun ist es genug. – Mein Taschentuch ist fort. Leihen Sie mir bitte das Ihre. Wir werden einander nicht verstehen. Ich habe mich dazu nicht gedrängt, diesen Menschen zerfetzt zu sehen. Ich muß die Wunde bedecken.«
Er reichte mir ein großes, zusammengefaltetes sauberes Taschentuch. Ich legte es über die Wunde. Ich sah, das weiße Tuch wurde plötzlich schwarz wie Kohle. Ich fand mich in den Armen des Arztes wieder. Er hielt mir einen Wattebausch mit Äther getränkt unter die Nase. Er trug mich wirklich wie ein Kind an seiner Brust.
»Bin ich ohnmächtig gewesen?« fragte ich ihn.
»Sie sind umgefallen. Ihre Nerven sind schlecht. Sie denken zuviel. Wahrscheinlich leben Sie ungesund, im Widerstreit mit Ihrer eingeborenen Veranlagung.«
»Vielleicht«, räumte ich ein.
»Merken Sie sich eines: so oder so, wir alle gelangen, jeder zu seiner Stunde, in den Zustand dieses Toten. Meistens legt man ein Tuch oder dunkle Erde über die sichtbare Auflösung. Das haben Sie, in einem frommen Gefühl, soeben auch getan. Ihre Handlung mißlang, wenn man sie als eine Täuschung Ihrer selbst auslegen will. Die Lehre ist Ihnen nicht entgangen. – Ich habe viele Menschen sterben sehen. Mein Umgang mit Leichen ist nicht oft intim gewesen. Ich habe, wenn immer es mir

möglich war, einen Abstand der Mißachtung aufrechterhalten. Aber die Scheußlichkeit der Verwandlung hat sich mir aufgedrängt. Es gibt nur ein Lebensalter, in dem wir appetitlich sind, die Jugend, sofern uns in diesen guten Jahren Krankheit nicht rachsüchtig aufstöbert. Vom Samenerguß der Väter bis zur Fäulnis, das ist unser Weg. Eine große moralische Menschheit widerspricht mir. Sie muß mir widersprechen. Sie ist nicht mutig genug, nur ein Teil der Natur zu sein. Sie bemüht sich, einen Gott zu verteidigen, der dieser Hilfe nicht bedarf. Für IHN ist die Natur ein Instrument, das Laute und Mißlaute gibt. Indessen: die erträumte Leiter, die bis in die Wolken reicht, das ist die zeitliche Erfindung eines schlecht gepflegten Gehirns.« – Ein schrankenloses Vertrauen zu dem grünäugigen Riesen erfüllte mich plötzlich. Ich verriet mich. Ich sagte:
»Ich will noch einmal die Haut über der metallenen Brust sehen. Und das Gesicht, den Schatten der Vergangenheit.«
»Zeit ist immer das Gleiche«, sagte er, »der Ort des Vergangenen. Was Sie an dem Toten suchen, ist schon dahin. Ich werde ihn gefrieren lassen. Ich werde ihn für Ihre Augen aufbewahren, bis der Ekel Sie heimsucht. Fleisch ist ein schlechtes Material, um Statuen daraus zu machen.«
Mir war nun, als hielte er mich in seiner Liebe. Freilich, ich kannte die Art seiner Liebe nicht. Aber war es nicht immer vermessen, nach der Art der Liebe zu fragen, die so empfindlich ist, daß sie an einem falschen Wort in Asche zerfallen kann? – Mit seinen Worten stieß er tief in mich hinein. Gleichsam ein Bild: ein lebendes Weib, angenagelt an den Bug eines hölzernen Schiffes, hinabgesogen mit grünen Strudeln in einen unauslotbaren Ozean. Ellena, die ich nicht tot gesehen. Diesen sehe ich als Toten. Der Reeder, der Särge voll Mumien auf den Weltmeeren in schweigsamen Schiffen umherjagt. Ich, der von der Galeonsfigur auf dem Tische ohnmächtig werde. Meine Liebe, nie voll erwacht, senkt sich auf einen blutigen Knochen.
»Ich will, daß er begraben wird«, sagte ich mit äußerster Anstrengung.
»Haben Sie vernommen, was ich gesagt habe?« fragte er mich.
»Ich habe es sogar begriffen«, sagte ich krampfhaft, »ich habe die Versuchung begriffen. Ich stehe in der fürchterlichen Schuld, daß ich wie mein Gegner werde.«

Im gleichen Augenblick stürzten mir Tränen wie Quellen aus den Augen. Mein Sehen löste sich auf. Bogenförmig bog sich das Gerade. Ich neigte mich über den Toten und küßte ihm den Mund, die Stirn, die Brust. Ich umschlang ihm die Schultern. Was mir nicht gehört hatte, in dieser Sekunde riß ich es an mich. Es war mein Leichnam; über dem stillen Herzen beweinte ich alles, was ich je verloren.

Ich wurde sehr schnell ruhig. Ich sagte:

»Würde er mir mehr bedeutet haben als das Geringe, mein Schmerz würde nicht anders sein. Als Kind habe ich einmal einen ganzen Tag lang über eine tote Katze geweint. Damals war ich ohne Erfahrung. Jetzt weiß ich doch schon, Geliebte und Freunde werden voneinander getrennt.«

»So ist es«, sagte er milde.

»Ich will ihn also begraben. Ich bitte um Ihren Rat. Ich bin hier fremd.«

»Besitzen Sie Geld? Können Sie die Kosten für ein Begräbnis bezahlen?«

»Ja«, sagte ich fest.

»Können Sie meine Bemühungen in dieser Sache bezahlen?«

Ich blickte ihn unsicher an, nicht verstehend; doch wagte ich keine Frage. Ich antwortete zögernd:

»Ich hoffe es.«

»Nämlich«, sagte er, »heute geben wir einander gute Worte. Nach drei Tagen sehen wir einander nicht wieder. Die Erinnerung ist eine magere Kost und wird geschmackloser mit den Jahren. Ich habe mein Geschäft, und meine Stunden sind Geldeswert. Ich besitze die Autorität meiner Gelehrsamkeit und den Wert meiner beträchtlich hohen Stellung. Ich wünsche nicht schlechter zu leben als andere, deren Befassung nichtsnutzig ist.«

Er sah mich durchdringend an. Langsam begann ich zu begreifen. Die Liebe war schon zu Asche geworden.

»Sie müssen Ihr Honorar selbst bestimmen«, sagte ich fest; und zweifelnd fügte ich ein »zwar« – hinzu und die Worte erloschen mir an einem Bündel von Verdächten.

»Nun«, sagte er, mich ermunternd, »ist das alles? Ich muß wohl damit rechnen, daß Sie ein Erzlügner sind?«

»Sie können den Inhalt meiner Brieftasche erhalten«, stotterte

ich, »und kämen damit auf die Seite der Sicherheit. Ich aber lieferte mich aus.«
»Man kann sich auf halbem Wege entgegenkommen«, sagte er schlau.
»Ich sehe Ihr Gesicht nur halb wie das der Nonnen in ihrer Tracht. Ihr Bart ist wie ein Gebüsch, das einen hindert, in das Vertrauen hineinzufliehen«, sagte ich verzweifelt.
»Sie mögen von meiner Maske denken, was Sie wollen. Mir erscheint sie unerläßlich. Wenn wir uns nicht einigen können, möchte ich die Unterhaltung abbrechen.«
Die letzten Worte hatte er drohend gesagt. Er wandte mir den Rücken zu und schickte sich an zu gehen. Ich sprang ihm nach, ergriff ihn bei den Schößen seines weißflatternden Mantels.
»Bitte«, bettelte ich, »es ist ein Mißverständnis.«
»Ein Mißverständnis? Wieso?« schnob er.
Ich sah, er verwandelte sich in die Unbarmherzigkeit.
»Ich weiß nicht, was ich getan habe«, stammelte ich.
»Sie sind ein Lümmel«, sagte er.
»Ich höre Ihren Vorwurf, aber ich erkenne meinen Fehler noch nicht«, sagte ich mit Tränen in der Stimme.
»Mich mit einer Nonne zu vergleichen«, wetterte er, »nachdem ich Ihnen vertraut habe.«
»Es entfuhr mir«, versuchte ich ihn zu beruhigen, »ich fühlte mich so rechtlos.«
»Rechtlos?« Er lachte breit. »Rechtlos? Rechtlos? Jeder ist rechtlos. Jeder auf seine Weise. Rechtlos ist ein König, wenn ein Feind ihn besiegt hat. Rechtlos ist der Richter, wenn er angeklagt wird. Rechtlos ist der Untertan, wenn er vor dem Gesetz steht. Rechtlos ist das Tier, wenn es gefressen wird oder aus der Wildnis in den Stall oder in die Falle gerät. Rechtlos ist der Gestorbene, denn er ist weniger als ein Gegenstand. Rechtlos ist der Baum, denn man raubt ihm seine Frucht und fällt ihn. Rechtlos ist der Stein, denn man zerschlägt ihn. Im Recht sind nur die Sterne, denn Menschenhände können sie nicht pflücken.« Mit rollender, furchtbarer Stimme fügte er hinzu: »Gott ist ein männlicher Gott. Er trägt einen Vollbart seit altersher. Und der Mann ist ihm ähnlich.«
Merkwürdigerweise ließ er sich wieder auf dem Stuhl nieder. Ich war überwältigt vom Höhnen in seiner Stimme. Ich zog

meine Brieftasche und gab ihm, was sich an großen Scheinen darin befand. Er wurde milde wie ein Sommerabend, den kein Wind durchfliegt.
»Wir sind noch nicht miteinander fertig«, sagte er, strich das Geld ein, erhob sich, nahm mich bei der Hand, zog mich durch den Saal, führte mich hinaus, eine Treppe hinab, in einen dunklen Kellergang. Bleierne Kälte strömte uns entgegen. Ich dachte, daß ich zu einer unbegreiflichen schattenhaften Richtstätte geführt würde. Aber ich versuchte nicht zu fliehen. Es wäre auch vergeblich gewesen. Er schloß eine umständlich verwahrte Tür auf. Er hieß mich in die Finsternis vorangehen, ließ die Tür wieder ins Schloß fallen, stieß mich noch ein paar Schritte vorwärts. Ich spürte jenen Eishauch, der mich im Laderaum eines hölzernen Schiffes angeweht hatte. Die Finsternis wölbte sich zu Spanten, zu einem Arsenal weißlicher Särge. Ich griff nach der Hand des Arztes, angstvoll. Und fürchtete sogleich, daß eben diese Hand mich erwürgen würde. Ich wußte schon, wie es war, erwürgt zu werden. Ich war schon einmal erwürgt worden. Zum ersten Male an diesem Tage dachte ich an Tutein. Aber es half mir nichts.
»Gehen Sie noch zwei Schritte vorwärts«, sagte er, »ich werde Licht machen.«
»Ich kann nicht«, sagte ich mit enger Kehle, »vor mir ist ein Eisblock.«
»Ganz recht«, sagte er, »diesen Eisblock möchte ich Ihnen zeigen.«
›Er wird mich einfach abtun, auf seine Weise –‹, dachte ich. Und gleichzeitig: ›– sie nennen ihn den Alten. Warum nennen sie ihn nicht Feuerbart?‹ –
Er tastete sich durch den Raum. Irgendwo an einer Wand fand er den elektrischen Schalter und bewegte ihn. Eine Sonne, kugelrund, mit flammenden Protuberanzen, wurde erschaffen; regenbogengoldene Strahlen, wie funkelnde Eiszapfen, blitzten in die Finsternis hinein. Geblendet schloß ich die Augen. (Auch dies war eine Wiederholung.) Ich öffnete sie wieder im Schutz einer beschattenden Hand. Weißgelb vor mir, enthauptet und mit abgeschlagenen Armen, mit jungen Schenkeln, mit apfelgleich gewölbten Brüsten lag vor mir auf einer metallenen Pritsche die Galeonsfigur. Ellena. Das Bild aller schlafenden

reglosen Menschenweiber. Ich sah noch, die Haut war bereift, einziges Zeichen des Todes. Und die Wunden; – doch sie sah ich nur halb.
›Ich bin in der Verdammnis –‹, sagte ich zu mir – ›es wird einfach nicht aufhören, Fortsetzungen meiner Angst und Versuchungen zu geben. Den Hals hat Tutein ihr nicht durchschnitten; aber es hätte sein können. Vielleicht ist ihr der Hals durchschnitten worden. Dies wird niemals aufhören. Abgehackte Hände, bei den Ellenbogen abgehackt. Wie mit Äxten. Es ist unausdenkbar; aber es ist für mich gedacht. Wenn er mich ermorden will, soll er es sogleich tun. Ich bin wohl zu etwas anderem nicht zu brauchen. Kann man ein Mädchen zerhakken, wird man auch einen Mann zerhacken können. Er kann mich mit seinen Händen zerquetschen, wenn er will. Er wird es wollen. Jetzt. Oder nach einer Weile. –‹
Auch hier ein Stuhl. Auf ihn ließ ich mich nieder. Der Arzt war mir im Rücken. Er faßte meinen Kopf. – ›Jetzt geschieht es –‹, dachte ich.
Aber er sprach nur.
»Dies ist das schönste Menschenkind, das ich habe sterben sehen. Nicht entstellt durch Krankheit.«
»Wo ist der Kopf? Wo sind die Hände?« fragte ich in meiner Angst und Betäubung.
»Die hat man mit allen priesterlichen Segen vor vierzehn Tagen zu Grabe getragen«, sagte er.
»Sie haben dem Leichnam Kopf und Arme abgeschnitten?« fragte ich dumpf.
»Ja, warum sollte ich mich weigern, das zu gestehen? Ich bin ja Arzt. Es ist ein Teil meiner Rechte. Ich bin im Abschneiden von Gliedern allmächtig. Es ist Ihnen wohl bekannt, daß die Schlachter das Recht haben, Tiere zu zerlegen. Warum sollte mein Recht kleiner sein? Wo ich doch sogar über Lebende verfüge und, wenn es mir zweckmäßig erscheint oder ich es anordne, den Lebenden selbst wichtige Körperteile entfernt werden. Sie unterschätzen meine Macht. Freilich ist das nur der kleine Teil einer großen Machtausübung. Aber es handelt sich hier um meine Abteilung. Ich betrachte das alles ganz anders als Sie. Ich werde von Ihnen verkannt; aber es schadet mir nicht, es behindert mich nicht. Es ist nur zu Ihrem Nachteil. Sie sind zu

unerfahren, um das zu verstehen. Aber es kommt wirklich auf Sie und Ihre Unerfahrenheit nicht an. Das verändert die Einrichtung der Welt nicht. Die Einrichtung der Welt wird überhaupt niemals durch Einsprüche verändert, von wem auch immer sie kommen. Übrigens kommen die Einsprüche nur von den Unerfahrenen, den Unehrerbietigen, von denen, die nichts bedeuten. – Ich kann Sie, falls es Sie nicht langweilt, durchaus belehren. Und Sie werden mir hinterher recht geben. Es ist das Bedauerliche, daß Sie mit Ihrer Zustimmung immer erst hinterher kommen werden. Das ist natürlich sehr lästig. Damit machen Sie sich unbeliebt. Ich will nicht geradezu sagen, daß Sie damit abstoßend wirken. Man möchte Sie bemitleiden; aber Sie wiederholen Ihre Unerfahrenheit, und darin liegt die Beleidigung, mit der Sie sich alles verscherzen. Sie begreifen das natürlich nicht. Aber wer kann sich damit aufhalten, daß Sie es nicht begreifen? Es kommt ja nicht darauf an, daß Sie es begreifen. Immerhin, ich kann es Ihnen sagen, und Sie mögen das Gesagte verwenden, so gut Sie es verstehen. – Den bekleideten Menschen sind Kopf und Hände Ausdruck der Persönlichkeit. Kopf und Arme dieser vollkommenen Gestalt waren das Bekannte. Die Füße schon kannte man nicht. Die Füße stecken in Schuhen. Nur die Armen haben neben den Händen auch Füße. Kniee sind fast so anstößig wie der Nabel. Man begräbt den sichtbaren Leib. Man begräbt Kopf, Arme und ein paar Steine. Der Kopf lag auf dem Kissen, die gefalteten Hände hielten ein Kreuz. Ein Totenhemd verbarg die Schnittstellen und den Steinersatz des Körpers.«

»Das haben Sie mit Überlegung getan«, sagte ich zerbrochen.

»Das gehört zu meinen Rechten. Sie sind sehr wenig aufmerksam. Ich muß mich wiederholen. Tote haben keine Rechte. Und ich hatte ein doppeltes Recht.«

»Wer ist die Tote?«

»Gewesene Vollkommenheit, gleich der gewesenen Unvollkommenheit. Man muß Ihnen auch alles erklären. Freilich, man kann dazu sagen, wenn etwas zum Gewesenen werden kann, hat ihm zum Vollkommenen etwas gefehlt. Das ist sehr einleuchtend. Das hat schon der heilige Anselm von Canterbury auf seine Weise inbezug auf Gott verdeutlicht. – Darum hat man den Körper also zerstückeln können, weil ihm etwas

fehlte. Bronze schon hätte man nicht so leicht zerstückeln können. Und ein von Dunkelmännern mit Farbe und Teer bestrichener Jemand, härter als Bronze und zäher als der zäheste Stahl, läßt sich ganz und gar nicht zerstückeln. Nicht einmal mit Worten, die doch schärfer sind als alle Messer und Meißel.«
Ich hörte kaum auf ihn. Seine Worte suchten mich erst später heim.
»Wer war sie? Wer waren Kopf und Hände?« fragte ich vollkommen ungeduldig.
»Meine Tochter.«
»Ihre Tochter?«
»Ja, meine Tochter. Wer wohl sonst sollte sie gewesen sein? Warum sollte sie es nicht gewesen sein?«
»Es ist ja ganz und gar unnatürlich«, sagte ich, »es ist sehr unnatürlich, daß ein Vater seiner Kinder Kopf und Hände abschneidet.«
»Und ich entgegne Ihnen, daß es sehr natürlich ist, daß es das Selbstverständlichste ist. – Wie können Sie, der so wenig versteht, es wagen, Anstoß daran zu nehmen? – Was soll man denn gar von Ihnen denken, daß Sie einen schwarzen Bruder haben? Vielleicht wollen Sie sich sogleich herausreden, das sei nicht Ihre Sache, das gehe nur Ihren Vater oder Ihre Mutter an? Doch man ertappt Sie sogleich, daß Sie für Ihren Vater und Ihre Mutter die Verantwortung haben. Sie haben sich bereitwillig ein Stück vom Beckenknochen Ihres Bruders schenken lassen. Außerdem wollten Sie so werden, wie Sie wurden, und haben so, wenn Sie sich dessen auch nicht mehr entsinnen, Ihren Vater und Ihre Mutter zusammengeführt.«
Ich dachte jetzt, er müsse toll geworden sein. Ich erwartete das Gräßliche, schon mit der nächsten Sekunde. Er aber fuhr ruhig fort:
»Schauen Sie getrost auf den Körper. Noch können Sie die Fastvollkommenheit der Formen wahrnehmen. Noch ist das Fleisch nicht eingetrocknet. Noch lügt das Eis ein kaum verloschenes Leben vor. Nur hie und da bereift sich die Haut, zerren und winden sich die Zellen. Ein Nebel von Aufgedunsenheit ist mit dem quellenden Eis gekommen. Vergessen Sie nicht, gefrorenes Wasser vergrößert das Volumen mit einem Zwölftel. – Jedoch, junger Freund, koitieren, begatten können

Sie meine Tochter nicht mehr. Sie ist eine kalte, sehr naturgetreue Statue, der man Kopf und Arme abgeschlagen hat. Man kann sie schänden, doch nicht lieben.«
»Sie sind abscheulich – furchtbar«, ich stöhnte; das Widerliche wurde wie ein spitzes Eisen in mich hineingestoßen, »ich will diese Bilder nicht.«
»Ich weiß, Sie möchten flüchten; es erscheint immer als das Leichteste«, sagte er, »aber ausharren ist gerade so leicht. Sie wissen es nur noch nicht. Übrigens bestimmen wir selbst weder Standhalten noch Flucht. Sie werden von hier fortkommen, wenn ich es will, nicht früher, nicht später. – Des weiteren, täuschen Sie sich nicht wegen der Bilder. Wir sind mit Augen geboren worden. In uns allen sind die ewigen Narrenstreiche. In uns allen ist Verlangen. Aber die Erfüllung ist außer uns. Selbst den Mönchen kommt die Erfüllung von außen. Man täuscht sich so leicht. Wenn man sich ins Bett legt, meint man, man werde auch wieder aufstehen. Jeder wird bei dieser Vermutung einmal betrogen. Trennung und Abgrund, davon haben wir genug. Die Versöhnung ist eine Hoffnung, aber keine Gewißheit. Tränen, mein junger Freund, sie sind eine chemische Reaktion, ein Fluß der Erleichterung; sie helfen unseren Nerven, nicht unserem Geist. Gebete, Freund, sie sind wie Tränen, aber sie verändern das Schicksal nicht; sie finden keinen Empfänger. Vielmehr, der Empfänger läßt sie unbeachtet. Er versenkt sie in den Staub seiner endlosen Registratur. Wir stehen in der Einsamkeit und wissen nichts. Wir haben kein Zeugnis von uns selbst. Nur wenn wir große Schurken werden, haben wir den kurzen Rausch des Verbrechens. Und mögen wir alle dazu berufen sein, auserwählt sind nur wenige. Es gibt nur wenige große Räuber und Mörder, nur wenige, die den letzten Tropfen Lust aus sich herauspressen. Die Masse, wir alle, sind schwächliche Schüler der verworrenen Stimmen in uns. Unser Weg zu Satan ist so kurz wie der zu Gott. Ein, zwei Schritte, dann zerren wir an der Kette unserer beschränkten Veranlagung. Wir sind wie wir sind. Wir sind nicht ein Tropfen Wasser, auf durstige Erde gefallen; unsere Väter waren, wie wir, ohne Verantwortung. Wir stehen in diesen Sekunden und müssen darin sein, es ist, wie es ist, das Geschehene ist geschehen. Keine Engelsposaune ruft die Zeit zurück.

Hier das Weib, über uns der Mann, keiner ruft sie zum menschlichen Leben zurück.«

Er hatte sehr ruhig gesprochen. Mir war, als habe er sich in das Schicksal des Menschen nicht einbefaßt. Als sei das leise ›Wir‹ nur aus lauter Höflichkeit vorgebracht worden. Er schwieg jetzt. Ich war vollkommen willenlos geworden. Aber auch meine Wünsche und weitschweifigen Gedanken waren dahingeschwunden. Ich fürchtete nicht mehr, geschlachtet zu werden. Ich sagte zu mir selbst: ›Das wird später einmal geschehen. Es wird nicht jetzt geschehen. Es wird später einmal geschehen. –‹

»Ich habe mir Mühe gegeben, dies Leben zu erhalten«, begann der Alte wieder, »ich wollte diese Schönheit fruchtbar sehen. Ich wollte ein Narr sein und Großvater werden. –«

»So ist es wirklich Ihre Tochter?« entfuhr es mir.

»Ich glaube daran«, sagte er, »glauben nur Sie daran, daß jener braunhäutige Mensch Ihr Bruder ist! Man hilft sich damit. – Sie aber wollte meinen Willen nicht. Sie liebte wer weiß wen. Ihr schwacher Kopf wollte wer weiß was. Sie wollte sich ganz verhüllen und eine Nonne werden. Sie wollte das Wort erfüllen, nicht das Leben. Ich gab ihr die besten Gelegenheiten zur irdischen Liebe; aber sie widersetzte sich. Da ich mächtiger bin als sie, fühlte sie, sie würde unterliegen. Um mir dennoch zu trotzen, um mich zu strafen, nahm sie Gift. So kam es, daß ich ihr Kopf und Hände abschnitt und von der Verwesung zurückhielt, was mir wertvoller schien als Kopf und Hand. Aber jetzt ist mir auch das schon fast gleichgültig. Bald wird es mir ganz gleichgültig sein.«

Er stand plötzlich groß und stolz, steinern und fleischig zugleich vor mir. Seine grünen Augen brannten wie Sterne.

»Das Weib ist für den Mann geschaffen, geben wir sie zusammen. Bestatten wir sie in einem Sarge.« Etwas leiser fügte er hinzu: »Sie muß fort.«

Ich verstand ihn nicht. Er mußte es meinem Angesicht abgelesen haben. Er wiederholte streng:

»Ihn, Ihren Bruder, und sie, meine Tochter, geben wir sie zusammen.«

Ich sprang von meinem Stuhl auf.

»Nein«, sagte ich.

»Sie sind schwierig«, sagte er enttäuscht. »Immerhin«, begann er nach einer Weile wieder, »Sie werden es nicht hindern können, daß sie gemeinsam bestattet werden, Seite an Seite. Sie können sowieso nichts verhindern. Ich kann mit meinem Seziermesser anrichten, was ich will. Ich kann den Abfall in eine Tonne zusammenwerfen und abfahren lassen. Was wissen Sie denn von den Kirchhöfen? Dort liegt manches neben-, über- und durcheinander, Haß, Liebe, Unzucht, Blutschande, es ist alles Erde.« Plötzlich donnerte seine Stimme: »Sie sind dumm, dumm, dumm. Als ob die Verwesung Ihres wäßrigen Bruders lieblicher röche als die anderen Fleisches!«
»Er könnte eine andere Geliebte gehabt haben«, sagte ich mit Anstrengung.
»Weint sie um ihn? Tanzt sie nicht schon mit einem anderen Burschen? Sie wird bald mit einem anderen Burschen tanzen. Das ist doch selbstverständlich. Jedenfalls legt sie sich nicht als Teppich unter die Würmer, die aus seinem Herzen tropfen.« Und er schrie: »Das schönste Weib als Kissen für den Kadaver eines elenden Burschen, den drei Väter zusammengemischt haben. Dafür möchte ich sterben, in diesem Augenblick.«
Ich blieb durch die Stimme ganz unangetastet. Mir schwindelte nicht einmal, so daß ich den Mut hatte, ihn zu belehren:
»Es ist kein passender Liebhaber für Ihre Tochter«, sagte ich, »es wird sich ein anderer finden.«
Er schien außer sich zu geraten.
»Einen Sarg«, brüllte er, »habe ich für das Mädchen bezahlt. Den Segen der Kirche hat ihr Kopf erhalten. Das Grab ist geschaufelt worden. Man hat Messen für sie gelesen. Weiter schulde ich nichts.«
Unwillkürlich suchten meine Augen die Gestalt der Toten, die in eisiger Zerstückelung, doch als verführerischer Rumpf dalag. Und ich wurde schwach. Ich sagte ziemlich laut:
»Ich bin überwunden. Man kann einen Sarg sparen.« Und wie ich es sagte, berührten meine Hände den augenlosen Körper, der nichts mehr abwehren konnte, dessen erstarrte Hände sogar entfernt waren. Eisig und hart stieß das runde Fleisch gegen meine Finger.
»Ich glaube, ich habe auch heute nichts gelernt«, sagte ich zu dem Alten.

»Sie werden immer unbelehrbar bleiben. Aber Sie werden in dieser Welt nichts verhindern, ich sagte es Ihnen schon.« Er sprach es gelassen. Er hob mich vom Stuhl auf, als wäre ich eine Puppe.
»Kommen Sie«, sagte er dann, »wir wollen Ihren Bruder hierher tragen, damit die beiden sich kennenlernen.«
»Und beide steinern werden«, fügte ich hinzu.
»Sie sind nicht ohne Erfahrung im Bösen«, sagte er, »aber es wird kein großer Sünder aus Ihnen werden.«
Wir luden Augustus auf eine Bahre und trugen ihn in den Keller. Der Arzt löschte das Licht und verschloß die Tür sehr sorgfältig. Er brachte mich wieder in das kleine Zimmer, in dem sein Verhör gegen mich begonnen hatte. Er saß wieder vor seinem Schreibtisch, ich auf der hölzernen Bank. Endlich sagte er, und seine Stimme klang so fremd, als hätten wir niemals vorher miteinander gesprochen:
»Sie werden die Unkosten des Begräbnisses bezahlen. Da Sie hier fremd sind, werde ich den Grabplatz bestimmen, einen Priester benachrichtigen und einen Sargtischler beauftragen. –«
Er sagte noch ein paar Sätze. Plötzlich war er verschwunden, ohne daß ich sein Fortgehen bemerkt hatte. In der Tür erschien eine dienende Schwester. Sie sagte mit geborstener Stimme:
»Der Herr Professor läßt Sie bitten, das Haus zu verlassen. Er erwartet Sie morgen vormittag um 11 Uhr.«
Sie hielt mir ein schwarzumrandetes Papier entgegen. Allmählich nur erkannte ich, was es bedeuten sollte: es war eine Kostenaufstellung. Und die Endsumme war hoch. Als ich mich anschickte, hinauszugehen, händigte sie mir noch ein kleines, wohlumschnürtes Paket aus. Ich erriet den Inhalt sofort.

*

(Ich möchte hier eine Beobachtung einfügen.
Ich war in Geta. Auf dem Heimweg – nasser Schnee, Sonne, die im Westen verschwunden ist, Mondsichel, schmal, des zunehmenden Mondes, im Westen; – merkwürdig leuchtende Wolken im Süden. Anfangs glaube ich, es ist der Widerschein von Mond und absinkender Sonne gegen Dunstschleier. Plötz-

lich sehe ich einen schmalen lichten Streifen von West nach Ost durch den Zenit gehen. Nochmals denke ich an Dunst, der bestrahlt wird. Aber es ist so eigentümlich konzentriertes Licht vor den schon leuchtenden Sternen, daß ich an den ungeheuren Schweif eines Kometen denke, eben an den Kometen, der in diesen Tagen sichtbar sein soll. Ich habe – vor Jahrzehnten – den Halleyschen Kometen gesehen. – Diese große Winzigkeit. – Ich verweile auf der Straße, sehe nach oben. Sehe, der leuchtende Streifen biegt sich zur Parabel. Ich erschrecke. So schnell ziehen keine Wolken. Ich gehe weiter. Kurz vor der Höhe, auf der die Kirchenmühle steht, sehe ich im Südosten einen grell leuchtenden Stern fallen. Ich haste die Höhe hinauf. Es wiederholt sich nicht. Wenige hundert Meter vor der Kirche sehe ich im Osten einen roten Schein aufsteigen wie von einer ungeheuren Feuersbrunst. Das Rot untermischt sich mit Schwarz – wie Qualm. Endlich steigt es aufwärts. Ein ungeheurer Regenbogen, doch blutrot. Nun weiß ich bestimmt, Nordlicht, das vom Osten kommt. Nicht weniger als vier ungeheure weiße Fransenvorhänge spannen sich von Ost nach West. Senkrecht dazu treten Strahlen wie die Bahnen von himmlischen Scheinwerfern. Einen Augenblick lang entsteht die Hälfte einer leuchtenden Halbkugel, gegen Süden geöffnet, gegen Norden zum Horizont herabgesenkt. Im Westen erscheint die grausige rote Verfärbung wie zuvor im Osten. Ich versuche, die Lichtstärke zu messen. Ich kann gerade mittelgroße Buchstaben lesen, die Hautfalten an meiner Hand genau erkennen. Dann verblaßt, zerreißt die Erscheinung. Das Ganze hat einundeinehalbe Stunde gewährt. –

Verknüpft sich damit eine Bedeutung für das laufende Jahr? Bezieht es sich auf mich, der ich es so genau beobachtet habe? – Jahrtausende lang hat die Menschheit die Wissenschaft der Omina betrieben. Die Babylonier haben ein unfaßbar großes Archiv der Kasuistik zusammengetragen. Die Fragestellung, um das Schicksal zu ergründen, war immer die gleiche: Wenn im Opfertier eine schwarze Leber gefunden wird oder in der Flamme Dunkelheit, verfinstert sich die Sonne, oder tritt ein Stern in den Hof des Mondes, fliegt ein Falke in das Haus eines Menschen hinein, wirft eine Stute ein Fohlen mit fehlenden Gliedern oder gar einen Zwitter, was wird dann dem Könige, dem Lande, der Stadt, dem Hause, dem Manne, der Frau, dem Kinde, der Herde, dem Acker, der Ernte geschehen? Millionen und Abermillionen merkwürdiger Begebnisse wurden beobachtet, verglichen, aufgezeichnet, registriert – all diese Irrtümer oder bösen Absichten der Schöpfung – aufs neue überprüft, bestätigt gefunden, ausgeschieden, umgeformt – Tausende von Priestern arbeiteten daran, bewachten Nacht für Nacht auf den Sternwarten der Zikkurats den Himmel –, bis die Wahrheit der Zusammenhänge, ein Jahrtausend lang gehämmert, sichtbar wurde. Ist der Lebergang doppelt und ist zwischen beiden Teilen ein Zeichen eingeritzt, so wird mein Herr einen Weg des Schreckens ziehen. Ist der Gang doppelt und ist zwischen beiden Teilen eine Vertiefung gelegen, so wird der Fürst in seinem Palaste eine Gruft für sich öffnen. Wird der Mond am ersten Monatstage gesehen, so werden Ruhe und Frieden im Lande herrschen. Ist der Mond bei seinem Sichtbarwerden sehr groß, so wird eine Verfinsterung eintreten. Findet im Monat Nisan eine Finsternis zur Zeit der ersten Nachtwache statt, so wird Verwüstung eintreten; ein Bruder wird den anderen töten. Geschieht es im Monat Siwan, so bedeutet es Heranziehen von Fischen. Geschieht es im Monat Tammuz, so wird die Ernte des Landes gedeihen und gut einkommen. Geschieht es im Monat Ab, so wird der Wettergott eine Überschwemmung anrichten. Geschieht es im Monat Tischri, so wird Aufruhr stattfinden. Geschieht es im Monat Marcheschwan, so wird ein Gott wüten. Geschieht es im Monat Adar, so bedeutet es Unglück für Babylon. Wird der Mond am dreißigsten Ab gesehen, so bedeutet es Auflösung Amurrus. Ist der Mond von einem Hofe umgeben und steht der Jupiter darin, so wird der König von Babylon eingeschlossen werden. Ist der Mond von einem Hofe umgeben und steht der Skorpion darin, so werden Löwen morden, und der Verkehr im Lande wird ins Stocken geraten. Ist der Mond von einem Hofe umgeben und steht der Regulus darin, so werden in dem betreffenden Jahre die Frauen männliche Kinder gebären. Ist die Sonne am 1. Nisan verdunkelt, so wird der König von Babylon sterben. Ist die Sonne am 1. Tammuz bei ihrem Aufgang dunkel und von einem Hof umgeben, so wird das Land Ruhe finden. Tritt am 9. Ijar eine Sonnenfinsternis ein, so wird Verheerung im Lande eintreten.

Geschieht es am 15., so wird der König von Elam sterben. Geschieht es am 15. Siwan, so werden die Marktpreise zurückgehen. Geschieht es am 28., so wird der König eines natürlichen Todes sterben und sein Sohn wird den Thron ergreifen. Geschieht es am 14. Ab, so werden die Leute ihre Kinder für Geld verkaufen. Geschieht es am 28. Schaltadar, so wird der König von seinen Dienern mit der Waffe niedergestreckt werden. Erscheinen am 1. Nisan zwei Nebensonnen, so wird der König von Babylon sterben. Erscheinen am 14. oder am 15. Nisan fünf Nebensonnen, so werden die Marktpreise zurückgehen. Erscheinen am 12. Ijar fünf Nebensonnen, so wird Hungersnot im Lande herrschen. Ist die Sonne von einem Hof umgeben, so gibt es Regen und Änderung des Wetters. Ist Merkur am Anfang des Jahres sichtbar, so wird in jenem Jahre der Pflanzenwuchs gedeihen. Geht Merkur im Monat Tammuz auf, so wird es viele Tote geben. Ist Merkur im Monat Tischri als Morgen- und Abendstern sichtbar, so wird eine Schlacht stattfinden. Ist Venus im Monat Nisan vom 1. bis 30. Tage des Morgens verschwunden, so wird es Trauer im Lande geben. Wird Venus im Monat Ab vom 1. bis 30. Tage des Abends weggerafft, so wird es Regen und reichlichen Feldertrag geben. Erscheint Venus im Monat Siwan, so bedeutet es Niederlage des Feindes. Nähert sich Venus dem Krebs, so wird Heil und Frieden im Lande sein. Ist Venus im Monat Nisan mit einem Barte versehen, so werden die Einwohner des Landes Knaben bekommen; in jenem Jahre werden die Marktpreise fallen. Funkelt des Pestgottes Nergals Stern, so bedeutet es Vernichtung des Viehs; das Land Amurru wird zugrundegehen. Ist Mars verdunkelt, so wird sich eine Hochflut erheben und die Ernte wird gedeihen. Geht Mars in den Mond hinein und ist nicht mehr sichtbar, so wird der Sohn des Königs den Thron ergreifen. Wird Jupiter am Jahresanfang gesehen, so wird in dem betreffenden Jahre die Ernte gedeihen. Hat Jupiter besonderen Glanz, so wird der König unversehrt bleiben; Wohlergehen wird im Lande herrschen. Ist Jupiter stark, so gibt es Hochflut und Regen. Geht Jupiter in den Mond hinein, so wird Mangel in Amurru herrschen, oder der König von Elam wird sterben. Steht Saturn im Hofe des Mondes, so wird im ganzen Lande Gerechtigkeit herrschen; der Sohn wird mit seinem

Vater die Wahrheit reden. Steht Saturn an der Stelle des Mondes, so wird der König des Landes fest auf dem Throne sitzen. Ist der Große Hund dunkel, so wird das Herz des Volkes sich nicht freuen. Ist der Regulus dunkel, so wird der Palastdirektor sterben. Funkeln die Plejaden über dem Mond und gehen sie in den Mond hinein, so wird der König dauernd siegen und sein Land erweitern. Läßt der Wettergott im Monat Tammuz seine Stimme erschallen, so wird die Ernte des Landes gedeihen. Regnet es im Monat Nisan acht Tage, so bedeutet es Reichtum des Volkes. Regnet es im Monat Siwan acht Tage, so wird der König sterben. Regnet es im Monat Adar acht Tage, so bedeutet es Gedeihen der Ernte und Üppigkeit der Vegetation. Bebt die Erde den ganzen Tag, so bedeutet es Auflösung des Staates. Bebt die Erde im Monat Schebat, so wird sich ein anderer Fürst im Palast niederlassen. Trägt jemand im Traum einen Wagen, so wird er seine Herzenswünsche erreichen. Ißt er Weintrauben, so bedeutet es Freude. Ißt er Asphalt, so bedeutet es Unglück. Reist er nach Opis, so wird sein Gehöft zerstört werden. Ißt er einen Lehmziegel wie Brot, so wird der Betreffende seine Wohnung verlassen müssen. Wirft ein Schaf fünf Lämmer, so wird Verwirrung im Lande herrschen; der Besitzer des Schafes wird sterben, sein Haus wird zerstört werden. Wirft ein Schaf neun Lämmer, so bedeutet es das Ende der Dynastie. Wirft ein Schaf zehn Lämmer, so wird die betreffende Stadt Weltmacht erlangen. Wirft eine Stute zwei Fohlen, ein männliches und ein weibliches, die eine gemeinsame Schnauze haben, so wird ein Feind heranziehen und das Land Babylonien niederwerfen. Wirft eine Stute ein Fohlen ohne Ohren, so werden die Götter das Land drei Jahre lang mindern. Wirft eine Stute ein Fohlen ohne Schwanz, so wird der Statthalter sterben. Gebiert eine Frau ein Kind, das zwei Köpfe, zwei Hälse, zwei Rückgrate, vier Hände und vier Füße hat, so bedeutet es Zerstörung des Landes. Gebiert eine Frau ein Kind, dessen beide Augen links liegen, so werden die Götter im Lande in Zorn geraten, und das betreffende Land wird zugrundegehen. Gebiert eine Frau ein Kind, das drei Augen links und eins rechts hat, so werden die Götter im Lande morden. Gebiert eine Frau einen Kopf, so wird das Land Not erleiden. Gebiert eine Frau Zwillinge, die mit ihrem Rückgrat zusammengewachsen sind,

so wird das betreffende Land von seinen Göttern verlassen werden. Gebiert eine Frau Zwillinge, die an den Seiten zusammengewachsen sind, während die rechten Hände fehlen, so bedeutet es einen Angriff; der Feind wird den Ertrag des Landes zerstören.
Die Sätze, die Aussagen, unübersehbar aneinandergereiht, auf alle Gebiete des Daseins ausgedehnt, versuchen das Schicksal, seine Mechanik, Aufstieg und Fall, Armut und Reichtum, zu erkunden. Und in der Tat, es gelang mit dieser Methode, nicht nur die Bahnengesetze, sondern auch die Eigenschaften und Einflüsse der Planeten und Sternbilder zu erforschen. Wirkungen, an deren Vorhandensein Kepler und Tyge Brahe nicht zweifelten. Sie hatten den Mut, Horoskope zu stellen. Unter den Musikern war es Dietrich Buxtehude, der in sieben Planetensonaten die Eigenschaften dieser Gestirne abbildete.)

*

Ein starker würziger Duft stieg von den Feldern auf. Die Sonne stand niedrig. Der Dampf der Erde sehnte sich schon danach, als Tau in Tropfen zu gerinnen. Ich schritt hastig aus. Die furchtbare Ausschweifung meiner Seele hatte meine Erinnerung für kurze Zeit entblößt, dann ermattet und abgestumpft; in die Verließe der Hirnzellen oder des Marks meiner Knochen wieder versenkt. Ich dachte sozusagen nichts, keine Vorstellung plagte mich noch. Ich vergaß das Gespräch mit dem Alten ganz und gar. Ich fürchtete nur, Tutein zu begegnen. Und ich würde ihm begegnen; wir schliefen ja gemeinsam in einem Zimmer. Trotz dieser einzigen Furcht, ja, gerade im Gegensatz zu ihr, beeilte ich mich mehr als nötig gewesen wäre. Gleichsam, als hätte ich einem Unbekannten das Versprechen gegeben, vor Einbruch der Dunkelheit im Hause zu sein. Die Häuser der Stadt sammelten sich allmählich um mich. Ich erkannte die Straße wieder, durch die wir, der Polizeibeamte, der hochmütige Maultiertreiber, Augustus und ich, vor wenigen Stunden gezogen waren. Und plötzlich, keinem Gedanken entsprungen, erfaßte mich Todesfurcht. Ich fiel, inmitten der Menschen, in eine Einsamkeit, in der es keine Hilfe gab. Und kein Entrinnen. Ein knisternder Wind saß mir im Rücken. Ich

wagte mich nicht umzuschauen, denn ich wußte, er hatte eine Gestalt. Ich begann zu laufen. Ich suchte Zuflucht in jener Kirche, in der ich vordem mit Gott gehadert hatte. Ich entsinne mich nicht, welcher Art Zwiesprache geführt wurde. Ich trocknete mir den Schweiß von der Stirn.
Eigentlich war die neue Unterredung auch gänzlich überflüssig. Die Entscheidungen waren gefallen. Ich glaubte mich zu entsinnen – ich weiß nicht auf welche Weise und warum ich mich gerade in jenem Augenblick dessen entsann –, daß ich vor kurzem – wahrscheinlich erst im Laufe dieses Tages (bestimmt konnte es nicht länger her sein als seit Anbruch der letzten Nacht) –, es konnte im Wachen oder im Traume geschehen sein, IHN von Angesicht zu Angesicht gesehen. Wir hatten miteinander gesprochen, das heißt, ER hatte zu mir gesprochen. Seine Worte waren so gründlich gewesen, daß ich sie nicht behalten konnte. Ich erinnerte mich ihrer auch nicht anders, als daß sie gewesen waren und auf die merkwürdige Weise mittels ihres Schalls oder ihres Ausdrucks, doch nicht kraft des Inhalts der Begriffe, wirksam waren, noch immer da waren wie etwas Absolutes, wenn auch, entsprechend meinem Unverstande oder ihrer nochmaligen Unausdrückbarkeit, nur sehr verschwommen. Ich mußte IHN also wahrgenommen haben. Doch schien es mir geradezu belanglos. Meiner Erinnerung jedenfalls mußte es belanglos erschienen sein, denn sie hatte IHN, nach so kurzer Zeit schon, vergessen. Sie entsann sich nur noch seines Schattens, nur noch des Säuselns seines Schattens; es war das Fastnichts, das Unmittelbare vor dem Überhauptnicht. Die Dunkelheit sammelte sich im Raum, schwoll an und erfüllte ihn wie dicker Rauch. In der Ferne die funkelnden Augen einiger Ampeln. Ich lag auf den Fliesen, über den Grüften, über dem braunen Strom der Verwesung, den die Erde verbirgt. Ich redete hinab. Die Antworten verstand ich nicht und behielt sie nicht. (Es war ja auch überflüssig und eine Wiederholung, es hatte keinen Bestand.) Nur einmal fragte ich mich, ob ER wohl grüne Augen habe. Doch erkannte ich sogleich das Lächerliche dieser Frage, das geradezu Ungehörige. Am Ende, als ich gehen wollte, hob ich die geballten Fäuste und sagte: »Gott, es ist Unrecht geschehen. Es geschieht unablässig Unrecht in Ihrer Welt. In Ihrer Welt ist wenig Freude

und viel Schmerz.« Es war eine Feststellung ohne Leidenschaft und Überzeugung. Leidenschaftlich waren nur die erhobenen Hände. Ich ging an die Tür. Der Griff saß hoch, fast in Höhe meines Kopfes. Er war von gewöhnlicher Form, aus Messing gedrechselt. Ich sperrte die Tür weit auf. Der Dunst der Straße mischte sich mit dem kühlen des Weihrauchs. Als einer, der bis an sein Lebensende dem Gebet entsagen wollte, schritt ich die Stufen bis zum Straßenpflaster abwärts. Ich murmelte vor mich hin: »Ich bin IHM begegnet; aber ich bin nicht sein Diener geworden. Ich bin nicht blind genug.« Mein Kopf war leer. Es stand niemand da, der mich erwartet hatte. Der Wind knisterte nicht mehr. Meine Finger umkrallten das kleine Paket, das eine Reliquie barg.

*

Die Begegnung mit Tutein war ärger als ich mir vorgestellt hatte. Mein Vorsatz war es gewesen, zu schweigen. Er aber kannte mein Unglück. Er hatte seit langem auf mich gewartet. Als ich ins Zimmer getreten war, nahm er mir das Paket aus der Hand und sagte:
»Armer Junge.«
Ich war so verwirrt über die Anrede und über das bekümmerte Gesicht meines Freundes, daß ich gar nichts entgegnen konnte. Ich setzte mich auf einen Bettrand und ließ den Atem mit Geräusch durch die Lippen ausströmen.
»Was für ein Paket bringst du an solchem Tage?« fragte er.
Ich wollte ihm nicht antworten. Er sollte einstweilen nichts von der Reliquie erfahren. Aber er begann sie, da ich nichts sprach, auszupacken.
»Das ist ein blutiger Menschenknochen«, sagte er, nachdem er eine Weile das abstoßende Gebilde betrachtet hatte. Und leise, halb zu sich selbst, fügte er hinzu: »Vor zwölf Stunden war das noch warm an seinem Platz.« Und sprach abermals, mich fragend: »Ist das alles, was von ihm übriggeblieben ist?«
»Schweig doch!« sagte ich unfreundlich.
»Ich kann so still sein wie ein Buch, das man nicht aufgeschlagen hat«, sagte er nachsichtig, »es wird dir nicht bekommen.«
Er starrte weiter auf den Knochen. Diese Anteilnahme, die

keine bestimmte Richtung zu haben schien, reizte mich. Ich sagte mit kräftiger Betonung, gleichsam wie zu jemand, der sich etwas widerrechtlich angeeignet hat: »Es ist mein Eigentum.«
Er schien die Reklamation meines Besitzrechtes zu überhören. So fügte ich hinzu: »Jedenfalls mein Eigentum bis an das Ende meiner Tage.«
»Da du sprichst, darf ich es wohl auch«, sagte er und drehte den Knochen auf die andere Seite, »ich begreife eigentlich noch nicht, was sich in mir regt. Dieser Teil eines Menschen erinnert mich an etwas –.«
»An die Verwesung Ellenas«, sagte ich rücksichtslos.
»Ich wußte es schon nicht mehr«, sagte er gefaßt, »du hast recht.«
Er rächte sich. Ob es bewußt geschah oder triebhaft, wer vermöchte es zu entscheiden? Er legte den Knochen nieder, umhüllte ihn umständlich mit dem Papier, in dem ich ihn gebracht hatte.
»Er sieht wie ein abgenagter Knochen aus«, sagte er.
»Ich habe ihn nicht einmal geküßt«, sagte ich.
»Was hast du denn mit dem Toten gemacht?« Seine Stimme war unruhig geworden. Ein Schein von aberwitziger Bosheit schlug hindurch. »Er ist doch, unter deiner Obhut, zur Stadt hinausgefahren worden.«
»Du weißt mehr von meinem Unglück als mir lieb ist«, antwortete ich und vermehrte die Bosheit; »ich hatte keine Ursache, die Leiche zu beseitigen.«
»Leichen werden immer beseitigt«, sagte er mit eherner Verkündigung, »und die Mittel richten sich nach den Fordernissen der äußeren Umstände und des Glaubens.«
»Ich begreife nicht, auf welche Weise du Kenntnis von dem Unglücksfall erhalten konntest«, versuchte ich das Gespräch zu glätten.
Er überhörte meinen Versuch. »Eine fromme Frau, eine im würdigen Glauben erzogene, die frei von allen Zweifeln ist, es könne Irrtum in der Sitte und in den Gebräuchen sein, in den Anordnungen des Staates und in den Anempfehlungen der Kirche, wird ihren Hausherrn anders in die Fäulnis stoßen oder gleiten lassen, mit allerlei Zierat überdeckt und mit guten

Sprüchen unterlegt, unter dem Beistand anderer, mit Hinweisen auf den Ratschluß der Schöpfung, dem Unabänderlichen und den mystischen Verheißungen von einem ruhmvollen Dasein auf den glanzvollen Straßen pendelnder Sternenbahnen – als ein Mörder, der sein Opfer, mag es auch jung und von ihm geliebt sein, fern den Augen anderer, in der Finsternis, heimlich, wie mit dem Dämon ringend, verjauchen lassen muß – in unheimlich zweigemeinsamer Nachbarschaft, in gegenseitiger Bedrohung; denn er hat etwas zu verbergen. – Auch du hast etwas zu verbergen.«

»Nein«, sagte ich.

»Ein Gefühl«, sagte er, »dir ist ein Gott oder der Teil eines Gottes, seine irdische Gestalt, geopfert worden. Und du hast dich an den Altar gestellt, um Tropfen seines Blutes und wenige Fasern seines Fleisches zu schlucken.«

»Nein«, sagte ich, »es ist anders.«

»Es ist nicht so unrühmlich und so verbrecherisch wie es dir durch meine Worte erscheint. Die meisten Menschen sind zum gleichen Tun bereit. Vor den brausenden Altären der großen Religionen reicht man den Gläubigen winzige Bissen des göttlichen Opfertieres. Kann sein, sie vergessen es wieder im selben Augenblick. Doch eine Sekunde lang wissen sie, es ist Fleisch.«

»Ich bin nicht vorbereitet, Gespräche über die metaphysischen Tiefen oder Untiefen der Religionen zu führen«, sagte ich.

»Es ist ungeheuer einfach«, sagte er, »der Kannibale frißt seine Gegner, seine Eltern und Kinder, nicht, weil es ihm schmeckt – auch das mag hin und wieder als nicht beabsichtigter Genuß der Schlange, die wir in unserer Bauchhöhle beherbergen, hinzukommen –, er verzehrt mit dem Fleisch die sichtbaren und geheimen Kräfte des Opfers. Er wird das Grab seiner Eltern, seiner Brüder und Feinde – die schweigsame Erde. Er wächst daran wie ein Baum, der seine Wurzeln bis zu den Toten hinabsenkt. Er ernährt sich. Er ernährt sich sinnvoll mit beseelter Speise, die ihm gemäß ist. Und es ist kein Verbrechen, sich zu nähren. Es ist ein Kreislauf. Es ist unsere Bestimmung.«

»Ich bin kein Kannibale«, sagte ich sehr ruhig.

»Du bist ein Pseudokannibale, wie wir alle«, sagte er, »in deiner Ernährung begnügst du dich mit den Kräften der Rinder, Schafe, Schweine, Gänse, Hühner, der milden Gemüse und der lachenden Früchte. Ein so edles Tier wie das Pferd hat man schon deinen Ahnen als Speise abgewöhnt, damit sie nicht zu feurig würden – oder nicht den Glauben an das wirkliche Opfer, das wir fordern und bringen, behielten.«

»Was du vorträgst, kann man nützlicher und bekömmlicher in einen anderen Zusammenhang bringen«, sagte ich.

»Man kann«, sagte er, »man kann sich täuschen, man kann sich durchs Dasein winden, ohne jemals eine Wahrheit zu Gesicht bekommen zu haben. Und die Lüge ist genau so dämonisch wie ihre Kehrseite, zugegeben. Die fruchtbaren Gefilde der Instinkte in uns liegen brach, unbeackert. Überall stehen Engel, die ihr Antlitz verhüllen. Aber sie bleiben unsichtbar. Die Menschen wollen an Gott glauben, nicht aber an den Geist der Erde, die sie bewohnen.«

»Ich möchte, daß wir enden«, sagte ich.

»Nicht, solange du mich mißverstehen kannst«, sagte er, »ich möchte so deutlich sein, daß du mein Mitgefühl als Trost, als ein Einstimmen mit deinen verworrenen Süchten und Schmerzen nimmst. Als Klageweib bin ich nicht geschaffen. Als Rechtfertiger deines Tuns fühle ich mich wohl.«

»Ich glaube, wir streiten uns«, sagte ich.

»Viel Schlimmeres als dies Wort konntest du mir nicht antun«, sagte er, »aber ich will den letzten Versuch machen, mich zu erklären.«

Ich schwieg. Ich wartete.

»Vor ziemlich langer Zeit las ich von einem Negerstamm an der Westküste Afrikas – ich habe seinen Namen vergessen. – Nein, nein, wir haben dergleichen niemals selbst erfahren. Wir sind weit draußen auf dem Meere an der wirklichen Wirklichkeit vorübergeschwommen. Uns wird nur unser Teil gegeben. – Stirbt einem jungen Mann der Vater oder die Mutter, so wird der Leichnam in eine Kuhhaut eingenäht und ein Jahr lang flüchtig im Erdboden verscharrt. Nach Ablauf dieser Frist gräbt der Sohn den Toten wieder aus, öffnet das Bündel. Und er findet nicht viel mehr als besudelte und verpestete Knochen darin. Die Verwesung schreitet schnell. Mit seinem Munde reinigt der Sohn die in Jauche und Luder getränkten Knochen, damit sie sauber in einem Beutel vorm Hause aufgehängt werden können. Und sie müssen sauber sein, damit der Tote

sich seiner Nachkommenschaft oder nahen Verwandten nicht zu schämen braucht. – Der Berichterstatter, entsetzt über den widerlichen Brauch, fragte den jungen Mann, ob es nicht Überwindung koste, mit dem Munde die unsaubere Verrichtung auszuführen. Und jener antwortete: große Überwindung. Doch sei es nur eine Vergeltung; die Eltern hätten vielerlei Bekümmernisse mit dem Sohn im Kindesalter gehabt. Der Schmutz der Säuglinge, die Beseitigung des Kotes und des Harnwassers. So sei es eine Pflicht des wohlerzogenen Kindes, den Schmutz des Fleisches von den Knochen der Eltern zu saugen.«
»Ich verstehe noch immer nicht«, sagte ich etwas verzagt.
»Eine gereinigte Form des Kannibalen«, sagte er kurz, »ein Kulturmensch.«
»Ich verstehe wirklich nicht, was das Beispiel bedeuten soll«, sagte ich etwas fester.
»Ekel und Lust sind ausbalanciert«, sagte er betrübt, »Verwesung und Wachstum halten einander die Waage. Man hängt sich die Reliquie der weißen Knochen vor die Tür, nachdem man sich tiefer mit Ekel gedemütigt hat, als heißeste Liebe aus freien Stücken vermag. – Das alles ist sehr sonderbar. Diese Menschen haben tief nachgedacht.«
»Wenn dir daran gelegen ist, mir wohlzutun, mühe dein Hirn nicht, Beispiele oder Beobachtungen aus aller Welt zusammenzustellen. Ich habe dich jetzt verstanden, wenn ich mich selbst auch wenig begriffen habe. – Dieser Knochen, der zur Reliquie geworden ist – meine Seele hat ein sonderbares Verlangen gezeigt.«
»Und der Leichnam, der Tote – er wurde doch nicht vollends zerschmettert – was ist mit ihm?«
»Ich will es dir sagen, wenn du es dann genug sein läßt, mich mit deiner Neugier zu plagen – oder mit deinem Besserwissen. – Ich möchte sogleich in eine Kneipe gehen. Ich tauge weder fürs Bett noch für dein zärtlich forschendes Mitleid. Morgen werde ich fort sein, von der Frühe bis zum Abend. Der Tote soll nämlich nach allgemeiner, hier gültiger Sitte bestattet werden. In die Kneipe darfst du mich begleiten, zum Begräbnis nicht.«
Das erklärte ich Tutein. Und mir war, als hätte ich von meinem Hemd oder vom Straßenstaub an meinen Füßen gesprochen.

»Klare Rede«, sagte er, »gehen wir und betrinken wir uns. Ein Tingel-Tangel mit Huren, die wir uns vornehmen, nicht zu benutzen, wäre das beste.«
»Ich überlasse dir die Wahl des Ortes«, sagte ich.
»Du hast wahrscheinlich schon geweint«, sagte er.
»Ich habe noch nicht einen Tropfen Marc getrunken«, sagte ich.
»Sonderbar, sehr sonderbar«, sagte er. »Blut, Wein, Schnaps, in gewissen Augenblicken werden sie einander gleichgesetzt.«
Wir gingen in einen traurigen Abend hinein. Ich trank unmäßig; aber ich kam nicht mehr zum Weinen. Ich vergaß viel; aber ich vergaß nicht alles.

*

Um zehn Uhr machte ich bei einer Bank Geld flüssig. Wenige Minuten vor elf Uhr öffnete eine Nonne mir die Tür zum Sprechzimmer des Arztes.
»Warum sind Sie nicht schwarz gekleidet?« empfing er mich.
Ich gab keine Antwort. Ich wußte keine. Ich besaß keinen schwarzen Anzug. Ich hatte daran nicht gedacht. Ich hatte einen schwarzen Schlips vorgebunden.
»Können Sie die Rechnung begleichen?« fragte er weiter.
Ich zählte ihm das Geld vor und legte die Kostenaufstellung, die man mir ausgehändigt hatte, daneben.
»Wir haben keine Zeit mehr zu verlieren«, sagte er, nachdem er die Summe nachgezählt.
Er nahm zwei, drei Bettlaken, die auf dem Schreibtisch lagen, unter den Arm, forderte mich auf, ihm zu folgen, und schritt eilends, mir voran, durch den Saal, Gang, treppab in den Keller. Vor der Tür des Gefrierraumes stand ein Sarg, undeutlich in den Umrissen. Der Arzt schob ihn ein wenig beiseite. Er schloß die Tür auf, entwich ins Dunkle, schaltete das Licht an. Ich wollte in die Hochzeitskammer der Toten eintreten, er jagte mich mit einer Handbewegung zurück und forderte mich auf, gemeinsam mit ihm den Sarg hineinzuschaffen. Es war ein schlichter Kasten mit einem gewölbten Deckel. Kastanienholz, flüchtig mit Schellack eingelassen. Wir hoben den Deckel ab. Der Arzt riß den Plunder des Totenlagers heraus: Kissen,

Spitzenhemd, Wattetuch, Fransen und Hobelspäne. Er breitete ein Bettlaken in die Höhlung des Holzes. Er atmete schwer vor Anstrengung.
»Fassen Sie das Mädchen bei den Beinen, ich trage an den Schultern«, sagte er.
Es war das erstemal, daß ich einen Toten in einen Sarg bettete. Flüchtig schaute ich noch einmal auf den makellosen elfenbeinernen Körper. Eine unirdische Kälte strömte von den mageren harten Füßen in meine Hände über. Wie ein Stück Holz, dumpf polternd, fiel die Tochter des Arztes in die Senkung des Kastens. Sie lag, wie es sich ziemte, die schön benägelten Zehen berührten das Holz des Sarges an der vorbestimmten Schmalseite.
Der Arzt stand schon neben dem Körper des Schwimmers. Er faßte in die noch immer klaffende Wunde.
»Er ist hart, durch und durch«, sagte er.
Meine Augen suchten das Antlitz; noch einmal glitten sie über den Rumpf. Die großen fleischigen Hände entstiegen den schweren Muskeln der Arme. ›Dieser Tote ist meine Sache‹, sagte ich zu mir, ›auch Tutein hat ihn mir zugeschoben.‹ Ich fand, Augustus war versteinert, nicht hochzeitlich lächelnd. Ich bereute, dem Alten gegenüber schwach gewesen zu sein. Es war zu spät.
»Wir müssen ihn umdrehen«, sagte der Arzt.
»Lassen Sie mich zu Häupten anfassen«, sagte ich.
Wir wechselten den Platz. Wir versuchten den Toten zu wenden. Es bereitete große Anstrengungen. Er war an der Unterlage angefroren. Wir brachen ihn los wie einen gefällten Baum, der sich im verschneeiten Wald mit noch eisigen Wurzeln dem Boden anklammert, dessen Säfte er schon nicht mehr trinkt. Wir legten ihn aufs Angesicht, auf die erstarrte Wunde. Das Haupthaar im Nacken war weiß vereist. Die Schultern und das Gesäß waren abgeplattet und mit Reif umkrustet. Das Fleisch war schon sehr fern von uns. Wir legten es auf das weibliche im Sarge. Die Körper schaukelten übereinander, schmiegten sich nicht an. Der Arzt schlug schnell das Leintuch über dem Paare zusammen. Er entfaltete ein zweites, breitete es über den Sarg, schlug die überhängenden Enden mit Sorgfalt an den Kanten des Sarges ein. Verschwenderisch tat er das gleiche mit einem dritten Laken.

»Möchten Sie etwas sagen oder sich sonstwie erleichtern?« fragte er mich.
»Nein«, antwortete ich.
Wir legten den Deckel auf. Ich glaube, die Schultern des Schwimmers stießen gegen das Holz; jedenfalls klaffte am Kopfende ein kleiner Spalt.
»Das ist nur gut«, sagte der Arzt. Er zog eine Handvoll Nägel aus einer Tasche hervor – ein Hammer lag auf dem Stuhl bereit – und begann, bei den Füßen anfangend, den Sarg zuzunageln. Die Arbeit ging ihm ungemein geschickt von der Hand. Er verdarb keinen Nagel, er schlug weder zaghaft noch zu fest. Der Spalt zu Häupten schloß sich allmählich mit fortschreitender Arbeit. Dem Arzt rann Schweiß von der Stirn. Er sagte, etwas unsicher, zu mir:
»Hinausschaffen müssen wir zwei den Sarg.«
Halb schoben, halb hoben wir ihn. So brachten wir ihn auf den Gang. Der Arzt löschte das Licht, verschloß die Tür. Dann ging er, um Beistand zu holen. Ich blieb in der Dämmerung des Korridors mit dem Sarge allein. Es gab kein Gefühl, das ich anrufen konnte. Der Arzt erschien wieder mit vier Nonnen im Gefolge. Sie hatten starke weiße Hanfseile in ihren Händen. Sie legten die Seile unter den Boden des Sarges. Die vier unfruchtbaren Geschöpfe, wie mit übernatürlichen Kräften ausgestattet, trugen den Sarg. Emsige Arbeitsbienen. Ihr Glaube nahm der Last die Schwere. Sie setzten nicht ab, als es die Treppe hinaufging. Sie stießen weder mit ihren Füßen noch mit dem Holz gegen eine der Stufen. Sie waren beflügelte Helfer des Malach hamoves.
Sie stellten den Sarg in den Saal für chirurgisches Heilen oder die Obduktion von Leichen und Halbleichen, mitten unter das Oberlicht, wo am Vortage Tisch und Stuhl gestanden. Sie traten in die vier Himmelsrichtungen und beteten stumm, als wären sie Kerzen gewesen, die für die Toten mit langsamen Flammen verbrannten. Plötzlich gingen sie. Die Stricke ließen sie zurück.
Auch der Arzt verschwand. Ich blieb allein.
Man sagt, Frauen weinen, wenn man den Sarg, in dem ein Toter liegt, schließt. Ich hatte ein Gefühl der Befriedigung. Ich hatte den Leichnam (zwar mithilfe des Alten) bis in diese Abgeschiedenheit hineingerettet.

Der Stuhl stand an einer der Wände. Ich setzte mich. Niemals wieder, seit jener Stunde, ist ein Warten für mich so unwirklich gewesen, so ohne Spannung, ohne Ungeduld, gänzlich entblößt von allen Trieben. Kein Hunger, kein Durst, kein Kampf, kein Geschlecht, kein Gott, kein Satan, keine Ewigkeit, keine Zeit. Ein Sarg aus braunem Kastanienholz, mit rötlichem Schellack flüchtig eingelassen. Und der Sarg war nackt. (Der Sarg Tuteins ist gediegener.)
Der Arzt kam zurück. Er war vollkommen verwandelt. Vor die Brust hielt er sich einen riesigen Kranz, aus Draht und bunten Glasperlen gefertigt. Ein Werk fleißiger Hände, überwältigend in der durch nichts eingedämmten Geschmacklosigkeit. Die Ausläufer seines Bartes hatte der Mann mit einer Brennschere zu sechs Haarrollen eingebogen, je drei zur rechten und linken Seite. Der Körper, gleichsam eingeschlagen wie in ein Tuch, stak in einem Havelock aus feinem schwarzen Stoff; doch auch die leiseste Spur von Eleganz fehlte dem Bekleidungsstück. Der Kopf des Mannes war mit einem wagenradartigen Hut von gleicher Farbe bedeckt. Eine ungeheure Krempe die Speichen und Felgen, die Ausstülpung für den Schädel die stillestehende Trauernabe. Eine schlotternde Hose verbarg geborstene langschäftige Lackstiefel.
Ich begriff den schlagenden Ernst auf dem entstellten Gesicht nicht. Er hatte geweint. Oder ein Narkotikum geschluckt. Er sprach einstweilen nichts. Er legte die krause Korallenwelt des gläsernen Kranzes auf das Kopfende des Sarges. Er war der Teilnehmer an einem Begräbnis, und ich der verwahrloste verlorene Sohn, der an die Bahre der verstorbenen Mutter geeilt ist, zu spät, um das teure Antlitz noch einmal zu schauen, doch früh genug, um den dumpfen Sarg noch über der Erde zu sehen. Bemitleidet und verachtet.
Er schaute mich mißtrauisch an. Plötzlich begann er etwas auf einen Zettel zu schreiben. Er hielt mir das Geschriebene unter die Augen und sagte drohend:
»Der Tote heißt: Gomes Eannes de Palencia. Ich habe es für Sie aufgeschrieben, damit Sie keinen Unsinn anstellen.« (Ich habe den Zettel zusammen mit dem Knochen aufbewahrt.)
In diesem Augenblick öffnete sich die Tür. Zwei Knaben, Rauchfässer schwenkend, kamen herein, an ihrer Ferse ein

Priester. Er grüßte nur mit den Augen. Er verlor zwischen schmalen Lippen kaum gesprochene Gebete. Er verrichtete die Benediktion, tauchte zwei Finger in eine Bleikapsel, die Öl oder Weihwasser enthielt, machte das Zeichen des Kreuzes und berührte den Sarg.

Die vier Nonnen erschienen wieder und mit ihnen, eine Peitsche in der Hand, der Kutscher eines Ochsengespannes. Ehe ich mich dessen versah, setzten sich die Knaben in Bewegung. Der Priester folgte, und der Sarg, von den vier Helferinnen getragen, bewegte sich hinaus. Der Ochsentreiber schloß sich an. Das Gefolge, der Arzt und ich, blieb einige Sekunden allein zurück. Dann nahm er mich beim Arm und führte mich hinaus. Ein süßlicher Duft von Äther und Parfüm umwölkte ihn.

Der Sarg war schon auf einen pritschenartigen Wagen gestellt. Die vier Nonnen nahmen stummen Abschied. Die zwei Knaben stimmten eine Hymne an, schlugen mit den Rauchfässern große Pendelschläge. Die Ochsen, schöne Tiere mit großen Hörnern, gehorchten dem Treiber neben ihren Köpfen und begannen auszuschreiten. Und alle, ausgenommen die Helferinnen, schritten aus. Voran der Dampf der Rauchfässer und die frommen schwermütigen Lieder. Dann die Knaben, der Priester, die Ochsen mit dem Kutscher, die Toten, das dürftige Gefolge.

Es ging bergauf, der Stadt abgewandt. Felder, zum Teil von künstlichen Rinnsalen eingefaßt, drängten sich bis nahe an den Weg, der immer schmaler wurde. Weingärten, Zwiebel- und Kartoffelfelder, Parks voller Zitrusbäume, Mandelgehölze, Palmen und ein einzelner Drachenbaum neben einem Brunnen. Tuffsteinmauern, um die Abhänge in fruchtbare Terrassen zu verwandeln, die strotzenden Weizen, Gerste und Tabak trugen. Der köstliche Reichtum, für unser Gedeihen bestimmt. Die Nahrung, die, aus dem Boden hervorgelockt, von der Sonne bereitet wird. Ach, wie sauer wurde mir dieser Spaziergang in der Spur des Sarges! Warum war ich nicht heiter? Karren, mit prangenden Früchten beladen, versperrten uns den Weg, daß die Räder unseres Leichenwagens in den Rand eines Ährenfeldes schneiden mußten. Und die Sonne glühte mit unermüdlichem Spenden, staubbereitend, schweißfordernd, ermattend, Früchte und Herzen reif machend.

Eine Mauer, wie die Umwallung einer Burg, umsäumte den

Gipfel eines Hügels. Wacholder oder Thuja und junge Pinien ragten dunkelgrün, fast schwarz über dem Steinkamm hervor, traurig wie Efeu am Gemäuer einer Ruine.
Wir waren am Ziel. Vier Männer, Landleute oder Handwerker der Umgegend, standen bereit, um den Sarg quer über den Friedhof zu tragen.
Wir kamen an ein Grab. Aber es war nicht geschaufelt. Es glich einem mit Quadern eingefaßten Brunnen. Ein rechteckiges Loch, das sich in der Tiefe schwärzlich verlor. Ich schaute hinein und erkannte anfangs den Grund nicht. Als ich die Augen mit der Hand gegen das Sonnenlicht beschirmte, erblickte ich auf der Sohle einen grauen Sarg. Die Wände, festgefügt, stiegen senkrecht aufwärts bis an die Deckelplatte, die man zur Seite gewuchtet hatte. Ich suchte nach einer Erklärung für diese Überraschung. Gegen Westen, in die Friedhofsmauer eingelassen, verkündete eine milchweiße Marmortafel mit goldenen Buchstaben:

DIES GRAB LIESS FÜR DEN SEELIGEN HERREN JUAN LOPEZ DE ULLOA, IHREN TEUREN GATTEN, FÜR SICH SELBST UND, SOFERN SIE GESEGNETEN LEIBES, FÜR IHRE NACHKOMMEN DIE TRAUERNDE LUISA AZURARA EINRICHTEN, MIT DER VERFÜGUNG UND BITTE AN ALLE RECHTGLÄUBIGEN UND HEIDEN, DEN LETZTEN DER SELIGEN TOTEN 150 JAHRE IN SEINEM STAUBE AN DIESEM PLATZE RUHEN ZU LASSEN. DAMIT SICH AN UNS DAS WORT ERFÜLLE: »ICH WEISS, DASS MEIN ERLÖSER LEBT UND DASS ICH AM JÜNGSTEN TAGE AUS DER ERDE AUFERSTEHEN UND, WIEDER MIT MEINER HAUT UMGEBEN, IN MEINEM FLEISCHE MEINEN GOTT UND ERLÖSER SEHEN WERDE.«

Der Arzt hatte seinen Mund an meinem Ohr. Er sagte: »Sie war nicht gesegneten Leibes. Eine Einbildung, die sechs Monate anhielt. Ich habe sie von ihrer fixen Idee entbinden müssen. Das Grab ist vollkommen überdimensioniert. Ein Drittel der Tiefe wäre ausreichend gewesen. Es kommt uns heute zustatten. Die Dame ist nach Teror gefahren. Sie betet dort und besucht die warmen Bäder. Ich erfuhr es gestern zufällig und benutzte die Gelegenheit zu der Anordnung, die Sie jetzt wohl erkennen.«
»Es ist keine Verwandte von Ihnen?« fragte ich.
»Eine Patientin.«
»Ein erschlichener, ein gestohlener Grabplatz?«
»Ungemäße Verschwendung wird nutzbar gemacht.«
Die Handwerker oder Landleute ließen den Sarg an langen Stricken hinab, setzten ihn auf den des seligen Herrn Juan Lopez de Ulloa. Als sie spürten, der Grund war erreicht, zogen sie die Stricke eilends herauf. Der Priester vollendete das Ritual. Ehe ich mich dessen versah, waren drei Minoriten-Fratres zurstelle. Zwischen Buschwerk und Grabsteinen waren sie aufgetaucht. Sie traten an das offene Grab und schauten mit jungen, sorgfältig rasierten Gesichtern auf ihre Hände, um zu beten. Aber es war, als starrten sie in die Tiefe des Schachtes. Wie auf einen von außen kommenden Befehl wandten sie sich plötzlich gleichzeitig um und machten sich davon. Die Knaben schwenkten die Rauchfässer und liefen wie junge Füchse, behende und vorsichtig auf schmalen Winkelsteigen dem Ausgang des Friedhofs zu. Kaum, daß der Priester ihnen folgen konnte. Die Arbeiter standen abseits bei einer künstlichen Grotte aus verwitterten Steinen, die ein Schreckensbild des gestorbenen Gottmenschen beherbergte.
Der Arzt sagte zu mir: »Es ist nicht wahrscheinlich, daß wir uns jemals wiedersehen werden. Ich hoffe, Sie haben die Überzeugung gewonnen, daß ich mein Bestes getan habe.«
Ich sah noch, zwei dicke Tränen rollten ihm aus den Augen und verschwanden im wuchernden Barthaar. Und er folgte den anderen. Ich aber war entschlossen, das Schließen der Gruft abzuwarten. Die Sonne sengte mit dunstigem Feuer. Die von den Schlieren der Luft ermüdeten Augen sahen den Boden mit den erhitzten Gräsern und Bärlappgewächsen fast schwarz. Ich

glitt, ziemlich weit von der Gruft entfernt, auf einen liegenden Grabstein nieder. Fleischige Eisgewächse quollen neben dem Stein hervor. Irgendwo zwischen Schotter und Sand zerging mein Blick. Ich schrumpfte zusammen von den Lasten, die ich nicht spürte, von der Wärme, die mich nicht reif machte, von den Sehnsüchten, die leere Verheißungen hatten. In den Boden einzusinken, das wünschte ich mir. Aber ich stellte am Ende nur eine dumme Frage: »Wo wird man dich einmal begraben?«
Die vier Arbeiter hatten indessen in einem Tragkasten Mörtel herbeigeschafft. Bedächtig mischten sie den Brei aus Sand, Kalk und braunem Traßstaub. Mit kurzen Kellen trugen sie ihn auf dem Quaderrand der Gruft breit auf. Dann bewegten sie den Deckelstein mithilfe zugespitzter Eisenstangen. Und er schob sich über die Öffnung, sank in den Brei des Mörtels, als man ein paar Keile fortzog. – So schließt man ein Buch bedächtig, dessen letzte Zeile ausgelaufen ist. Man hat eine Zeitlang auf die Schnörkelbuchstaben des Druckers gestarrt, die das Wort ENDE gebildet haben. Auf dem weißen Papier sammelt sich schon neues Geschick. Das eigene oder das eingebildete der im Buche Lebenden, die sich, nur genötigt durch den Verfasser, hastig verabschiedet haben.
Einer der Männer hatte den Mörtelrand sorgfältig verstrichen. Dann waren sie alle mit ihrem Handwerkszeug davongegangen. Ich trat noch einmal an die Gruft. Sie war geschlossen, sie verriet den Betrug nicht. Auf der Platte lag stolz der Perlenkranz. In seinem Herzen flimmerten die zweideutigen Worte: »Gruß eines unentwegten Freundes.«
Ich ging langsam den langen Weg in die Stadt zurück. So verrannen die Stunden bis an den Abend.

*

Alfred Tutein verriet mir in dieser Nacht sein Geheimnis. Er hatte, wie am Tage vorher, mit einiger Unruhe auf mich gewartet. Wiewohl ich erschöpft und vor Müdigkeit gleichgültig war, ausgelaugt von der Sonnenwärme und mürrisch vom Unfrieden in meiner Seele, ließ er mir keine Zeit, mich zu sammeln oder mich zu erfrischen. Er drängte, wir sollten auch diesen Abend oder die halbe Nacht außerhalb unseres Zimmers

verbringen. Meine Abwehr muß schwach gewesen sein. Ich hatte Verlangen nach Speise und Trank. Da waren wieder die eintönigen stillestehenden Nachtstraßen, die Gerüche des Meeres, verfaulter Früchte und der ein wenig brenzliche, schwere, des Olivenöls. Wir schritten aus. Wir kamen zum Hafenbekken, nahe dem Platz, wo ich den Toten anland gezogen hatte. Wir durchquerten den Mondschatten der Kirche, in der mein Hirn umdüstert worden war. Wir bogen in eine Straße ein, die sehr entrückt und voll schwacher Geräusche war. Spiegelscheiben, verhangen, die statt eines Lichtscheines zirpende oder dumpfe Musik durchließen. Hier und dort kugelrunde blaue oder rote Lichter. Es waren Menschen auf den Trottoirs und auf der Fahrbahn; aber man sah sie kaum, man hörte nur ihr Flüstern wie das Murmeln eines erregten Baches. Es entschied sich nicht, ob es ihrer viele oder nur wenige waren. An den Mützen oder Blusen, die sich in der Dunkelheit mit noch tieferem Schwarz zeichneten, erkannte man die Vertreter der kristlichen Seefahrt. Die fallende Mondsichel beleuchtete an einer Straßenecke riesenhafte Buchstaben: ›Zu den Planeten.‹ Vorm ›Faß der Venus‹ schoben wir die Fransen eines Perlenvorhanges auseinander. Es war eine kleine, sehr stille Gaststube. Ein paar in sich versunkene Gäste saßen vor einer Tasse Kaffee oder einem Becher Wein. Niemand sprach. Der Wirt, der offenbar nicht wußte, daß Frau Venus nicht mit Bacchus, sondern mit Vulkan vermählt gewesen war und einen – inmitten auch sonst ungeordneter Familienverhältnisse – Berühmtheit erlangten Ehebruch mit Mars begangen hatte, kam gelangweilt an unseren Tisch. Er reichte Tutein die Hand und streckte sie auch mir hin. Ich nahm sie zögernd.
»Das Begehren der Herren?« fragte er.
»Etwas zu essen«, sagte ich.
Tutein griff ein und erklärte dem Wirt, er möge etwas Schmackhaftes, Sättigendes und Bekömmliches herrichten. Er folgte ihm, der verständnisvoll genickt hatte, bis an den Schanktisch und trank dort in Hast ein Glas Arrak. Er kam an meinen Tisch zurück und sagte stehend, er müsse einen kleinen Weg machen und dafür sorgen, daß eine Tür geschlossen werde. Ehe ich mir eine Erklärung des Rätselwortes erbitten konnte, war er durch den Perlenvorhang hinaus.

Der Wirt brachte mir Arrak, den Saft einiger Apfelsinen und Zucker, über Holzkohlen geröstete Langusten, Brot und champagnerartigen moussierenden Wein. Er würdigte mich keines Wortes. Ich mischte den Fruchtsaft mit Arrak und machte mich an die wohlschmeckende Mahlzeit. Nach einer Weile kam Tutein zurück. Er nippte an meinem Glase. Er meinte, ich brauchte mich hier nicht sattzuessen. Er habe vorgesorgt, daß wir in dieser Nacht nicht verhungern würden. Er hatte es eilig. Wir verließen das ›Faß der Venus‹. Ich indessen dachte, während ich, belästigt von der Kohlensäure des Weins, rülpste: »Vielleicht ist die Büchse der Pandora gemeint, jedenfalls etwas Obszönes.«
Wir bogen rechtwinklig um die Ecke. Zehn, zwanzig Schritte weiter griff Tutein durch einen Vorhang und pochte gegen eine Tür, die dahinter verschlossen war. Uns wurde geöffnet. Wir standen in einer Stube, die mir sofort ihre Bestimmung verraten hätte, wenn nicht manches in diesem Raum vom Gewöhnlichen abgewichen wäre. Das gedämpfte Licht war nicht verführerisch, sondern nur angenehm. Das Bett oder die Lagerstatt stand ohne Herausforderung da; eine dunkle, mit farbigen Quadraten gemusterte Decke war darübergebreitet. An den kahlen grauweißen traurigen Wänden hingen Bilder und Gegenstände. Ein Kruzifix aus Messing, eine leere, mit Bast umsponnene Weinflasche, ein eiserner Kochtopf, eine gebrechliche gläserne Laterne mit halbherabgebrannter Kerze. Wie erhängt, eine große Stoffpuppe in reich beblümten Kleidern. Aus England, Deutschland oder Japan importiert ein Schaukelpferd, mit Kalbsfell bezogen, so groß, daß es auch einen Erwachsenen gelüstete, darauf zu reiten. Die gläsernen Augen des schönen Spielzeuges leuchteten heiß und abgrundtief wie der Tod. Inmitten des Zimmers ein runder Tisch, einfach mit drei Tellern, drei Gläsern, Wein, Früchten und Brot gedeckt. Das Seltsamste aber war die Gastgeberin, ziemlich klein an Wuchs, wie mir schien. Barfüßig. Ein Kleid aus festem Stoff ließ auch die Arme und den Hals frei. Ich reichte ihr meine beiden Hände in einer törichten Zuneigung, die mich plötzlich befiel. Ich zog die Gestalt, weil mir schien, ein Abwarten könne Verlust bringen, näher zum Licht, um das Gesicht zu erkennen. Es war ein Kind, zwölf oder dreizehn oder vierzehn

Jahre alt. Man konnte die jungen Brüste unter dem Kleide nicht wahrnehmen. Meine Hände kamen erschrocken zu mir zurück. Tutein trat herbei, legte seinen Arm um die Schulter des Kindes, streichelte ihm die strähnigen schwarzen Haare. Das Kind sagte leise:
»Er ist hübsch und sicherlich auch jung, der Mann.«
»Anias«, sagte Tutein heiter und überschwenglich, »ein Gutachten wie von einem Erzengel. Es muß dich mit Stolz erfüllen.« Seine Ausgelassenheit erlosch plötzlich. Er sagte, indem er düster zuboden blickte:
»Das also ist Buyana.«
Ich vermutete, er würde weitersprechen, doch er trat nur an den Tisch, goß sich Wein ein und schluckte ihn. Das Kind hatte sich aufs Schaukelpferd gesetzt und bewegte das Tier mit kleinen Sprüngen. Ich nahm einen Stuhl und setzte mich. Unvermittelt hielt das Mädchen mit dem Spiel inne, huschte geräuschlos zu mir heran und schob sein dunkles Gesicht vor das meine. Es hielt die vollen Lippen, zum Kuß bereit, einen Finger breit von meinem Munde entfernt. Da ich, unbegreiflich, die Frucht des Kusses verschmähte, zog es sich zurück, wandte sich an Tutein und fragte:
»Was soll ich jetzt tun?«
»Zeig einmal deine Füße«, sagte er ruhig.
Sie setzte sich neben mir auf einen Stuhl und legte die Füße auf den Tisch. Ägyptische Statuen haben solche Füße wie dies Kind sie hatte. Unendlich ebenmäßig. Zehen und Fußsohlen waren leicht bestäubt.
»Buyanas Füße sind ohne einen Makel«, sagte Tutein feierlich.
»Soll ich mich entkleiden?« fragte das Kind.
»Später«, sagte Tutein unsicher und fuhr fort: »Nimm die Füße vom Tisch und bemühe dich um das Essen.«
Doch das Kind beließ die Füße an ihrem Platz, und Tutein entnahm einer Pappschachtel allerlei Speisen. Als das Kind einiger Leckereien ansichtig wurde, die Tutein auf den Tisch gestellt hatte, tauchte es einen seiner großen Zehen hinein, führte ihn zum Munde und leckte ihn umständlich ab. Es waren Bewegungen, die mich an einen Panther erinnerten. Die Füße verschwanden jetzt von der Tischplatte. Mit den Händen griff das Kind in einen Salat, der aus Kalbfleisch und Apfelsinen

bestand, aß und reinigte die Finger mit der Zunge wie vorher den Fuß. Tutein war indessen mit seinen Vorbereitungen fertig. Wir setzten uns, und es begann ein Schmaus, bei dem ich zu kurz kam, weil ich unentwegt auf den Mund des Mädchens schauen mußte, der mit unbeschreiblicher Lust, mit unnachahmlich anmutigen Bewegungen und Verrenkungen die gewagtesten Bissen verschlang. Tutein trank ziemlich viel Wein. Das Kind nahm nur abgemessene Schlucke.

Das Mahl war noch nicht zuende, da wurde gegen die Tür gepocht. Ich erschrak. Tutein schalt: »Besetzt.«

Das Kind erhob sich. Es sagte: »Es ist Donnerstag, Herr. Es ist Andrés.«

Das Mädchen eilte an die Tür, riegelte auf und ließ einen jungen Mann ein. Als er meiner ansichtig wurde, verneigte er sich würdevoll. Ich sah, seine Hand begann zu zittern, und ich verwunderte mich.

»Es ist unpassend, daß Sie sich meiner nicht erinnerten«, sagte er vorwurfsvoll zu Tutein, »ich habe angeklopft, weil heute Donnerstag ist, nicht um zu stören.«

»Wenn Sie uns die Ehre antun wollen, mit uns zu speisen, will ich Ihnen alles erklären«, sagte Tutein, »und Sie werden zufrieden sein.«

Andrés wischte sich den Mund. Er erwiderte nichts; aber er setzte sich. Buyana nahm anfangs stehend weiter am Mahle teil. Nach einer Weile zog sie sich zurück und setzte sich aufs Bett.

Tutein erklärte dem Fremden, wer ich sei, wie ich hierhergekommen, daß ich, er verbürge sich, das Wohlbefinden und die Absichten des angenehmen Besuches nicht stören würde. Die geschmeidigen Worte waren wie in Blei gefaßt. Alfred Tutein mußte den Herrn Andrés völlig vergessen haben und die Bedeutung des Donnerstages dazu. Ich schämte mich wie ein Halbwüchsiger, der im Beisein von Kameraden nichtsahnend in zufälligen Kot greift.

»Hat der Herr sein Anliegen zum Abschluß gebracht?« fragte gereizt Herr Andrés.

»Nehmen Sie doch bitte ein paar Bissen und einen Schluck Wein«, sagte Tutein gütig, »wir werden sogleich von hier aufbrechen und Sie mit Buyana allein lassen.«

»Sie können sich die Eile ersparen«, sagte der andere, »ich bin überflüssig, wenn ich der Zweite bin; es ist meine Rolle, aufzubrechen.«
Tutein zog die Augenbrauen hoch: »Sie sind weder der Zweite, noch ist mein Freund für Sie gefährlich.«
Es geschah nun, daß wir uns alle drei gleichzeitig erhoben. Tutein sagte zu mir:
»Wir gehen auf eine Stunde ins ›Faß der Venus‹. Hernach werden wir hier einen versöhnten und prächtigen Kameraden antreffen.«
Buyana legte sich ins Mittel. Sie sprang vom Bett auf, schob ihren Arm unter den Andrés' und schlüpfte dabei gleichzeitig in ein Paar Schuhe.
»Ich werde mit Andrés einen Spaziergang machen«, sagte sie entschlossen. Und als sie es gesagt hatte, flog sie ihm an den Hals und küßte ihn unbändig.
Herr Andrés, er hieß mit seinem vollen Namen Andrés Naranjo, machte eine finstere Miene; aber man erkannte, sein Herz lachte und jauchzte.
»Ich werde bald zurück sein«, sagte das Kind.
Dann waren sie eilends hinaus.
Tutein stöhnte und setzte sich wieder. Er begann eine lange Erklärung. Er sagte:
»Du wirst wohl begriffen haben, welche Absichten Herr Andrés Naranjo hatte, und daß man derartige Forderungen mit ziemlicher Selbstverständlichkeit in der Stube einer Prostituierten vorbringt.«
»Es ist ein Kind«, sagte ich und hatte den Geschmack von Angst, Abscheu und Neugier auf der Zunge. Doch diese keineswegs heftige Erregung meiner Nerven ließ sogleich nach. Ich war schon zu müde, als das Absonderliche anders als mit Überdruß zu spüren.
»Von Buyana später«, sagte Tutein, »diesen Andrés, ich hatte ihn vergessen. Ich muß ihn und sein störendes Dazwischenkommen zuvor aus dem Wege räumen. Er ist jung, wie du wohl gesehen hast. Er ist ein angenehmer, ja sogar ein kluger Mensch. Aber er ist zugleich eine vollkommene, sehr regelmäßig arbeitende Maschine.«
»Er schien mir nicht dem Lob, das du ihm zollst, zu entspre-

chen«, sagte ich dazwischen. Ich war nicht mehr rücksichtsvoll gegen Tutein.
Er wischte den Einwand fort und erzählte weiter.
»Sein Verhalten heute bekräftigt mein Urteil über ihn. Er konnte nicht warten. Doch fürchtet er sich vor Krankheiten. Er besucht niemals ein anderes Mädchen. Ich bin ihm ein Bürge für seine Gesundheit. Er war nicht eifersüchtig auf dich, du warst eine unbekannte Bedrohung. Sein Verlangen stellt sich so regelmäßig ein, wie eine Uhr schlägt. Sieben Tage lang mehrt sich der Hunger in ihm; plötzlich geht er in Heißhunger über, in etwas Unwiderstehliches; es gibt kein Ausweichen. Ein Geschwür, das aufbricht und Eiter entleert. Mißnimm das Bild nicht. Ich denke nicht an das Ekelhafte, einzig an den Wundprozeß. Es ist eine sehr vollkommene Maschine in ihm – oder er ist diese Maschine.«
»Du sagst es zum zweiten oder dritten Mal«, unterbrach ich ihn, »so erkläre mir, was geschehen wird, wenn der siebente Tag einmal ausfallen muß.«
»Er ist in beständiger furchtbarer Gefahr«, sagte Tutein, »man möchte ihm ein besseres Los gönnen, denn er ist, gesättigt, ein wundervoller Mensch.«
»Es muß wohl etwas Ungewöhnliches an ihm sein«, sagte ich mehr gelangweilt als erleuchtet, »daß du ihn so feurig rühmst. Es ist mir nur bei der kurzen Begegnung durchaus entgangen.«
»Er ist ein gehorsamer Katholik«, sagte Tutein, »auch das bringt ihn in Gefahr. Er beichtet bei einem französischen Abbé in der Hafenkirche. Ich kann mir ihre Gespräche nicht vorstellen. Es ist stets das Gleiche und muß doch von Mal zu Mal verschieden sein. Die Religionen verändern ja das Fleisch nicht, sie können es nur ertöten und ihm die Ketten der Sünden anhängen. Ich bin sicher, es kann niemals geschehen, daß der Abbé spräche: der Schöpfer hat mit Ihnen etwas Besonderes vor, er hat das Abbild einer Sternenbahn in Ihre Seele eingeritzt, er hat den merkwürdigen tierhaften Duft der Zeit in Ihnen hervorlocken wollen. – – Nein, nein, es ist immer das welke Gemurmel des Sünders, der das Confiteor hersagt und die fade Vergebung des Mittlers Gottes, der ohne Entsetzen, eher mit Langweile oder Ekel, kaum jemals mit Neugier,

trübe, im Dunst der eigenen Seele, die Vergebung austeilt. Er kennt das Fleisch. Tausende haben ihm gestanden, wie es beschaffen ist. Er weigert sich aber, an der Schöpfung zu verzweifeln, weil sie ihn selbst beherbergt. Er hofft, einmal dem wirklichen Sünder zu begegnen, dem nicht verziehen werden kann. Er würde den Glauben an Gott verlieren, wenn das Fleisch als Geist erschiene. Er überwertet die Äußerungen der Sinne nicht; aber er erkennt sie auch nicht.«
Er verlor sich in den mutmaßlichen Betrachtungen des Pfarrers, der, wie er immer wieder hervorhob, dem eigentlichen Willen des Schöpfers vorbeisehe, weil er das Instrument, den wundervollen Menschen Andrés Naranjo, diesen Kalender, an dem Gott die Wochen auf eigentümliche Weise mithilfe inwendiger Säfte abzähle, nicht ergründen könne und mit einem Bedauern, keinen Krüppel vor sich zu haben, in den unwirtlichen Alltag entlasse. Keine wilde Seele habe sich in den Menschen Andrés genistet, nur eine unbezähmbare, eine erschreckende Regelmäßigkeit, ein rücksichtsloser, aber wiederum milder Zwang. –

– – – – – – – – – –

Ich begann im Zimmer hin- und herzugehen und stieß mit einem Fuß gegen einen Bücherstapel am Boden. Ich nahm ein Buch, schlug es auf, und sah, daß es eine gelehrte Abhandlung, aus der Bibliothek des Museo Canario entliehen, war. Ich fragte unvermittelt:
»Wer liest denn dergleichen?«
»Ich«, sagte Tutein, »ich versuche nachzuholen, was in jüngeren Jahren, aus begreiflichen Gründen, von mir versäumt worden ist.«
»Und wann studierst du an diesen Schriften?« fragte ich.
»Zumeist am Vormittage. Ich sitze und lese, während Buyana schläft. Es ist dann sehr still in dieser Stube. Nur der Atem des Kindes. Sie denkt, ich sei ein verrückter Student. Übrigens hat sie mir einmal gestanden, sie hält die Hälfte der Männer für verrückt. Sonderbar verwirrt und ihrer selbst nicht mächtig. Die Frauen, meint sie, seien klüger und vor allem vernünftiger (vielleicht meinte sie gefaßter) als die Männer, viel mehr auf irdische Ordnung und Billigkeit gegen alle bedacht. –«

»Wie alt ist Buyana?« fragte ich.
»Irgendwo zwischen zwölf und vierzehn steht sie«, sagte Tutein, »dazu muß ich dir einige Umstände erklären, ehe du mir Vorhaltungen machst.«
»Du brauchst nicht mich zu fürchten«, sagte ich leise, »vielleicht mußt du andere fürchten.«
»Keineswegs«, sagte er, »ich lebe im besten Einvernehmen mit der Nachbarschaft. Ich werde dir noch manches erzählen; aber zuvor habe ich noch eine Bemerkung, der Bücher wegen, auf der Zunge. Heute vormittag ist mir mancherlei vor die Augen gekommen, in diesen Büchern, was eine beträchtliche Ergänzung zu unserer gestrigen Unterhaltung ist.« –
»Ich weiß nicht«, sagte ich zögernd, »ob es so wichtig sein kann, daß wir diese Augenblicke damit vertun.«
»Doch«, sagte er eifrig und unnachgiebig, »die Wissenschaft ist dabei, sich darin einig zu werden, daß das Schmerzempfinden des Mannes ein größeres, gleichsam ein tieferes, labyrinthischeres ist als das des Weibes. Der Vierschrötigkeit des weiblichen Fleisches steht jedoch eine größere Empfindlichkeit der Sinne und eine magische, oft geradezu abergläubische Deutung der sympathischen und antipathischen Kräfte gegenüber.«
»Das ist viel in einem Satz«, sagte ich, um ihn anzuhalten.
»Es ist nur die Einleitung«, entgegnete er schlagfertig, »ganz ins Übertriebene verrückt sich diese Abweichung von unserer Welt der Leiden und Seelenerlebnisse bei den schwarzen Menschen Afrikas. Man weiß manchmal nicht, woher sie die Widerstandskraft gegen Schmerzen beziehen. Da fällt eine Gruppe von Arbeitern einen schweren Baum. Einer unter ihnen spaltet sich den nackten Fuß mit der Axt. Es wird ein wenig Petroleum auf die fürchterliche Wunde gegossen, und der Mann arbeitet weiter. Er verzieht kaum das Gesicht. Aber dies robuste Nervensystem hält den magischen Ereignissen nicht stand. Ganze Dörfer wandern aus, weil der Platz, an dem man siedelte, von Dämonen heimgesucht wird oder einem Fluch, einer Behexung (so nennen wir die unwägbaren Einflüsse) untersteht. Ein Mensch stirbt, weil er die Überzeugung gewinnt, einem Zauber nicht entrinnen zu können. Er stirbt schnell, gesunden Leibes, binnen weniger Stunden, weil niemand die magische Kraft, die gegen ihn ist, bändigt. Krank-

heit, so meint man im mittleren Kongogebiet, verpflichtet den Genesenen, den Namen zu wechseln, um die Gesundung deutlich hervorzukehren, vor allem aber, um den Urheber der Krankheit, den Lenker des magischen Schicksals, zu täuschen; man verwischt die Spur des bisherigen Daseins. Es ist die Flucht in einen anderen Menschen hinein, die das Individuum antritt. – Wird nun ein so Geflohener, dieser vollkommene Emigrant, durch Unachtsamkeit oder auch nur aus Unkenntnis (es gibt immer jemand, der von der Verwandlung nichts weiß und nicht frühzeitig genug durch Dritte aufgeklärt wird), bei seinem alten Namen genannt, kann es geschehen, daß der Angeredete, wie von den ewigen Mächten ertappt, vor Grauen und Erschütterung wie tot zuboden stürzt, zermalmt, von einer Nervenkrise erfaßt, aus der man ihn nur schwer oder überhaupt nicht wieder befreien kann.«

Er schwieg. Ich wußte nicht, wo hinaus er wollte.

»Es gibt also eine Erkenntnis oder eine Weisheit, einen Wirkensraum des Geistes, der gänzlich abseitig liegt, wo man die Spielbälle der physikalischen Mechanik nicht schleudern kann; wo diese aus kleinen Teilchen zusammengesetzte Brücke von Ursache und Wirkung einstürzt und in Nieten und Stücke auseinanderfällt, ohne Ordnung. – Da habe ich auch von der erstaunlichen Tatsache gelesen, daß die Ureinwohner dieser Inseln, die Canaria, die rotblondes Haar besaßen, blaue oder blaugrüne Augen, teils untersetzt, teils schlank waren – man findet sie noch im Untergrund der einheimischen Bevölkerung –, daß diese Menschen Reiche gegründet hatten, die ein Doppelkönig regierte. Ein Doppelkönig, bestehend aus der Person des Königs und der Mumie seines Vorgängers. Der Lebende behielt die Herrschaft, wenn er starb; sein Tod wurde der Anlaß, daß sein Mumienmitregent endlich bestattet wurde. Der jeweils letzte Tote wurde das schweigsame Gefäß, in dem Weisheit und die anderen Tugenden des Regierens – Kungfutse hat neben der Weisheit Sittlichkeit und Entschlossenheit genannt – beschlossen waren. Der untrügliche Ratgeber, der mit sublimen Kräften auf den Lebenden einwirkte, bis auch der reif war, reif, die Rolle eines toten Königs zu übernehmen.«

Er schwieg kurz, hub dann wieder an:

»Man kann das nicht einfach als Sitte oder Übereinkunft abtun, als etwas Abergläubiges oder Unkluges, als einen Fehlgedanken, der keinerlei Erfahrung entsprungen ist, sondern der Willkür. Gerade willkürlich, wie unsere Vernunft, ist es nicht. Wir sind in einer Gesellschaft aufgewachsen, die es sich angelegen sein ließ, uns dahin zu erziehen, daß wir uns in Sprache und Handeln der Logik anlehnen; aber es ist nur eine Auswahl unter den Möglichkeiten des Verhaltens. Unsere Träume durchbrechen das Gitter, und unsere Ängste und Triebe tummeln sich wie ein Wirbelwind, der den Straßen in der Landschaft nicht folgt. Es gebricht uns bei unserer Einstellung an der Erklärung für viele Erscheinungen. Ein Unglücksfall, das plötzliche Eingreifen des Zufalls, verwirrt unser Denken bis in die Grundfesten. Als Verwundete greifen unsere geradlinigen Gedanken nach der Hilfe ungenauer Ausreden. Wir mischen Himmel und Erde in unser Anliegen hinein.« –

Offenbar wollte er die Betrachtungen noch weiter ausdehnen. Doch er biß sich auf die Lippen, spann sich ein. Endlich kehrte er zu seiner früheren Betrachtung zurück:

»Das Doppelkönigtum ist nicht vereinzelt auf den Kanarischen Inseln. Noch heute, in der Sierra Leone, bei den Mende finden sich ähnliche Doppelmonarchen. Es gibt einen Berg Masàmo. Auf ihm, fern von aller Menschenwelt, gleichsam entrückt, von Urwaldriesen beschattet, befindet sich das Reich der Fürstengräber. Niemand darf es betreten, außer einem Fürsten mit seinem Gefolge am Tage seines Todes. Tag und Jahr dieser letzten Wanderung wurden durch ein Orakel schon beim Regierungsantritt, also am Todestage des Vorgängers, bestimmt, an eben der gleichen Stelle. Man hat dem Könige am Morgen dieses letzten Tages eine Schale betäubenden Giftes gereicht, stark genug, ihn in ein Unbewußtes zu versenken, doch zu schwach, um ihn töten zu können. Er muß lebendigen Leibes (er darf nicht einmal krank sein) auf den Gipfel des Berges gelangen. Er muß das Grab schauen, in das er gelegt werden soll. Vom Palaste herauf hat man zugleich einen alten fremden eingetrockneten Kopf getragen, den seines Vorgängers, den man statt des seinen, seines eigenen bis an diese Stunde, als Nachbar seines Körpers mit in die Grube senken wird. Vielleicht kniet er nieder, vielleicht stützt man ihn. Der Kumrabai, der oberste Priester, schwingt ein schweres scharfes Messer, eine geheiligte Waffe, und trennt mit einem Schlage den Kopf vom Leib des Königs. Den Körper senkt man in die Grube – und einen alten eingetrockneten Kopf dazu, den seines stummen Mitregenten, dessen übriger Staub in der Nähe, unter einer Steinpyramide, ebenfalls mit einem fremden Kopfe versehen, ruht. Der neue Herrscher, verbundenen Auges, befragt mit tastender eingefetteter Hand das Steinorakel nach der Zahl seiner Regierungsjahre. Man wird ihm den gerade abgeschlagenen Kopf, einbalsamiert, als Gefährten in den Palast bringen; er braucht ein älteres Gefäß voll Herrschertugenden. – Man muß sich in diesem Dasein zurechtfinden; man darf sich in den Kräften, die wirksam sind, nicht täuschen. Der Lebende nährt sich und tötet, nur der Tote gibt, strömt freiwillig den Odem des Geistes aus.«

»Nun ja«, sagte ich nach einer langen Pause, »wir haben die Nutzanwendung nicht gelernt.« Und mir war, als schaute ich in einen See aus Teer, in dem selbst ein guter Schwimmer ertrinken muß, fiele er hinein. Ich zitterte vor Müdigkeit und Grauen.

»Wahrscheinlich hilft dir der Tod des Jünglings mehr als mir dies vollkommen ungeklärte Abenteuer mit Buyana«, sagte Tutein.

»Ich weiß fast nichts davon«, sagte ich nun schnell, damit er davon erzähle, »jedenfalls ist es nicht zuende wie das meine.«

»Die Ereignisse sind niemals zuende«, antwortete er, »sie wirken unablässig weiter. Er wird auch weiter wirken, der Schwimmer. Wir wissen nicht, wer und was uns einmal den Todesstoß gibt –.«

Nun aber stockte sein Mund unentschlossen. Ihn beschämte das ganz und gar Zufällige und Unglaubwürdige seines Handelns.

*

»Die Landschaft einer Stadt«, begann er wieder, »– es ist so schwer, die schattigen und geruhsamen Stellen zu finden, die Moospolster, den gläsernen Silberlaut eines über Wurzeln und Steine holpernden Rinnsals. Das erschütternd langweilige Mauerwerk geht uns nicht an die Hand; die Prunkbauten sind übler als die Wiederholung der Schablonen, nach denen man die Wohnstätten der Menschheit aufgeschichtet hat. (Zwar gibt es hier auch viele schöne gerade weiße Mauern, die ein flaches Dach tragen, so daß wenigstens der Himmel nicht entstellt wird.) Man geht in den Straßen umher wie ein Toter. Man versucht irgendwo in eine geschlossene Straße einzudringen. Wen können die schwarz gekleideten Spanierinnen oder Halbspanierinnen (manche haben ein Antlitz so weiß wie Schnee) anziehen, die zwei bei zwei, einander untergehakt oder wie mit unsichtbaren Stricken verbunden, ehrbar die besseren Promenaden mit ihrer Anwesenheit erfüllen? Du hast dir den Hafen gewählt. Ich gehe in eine dieser Straßen, wo man die Freiheit in ihren niederen Formen noch anerkennt. Da sind die Salons, die man nach Gestirnen benannt hat, die Stuben mit den offenen Türen zur Straße, die Fransenvorhänge, hinter denen man sogleich ein oder zwei oder drei Paar Brüste sieht. Die Sonne scheint; auf den Steinstufen einer niedrigen Vortreppe sitzt ein Kind. Es blinzelt in die Sonne. Ich bleibe stehen. Verwundert, belustigt. Ich werde angelacht. Ich sehe die staubigen, aber gut geformten Füße (sie sind ziemlich schmutzig, genau betrachtet), das ausdrucksvolle dunkle Gesicht, das sacktuchartige Kleid von unbestimmter Farbe. Ich sage ein paar Worte. Unverbindliche, absichtslose. Das Kind erhebt sich von seinem Sitz, greift hinter sich, teilt den Vorhang, lädt mich ein, hereinzukommen. Ich folge der Aufforderung, stehe in einer kahlen grauen Stube, dieser hier. Ein Stuhl, ein Tisch, ein längliches Gestell mit einem netzartigen Gewebe aus Jute und Bast behängt, der Bettdecke; das Lager riecht nach Sünde. (Ich weiß gewiß nicht, wie die Sünde riecht, und sie hat sicherlich vielerlei Gerüche; aber dies ist einer unter ihnen.) Ich bin erschrocken über mich selbst, fast hilflos. Ich werde das Opfer einer stürmischen Umarmung. Ich habe plötzlich ein nacktes Kind in meinen Armen, das sich an mich preßt, ein verdorbenes Kind. Ich schaue ihm in die Augen, und mir schwindelt vor so viel Tiefe, vor so viel Arglosigkeit. (Ich muß mich hüten, die erste Betroffenheit zu übertreiben, weil das Unverständliche daran noch unverständlicher würde. Doch dieser Gegensatz zwischen der Sünde und ihren Augen war für mich feststellbar.) Das sind Worte. Nur Worte; aber es waren keinerlei

Worte in mir, damals, nur ein Instinkt. Ich sehe das sehr unappetitliche Kleid, das diesen makellosen Körper (mag er auch ein wenig unsauber sein) bedeckt hat, am Boden liegen. Ich zähle ein paar Münzen auf den Tisch, sage, sie solle die Tür hinter mir schließen, ich sei in wenigen Augenblicken zurück. Ich stürze davon, als gelte es die wichtigste Sache, stürme in das ›Faß der Venus‹. (So kam ich da zum erstenmal.) Raffe von den ausgestellten kalten Speisen zusammen, eine Flasche Wein. Ich erobere, wenige Schritte vom Ausschank entfernt, etwas Konfekt. Beladen kehre ich zurück. Die Kleine hat das Kleid wieder über sich. Sie ist ja nicht schamlos, sie hat nur ihren Beruf gelernt. – Ob sie sich etwas erwartet? – Sie sieht, ich kehre zurück, und damit entscheidet es sich für sie, es ist etwas Ernsthaftes, zum wenigsten ein Geschäft, dessen sie sicher sein kann. Ich tische auf, wir essen. – Hast du beobachtet, wie herrlich sie essen kann? – Ich empfinde die schreckliche Wüste dieses Zimmers. Man müßte es neu kalken, mit ein paar Gegenständen herrichten. Ich frage, was die Nacht koste. Sie nennt mir ihren Preis. Sie ist sehr billig, weil sie arm ist. Sie ist eine Anfängerin. Manche Männer schätzen es durchaus nicht. Ich miete die Stube und sie selbst für acht Tage. Sie glaubt, ich sei verrückt, und fürchtet eine ungeheuerliche Erfahrung. Aber sie schaut in meine Augen, wie vorher ich in die ihren. Das beruhigt sie, jenseits aller Vernunft. (Es ist ja nichts Beruhigendes, in meine Augen zu schauen.) Ich messe das Kleid, das sie trägt, mit einem Faden. Ich zeichne die Umrisse ihrer Füße auf ein Blatt Papier. Dann ziehe ich wieder davon, befehle ihr, die Tür gut zu verwahren. Sie verspricht es und fügt hinzu, daß sie ihr Wort bis zum Abend halten werde. Sie kennt mich nicht, so ist es verständlich. Alles weitere hängt von mir ab. Aber ich weiß gar nicht, was ich will, wessen ich fähig bin. Ich fühle mich ungemein belebt, innerlich glücklich, ich denke an nichts. Ich kaufe mithilfe des Bindfadens ein Kleid, mithilfe der Zeichnung Strümpfe und Schuhe. Hinterher erst kommt mir der Plan, den ich verfolge, zum Bewußtsein: es ist herrliches Wetter, man müßte ans Meer, an den Strand, um zu baden. Aber ich kann das Kind, nur halb bekleidet, in dem beschmutzten Kittel, nicht an den Strand der Bucht von Confital mit mir nehmen. Darum habe ich die Gegenstände gekauft. Eine neues

Glücksgefühl, daß mein Einfall eine mehrfache Wirkung haben wird. – Sie schlüpft in die neuen Sachen hinein. Sie hat niemals Schuhe besessen (zum wenigsten sagt sie es), aber sie bedient sich ihrer wie eine Dame aus besserem Hause. Man weiß nicht, ob sie beglückt ist. Sie begreift ihre Rolle. Es begegnet uns die fauchende Straßenbahn. Sie klatscht in die Hände, sie stellt ihre erste Forderung an mich: sie möchte mit der Straßenbahn fahren, sie ist noch niemals mit einem Dampfwagen gefahren. (Zum wenigsten sagt sie es.) Ich vertröste sie auf morgen. Dann sind wir auch schon im Gebiet der Hotels und Pensionate, eine Zone, die ihr bis dahin verboten war und die sie auch jetzt eher mit Scheu als mit Neugier und Freude betrachtet. Doch der Strand oder vielmehr die zum Baden hergerichteten und bunt gekleideten Menschen erwecken ihre Heiterkeit. Wir verschwinden in einem Bazar, um das Nötigste für den Strand zu erstehen. Sie schämt sich, ängstigt sich, als sie in die Ankleidekabine eines Hausbootes gesteckt wird, von dem aus wir baden wollen. Sie hat Tränen in den Augen. Ich muß ihr helfen, in den Badeanzug zu kommen. Dann endlich schmelzen die letzten Bekümmernisse, das Meer hat uns, der heiße Sand glüht an unserer Haut. Plötzlich sagt sie, sie denke gar nichts mehr. Sie drückt damit aus, daß sie beständig etwas, sicherlich Sorgenvolles, bewegt hat. Sie ahnt zum wenigsten die Gefahren ihres Berufes. Im gleichen Augenblick beginne ich darüber zu grübeln, was ich anstelle, denn ich will ja für sie nicht die Gefahr sein. Aber mir scheint, es ist zu spät zur Umkehr. Auf dem Heimwege gehen wir in den bürgerlichen Speisesaal eines Hotels. Das Kind fühlt sich ein paar Minuten lang unfrei. Es überwindet die Stimmung mit erstaunlicher Selbstbeherrschung. Es betrachtet mit gesenkten Augen die neuen Schuhe und errötet vor Stolz oder Zufriedenheit. Es ist manierlich, weniger tierhaft, weniger schön als am Vormittage. Mich befällt ein Haß gegen den Kellner, gegen die anwesenden Gäste. Aber ich bezwinge mein Gefühl. Ich habe mir mit nichts Sonderrechte erworben. In ihrer Stube lüften wir das feuchte Badezeug. Es entstehen unheimliche Minuten zähen Schweigens. Endlich habe ich einen Entschluß gefaßt. Aber auch sie handelt, um einen Ausweg aus der bedrohlichen Gegenwart zu finden. Sie nimmt nochmals ihre Zuflucht zur Nacktheit (man hat es sie so gelehrt), preßt sich an mich. Und ich küsse ihre Haut, spüre den salzigen Geschmack des Meeres, tastend berühre ich ihre Glieder; ich muß noch einiges in mir ordnen, fürchte das Gespenst in mir, ich bin kühl, fast ein wenig strenge. Doch ziehe ich sie auf meine Kniee, bette meinen Kopf an den ihren und spüre den Stillstand meiner Natur, etwas unsäglich Schönes. Ich erhebe mich. Ich will mich verabschieden. – ›Ist das alles?‹ – fragt sie mit kläglicher Stimme. Ich weiß nun, sie hält mich für krank oder für einen Krüppel. Ich antworte ihr ernsthaft: ja. Da beginnt sie plötzlich zu lachen, sich um sich selbst zu drehen. Ich begreife gar nicht, was in sie gefahren ist. Mit schwärmerischen Augen, im Widerspruch zu ihrem ernsten gemessenen Wesen, sagt sie unnatürliche Worte. Die hohle Blase einer romantischen Lüge entfaltet sich, schillert bunt, steigt auf. – ›Sie sind mein Freund, mein wirklicher Freund. Ich habe es einmal in Cinéma gesehen.‹ – Enttäuscht, beschämt bin ich. Ich wende mich traurig ab. Ich verspreche, morgen wiederzukommen. Ich bezahle. Sie soll die Tür verriegeln. Ich streife noch eine Stunde lang in der Stadt umher. Ich begreife allmählich, daß meine Anschauungen sehr unwichtig sind. Wir tun immer das, wozu wir berufen sind. Wir stehen unter einem unauffälligen, doch nie ermüdenden Zwang. Ich bin dabei, etwas in mir aufzunehmen, zu lernen. Das soll ich, das muß ich lernen. Es sind recht böse Lehrjahre. – Der nächste Tag war anstrengend. Viele neue Eindrücke für das Kind, manche Erregungen. Es verlor manches von seiner Würde. Die Fahrt mit der Straßenbahn nach Las Palmas wurde durch laute Reden des Kindes, durch gelegentliche, wie mir schien, recht unbegründete Ausrufe unbehaglich. Ich sah, Buyana freute sich; aber es war etwas Krisenhaftes dabei, kein Schein von innen nach außen, ein wildes Zusammenraffen von Eindrükken, eine zur Schau gestellte Beglückung. Und sicherlich log sie, wenn sie mit kranker Neigung versicherte, zum ersten Male diese Herrlichkeiten der menschlichen Welt zu sehen. Ich wurde verzagt. – Wir benutzen den Dampfwagen bis zur Endstation. Sogleich zerrt das Kind an mir, treibt mich durch die Straßen. Es will in die blaue Kathedrale. Es betupft meine rechte Hand mit Weihwasser, macht das Zeichen des Kreuzes. Mit beispiellosem Talent für das Theatralische wirft es sich in

diesem Steingarten, mit den hohen Renaissancesäulen bepflanzt, zuboden. Ich bleibe betäubt, vom Unfaßbaren berührt, steif in der Nähe des Kindes stehen, bis es des Gebets und des Schauspielens vor dem Unbekannten müde wird.«
(Diesmal, ich habe keinen Grund es zu bezweifeln, war er es, der ohne Andacht, ohne Gebet aufrecht stehenblieb.)
»Ich werde nochmals mit Weihwasser betupft. Das Kind ist mir fremd geworden. Es erscheint mir noch einmal das Bild der äußersten Dürftigkeit, in der ich Buyana am Tage zuvor angetroffen: die Lumpen der Kleidung, nur jäh zusammengehalten, die Grobheit der Fasern; diese aus Jute und Bast geflochtene Matte über ein Gestell geworfen, auf das anrennende Männer das Kind niederdrücken. – Schon will ich mich von dem Menschen neben mir abwenden, mir scheint, es ist genug. Ich kann mich mit einer kleinen Zahlung freikaufen. Aber das Kind hindert mich, meinen Entschluß durchzuführen, es hängt sich an meinen Arm, hält mich vor einem Schaufenster fest, und statt eines Wortes zeigt es auf ein Schaukelpferd – auf jenes Schaukelpferd. Es kann den Ort, an dem wir stehen, nicht wieder verlassen. Ich sehe, daß ihm stille Tränen über die Wangen laufen. Der Blick muß längst verschwommen sein. Ich spüre, das Kind wünscht. Wünscht vielleicht zum erstenmal in seinem Leben mit der Inbrunst der Unvernunft, jenseits der Wirklichkeit. Beflügelte Rosse tragen es über die Meere ins Unendliche. Die Tränen versiegen. Es ist kein Wort gesprochen worden. Wir gehen davon. Das Kind weiß es einzurichten, daß wir noch zehnmal an der gleichen Stelle vorüberkommen. Aber es wirft jedesmal nur einen flüchtigen Blick durch die Scheiben, wie um sich zu vergewissern, daß der Gegenstand der Sehnsucht noch wohlbehalten an seinem Platze sei. Mir wird das Herz allmählich sehr schwer. Ich kaufe dem Kind eine Stoffpuppe. Es ist glücklich. Es spielt die Glückliche so getreu, daß ich getäuscht werde. Das ehemals so verführerische Schaufenster wird gemieden. Wir durchfurchen die Stadt, wir lassen uns an einem angenehmen Ort nieder, um auszuruhen. Wir laben uns an Speise und Trank. Am Abend verspricht sie mir wieder, sich einzuschließen. Ich zahle. Statt meiner küßt sie die Puppe, wiegt sie in den Armen. Der nächste Tag ist ein Donnerstag. Der Vordergrund dieses Schicksals, den allein ich

bis dahin hatte betrachten können, wird zurückgeschoben; die Vergangenheit, das Fernere wird deutlicher. Das Kind hat diese Stube erst seit einer Woche bewohnt. Vorher war es ein Schuppen, ein Quartier für leere Fässer und ranzige Dünste, ein gestohlener Aufenthalt, vor dessen Armut und Widerwärtigkeit das Kind sich mit seiner jungen Gestalt gestellt hat. Dreizehn Monate lang ist es dort heimgesucht worden. Man wagte nicht, das Geschäft öffentlicher zu betreiben, wegen der fehlenden Jahre. Auch gebrach es an Geld. Unbegreiflich, daß das Kind keinen ärgeren Schaden genommen hat. Es besitzt Eltern. Menschentiere, von Armut und unlöschlicher Fruchtbarkeit zermalmt. Sechzehn Kinder, das siebzehnte brachte die älteste Tochter ins Haus, das achtzehnte wölbt schon den Leib der Mutter. Und die Erde des Kirchhofs hat noch keines gefressen. (Meistens, zum Glück der Armen, ist die heilige Erde gefräßig.) Auf einem Dachboden haust das Gewimmel. Die ältesten Söhne verlieren sich in den Abgründen einer anrüchigen Beschäftigung, die menstruierenden Töchter, weniger schön gewachsen als die älteste und Buyana, lauern, Katzen gleich, auf den Unvorsichtigen, der sie befruchtet, damit der Zwang der Natur entblättert, und in das leere Gestammel von Liebe das heilige Sakrament einer Religion geträufelt werde. Sie sind herzzerreißend arm. Aber sie sind auch überflüssig. Sie sind das Denkmal, ich weiß nicht welcher Weisheit, die Tod und Leben wie unentschleierte Siegel in eine Gleichung mit unbezeichneten Zahlen eingesetzt hat. Sie sind die Hülsen, ich weiß nicht von was. Genug von ihnen! Ihre Zahl ist Milliarde, und wir sind mit in der Zahl. Aber ich habe kein Erbarmen für sie. Ich habe kein Erbarmen für mich. – Ich lerne die älteste Schwester kennen. Die Gestalt einer Königin, groß, eine festliche Haltung, eine knisternde Lebensglut. Sie wohnt zwei Straßen weit von hier. ›Voilà la maison‹ –, sagt sie zu mir. Aber ich halte hinter meinem Rücken Buyana bei der Hand. – ›Was bedeutet das, mein Herr?‹ – fragt die Ältere, beinahe frech. Aber ich merke, ihre Stimme bebt vor Angst und Ungewißheit. Ich schicke die Kleine fort, folge der Königin in ihre Kammer. Sie bricht zusammen, ich verstehe kaum, weshalb. Sie zeigt mir die vollkommene Kugelform ihrer Brüste. Es sind wirkliche Kugeln, irgendwo den Rippen aufgewachsen. Das Rosa der

Haut, mit dem sie tausend Männer zu wilden Tieren gemacht hat. Aber ich werde an gefärbtes Marzipan erinnert; eine gräßliche Abneigung gegen dies Bildnis einer vollkommenen Mutter erfaßt mich. Ich weiß schon, sechs Wochen lang hat auch ihr Kind Nahrung aus den braunen Knospen getrunken. Meine Ungerührtheit entmutigt sie. Ich kenne ihre Familie. Das entthront sie. Ihre kleinere Schwester hat es mir angetan. So muß ich einer jener Verirrten sein, denen das volle reife Fleisch nicht mundet. – Was ich von ihr will? Sie hat keine Zeit zu verlieren. – Ich kann ihre Zeit bezahlen. – Allmählich fügt sie sich darein, mir zu erzählen. Der Ablauf ihres Daseins ist unwiderruflich festgelegt. Sie beklagt sich nicht. Sie ist stolz auf ihre Macht. Die Macht wird nicht von Dauer sein. Ein paar Jahre, im Dampf der Sinne vergeudet, dann fällt die Blüte ab, es folgt der krasse Kampf um das tägliche Brot, um ein Glas Schnaps. Sie hat es an anderen gesehen. Es schreckt sie nicht. Die Furcht vor der Krankheit, diese Furcht am Anfang, sie ist frei davon. Es ist fast erhaben, wie allein sie mit ihrer Seele ist oder mit den Trümmern dieser Seele, die sie um keinen Preis dem Schöpfer erhalten will. Sie war es, die sich der Schwester Buyana angenommen hat und sie dem irdischen Beruf zugeführt. Es ist im Elend nicht gut. Es ist besser im Elend, wenn man es selbst verschuldet hat. Es ist erträglich im Elend, wenn es die Bezahlung für einen Genuß ist. – Sie hat Buyana von klein auf für ein hübsches wohlgewachsenes Kind gehalten. Darum konnte man sie einer Bestimmung zuführen, die Ansprüche an die Persönlichkeit stellt. Das ist alles. – Ich spreche noch einmal davon, daß Buyana ein Kind sei. – Man hat keine Zeit, auf das Ende des Wachstums zu warten. Es sind unangebrachte Vorurteile aus einer Sphäre, die den Hunger nur vom Hörensagen kennt. Die Befähigung ist alles. Die Ältere fletscht die Zähne. Ich spüre einen verzehrenden Stolz. Was sich bei Buyana vielleicht einmal zu einsichtigem Ernst verdichten kann, ist bei der Schwester spröde Ernüchterung. Nicht Haß gegen den Wohlstand, nicht unlautere Würde, sondern ein wirklicher und absoluter Verzicht auf das Unerreichbare. Vielleicht erkenne ich falsch, doch meine ich, ich bin dem Erloschensein begegnet, einem verschollenen Menschen. – Sie geht mich nichts an; aber sie ist die Schwester, und ich muß um ihr

Vertrauen ringen. Ich erfahre nicht, ob sie mich für einen Narren oder den zukünftigen Zuhälter Buyanas nimmt. Und es ist gleichgültig, das eine oder das andere, wenn sie selbst nur einen Vorteil gewinnt. Diesen Vorteil stelle ich in Aussicht und bekräftige das Hypothetische durch das Absolute einer sofortigen Zahlung. Die Geschäfte der Bestechung sind unter Armen ohne Makel. – Ähnlich muß ich es mit den Nachbarinnen des Kindes einrichten. Ich stürze mich in Unkosten und erkenne keinerlei Gewinn. Am Abend weiß ich weniger als im Anfang, was sich ergeben wird, oder was ich wünschen soll, daß es sich ergebe. Es kommt nicht dazu, daß die Tür in dieser Nacht verschlossen wird. Andrés Naranjo erscheint. Er ist der erste Kunde, den ich von Angesicht zu Angesicht sehe. Seine Beharrlichkeit vertreibt mich. Ich schlucke den bitteren Geschmack des Unglücklichseins. – In den nächsten Tagen glaube ich meine Aufgabe zu erkennen. Ich begreife die Gefahren, die das Kind umwittern. Ich sehe niemals einen Engel, der es beschützt; aber ich spüre, bis jetzt ist ein Schutz wirksam gewesen. Hundert Männer haben dem jungen Körper noch keine Verwüstung gebracht, nur jene Erfahrung, die das Kind niemals aussprechen wird. Die Lippen sind stumm über den Abgründen. Es gleicht dem Priester im Beichtstuhl. Vielleicht ist die Sünde, die die Natur gebietet, eine ewige Wiederholung, wie die Wellen über den Kieseln im Bach. Neues Wasser, anderes Wasser, von weither geflossen, aber das gleiche krause Bild der murmelnden Rinnsale. Die Besucher sichten, die lästigen abweisen, den Jungen eine Berechtigung einräumen, die Widerlichen zum Rückzug zwingen, die Verängstigten in die Freiheit treiben, die Zahl beschränken; dadurch den bösen Zufall eindämmen. Aus der finsteren Kammer eine erträgliche Stube machen. Den Durst der Erhitzten nicht mit kaltem unbekömmlichen Trank löschen. Den leeren trostlosen Genuß des Fleisches in den Schatten einer milden Betrachtung bergen. Trösten, vergeben, Vernunft austeilen, die verstockte Seele hervorschaben, milde sein. Unter den Jungen ist keiner so schlecht, daß er der Tränen nicht fähig wäre. – Ich hebe das Ansehen des Kindes um ein paar Stufen. Ich bringe die angenehmen Besucher zu einem Klub zusammen, zu einer Gemeinschaft, die allen Nutzen bringt. Freude, daß die Finsternis, anstatt zuzunehmen, allmählich abfließt. Man lernt einander kennen. Man spricht miteinander. Findet aneinander Halt. Es ist nichts Vollkommenes, keine Ordnung, die bestehen kann. Es ist eine Besserung. Die Wirrnisse sind zugedeckt. Mehr ist es nicht. Es bleibt zum Verzweifeln. Ich weiß nicht, was ich mit Buyana will. Ich habe niemals etwas mit ihr gewollt. Wenn es einen Gott gibt, wie kann ich sie ihm aus der Hand nehmen, da er ihr Schicksal von Anfang an bestimmt hat? Und gibt es ihn nicht, wie kann ich etwas gegen die Menschen und ihr übermächtiges Fleisch vermögen, da ich nichts gegen mich vermochte und vermag?«

*

Wenn je in diese Stube ein Engel mit niedergeschlagenen Flügeln eintreten wird, so muß er wohl eine große Ähnlichkeit mit dem Zuhälter Tutein annehmen.
Ich entgegnete auf die schöne, still vorgetragene Rede meines Freundes nur:
»Du bist sehr unvorsichtig.«
Er nickte bekräftigend mit dem Kopfe. Ich bereute meinen Ausspruch und wollte ihn verwischen.
»Und das Schaukelpferd? Wie ist es hereingekommen?«
»Ich habe es gekauft«, sagte Tutein, »nachdem ich Buyana mehrmals verweint fand. Es ist ihre einzige Liebe. Sie ist der wirklichen Liebe fähig. An manchen Abenden, wenn sie auf dem Tiere reitet, ist es mir, als erwachten die gläsernen Augen zu einem lebendigen Funkeln wie die Sterne am Nachthimmel. Ich werde fortgetragen. Ich denke daran, ich bin in Bangkok einmal in das Haus eines Privatmannes gekommen. Im Untergeschoß dieses Hauses, unter einer Decke aus vergoldeten Balken, thronte überlebensgroß, aus Holz geschnitzt, bunt bemalt und mit leuchtendem Metall durchwirkt, ein zürnender Götze oder Dämon. Als ich ihm gegenüberstand, wußte ich, er lebte. Sobald ich den Blick verzagt senkte, bewegte er sich leise knisternd. Und war schrecklicher anzusehen als zuvor. Ich konnte mich nicht davonmachen. Eine Stunde lang stand ich vernichtet unter dem goldgläsernen klopfenden Blick. – Wenn ich mich genau prüfte, mit der allerfeinsten Sonde, ich würde

vielleicht entdecken, daß ich nur an IHN glaube, an die leise knisternde Macht, die mich nicht kennt, aber verachtet.«
»Es muß etwas geschehen«, sagte ich kreischend; und begriff plötzlich, daß ich verzweifelt war.
»Ja«, sagte er schlicht.
Es blieb unentschieden, ob wir den gleichen Gedanken hatten. Ich meinte in jener Minute, Tutein sei dabei, eine neue Heimat zu finden, den Frieden – die Befähigung, der Süße des barmherzigsten Gefühls, der Liebe, wieder teilhaftig zu werden. Und mich beschlich ein grauer trauriger Neid. Ich erkannte, Tutein war reicher als ich. Unsere Schuld wird niemals gezählt, nicht der Schatten, der von uns ausgeht. Das inwendige Licht ist das Maß unseres Richters. Er war, ein elternloses Kind, mit vierzehn Jahren als Schiffsjunge aufs Meer hinausgeschickt worden. Er hinterließ nichts, nicht einmal eine Heimat (er dachte noch, daß Georg sein Freund sei). Die ganze Welt stand ihm sogleich offen, auch der Zugang zum tiefsten Elend. Er brauchte keine Mauer zu übersteigen, keine Schranke niederzubrechen, um in die Stube der Allerärmsten einzutreten, wo es nach Schmutz und Windeln roch und doch keine Familie gab, sondern nur die unflätige Natur. Er gehörte zu jenen, die nichts besaßen, die kein Geschöpf unter sich hatten; er war selbst der Untersten einer. Aber wohin er auch eintrat, er tat immer sein Bestes, mit der besten Gesinnung (mochte es auch dabei zum Totschlag kommen). Wie anders war meine Stellung am Anfang meines selbständigen Lebens! Mit vierzehn Jahren war ich noch gar nichts, das man beachten konnte; auf der Universität war ich, ohne es zu wissen, auf einer Betonscheibe, die über das Moor der Armut gelegt worden war. Ich kannte sie gar nicht. Ich hatte kaum das Verlangen, sie kennenzulernen. Als ich endlich in die Welt hinauskam, umstanden mich überall Mauern. Ich kletterte hinüber, gewiß. Aber ich konnte, jenseits, immer nur mittelmäßige Betrachtungen anstellen. Mich erschreckte die Armut, sie schien mir immer wieder durch und durch bitter. Ich bin zu schwach, um selbst arm sein zu können. Ich besitze Geld, weil ich sonst nichts sein würde. Tutein hat bewiesen, daß sein Leben nicht vom Gelde abhängt. Statt mein Bestes zu tun, habe ich mit mir selbst gekämpft. Als ob ich das Wichtige

wäre. Damit ich nicht an einem Schwimmer scheiterte, ist er ausgestrichen worden. (Es war eine der Versuchsreihen, die das Schicksal mit mir anstellte, um mich zu erforschen.) Tutein kaufte einem zur Unsauberkeit verurteilten Kind ein beflügeltes Schaukelpferd.

»Tutein«, sagte ich, und ich fühlte, wie mich fröstelte, »warum wirfst du die Freier nicht vor die Tür?«

Er bekam keine Zeit mehr zu antworten. Buyana kam hastig herein.

»Andrés ist verrückt«, sagte sie keuchend. Sie mußte gelaufen sein.

»So erzähle es gleich«, sagte Tutein leise und nachsichtig.

»Er hat mich in den alten Schuppen getrieben«, sagte sie.

»Das ist wirklich nicht nahe bei«, sagte Tutein befremdet.

»Ich wollte in kein dunkles Kellerloch«, sagte das Kind trotzig, »Andrés ist kein Mensch.«

»Was könnte er anderes sein?« fragte Tutein.

»Kein Mensch«, sagte das Kind, »er ist kalt wie ein Fisch.«

»Du sagtest doch einmal, er sei wild«, wandte Tutein ein.

»Kalt anzufassen«, sagte Buyana.

»Vielleicht hat es ihm vor einem Gedanken gegraut«, sagte Tutein.

»Man kann die jungen Männer nicht verstehen,« sagte sie obenhin.

»Was war denn unverständlich an ihm?« lockte Tutein.

»Fünfmal nacheinander hat er mich gefragt, wer der fremde Mann, dein Freund sei«, erzählte sie, »und zehnmal in einer Minute, ob er selbst der Erste des Tages.«

»Er liebt dich, Buyana«, sagte Tutein, »vielleicht gabst du ihm keine ausreichende Antwort.«

»Doch«, sagte sie, »ich wiederholte immer wieder, ja, ja, ja, ja, ja, ja, ja, ja, ja, ja.« Sie zählte an den Fingern ab.

»Das wird ihn beruhigt haben«, sagte Tutein.

»Nur beim elften Male sagte ich endlich nein.«

»Das war eine Lüge«, meinte Tutein erschrocken.

»Er wollte diese Lüge«, sagte Buyana, »wenn er der Wahrheit mißtraut, muß er auch der Lüge mißtrauen.«

»Es ist sicherlich böse zwischen euch ausgegangen«, sagte Tutein.

»Keineswegs«, sagte Buyana, »er bekam ein wenig Furcht vor mir.«
»Du hast ihm doch nicht die Möglichkeit gelassen, zu einem anderen Mädchen zu gehen?« fragte Tutein sehr leise, aber vor Erregung zitternd.
»Ich bin ja kein Dummkopf«, gab sie überlegen, fast frech zurück. Sie zeigte Geld, das sie in der Hand gehalten hatte. »Aber jetzt möchte ich mir die Hände waschen«, fügte sie mit unbeschreiblicher Nachlässigkeit, mit dem Rest eines erlöschenden Atemzuges hinzu.
An Tuteins Stirn standen Schweißperlen. Er wischte sie sich mit einem Taschentuche fort.
»Was willst du hier eigentlich?« fragte ich erbittert, »du bist doch diesen Ereignissen nicht gewachsen. Oder bist du nur gequält, weil ich dabeistehe?«
»Es ist anders«, sagte er, »du wirst dich noch mit mir und Buyana zurechtfinden. Ich fürchtete ein Unheil, zum wenigsten eine abstoßende Geschmacklosigkeit.«
»Du wirst mancherlei verändern müssen«, sagte ich mit gleicher Bitternis wie vorher.
Buyana hatte sich gewaschen. Sie sah plötzlich verwandelt aus. Ganz befreit von aller Vergangenheit. Sie trank ein kleines Glas Rohrzuckerschnaps. In ihre Augen kam jene Tiefe, die dem Weltenraum gleicht. Tutein, überwältigt, streichelte sie ein paar Sekunden lang mit undeutbaren Blicken. Dann sank er in einen Stuhl, stopfte sich etwas Eßbares in den Mund, spülte es mit Schnaps hinunter.
»Greif zu«, sagte er, »ich habe den Verdacht, wir sind vorhin nicht satt geworden.«
Niemand gelüstete es, das Mahl fortzusetzen. Der Bissen, den Tutein genommen, schien ihm noch immer im Halse zu stekken. Er hustete und trank abermals.
Das Kind begann zu sprechen: »Sag, ist dein Freund genau so klug wie du?«
Tutein, überrascht, besann sich einen Augenblick. Dann antwortete er: »Er ist klüger. Um vieles.«
Ich wollte gegen dies unsinnige Gespräch Einspruch erheben, verschlimmerte es aber durch den Ausruf: »Dummer, dummer.«

»Er versteht sich auf die Mathematik«, sagte Tutein, »das ist etwas unbeschreiblich Großartiges und Verläßliches für den einsamen Geist. Es ist eine Abrechnung mit der Schöpfung und der Vorsehung. Und sie geht stumm und ohne Hader vor sich mit geheimnisvollen Zeichen, die dem Nichteingeweihten unverständlich bleiben.«
Buyana wandte mir ihr Gesicht und die Brunnenaugen zu, offenbar um zu prüfen, ob sichtbare Spuren der an mir gepriesenen Tugend (von der sie nichts verstand) zu finden seien. Und ich errötete.
»Er ist auch ein Musiker«, fuhr Tutein fort, »von jener Art, die die Melodien erfinden. Die Musik entsteht in ihrem Kopf. Sie hören sie, ehe Cherubin und Seraphim sie gehört, und schreiben sie nieder als schöne Ansprache an Steine, Bäume, Tiere und Menschen.«
»Tutein«, schrie ich, »du redest unwahr, ich bin ein Stümper.«
»Das bist du nicht, Anias«, gab er laut zurück, »du kannst dich nicht sehen; aber ich sehe dich. Von allen Menschen ist das Selbst der Unbekannteste.«
Buyana seufzte tief auf. »Ich kann nur sehr unvollkommen tanzen«, sagte sie.
Ich nahm die eine ihrer Hände in die meinen, denn ich sah, ihre Augen füllten sich mit Tränen. Das bittere Wasser, das unser Herz badet, wenn wir die Leere erkennen, die uns umgibt.
»Warum eigentlich ist Andrés nicht mit dir zurückgekommen?« fragte Tutein. So schwenkt der Wind, der leise summend aus Süden kam, mit wuchtenden Stößen nach Norden um.
»Er wollte wohl. Ich wollte nicht«, antwortete sie nüchtern. Und mit erstickter Stimme kam die Frage nach: »Wird dein Freund bei mir bleiben?«
»Ja«, sagte Tutein statt meiner. Er blickte zuboden. Ich erhob keinen Einspruch.
Ein Bruch in der Unterhaltung. Eine lange Pause. Gedanken, die nicht zueinanderfinden können.
»Ich bin sehr müde«, das war alles, was ich wert fand auszusprechen.

»Leg dich«, sagte Tutein nach einer Weile. Er erhob sich, schlug das Bett auf. Es war einladend; der Duft frisch gewaschenen Linnens wurde spürbar.
»Buyana wird sich aufs Pferd setzen und ein wenig in die Welt hinausreiten«, sagte Tutein, »du kannst dich ohne ein Gefühl der Peinlichkeit entkleiden. Sie sieht es nicht.«
In der Tat, sie setzte sich aufs Pferd und begann, sich auf dem Tier zu wiegen. Tutein zog mir die Jacke von den Schultern, damit ein Anfang würde.
»Soll ich in einer Stunde zurück sein?« fragte er.
»Komm morgen früh«, sagte ich. »Ich werde heute nacht fest schlafen.«
Er verschwand. Wo er noch vor wenigen Sekunden gestanden, war gleichsam ein dunkler Umriß zurückgelassen, die Umkehrung eines leuchtenden Herzens. Ich legte mich, nur mit meiner Haut bekleidet, in das einladende Bett. Ich hörte den rhythmischen Trab, diese nur leicht gebeugte Pendelschwingung des schaukelnden Kindes. Halb aufgerichtet sah ich die rosenrot schnaubenden Nüstern des Rosses, die Feuergarben, die aus gläsernen Augen schossen, das ganz erloschene Gesicht des Kindes. Die Steppen dieser Welt hatte es schon hinter sich gelassen. Flügel waren dem Tier gewachsen, es hatte den Sprung, den Fall in den bodenlosen Raum gewagt. Und jetzt war kein Dasein mehr außer Pferd und Kind.
Ich schlief.
Ich erwachte. Ein warmer Körper schob sich neben den meinen. Er sank in die Niederung der Krümmung, in die ich gebogen war, wie sich Wasser auf dem Boden einer kaum gewölbten Schale sammelt. Ich spürte die Beglückung jener Berührung, die noch unentschieden, ohne Herausforderung, doch voller Vertrauen und Bereitschaft ist. Auch ein Tier hätte es sein können, ein treues Anschmiegen haarigen Pelzes, Löwe, der sich zu Füßen des heiligen Hieronymus lagert, Panther, dessen Gefährlichkeit in der nachtschwarzen Wärme von Atem und Fell zergeht. Ein Hund. Und jene Wirklichkeit: schlafend auf dem Rücken eines Pferdes die drohenden Wege der Welt zu bestehen. Dies Kind – der Traumritt hatte es noch nicht ganz verlassen. Ich ernte einen Hauch der echten Liebe, deren es fähig war, mit der das flügelschlagende Roß gesättigt und

getränkt wurde. – Auch Tutein hätte es sein können. Wie er es schon vorher gewesen war, eine vertraute Gestalt. Diesmal war er gegangen. Er hatte die Aufgabe, mich zu trösten, einem anderen übertragen. Er hatte mit dem Tode des Schwimmers nichts zu schaffen; nichts mit meinem gefährlichen Wachstum in den Hader hinein. Er wußte es besser als ich. Seine Stimme hatte für mich nur den hohlen Klang der Auslegung. Er lebte von mir abgewandt. Er konnte über den Schwimmer keine Träne vergießen. Er war bei der so ganz anders gearteten Arbeit, seine eigene Befreiung zu betreiben. Er stand gerade an einem äußersten Punkt des Kampfes. Er wollte das Vergessen einer Tatsache – oder doch wenigstens die Unwirksamkeit einer fürchterlichen Gewißheit. Der Mensch Tutein konnte nicht länger mit allen Gliedern der Seele für den Mörder Tutein büßen. Das Bekenntnis zu einem anderen Gefühl als dem der unauswetzbaren Schuld spannte ihm die Adern. Er hatte das Kind nicht angetastet. Darauf kam es nicht an. Doch er liebte es schon, ohne es zu wissen. Es war der Anlaß gewesen, daß er der namenlosen Trauer in sich (die er unablässig verbarg) die Feindschaft erklärte. Diese Traurigkeit (es war kein rechnender Hader wie der meine) hatte ihn vergiftet, von den natürlichen Genüssen abgedrängt, immer nur den Ersatz des Friedens dargeboten, seinen starken Körper gleichsam zum beweglichen Leichnam gemacht. Seine unwandelbare Gesundheit war nur trotziger Gehorsam. Er hatte dem Kind ein Zauberpferd geschenkt. Vielleicht mit dem unreinen Beiwunsch, daß es ihn mittragen möchte. Er hatte noch nichts getan, was seine Kraft auf eine unerhörte Probe stellte. Aber er ahnte, er würde noch vieles tun. Vielleicht würde er nicht das Letzte vollbringen, weil dies Letzte, er kannte es nicht, mir gehörte oder mir verschrieben war. Er bedachte dies alles oder er bedachte es auch nicht. Er wußte nun, daß er nicht nur mich liebte; vor ihm lag ein ausgedehntes, angenehmes Land, der Ruf aller Liebenden. Er wartete auf eine bestimmte Stimme. Er war bereit.

Ich dachte dies und fragte mich: »Warum ist es so, daß er mir das Kind überantwortet und sich selbst davonmacht?«

Noch einmal erschrak ich. Meine Hände glitten über die Brust des Kindes. Kaum mehr als ein Muskel spannte sich unter der Haut. Der scharfe Grat einer runden Erhebung widersetzte sich

der ebenmäßigen Liebkosung. Erinnerung an den ehernen oder eisernen Toten. Kleine dunkle Brustwarzen. (Es waren nicht seine. Es waren nicht Tuteins. So klug waren meine Hände.) Sturz in den Brunnen des Grabes.
Aber der Sturz hatte keinen Aufschlag. Was den Hütern des tätigen Lebens und den Gottsuchern so verdächtig ist, die Nähe des Nächsten, seine Wärme und sein Bild, das Erschaubare, Greifbare, das ganze Ausmaß des atmenden dampfenden Körpers, was wir an uns selbst weder fühlen noch verdeutlichen können, die namenlose Offenbarung der Freude, der Friede, die Freiheit, die Gnade, außerhalb der Zeit zu stehen, es fiel mir zu. Als ob ich in die Berührung einsänke und verginge.

*

Ich spüre die Nötigung – ich müßte Faßbareres über Buyana aussagen. Es gelingt mir nicht. Für mich war sie ein Geschenk. Ich habe ihretwegen keine Pein gelitten. Sie war ein Teil Tuteins, von dem mir abgegeben wurde. Für ihn war sie die Erweckung. Ein schwarzer Diamant. Funkelnd, aber von Rauch durchzogen.
Nach jener Nacht bewirtete er uns, es war schon spät am Morgen, mit Kaffee und Gebäck. Er war fröhlich. Wir zwei Taugenichtse rekelten uns im Bette.

– – – – – – – – – –

(Es gibt Stunden, in denen ich nicht die Kraft aufbringe, den Federhalter zu führen. Eine unergründbare Mattigkeit befällt mich, eine alles verratende Gleichgültigkeit, als wäre ich schon abgeschieden – und selbst in der Erinnerung an meine Liebe die Lüge. Solche Stunden gab es heute. Ich legte mich ins Bett und versuchte über die Reglosigkeit in mir zu weinen. Die Gedanken, die ich beschwor, umhüllten sich gleich mit undurchdringlichem Dunst. Mein Herz schlug hörbar. Aber der taube Schlaf erstickte den Herzschlag.–)
Alfred Tutein wurde wieder unruhig. Auf eine andere Art als die gewöhnliche, die eine Folge seines Verbrechens gewesen war. Die Tage zehrten an ihm. Es schreckte ihn nicht, daß er sich aufgemacht hatte, ein Kind zu lieben. Es gibt Maßnahmen

der Seele, für deren abstoßendes Außenbild unser Bewußtsein ganz unempfänglich ist. Er hatte, ohne es zu suchen, das Laster anderer übernommen. Er behielt immer Mitschuldige. (Einer unter ihnen war nun auch ich.) Ich möchte eine Rechtfertigung geben: nicht jene, die sich von selbst einstellt, wenn man in das letzte Geheimnis eines anderen Wesens eindringt, in die Nacht aus Stein, wo die Triebe unbeweglich und unerkennbar sind – und die Ahnen schweigsam den gebannten Strom der Wünsche bestarren; dort gibt es nicht Gut noch Böse; dort ist die Gleichgültigkeit der Natur, die wir vergeblich zu richten versuchen. Ich meine eine einfältige Entschuldigung, eine geographische Erklärung. Ein unbeschirmtes Kind, vielleicht unwissend, sich selbst entfremdet, in unserer durch Gesetze, unablässige Erziehung und Einschränkung, durch ununtersuchte Übereinkünfte und Anordnungen schachbrettartig aufgeteilten Heimat, inmitten gellender Sittlichkeit, eifernder Frömmigkeit, hudelnder Zweckmäßigkeit nutzlos dastehend und auf seine unbekannte Berufung wartend, die niemals kommt, niemals kommt, so daß es endlich als Greis von der Enttäuschung eingeholt wird – dies Kind ist nicht einem erwachenden Menschenwesen gleichzusetzen, das von Geburt an in eine andere Auswahl der Möglichkeiten gestellt wird, das Dämonen krasser feindlicher Zusammenhänge umstehen, und das doch mit voller Verantwortung für sich selbst etwa in der hundertmillionen Armut Chinas, in verseuchten Blechbaracken afrikanischer Kolonialkultur, im Urwald noch nicht ganz gerodeter Städte unter der Unentrinnbarkeit der heiligen Vernichtung aufwächst. Das Zeugen ist häufig, das Wachstum ist steil und tief. Die Jugend hat nur die Dauer eines Augenaufschlags. Die Wagnisse reißt man schnell an sich, um das Abwärtsgleiten zu beschleunigen oder betäubend zu machen. Man hat kein Ohr für die Vorschriften der anderen. (Und die Vorschriften sind schwach.) Das Menschendasein, ähnlich dem der Tiere, schwärt unter den unermüdlichen Strahlen der Wertlosigkeit. Sie wissen es. Buyana war eine von denen. Und wir mußten lernen, es zu wissen. Man erzählte uns, wir sahen es auch, die Töchter der Armen wurden mit fünfzehn oder sechzehn Jahren zum ersten Male schwanger. Dem entgingen sie nicht. Es war kein Unglück, das die Moral verletzte, es war das Unglück der

Nichtvermögenden. Die jungen Kühe führt man mit zwei Jahren zum Stier. Sie kalben, geben Milch, kalben immer wieder, bis sie geschlachtet werden. Wenn man über Rinderwiesen geht, weit und breit als einziger Mensch, blicken die Tiere einen verwundert an. Zuweilen ist ihr Verwundern oder ihre Trauer, etwas zu sehen, was sie nicht erwartet hatten, so groß, daß sie sich vergessen und Wasser lassen. Es ist, als ob es Tränen wären. – Die milden Geschöpfe müssen uns hassen oder bemitleiden.
(Wir waren auch nicht schuldbewußt, höchstens beschämt. Es erging uns nicht anders, als es den acht gesunden Burschen erging, die in Urrland ein schwachsinniges Mädchen vergewaltigt haben. Wozu sollte dies Mädchen erschaffen sein, wenn nicht zu dem, wozu sie es gebrauchten, und dem es sich nicht widersetzte? Freilich, auch ihre Gedanken waren kurz. Sie hatten nicht bedacht, daß sie überlistet werden würden. Einer unter ihnen oder sie alle setzten die Schöpfung fort, und mit der Schwangerschaft kam nicht nur das Gesetz, sondern auch die Verantwortung über sie. Eine Verantwortung, die sie gar nicht ermessen konnten. Man könnte gewiß einwenden, es sei die Sache der Natur, die nicht nur den Schwachsinn, sondern auch die Befähigung zur Fruchtbarkeit austeilt. – Zwar, wir erfuhren niemals, ob ein Knabe oder ein Mädchen geboren wurde, ob das Kind wiederum schwachsinnig war. Ob es überhaupt geboren wurde und lebte. So weit wurde diese Verfehlung für uns nicht sichtbar. Die Fortsetzungen entziehen sich uns immer. Das Schicksal ist Futter für die Zeit. Das Leben ist stets einfältiger als das Gesetz.)
Tutein aber fürchtete noch immer, seine Liebe würde den Angriffen der Vergangenheit nicht standhalten. Er litt unmenschlich. Plötzlich warf er die Last ab. Sie war untragbar geworden. Er sagte zu mir:
»In dreizehn Tagen ist eine Schiffsverbindung nach Göteborg. Wir werden Kabinenplätze belegen.«
Ich war betäubt wie von einem Keulenschlag. Sein Entschluß schien unerschütterlich.
»Ich habe all das nicht gewollt«, sagte er bei nächster Gelegenheit, »ein anderer hat es für mich gewollt.«
Und abermals bei einer anderen Stunde:

»Ich kann Buyana nicht erretten. Vielleicht könnte sie mich erretten; aber ich habe den Mut zur Gemeinheit, zu dieser Gemeinheit nicht.«
Ein anderer Satz: »Es ist sinnvoller, daß sie ein Schaukelpferd liebt, als daß sie mich lieben lernt.«
Und noch: »Übrigens ist ihr Hang, der zu niemand groß ist, größer zu dir als zu mir.«
»Durch deine Schuld. Sie glaubt deinem Lob«, das die Antwort.
Ein anderes Mal: »Ich kann ihre Augen, ihre Gestalt von der minderwertigen Seele nicht losreißen, die in ihr zuhause ist. Jedenfalls ist sie so sehr anders als die meine, daß ich weder gerecht noch nachsichtig sein kann. Ich müßte nochmals etwas töten. Ich will nicht. Sie ist vergeudetes Material. Was die Schöße auswerfen, wird unbedacht vergeudet. Die Insekten können die Qualität der Zahl denken; ich vermag es nicht. Für mich ist Buyana anders als sie ist. Fasse es, wer kann. Ein Spitzbubenwerk. Zwei Hälften, die nicht zueinander passen. Wahrscheinlich sind wir alle gleich uneben. Das ist es: Same und Ei. Und trotz der Zahl keine Zahl. Ein ewiges Leben zweier, die einander bekämpfen, aber doch ewig aneinandergeschmiedet bleiben, weil eine Sekunde lang kein Kampf war, sondern Vereinigung.«
Er handelte wie einer, der weiß, seine Stunden sind gezählt. Wieder war es ein Donnerstag. Er nahm mich mit zu Buyana. Er brauchte einen Zeugen. Er sagte an diesem Abend nur belanglose Worte zu dem Kind, mit leiser Stimme. Es entging mir nicht, das Kind wurde unruhig, wie wenn es die Gefahr wittere, in der es sich befand; aber die Äußerung ihres Gemüts war undeutlich wie immer. Herr Andrés kam. Diesmal war er erwartet. Im gleichen Augenblick schritt Tutein an dem Gast vorbei zur Tür. Im Vorübergehen sagte er einen kurzen Satz:
»Ich warte heute nacht im ›Faß der Venus‹ auf Sie; ich muß Sie sprechen.« Es war wie ein Befehl, dringlich. Tutein hielt für mich die Tür offen. Ich folgte ihm auf die Straße.
Andrés Naranjo kam der Aufforderung nach. Weit vor Mitternacht schon stieß er zu uns. Ich erkannte ihn nicht wieder. Ich begegnete einem Menschen, den ich noch niemals gesehen hatte, so schien es mir. Er war von innen her verändert. Er war

unauffällig, gütig, von allgemeiner männlicher Schönheit. Ein breites festes Gesicht, dessen Züge sowohl nachsichtige Klugheit als auch Einfalt ausdrücken konnten. Meine Augen fanden nichts an ihm auszusetzen. Nur ein erster Eindruck, wenn er ausschritt, konnte gegen ihn sein: seine Gestalt war ein wenig kurz. Indessen, ich will nicht versuchen, seines Wesens habhaft zu werden. Diese neue Begegnung war flüchtig und gab kaum Platz für Betrachtungen, die sich auf ihn bezogen. (Ich habe ihn auch schon fast vergessen.) Er wurde in dieser Nacht für uns etwas Geringes, Unwichtiges. Tutein ließ ihn fallen, verstieß ihn. Und doch begann diese entscheidende halbe Stunde damit, daß Tutein sich für des anderen Verläßlichkeit verbürgte. Das Vertrauen, das er in ihn gesetzt, war der Hintergrund für die unerwartete und gewalttätige Aussprache, zu der Tutein ihn zwang. Die Enttäuschung, daß die eingebildete Freundschaft oder vermutete Konstruktion des jungen Mannes, die Beschaffenheit seiner Abstammung, die Schatten seiner Ahnen keine unmittelbare Wirkung auf die Abläufe haben sollten, die sich vorbereiteten, warf Tutein fast zuboden.

Ich will versuchen, das Drama des Gespräches darzustellen, den Gang einer halben Stunde.

(Ich habe die Blätter, die ich in den letzten Tagen vollgeschrieben, durchgesehen. Es kommen mir stets die gleichen Bedenken: meine Darstellung ist weitschweifig und doch nicht genau genug. Es gibt Auslassungen, von denen ich nicht weiß, ob sie für die Wahrheit erträglich sind oder nur Anlässe zu neuartigen Lügen werden. Die Zusammenfassungen, oft überschlagen sie das Wesentliche. Schlimmer, zuweilen ist mir, als ob meine Erinnerung das Wesentliche nicht mehr zu sammeln vermöchte, nicht einmal in der Vorstellung, um wieviel weniger im Wort. Der Zusammenhang der Ereignisse verschwimmt. Wie überflüssig, einer Pflanze zu gedenken, einer Mahlzeit, eines Trunkes, die verdaut wurden. – Einer zufälligen Straßenecke, eines Perlenkranzes, Buchstaben und Inschriften wie aus der Unterwelt. – Und doch, ihre flüchtige Funktion, ihr unbeabsichtigter Eindruck in meine Sinne, Einsargung in Tiefen, die mir unerschlossen bleiben: immer nur ein einzelner Lichtstrahl auf die von Schatten bewohnten Grottenwände – ist es nicht der Nachhall, der Geschmack, Geruch, das scharfe und ätzende

Maß dieser Unbeachtlichkeiten, die mir das Wesentliche wieder erstehen helfen? Ach, vielleicht die einzigen Zeugen der Wirklichkeit. Wo diese Helfer fehlen oder sich nicht einfinden, beginnt nicht da die Wüste des Nichterschaubaren, des Verlorenen, die Löcher in der vergangenen Zeit, der eigentliche langsam wachsende Tod? Die Leere, die des Pendelschlages aller kosmischen Uhren nicht mehr teilhaftig wird?)
Ich habe den Klub der jungen Männer, die sich um Buyana einzufinden pflegten, diese ein wenig feigen, verirrten, unentschlossenen, kennengelernt. Mit den meisten habe ich gesprochen. Ihre Namen sind mir entfallen bis auf diesen einen: Andrés Naranjo. Ich wüßte nicht einen unter ihnen mehr zu beschreiben. Meine Aussagen über Herrn Andrés stammen schon aus zweiter Hand, nämlich aus den Worten, die ich einmal in der Vergangenheit gebraucht habe. Ein Antlitz taucht aus dem Dunkel auf; aber es ist leblos wie das eines Toten. Ein Anzugstoff, Quadrate darauf, die irgendein Textilingenieur seinem mechanischen Webstuhl entlockte, es ist das Beständigste. Und mehr ist nicht geblieben.
Hier das Gespräch.
Tutein: »Ich werde die Insel binnen kurzem verlassen. Ich werde nicht zurückkommen. Ich lasse etwas zurück, was mir teuer ist: einen Menschen – ein halbes Kind, unsere gemeinsame Freundin. Einen Namen für meine Zuneigung habe ich nicht. Ein schlechtes Bild von ihrer Zukunft bedrängt mich. Es ist nichts getan, was meiner Vorstellung einen Trost geben könnte. Es ist notwendig, daß Buyana gerettet wird.« –
Hier will ich einfügen, daß das Gesicht Andrés' schon nach den ersten Sätzen Tuteins eine fahle Farbe annahm. Eine Art Schrecken malte sich darin, der gleichsam alles Folgende vorausnahm. Sein Verstand und seine Seele schienen sich voneinander gespalten zu haben. Während sein geschäftiges Hirn sich mit peinlichen Äußerlichkeiten balgte, erbebte sein Herz im Vorgefühl eines gräßlichen Unglücks.
»Haben Sie schon mit anderen Herren des Salons gesprochen?«
Andrés brachte die Ungeheuerlichkeit, eben dies Wort ›Salon‹, über die Lippen.
Und Tutein gab ihm Antwort: »Nein. Ich habe mir auch vorgenommen, es nicht zu tun. Ich wüßte nicht, was es

bezwecken könnte. Sie scheinen mich mißverstanden zu haben. Ein Salon ist keine Rettung. Es ist der sichere Untergang. Es handelt sich darum, diese Einrichtung zu beseitigen. Ich selbst bin zu schwach – vielmehr zu behindert, um diese Maßnahme durchführen zu können. Ich habe, unter ziemlichen Gefahren, einen Zwischenzustand geschaffen, der niemand befriedigt – der mich verdächtigt – der Groll der schwer um ihr Brot kämpfenden Nachbarinnen wird genährt – die Polizei wird angezogen. Ich glaube Ihre Gefühle zu kennen, dazu das Gesetz, unter dem Sie stehen. Es scheint mir eine einfache Forderung – ein Nachgeben an die Bestimmung – an Ihre Bestimmung – daß Sie Buyana zu sich nehmen – sie heiraten.«

Das Antlitz Herrn Andrés' veränderte sich nicht um einen Schein mehr, es hatte schon vorher den Grad tiefster Blässe erreicht; jetzt sprach er:

»Es ist eine Zumutung, die ich entschuldige, weil Sie mit unseren heimatlichen Verhältnissen offenbar wenig vertraut sind. Eine Prostituierte ist für die Ehe ungeeignet. Sie hat das heilige Sakrament entehrt, ohne seiner noch teilhaftig gewesen zu sein. Die Folgen sind unübersehbar.«

Tutein: »Wer hat entehrt? Das Kind oder die Männer?«

Andrés: »Das Kind.«

Wäre Tutein in diesem Augenblick einem Ratschlag zugänglich gewesen, ich hätte mich eingemischt und ihn gebeten, die Unterredung abzubrechen. Aber er war außer sich, verschlossen für jeden Einspruch. Er verlor die Stimme. Ich weiß nicht, wie es ihm gelang, sich aus der Umklammerung seiner Wut zu befreien. Er wollte die Rettung Buyanas und unterwarf sich deshalb jeder ungeheuerlichen Betrachtung. Als er wieder zu sprechen begann, war der Anfall seiner Verzweiflung gebändigt. Seine Stimme war leise und zitterte kaum. Er versuchte, den anderen zu überreden.

Tutein: »Ich habe Ihre Meinung gehört. Es ist nicht das letzte Wort in dieser Sache. Sie sind heute das Opfer unterschiedlicher Wirklichkeiten, die sich nicht vermischen. Es ist die Stunde nach dem Genuß, die schlechteste und schwächste im Strom der Erlebnisse. Das Tor der Zweifel steht weit offen. Der Ekel bedroht das Herz. Sie denken an die Beichte; die Wiederholung der Sünde wird unwahrscheinlicher von mal zu mal. Bedenken

Sie die Widersprüche! Nehmen Sie daraus die Lehre an! Ein Wort liegt so nahe – die Liebe. Sie lieben Buyana.«
Und der Beschuldigte, unbegreiflich, schien in den Bann der Worte zu kommen, die Tutein sich, stockend, aus großen Fernen beschaffte. »Es gibt nur ein Glück für Sie, nur eine Freude – aber Sie wollen den scheußlichen Mund, der Ihnen vorflüstert, der sich über Ihrem Herzen angesogen hat, nicht forttun. Es sind keine heiligen Lippen. Es ist der Widersacher. – Die Finger ihm in die Zähne pressen, daß er losläßt – Sie müssen wählen. Warum haben Sie es nicht seit langem getan? Sind Ihnen noch niemals jene Frauen und Jungfrauen begegnet, die, ehrbarer Herkunft, zwei bei zwei, im milden Licht der Promenaden sich zum Geschäft der Ehe ausstellen? Oder die Ehre, die sie schon ummantelt, auslüften? Ist es nur Bequemlichkeit, daß Sie das Kind aufsuchen? Scheuen Sie die Verantwortung und flüchten in die allwöchentliche Vergebung, dem Himmel ein Mitleid abnötigend, das er nur widerwillig spendet?«
»Ich bin jung. Mir kann noch vieles begegnen. Die Unkeuschheit ist ein Übergang, darum wird sie uns verziehen. Wir suchen sie nicht, sie ist in uns.«
»Wozu entschließen Sie sich?« fragte Tutein kurz.
»Ich verstehe Sie schwer«, sagte der andere. Offenbar fürchtete er, eine Wiederholung seiner Weigerung auszusprechen, »ich bin ohne nennenswerte Einkünfte. Wer denkt in meinem Alter an die Ehe? Ich bin von meinen Eltern abhängig. Ich weiß gar nicht, wie Sie auf den Gedanken kommen konnten, mich als Opfer eines verrufenen Planes zu erwählen. Die Umstände, die uns zusammengeführt haben – berechtigen ja nicht zu einem so weitgehenden – zu einem so zweifelhaften – Vertrauen.«
Die Faust Tuteins, nicht mehr gebändigt, sauste auf die Tischplatte. Die Empfindungen Andrés' in dieser Sekunde, wer vermöchte ihrer habhaft zu werden? Er erblickte einen rasenden Zuhälter. Er spürte das unterirdische Verhängnis, das sich ihm näherte. Er hörte das schreckliche Gemurmel seines Unfriedens. Er sah die Eingeweide, deren Diener er war. Die jungen Küsse, die seine Lippen gelabt, vergessen. Sein Scharfsinn reichte nicht aus, die Wirrnis zu ordnen. Und die Stimme, die ihm jetzt begegnete, die Stimme Tuteins, war ruhig und

fest, gleichsam dunkel strahlend wie der Hirschatem des Isheth Zemunin, des unzüchtigen Engels:
»Ich verbiete Ihnen, von nun an Buyana aufzusuchen.«
Das Urteil.
Andrés streckte sich; aber in der nächsten Sekunde beugte er den Kopf, verbarg das Angesicht mit den Händen und weinte.
Und noch immer nicht gab Tutein auf. Vielleicht, er hoffte, die Tränen des anderen möchten ihm zuhilfe kommen.
»Wenn Sie arm sind – wenn alles so überraschend für Sie kommt – die Entscheidung in Ihnen nicht vorbereitet ist, so kann man auf Erleichterungen sinnen. Ich habe gesagt, Sie sollen das Kind zu sich nehmen. Es beschützen, es ist die erste Aufgabe. Das Weitere – man kann einen Plan entwerfen –.«
Diesem versöhnlichen Tonfall setzte Andrés ein entschiedenes Kopfschütteln entgegen. Tutein stockte. Einen Augenblick lang übermannte ihn die Erschütterung. Dann schwamm er in eine tragische Ruhe ein. Er sagte nur noch:
»Ich habe mich getäuscht. Sie haben anders gewählt als ich erwartet hatte. Sie haben jetzt die Freiheit zu allen Mädchen dieser Stadt; nur das eine ist Ihnen verboten.« –
Ich fiel ihm in die Rede, zum erstenmal: »Laß dich nicht durch Worte verleiten«, sagte ich.
Andrés Naranjo hatte sich schon abgewandt, um zu gehen. Noch ein mißtrauischer Blick kam zurück.
– – – – – – – – – – –

In dieser kurzen halben Stunde waren noch einige Belehrungen angebracht worden, ein Ausfluß des vielen Lesens, in das sich Tutein gestürzt hatte. Es war der Versuch, den Mann Andrés Stück für Stück aufzulösen, in Fetzen zu zerreißen, um ihn neu, mit besserer Bestimmung, mit den Mitteln einer vielseitigen Erkenntnis – die Anatomie und Religion in schönster Vereinigung – behutsam wieder zusammenzusetzen. Tutein gab sich Mühe, die langsam fortschreitende Erniedrigung einer Seele aufzuheben, gleichsam die Schwungkraft des schrägen Falles zu neuem Aufstieg zu benutzen. Ich vermag diese verstohlenen, gewagten, brutalen Aussagen nicht sinnvoll einzufügen. Meine Feder hat nacheinander vier Stellen dafür ausersehen; jedesmal überstrich ich die etwas gewundene Rede. Sie stand allein. Der

Mund, der sie ehemals ausgesprochen hat, ist das Werkzeug eines vermummten Engels gewesen. Ein Anruf jenseits der Worte. Eine zusammenstürzende Melodie wie der Sturm. Aber Andrés Naranjo verwandelte sich nicht.

*

Ein paar Tage vergingen. Tutein arbeitete offenbar daran, das Unglück einzudämmen. Vielleicht wartete er auf jenen stummen Ruf, der ihn belehren sollte. Er verzichtete darauf, mich nochmals zu Buyana zu führen. Vermutlich war er viel mit ihr allein. Ich entsinne mich kaum eines Wortes, das mir Aufschluß über seine Lebensführung hätte geben können. Die endlichen Entscheide, die er traf, lassen vermuten, er drang mit furchtbaren Prüfungen in die Seele des Kindes ein, mit Wißbegier, Besessenheit, mit schwarzer Liebe. Zwiesprachen, die nur Angst zurückließen. Retten oder vernichten. Wahrscheinlich vernichtete er. Jedenfalls: er floh.
»Der Dampfer nach Göteborg muß ohne uns insee stechen«, sagte er zu mir, »es ist noch nicht so weit.« Er hielt mich untergehakt und rannte mit mir straßauf, straßab.
»Man könnte vermuten, du liebst sie«, sagte ich ohne Zaudern.
»Ach«, seine Stimme hinkte seinen Gedanken schwerfällig nach, »dergleichen weiß man nicht. Ich bin auf alle Fälle ihr unentschlossenster Liebhaber.«
»So oder so«, sagte ich, »es ist ein Geständnis.«
»Ich kenne sie nicht«, sagte er schnell, »ich liebe sie nur. Es ist, wenn wir zusammen sind, wie wenn zwei Kerzen in einem Zimmer brennen. Die eine, mit schönem Docht, schmilzt langsam und klar in die reine Flamme hinein, die andere, mit verunreinigtem Wachs, heißer als die erste, rußt, tropft ab, vergeht schrundig vor der Zeit.«
»Das Bild – ich verstehe es nicht«, sagte ich.
»Die Rollen der beiden Kerzen sind von Tag zu Tag vertauscht. Beständig ist die Nichtübereinstimmung.«
»Wenn du nun erwögest, sie zu dir zu nehmen – sie zu heiraten –«
»Ich habe es erwogen. Sie wird mir nicht glauben, daß ich ein Mörder bin. Und wenn sie es glaubte, müßte sie entsetzt sein.

Und wäre sie nicht entsetzt, würde sie eine Möglichkeit in mir achten, die ich ganz und gar hassenswert finde. Ich müßte, um Schlimmerem zu entgehen, mit einer Lüge beginnen. Sie ist ein Kind, sie ist an vielen Orten unerweckt. Noch – trotz allem – ist sie weder geprüft noch bis in die Seele versucht worden. Das Geheimnis ihres Wesens ist nicht an sie ausgeteilt. Es wächst noch – zwiespältig – unerkennbar. Ihre Brüste stoßen vor. Das Dunkle sammelt sich – und das Nüchterne. Sie müßte mich erlösen. Ich fordere eine Gemeinheit, die ich ihr nicht zumuten kann.«

»Wieso?« fragte ich verblüfft.

»Vergessen. Vergessen eines anderen Körpers, der schon in mir eingewachsen ist. Der Tod, die Verwesung, das wirft sich über sie, wenn ich es bin. Eine Besudelung. Und sie hat die Hölle doch noch nicht geschmeckt.«

»Du mußt gesunder denken«, sagte ich schaudernd, »was du vorbringst, ist die Teufelei einer Krankheit. Außerdem – es erweckt den Anschein – als ob ich vollkommen nutzlos dein Gefährte gewesen bin. Dir ist verziehen. – Ich bin kein Priester, der göttliche Vergebung austeilt. Ich bin ein Mensch. Wenn es nicht ausreicht – ich verfüge nicht über mehr. Ich habe dafür bezahlt – und wenn es notwendig sein sollte –«

Er wehrte mit allen Zeichen der Bestürzung ab.

Ich fuhr fort: »Vielleicht könnte es meine Rolle sein, Buyana zu mir zu nehmen – bis das Gefühl einer Heilung in dir überhand gewinnt.«

»Du bist beladen genug«, sagte er mit frischer, ganz und gar entschlossener Stimme, »beladen genug mit mir. Vorurteile vielerlei Art – das ist, als ob die Schwermut niemals vom Menschengeschlecht weichen will, dies dichte Gespinst von unbezeichneten Fasern – gleich mischen wir einen Muskel hinein, das Herz, und berieseln ihn mit dem eisigen Schauder, den das Blut in unseren Adern nicht auftauen kann. – Du hast gehört, was dieser Jüngling Andrés von der Ehe und der Prostitution wußte. Es war eine exakte Wissenschaft, in Schule, Haus und Kirche gelehrt. Und er glaubte zu erfahren, was man ihm anerzogen hatte. – In Biskra bieten die schönen jungen Berbermädchen der Uled Nail ihre erwachten Leiber zum Genuß an – dies hauchdünne Pergament, bronzefarben –

um sich eine Mitgift zu verdienen. Und ihre zukünftigen Eheherren nehmen keinen Anstoß daran. Sie schätzen das Geld. Eine andere Erfahrung, ein anderes Vorurteil.«
Er schmetterte fröhlich diese Umkehrung seiner Stimmung in mein Ohr.
Ich ergriff die Gelegenheit. Ich sagte:
»Du solltest, statt so vieler Tage, eine Nacht bei Buyana verbringen.«
»Ja«, sagte er, ohne die übermenschliche Besessenheit, die ihn ergriff, zu verraten, »auf diesen Ratschlag habe ich gewartet.«
Ich schwieg verstört. Ich sah, sein Gesicht wich vor der Brandung einer unüberschaubaren Vorfreude zurück.
»Und die Lüge wird mir diesmal verziehen?« fragte er.
Ich sah ihn in einer neuen Gestalt. Ich sah, daß er in diesem Augenblick zur Liebe befähigt wurde, einer Bestimmung zurückgegeben, die das Verbrechen ihm entzogen hat. Diese plötzliche Berufung, die Vernichtung einer Schuld, dieser sieghafte Schrei des Fleisches. Diese Verwandlung, die Folge eines Wortes. Mein kaum beabsichtigter Freundschaftsdienst. – Ich begann zu weinen. Und ich erfuhr hinter dem Schleier der Tränen, wie sehr ich ihn liebte, wie wenig Trost es in dieser Freundschaft gab. Ich murmelte, unverständlich für ihn: »Wenn ich doch stürbe, wenn ich doch stürbe –«
Er ging strahlend von mir, ein starkes reines Licht. Ich versuchte, alles zu überdenken, ich vermochte es nicht.

*

Ich besuchte das Grab des Schwimmers, das Grab des Herrn Lopez de Ulloa, der keine Nachkommen hinterlassen hatte. Es sollte des letzte Mal sein. Tutein war ganz von meiner Seite verschwunden. Mir war, als hätte ich das Recht zu einer doppelten Trauer. –
Der Blick von der Höhe herab in die Ferne, zum Meer. Ein großes Schiff fährt im Tal des Ozeans dahin. Irgendwo im trockenen Gras ein Rascheln: eine Eidechse, eine Maus. Das Flimmern der Luft in der Sonne. Langsam füllen sich mir die Augen mit Wasser. Dies schwächliche Opfer bringe ich. Ich habe Lust, mich auf die Gruftplatte niederzuwerfen. Mir wird

der Einspruch eines aufsässigen Gedankens nicht erspart, es sei eine schamlose Entblößung, dies Spiel mit meinem Schmerz. Ich kann gerade noch die Sucht nach dieser Schaustellung vor mir selbst unterdrücken, auf die Linderung verzichten. Erst eine halbe Stunde später setze ich mich an den Wegrand und weine hemmungslos, bis mir Trost wird.

– – – – – – – – – –

»Ich kann nicht weiter«, schrie Tutein, »sie verbirgt mir etwas. Sie verbirgt mir, daß sie mich nicht liebt. Daß ich sie langweile oder gar bedränge. Jedoch ich kann ihr das Geständnis nicht entreißen. Ich vorenthalte ja ihr das meine. Sie hat nur Mitleid mit mir, sie zeigt mir eine Anhänglichkeit und Treue, die sie jedem anderen mit gleichem Eifer anträgt. Ich habe sie enttäuscht; es wird mir mit jener fast unsichtbaren Heuchelei heimgezahlt.«
»Wahrscheinlich bist du das Opfer eines Selbstbetruges«, sagte ich, »sie ist betäubt, sie kann ja nur ahnen, was in dir vorgeht, und bestaunt die Inbrunst, deren sie selbst nicht fähig ist.« – »Gut geantwortet«, sagte er, »aber meine Ohren sind schlecht. Ich bin am Ende. Sie hat die Tür ihres Salons wieder weit aufgemacht. Es ist gegen die Verabredung. Das Schlammwasser strömt ungeklärt herein.«
»Der Ort fordert zu dieser Verwirrung heraus«, sagte ich.
»Das Tier ist erwacht«, sagte er, »etwas Neues. Sie menstruiert. Die Brüste heben sich zum Himmel. Jetzt beginnt die Verfluchung. Die Wölfe sind über ihr. Schwangerschaft. Abtreibung. Die Hyänen unter den Weibern machen sich schon heran.«
Ich verwunderte mich über ihn. So fassungslos, so gesättigt von einer Abneigung gegen das, was ihm unabwendbar schien. Er wollte Buyana nicht mehr erretten. Er hatte die Gemeinheit begangen, die ihm noch vor wenigen Wochen ein Greuel gewesen war. Sie hatte ihm die Freiheit wiedergegeben. Er war in diese Freiheit hinausgestoßen worden. Ich sah indessen die Kraft nicht, die ihn zur Flucht zwang. Ich sah nur, es war ein unaufhaltsames Sichentfernen, wie ein Stein, der geschleudert wird.
»Ich habe falsch beobachtet«, sagte er, »ihre Kunden von einst waren schüchtern und schamhaft, nicht etwa lasterhafter als der

Durchschnitt, schüchtern und schamhaft, Kinder wie sie selbst, wenn auch alt genug, um als junge Männer zu gelten. Für sie war eine junge Hure etwas weniger Abgründiges als eine alte. Aber jetzt sind die erfahrenen Männer angerückt, die genau wissen, was man bezahlt und was man fordern kann, die sich nicht strafbar machen –«
Er kam ganz außer Atem, so gehetzt sprach er. »Es ist plötzlich alles verändert. Buyana hat ein anderes Gefühl ihrer selbst bekommen. Sie ist eine andere. Sie gleitet den Abgrund hinab.«
Ich versuchte, ihm zu helfen, ihn zu beruhigen, irgendeine Lehre anzubringen.
»Umarme mich doch einmal«, rief er, »die Verwesung in mir hat ausgegoren. Ich bin ein gesunder Bursche. Nur die Traurigkeit, diese unbezwingliche Traurigkeit –« Er schnaufte unter Tränen. Ich schloß ihn in meine Arme, recht unsanft. Ich stammelte:
»Ich verstehe gar nichts.«
»Diese Einigkeit«, sagte er, »zwei Unwissende, dieser knirschende Jemand – dies Gesetz, das darauf versessen ist, die Zustände des Gleichgewichtes zu stören, die Träume aufzulösen – um auf die größte Enttäuschung, auf den Verrat in der Todesstunde vorzubereiten.«
Wie sehr ich ihn liebte! Wie fest hielten ihn meine Arme!

– – – – – – – – – –

Tuteins Beschluß war unerschütterlich. Wir würden reisen. Es gab so bald keine Schiffsgelegenheit nach Göteborg, doch machten wir ein Dampfschiff ausfindig, das Kurs auf Oslo nehmen würde.
Während der Spanne Zeit, die uns bis zur Abreise verblieb – es mögen sechs bis zehn Tage gewesen sein –, mied er Buyana nicht. Er versuchte, ihr unermüdlicher Berater zu sein. Er rüstete sie mit etwas Geld aus und brachte es dahin, daß sie zu einem Landmann in Fataga kam. –
»Auf ein paar Wochen«, sagte er obenhin und überlegen, »wenn's sich ergibt, wird das Geld auch länger reichen.« Er sprach vom Apfelsinenhain dieses Mannes, von den Mandelbäumen. Er sagte auch, jener sei Witwer und habe einen

einzigen zwanzigjährigen Sohn. – »Sie kann dort ein wenig im Haushalt helfen.« – Er stellte ihrem Schicksal eine Falle. Er wollte es überlisten. »Es kann geschehen, daß man sie nicht wieder fortläßt.« – Wenn sie sich bewähre. Und er erwartete, sie würde sich bewähren. Weil sie kein Kind mehr war, weil ihr Blut auf die Erde rann und die Brüste sich gegen den Himmel hoben. »Der Bursche ist recht ansehnlich.« –

Vielleicht wollte Tutein nur nicht das Gefühl der unverrückbaren Vernichtung mitnehmen. Es ist so schwer, im Dunkeln ohne Hoffnung zu sein. »Man muß sich nicht verpflichtet fühlen, das Unglück zu suchen. Man darf ihm ausweichen.« –

Am Tage der Abfahrt war er wie ausgebrannt. Er hatte ein langes Gespräch mit der Schwester gehabt. Er hatte ihr gesagt, daß Buyana fort sei; den Ort verriet er nicht. Es war der letzte Kampf um das Mädchen mit einem kreischenden Weib. – Das dünne Lächeln, das er auf den Lippen hatte, als das Wasser zwischen Schiff und Insel wuchs, galt einem Bauernburschen. Er empfahl sie nicht einem Engel.

April

Die Luft ist gewürzt von den Winden, die das Meer bestrichen haben. Die Jahreszeiten sind voller Überraschungen. – –) Das schrieb ich vor zehn Tagen und hielt sogleich inne, weil mir eine süße Müdigkeit in den Gliedern lag. Die Bäume waren noch kahl, die Felder nackt; trotz der erdigen Farben, die braun und violett wie ein schwerer Tod den Dingen anhafteten, breitete eine duftende Wärme sich aus; die Sonne glühte mit jener verheißenden Kraft, die nur dem vollen Frühling eigen ist. Ich ging hinaus, ließ mich an einem südlichen Abhang in dürres Heidekraut nieder. Von den Wacholderbüschen stäubte es, als wäre ihre Zeit schon da, wo die gierigen männlichen Pollen wie Rauch aufsteigen, irgendeiner Befruchtung oder dem Auslöschen des Unberufenseins entgegen. – Diese Verschwendung männlichen Zeugungsstoffes! Allüberall! In den Meeren. In der Luft. Bei den frommen Tieren, die grasend über die Felder ziehen. In unseren eigenen Lenden. – Aber es war nur Staub, durch Winde und Schnee herangetragen. Ein grauer Spack des Winters noch. Ich blinzelte ins Licht. Unter mir, in der Talsenkung, geschah die Wiedererweckung der Bäume. Lärchen, Birken, feuchtwurzelnde Eschen. Ich verspürte Lust, durch das Buschwerk des Eichenwaldes, den Tutein und ich gepflanzt, zu streifen. Ich vernahm, daß die Blattknospen schwollen. Ich dachte: ›das überlebt mich.‹ – Wie oft habe ich es gedacht! Mir ist, als liebte ich die Baumkinder, die mich nicht wiederlieben können. Sie stehen in unregelmäßigen Reihen. Diagonal gepflanzt, bewohnen sie die durchgorenen tiefgründigen Hügel. Hier die Fünfzehn-, Zwölf- und Zehnjährigen. Die kleinsten sind drei Jahre alt. – – Wir haben Jahr für Jahr eine Tausendzahl gesetzt, Tutein und ich. Wann werden die fünfundzwanzigtausend oder dreißigtausend rauschende Baumkronen haben? Sie gehen mich nichts an. Ich habe sie nur, mit meinem Freund gemeinsam, gepflanzt. Er ist schon dahin. Die Eichen haben vergessen, daß seine Hände die Reiser gehalten. – Da habe ich eine der jüngsten niedergetreten. Meine Sohlen sind noch ein Werkzeug. Auch die Bäume haben ein Schicksal. –

Ich zog mich wieder nach dem sonnigen Platz in der Heide zurück. Die Wacholderbäume mir zu Häupten waren sehr alt. Ich glaubte mich nicht zu täuschen, die gewaltige Flamme eines unwiderstehlichen Frühlings war da, und ich spürte unter dem Schleier meiner Ermattung ein neues, ein volltönendes Leben, eine Verheißung, die keinen Namen hatte, nur wie ein Ton summte. Ein gutes Jahr würde anbrechen. Ein bekömmliches Jahr. – – –

Jetzt ist ein fürchterlicher, ein unerwarteter Rückschlag gekommen. Es friert. Das Thermometer zeigt achtzehn Celsiusgrade unter dem Nullpunkt an. Es ist eine schlimme Enttäuschung. Mich trifft es mit unheilvoller Schwere wie ein Mißgeschick. Es hat mich wie eine lange zehrende Krankheit verwandelt. Alle Demütigungen, die ich habe schlucken müssen, meine Mißerfolge, die Unrichtigkeiten meines Verhaltens umstehen mich wie alte Bekannte, die mir Vorhaltungen machen. Es fällt wie Schelte auf mich. Und ich kann mich nicht rechtfertigen. Ich sehe gleichsam die Vergeblichkeit meines Bemühens zu einem einzigen Fehltritt vereint. Unbrauchbar, sagen die alten Bekannten. Dabei peinigt mich ein undeutliches Gefühl, daß ein Teil von mir in diesem Winter gestorben ist. Daß ich weniger geworden bin, selbst die fleischlichen Organe in mir Schaden genommen haben und nur schwächlichen Dienst verrichten. Die Müdigkeit ist geblieben; aber sie ist jetzt mit einer Hoffnungslosigkeit verquickt, die mich niederringt. Ich habe keinen Halt. Ich wünsche wieder, wie in den schlimmen Zeiten meiner Jugend, Taten über menschliches Vermögen zu tun. Es ist das Unfruchtbare, das meine Seele zermürbt. Die Grenzen, die meinem Wesen gesteckt sind, entschwimmen; ich fliehe in die Auflösung zorniger oder aberwitziger Träume. Die längst verbrauchten Beigaben der Märchen: Unverwundbarkeit, Unsichtbarkeit und die Kraft, die Fesseln der

Schöpfung zu durchbrechen, kein Alter zu haben, außer dem der Jugend; den Geist des Todes zu bannen, den Streit für humane Gerechtigkeit zu bestehen. – Ich falle zwischen die Mühlsteine dieser Übersinnlichkeit. – Paläste durchwandere ich. Von köstlichen Weinen nippe ich. Wunderbare Speisen esse ich. Funkelnde Edelsteine kommen in meine Hände. Musik strömt mir entgegen. Auf bunten Fliesen unter meinen Füßen rinnt gefärbtes Sonnenlicht. Die Herrlichkeiten wollen kein Ende nehmen. Bis ich ein Mädchen, schön wie keines auf dieser Erde, mir zur Brunst auf ein kostbares Bett niederwerfe. Die runden knospenden Brüste in meinen umschließenden Händen. So kann es enden. Oder anders. Entsetzlicher. Ich gebe mir nur halbe Rechenschaft. Wir lügen irgendwo, abgrundtief. Vielleicht gebricht es uns nur an Worten. – Das alles rollt in mir ab, weil ich den furchtbaren Ernst meiner Verzweiflung nur kurze Zeit ertrage. Ich glaube nicht mehr, daß ein gutes Jahr kommen wird. Mir wird kein gutes Jahr mehr kommen. Selbst die kleinen Befassungen werden fehlschlagen. Mein Brief, den ich Alwin Becker schrieb, kann ihn nicht erreicht haben. Oder wenn er ankam, wird der Inhalt Verwundern und Mißtrauen geweckt haben. Eine Antwort wird der Matrose, der Diener eines großen Herrn, nicht geben. Und wenn er die Höflichkeit dennoch aufbringt, wird es ein freundliches oder schroffes Abstandnehmen sein. – – Ich bin an einem äußersten Punkt. Das Gefühl des Zergehens ist wie ein Netz über mir. Und die Maschen sind unzerreißbar, nirgendwo brüchig. Das war noch niemals. Diese starrmachende Mutlosigkeit. – – Ich habe Tag um Tag einen schwachen Widerstand versucht. Ich wollte nicht der Verworfene sein, den ein Fluch aushöhlt. Ich spürte zugleich, daß ich keinen Zugang zu den Kräften habe, die mich einebnen und mir die Zähne der Zuversicht ausschlagen. Es sind Gespenster, meine Gegner schlechthin, die meinen Untergang wollen. Und sie werden mich besiegen. In diesem Jahre schon. Vielleicht, daß ich ihnen noch eine kurze Frist abringe. Ich will noch weiter. – Meine Gegner beginnen, mir einiges klarzumachen: daß es mit mir schlimm steht. Es hilft wenig, daß ich dagegen Berufung einlege. Sie haben alle Werkzeuge und Mittel bereit, Folterknechte, um mir das Geständnis meiner Hinfälligkeit abzuringen. – Ich werfe

schwere Scheite in den Ofen. Die Kälte aus dem Hause vertreiben. Es ist eine einfältige Maßnahme. Das Frösteln verläßt mich. Eine warme Haut berühren die Geisterhände nicht gern. Auch das Pferd ist ein Tröster; auch der Hund ist ein Tröster. Büchern wage ich mich nicht anzuvertrauen. Die lesbaren enden ohne Versöhnung. –
Eines Nachts, vor drei Tagen, geschah der Überfall. Ich schlief. Und die Gegner machten sich an meinen Kopf. Ich erwachte. Unvorstellbare Schmerzen engten mein Hirn ein. Ich verlor die Besinnung vor Schmerzen, ohne doch dem Zustand der Peinigung enthoben zu sein. Kalter Schweiß bedeckte meinen Körper; das Gefühl der Kälte ging in meinem zerborstenen Kopf unter. Mein Herz begann unregelmäßig zu schlagen, es ermattete. Blähungen stießen vom Magen her mit üblen Geräuschen zum Munde heraus. Ich vergaß alles, was an Wünschen, Namen und Begriffen in mir war. Ich vergaß mich selbst und war nur noch diese Maschine, die irgendwo gestört war. Ich mußte mich erbrechen; das brachte eine Erleichterung; aber dem Verfall in meinem Hirn wurde kein Einhalt getan. Ich fühlte den physischen Zusammenbruch, ohne doch irgendwelche Rechenschaft von meinem Zustand zu haben. Ich stöhnte vor mich hin. Ich wagte nicht, mich zu bewegen, weil schon die geringste Veränderung in der Stellung meiner Glieder den verzehrenden Schmerz steigerte. Ich fand heraus, inmitten der Qualen, am erträglichsten erging es meinem gemarterten Kopf, wenn ich aufrecht stand. Aber wie sollte ich unablässig stehen können? Nach zwanzig Stunden verebbten die Schmerzen. Die Vorstellungen, die mir eigentümlich sind, kehrten allmählich zurück. Namen und Begriffe wurden mir wieder gegenwärtig. Meine Erinnerung tauchte aus dem Nebel des Vergessens auf. Mein erster Gedanke sagte mir, in meinem Hirn sei alles ausgestrichen gewesen. Nicht zu ermessen, welcher Art Demütigung in dieser Erkenntnis liegt. Ich war ohne Liebe, ohne Haß, ohne jede Leidenschaft, ohne jede Tätigkeit, ohne Träume, ohne Phantasie gewesen, nicht einmal in der Dunkelheit, die voller Furcht ist. Mich verlangte nicht zu essen und zu trinken. Meinen Atem hatte ich vergessen. Jedes brüderliche Lebewesen war mir gleichgültig, ja lästig gewesen; bei niemand hatte ich Hilfe gesucht, niemand hatte sie mir angetra-

gen. Alles war unwichtig gewesen; mein Fleisch hatte sich nur der einen unethischen untertierischen Aufgabe mit lauem Einsatz hingegeben: in die Mauer der Schmerzen eine Bresche zu reißen: irgendwo zu entkommen: Linderung vor dem Versagen. Linderung um jeden Preis. Nur langsam fand ich mich in meinen Gewohnheiten wieder zurecht. Es waren nicht mehr die alten Gewohnheiten. Ein sinnloses Tun nach dem Zusammenbruch. Nach der Verschreibung an alle Tode. – – Und ich merke, daß ich auch die Schläge der Folterknechte vergesse, allmählich die Vergewaltigung vergesse, daß mir die Glieder gebrochen wurden, daß ich entmannt wurde, daß meine Brust unter einem Schraubstock eingeengt oder mit hölzernen Hämmern langsam eingeschlagen wurde. Ich vergesse. Nichts vergißt sich so leicht wie der Schmerz, wenn er vorüber ist. Ich vergesse das Angesicht meines Todes, weil ich wieder zur Oberfläche gekommen bin. – – Aber ich weiß jetzt, der Anfall wird sich wiederholen. Nach Tagen, nach Wochen, nach Monaten. Ich fürchte ihn, wiewohl ich keine Kraft habe, ihn zu fürchten. Ich bin auf eine neue Art kraftlos geworden. Die Verwüstung der Schmerzen hat eine Mattigkeit, eine Gleichgültigkeit hinterlassen. Mein Verhalten mir selbst gegenüber hat sich verändert. Ich schmecke das Alter meines Fleisches. Es ist nicht mehr süß. Mir ist, als könnte ich jetzt all das Unsinnige, das Peinliche und Jammervolle tun, das mich sonst angewidert hat. Sich abmühen, in den leeren Schoß einer Hure einzustoßen. Sich erniedrigen, ohne doch getrieben zu sein. Allen Hochmut ertränken, um jenen wahrhaft Häßlichen zu gleichen, denen das Dasein nicht erspart wurde: den Krüppeln, den Verwachsenen, den im Angesicht und Leib Verstauchten, schwielig behaart und zornig entstaltet – und jenen, die geraden Leibes inwendig pockennarbig sind, daß es sie treibt, den Gestank zu suchen und den Abfall zu küssen. Den Geizigen, die sich selbst martern. Keinen Widerstand leisten vor den Abgründen. Keine Achtung mehr vor den Gesetzen der Ordnung, die die vielen beschützt. Die Unordnung der Verwesung vorwegnehmen. Den Aufschrei der Jungen und Gesunden, die noch in Sicherheit sind, hinnehmen. Sie drücken ihren Ekel aus, wenn sie Sterbende sehen. – – Das Ungesunde ist schon in mir. Ich bin müde. Die Erschöpfung ertränkt mich wie ein

Gift. Die Kälte hält noch an. Sie ist da wie ein wolkenhohes Unglück. Es ist der Schrei: VERGEBLICH.
(Ich zaudere noch, es niederzuschreiben:) Mein Widersacher, jener Bekannte aus den Novembertagen, grinst mir im Rükken. Ich sehe ihn noch nicht. Er ist da. Wenn ich zuschlage, trifft meine Faust ihn. Aber ich balle die Faust nur, den Arm bewege ich nicht. Er will, daß ich mich aufgebe. Daß ich mein Leben widerrufe. Daß ich bereue. Daß ich ein Bettler werde. Arm wie keiner. Daß ich gestehe, alle Gaben, die mir mit der Geburt gegeben wurden, sind durch meine Schuld vertan worden. Fahrlässig habe ich mein Leben durch die Jahre gerudert. Mich abmühen, in den leeren Schoß einer Hure einzustoßen und lobzupreisen, daß es ein Genuß sei. Allem Gewesenen abschwören. Alle Verschwörung widerrufen. Den Toten im Kasten begraben und in die Grube rufen: Er war mein Freund nicht. Er war ein Mörder. Wir haben mit gezinkten Karten gespielt. Wir haben die Schöpfung um den natürlichen Ablauf betrogen. Wir haben uns vergangen. – – Ich kenne die Rede mir im Rücken. Sie fällt mich an, und ich bin ermattet. Es gebricht mir an einer schnellen Entgegnung. – Ich sehe doch die Landschaft vieler Jahre in mir. Ich sehe das weite Feld, das wir überquert haben. Jetzt steht ein aufwachsender Wald darauf, und unsere Spuren verlieren sich. Die Bäume der Zeit, das Farnkraut der Tage, sie werden dichter. Der Boden ist geblieben. Der Boden, der unsere Füße trug. – Ich will weiterschreiben. – Jetzt denke ich an einen großen Acker. Fünfzehn oder sechzehn Jahre unseres Lebens. Und die besten, wie man sagt. Bis zur Zahl 35, 36 oder 37. Ich werde mich verständlich machen. Der große Acker. Die Bäume der Zeit wachsen darauf auf. Gleichviel. Wir sind an Millionen Menschen vorübergegangen. Es handelt sich darum, daß ich nicht schuldiger bin als sie. Nicht wertloser als sie. Daß mein Abenteuer so gut wie das ihre ist. Nicht bereuen, nicht bereuen. Nicht bereuen. Nicht den leeren Schoß der Huren preisen. Nicht die Ordnung der Bürokratien, nicht die Schulbänke, nicht das Glück der Unversuchten und Gleichmäßigen. Nicht die Straße preisen, die die Schritte aller leitet. Durch die Mauern gehen. Irgendwo den Geschmack der Verschwörung bewahren. Immer noch die Sünde preisen, die uns allein gehört

hat. – Daß ich deine Verwesung aufgehalten habe, Alfred Tutein, mein Freund, daß ich ein Teil von dir geworden, als wärest du ein Drittel meiner Zeugung – das ist ein Etwas, das mich auszeichnet.
Jetzt muß ich schlafen. Ich spüre, der Schlaf wird erquickend sein. Die Luft in meiner Nähe ist verändert. Ich bin wieder allein. Vielleicht auf Tage nur. Vielleicht auf Wochen.

*

Ein kalter Regen peitscht herab – – – – – – – –
Ein kalter Regen peitschte herab, als das Schiff an einem Kai der schönen Stadt Oslo festmachte. Sie hatte kein gutes Willkommen für uns bereit, die schöne Stadt. Die Zöllner waren mürrisch und von übertriebener Genauigkeit. Die perforierten Notenrollen in meinem Gepäck hätten beinahe einen Zwischenfall hervorgerufen. Der Kapitän unseres Schiffes legte sich ins Mittel, ein höherer Beamter war seinen Erklärungen zugänglich. Wir flüchteten vor dem kalten Regen in ein Mietsautomobil und ließen uns aufs Geratewohl in ein Hotel fahren. Es war ein sehr altes Hotel, in das wir kamen, voll vom Geruch der letzten fünfzig Jahre. Es mußten festliche, glanzvolle Jahre gewesen sein. Die Dielen im Zimmer, das uns zum Wohnen angewiesen wurde, waren breite rotgeäderte Kiefernbohlen. Die weiße Gipsdecke hatte einen vielfach gefalteten Fries, eingewirkt griechische Mäander; Akanthusblätter, vom oftmaligen Tünchen gebuckelt und abgewetzt, wuchsen, vergleichbar dem marmornen Efeu auf verwitterten Grabsteinen, am Rande des Frieses. Es war eine feierlich vornehme Geschmacklosigkeit aus altem Stuck. Sie löste die Erinnerungen. Ich schaute mit Augen, die vor meiner Geburt hier oder an einem ähnlichen Ort geweilt haben mußten. Und empfand ein süßes Heimweh, eine mühselige Freude. – Die Wände des Speisesaales waren mit gepunztem vergoldeten Leder bespannt. Sie forderten zur Verschwendung, zu unbeabsichtigten Genüssen des Gaumens heraus. Niemand, der hier als Gast eintrat, durfte sich arm fühlen; er hätte umkehren oder sich zerschmettert in eine Ecke kauern müssen. Auch wir verloren uns an das üppige, dunkel schimmernde Bild des Wohlstandes. Gegen die

Scheiben prasselte der kalte Regen; feine Spitzenvorhänge falteten sich verhüllend vor den sprühenden Tropfen. Man hörte das Platschen tiefer auf den Pflastersteinen der Straße. Man ahnte den verdrießlichen Himmel. Das gedämpfte Licht des Raumes stand braungrau und unbeweglich. Wir schritten lautlos über dicke Teppiche. Lautlos folgte uns ein schwarzbefrackter Diener, um sich nach unseren Wünschen zu erkundigen. Und so geschah es, daß wir den Versuchungen der Stunde und des Ortes erlagen und den Erdteil, der auch unsere engere Heimat trug, mit einer Feier ehrten. Mit einer Ausschweifung, die wir nicht geplant hatten. Wir fühlten uns als Zurückgekehrte. Undeutlich hinter dem grauen Regen wartete eine Zukunft auf uns, eine Fortsetzung des Daseins, ein Wirken. Es kam auf unser Verhalten an, wie die Aufgaben, die sich uns antragen würden, ihre Lösung fänden. Wir sprachen kein Wort miteinander. Wir machten beide den gleichen Versuch, mit den Augen das leichte Spitzenwerk zu durchdringen. Vielleicht tat sich uns die regennasse Landschaft der Straße auf. Wir erkannten vielleicht die Schatten vorübereilender Menschen. Diese allgemeine Flucht vor der rieselnden Kälte. Ich entsinne mich nur, die Zeit schien stillezustehen. Sie hatte kein besonderes Wort für uns. Die Stimme des Kellners schreckte mich auf. Er fragte:
»Was wünschen die Herren zu essen, bitte?«
Ich fragte Tutein: »Ja, was eigentlich wollen wir essen?«
»Nichts«, sagte er grob.
»Aber wir sitzen im Speisesaal«, sagte ich, »und seit mehreren Stunden haben wir nichts in den Magen bekommen.«
»Nach deinem Belieben«, sagte er, »einen guten Trunk sind wir dem alten Erdteil schuldig.«
»Du denkst wie ich«, sagte ich erleichtert.
Der Kellner hatte sich nicht über uns zu beklagen. – –
(Nur ein Zwischenfall. Warum habe ich ihn nicht vergessen? – Es wurde Tutein die Ebenbürtigkeit mit Leuten von Amt, Bildung und Besitz durch diese Maske eines Menschen, den Kellner, einen Augenblick lang streitig gemacht. Doch Tutein, der ehemalige Matrose, überwand diesen Aufwärter der Anspruchsvollen und Rücksichtslosen, daß er wie ein Mensch zu winseln begann. – Es wurden halbe Hummer gereicht. Durch

ein Versehen war die Schale der großen Schere, die Tutein zufiel, in der Küche nicht zerbrochen worden. Ratlos stocherte er mit einer Gabel an dem Kalkpanzer. Aus der Ferne sah der Kellner belustigt und boshaft zu. Nach einer Weile getraute er sich, ein listig unverschämtes Wort zu sagen.
»Der Herr hat wohl keine Übung im Hummeressen?«
Tutein warf einen Blick auf ihn, einen kurzen Blick, und erkannte die Beschämung, in die der andere ihn locken wollte. Er antwortete:
»Ich pflege diese Tiere mit Hammer und Kneifzange zu traktieren. Bitte, bringen Sie mir die Geräte.«
Der Kellner eilte mit Schrecken herbei, sah nun aus der Nähe, daß die Schere nicht ordnungsmäßig vorbereitet war. Er erging sich in endlosen Entschuldigungen, trug den Hummer wieder hinaus. Als er zurückkam, sagte Tutein:
»Ich wünsche nicht, daß Sie auf meinen Teller starren, wenn ich esse. Sie sind nahe genug, wenn Sie sich am Ende des Saales aufhalten.«
Aber dann, durch ein Lächeln, wußte er die übliche Freundschaft zu dem Manne wieder herzustellen. Das Herz in der Brust des Kellners mußte in dieser Sekunde höher geschlagen haben. – Als wir den Saal verließen, wußte er es so einzurichten, daß er mich einen Augenblick aufhielt. Mit fast bebender Stimme wandte er sich an mich:
»Wer ist der Herr? – Ein prächtiger Mensch.« –
Ich antwortete nicht.)
Merkwürdig, der Regen hörte nicht auf; die allmähliche Dämmerung schien von dichteren Wolken zu stammen. Man dachte an die Sonne, und daß sie auch diesen trüben Tag mit duffer Helligkeit erfüllt hatte und ihn verließ. Es waren außer uns noch keine Gäste erschienen. Zwanzig, dreißig Tische, weiße Decken darüber, Teller, fächerförmig gefaltete Servietten, geschliffene Weingläser, auf jedem Tisch, in schlanker zerbrechlicher Vase, eine einzige Orchidee. Dieser unendlich saubere und komplizierte Aufbau einer Futterkrippe, von je vier Sesseln flankiert, zwanzig- oder dreißigmal wiederholt.
»Wir können hier nicht festwachsen«, sagte Tutein in das braune Halbdunkel hinein.
»Wünschen die Herren Licht?« fragte der Kellner.

»Nein. Nein. Noch einen Kognak, bitte«, sagte Tutein.
»Wir werden durchnaß, wenn wir uns aufmachen, die Stadt zu beschauen«, sagte ich.
Dennoch entschlossen wir uns zu einem Spaziergang. Ich entsinne mich nicht, daß wir an diesem Abend ein Erlebnis hatten. Die Stadt lag, gebeugt von den Wolken, halb eingesunken im Boden.
Wir erreichten die Karl-Johans-Gate, diesen Boulevard, der seinesgleichen nicht hat. Eine Straße, großstädtischer als jede andere. Der schöne Tempel der Universität; auf einer Anhöhe im Nordwesten das Schloß; das finstere Parlamentsgebäude zu Füßen des kleinen Parks – zu Füßen der Doppelstraße müßte man sagen –, ein scheußlicher schmutziggelber Stein, ein Wehr, das den helltönenden lachenden Verkehr in enge Straßen abdrängt, in ein dunkles Gespinst versenkt. – Es begegneten uns nur wenige Menschen. Manchmal stieß eine singende, durch und durch leuchtende Stimme zu uns, der redende Mund einer Frau oder eines Mädchens. Des Regens bald überdrüssig, schoben wir uns quer am Theater vorüber und landeten in einem Café. Wahrscheinlich war es an diesem Abend, daß ich von unseren ökonomischen Verhältnissen und Aussichten zu sprechen begann. – Die uns notwendig erscheinenden Ausgaben haben überhand genommen. Wir haben nicht verschwendet, wir haben vergessen zu geizen. Unser Vermögen ist eingeschrumpft. Ein Teil der Wertpapiere ist verkauft worden. Etwas bares Geld ist noch vorhanden. Vielleicht wird es bis zum Anfallen der nächsten Zinsen reichen. – Tutein weiß es wie ich. Aber ich ziehe die Schlußfolgerung. Wir müssen sparsamer werden. Eine Gelegenheit zum Geldverdienen wird sich uns so bald nicht auftun.
Er widerspricht mir nicht. Er stimmt mir zu. – Wir müssen einen abgeschiedenen Ort suchen, unseren Wohnplatz. –
»Der Viehhandel war einträglich«, sagt er noch einmal; aber er denkt nicht daran, Viehhandel zu betreiben; er hat keinen Plan. Er wartet auf eine Eingebung. Mir ergeht es nicht anders. Plötzlich ist es, als wären wir erschöpft. Das Vergangene liegt wie eine übermenschliche Anstrengung hinter uns, nicht wie eine Zeit voll mannigfacher Hoffnungen und Irrtümer; nicht wie Durst und Quelle; nicht wie die Sünde, untermischt mit

Freude; nicht wie der schwere Rauch der Lasters; nicht wie der weiße Schnee der Liebe und ihres Todes – ganz ungestaltet und verwüstet – Vergangenes, kein unersättlicher Traum – eine lange Straße, an deren Ende die Anstrengung in Erschöpfung aufgelöst ist.

– – – – – – – – – –

Am nächsten Tage zerrissen die Wolken, die schon seit Stunden kein Wasser mehr herabzuschütten vermochten. Mit beispielloser Pracht begann das Getön des regenbogenfarbigen wärmenden Lichtes. Die Stadt dampfte in freudigen Nebeln. Der Salzatem des Fjordes bestrich den Dampf, daß er zerging. Wir aber, einen Entschluß im Herzen, standen in der Vorhalle des Ostbahnhofes und lasen die Landkarte dieses Landes Norge, das sich unbekannt ein paar tausend Kilometer nach Norden wälzte. Und versuchten unseren Wohnsitz zu wählen. Mit dem Finger fuhr Tutein in der Zeichnung schrundiger Bergzüge umher. Es war das Herz des Landes, der Indre Sogn. – Wir betraten Askehaugs Buchladen und erstanden fünf oder sechs Blätter der Generalstabskarte. In unserem Hotelzimmer breiteten wir die Karten aus. Deutlicher schon schien sich die Landschaft preiszugeben. Die Höhenabstufungen, erschreckend fast in ihrer Steilheit. Ich wies auf einen Ort, dessen Namen ich nie gehört, der keine Vorstellung in mir auslöste; es war nur eine Bezeichnung auf der Karte. Dorthin wollten wir. Es war Urrland.

*

Wir hatten noch einen flüchtigen Blick auf die schöne Stadt Oslo geworfen. In ein verrufenes Kino waren wir geraten; in die Heilands-Kirche, von der ich nichts weiter zu berichten wüßte, als daß schräg vor ihrem Westeingang ein blechernes Pissoir errichtet ist, das wir benutzten, und daß sich der Turm bei einem Erdbeben leise schwankend verneigte. Die letzte Tatsache erzählte uns zwei Jahre später Dr. Saint-Michel, der, in einem Kaffeehaus, der Kirche gegenüber, sitzend, es selbst gesehen hat. (Die Millionenzahl der Ziegelsteine möge mir verzeihen.) Der Zauber der Karl-Johans-Gate. Die betörenden Stimmen der Frauen und Mädchen, die auf dem Fußsteig auf und ab fluteten. Die Alliance-Konditorei, wo wir schaumigen Eierschnaps löffelten. Die Kunsthandlung, hinter deren Schaufenster ich zum erstenmal eine Granitplastik Kai Nielsens sah. – Ach, die Augustsonne hat heiß und mit wohltuender Fülle, heilend und nahrhaft geschienen. – –

Am vierten Tage, frühmorgens, saßen wir in einem Abteil der Bergensbahn. Leere Erwartung. Vergeblich müht sich die Phantasie, das Unbekannte vorwegzuempfinden. Aufspringen von den Sitzen, wenn sich ein bewaldeter Hügel vorüberschiebt. Die schöne Granitbrücke über den Fluß bei Hönefoß. Der häßliche Bahnhof dieser Stadt. Dann steigt der Zug allmählich die Granitbarren hinan. Er zwängt sich in finstere Löcher, verschwindet in den Tunnels. Qualm dringt von den Lokomotiven in die Waggons. Eine fast erschreckende Andersartigkeit der Erde tut sich auf. Nur die überallhin verstreuten Birken, dies Wachstum noch auf dem ungeheuren Dach der Felsen, befremdet, weil wir es an anderen, weniger erhabenen Orten genau so gesehen haben. – Ich fühle, ich kann die Hochebene nicht beschreiben. – In Finse, auf dem Bahnhof, betrachte ich den gebrochenen Granit, aus dem man das Stationsgebäude errichtet hat, dies einst flüssige Gestein, das große leuchtende Flecken aus Quarz und Feldspat aufweist. Das Auge fliegt über das Hardanger Hochland. Ich spüre die Tränen hinter meinen Augen und zugleich die Kälte der Luft. Wo habe ich diese Erde, die wir begehen, je so schön gesehen? So schön und so unnahbar? So ganz ohne das Maß der Menschen? – Der Schnee ist um diese Jahreszeit schmutzig, überall ist er vom blanken Gestein zurückgetreten. Die Eisdecken der Seen sind trübe. Die Fahrt durch die hölzernen Schneeschutzbauten ist lästig.

In Myrdal verlassen wir den Zug. Gerade hat ein Tunnel ihn ausgespien. Unser Gepäck. Das Stationsgebäude. Drei oder vier Pferdekarren. Das umfaßt das Auge in der ersten Minute. Und dann, mit ängstlichem Bewundern, die aufschießenden Berge – das Flaamsdal, tief unten wie etwas Verlorenes. Nebel oder Wolken an einer Felswand.

Wir müssen zwei Pferdekarren mieten. Unser Gepäck ist beträchtlich.

Den Skyssburschen können wir uns nur durch Zeichen verständlich machen. Die Pferde sind gelb von Farbe, klein und dick. Wir nannten sie später Fjordingpferde. Es sind Norbaggen von nicht ganz reiner Rasse. Sie haben auf dem Rücken den dunklen Streifen der Wildpferde. – Die Serpentinen bis zur Talsohle hinab müssen wir zufuß gehen. Neben dem Schlangenweg donnert ein Wasserfall in die Tiefe. Zum ersten Male sehe ich mit Bewußtsein, daß das Wasser dieser Landschaft, sobald es nicht weiß schäumt, von grüner Farbe ist. Alle Stufen finden sich, vom lichtesten Frühlingsgrün der Gerstenfelder bis zum Basaltschwarz nächtlicher Moospolster. Wir bewundern die Pferde, die mit sicheren Hufen auch die steilsten Wegstrekken bewältigen. Ihr rundes dickes Gewicht bewahrt die Karren vorm Absturz. Die Prellsteine am Rande des Weges sind ein Mittel gegen das Schwindelgefühl. Die Skyssburschen schweigen. Sie haben Schuhe ohne Schäfte an den Füßen, grobe Kniestrümpfe und bunte Bänder. Ich schaue in das Gesicht des einen. Ich verstehe seine Sprache nicht. Ich verstehe sicherlich auch seine Seele nicht. Noch nicht. Ich kämpfe mit einem unsinnigen Neidgefühl: ich möchte so ein Bursche sein. Hier. Mit seiner Seele. Mit seinem unbewußten Alter. Herr über so ein Pferd. –

Am Fuß der Berge, die alle einen Namen haben, auf dem Grunde des Spaltes, der, wie mir scheint, durch unvorstellbare Kräfte hineingerissen worden ist, besteigen wir die Karren. Ich werde auf den Sitz neben den einen Burschen geschoben, Tutein wird der Gefährte des anderen. Und die Fahrt beginnt. Wir fuhren wie Geister durch die Berge hindurch, so schien es mir. Wir und der Fluß, der auch ein Geist ist, ein mächtiger Geist. Ich fühle mich geborgen. Ein großer Schafspelz ist gleichzeitig um meine Beine und um die des Skyssburschen gelegt. Ich hätte ihm, ich weiß nicht was, sagen mögen. Gelegentlich nehme ich ihm die Zügel aus den Händen. Hinterher vergalten wir den Burschen mittels eines reichlichen Trinkgeldes. Die schwarzen düsteren Mauern der aufgeklafften Berge, dieser scheinbar nie enden wollende, granitumstellte Tempelgang, weitete sich endlich. Die armselige Bretterkirche von Flaam wurde sichtbar, der trostlose Kirchhof, auf dem vielleicht einmal dieser Bursche, den ich beneidete, begraben werden würde. Wir sahen den Fjord. Unsere neue Heimat. In der

Ferne, jenseits des Wassers, der milde weiße Gipfel des Blaaskavl. Wir übernachteten im großen Fremdenhotel der Skyss-Station. Wir erfuhren, hier hatten Könige und Kaiser gewohnt. Wir konnten uns verständlich machen, denn man sprach englisch. Ich ging, über eine runde Klippe hinweg, zum großen roten Stallgebäude. Zwölf oder fünfzehn Pferde standen in ihren Boxen und fraßen duftendes Heu. Ich wußte noch nicht, daß ich, ein kleines geringes Ding, am Herzen Norges war. Daß ich das rissige Antlitz der Berge verehren würde, das grüne Wasser, den nur schwer auslotbaren Fjord, die Rentiere und die Lachse, die Haustiere selbst und das lästige Unwetter – wie ein echter Sohn dieses Landes. – Daß ich dennoch ein Fremder blieb und wieder fort mußte – unser Schicksal war nicht anders.
Am nächsten Tage fuhr uns ein Fjorddampfer die wenigen Kilometer bis zur Schiffsbrücke von Urrland.

*

Urrland ist ein Gebiet, eine dünn besiedelte Landschaft. Es gibt den Urrlandsfjord, den Urrlandselv, den Wahlbezirk Urrland. So weit das Auge sieht, bis zu den Granitmauern der Berge in allen vier Himmelsrichtungen reicht das Gebiet, ja weiter, bis in die benachbarten Täler, die unsichtbar eingebettet in den Gesteinsmassen liegen. Skaerdal, Underdal, Flaam und Fretheim – und die ringsum verstreuten Höfe, die alle einen Namen haben – und die Saeter, die Bergrechte, die alle einen Namen haben. Urrland ist auch ein Flecken, hart an der Flußmündung gelegen. Und der Ort heißt Urrlandsvangen oder Vangen schlechthin. Es ist das eigentliche Urrland. Es wohnen dort dreihundert Menschen. Es ist nichts Erstaunliches, daß man die meisten von ihnen nach und nach kennenlernt. – Wir lernten sie kennen, die damals unter den Lebenden waren. Einige ausgenommen, Frauen und Mädchen, die, unbegreiflich, in den Häusern verschollen lebten. Andere, die wie Nichtpersonen selbst am Tage unbemerkt blieben. Auf die man schaute wie auf die Stimme eines Haselgebüsches. Man entsinnt sich hinterher nur des Vorhandenseins des Nußhaines, des vielen aufschießenden Gehölzes – und unterscheidet nur mit Mühe den einzel-

nen Schoss, den eine fahle, durchschimmernde Rinde bekleidet.
Es gibt Krankheiten: Tuberkulose – Auszehrung, wie man sagte – Krebs. Und die allgemeineren Gebrechen: Klumpfüße, verwachsene Rücken, Fallsucht; irgendwo gingen Steine und Eisen ins Fleisch, eine brünstige Kuh jagte einem Knecht in ihrer Verliebtheit ein Horn in den weichen Bauch. Sein Gesicht wurde sehr weiß davon, ganz entspannt, unendlich gütig, wie ein Viehknecht sonst nicht sein kann. – Ich habe niemals einen blasseren Toten gesehen. – Die Armut der Armen war ein Abgrund, in den die Zuvielgeborenen gestürzt wurden. Der Gemeindearzt, Doktor Telle, sagte einmal zu mir, er wohne seit sieben Jahren in Vangen; aber er wisse nicht, wovon die Mehrzahl der Bewohner lebe. – Sie lebten; aber es mußte Mangel in der Siedlung sein, wenn es ihrer dreihundert waren. Die zwölf Kinder, die je zwei Erwachsene zeugten, mußten auf die eine oder andere Weise verschwinden – bis auf die wenigen, die man als berechtigten Nachwuchs bezeichnen konnte. Einige wanderten nach Amerika aus. Andere nahm der Fjord. Ellend Eide, der Wirt des Hotels, hatte im Laufe der Jugendfrische seiner Eltern dreizehn Geschwister gehabt. Und alle, bis auf eine Schwester, die an einer Krankheit starb, kamen nacheinander während der winterlichen Jahreszeit um. Auf die gleiche Weise, Jahr für Jahr: wenn das Eis des Fjordes im Februar oder März mürbe wird, pflegen die Kinder und Jugendlichen das schon brüchige durch Trampeln, Wippen und Schaukeln in Schollen zu zerteilen. Ebbe und Flut sind ihre Bundesgenossen. Die Schollen werden zu Flößen. Um die Flöße tut sich das Wasser auf. Man springt von Insel zu Insel. Die grauweißen schwimmenden Länder bersten. Die Kinder ertrinken. Niemand verbietet ihnen das Spiel. Oder das Verbot wird übertreten. – Das Herz des Menschen richtet sich so leicht nach den Notwendigkeiten. Warum einem Wesen nachtrauern, das mühelos ersetzt werden kann, das man selbst machen kann? (Gewiß bedarf es auch dazu Gottes Hilfe und des Segens der Natur.) Vielleicht war das Schicksal der Geschwister Ellends ein äußerster Fall. (Es war nicht einmal eine arme Familie.) Und es lag fünfzig Jahre in der Zeit zurück. Ellend aber und seine Frau waren miteinander unfruchtbar. Während der vier Jahre,

die wir in Urrland wohnten, ertranken nur drei Kinder im Fjord, das war ein Opfer je Winter. (Im vierten Jahre hatte der Fjord kein Eis.) Wieder andere: – Ach, die Säuglinge sind anfälliger als die großen Kinder. Der Tod steht an ihrer Wiege oder neben dem Kasten, in dem sie strampeln. Es bedarf nur eines Hauches von seinen schmalen eisigen Lippen, und schon kommt in das Hunger- und Jammergeschrei des kleinen Kindes jener Friede der Erlösung, der höher ist als alle Vernunft. Und stirbt das Kind, ehe es viel gegessen, so drückt sich darin die Weisheit der Vorsehung aus, die die Armen nicht über die Kraft plagt und versucht. – Viele wachsen auf, und es sind tüchtige Menschen unter ihnen. Auch gebrechliche, kranke und böse. Es ist nicht anders.

Die Mädchen, wenn sie zu menstruieren beginnen, sterben hier leicht an der Bleichsucht, der Auszehrung, an diesen Jahren. – Wie so viele der Araberknaben zwischen zwölf und sechzehn an der Unmäßigkeit eines neuen Genusses sterben. –

Anna Frönning, ein hübsches, etwas dickes Mädchen – wären ihre Eltern nicht von Gott als von einem Teufel besessen gewesen, so hätte sie sicher schon erfahren gehabt, wie ein gut gewachsener Bursche aussieht; aber sie erfuhr es nie – sie fiel, es war an ihrem fünfzehnten Geburtstage, vor den Altanstufen des Hotels um – und war tot. Es war an einem warmen Sommertag. Tutein und ich saßen auf einer der Bänke des Altans, eineinhalb Meter über der Straße. Wir hatten dem hübschen Kind zugewinkt. Es hatte ein Lächeln auf den Lippen gehabt. – Als wir die wenigen Stufen zur Straße hinab waren, uns niederbeugten, in das Gesicht schauten, war es entstellt, rotblau – wie das eines Erhängten. – »Wie Ellena –« sagte Tutein. Wir trugen das Kind in den Salon des Hotels. Tutein riß dem Mädchen die Kleider auf. Er versuchte durch Armbewegungen Luft in die Lungen zu pumpen, das Herz mit frischem Atem zu umspülen. Ich lief nach Wasser und Kognak. Als ich zurückkam, stand Tutein untätig neben dem Kopf.

»Sieh dir das an«, sagte er, »vollendet hat er sie noch, dieser Meister über Leben und Tod. Eine fleischige Blüte, die gerade aufgesprungen ist. Und dann verworfen. Weggeworfen.« –

Der Wirt Ellend kam. Die Wirtin Stina kam. Sie schrie auf und begann zu weinen. Doktor Telle kam. Ungerufen. Er hatte hinter einem Fenster seines Hauses den Vorgang beobachtet. Er bewohnte eine Dependance des Hotels, fünfzig Schritt entfernt, jenseits der Straße, über den Bootsschuppen. Wir machten uns davon. Die Telegraphistin Janna übernahm es, die Eltern zu benachrichtigen. (Sie war verwachsen und ein guter Mensch, ohne Hinterhalt in ihrer Seele. Sie war musikalisch und lernte es binnen weniger Wochen, Johann Sebastian Bach zu lieben.) Frau Frönning, die Mutter der Toten, verdrehte die Augen, pries Gott. (Was Gott tut, das ist wohlgetan.) Unter Anrufungen wurde das Kind am dritten Tage begraben. Der Vater hatte den Sarg selbst angefertigt, und der braune Anstrich, den er gewählt hatte, war mißlungen. (Er war Heringsfaßtischler und hatte einen den Verhältnissen nach ansehnlichen Handel.) Ich stand am Gitter des Hotelgartens und schaute auf das Gräberfeld, das unmittelbar daran grenzte. Zehn Meter vor mir – ich pflückte einige der wunderbaren spätreifen Kirschen und tat sie in den Mund – verrichtete der Laienprediger einer Sekte das scheußliche Ritual. (Der dünne Erzgesang der Glokke, die frei in einem Holzgestell vor der alten Kirche hing, hatte mich angelockt.) Der Probst war nicht zurstelle. Später polterten die Geröllsteine auf den Sarg. Wie oft habe ich dies Gepolter gehört! Diesen unbarmherzigen, diesen verwüstenden Ton. (Der Totengräber mit den rot entzündeten Augen und der Ziege, die das Gras von den Gräbern fraß, lebte noch.) Frau Frönning bekam als Ersatz für ihre verlorene Tochter ein Harmonium und bat mich, ihr die Anfangsgründe im Spiel beizubringen. Widerwillig erklärte ich mich bereit. – Sie waren wohlhabende Leute; der Tod hatte keine Last davongetragen. Man mußte es mit Gottes Ratschluß begründen. Fromme Lieder schläfern das Gemüt ein. Das Gebet ist ein Trost. Nur das Schweigen ist gefährlich und stiftet Unheil. Der Vater Frönning war ziemlich schweigsam und damit gefährlich geworden. Seine Trauer war größer als sein Glaube.

*

Es war unser Plan gewesen, in irgendeinem Hause am Strand oder in den Bergen Wohnung zu nehmen. Unserer Absicht wurde überall Widerstand entgegengesetzt. Den Fremden stand das Hotel offen. Also war es eingerichtet. Man ließ sich auf keinen Handel mit uns ein. So trafen wir denn ein Übereinkommen mit dem Wirt und der Wirtin, mit Ellend und Stina Eide. Wir bezogen einen großen Saal im oberen Stockwerk. Wir machten einen Preis aus, der ganz unseren Einkünften entsprach. –

Es gelüstet mich, den Versuch zu machen, die Mehrzahl der Bewohner Urrlands, unsere Gefährten während mancher Jahre, kurz vorzustellen. Einige dieser Menschen haben sich auf den Seiten, die ich gestern schrieb, schon eingefunden; zwei von ihnen sind gestorben, einer hat einen Sarg getischlert, ein anderer das Grab geschaufelt und die Totenglocke geläutet. Der Kirchhof ist kahl. Es gibt nur zwei Gräber, die ein Jahrzehnt überdauert haben: die roten polierten Granitplatten über der Asche zweier Pfarrherren. – Die menschliche Gesellschaft läßt sich auch in einem kleinen Kreise versammeln. – Echte Freundschaft oder tiefe Liebe hat keinen an uns gebunden. Vertraulichkeiten schlichen sich nur unbeabsichtigt ein. –

Nicht alle Ehen waren fruchtbar. Unsere Wirtsleute waren kinderlos. Ohne Nachkommen war auch das Ehepaar Myrvang, der alte Lensmann und seine Frau. Es gab viele in Vangen, die den Namen Myrvang trugen, so auch ein Bauer, dessen Gehöft auf der »kleinen Nase« am Wege nach Skaerdal belegen war. Er war unverheiratet und trug stets, auch im Sommer, drei wollene Unterhosen und drei wollene Hemden. Er wollte nicht nackt gehen. Er hatte den Vornamen Haakon. Haakon Myrvang hoffte, den alten Lensmann zu beerben, wenn es einmal soweit sein würde. Und das war keine kleine Erwartung, denn der alte Lensmann war reich. Man sagte ihm nach, daß sein Vermögen einundeinehalbe Million Kronen groß sei. Derartige Zahlen im Munde der Krambudensteher sind natürlich unzuverlässig. Immerhin, der alte Mann hatte einen recht ansehnlichen Hof, auf den Hochgebirgstriften besaß er siebentausend zahme Rentiere. Die Wasserrechte des Flusses gehörten ihm zur Hälfte. Kürzlich hatte er die Skyss-Station und das Hotel in Fretheim gekauft. Später verkaufte er seine Wasserrechte an eine Elektrizitätsgesellschaft für siebenhundertundfünfzigtausend Kronen. Der englische Gesandte, wenn er im Sommer auf zwei oder drei Monate nach Urrland kam, um Lachse und Forellen zu fischen, wohnte in einer weißen Holzvilla, die der Lensmann ihm zur Verfügung stellte. Das alte Ehepaar selbst begnügte sich mit einem wahrhaft bescheidenen Hause, das aus einer großen hohen Stube, die bis unter das Dach reichte, und zwei, drei kleinen Kammern bestand. Bier pflegte der Lensmann nur aus der Flasche zu trinken. Auch seinen Gästen wurden keine Gläser vorgesetzt. Er erklärte kurz: es schmecke besser. Er trug stets langschäftige Handschuhe aus schwarzem Ziegenfell. Ich habe niemals wieder derartige behaarte Handschuhe gesehen. Er war klein an Wuchs, ungemein rüstig und behende. Hinter den Gläsern einer goldgefaßten Brille ruhten graue stechende Augen. Es gibt eine Geschichte, die zu seinem Reichtum eine Verbindung hat. Als er noch im Amte war – seit vielen Jahren war er es nicht mehr, sein Nachfolger hatte den Namen Fasting, ein hochaufgeschossener weichlicher Mensch, der den Kopf beständig schief hielt, horchend und fragend, nun auch schon ergraut, verheiratet, kinderlos –, geschah es, daß eine Versammlung aller Lensmänner des Fylkes einberufen wurde, um über einen Amtsbruder zu Gericht zu sitzen, der fünfzehntausend Kronen unterschlagen hatte. Der Sünder hatte neunzehn Kinder gezeugt, die am Leben geblieben waren. Der Eifer und die Entrüstung der anklagenden Kollegen war bedeutend. Plötzlich legte der Lensmann Myrvang fünfzehntausend Kronen auf den Tisch und sagte: »Hier ist das Geld. Der Mann hat neunzehn Kinder. Ich möchte nicht, daß sie sich ihres Vaters schämen müssen. Wer mit der Beilegung nicht einverstanden ist, bekommt es mit mir zu tun.« Alle schwiegen. Niemand wagte einen Widerspruch. Der Defraudant blieb im Amt. Aber der alte Lensmann verachtete ihn. – Myrvangs Frau bereitete nach altem Brauch auch die Speisen an einer offenen Herdstelle.

Haakon Myrvang also hoffte den reichen Onkel zu beerben. Es erwies sich, daß er in einem Irrtum befangen war. Seine vorlaute Erwartung, einmal geäußert, brachte ihm nichts weiter ein, als daß der alte Lensmann ihm ein ganzes Pfund weicher Butter ins Gesicht schmierte. – Es ist dies die Geschichte vom Sohn, vom unehelichen Sohn des reichen ehrenwerten Mannes. Ich kann sie nicht erzählen, ohne zuvor noch einmal weit abzuschweifen. Das Kind wurde in der Familie des Trinkers, Motorbootbesitzers, Schmugglers, des schmutzigsten Menschen, den ich je gesehen, geboren. Er hieß Aall. Die Frau dieses Mannes, ganz ungewöhnlich häßlich, doch mit schönen lebhaften dunklen Augen, war die Mutter. –

– – – – – – – – – – –

An der Dampferbrücke von Urrland liegen drei Packhäuser. Das eine gehört dem Krambudenbesitzer Per Eide, das zweite dem Krambudenpächter Olaf Eide, und das dritte ist ein Kohlenschuppen der »Nordenfjeldske Dampskibsselskab« in Bergen, die den Verkehr auf dem Sognfjord und seinen Ausläufern unterhält. Steigt man von der Brücke den kurzen steilen Weg bis zur Straße hinauf, so liegt gleich rechter Hand der Kramladen Per Eides, wenige Schritte zur linken, doch auf der gegenüberliegenden Seite des Weges, das Hotel, ein zweistöckiges hölzernes Bauwerk auf einem weißgetünchten hohen Steinsockel. Die Krambude Olaf Eides liegt der des Konkurrenten gegenüber; zwischen ihnen öffnet sich die Straße zu einem Platz, dem Markt, der gerade so groß ist, daß ein Teil der Kirchhofsmauer sich herzudrängen kann. Sie springt hinter der Krambude Olaf Eides hervor, aufgeschichtet aus roh gebrochenen Schieferblöcken. Die Krambude Olafs ist ein niedriges Bauwerk, das mit großen unregelmäßigen Schiefersteinen bedacht ist. Sie wirkt zurückgezogen, gleichsam versteckt, und das hat seinen Grund in der merkwürdigen Gruppierung der Umgebung. Das Hotel hat den einen seiner drei Gärten bis an die hölzernen Balkenstände des Marktes vorgeschoben. Hier pflegen die Landleute, wenn sie von den Bergen oder aus den Tälern kommen, ihre Tragpferde festzumachen. Käse, Butter und Häute werden abgeladen; vor dem Gitter des Hotelgartens häuft sich verstreutes Heu. Olaf ist ein Neffe des Wirtes Ellend Eide (nämlich der einzige Sohn der einzigen überlebenden Schwester); die Krambude gehört dem Onkel, und so ist es natürlich, daß ein Weg, mit großen Steinplatten belegt, vom Laden hinterwärts in das Hotel führt: zur Küche, zur Telegraphenstation und in ein hellblau gestrichenes Gastzimmer, das den Bauern und einheimischen Tagedieben vorbehalten ist. Dieser schön gepflasterte Weg hat eine Abzweigung in den großen Obstgarten hinein und eine andere zur Straßenfront des Hotels. An ihm liegt eine der Retiraden für die Gäste, geräumig, mit doppelter Sitzgelegenheit, damit man der Gesellschaft nicht zu entbehren braucht, mit einer gemeinsamen tiefen Grube, doch mit zwei Eimern Chlorkalk, um der Hygiene zu genügen. Durch die Belegenheit wird dieser geheime Ort zu einer Art öffentlicher Anstalt. Es ist erwiesen, daß hier viele lange und bedeutende Gespräche zwischen je Zweien in tiefer Zurückgezogenheit geführt wurden. Da der doppelten Sitzgelegenheit auch doppelte Türen nach außen entsprechen (wiewohl sie in einen Raum münden), ist nichts zuhinder, daß ein Bursche dort sein Mädchen trifft. Man benutzt diese Bequemlichkeit, weil es verpönt ist, daß Verliebte, wenn sie einander am Tage begegnen, auch nur einen Gruß wechseln. Die Verwüstung, die der Pietismus in die Seelen gebracht hat, ist unermeßlich. Erst in der Dunkelheit der Nacht und des Klosetts lösen sich die eisernen Fesseln der Frömmigkeit. –

So erscheint denn der Laden Olafs als der Teil eines größeren Komplexes, ein Ausläufer. Und die Pferde, die nach langer Wanderung oft einen Tag lang in der Sonne oder im Regen schlafend und fressend angebunden verweilen, verwirren den Blick über den freien Platz oder ziehen die Aufmerksamkeit des nachlässigen Wanderers an, so daß das Unternehmen Olafs als gar nicht vorhanden erscheint. Ganz anders das stolze Gebäude Per Eides. Es liegt auf einem hohen Sockel, ähnlich dem des Hotels; die Bretterwände sind mit mattgrüner Ölfarbe bestrichen; ein geschwungenes Eisengitter geleitet den Käufer die Treppenstufen hinan. Zwei Fenster reichen bis auf den Sockel hinab, und es sind Spiegelglasscheiben ohne Sprossen in die so vergrößerten Öffnungen eingesetzt, die einzigen, die sich in Vangen finden. Man erkennt dahinter Klippfisch, Taurollen, Heringsfässer und emaillierte Kochtöpfe. Man gewinnt den Eindruck von Wohlhabenheit, Reichtum, ja: kaufmännischer Macht. Doch die geschäftlichen Verhältnisse der beiden Handelshäuser entsprechen keineswegs dem äußeren Anblick ihrer Verkaufsstände. Schon, daß die beiden Packhäuser an der Brükke gleiche Größe aufweisen, ist eine vorläufige Belehrung.

Per Eide war magenkrank. Er hatte beständig ein betrübtes Gesicht, und dies Gesicht schien von Jahr zu Jahr länger zu werden, nach unten hin zu wachsen. Manchmal war er geradezu unhöflich gegen seine Kunden. Diesem Übelstand war ziemlich abgeholfen, seitdem seine zwei Söhne herangewachsen waren und die Bedienung der Kundschaft als Aufgabe hatten. Der eine dieser Söhne, der ältere, war ungemein still. Er verließ plötzlich Urrland und suchte sich eine Beschäftigung in Bergen. (Es ist möglich, daß diese fluchtartige Abreise erst durch das Leiden und Schicksal des unehelichen Sohnes Lensmann Myrvangs zum Entschluß gereift war. Und so könnte der Schatten einer Schuld auch auf mich fallen.) Den anderen, strotzend von Gesundheit, so schien es zum wenigsten – seine Backen erstrahlten rot wie angemalt – kaum zwanzig Jahre war er alt – erkor sich der Propst zum Liebling. Oft geschah es, daß der verfallene greise Mann der Propstin das Geschäft des Einkaufens abnahm, vom Tal herkommend den Platz überquerte, in den Laden Per Eides huschte und dort lange verweilte. – Die Klagen, die der ungestillte, verwüstete alte Mann zum Himmel hinaufrief, müssen ungezählt bleiben. Er haderte, beschimpfte Gott, zweifelte. Er fürchtete den Tod, der schon wie ein Schatten an seiner Ferse war. Arne – so hieß der jüngere Eide – folgte diesem nie ausgesprochenen Ruf der Auserwähltheit. Er besuchte die allwöchentlichen Vortragsabende im Pfarrhause, stahl Tabak aus dem Rauchtisch des Geistlichen und schlief gewöhnlich nach den ersten Sätzen des Propstes in der Ecke eines Nebenzimmers sanft ein. Das Hinneigen Arnes zur offiziellen Religion konnte den Anhängern der Sekten und den Gebetschören amerikanischer Frömmigkeit nicht behagen. Untereinander bekämpften sie sich. Daß aber die Kirche eine Einrichtung des Teufels sei, darin waren sich alle einig. – Es war ganz vergeblich, daß der alte Per Eide hin und wieder das Bethaus besuchte, allen Sekten durch gelegentliche persönliche Anwesenheit bei den Bußübungen Ehrerbietung erwies, auf die Knie fiel und vor der Versammlung der Pfingstgemeinde weinte. Manchmal schrie er sogar im Laden auf: »Herr Jesus, Herr Jesus!« – Das Vertrauen zur Krambude Per Eides war erschüttert.

Daraus zog Olaf seinen Vorteil. Olaf war kein frommer Mann. Er pfiff sich ein Lied, so oft er seine Krambude verließ, sei es nun, daß er zum Lagerschuppen hinabeilte, an das Telephon

gerufen war oder die halböffentliche Retirade aufsuchte; ja, ehe er sein Tagewerk begann und wenn er es vollendet hatte, flötete er. Das allein kennzeichnete ihn als einen Menschen, der nicht durch Gottes Wort erweckt war, denn die Erweckten sind von der Würde des Ernstes angerührt und gehen mit starren süßsauren Gesichtern umher. Wenn sie sangen, dann war es Gott zur Ehre, mit gräßlicher Stimme, in Gemeinschaft mit anderen Gläubigen, in der Versammlung der Heiligen, auf den Bänken der Sünder, im Schoße der Auserwählten, im Tempel der Wundmale Christi, tausendzüngig im pfingstlichen Geist – – oder welche Art der Umschreibung für die Bretterbude des Bethauses ihrer besonderen Glaubensrichtung nun gemäß sein mochte. Und was pfiff nun Olaf Eide? Jahrein jahraus die gleiche Melodie: Solveigs Sang. Er veränderte die Melodie niemals; aber der Ausdruck, die Inbrunst unterlagen Schwankungen.
Als ich einmal, schon ganz verstört von dem Lied, das täglich fünf- bis sechsmal in unseren Saal heraufdrang, Olaf zu fragen wagte, warum er gerade diese Melodie so unablässig anderen vorziehe, erhielt ich als Antwort: »Es ist der schönste Sang der Welt.«
So sind die Menschen des norwegischen Gebirges: alles, was sie tun, ist vom Besten. Ihr Glaube ist der beste, sie sind die besten Bauern, die besten Handwerker, die besten Menschen, sie haben die beste Musik und das beste Land. – Es ist ein unbegreiflicher Stolz, ein Selbstgefühl, eine Sicherheit. Nur der Pietismus war stärker als die innere Kraft dieser Vereinsamten in den Tälern; er hat ihnen die Seele heimlich ausgesogen und dünnes amerikanisches Geschwätz, das sich selbst flüstert, gegeben. Er hat sie mit der Apokalypse verwirrt, mit diesem Buch eines Johannes, das sie die Offenbarung nennen, ein Instrument gefallener Engel, das den einfältigen Hirnen angesetzt wird. – Verständlich, daß Olaf alle als Kunden um sich sammelte, die noch einen schwachen Widerstand gegen den Dampf der Frömmigkeit leisteten. Es waren ihrer, alles in allem, nicht einmal wenige. Es gibt Häuser, die gegen die Sturmflut der Missionen gefeit sind. Die wirkliche Gesundheit verträgt sich nicht gut mit der Knechtschaft, die das unablässige Geständnis der Sünde verhängt. – Die Sünde (und sie

sprechen immer nur von der fleischlichen Sünde) verliert ihren Makel, wenn sie eine Notwendigkeit geworden ist. Verworfen fühlen sich nur jene, die schwach genug sind, sich mit der Sehnsucht nach dem Bösen zu begnügen. Der landläufige Betrug, die Übervorteilung des Nächsten, das anrüchige Geschäft, es beunruhigt die Frommen nicht. Sie riechen nicht, daß ihre Börse stinkt. Diese Schuld vergessen sie. Sie wird ihnen auch nicht verkündet.

Manche Höfe standen wie Felsen im Meer der unflätigen Bekenntnisse und wurden nicht berührt vom Geschrei der Armseligen, die Gott zu ihresgleichen machen wollten. Auf einer fruchtbaren Anhöhe, nordöstlich des Ortes, lag Vinjes Hof. Vinje war groß und stark. Er sprach nicht viel. Er lachte über den Taumel, der sich im Bethaus entfaltete. Der Wilddieb Kure lachte auch. Er verkaufte dem Olaf Larvig, der die Bergpolizei bildete, Rentierkeulen als Kuhfleisch. So bezahlte er seinen Tribut für die Verbrechen, die jeder kannte. Auch er hatte einen kleinen Hof, sechs Kilometer talaufwärts. –

Die Senkung des Urrlandselvs zwischen den Felswänden, sieben Kilometer lang und an manchen Stellen siebenhundert Meter breit, ist mit Geröll ausgefüllt. Milliarden runder Steine aller Größen. Auch Vangen steht auf einem Hügel aus Schutt und Geröll. Der Kirchhof, der so viele Tote gefressen, ist noch immer arm an Humus. – Und es verfaulen dort die Menschen seit achthundert Jahren. – Man muß Äcker schaffen. Das lehren Armut und Hunger. Man arbeitet an dieser Aufgabe seit zwei oder vier Jahrtausenden. Geschlechter vergehen in Mühsal, an einer Arbeit über die Kraft. Der Staat hat seine Anteilnahme gezeigt. Er belohnt den Fleiß mit silbernen Bechern. Es ist herzzerreißend, diese Sklaverei zu sehen. Die Sklaverei, Steine und Felsen unter einer dünnen Schicht von Heidegewächsen hervorzuklauben; es ist das ehemalige Flußbett – und der Boden enthält nichts weiter als das eiszeitliche Geröll. Es gab zwei Männer im Tal, die sich dieser Vernichtung auf Lebenszeit verschrieben hatten. – Es ist eine lebenslängliche Verurteilung. – Ich weiß eigentlich nicht, wie die Verschreibung beginnt, wem das öde Land vor der Durchfurchung gehört. – Es gehen Schafe darüber hin und weiden das dürre Gestrüpp ab. Man beginnt ein Haus zu bauen, und es

wird deutlich, es ist eine große Hoffnung am Werk. Schöne Quader werden gebrochen. Man baut den Keller und das Fundament: meterdicke Wände. Aus Bohlen werden die Stuben darüber gezimmert. Und das Dürftige nistet sich ein. Das Dach erhält einen ebenmäßigen Belag aus dickem Vosseschiefer, wie es hier üblich ist. (Die älteren Häuser begnügen sich mit Birkenrinde und Heideplacken; und die Prunkbauten der Vergangenheit, die Kirche, das Hotel, die Krambude Olaf Eides und das Stubenhaus des alten Lensmannes, ein paar alte Scheunen der wohlhabenden Bauern zählen auch dazu, sind mit unregelmäßigen schweren großen Steinplatten bedacht. Man könnte darüber weinen, so schön äußert sich die Verschwendung.) Die Bretterverschalung wird auf eine spätere, eine bessere Zeit vertagt. – Ach, noch nach Jahrzehnten pflückt der Wind etwas vom Werg und Moos zwischen den Bohlen hervor – die bessere Zeit ist nicht gekommen, sie kommt niemals. –
Die Arbeit beginnt. Ich habe beobachtet, man pflanzt Obstbäume auf ein Geröllfeld. Vielleicht ist das eine Anleitung, die der Staat oder eine seiner Organisationen gegeben hat. Es wächst schönes Obst in den Tälern, ungemein wohlschmeckend. Der Kartoffelacker ist das nächste Ziel. Es meldet sich die Not. Man besitzt zwei, drei, vier Ziegen. Im Sommer werden sie mit den vielen hundert der anderen Besitzer auf die Saeter geführt, um dort zu grasen. Für den Winter muß das Futter beschafft werden. Man besitzt ein kleines Bergrecht. Auf den schiefen zerklüfteten Matten wird ein wenig Heu bereitet. An Drahtseilen, die von der Höhe bis ins Tal gespannt sind, wird es hinabbefördert. Auch das Brennholz kommt so, durch die Luft schwebend, bis vor die Häuser. – Das Heu reicht nicht für die gefräßigen Mäuler der Ziegen aus. Man erntet die Blätter der Bäume ab. Der häufigste Baum des norwegischen Gebirges ist die Birke. Die Birken werden verstümmelt. Wenn sich die jungen Blätter im Frühjahr ganz entfaltet haben – die Farbe des ersten Aufsprießens, die jüngste Farbe der kaum entrollten Blätter ist hier Rot, ein hartes Rot –, werden mit geschwungenen Buschmessern die dünneren Zweige abgeschlagen. Die Bäume werden allen Blattwerkes beraubt. Die Stümpfe der Krüppel weisen mit gräßlichen Wunden zum Himmel. Oftmals

trifft man Haine im Gebirge, inmitten eines laut brausenden Frühlings, die wie eine Versammlung von Toten – schlimmer: wie gelähmte enthäutete noch Lebende dastehen. Schlachtfelder voller Gestöhn. – Man berichtet, die Germanen hätten für Baumfrevel die Strafe des Ausdärmens verhängt. – Der Frevel der Armen ist grauenhaft – und so unauslöschlich abgebildet. Der alte Lensmann pflegte zu sagen: alle Ziegen müßten erdrosselt werden. Er sagte nicht: die Armen müßten erdrosselt werden. – Die Bäume ertragen die Mißhandlung nicht jeden Frühling. Man muß ihnen ein paar Jahre Ruhe gönnen. Ich kenne das Maß der Zwischenräume nicht, das die Erfahrung die Ausbeuter gelehrt hat. Ich weiß nur, die Bäume müssen dem Verbrechen oft hinhalten, ehe sie gefällt werden und sterben. Und ihre Gestalt verwandelt sich an den immer wiederholten Leiden. Wie Arme, wie erstarrte menschliche Arme, verwachsen, mit furchtbaren Beulen ausgeschlagen, ragen die gekappten Äste aus dem Stamm. – Das Laubwerk trocknet man. Es ist auch im Winter noch von grüner Farbe. Und die Mäuler der Ziegen schäumen vor Wohlbehagen. Und hinten stoßen die Tiere kleine, fast schwarze Kügelchen aus. Und die Euter geben fette Milch.
Die Sklaven des Bodens heißen Steinrytter. Man kann das Wort kaum übersetzen. Rydde, rytte, ryttja, das bedeutet beseitigen, zertrümmern, roden, aufräumen, in Ruinen verwandeln. Es umfaßt einen negativen Begriff. Der Mann arbeitet. Er leiht sich vom Nachbarn ein Pferd, oder er besitzt eines. Wenn er den Boden ritzt, kommt die Verfluchung an den Tag, seine Verfluchung: die gemästete Zahl der Steine. Er arbeitet mit den Händen und sammelt. Er arbeitet mit Balken und Stangen und wuchtet. Sein Mut ist grenzenlos. Ich denke, es muß eine unsinnige Verschwörung in ihm sein. Oder ganz einfach: es fehlen ihm andere Gedanken als diese, seine Arbeit zu tun. Um das Haus herum wachsen die Mauern und Wälle aus Stein. Ich habe gesehen: ganze Felder, viele Meter hoch mit Steinen beladen neben den dürftigen Äckern, die allmählich Kartoffeln und ein wenig Gerste tragen. Es ist die Lebensarbeit eines Mannes. Die Kräfte in den Muskeln seiner mageren Gestalt sind ungewöhnlich. Viele Zentner schwere Steine legt er nicht auf einen Karren oder Schlitten oder wuchtet sie mit Stangen

vorwärts: er trägt sie in den Armen wie ein Schaf oder Kalb. – Diese Männer haben keinen Glauben. Sie haben keine Zeit dafür. Sie haben für nichts Zeit. Sie stellen ihre Seele mit dem geringsten Aufwand zufrieden. Es gibt in ihnen nicht die Weisheit der Schäfer, Bettler, Narren, die Erfahrung des Bauern. Ihre Augen haben niemals die Berge gesehen, die dräuend das Tal beobachten. Den Geist der Wasserfälle, sie haben ihn nicht rufen hören. Die Nebel, die Gestalt der unsterblichen Wesen, die das millionenfach gerunte Antlitz der Granitschlünde umflüstern, das panische unverwüstliche Dasein – sie hören seinen Urteilsspruch nicht. Sie verbrauchen ihre Sinne in unglaublich kurzer Zeit. Man weiß eigentlich gar nichts von ihnen, sie sprechen auch nicht mehr. In ihrer Stube hängt, auf Papier gedruckt, unter Glas, mit einer schwarzgoldenen Leiste gerahmt, eine norwegische Flagge; und hineingedruckt in das Rot steht zerrissen der Vers Björnsons: JA, VI ELSKER DETTE LANDET –. Und sie selbst haben den Vers seit zehn Jahren nicht mehr gelesen. Sie haben eine Frau; aber sie haben selten viele Kinder. Nicht, daß sie die Fruchtbarkeit mit Willen verhinderten. Die Steine erschöpfen sie. Es bleibt ihnen nichts. Sie werden nicht alt. Aber die Beschwerden des Alters fallen mit fletschendem Jähzorn über sie her. Plötzlich wird ihnen der Sinn ihres Daseins genommen: ihre Muskeln welken, die Adern werden brüchig. Sie sind überwunden.
Man muß Äcker schaffen. Es gibt Auserwählte, denen der Boden zufällt. Vinje war unter den Bauern der begünstigtste. Vinje nahm das heilige Land Vangens unter den Pflug. – Man erzählt, ehemals habe die Kirche hundert Meter über dem Ort gelegen. Und es sei eine Stabkirche, ein Holzbau gewesen. Sie nennen die Hügel im Südosten noch immer Ryttjakjyrkabakkaj (wahrscheinlich buchstabiere ich das Wort falsch: Hügel der zerstörten Kirche). Nur gegen Südosten steigen die Felsklippen milde an, erheben sich bis zu einer Höhe von siebenhundert oder achthundert Metern. Dann ruht das Aufstreben. Dort oben wächst ein Kiefernwald, der einzige in der Landschaft. Eine schwarzgrüne Haube. Weiter nordöstlich, steil aus dem Fjord, und ihn in seiner ganzen Tiefe auslotend, ragt eine der Fronten des Blaaskavl und atmet auf den Wald herab, tausend Meter unter sich. Eine einzige unfaßbare Traurigkeit. Der Teil

eines Sternes. – Ich bin sehr oft auf dem Hügel der verschwundenen Kirche gewesen. Es ist ein unvergleichlicher Aufbau der Landschaft. Uralte Birken, die das Buschmesser verschont hat, umsäumen eine wildgewachsene Wiese. Mehrmals durchziehen Granitmauern, roh aus unregelmäßigen Blöcken geschichtet, das kleine Plateau. Nach Vangen hin fällt es fast steil ab, nach Osten verliert es sich in ein ausgedehntes Trümmerfeld riesiger Granitblöcke. Viele hundert kleine Höhlen bilden sich zwischen diesen Steinen, die nur mächtige Gewalten haben bewegen können. Die einfachste Erklärung ist immer, die Trolle haben einen Kampf geführt oder waren in Zorn geraten. – Wenn man den Wunsch hätte, man könnte hier verschwinden, unbemerkt und kaum auffindbar – außer, man begönne zu stinken.
Ich habe den Platz der Kirche zu finden versucht. Es ist nicht viel übriggeblieben von dem Bau. Fünf oder sechs schön behauene Quader. Sie entkräften die Überlieferung. Es muß ein Steinbau gewesen sein. Vielleicht war es ein Tempel, den man schleifte, und die ersten Kristen besudelten den Platz mit einer Bretterbude. Und die Gegenwart ist nur eine Wiederholung. – Vinje also pflügte den Platz um, weil er ihm gehörte. Ich kam darüber zu, als er Kartoffeln als erste Früchte erntete. Mit jeder Pflanze, die man aushob, warf man menschliche Knochen auf. Unterkiefer von Menschen, Schädeldächer, Becken- und Schenkelknochen. Es ist mir unbegreiflich, wieso die Gerippe so nahe der Oberfläche liegen konnten. Ihre Zahl war so groß, Tausende und aber Tausende, daß sie, gleichsam ineinander verflochten, Schicht auf Schicht gebettet gewesen sein müssen. Der Humus bestand überwiegend aus Gebein. Ich fühlte einen Schmerz, den ich mit Worten nicht ausdrücken kann. Der Platz war entweiht. Er war auch unheimlich geworden. Keiner der Knochen war unversehrt. Mochte jeder einzelne tot, ausgewaschen, ein Teil der nahrhaften Knollen sein, alle zusammen waren ein Wesen, eine Macht, ein Geist der Anklage, der sich mit der granitenen Millionenjahresweisheit der Berge verbündete. – Dies Flüstern unter den Füßen, wenn man in stillen Nächten ausschreitet – dieser schweigende Groll in den Nebeln, die wochenlang die Höfe bedrohen. Es sind die Wochen, in denen die Menschen sterben, wenn sie schwach geworden sind und nicht mehr widerstehen.

Ich sammelte ein paar der größeren Schädelstücke auf, ein Becken, ovalrunde Öffnung, durch die wahrscheinlich Kinder geboren wurden. Achthundert Jahre müssen seitdem vergangen sein. Ich schaute einigen dieser Alten auf die Zähne. Sie waren gelb, sehr abgewetzt. Ich trug einen Armvoll der Trümmer in eine der Höhlen, legte sie unter einen Stein. Mir schien, ich mußte etwas tun. –
Ich sagte zu Ellend: »Kaufen Sie doch bitte keine Kartoffeln bei Vinje.«
»Nein«, antwortete er, »davon haben wir im Garten genug.«
Alsbald erinnerte ich mich, man hatte im dritten Garten, dem sogenannten Park, mit Pferd und Pflug gearbeitet, und der Bursche, der uns während des Winters Feuerholz bereitete, er hieß Kristi, hatte in Eimern Menschendung, mit Chlorkalk vermischt, über die Straße getragen. – Der der Natur entfremdete Mensch hat großen Widerwillen gegen Menschendung. Ich bin in der Stadt aufgewachsen, und den Mord an Pflanzen und Tieren haben ein weißes Tischtuch und Servietten, die zusammengerollt in elfenbeinernen Ringen staken, verklärt, der Duft von Gewürzen, Ruch des Backofens, Farbe und Duft goldenen Weines. Ich habe erst sehr spät den Sinn der Verdauung begriffen. – Ich zwang mich, die Kartoffeln Ellends mit Genuß zu essen. Sie schmeckten in der Tat weit besser als die mit Kunstdünger gefütterten, die hin und wieder auf unseren Tisch gekommen sind.
Man sollte die Toten so tief in der Erde bestatten, daß man ihre Gebeine niemals aufpflügen kann. Es ist schamlos. – Wann wird der Schrei nach Äckern verstummen? Gibt es keine Hilfe gegen die Fruchtbarkeit der Menschen, die die Erde verwüstet, die Tiere ausrottet und den Staaten eine Gewalt gibt, die in blutige Vernichtung ausartet? Es ist vergeblich, der Macht von den Leiden der Armen zu predigen. Wer reich ist, kann sich damit trösten, daß die Wahrheit keinen Erfolg hat.

– – – – – – – – – –

Es gab auch Männer von unvorteilhaftem Charakter in Vangen. Der Schneider, ich meine, Ukom Brekke hieß er, wohnte an einem Platz, von dem man vermuten konnte, daß es ihn gar nicht gäbe. Wenn man die Gänge zwischen den baufälligen

Häusern, die am äußersten Ende des Platzes am Gestade des Flusses zusammengestapelt waren, durchquert hatte und glaubte, nun wäre es vorbei mit den Häusern von Vangen und nur noch der Fluß mit seinem Geröllbett und der Fjord (an dieser Stelle sind auch seine Ufer flach und mit Steintrümmern, die der Fluß und hingeschmolzene Gletscher hierher geführt haben, ausgefüllt) hätten hier ein Recht, entdeckte man auf einer grandigen Bank ein kleines rotgemaltes Stubenhaus. Darin wohnte der Schneider. Er war in Amerika gewesen. Er hatte einmal für den Dollarmillionär Vanderbilt eine Hose zusammengenäht. Der Stoff und der Schnitt, so erzählte er, seien aus England gekommen; aber er, Ukom Brekke, habe den Stoff zusammennähen dürfen. – Nun ja, vielleicht hatte er dem Millionär einen Hosenknopf angenäht. Ich denke mir, auch übermäßig reichen Leuten springt einmal ein Knopf davon. – Brekke sprach englisch, und das war der Grund, daß die Tochter des englischen Gesandten ihn zum »Klepper«, zum Gehilfen beim Fischen erwählte. Er mußte die Lachse und Forellen, wenn sie an der Angelleine hingen, mit Netz oder Haken als Beute aus dem Fluß ziehen, sie töten und nachhause tragen. Er mußte auch behilflich sein, wenn sich das große Mädchen entkleidete. (Sie war sechzehn Jahre alt, ziemlich dick und fast zwei Meter groß.) Er zog ihr die Stiefel von den Füßen, die dicken Wollstrümpfe, streifte ihr die bis über die Hüften reichende Gummihose herunter. Gelegentlich geschah es recht öffentlich neben der Straße. – Während der Wintermonate schneiderte er den Männern von Vangen schlecht sitzende Anzüge oder Jacken – wer sich nun seiner Kunst bedienen wollte. (Die kurzen Bauernhosen, zu denen man wollene Strümpfe und bunte Kniebänder trägt, verschmähte er anzufertigen.) Er kaute beständig Gewürznelken und spie braunen Saft aus. Er war unverheiratet. Er kastrierte alle Kater, deren er habhaft werden konnte.

Lars Aall war nicht besser als er. Aber er war weniger hinterhältig und nicht anspruchsvoll. Er forderte keine Anerkennung für seine schiefen Taten. So konnte man ihm nur halb zürnen, wenn Anlaß zu einem ganzen Groll gegeben war. Vielleicht war auch er grausam, bestimmt war er roh. Ekelgefühl schien ihm fremd zu sein. Dieser Mangel, der vielleicht häufiger ist,

als wir zu beobachten wagen, ruft in mir ein Schaudern hervor. Ich brauche mich wahrscheinlich nicht des Hochmuts zu bezichtigen. Ich habe den mir angeborenen Ekel vor grobem Schmutz, Dung und toten Eingeweiden ziemlich überwunden. Ich kann mancherlei üble Gerüche ertragen, ohne mich zu erbrechen. Ich kann, was mir ehemals unmöglich gewesen ist, sogar Kohlpflanzen essen, auf denen Raupen ihr Dasein eingerichtet hatten. – Ich habe die Zeugungsorgane niemals als unsittlich, als vom Bösen gezeichnet empfunden – wie zuweilen die der Verdauung. Die Raupe, die nur frißt – ich habe mich abwenden müssen, angewidert. – Und nun ein Mensch, dem Sauberes und Schmutziges inwendig nicht bezeichnet ist, der den wachsenden Kristall faulendem Fleisch nicht vorzieht. Und nicht etwa, weil er sich zur Demut oder Weisheit erzogen hat, weil er die Schöpfung in jeder Äußerung empfangen will, nein: weil er nicht unterscheidet. Weil in ihm keine Wahl ist.
Der Mann war, und mit ihm Frau und Kinder, immer ungewaschen, besudelt. Man entschuldigte das mit seinem Beruf. Ich erwähnte es schon, er war Besitzer eines Motorbootes und dessen Führer. Er arbeitete beständig an der Maschine des Fahrzeuges. Sie war in einem Zustand, der durch häufiges Versagen gekennzeichnet war. So troff denn Aall von Petroleum, Öl und Ruß. Wir empfinden es, vielleicht wegen der schwarzen Farbe, als eine Art reinlichen Schmutzes. Aall war auch Gelegenheitsarbeiter, gleichsam der gute Geist aller unklaren und hinterhältigen Verrichtungen. Er kastrierte Tiere wie der Schneider. Aber es war bei ihm ins Großzügige, ins Unerbittliche übersetzt. Er schreckte nicht davor zurück, es mit einem erwachsenen Hengst abzutun. Er schreckte überhaupt vor nichts zurück. Den alten Ziegenböcken, wenn man ihrer nicht mehr bedurfte, spannte er einen Strick so fest um das Gepränge ihrer Männlichkeit, daß es nach Minuten schon schwarzrot dem Tod verfiel – und dann langsam schrumpfend eintrocknete. Den noch nicht zu Gott erweckten Burschen, wenn sie lüstern umherstanden, verkaufte er Postkarten, auf denen nackte Weiber abgebildet waren. (Irgendein Handelsreisender hatte ihm die Ware verschafft; es war kein beständiges Geschäft.) Wenn es galt, in einem Streit den Mund zu gebrauchen und die Entscheidung notfalls mit Gewalt herbeizuführen,

war Aall ein gesuchter Anwalt. Recht oder Unrecht kümmerten ihn nicht. Er setzte sich ein, wo man ihn bezahlte. So, wie er unbedenklich in einen schon fließenden Tierkadaver hineingriff, sich mit bejauchten Fingern im Gesicht herumfuhr, so unbedenklich machte er sich zum Vorkämpfer gewagter Hinterhältigkeiten und Betrügereien, wenn sie ihm etwas einbrachten. Er entfesselte den Zorn seiner Stimme. Er drohte mit Fäusten, er schlug zu. Er sagte, er werde dem Gegner ein Messer zwischen die Rippen oder ins Arschloch setzen. (Es war nur die Bezeichnung einer empfindlichen Stelle, nicht eine Herabsetzung des Körperteils oder des Gegners. Man mußte Aall eben richtig verstehen.) Übrigens soll er, im Gegensatz zu anderen, niemals das Messer gezogen haben. Es blieb bei der Drohung. Aber die Drohung war niemals lose. Jedenfalls unterschätzte man ihn nicht. Sein Antlitz war dann bleich und voll allmächtigen Dünkels. – Aall trank. Er trank Brennsprit, wenn anderes nicht zurhand war. In sinnloser Betrunkenheit hatte er einmal bei Ebbe sein Motorboot am Pfahlwerk einer kleinen Anlegestelle sehr kurz vertäut und sich dann in der Kajüte zum Schlafen gelegt. Als das Flutwasser kam und der Fjord stieg, begann das Boot sich zu neigen. Die Trossen rissen nicht. Das Fahrzeug wurde schief unter das Wasser gedrückt. Als es sank (es war aus Eisen gebaut), kam Aall aus seinem Rausch zum Bewußtsein. Mit den Tierkräften seines untersetzten Körpers stemmte er die Kajüttür auf, tauchte in den Strudeln nach oben. – Wir sahen das Boot ein Vierteljahr lang sechs oder acht Meter tief auf dem Grunde liegen. Aall hatte keine Eile, es zu heben. Und doch kam es wieder herauf. Es wurde sogar wieder instand gesetzt. Und befuhr den Fjord.
Später ist Aall ein großer Mann geworden, ein reicher Mann, ich erfuhr es zufällig. Er wurde der Kapitän eines Schmugglerschnellbootes, das der alte Lensmann ihm zur Verfügung gestellt hatte. Es war ein Fahrzeug, das an Schnelligkeit alle Zollkreuzer übertraf. – Der alte Lensmann hat sich nicht gegen die Gesetze gewandt: neue Gesetze, in Oslo fabriziert, haben sich gegen sein Gefühl der Freiheit vergangen. Man verbot, Alkoholika herzustellen, einzuführen und zu trinken. Von diesem Tage ab trank der Lensmann unmäßig. Aall war ihm verwegen genug, daß er die Schuld mit ihm zu teilen bereit

war. Auch gab es den unehelichen Sohn des alten Mannes, der in die Familie Aalls hineingeboren war. Die Geburt des Kindes, eine Unterschiebung, ist wahrscheinlich das erste unehrenhafte Geschäft zwischen den beiden so ungleichen Männern gewesen.

– – – – – – – – – – –

Als ich ihn das erste Mal sah, den Pferdedieb Anker Oyje, erweckte er widerwärtige und jämmerliche Vorstellungen in mir. Er ging, ein großes Jagdgewehr geschultert, in Begleitung zweier anderer Männer, ebenfalls bewaffnet, durch Vangen – und zwischen zwei Fingern hielt er die Beute, ein kleines Eichhörnchen. – Er war ein großer Mann, ungemein knochig, mit brettharten Muskeln. Er hatte flache rote Haupthaare, die fettig schwer und schmutzig von Schweiß und Tierdung waren. Die Stoppeln seines Bartes, bleichrosa, gelb und braun, saßen wie kleine Spieße auf der wattigen Haut und bewirkten, daß man deren Farbe nicht sogleich erkannte: sie war weiß. Im Antlitz stand nichts geschrieben. Es war leer. Eine unsagbare Ausdruckslosigkeit. Nur das beginnende Alter hatte ein paar Beilhiebe angebracht. – Auch er war ein Trinker.
Stand er in Vangen auf dem Marktplatz, erzählte er jedem, der es hören wollte, er hat seine Hausfrau aus Dankbarkeit geheiratet. Und er ließ durchblicken, daß er ein Bursche von Saft und Kraft gewesen. Etwas für die Augen. Unterdessen war er gröber und knochiger geworden, seine Hände waren verwildert. Er verschwieg, was er gewann, wenn er herausstellte, was das Weib gewonnen. Es lag ihm nicht. Er hatte es vergessen. Es war unwichtig und gewöhnlich. Ein gut gewachsenes Mädchen mit schwarzem Haar. Und der richtigen Menge glatter und fester Haut. Darüber war kein Wort zu verlieren. Sie war hübsch, und er kam dabei zu Haus und Hof, der Bettelmann. Es war nur ein gewöhnliches Glück, genau betrachtet. Er sprach, als ob die Hochzeit gestern gewesen wäre. Oder vor einer Woche. Er unterschlug die Jahre. Er ruhte in sich. Niemand konnte ihm etwas anhaben, kein Ereignis ihn verändern. Er war ohne Aberglauben. Gott war ihm nicht begegnet. In die Hölle spie er sowieso. Es gab kein Erschrecken in ihm. Der Wind war ein Wind. Und der Fjord ein Loch voll

Wasser. Und wenn die Berge polterten, dann war es Geröll oder Schnee oder ein Erdbeben. Oder eine Kuh, die abstürzte. Ertrank jemand, dann war er mausetot, ungegerbtes Fell oder so etwas. Und der Gleichmütige hätte ganz gerne zugesehen, wie die Fische den anderen fräßen.
Über das eigene Gesicht hatte er keine Gewalt. Es war außer ihm. Es war ohne Teilnahme. Furchterregend durch den unbegründeten Mangel an Schönheit und Häßlichkeit gleichermaßen. Einmal erschien es mir, als ob es zusammengestaucht sei, der Mund war tief geschnitten und verbreitert, zwei Faltenrinnen standen an der Stirn. Die Ohrmuscheln glichen selbständigen Wesen, listig und bleich. Er grinste. Aber am Hotelgitter ergoß sich ihm der Inhalt seines Magens aus dem Munde. Er hatte Brennsprit oder Dünnbier mit Koksstaub getrunken.
Ihn kümmerte der Verfall nicht. Am wenigsten sein eigener. Er konnte nicht dafür, daß die Jahre der Menschheit zu Tausenden umherlagen. Ihm kamen keine Zweifel an der Stichhaltigkeit seiner Lebensauffassung. Seine Zukunft war rund, und in seinen Knochen würde noch Musik sein, wenn sie in die Grube hinabpolterten. Da er keinen Aberglauben besaß, gab er sich nicht mit den Sternen ab und nicht mit den Trollen in der Erde. Er las nicht eine Zeile Gedrucktes. Er ging nicht in die Kirche. Er hörte niemand bis ans Ende an. Er kannte keine Reue. Er fand an sich nichts zu verbessern. Für die Entfaltung des eigenen Lebens waren somit Tag und Nacht gleich angenehm. Er schlief in der Sonne und arbeitete unter dem Mond. Er arbeitete indessen nur obenhin und mit Zurückhaltung. Lasten und Plagen und den unablässigen Streit mit dem Tagewerk lud er dem Weib auf. Er hatte also sein Leben so bequem eingerichtet, wie es gehen wollte. Daß die Bequemlichkeit nicht vollkommen war, ahnte er wohl.
Wenn er durch den Ort trabte und auf die elenden Hütten an den Außenwegen schaute, fand er nur bestätigt, daß er Glück in seinem Leben gehabt hatte. – Die braune Brühe des Tierdungs stieg in den morschen Holzplanken hoch. Kinder, die umherstanden, waren weiß im Gesicht. (Das war das seine auch; aber es war kein Zeugnis eines Mangels an Kraft, es war ein Beweis seiner Kraftverschwendung, seiner bedenkenlosen zustoßenden Preisgabe an die Vergnügungen der Ehe und des

Trunks.) Die Tür war niedrig. Erwachsene mußten sich bük-
ken. Jemand lag krank auf einer Pritsche. Der Mann, hustend, großäugig, mit zitternden Händen. Oder das Weib, das keine Gestalt mehr hatte. – Sigurd und Adrian und Anna waren im letzten Winter gestorben. Er war in einer solchen Stube geboren worden, die so heimtückisch die Menschen verbraucht. Armut, gegen die kein Beten half. Wie er erfahren hatte. Sich betrinken, war schon besser. Es war vor dieser Zeit schon bewiesen worden. Ein Faß Salzheringe und die wenigen großen mehligen Kartoffeln, die irgendwo wuchsen, mußten einen langen Winter lang als Nahrung für die ganze Familie reichen. Höchstens noch ein paar Tropfen Milch von einer feucht stinkenden Ziege. – Er dachte an die Luft in den Löchern. Da konnte kein Kerl heranwachsen, wie er einer geworden war. Das war zu begreifen. Da mußte das Glück ihm unter die Arme fassen.

Und es hatte die Mitfresser, seine Geschwister, beseitigt – bis auf den älteren Bruder. Als noch zwei jüngere Nebenbuhler ums tägliche Brot lebten, in schneller Reihenfolge nach ihm geboren, gingen ihm die Muskeln von den Knochen. Und das Wachstum verdünnte das Blut. Nun, der Tod sammelte die kleinen Menschentiere ein.

Anker Oyje lernte es auch, sich selbst zu helfen, sich im Sommer für den Winter aufzupumpen. Betteln, an fremden Türen naschen. Fressen, was man findet. Käsekanten oder Speck. In manchen fremden Küchen steht zuweilen ein Topf mit Rahm. Unbewacht. Er schlug sich durch. Als er so alt geworden, daß er die unbedachten oder geilen Mädchen bedienen konnte, brach eine größere Zeit an. Es gab auch da manches zu lernen. Und die Mühsal war nicht immer gering. Wie viele Nächte hatte er auf nackten Felsen schlafend zugebracht! Eine Kugelschale voll Sterne stand bei Dunkelheit über dem Hochland. Wenn man die Lider schloß, blieb etwas der Kugel im Gehirn zurück. – Doch die Saeterhütten waren angenehme Aufenthalte. Wegen der Pritschen und der Decken darauf. Wegen des Feuers. Der Milch. Des Dörrfleisches. Der Brotfladen. Wegen der Mädchen. Geben und nehmen, es machte ihn breit, stark, gewitzt, schlagfertig. Brauchbar für das schäbige Dasein. Er lebte nicht im Überfluß. Er empfing nur Brocken.

Genau betrachtet. Sauer verdiente. Er wurde ein leckerer Bursche. Einmal bekam er den Mund vollgestopft. Da wurde der letzte Winkel seines Wanstes gefüllt: als er heiratete. Ihm hätte flau und schlapp werden können vor Überraschung. Ach, er hatte das Saufen gelernt, ehe er dessen inne wurde, daß auch das Glück etwas Beständiges sein kann, wenn man ausersehen ist.
Eines Sonntags war man im Boot nach Flaam gefahren. Kerle und Mädchen. (Damals war die Frömmigkeit noch nicht würgend über die Lust gekommen.) In Flaam begann ein Saufgelage. Die Mädchen fürchteten, daß es zu einer Schlägerei kommen würde. Sie stahlen den Kerlen heimlich die Dolchmesser. Sie wollten nachhause. Sie begannen zu schelten und zu flennen. Sie schleppten die Burschen nach den Booten. Stießen sie hinein. Setzten sich selbst an die Riemen. Wriggten und patschten mißmutig. Die Boote trieben langsam an der Küste entlang. Da geschah es, daß der hirnlose Kerl Anker Oyje sich im Boot aufrichtete; er stellte den schweren Oberkörper auf die unsicheren Beine. Er wollte ein Beispiel an Kraft geben. (Ellend hat mir gesagt, er wollte nur pissen.) Da kippte er um. Schlug mit den Schenkeln auf den Bootsrand, daß das Fahrzeug zu kentern drohte. Er sank im Wasser wie ein Stein. Tauchte neben dem Bootsrand wieder auf. Und das dunkelhaarige Mädchen, das ohne Geliebten mit auf den Ausflug gegangen war, nur in der Begleitung einer Kameradin, das gleichgültig gegen diesen einen und gegen alle anderen war, das sich nicht erregt hatte und nicht trauerte, dies Mädchen streckte die Hand aus und faßte den Mann bei den ziemlich langen roten Haaren. Sie war grausam genug, beträchtlich lange nichts weiter zu tun. Die übrigen ruderten. Und die Dunkelhaarige hielt den Betrunkenen am Schopfe. Strudelte ihn im Wasser neben dem Boot her. Der Mann wurde nicht nüchtern. Er rührte sich nicht. Er schien zu schlafen. Nachdem die allgemeine Erregung abgeklungen war, zogen die Mädchen ihn mit vieler Mühe in das Boot hinein. Dann ließen sie ihn liegen, wie er lag.
An diesem Tage geschah nichts weiter. Man kam an. Die Burschen torkelten anland. Die Mädchen zogen die Fahrzeuge auf den Strand. Sie ekelten sich. Der Durchnäßte kroch in einen Schuppen. (Wie die meisten Burschen seines Alters konnte er

nicht schwimmen.) Am nächsten Tage erfuhr er die Geschichte seiner Gefahr und seiner Rettung. Gut. Vielleicht überlegte er sich einiges. Zufälligerweise traf er auf die Schwarzhaarige. Er sprach sie an. Er war frisch. Sein Gesicht war glatt. Er sagte: »Ich will dich heiraten.« Sie antwortete nicht. Er war ein ungelernter Stümper. Ein geringer Mann. Dazu ein Säufer. Sie brachte zwei Höfe mit in die Ehe. Sechzehn Kühe und Kälber, einen Rudel Schafe und zwei Pferde. Nach einer Woche begegneten sie einander wieder. Er sprach sie abermals an. Er schien gewachsen. Er zeigte seine nackte Brust, weil es heiß war. Er sagte: »Ich will dich heiraten.« Sie antwortete ihm nicht. Doch blieb sie stehen. Sie waren ziemlich nahe beieinander und bewegten sich nicht. Endlich sagte er noch: »Ich habe nicht getrunken. Mit dem Saufen ist es vorbei.« »Ich weiß es«, antwortete sie. Dann ging sie davon.

Sie setzte ihrem Onkel, der ihr Vormund war, hart zu, er solle seine Einwilligung zu dieser Heirat geben. Er hatte viele Gründe dagegen. Aber er ließ sich erweichen. Er erkannte Vorteile für sich. Vielleicht konnte er einen Hof gewinnen oder gar zwei – wenn die Ehe unglücklich auslief. Er dachte nicht an Betrug. Er erwog nur Möglichkeiten. Das Mädchen gab dem Burschen das Eheversprechen. Sie kamen im Dunkeln nicht zusammen. Sie gab ihm Geld, damit er sich einkleide. Und Ordnung in seine Tage bringe. Bei der Hochzeit zog er auf den Hof, den sie unter den zweien ausgewählt hatte. Erst von diesem Tage an nannte er sich Oyje, nach dem Hof; vorher hatte er Vangen geheißen. Den zweiten Hof, der weit ab im Underdal lag, behielt der Onkel in Pacht.

Daß er ein Weib zudecken konnte, das hatten andere schon erfahren. Daß er unablässig die Treue hielt, das erntete sie allein. Während sie glaubte, vergehen zu müssen, schien es ihm, er gelange nur an den Rand des Genusses. Er wiederholte sich. Ihm fehlten die Schlüssel zu den Fortschritten. Er verstand nichts von den Verfeinerungen. Sein Glück war gering und fadenscheinig, genau betrachtet. Zwar, er hätte sich ein schöneres nicht wünschen können. Er war flach und leer. Es war sein Schicksal. Das Wenige an Ertrag: nicht die Mühe wert, die es kostete. Nicht das morgendliche Aufstehen wert. Nicht das Indiekleidersteigen. Darum tat er den Mund auf! Und aß und

trank und sog die Speisen aus wie eine Baumwurzel den Boden: daß er sich zu kleinen und unwichtigen Verrichtungen bereit fand! Zu einem tauben Dasein mit einem dummen Kopf! Und mit einem Kadaver, der nichts wert war. Genau betrachtet. Nicht aus dem Bett wollte er. Sollte das Weib bitten, keifen und sich selbst zerschinden. Sollte in dieser Welt arbeiten, wer da wollte oder mußte. Er wollte und mußte nicht. – Es ging nicht gleich das ganze Lebenselixier auf die Neige.
Wenn ihm der Wind um die Nase ging, und der feuchte Qualm einer Wolke oder eines Nebels sich weiß in Schwaden den Bergabhang hinunterwälzte, kühles prickelndes Wasser zerstäubend, konnten seine Gefühle, ein Gefangener des ungenügenden Glückes zu sein, so stark werden, daß er einem kranken Tiere glich, das keinen Arzt hat. Ausgestoßen. Er sagte sich, indem er auf einem ausgebleichten oder rostrot verwitterten Steinbrocken hockte: »Dort unten ist der Fjord. Dort oben sind schwarze Kiefern.« – Er ermaß den achthundert Meter hohen Bergrücken zwischen den beiden Polen, die er nicht mehr sehen konnte. Er sah nur das weiße Undurchsichtige. Das Kaltnasse, Unbeständige, Gefährliche. Er war in der Mitte. Bei seinem Hof. Oder näher dem Fjord. Oder näher den Kiefern. Wie es sich traf. Jedenfalls war er in diesem Raum aus Dunst und Nässe allein, heimatlos. Und das Unfreundliche war auf ihn bezogen. Wasser tropfte von ihm. Und er hatte keine Lust, sich zu bewegen. Nach Vangen hinab oder auf seinen Hof. Zu den Kiefern. Oder zu den Kühen. Oder nach einem Grasschlag. Zudem war es Herbst. Oder dieser brünstige Frühling. Jedenfalls eine bedeutungsvolle Jahreszeit. Die Sonne war mit im Spiel. Der Wasserdunst war nur ein Teil. Er konnte das nicht ausdrücken. Er konnte es nicht einmal deutlich empfinden. Er empfand nur die leere Sucht zu fallen, die jeder Stein auch hat. Es machte ihn schlapp. In der Dunkelheit der Begrenzungen wuchsen die Ausmaße der Dinge an. Er fühlte sich von Riesen umgeben. Schwarze Baumstämme waren die Schatten der Riesen. Nichts Bedrohliches. Nur der Atem wird beschwert. – Augenblicke vergehen. Die Wolken gaben Regen. Der Nebel verdunstete. Die Bäume wurden was sie waren. Kahl oder belaubt, mit gewachsenen Ästen. Der Mann wurde naß bis auf die Haut. Die Wasser quollen aus den Furchen der

Steine, aus dem Wurzelwerk der Bäume hervor. Ein ungemütliches Glucksen und Rinnen oben und unten und rechts und links. So verfiel er dem Laster der Faulheit. Es hatte ihn schon immer umkrallt gehabt. Aber er hatte es verbergen können. Solange es für ihn die plötzliche Flucht ins Bett, an die Seite dieser, die ihn gerettet hatte, gab, sei es bei Tag oder Nacht, so lange widerstand er dem Dämon zum wenigsten mit seinen Eingeweiden. – Eine Bäuerin kann nicht jederzeit vom Herd, aus dem Stall, aus dem Garten, vom Feld zu einem Taugenichts laufen und sich ins Vergessen fallen lassen. Vielleicht sah sie auch, wie ohne Gesicht er war, wie weit entlarvt. Durch und durch wurmstichig.
Da schlug, nach manchen Monaten, die Stimmung des Mannes um. Er trabte Tag für Tag in den Ort hinab. Er begann aufs neue, sich voll Schnaps zu gießen. In der Trunkenheit war er milde, willenlos, ein weiches Gerät. Als das bare Geld knapp wurde und der Knecht, den sie gehalten hatten, davonging, und ihre Mahlzeiten karger wurden; als er gewahr wurde, das Weib ekelte sich vor ihm, inmitten der Angst um ihn, erlaubte er sich Anfälle von Tobsucht. Er prügelte das Weib. Er erzwang sich Geld, um sein Laster fortsetzen zu können. – Das Kind wurde geboren. Er war gerührt. Er entglitt wieder in den unordentlichen Schmerz.
Es kam der Tag, wo der Onkel erklärte, der Hof in Underdal sei nun verpfändet. Da wurde die Frau hart. Sie sagte dem Trunkenbold, es sei genug, daß er einen Hof durchgebracht; den zweiten werde sie vor seinen Zugriffen schützen. So brach die Zeit des Stillstandes für ihn an, das gewöhnliche Leben, die Gnadenfrist vor seinem Tode. Das Dasein einer Muschel, die vom Abfall im Wasser ernährt wird. Und die Senkstoffe, die Algen, sie nehmen kein Ende.
Allmählich entwickelte sich die ihm eigentümliche Daseinsform. Die genießerische Selbstverständlichkeit des Tuns oder Lassens. Keinen Freund zu haben. Keine Geliebte zu haben. Keine Hoffnung und keine Verzweiflung. Gesund und gelangweilt. Und von allem doch nicht mehr zu spüren als einen unsäglich ausdruckslosen Schein. In den Bergen umherzustreifen, war nur ein Dahinbringen der Tage. Gelegentlich schoß er ein Schaf, weil er zu faul war, anderem Wild aufzulauern. So hatte der Haushalt Fleisch. Oyje war nützlich gewesen. –
Bis zum Mörkedal sind es sechzig Kilometer. Sechzig Kilome-

ter über Granitbarren, auf und ab, in Kurven, zickzack zurückzulegen ist keine Kleinigkeit. Niemand tut dergleichen. Er unternahm es. Er führte ein Pferd am Halfter. Über die Berge. Wege, die niemand gegangen. Seine eigenen Wege. Das bedeutete ihm etwas. Außerdem war es nicht langweilig mit einem Pferd. Warmes Fell. Und aller Zubehör einer nicht niedrigen Kreatur. Er zog über die Berge. Er verkaufte das Tier in Laerdal. Er trollte sich zurück. Er hatte Geld. Er hatte etwas vor sich gebracht. Sein Gemüt war von bester Beschaffenheit. Es war nicht sein eigenes Pferd gewesen. Er wurde dreister. Die großen Tiere in den sommerlichen Bergen waren vor ihm nicht sicher. Wie leicht konnte ein Pferd abstürzen. Oder ein Schaf. Die Kühe sind unbeholfen. – Sein armer verkümmerter Bruder hatte es nach vieljährigem Darben dahin gebracht, daß er sich ein kleines Pferd halten konnte. Für die Fremden, wenn sie das Tal aufwärts fahren wollten. Anker Oyje verkaufte Svaerre Vangens, seines Bruders, Pferd. Es kam an den Tag. Die ununterbrochenen Bemühungen des gänzlich Ruinierten schufen Indizien. Er erstattete Anzeige. Der Amtsrichter ließ eine Akte auflegen. Das Ting befaßte sich mit der Angelegenheit. Der Dieb mußte in Urrland vor den zugereisten hohen Herren erscheinen. Er mußte einem sachführenden Rechtsanwalt Geld geben. Er leugnete. Er grinste. Er äußerte sich so unvollkommen wie möglich. Er bagatellisierte die Angelegenheit. Er sagte zu dem hohen Gericht, indem er mit den Fingern nach oben zeigte: »Siehst du, der Hof liegt hoch. Und das Pferd war beim Hof. Und das Pferd fraß mein Futter.« Und er rechnete vor, was das Futter kostete. Und er hatte nur das schlechtere Pferd verkauft. Und das bessere für den Bruder behalten. Und das stehe noch auf dem Hof. Und der Bruder brauche es nur zu holen. Aber der Bruder sei ein Tölpel. Der sachführende Rechtsbeistand erklärte rundweg, daß überhaupt kein Diebstahl vorläge. Höchstens ein Tausch bei mißverständlicher oder ungenügender Verabredung. – Endlich fragte der Vorsitzende den Bruder, ob er mit der Aushändigung des offenbar noch vorhandenen Pferdes einverstanden sein würde. Das wurde bejaht. Und der sachführende Rechtsbeistand erwirkte einen Freispruch.
Oyje fand, daß er großartig in dieser Sache bestanden hatte.

Nie würde der Bruder ein Pferd von ihm erhalten. Der arme Schlucker konnte die Futterkosten nicht bezahlen. Und würde er das Geld zusammenbringen, so würde man ihn hinhalten. Oyje war stolz auf sein neu entdecktes Talent. Er dürstete nach Triumphen seiner einfältigen Schlauheit. Er hielt seine gespielte Arglosigkeit für unwiderstehlich.
Eines Tages verurteilte ihn das Gericht wegen eines neuen Pferdediebstahls zu einigen Monaten Haft. Seine Durchtriebenheit im einfachen Gewande hatte ihm nicht geholfen. Sein Grinsen versteinerte sich. Er sah etwas Graues sich aufrichten. Nicht, daß ein wenig Gefängnis an ihm gezehrt hätte. Er dachte plötzlich an Frau und Kind. An den Hof in den Bergen. An die braune warme Stube. An Vieh und Äcker. An das Angenehme, das ihm alltäglich geworden war. In ihm hub ein Tumult an. Er riß den Mund auf. Er erklärte, das Gericht müsse sich den Spruch noch einmal überlegen. Er könne die Strafe nicht annehmen. Es werde Tote geben. Der Hof liege in den Bergen. Ein Weib und ein Kind könnten den Winter nicht allein bekämpfen. Und sommers nicht ackern und heuen. Es sei kein Kerl zur Hilfe, weit und breit. – Der sachführende Rechtsbeistand griff ein. Bei übergeordnetem Notstand müßten Freiheitsstrafen bis zu einem Jahre Gefängnis ruhen, gleichgültig, ob Bewährungsfrist zugebilligt worden sei oder nicht.
Er blieb auf freiem Fuß. Die Paragraphen waren für ihn. Nach Jahren wiederholte sich der Straffall. Wieder wurde er verurteilt. Wieder blieb er auf freiem Fuß. Er begriff, erschlagen durfte er niemand. Und nicht Feuer an Häuser legen. Keinen Straßenraub verüben. Das Gesetz hatte nur kleine Löcher. Nur bei einem großen Aufwand an Umsicht und Zurückhaltung konnte man hindurchschlüpfen. Er begnügte sich damit, Fremden als Führer ins Gebirge zu dienen. Einem Engländer, den er auf Rentierjagd begleitete, nahm er das Gewehr ab, raubte ihn aus und verschwand. Der Engländer konnte nicht darauf warten, bis ein Prozeß angestrengt wurde. Er wußte nicht einmal, mit wem er es zu tun hatte. –
Oyje erkannte, er konnte es nicht weiter bringen als bis zu einem gewöhnlichen Glück, bis zu kleinen Verbrechen. Er sah etwas Graues sich aufrichten. Und er sann, wie er in die Umfriedung der Ordnungen einbrechen könne, ohne Schaden

zu nehmen. Aber sein Hirn war schwach, ganz unergiebig. Das Angenehme der Abenteuer wurde von den vielen Tagen und den vielen Nächten gefressen. Und schon war er den meisten Menschen widerwärtig.
Es ist schwer zu begreifen, warum die Frau den Mann ertrug. Aber sie ertrug ihn. Gewiß sah sie nur selten andere Kerle als diesen einen. Hoch im Gebirge lag der Hof. Keine Straße kam heran. Es ging von dem Manne etwas aus, was sie erregte und befriedigte. Dies Auf und Ab aus Begehren und Angst wurde immer wieder von ihm eingeebnet. Und dann kam eine Wunschlosigkeit über sie, von der nur die Bewohner einsam gelegener Stätten befallen werden können, weil sie, wenn dringende Pein von ihnen gewichen ist, kein Schicksal zu haben scheinen. Sie vergessen die Zahl der Mitmenschen, wenn sie je davon gehört haben. Das Zufällige ist weit fort. Die Nachbarschaft ist ein leerer Raum. Auch hatte sie ein Kind, einen Knaben, von dem Grobian. Nach der ersten Geburt blieb sie unfruchtbar. Nicht krank oder beschwert mit einer Entstellung war sie; nur verschlossen wie mit einem Siegel. Sie wurde fast närrisch vor Liebe zu ihrem Kind. Der Kleine war schön wie das Blatt an einem Baum und gesund wie der Quarzkiesel im Bach. In seinem kräftigen Körper konnte man die Gestalt seines Vaters vorausahnen. Doch die Augen des Kindes waren nicht wässerig himmelblau, sondern schwer und tuschschwarz. Es war eben ein anderer, aus Mutterfleisch gebaut. Und sie bereute nichts. Sie fühlte nur diese gestaltlose und ungeordnete Liebe, ohne die nichts wäre in dieser Welt, wie sie ein Stichling fühlt, eine Spinne, wie sie Kuh und Stute fühlen – zu dem allerliebsten, schönsten Knaben. Sie wob ihm die buntesten Kniebänder. Sie bedeckte das Gesicht des Kindes mit den Küssen ihrer feuchten Lippen. Sie kostete den kleinen weichen Mund aus und die wie eine Raupe behaarten Augen, und die zerknüllten knorpeligen Ohrläppchen, und die etwas unsaubere breite Nase mit den breiten Öffnungen. Sie ging hinaus in den Stall, um die Kühe zu melken. Sie roch die Wärme und den Dung und den Atem und das Fell der Tiere. Sie hockte nieder, stemmte den Kopf in die Flanken der Rinder, molk. Begann zu summen.
Sie beging Selbstmord durch Erhängen, als der Knabe herange-

wachsen war und sich wie ein junger Hengst zeigte. Ihre Liebe war schon außerhalb der Natur. – So hat man es uns erzählt. – Der Sarg, in dem sie lag, wurde am Hotel vorübergetragen. Ihr Sohn war scheu wie ein wildes Tier. Sein Blick zu uns herauf, ich kann ihn weder vergessen noch deuten. Eine fremdartige Klage. Und ein Verwundern, daß es Traurigkeit gibt, die eigene. – Ich weiß, es besteht eine verschlossene Welt, stumm und ohne Bilder. –

*

Ein Obstgärtner wohnte in der Bucht in einem kleinen Holzhaus, hundert Meter über dem Fjord, halbwegs hin zur senkrechten roten Granitwand des Blaaskavlmassivs. Er hieß Lars Solheim. Er war sehr alt. Sein Haupthaar war lang wie das eines Weibes und schneeweiß. Auch sein Bart war weiß und flüssig im Wind wie Quecksilber. Der Mann war klein und mager. Seit Jahrzehnten hatte er kein Fleisch mehr gegessen. Seine Haut war wächsern und gelb wie der Widerschein eines Feuers, in das man Salz geworfen hat. Er glich einem Toten. Als er mich gelegentlich ansprach und mir mit seinem Gesicht nahe war, konnte ich mich eines Furchtgefühls nicht erwehren. Er schien mir nicht den allgemeinen Ausdruck eines Menschen zu haben, nicht einmal den Blick eines Menschen und gar nicht dessen Verhalten oder Vernunft. (Daß er unangenehm stank, verschärfte den Eindruck des Abwegigen.) Er schenkte mir Blumen. Das erscheint fast wie Wahnsinn, wenn man in Vangen wohnt. Er war ein Mann von Wissenschaft. Er hatte Umgang mit Trollen gehabt. – Wohl weiß ich, es ist Torheit, ungewisses Gerede niederzuschreiben (welche Tatsachen und Aufschlüsse wären auch gewiß?). Und doch, ich widerstehe nicht. Der Gärtner hat mir den Platz gezeigt, wo er, höchst selten, einen Troll erwartete. Es ist eine Geröllhalde, die fast senkrecht unter der Südmauer des Blaaskavlriesen liegt. – Ich sehe die Landschaft in mir, ganz unverblaßt. Meine Gedanken, auch wenn sie durch die Sinne gegangen sind, können nur ein paar beschreibende Laute zusammenstellen. Allerweltsworte. – Ich will versuchen, die Landschaft der Berge und des Fjordes stückweise anzugeben, indem ich den einzelnen Begebnissen, die ich berichte, die Umgebung und die Wirkung der Jahreszeiten anhänge. Ich glaube, ich habe es, ganz ohne Vorsatz, schon seit einigen zehn Seiten so gehalten. – Das Geröll besteht aus Schiefer. Ganz unerwartet. Er ist wie eine dünne Falte im Gestein, weniger, wie ein Flecken Tuch, ein paar hundert Meter im Geviert, über den Granitgrund gezogen. Ein sehr dünnes Gewässer kommt aus einer Schlucht hervor. Ein Birkenhain, dicht mit Bäumen bestanden, wächst auf dem Schotter, wo er schon erdig zerbröckelt. Dünnes Gras hat sich um die Füße der Birken gelegt. Es ist ein so milder Ort, wie wenn er gar nicht natürlich, sondern erdacht wäre. Das Seltsamste aber, was dem Ort anhaftet, ist die hörbare Traurigkeit und das aufdringliche Schweigen anderer Eindrücke. Es will mir scheinen, selbst wenn Sturm wirbelnd aus dem Flaamsdal oder über Oyje einfällt, wird der Platz etwas von seiner lauten Stille bewahren. – Hier also, fast unter Birkenblättern eines letzten Herbstes begraben, liegt ein Stein. Es ist ein recht gewöhnlicher großer Stein. Neben diesem Stein streckte sich der Gärtner in ihm bekannten Nächten zum Schlafen aus. Und ruhte, ohne Beklemmung, bis ein Troll ihn weckte. – So hat er es mir erzählt. Von den Gesprächen hat er mir nichts verraten. Er verstand sich auf Kräuter, denen Kräfte innewohnen, die dies und das, was man nur wünschen will, bewirken. Vielleicht lernte er das bei dem Stein. –

Die Trolle sind die Anwälte der Tiere. Sie suchen den heim, der Tiere quält. Bestimmte Geschöpfe, ihre Lieblinge, darf man nicht töten. Manchmal verlieben sie sich in eine Elchkuh oder in ein Rentier. Auch Haustiere unterstehen ihrem Schutz. Manchen Kühen sollen sie das Euter leersaugen. Es soll nur scheinbar zum Schaden des Bauern sein. Die Trolle sind Männer, wie die Engel. Es ist kein Geheimnis; aber von ihrer Geburt weiß man fast nichts. Man sagt, sie seien ein wenig kleiner als Menschen (ich habe auch berichten hören, sie seien größer als Menschen) und bartlos, seit Jahrtausenden. Sie gehen wie die Bauern gekleidet, mit schwarzer Hose und bunten Kniebändern. Sie tragen ein rotes Tuch um den Hals. Ohne dies rote Tuch hat noch niemand einen Troll gesehen.

Ich fragte ihn: »Welche Nächte sind die geeigneten?« Er antwortete mir nicht.

Der Gärtner war krebskrank. Eine erwachsene Tochter, die

ihm den Haushalt führte, erzählte es mir. Ich schaute sie unlustig und fragend an.
»Er weiß es«, sagte sie, »aber er wird daran nicht sterben. Er ist beschützt, bis zu seinem hundertsten Lebensjahr.«
»Hat er das erzählt?« fragte ich.
Sie nickte mit dem Kopfe und fügte hinzu: »Ich glaube nicht daran. Mir ist zuweilen, als sei er schon gestorben. Er ißt gar nichts mehr.« Ihr stürzten Tränen aus den Augen.
»Lieben Sie ihn?« fragte ich argwöhnisch.
»Er ist ein Besessener – oder auserwählt«, sagte sie, »ich glaube, er hat meine Mutter vergiftet. Ich liebe ihn gar nicht. Er stinkt wie ein Aas.« –
»Sie sprechen viel aus«, sagte ich.
»Ich kann nicht mehr beten. Ich kann auch nicht schweigen. Es ist wunderlich in diesem Haus.«
Er hauchte eines Abends den Geist aus. Wurde starr und steif und noch gelber. Die Tochter lief nach Vangen und berichtete es. Sie hielt keine Totenwache. Sie schlief, sie war ziemlich zerrüttet, bei fremden hilfsbereiten Leuten.
Am nächsten Morgen aber erhob er sich wieder, wie wenn er nicht gestorben wäre. Sein Herz schlug nicht, und seine Lungen sogen keinen Atem. Und die Haut an ihm war kalt und ledern. Und die Augen waren dunkel ausgebrannt. Auch er ging nach Vangen hinab, auf den Markt. Zu den Menschen, die alle wußten, er ist gestorben. Als sie ihn sahen, sprachen sie: »Du bist ja nicht mehr.« Er antwortete: »Man wird noch einiges erfahren.« Und er stand auf dem Marktplatz und hatte dort nichts zu schaffen. Er sagte: »Blumen«, als ob er welche verkaufen wolle. Doch hielt er keine in seiner Hand. Er ging bis vor die Tür der Krambude Olaf Eides, doch öffnete er sie nicht. Er schlürfte über die Fliesen zu den Aborten des Hotels. Er bewegte die angelehnten Türen, schaute hinein. Die Kirche blickte er nicht an, nicht den Totenacker. Er sah mit den blinden Augen durch manches hindurch. Er bemerkte etwas Neues. Er sagte: »Der Ragnvald hat starke Knochen. Die werden in fünfhundert Jahren noch nicht vergangen sein.« Das Muskelfleisch zog er nicht in Betracht. Er ging heim, legte sich wieder, war tot. Am nächsten Morgen traf man ihn abermals auf dem Marktplatz.

»Was willst du hier?« schrieen die jungen Kerle.
»Ich suche Menschen mit Pferdeknochen«, sagte er, »Glasknochen, schöne weiße feste Knochen. Den Ragnvald und dich Per und dich Kaare und dich Sigurd.« Und er berührte die drei unter den anderen.
Am dritten Tage sagte er achtzehn Namen vor sich hin. Er kam jeden Tag wieder herbei, schaute nach, wer etwa von den Bergen herabgekommen war, prüfte die jungen Kerle. Nach geraumer Zeit erschien er plötzlich in den Häusern, blickte geil auf die jungen Frauen, röchelte. Das war eine Dreistigkeit, die man nicht hinnehmen wollte. Man fuhr ihn an:
»Du hast eine stinkende Schweinsschnauze.«
»Ich weiß es«, antwortete er, »es wird vorübergehen.«
Svend Onstad, der von seiner Besitzung herabgestiegen war und manches gehört hatte, sagte zu Lars Solheim, dem Obstgärtner:
»Kommst du auf meinen Hof und schwätzest mit meinem Weibe, wird einiges geschehen, was dir nicht angenehm ist.«
Der Alte antwortete: »Gewiß, gewiß.«
Aber es geschah etwas ganz anderes, als was der junge Bauer sich errechnet hatte. In der Dämmerung, auf dem Heimwege im Gebirge stand plötzlich der Obstgärtner vor ihm. Geschmeidig wie eine Katze und dürr wie entlaubte Äste. Und ein fauler Schatten war in der Luft. Svend Onstad fühlte seine Fäuste erlahmen. Und der Alte redete hastig, wie wenn seine Stimme ein Wasserfall oder der nahe Wasserfall seine Stimme. Und der Jüngere kam nicht dazu, eine Gegenrede zu erfinden.
»Du bist jung. Die jungen Starkknochigen sollen etwas ausrichten. Du wirst bald wissen, was ich meine. Dieser Augenblick und das übrige, Erinnerung, weißt du, wird schnell vorüber sein. Du läufst zu einem hübschen Weib. Deine Beine können auch andere Wege gehen. Wird sich erweisen. Wenn erst das Hirn ein bißchen kühler. Ich brauche deine Antwort nicht. In einer Minute werden wir uns einig sein.« Sprach's. Kam heran. Schwang ein Etwas durch die Luft. Vielleicht war es ein Nichts. Doch ging es durch Svends Schädel mit unbekannten Schmerzen. Da lag der junge Mann. Und sein Pferd schreckte zur Seite. Trabte zitternd voran. Prustete. Bequemte sich wieder zum Schreiten.

Svend Onstad erhob sich vom Boden, sagte: »Ja. Abgemacht.«
Er trat in seine Stube. Er sah sein Weib. Er erdrosselte es. Grundlos. Er empfand nichts dabei. Der Obstgärtner stand da. Sprach nichts. Die drei hatten sich nichts mehr zu erzählen.
Als Svend Onstad unerwartet am nächsten Tage wieder in Vangen erschien, hatte er eine braune Wunde an der Stirn. Er erzählte wirr von dem Begebnis in den Bergen. Plötzlich rannte er mit dem Kopf gegen die Kirchhofsmauer – wie ein Stier im Frühjahr, wenn das Vieh zum erstenmal ausgetrieben wird, gegen einen Strauch oder jungen Baum – als wolle er sie einstürzen. Dreimal schlug er zu. Dann war sein Gehirn offen und blutig.
Ein Trupp junger Burschen stürmte die Bucht entlang nach dem Hause des Gärtners. Sie fanden ihn. Er lag in seinem Bett. Er war reglos und stumm auf dieser Seite des Lebens.

– – – – – – – – – –

Hier unterbricht sich das düstere, so unfaßbare Begebnis ein ganzes Jahr lang. Es war ein Aufstand; aber man erkannte nicht deutlich, gegen wen oder was. Ich will versuchen, wenn meine Mühe mich so weit trägt, nach und nach alle erkennbaren Zusammenhänge einzufugen. Ich will dem Vorbild der Abläufe folgen, unterbrechen und mich mit den Kunden, die Olaf Eides Krambude besuchten, befassen.
Noch eine Einfügung: als der Obstgärtner starb, wohnte der Gemeindearzt Sigurd Telle nicht mehr in Vangen. Er war nach Haugesund verzogen, damit seine drei Söhne das Gymnasium besuchen konnten. Sie hießen Adle, Kaare und Finn. Dreizehn Jahre alt, zwölf Jahre, neun Jahre alt. Die Frau des Arztes, die bis dahin die Knaben unterrichtet hatte, fühlte wohl, daß ihr Schulwissen erschöpft sei. Sie war eine stattliche, etwas dicke Dame, gesund, lebenslustig, mit einem Hang zu fraulichen Abenteuern. Freilich, in Urrland konnte sich ihre Persönlichkeit nicht entfalten. Sie unterhielt mit niemandem freundschaftliche Beziehungen. Den zufälligen Gästen, die im Sommer über ihre Schwelle kamen (auch uns), kredenzte sie in Weingläsern einen grünen Likör, den der Arzt selbst bereitete; er war stark und schmeckte ein wenig nach Medizin. – In Haugesund verließ sie ihre Familie und teilte ihr Dasein mit

einem anderen Manne. (Die Nachricht davon drang bis nach Vangen.) – Ihre drei Söhne waren so sehr voneinander verschieden, daß es schwer fiel, an ihre gleiche Abstammung zu glauben. Der älteste, Adle, war dick, mit einem ungewöhnlich großen ins Längliche gezogenen Kopf. Er sprach immer langsam, bedachtsam, mit gepolsterter überzeugter Stimme. Kaare war mager, schnellmäulig, leidenschaftlich, rechthaberisch, rauflustig, sogar ein wenig jähzornig. Seine Nase war ganz die des Vaters, spitz und immer voll Witterung. Seine Augen aber waren meergrün und manchmal ganz finster vor irgendeinem kindlichen Verlangen. Man konnte ihre Farbe und ihren Ausdruck nicht auf die Eltern zurückführen. Finn endlich war pfiffig; er hielt es mit der Lüge oder mit der Ausrede. Er hatte, seiner Meinung nach, niemals etwas mit dem Unheil zu tun, das seine Phantasie auf die eine oder andere Weise als Urheber hatte. Dennoch wurde er manchmal von Kaare verprügelt, nachdem sich in dessen Gesicht mehrere nervöse Blitze entladen hatten. (Es war ihm verboten, seine Fäuste an dem jüngeren Bruder zu versuchen.) – Von Kaare erhielt ich eine Belehrung. Die drei besuchten uns auf dem Saal – so drückte man sich aus. Auf dem Tisch lag eine Zündholzschachtel, deren Schauseite mit dem Bildnis eines Mannes verziert war. Ich fragte ins Ungewisse, wer dieser Mann sei. Kaare warf sich sogleich zu einem Richter über mich auf. Er sagte:
»Das weiß doch jeder. Es steht doch darauf gedruckt Tordenskjold.« –
»Wer ist denn das?« fragte ich.
»Wollen Sie mir bitte sagen, was man auf den Schulen Ihres Vaterlandes lernt, wenn Sie nicht einmal wissen, wer Tordenskjold ist?« fragte er inquisitorisch.
(Tutein, der meiner Zurechtweisung beiwohnte, war klug genug, sich nicht einzumischen, denn auch er war unwissend.)
Ich war natürlich sehr beschämt; aber ich wußte es dennoch nicht.
Drei Knaben, die mich seitdem sehr verachteten, legten mir die Geschichte und Heldentaten des Mannes dar. – Nach und nach habe ich denn auch erfahren, daß er ein vaterländischer Seeräuber, Saufaus, Schürzenjäger und Raufbold war. Alle Nationen haben die Namen solchergestalt Helden in der Kiste der löb-

lichen Taten aufbewahrt. Man kennt immer nur die wenigen, die die heimatliche Schule mit weisem Bedacht auswählt. Das Ende Tordenskjolds freilich ist nicht sehr rühmlich; er wurde in Hannover von einem schwedischen Offizier, den er beleidigt hatte, im Duell niedergestochen. – Er ist zu Kopenhagen in der Holmenskirche beigesetzt. – Nicht nur die Zündholzschachteln tragen sein Bild. Es gibt seinetwegen Denkmäler in Norge und in Dänemark. –

Seit der Abreise Dr. Telles war Vangen nur schlecht mit ärztlichem Beistand versorgt. Es war noch kein junger Mediziner, der die kargen Bedingungen der Gemeinde verlockend gefunden hätte, gefunden worden. So verwaltete denn Doktor Saint-Michel aus Laerdal die Krankheiten und Sterbenden im Nebenamt. Er war ein Mann, vielleicht fünfundfünfzig oder sechzig Jahre alt, recht ergraut, doch lebhaften Geistes. In diesen Jahren mußte er seine Kräfte in einem Wirrwarr von Anforderungen vergeuden. Fresvik und Aardal waren ihm schon zusätzlich unterstellt. Seine ärztliche Tätigkeit bestand in unablässigen Reisen. Wöchentlich zweimal sollte er nach Urrland kommen. Er schaffte es nur selten. Die Kranken mußten zufrieden sein, wenn er alle fünf oder sechs Tage auftauchte. Anfangs versuchte er mithilfe der Fjorddampfer seine verzweigte Praxis aufrechtzuerhalten. Doch der Fahrplan der Schiffe brachte ihn um ein geregeltes Dasein. Sein Nachtschlaf wurde zerfetzt, seine Tage aufgelöst, seine Arbeit zerstückelt. Er war beständig übermüde. Im Hotel wiederholten sich die gleichen Szenen nur zu oft: seit sieben Uhr früh warteten die Kranken oder deren Angehörige auf der Straße (es sei denn, daß es regnete). Dr. Saint-Michel war in der Nacht oder erst eine Stunde zuvor angekommen. Er hatte sich niedergelegt und strengen Befehl gegeben, daß man ihn nicht vor halb neun Uhr wecke. (Außer, es handle sich um einen schweren Fall.) Ellend erschien in der Haupttür des Hotels und sprach zur Menge auf der Straße: »Der Doktor schläft. Der Doktor darf nicht gestört werden.« – Er rieb sich zufrieden die Hände und lachte ein windiges Lachen. Das war kein Trost für die Kranken.

Kurz vor neun Uhr stieg der Arzt vom Obergeschoß die Treppe herab, erschien auf dem Vorplatz. Einige der Kranken waren schon bis in den Salon des Hotels vorgedrungen. Er

überblickte die Schar der Hilfsbedürftigen; dann verschwand er durch die Flügeltür in den Speisesaal, um ausgiebig zu frühstücken.
Die Bevölkerung liebte ihn nicht. Sie ahnte kaum, daß er gezwungen war, ein Leben zu führen, das selbst eine eiserne Konstitution hätte zerstören können. Dr. Saint-Michel tat seine Pflicht; aber es wurde nicht sichtbar. Er führte einen ungleichen Kampf. Er war nirgends mehr zuhause. Er hatte sein Quartier auf den Schiffen, in den Hotels dreier Ortschaften. Die ständig wechselnden Abgangszeiten der Schiffe, die unvermeidlichen Verspätungen und Zwischenfälle vereitelten viele seiner Absichten. Er alterte zusehends. Unerhebliche Krankheiten begann er zu vernachlässigen. Es konnte vorkommen, daß er seine Patienten grob anfuhr, weil ihr Fall nicht so schlimm war, daß sie sich nicht selbst hätten helfen können.
Schließlich wurde es sein Vorurteil, sich nur noch berufen zu fühlen, dem unmittelbar drohenden Tod gegenüber einzugreifen. –
Er überschaute seine Herde. Er frühstückte. Oft, wenn er an sein Tagewerk ging, erwies es sich, daß ein Abgesandter aus den Bergen da war, um ihn an ein abgelegenes Krankenlager zu rufen. Er murrte nicht. Er fragte nur: »Ist das eine schlimme Krankheit? – Wie steht es mit dem Tod? Ist er schon im Hause?« – Es mußte etwas Gefährliches sein, doch auch nichts Hoffnungsloses. – Er ließ sich die Lage des Hofes oder Platzes beschreiben, errechnete die Zeit, die es ihn kosten würde. Meistens schmolz dann die Aussicht der nach Vangen gewanderten Kranken, behandelt zu werden, in nichts zusammen. Sie wurden nachhause geschickt und auf den nächsten Termin vertröstet. Dr. Saint-Michel schnallte dem Abgesandten seinen Rucksack mit den Instrumenten und Medikamenten auf. Dann wanderten sie davon. Es kam nur selten vor, daß man ihn ohne zwingenden Grund weit fort bemühte. Dennoch war die Wanderung oft zwecklos: er fand einen Toten. Im Beisein der Angehörigen wußte er wohl zu schweigen; kam er ins Hotel zurück, machte er seiner Enttäuschung Luft. »Den Totenschein hätte ich auch hier schreiben können«, schalt er, »ich weiß ja sowieso nicht, woran die Menschen sterben. Man

kann ja nicht zwei vernünftige Worte aus den Hinterbliebenen hervorlocken.« – Am Ende hatte er auch nicht das Dampfschiff erreicht, mit dem er nach einem anderen Platz fahren wollte. Sein Reiseplan war umgeworfen. Die Kranken, soweit sie in Vangen wohnten, wurden wieder zusammengetrommelt – oder auch, der Arzt fühlte sich so sehr erschöpft, daß er aß und sich schlafen legte. – Es ließ sich in seiner Zeiteinteilung nichts vorausberechnen. Oft, wenn das Dampfschiff schon vom Kai abgestoßen war, wurde er noch mit seinem Rucksack über die Reling anbord gezogen. Außerdem hatte das Schiff schon eine halbe Stunde auf ihn gewartet. –

Er fühlte endlich, daß er seinen Beruf und die Kranken zu hassen anfing. Mit ungerechtem Eifer streute er Bezichtigungen um sich aus. Er unterstellte, jedermann mißgönne ihm Schlaf und Speise. – Da beschloß er, ein Motorboot zu kaufen, um von den Dampfschiffen unabhängig zu sein.–

Er war nicht gut beraten. Vielleicht war er auch eigensinnig. Er erstand ein altes hölzernes Boot, dessen Boden halb verrottet war. Ein starker zweizylindriger Rohölmotor wurde eingebaut. Wenn die Maschine arbeitete, erzitterte das Boot in allen Fugen. Man fürchtete und sagte bestimmt voraus, der Koloß von vierzig Pferdekräften werde eines Tages durch das morsche Holz versinken. Zu dieser Katastrophe kam es indessen nicht. Es gab andere Beschwernisse, unablässige. Die Hände des Arztes waren von nun an ständig besudelt. Öl und Ruß waren nicht mehr von seiner Haut zu vertreiben. Seine tägliche Kleidung war befleckt oder sogar zerrissen. Das schlimmste war, er wurde von einem Individuum der ansässigen Bevölkerung abhängig. Er mußte einen Mann heuern, der das Boot steuerte und den Motor nicht verkommen ließ. Er hatte anfangs geglaubt, er könne das alles allein besorgen. Es erwies sich aber, er hatte vieles nicht bedacht. – Es mußte Petroleum in den Tank gefüllt werden. Die Maschine mußte geschmiert und mithilfe einer unbequemen Handkurbel angelassen werden. Ein paarmal ging ihm die Haut von den Händen, ehe die Gase im Zylinder sich entzündeten. Am Boot war ständig etwas auszubessern und zu malen. Die Jahreszeiten und die Nächte, der Regen, die Stürme, seine Müdigkeit, sein Beruf, alles hatte ein Mitbestimmungsrecht. Er mußte sich beugen. Er mußte einen

Mann anheuern. Nicht, daß er die Bewohner an den Fjorden verachtet oder sonst Unvorteilhaftes gegen sie vorzubringen vermocht hätte (er liebte sie wie die alten Götter die Menschen, mit Willkür); es verletzte seinen Stolz auf empfindliche Weise, daß er, der so anders geartet war, eine andere Abstammung hatte, der bisher die Menschen, in deren Mitte er wirkte, nur betrachtet, mit einer bestimmten Art Überlegenheit oder Weltanschauung abgeschätzt hatte, plötzlich mitten in sie hineingestellt werden sollte, als ob er einer ihresgleichen wäre. Die Leute würden sagen, wenn sie seines Bootes ansichtig würden: »Da kommt der Doktor und sein Kapitän.« – Er war leider sehr ungeschickt oder gar fahrlässig bei der Wahl seiner Bootsführer. Binnen kurzer Zeit machte er sich drei dieser Leute zu Feinden. Schon nach einem Jahre mußte er sich mit zufälligen Helfern begnügen, die sich nur auf eine Woche oder einen Monat verdangen. Schließlich fand sich keiner mehr, der sich bei ihm anheuern lassen wollte. Er stand wieder selbst am Steuer. Weiter kenne ich diese Geschichte nicht.

Vielleicht war er wirklich schwieriger als wir erkennen konnten – stolz und unnachgiebig. Dennoch weiß ich, er war ein kluger, ein vorurteilsloser Mann, und ein geschickter Arzt dazu. Höchstens, daß er sein allmählich alterndes Leben und die Überbürdung mit Arbeit und Verantwortung nicht mehr meisterte. – Wir haben ihn zuweilen sehr gereizt, geradezu in sinnloser Wut gesehen. Es war, als ein Bootsführer nach dem anderen sich von ihm abwandte. (Sie konnten so wenig ein geregeltes Tagewerk haben wie er selbst.)

Ihm fiel die Aufgabe zu, auch die Sterbeurkunden für Svend Onstad, dessen Frau und den Gärtner auszufertigen. Ellend Eide hatte ihm die Zusammenhänge mit aller Ausführlichkeit berichtet. Dr. Saint-Michel stellte die Papiere ohne Anteilnahme und summarisch aus. Die Menschen waren tot; das genügte ihm. Weiterungen wollte er sich ersparen. Als wir an diesem Tage bei Tische saßen (es wurde immer an einem großen Tisch gemeinsam gegessen), glitt das Gespräch doch zum unerhörten und abgründigen Vorfall.

»Was wissen Sie davon?« hatte der Arzt gefragt. Und Tutein antwortete ihm mit einer fast lückenlosen, schon abgeklärten Darstellung. Der Arzt schwieg und aß eifrig weiter.

»Haben Sie eine Meinung?« fragte ich quer über den Tisch, um den Arzt zum Reden zu bringen.
»Gewiß«, sagte er, »ich zweifle gar nicht daran, daß dieser arme Onstad seine Frau umgebracht hat. – Übrigens war sie schwanger. Es ist nicht ausgemacht, daß ein Streit voraufgegangen war. Oder daß es das Ende der Liebe war. Man muß mit der Verwirrung der Menschen rechnen wie mit einer Erkältung. Es ist zuviel in die Gehirnzellen hineingestopft worden. Krieg, Gott und Teufel, all diese technischen Dinge, Bücher und Zeitungen, Zivilisation, Sorgen ums tägliche Brot, Bank- und Wechselwesen; das alles hat Folgen, die wir nicht übersehen können. – Wenn man nun das eine und andere nicht beweisen, ja nicht einmal vermuten kann, erspart man sich am klügsten die Überlegungen. – Die Hände sind wie eine Zange zugegangen, als sie am Halse der Frau waren. (Ich blickte Tutein an; er aber saß nur mit neugierigem Staunen da.) Das läßt sich allenfalls feststellen, wenn man es will. – Ich halte sehr wenig von allen mir bekannten Theorien über das Verbrechen. Wo es mir begegnet, möchte ich es immer verschweigen. Ist es aufdringlich, wie in diesem Fall, befreit und beruhigt es mich, daß es sich in sich selbst erledigt hat. Onstad hat sich einen offenen Schädelbruch beigebracht. Übrigens eine höchst erstaunliche physische Leistung. – Ich nehme an, Sie können das gar nicht abschätzen. – Es dürfte ziemlich einmalig sein.«
Er war ins Sprechen gekommen. Es war zu erkennen, er war noch nicht am Ende.
»Vielleicht haben Sie eine ungenügende Vorstellung von unserer Heimat, Norge. Die Berge, die Fjorde, die Täler, das alles sind Trennungen zwischen den Menschen, sehr wirkliche Grenzen. Das Land ist zehnmal größer als es auf irgendeiner Landkarte erscheint. Es ist gebuckelt. Ausgewalzt würde Norge wenigstens so breit wie lang sein. Die Menschen sind ursprünglicher als in anderen Gebieten Europas. Sie müssen es sein. Sie würden sonst nicht leben können, sie würden zugrunde gehen. Viele Güter der Zivilisation sind bei uns gar nicht aushandelbar – glücklicherweise. Wahrscheinlich ist die Zahl der Verbrechen, die in den Bergen begangen werden, sehr groß. Es sind viele Kapitalverbrechen darunter. Nur die wenigsten werden entdeckt oder aufgeklärt. Das ist gar nicht

verwunderlich. Die meisten Menschen sterben ohne ärztlichen und priesterlichen Beistand. Die Totenscheine werden oft erst lange nach dem Begräbnis beschafft. Wer will dann noch ausmachen, woran einer gestorben ist? Eine ungewisse Zeugenschaft zweier ehrlicher Leute wird zur Urkunde erhoben. Ich finde das nicht weiter bedauerlich. Ich weiß, daß ich bei den Fälschungen mitwirke. Die Wißbegier der Bürokratie ist ja nur lästig und nirgendwo nützlich. Die moderne Seelenkunde bemüht sich, die Verbrechen überwiegend als Zwang der Umwelt und aus dem Unterbewußten zu erklären. Verdrängte oder abgebogene Sexualerlebnisse werden gleichsam zu einer Hauptbürde der Menschheit, zum Arsenal aller bösen und unsinnigen Kräfte. Dabei besteht eine erschreckende Ungenauigkeit in den Definitionen. Die selbstherrlichen Behauptungen der Beauftragten des Staates, was als Verfehlung zu gelten habe, also willkürliche Gesetze, die muffige Schnüffelei kirchlicher Institutionen mit dem Ziel, Unrat zu riechen, die Morallehren, die man aus Glaubensgrundsätzen gezogen hat, ja sogar zweckhafte biologische Forderungen, die man als von der Natur verhängt erklärt, wirbeln im bunten Durcheinander in so manchen höchst unberufenen Hirnen und schaffen so, auf tiefster Ebene, am Begriff des Verbrechens und des Verbrechers. – Wie weit das in entarteten Gesellschaftsgebilden eine Berechtigung hat, kann ich von meinem anspruchslosen Standpunkt aus nicht beurteilen. Meine Erfahrung, die ich allerdings nur in diesen innersten Berggegenden gesammelt habe, weist ganz anders. Der Sexualtrieb ist meines Erachtens ein milder, ein unschuldiger, fast möchte ich sagen, gütiger Trieb, der leicht zu befriedigen ist und gar nicht ins Unermeßliche gehen kann. Selbst Kinder, allein gelassen und nicht eingeschüchtert, werden schnell mit ihm vertraut und wissen sich gut mit ihm zu stellen. Es sind kaum Fälle denkbar, wo er nicht zu stillen gewesen wäre. Freilich, vom Gehaben der Frauen weiß ich nicht genug. – Geschieht es indessen einmal, daß die Umstände oder die verfehlte innere Konstruktion eines Menschen ihn von den einfältigen Glücksminuten ausschließen – mit dem Tode bezahlen muß er gleichwohl; das weiß auch der Nachlässigste im Beobachten und Denken –, kann es zu Katastrophen kommen, die ich – sie sind äußerst selten – den komplizierten norwegischen Lustmord genannt habe. Eine Scheußlichkeit, die wir leider feststellen müssen. Vielleicht handelt es sich für den Täter wirklich darum, den Abgrund auszuloten, in den er stürzen soll. – Wir haben es, glücklicherweise, man kann das gar nicht oft genug wiederholen, fast ausschließlich mit der durchschnittlichen Beschaffenheit des Triebes zu tun, mag er auch in vielen Farben schillern. Und seine Sünden sind, im Gegensatz zu denen der wirklichen Laster, klein. Machthunger, Mißgunst, Neid, Dünkel, Haß, Geiz sind kaum zu befriedigen. Werden sie gefüttert, wächst der Appetit. Schon muß man sie mästen. Auch unser Magen ist viel anspruchsvoller als unsere Lenden es sind. Denken Sie an seine Morde! Jetzt haben wir gerade sechs Makrelen verspeist. – Übrigens eine ausgezeichnete Leckerei. Ihr Geschmack ist feiner als der des Lachses. – Angesichts der Selbsterhaltung, der Schutzmaßnahmen für die eigene Haut und was an eingebildeten und wirklichen Eigenschaften in diesem Sack steckt, verdunkeln sich die Seelenkräfte. – Es kann für unsere Gebirgsgegenden angenommen werden, daß etwa ein Prozent der geborenen Säuglinge Geschwisterkinder sind. Es ist ein hoher Prozentsatz, und keine Statistik besudelt sich mit dieser Schimpflichkeit. Es ist aber auch ein selten schöner Beweis für die Gesundheit und Natürlichkeit der echten Bergbauern. Nicht nur, daß diese Kinder wie alle anderen aufwachsen und in die kleinen Gemeinschaften eingegliedert werden – das alttestamentarische Vorurteil ist gar nicht vorhanden, und geschlechtliche Vereinigung, also die gerade Lustgewinnung wird unter keinen Verhältnissen als entehrend betrachtet. Ich sage unter keinen Verhältnissen, und auf manchen Plätzen mag es wie in Sodom und Gomorrha zugehen. Glücklicherweise entzieht sich bis jetzt das meiste der Durchdringung mit fremden Augen. Ich persönlich finde es beglückend, daß der Ruf Pans nicht vergeblich in unseren Bergen tönt. – Der Kindesmord ist bis vor kurzem fast unbekannt gewesen. Dieser schmähliche Austrag eines großen natürlichen Erlebnisses ist den Städten höherer Zivilisation vorbehalten. Die unbefleckte Braut hat keinen Kurswert, wenn die Burschen auf den Saetern zu den Mädchen kommen können. Es gibt einzelne Enklaven, wo seit altersher nur die Kronbraut von den Söhnen begüterter Bauern begehrt wurde. Eine Kronbraut, ausgestattet mit Heiratsgut. An diesen Plätzen ist der Kindesmord nicht auszurotten. Die Landschaft begünstigt Entschluß und Vorhaben. – Seitdem der Pietismus um sich gegriffen hat, mehren sich die Verbrechen der Mädchen überall. Die wahre Sittlichkeit sinkt. Man kann aber auch erkennen, das Verbrechen geschieht nicht aus Lust oder genährt durch einen inneren Trieb. Erst die Notwendigkeit, wenigstens vor der Öffentlichkeit unberührt zu scheinen, ruft in den noch zur Mutterschaft nicht Zugelassenen das Verbrechen hervor. Wo man der Natur mißtraut, haben unverheiratete Mütter und uneheliche Kinder ein hartes Los. – Was nun die übrigen Kapitalverbrechen angeht – die Verfehlung gegen die Moral kann man natürlich nicht hierher rechnen –, so glaube ich allerdings, in den Bergen werden sie einmal begangen und auf den Gefilden der Zivilisation nur hundertmal gedacht und vorgeschmeckt. Das ist gewiß ein Unterschied. Aber die Feststellung fällt zugunsten des begangenen Verbrechens aus. Es fehlt gewissermaßen der unablässige Sturmlauf des Bösen. Die Verfluchung kommt plötzlich. Und die Wirkung des Schlages, den das Schicksal austeilt, die rasche Erkenntnis, daß man nicht Herr über seine Taten ist, wirkt noch mit fördernden Hammerschlägen auf den Karakter ein. (Wieder blickte ich Tutein mit Bangen an; er aber saß mit neugierigem Staunen da.) So erwachsen die Männer und Frauen, die sich selbst richten. Die Sonderlinge, die Einsiedler, die in Tiere närrisch Verliebten, die Wahnsinnigen, die Schweigsamen – und die Verstockten, deren Haß oder Geiz Menschen, Häuser, Vieh und Äcker verzehrt. – Die menschliche Gesellschaft ist nicht ausbalanciert. Die Menschen sind verschieden. Mit dem Anspruch, etwas zu gelten, vor anderen ausgezeichnet zu sein, stellt sich die Wirkung des Bösen ein. Deshalb ist der wohlhabende Bauer fast immer schlechter als sein Knecht. Denn der Boden, das weiß auch der Dummste, gehört ihm nicht, er usurpiert ihn nur. Das ist ein unabwendbares Verhängnis für Seelen, die nicht gütig sind. Und die meisten Bauern erliegen dem Hochmut. Übrigens«, fügte er heiter hinzu, »ich selbst bin nicht gütig. Ich verachte zuviel. Und meine Sittlichkeit ist roh, wie Sie wohl erkannt haben.«

Öystina, die Magd, kam herein und begann, Geschirr vom

Tisch zu räumen, so daß weder Tutein noch ich auf den letzten Satz eine Antwort zu geben brauchten; jedenfalls gewannen wir Zeit. Als das Fleischgericht aufgetragen war, und der Arzt sich vorgelegt hatte, sagte ich: »Ihre Meinung über den Lebenswandel des Obergärtners hätte ich gern gehört.«

»Er ist an Krebs gestorben«, sagte der Arzt fast unfreundlich, »allerdings sollen die Blutungen, die aus dem Magen hochgestiegen sind, ganz unbedeutend gewesen sein, das hat man mir übereinstimmend berichtet. Aber man weiß ja eigentlich recht wenig über die letzten Tage des Mannes. Er ist allein gewesen.« –

»Man hat behauptet, er sei als Toter am lichten Tage umgegangen.« –

»Ich weiß. Ich bin der einzige Arzt in Skandinavien, der diesem Gerede keine vernünftige Erklärung entgegensetzen kann. Ich halte es für möglich.«

»– daß ein Toter einhergeht –?«

»Kurz ausgedrückt: ja.«

Wir schwiegen betroffen.

»Sie haben mich da in eine Falle gelockt«, begann er nach einer Weile, »ich glaube nicht, daß es ein Gespenst war. Es war der Mann selbst. Auf alle Fälle er selbst. Tot oder lebend. Wahrscheinlich: lebend zwischen zwei Toden.«

Wir verstanden ihn nicht; er zögerte, sich verständlich zu machen. Endlich schien er den Entschluß gefaßt zu haben, nichts zu verbergen. Es fuhr gleichsam aus ihm heraus.

»Ich selbst bin zweimal gestorben gewesen. Beim erstenmal lag ich schon nach dreißig Stunden im Sarge. Mein Ableben war durch eine ärztliche Urkunde beglaubigt. Ich erhob mich wieder. Es war kein behaglicher Augenblick. Auch meiner Frau konnte ich einen Schrecken nicht ersparen. Aber sie war sehr bald gefaßt. Und erfreut. Das zweitemal war hartnäckiger. Ich lag achtundfünfzig Stunden kalt und ausgestreckt in meinem Bett. Doch meine Frau erwartete meine Auferstehung. Sie wurde nicht enttäuscht. – Ich bin also ein merkwürdiger Fall.«

Tutein wagte zu fragen: »Wie war denn der Zustand für Sie?«

»Das haben mich alle gefragt, die davon hörten«, sagte der Arzt, »auf eine Nachricht aus dem Jenseits sind ja die meisten versessen. Es ist nicht nur Neugier. – Also: das Herz stand still.

Die Lungen atmeten nicht. Die Todeskälte zog ein. Diese Einheit von Seele und Leib hörte auf zu träumen. Das ist wohl der Unterschied zwischen Schlaf und Tod: schlafend, auch wenn wir es bis zum Erwachen wieder vergessen, leben wir in den Untergründen der Zeiten, Ereignisse und Vorstellungen, die uns gehört haben und in die wir uns, vorauseilend, mit unseren Wünschen hineinwagen; der Tod ist ohne Traum. Ein Jahr ist wie eine Minute. – Eine Ewigkeit ist trotzdem lang.«
»Glauben Sie, daß es so ist – oder halten Sie sich zu einer Erklärung, weil Sie nichts wissen?« fragte ich ziemlich erregt.
»Ich habe seitdem alle metaphysischen Gebäude in mir abgebrochen. Ich habe den Instinkt oder die Wißbegier zu Gott nicht mehr. Der Trieb zum religiösen Wahn ist erloschen. Die Eigenschaften Gottes sind uns ja durchaus unbekannt. Und der Tod entschleiert sie offenbar nicht. Angesichts einer Schöpfung, in der alle Geschöpfe fressen und gefressen werden, liegt die Vermutung nahe, daß auch der Urheber frißt. Es ist zum wenigsten folgerichtig gedacht, wenn die Phöniker dem Gotte Baal kleine Kinder in den glühenden Rachen warfen oder die Indios ihren Göttern die schönsten Jünglinge und die Kriegsgefangenen schlachteten. Ich glaube mich zu entsinnen, daß im Alten Testament erzählt wird, eine göttliche Aufforderung erging an Abraham, seinem Sohn Isaak das Herz auszuschneiden und es Gott zu braten; im letzten Augenblick allerdings wird es durch eine jenseitige Stimme vereitelt, ein junger Bock fängt sich im Gestrüpp und muß statt des Knaben sein Blut ausgießen. Diese Wendung bedeutet leider keinen Fortschritt in der Moral. Der Gott erhielt sein Opfer. Ich brauche mich wohl nicht weiter zu erklären. – Meine Frau ist seit zehn Jahren tot.«
Wir beendeten die Mahlzeit.

– – – – – – – – – –

Es war Spätherbst geworden. Ende November oder die ersten Tage des Dezember. Da entsann ich mich mit Heftigkeit der Mitteilungen, die mir der Gärtner gemacht hatte. Eine Sehnsucht nach dem entlaubten Birkenhain ergriff mich. Ich war töricht und hoffte auf ein ungewöhnliches Abenteuer. Als der frühe Abend das Land mit Dunkelheit überzogen hatte, machte ich mich auf den Weg. Niemand begegnete mir. Ich kletterte in

der Finsternis die Halde hinauf, ließ mich auf den vom Gärtner bezeichneten Stein nieder. Ich horchte in die Stille. Allmählich verging meine Erwartung. Der halbe Mond warf sein Licht auf die gegenüberliegenden Berge. Dieser Platz, ich selbst, blieben im Schatten. – Mir würde kein Troll begegnen. Ich liebte Tiere und war manchmal ihr Anwalt gewesen. Aber wie stark hätte diese Liebe sein müssen, um einen Troll zu wecken, der tief im Urgrund schlief! – Ich wußte, daß ich unbedacht gewesen war. Ich würde allein bleiben. Aber jetzt genoß ich die gläserne Luft, den dünnen Zirplaut des Gewässers, das Rascheln des Laubes unter meinen Füßen. Der erste Schnee hing über den hohen Granitbarren jenseits des Fjordes. Es war eine überirdische Sehnsucht in mir, die Melodie des Erdreichs einzufangen, den Gesang des Schotters, auf dem Birken wuchsen – wenn sie entlaubt sind – und der erste Schnee die Quellen in den Bergen nährt – mit jungfräulicher Sternenmilch. –
Ich erhob mich. Als ich wieder auf dem Wege war, fügten sich mir ein paar Noten zusammen. Der süße Krampf, der mein Herz gepackt hatte, löste sich. Inmitten einer undenkbaren Traurigkeit war ich glücklich. Ich hätte weinen können. Aber ich behielt die Tränen. Ich schritt aus. Ich meinte zu spüren, jemand sei mir im Rücken. Ich hörte das Geräusch seiner Schuhe auf dem holperigen Wege. Ich blieb stehen, um ihn vorüber zu lassen, denn er schien schneller voranzukommen als ich. Es war ein Mann. Er grüßte nicht. Er sah mich nicht an. Fast muß ich glauben, er hat mich nicht bemerkt. Als er zwei Dutzend Schritte Vorsprung hatte, glaubte ich zu erkennen, er trug ein rotes Tuch um den Hals. Mein Herz begann unsinnig zu schlagen. Fast ohnmächtig wurde ich vor Überraschung. Ich folgte dem Manne und hatte Mühe, ihn nicht aus den Augen zu verlieren, so hinfällig hatte mich ein schöner Verdacht gemacht. Wir erreichten Vangen. Der Mann bog den Weg zur Schmiede ein und kam so, im Rücken der Ortschaft, auf die Straße, die das Tal aufwärts führt. Noch ehe der Pfarrhof erreicht war, bog der Fremde vom Wege ab, überquerte eine Geröllwiese, als ob er zum Fluß hinab wollte. Aber er nahm – es standen ein paar alte Birken auf der Wiese –, nachdem er die Bäume erreicht, die Richtung auf ein kleines Gehöft, das in der Niederung lag. Ich sah ihn die Tür zum Kuhstall öffnen und

darin verschwinden. Ich wartete vor der Tür, ob sich etwas ereignen würde. Der Mond stand mit weißem Licht über dem Tal. Man hörte den grollenden Ton des eiligen Flusses. Aus dem Stall drang kein anderer Laut als das satte Stöhnen der Rinder. Ich öffnete die Tür; die Glieder bebten mir. Es kam Licht durch zwei niedrige breite Fenster, die in die roten Holzbalken eingelassen waren. Ich sah niemand. Ich beugte mich über die liegenden Rinder. Es waren ihrer drei. Eine vierte Kuh stand dunkel vor der Giebelwand. Ich fuhr ihr über Rücken und Schwanz, ich griff ihr unter den Bauch und ans Euter. Ich stöberte den Mann nicht auf. Und der Stall hatte nur die eine Tür, durch die wir gekommen. Ich setzte mich auf eine Raufe und wartete. Ich fühlte, wie die Rinder mit freundlichem Verwundern ihre Hälse nach mir reckten. Ich dachte einen Augenblick lang, daß ich nun glücklich sei. Einem Manne war ich nachgeeilt und fand mich nun allein in einem Kuhstall. Der Friede, den die Sterne austeilen, erreichte auch mich. Plötzlich argwöhnte ich, man möchte mich hier entdecken. Ich machte mich eilends davon, die alte Unruhe im Herzen. Ich bemerkte, das Gras war bereift. Der Mond hatte sich schon verkrochen. Es war spät geworden.

*

Da war die alte Garde der Springdans- und Hallingtänzer, die in ihrer Jugend auf der Schiffsbrücke die Nächte trinkend, streitend und mit den Mädchen rasend verbracht hatte. Der ehrwürdigste und überzeugteste unter diesen Verschworenen und Heiden war der alte Lensmann, der so weit ging, den Propst zu verwerfen und ihn einen Schleifstein zu nennen. Der Bruch zwischen diesen beiden Alten war unversehens gekommen. Der Vater der Kirche – er trug den Namen Rad – war vom Ansturm des Pietismus überwältigt worden. Die Kirche wurde nach und nach ein leeres Haus. Schließlich saßen nur noch zwei, drei Menschen bei der Sonntagspredigt auf den Bänken. Der Propst wurde von einer magischen Angst erfaßt. Er sah den Teufel, wie er anschwoll und die furchtbare Leere ausfüllte. Er hörte die Stimme, die an seinem Ohr war, diese Versuchung oder die endliche Übergabe an Gott. Er unterschied es nicht: »Du mußt es den Laienpredigern gleichtun. Du mußt der Sünde Einhalt gebieten. Du hast dein Leben lang dem Teufel Vorschub geleistet. Du hast den Kindern Gottes, die dir anvertraut waren, niemals den Befehl erteilt, gegen das sündige Fleisch zu wüten. Du bist lau und lässig gewesen.« – Der Propst Rad hat niemals an die Allmacht Gottes geglaubt, nur an die unermeßliche Tücke des Teufels. Es gab Stunden, wo er sich als dessen Diener fühlte. – Er ertrug die leere Kirche nicht. Er ergriff die erste Gelegenheit, die sich ihm bot, seinem furchtbaren, von der Angst getriebenen Eifer freien Lauf zu lassen. –

Er hatte die Konfirmanden dieses Jahres zu Füßen seiner Kanzel versammelt. Er hatte sie schon vorher auf ungewöhnliche Dinge vorbereitet. Die geheimnisvollen Andeutungen hatten eine Anzahl Erwachsener, ja sogar Kerle und Mädchen angelockt. Und es begann der Donner seiner Stimme. Die falschen Zähne in seinem Munde schlugen klappernd aufeinander, kamen ihm zwischen die Zunge. Er rückte sie mit eiliger Hand zurecht, verdoppelte die Kraft seiner Stimme. Er sprach von den Saeterhütten in den Bergen und wie sie im Sommer, an den heiligen Tagen des Herren, zur Stätte der Sünde, des Lasters, der Unzucht würden. – Das Vieh geht einher, nährt sich und sammelt in den gesegneten Eutern köstliche Milch, damit die Menschen den wundervollen Käse und die milde Butter für des Leibes Notdurft ernten. Welche gütige Weisheit des Höchsten! Aber das Sinnen und Trachten des Menschen ist böse. Den göttlichen Frieden der bekömmlichen Einrichtungen stört die Teufelsbrut. Nicht mit labender Milch wie das unvernünftige Vieh, sondern mit einem Euter voll geiler Gedanken schleichen die Burschen in der Nacht, die dem Sonntag vorangeht, in die Hütten, in denen die Mädchen wachend auf den Überfall der Sünde warten. Auf den Greuel warten sie, auf den giftigen Biß der Hölle. Sie ringen die Hände nach dem Gestank der Wollust, nach der Fäulnis auf unzüchtigen Lippen. – Kein Wort schien ihm zu stark, keine Parabel zu unflätig. Er verdammte die Jugend und verglich sie mit Jauche, die trübe abfließt und den Weg beschmutzt. Er gestand, er ist in den heiligen Nächten in die Berge gestiegen, hat an den Wänden der so friedlich daliegenden Hütten gelauscht. Er hat das Lachen, das Gekreisch und das Platschen des Morastes gehört. Er hat den Teufel gesehen, wie er schweigend mit riesenhaften schwarzen Händen das Land mit seinem Auswurf bestrichen, mit der Pestilenz, mit der inwendigen Gottesverleugnung: Saat des Gemeinen. – Höhnisch, höhnisch – während die verrufenen Sünder dem Schlaf der Ermattung anheimgefallen. – Nochmals gab es das Geklapper in seinem Munde. Dann, mit drohenden Armen, erledigte er das uralte Recht der Jungen, das ein Jahrtausend lang inmitten des Kristentums bestanden hatte, das Recht auf die lauen Sommernächte, das Recht des Burschen auf das Mädchen, das Recht des Mädchens, den Geliebten zu erwarten. »Ich verbiete – ich befehle –«

Auch die Dreizehn- und Vierzehnjährigen hatten ihn verstanden. Ein erstickendes Schweigen folgte der Predigt. Da erhob sich der Lensmann Myrvang in einer der vordersten Bänke. Er schritt bis vor die Kanzel und sagte, für jeden vernehmbar: »Propst Rad, das ist unanständig. Du bist alt geworden.« Und damit verließ er die Kirche. (Ich könnte hier einfügen, daß der Lensmann, der die Kirche niemals wieder betrat, ein Jahr danach zehntausend Kronen für den Bau einer Orgel schenkte. Der Propst aber, jede Vorschrift seiner Oberen mißachtend, lehnte die Stiftung mit der Begründung ab: die Orgel werde unheilige Musik hervorbringen und die Aufmerksamkeit der Kirchgänger von der Kanzel ablenken. Die Stimme des Lehrers als Vorsänger sei für die gottesdienstlichen Handlungen ausreichend. Der Lensmann wandte sich nun nicht an die vorgesetzten Kirchenbehörden, sondern verwandte einen Teil der Summe dazu, um den Sekten die letzten Hypothekenschulden für das Bethaus zu bezahlen. – Um die gleiche Zeit schenkte der englische Gesandte ein neugotisches Fenster mit Klebersteinleibungen, bunt, mit seinem Wappen versehen und bleiverglast, für den Kor der Kirche.) –

Dann gab es einen Säufer, namens Matta Onstad. Nach ihm war ein berühmter Springtanz benannt worden. Er soll in seiner Jugend ein hervorragender Tänzer und Geigenspieler gewesen sein. Er galt als der musikalische Genius des Ortes. Es war ganz unvermeidlich, daß auch wir ihn kennenlernten, nachdem es bekannt geworden war, daß ich mich mit Musik befaßte. Und wie hätte ich es auch nur eine Stunde verbergen

können, nachdem in einer großen Kiste ein Flügel auf die Schiffsbrücke ausgeladen wurde. –
Es war ein schöner, alter Bechstein-Konzertflügel. Fast täglich spielte ich ein wenig. Die merkwürdige, regenbogenschillernde Klangfarbe, die eine leichte Verstimmung, unausgeglichene Intonation und die abgespielte französische Mechanik zuwege brachten, regte mich ungemein an. Der ungleiche Anschlag störte mich nicht. Es lag mir nicht so sehr daran, meine Finger zu schulen; ich dachte die Musik und horchte auf ihren Widerhall von den Saiten her. In jenen Jahren habe ich an die Musik geglaubt. An ihre göttliche Sprache und an ihre Heiligen, die wir so abgeschmackt als Komponisten bezeichnen. Eines Nachmittags erging ich mich in mir selbst oder in einem Werk Dietrich Buxtehudes, ich entsinne mich nicht genau: da pochte es laut gegen die Tür. Ich sprang vom Flügel auf, etwas beschämt, denn ich spürte von draußen herein, meine Musik mußte Mißfallen erregt haben. Ich rief meine Aufforderung, einzutreten. Es wurde nochmals gegen die Tür geschlagen. Ich wiederholte die Aufforderung. In der Tat öffnete sich nun die Tür, ich hatte es nicht mehr erwartet, und ein großer, recht alter Mann kam in den Saal. Er hatte eine rote geschwollene narbige Nase.
»Ich bin Matta Onstad«, sagte der Mann.
»Bitte.«
»Ich bin Matta Onstad«, sagte er nochmals.
»Bitte.«
»Ich bin Matta Onstad«, kam es zum dritten Male, sehr laut.
»Ich habe verstanden«, sagte ich kleinlaut, »ich heiße Horn.«
»Weißt du, wer Matta Onstad ist?« fragte er mich.
»Nein«, sagte ich; ich wußte es nicht.
»Ich dachte es mir schon, daß du nichts von Musik verstehst«, sagte der Mann und setzte sich. »Was du da spielst, ich habe es manchmal auf der Straße gehört, es hat ja keine Harmonie. Nur die norwegische Musik hat Harmonie. Alle ausländische Musik ist Mißlaut. Mißlaut.«
Ich versuchte einen Einwand. Ich merkte wohl, Matta Onstad war betrunken; aber er sprach doch auf seine Weise folgerichtig. Er begann wieder: »Ich weiß, daß nur die norwegische Musik Harmonie hat. Und ich muß es wissen. Man hat den

berühmtesten Springtanz nach mir benannt. Er heißt Matta Onstad. Und Matta Onstad bin ich. Den hat keiner getanzt wie ich, als ich jung war. Und gespielt habe ich.« –
Ich versuchte, mich von ihm zu befreien. Es gelang nicht sogleich. Ich sagte endlich, es würde mich interessieren, den Springtanz kennenzulernen.
»Abgemacht«, sagte er, »ich werde meine Fiedel mitbringen.«
Er ging nun sogleich davon. Ein unbehagliches Gefühl beschlich mich. Ich begriff nicht, was der Mann von mir gewollt hatte. Sein Pochen gegen die Tür hatte wie ein Störungsversuch gewirkt. Sein Vortrag über Harmonie und norwegische Musik war für mich undeutbar geblieben. Erstaunt hatte mich der vollständige Mangel an Befangenheit, dies schamlose Auf-sich-bestehen. (Sind wir Menschen nicht alle gleich lästig und rücksichtslos, wenn wir glauben, etwas bestimmt zu wissen, oder wissen, daß wir unerschütterlich glauben?)
Nach wenigen Tagen schon störte er mich auf genau die gleiche Weise wie beim ersten Mal. Ich hatte Noten auf dem Pult des Flügels stehen, und diesmal war es eine der früheren Manualtoccaten Bachs, die so deutlich erkennbar Buxtehude abgelauscht sind. (Vielleicht unter den Augen des Älteren in Lübeck geschrieben.) Ist es nicht, als ob hin und wieder der soviel fröhlichere, einfallsreichere Mann ein paar Harmonien und Tonschritte hineinkorrigiert hat?
Matta Onstad fiel sogleich über die Komposition her, von der er bestenfalls Bruchstücke auf der Treppe oder auf dem Korridor gehört haben konnte.
»Das hat ja keine Harmonie –«
Er war übrigens nüchtern und hatte seine Fiedel mitgebracht. Eine solche Hardangerfiedel gleicht einer gewöhnlichen Geige, nur ist der Steg flacher gewölbt, als es heute üblich ist, um das Streichen akkordischer Griffe zu erleichtern. Unterhalb der Spielsaiten, durch kleine Löcher im Steg geführt, befinden sich vier bis sechs Harmoniesaiten, gestimmte Stahldrähte, deren Aufgabe es ist, mitzuschwingen, also die Resonanz des Geigenkörpers zu verstärken. Matta Onstads Fiedel war reich mit Perlmutter, Eben- und Zitronenholz verziert. Als ich Konstruktion und Funktion begriffen hatte, bekam ich Zugang zu diesem Schlagwort von der Harmonie norwegischer Musik. –

Die Fiedel ist uneingeschränkt ein Soloinstrument, sie ist das Tanzorchester, das ein einzelner Spielmann stellt.
Ich bat Matta Onstad, etwas zum Besten zu geben. Er zierte sich nicht. Er begann die Saiten zu stimmen. Mich überraschte die Schnelligkeit und Genauigkeit seiner Stimmethode. In weniger als einer Minute hatte er die Wirbel der zehn Saiten mit seinen dicken rissigen Fingern bedient. Er spannte den Bogen – übrigens recht lose – und fuhr schon mit dem ersten Strich über sämtliche Saiten. Langgezogene Akkorde, umspielt vom Laufschritt einer rhythmisch scharf gezeichneten Melodie. Ein undeutlicher Hintergrund schimmerte durch das mehr klagende als fröhliche Getön hindurch: die Wirkung der Harmoniesaiten. Die harmonischen Einfälle der Tänze waren nicht reichhaltig, der Umfang der Melodie war streng an wenige Takte gebunden. Aber es gab Variationen, die das festgefügte Thema mit Trillern oder kurzen Läufen abwandelten. Ich benötigte einige Minuten, ehe ich die musikalischen Vorgänge aufnehmen konnte. Doch dann war es mir leicht, das Stampfen der Füße einzufügen, den Taumel. Das Stampfen der Füße hatte mir Ellend einmal im Salon eine Viertelstunde lang vorgespielt.
Wie vollkommen spielte dieser Mann! Ich konnte es kaum fassen, daß es die verbrauchten, zerschrundenen, von Arbeit entstellten Finger waren, die über die Saiten huschten; daß ein zitternder Arm den Fluß der Akkorde ohne merkliche Schwankungen aus drei oder vier Saiten hervorströmen ließ. – Ich hielt mit meiner Bewunderung nicht zurück. Es schien ihm nicht zu schmeicheln. Es war ihm selbstverständlich, daß sein Spiel meinen Beifall haben mußte; er wäre sonst niemals mit seinem Instrument zu mir heraufgestiegen. – Ich bat ihn, mir den »Matta Onstad« zu spielen. Er ging sogleich daran. Dieser Springtanz unterschied sich kaum von den anderen, die ich schon gehört, vielleicht, daß die Wiederkehr der melodischen Figuren kürzer, dringlicher war. Beim Tanzen, mit den stampfenden Schritten, konnte das Feuer vielleicht heftiger hervorbrechen.
Ich fragte Matta Onstad, ob er den Tanz gemacht – erfunden habe.
»Ich habe ihn gespielt«, sagte er.

Das schien mir keine deutliche Antwort. Ob er den Tanz komponiert, aufgeschrieben habe.
»Aufgeschrieben haben ihn die anderen, es waren Herren aus Bergen. Ich habe ihnen vorgespielt. Man hat es gedruckt.«
»Ach«, sagte ich schnell, »Sie haben die Noten? Darf ich sie einmal leihen?«
Er schüttelte den Kopf.
»Ich habe keine Noten«, sagte er.
Ich führte ihn nun an den Flügel und versuchte, ihm einiges der Toccata zu erklären.
»Ich kann keine Noten lesen«, sagte er, »aber spiel du nur. Ich möchte doch einmal sehen, wie man es macht, wenn man Noten liest. Liest du laut? Ich lese die Zeitung immer laut.«
Ich lachte. »Ich lese laut«, sagte ich, »aber doch nicht mit dem Mund, mit den Händen nämlich. Ich schlage die Tasten nieder, so wie ich es ablese, und die Saiten verwandeln die Schrift in Töne. – Ich brauche es Ihnen nicht näher zu erklären, es ist wie mit Ihrer Fiedel. Sie denken einen Tanz, und die Hände bringen ihn auf der Geige hervor. Mit den Noten verhält es sich nur insofern anders: ich denke die Musik nicht – das hat ein großer Mann vor mir getan, er hat es aufgeschrieben, es ist gedruckt worden – ich lese es ab, ich ahne vielleicht gar nicht, um was für eine Musik es sich handelt; es ist wie ein Buch oder wie eine Geschichte, die man zum ersten Male liest. Es kann sehr spannend sein. Eigentlich, wenn sie so ganz jung und frisch für einen ist, noch ganz unbekannt, ist die Musik am schönsten. So voller Überraschung. Und viel klüger als Worte. – Es gibt auch dumme Musik. Die meiste Musik ist sogar langweilig.« – Ich hielt inne. Ich wunderte mich, daß er mich überhaupt so lange angehört hatte, ohne zu unterbrechen.
»Klugheit«, sagte er, »verdirbt die Harmonie.«
»Sie sind doch musikalisch«, sagte ich etwas erregt, »dann sind Sie von der Klugheit nicht so weit entfernt, wie Sie vielleicht vermuten. Sie können auch diese, von Ihnen so verachtete, Musik begreifen lernen, wenn Sie nur eine Weile hinhören wollen. Es ist wie das Wort Gottes.« –
»Wort Gottes«, sagte er belustigt, »daran glaube ich nicht.«
Ich hatte mich ungemein plump und übereifrig benommen. Ich versuchte, das Mißverständnis einzudämmen.

»Wir sind uns ganz einig«, begann ich wieder und übersprang viele meiner Gedanken, »es ist wahrscheinlich, daß Gott niemals ein Wort gebraucht hat, daß man ihn auch nicht mit Worten erreichen kann, daß das Wort geradezu alle Verbindung zu ihm abschneidet. Seine Sprache ist zugleich allgemeiner und eindeutiger als die Rede: sie ist von der Eigenschaft der Musik.«
Er konnte es nicht verstehen. Und ich verstand es auch nicht. Ich hatte mich einfach durch Worte verführen lassen. (Wie oft erliegen wir gerade diesem Laster!) Unbegreiflich bleibt auch mein Mangel an Stolz, die möglichen Eigenschaften oder Qualitäten eines göttlichen Wesens, dem ich grollte oder abtrünnig war, von dem ich also nichts oder nichts mehr wußte, als Erläuterung heranzuziehen. – Schließlich ist die Musik nicht frei von Begriffen und Kategorien; sie zeichnet sich einzig dadurch aus, daß sie nicht von den Gegenständen handelt. Und sie geht durch die Sinne (wenn auch der Verstand, die mathematische Beschaulichkeit Teil an ihr haben) und kann deshalb die Sittlichkeit an sich nicht kennen. Aber sie ist mit eisernen Fesseln an die Weisheit und Moral ihres menschlichen Schöpfers geschmiedet. So spiegeln sich Nacht und Dämmerung von Böse und Wenigerböse in ihr wie in allen anderen Äußerungen unserer Seele. – Das Gute, diesen Nullpunkt, die Entsinnlichung aller Sinnlichkeit, die Pforte vor dem Reich brausender irrationaler Lust, tönt vielleicht nur der stumme Auseinanderfall des Weltenraums. (Mozart wird niemals von der herrlichen Finsternis des Don Giovanni freigesprochen werden. Jene, die da immer noch meinen, er sei ein anderer, wie sehr irren sie; wie wenig wissen sie, daß alle dunklen, schreienden und heiteren Klänge im Fleische bar bezahlt wurden.)
Ich bereitete dem unsinnigen Gespräch und seinen Folgen ein schnelles Ende, indem ich nun wirklich mit den ersten Takten der Toccata begann. Ich unterbrach mich noch ein paarmal, erläuterte; dann überließ ich mich der Führung durch die Zeit, die im Melos bestimmt wurde. Nach dem kurzen Fugato des zweiten Satzes stockte ich. Ich spürte den Widerstand Matta Onstads. Den dritten Satz trug ich lahm und nur aus Pflichtgefühl vor. Die Fuge unterschlug ich.
»Ein solches Instrument ist wohl sehr teuer«, sagte der Alte.

Er ersparte mir die Antwort, indem er weiterredete. »Nun habe ich's auch gesehen. Es ist also ein großes Klavier. Sie sagen, es sei gar kein Klavier. Aber es ist doch ein Klavier. Der Doktor hat auch ein Klavier. Aber es ist die Frau, die darauf spielt.«
»Hat Ihnen etwas an dem Musikstück gefallen, das ich spielte?« wagte ich zu fragen.
»Nein«, sagte er, »das ist keine Musik. Aber deine Finger sind gut.«
Es war vergeblich gewesen. Übrigens ging er bald.
Als er das dritte Mal kam – es muß viele Wochen danach gewesen sein –, war auch Tutein zugegen. Wir hatten gerade alten Rum zurhand. Wir tranken davon und waren sehr einig, daß er gut war. Wir vermieden es, von Musik zu sprechen. Matta Onstad war krank gewesen. Er schlürfte den Rum mit verliebten Augen.

– – – – – – – – – –

(Ich habe noch einmal den Abschnitt über den alten Tänzer und Fiedelspieler gelesen. Mein Erinnern an ihn ist sehr deutlich. Ich habe die Gespräche ziemlich verläßlich wiedergegeben. Ich möchte nur ein paar Bemerkungen hinzufügen. – Der alte Mann wirkte auf mich außerordentlich abstoßend. Ich konnte das Gefühl damals nicht erklären; auch heute bin ich allein mit der Feststellung. Er flößte mir Furcht ein, die genau so namenlos blieb wie meine Abneigung. Ellend, der in jungen Jahren ein guter Freund von ihm gewesen war, hatte sich ganz von ihm zurückgezogen. Ich erfuhr später, der Wirt hatte ihn durch ein strenges Verbot davon abhalten wollen, uns zu besuchen. Ellend erzählte aber auch, Matta Onstad sei ein ganz ungewöhnlich schöner Mann gewesen, ein Prachtstier, um den die Mädchen mit Fäusten kämpften. – Kann vom Verfall, der in Entstellung, in ein Zergehen der animalischen Kräfte, in ein Einebnen der Süchte ausartet, ein Ekel wie vor dem grundlos Bösen ausgehen? – Ein Jahr danach muß er gestorben sein. Wir erfuhren es eigentlich gar nicht. Ellend Eide, der sonst so geschwätzig war, hatte uns diesen Tod verschwiegen. Matta Onstad war nicht mehr da. So merkten wir es allmählich. – Ich habe mich, als er die Musik Bachs so unbedenklich verurteilte,

mancherlei Gedanken hingegeben. Ich war nicht beunruhigt. Doch stellte ich fest, wie allein ein jeder mit seinen Aussagen und Empfindungen ist, wie wenig Allgemeingültiges in der überragenden Leistung enthalten ist, dieser eisigen Einmaligkeit, von der man nicht weiß, an wen oder an was sie sich wendet. – Die Philosophen, ich meine die gelehrten Männer dieser Disziplin, die sich gemeinhin anheischig machen, sie vermöchten folgerichtig zu denken, gleichsam die Wortinhalte naturhaft in ein dimorphes System von großer Verläßlichkeit zu versenken, in ein moralisches Bild von mannweiblicher Gegensätzlichkeit, die das Kreuz der Koordinaten, das ihnen die analytische Geometrie erfand, als Waage ihrer Vorstellungen handhaben – welchen Irrtümern unterliegen sie! Wie oft verwechseln sie den Nullpunkt, die Nichteigenschaft mit dem Gegenpol! Haben sie uns nicht gelehrt, daß sich im Begriff des Guten vor allem das Nichtvorhandensein des Bösen ausdrückt? Nicht eine selbständige Eigenschaft des Guten wird uns genannt. – Als ob aus der Abweisung zweifelhafter Äußerungen die wohltuende Wirkung eingekreist werden könnte? – Die Funktion des Bösen hat sie weiter verwirrt und mit sich selber uneinig gemacht; sie haben sich nicht gescheut, erdichtete Ordnungen als sichere Grundlagen zu nehmen. Es gehört nicht viel dazu, alles Dasein an die Hölle zu verraten, weil Wirken und Leben unmöglich der Tugend des Nichtwagnisses huldigen können. – Es sind zuviele Übelstände in unserer Sprache. Wir werden an das Ungefähre ausgeliefert. Die Worte sind nicht nur im Munde. Sie sind schon wie ein Schleim in unserer Seele. Es gehört selbst für den Klugen kein Mut dazu, einen Mörder der Sünde zu bezichtigen; aber auch der Heilige wagt die Beschuldigung des Mordes nicht gegen einen Jäger. – –
In welche Verlassenheit geraten wir, wenn wir uns der allgemeinen Verständigungsmittel bedienen wollen, um die besondere Art der Ergriffenheit, die die Musik über uns verhängen kann, mitzuteilen! Was hätte ich Matta Onstad sagen können? Für eine Flucht in die formale Erklärung hinein bin ich nicht verblendet genug. Er glaubte an seine Musik. Vielleicht ist sie so einfältig wie sie mir erschien, der Teil eines Tanzes, halb Zweck, und doch dem Wunder der Harmonie angelehnt. – Was hätte ich einem Malaien, einem Chinesen an Aufklärung geben

können? Ich wäre durch den Einwand geschlagen gewesen, er habe keinen Zugang zu dieser Art Musikübung. Ich wäre gezwungen gewesen, sehr genügsam zu antworten, mir sei das meiste des ihm Gewohnten verschlossen. – Und bei den Philosophen ist keine Hilfe zu finden. Einer ihrer Größten hat die Musik, die der Mathematik so nahe Kunst, verworfen, schlechthin als minderwertig abgetan: Immanuel Kant. Er war vollkommen amusisch, in seiner rachitischen Schwächlichkeit fast entsinnlicht. Wären ihm durch die Schriften Winckelmanns nicht Baukunst, Malerei und Plastik nahegebracht worden, er hätte auch diese Äußerungen des Geistes und der Sinne abgetan. Nur das dürre Wort hat er anerkannt. Es ist zum Verzweifeln. Diese Nichtverläßlichkeit allüberall.
Mir drängt sich immer wieder die Feststellung auf – weil ich Josquin so liebe –, und ich meine, es beinahe beweisen zu können, daß das Ziel aller von Menschen erdachten Musik die Vereinigung von Polyphonie und Polyrhythmik sein müßte. – Es ist möglich, den malaiischen Gamelan, den Negerjazz und die abendländische Musik zu verschmelzen.
Ich habe mich schon wieder verirrt. Ich sollte diese Gedanken unterdrücken. Aber ich befreie mich seltsamerweise nicht von ihnen, wenn ich sie ausstreiche. Am Ende kommt es in der Musik, wie überall in der Kunst, auf die Einfachheit, auf die Einfalt an. Josquins polyphones Flechtwerk ist so natürlich, als wäre es gewachsen – so natürlich wie das Lied seines Zeitgenossen und Mitmeisters Heinrich Isaak, das uns bewegt, wenn wir es singen: Innsbruck, ich muß dich lassen – –, dies Fragment eines riesenhaften Lebenswerkes; es kann gar nicht anders sein als es ist. Die Säulen in den Kirchen tönen, und die Grabplatten am Boden summen mit. Buxtehude ist so musikalisch, daß das kleinste Motiv unter seinen Händen zu einem verzauberten Wald wird. Und würden wir Mozart so sehr lieben und unter seinen Zeitgenossen hervorheben können, wenn seine Trauer und Freude nicht so unmittelbar wäre wie die eines Tieres? Und von fast schmerzender Kürze, ganz unüberheblich wie das Wiehern eines Pferdes oder das Klagegebell eines Hundes. – Mir steht Schweiß an der Stirn von der Anstrengung des Schreibens. Die Nacht ist fast vorüber.)

*

Der alte Skuur – ich nenne ihn hier unter den Verschworenen, ihn hatte die Erinnerung seit langem verlassen. Zuweilen saß er auf einem Stein am Strand, schaute auf den Fjord hinaus und sagte, wenn sich die Gelegenheit dafür bot:
»Da kommt ein Monitor.«
Und große und kleine Kinder, wenn sie gerade herumstanden, schrieen im Kor:
»Skuur, es heißt nicht Monitor, es heißt Motor-boot.«
Er hörte nicht, er wiederholte seinen Satz:
»Da kommt ein Monitor –«
Er wurde der zweite Mann, den Dr. Saint-Michel als Bootsführer anheuerte. Es geschah auf den Ratschlag Ellends hin.
Ellend Eide dachte bei sich, daß es gut sei, wenn der alte Skuur ein paar Schillinge verdienen würde. Manchmal tranken sie zusammen, also waren sie Freunde. Eine Hand wäscht die andere. Dr. Saint-Michel hatte seine erste schlimme Erfahrung mit einem jungen Kerl hinter sich. Er war also bereit, auf Ellend zu hören. –
Da auch der erste Bootsgehilfe aus Urrland war, will ich von ihm berichten. Er hieß Adrian Molde. Er war groß und von unverantwortlicher männlicher Schönheit. Er sah wie siebzehn oder achtzehn Jahre alt aus, zählte aber erst fünfzehn. Er war, wie die meisten seines Alters, an Urrland gefesselt. Als er sich anheuern ließ, dachte er vor allem daran, daß er hinauskommen werde, an andere Plätze. Er würde sich nicht sehr anstrengen müssen, um etwas zu erleben. – Anfangs war Dr. Saint-Michel sehr stolz auf seinen jungen Steuermann. Er kaufte ihm Anzug und Schuhe, ein bunt schottisches Hemd mit einem Schlips in den gleichen Farben. Die kleine Kajüte des Fahrzeuges wurde als Wohn- und Schlafraum eingerichtet. Auf der einen der Längsbänke hatte der Arzt sein Lager, auf der anderen Adrian Molde. –
Sie beide haben hinterher erzählt, wie es zum Bruch gekommen sei. Ihre Aussagen sind nicht übereinstimmend; aber sie ergänzen sich. Adrian war sehr bald weder mit dem Lohn noch mit seiner Arbeitszeit zufrieden. Er mußte Tag und Nacht auf seinem Posten sein, freie Sonntage wurden nur selten eingelegt. Dr. Saint-Michel aß und schlief, nachdem er eine Zeitlang

mit Adrian auf dem Motorboot gehaust hatte, wieder, wie ehedem, in den Hotels der Plätze, die er zu betreuen hatte – während sein junger Steuermann nicht zu den gleichen Annehmlichkeiten befördert wurde. Doch schlimmer als dies, Adrian bekam heiße Augen, wenn er das Motorboot an den Brücken vertäute und ein paar Burschen und lachende Mädchen sich zum Empfang eingefunden hatten. Er sah nur die lachenden Mädchen. Es dauerte nicht sehr lange, ehe er auf den Einfall kam, sich eines auszusuchen und in der Dunkelheit mit in die Kajüte zu nehmen, wenn der Arzt auf dem Lande im Hotel schlief oder seiner Praxis nachging. Bald hatte er ein Mädchen an jedem Platz. Er war nicht einmal erstaunt, daß es sich so einfach einrichten ließ. Die Mädchen taten, was sie konnten, damit er die richtige Überzeugung von sich selbst bekam.

An einem unglücklichen Tage wurde er von Dr. Saint-Michel überrascht. Es war schon seit geraumer Zeit Gewitterspannung zwischen den beiden. Der Motor verbrauchte, ohne ersichtliche Ursache, die doppelte Menge Petroleum. Werkzeuge verschwanden, Töpfe mit Ölfarbe; selbst in seinem Wohnhaus in Laerdal vermißte der Arzt das eine und andere. Später sagte er, Adrian habe gestohlen. – Als er ihn mit dem Mädchen überraschte, sagte er fast nichts. Das Mädchen mußte sich entfernen. Adrian hatte noch keine Übung, solche Augenblicke zu bestehen. Er fürchtete sich; er war auch beschämt. Sein Brotherr sagte nur, mit ziemlich kleiner Stimme, er beherrschte sich offenbar:

»Ich verbiete es dir, Adrian. Hörst du mich? Ich verbiete es dir.«

Er hätte es in den Wind sprechen können. Adrian trieb es wie vordem. Die Mädchen waren ja nicht von der Oberfläche der Erde verschwunden. Als er abermals von Dr. Saint-Michel erwischt wurde, es war nur ein paar Tage später, geriet der Arzt in Raserei. Er gab dem Burschen ein paar Ohrfeigen. Adrian schlug zurück. Jetzt erntete er echte Faustschläge gegen die Rippen, daß er zu taumeln begann; er hatte die Körperkräfte des Arztes unterschätzt.

»Das«, sagte Dr. Saint-Michel, »weil du mich bestiehlst.«

Damit war das Dienstverhältnis aufgelöst. Adrian lief davon.

Er sann auf Rache. Das konnte nichts Großes werden, wohl aber etwas Unablässiges. Er fand sich von da ab fast regelmäßig auf der Schiffsbrücke ein, wenn das Motorboot des Arztes ankam oder auslief. Er stellte sich grinsend seinem ehemaligen Brotherrn in den Weg, beschützt durch eine lebendige Mauer aus jungen Burschen und Mädchen. Er sagte laut:
»Dieser da hat mich geschlagen.«
Eine unendliche soziale Anklage lag in der Feststellung, etwas, was dem Arzt die Ehre absprach. Er war machtlos gegen diese Demonstration. Er kam immer wieder mit rotem Kopf von der Brücke herauf.
Es war dem neuen Bootsführer Skuur verboten worden, mit Adrian zu reden. Selbstverständlich redete Skuur mit Adrian. Er nahm ihn sogar mit aufs Motorboot, damit er die alte Schute wieder in Augenschein nehmen könne. – Skuur hatte es besser als er in seinen alten Tagen hätte erhoffen können; es war also nicht viel davon zu erwarten, wenn Adrian ihn gegen den Arzt aufhetzte. Dennoch tat Adrian was er konnte. Sie machten sich über den Doktor lustig, so gut es ihnen gelingen wollte. Skuur, der ihm nun schon ziemlich lange diente, hatte die Beobachtung gemacht, daß der Arzt gegen Damen ungemein ritterlich war.
»Er ist in jede verliebt«, sagte Skuur.
Eine Geschichte wurde aus der Beobachtung noch nicht. Die Geschichte stellte sich erst später zusammen.
Eines Tages war es so weit, daß sich Dr. Saint-Michel uns gegenüber aussprach. – Skuur hatte, als man landen wollte, das schwere Messingrad der Umsteuerschraube nicht rechtzeitig oder unrichtig bedient, links mit rechts verwechselt – genau läßt sich dergleichen nicht feststellen –; jedenfalls, das Boot verminderte die Geschwindigkeit nicht, und die Gefahr bestand, daß man mit voller Fahrt gegen das Bollwerk prallen würde. Um dem zu entgehen, warf Skuur im letzten Augenblick das Steuer herum, koppelte den Propeller vom Motor und glitt so, manövrierunfähig, am Bollwerk vorbei und setzte das Schiff – es war nun unvermeidbar – auf den Strand vor den Bootsschuppen. Nachdem der Arzt zweimal in heller Verzweiflung den Namen Skuurs gerufen hatte, blieb ihm die Stimme weg. Auf der Dampferbrücke aber führte Adrian

Molde einen Freudentanz auf. Er warf Arme und Beine, schrie, sprang in die Luft, wußte sich vor Begeisterung nicht zu lassen. – Es war dem Fahrzeug nichts geschehen. Ein paar Männer liefen herzu, Ellend, auch wir – und schoben es vom Kies, auf dem es mit dem Bug aufsaß, ins Wasser zurück.
Als wir bei Tische saßen, sagte Dr. Saint-Michel: »Ich fürchte, wenn ich dem Adrian einmal allein begegne, ermorde ich ihn.«
Skuurs Fehler fand beim Arzt keine glimpfliche Beurteilung. Skuur mußte sich damit trösten, daß er von Adrian zu hören bekam, er habe es großartig gemacht.
Merkwürdig genug, Episoden wie diese schlugen immer zu Ungunsten des Arztes aus. Nun stellte sich auch Ellend an die Tür und erzählte jedem, der vorüberkam, lachend und die Hände reibend:
»Der Doktor ist gestrandet.« – Es hatte die gleiche Wirkung, wie wenn er gesagt hätte: »Seht euch diesen Doktor an; er ist ein wenig verrückt. Das ist doch zum Lachen, einen verrückten Doktor zu haben.«
Dr. Saint-Michel mußte sich bezähmen. Er gebrauchte in der folgenden Zeit sehr oft den Ausdruck, daß ihn etwas rasend mache, daß er rasend geworden sei, daß er in Raserei falle. Auch sein Mordgelüste schimmerte zuweilen durch. – Er hatte eine anmutige Tochter, achtzehn oder neunzehn Jahre alt; sie studierte das eine oder andere in Oslo. Er schwor, den ersten Verführer, der sich zeigen würde, ermorden zu wollen. Er war auch ritterlich gegen seine Tochter – und verliebt in sie. Aber sie verstand nicht mehr, was ihn ihre Verführer angehen sollten.
Das Verhältnis zwischen Dr. Saint-Michel und Skuur verschlechterte sich. Skuur war nicht nur alt und körperlich verfallen; auch sein Geist war schwach. Er begriff kaum, was der Arzt mit ihm sprach. Aber Skuur hatte – trotz seiner Schwerhörigkeit – ein offenes Ohr für die hämischen Bemerkungen, die über seinen Brotherren gemacht wurden. Spott und Schadenfreude wärmen noch die Seele, wenn alle anderen Feuer erloschen sind. – An der Geschichte, die entstehen sollte, wirkte er nach bestem Vermögen mit.
Es war im Hochsommer; die Tage waren warm, aber die Abende fielen schon frühzeitig ein. Von Myrdal kommend war

eine fremde Dame im Hotel eingetroffen. Sie war, das erzählte sie beiläufig, irgendwo an der Westküste verheiratet. Sie war mehr auffällig als vornehm gekleidet. Man konnte ihr Alter nicht schätzen; sie mochte fünfunddreißig oder fünfundvierzig Jahre zählen. Sie war lebhaften Geistes. Bei Tische überbot sich Dr. Saint-Michel in Höflichkeit. Er hatte Feuer gefangen. Er fragte mancherlei. Er erfuhr, sie war auf dem Wege nach Laerdal. Dort wollte sie ihren Mann erwarten, der mit dem Schiff aus Bergen ankommen würde. Sie hatte, weil ihre Zeit nicht so abgemessen war wie die seine, den Umweg über Oslo gewählt. In der Nacht noch wollte sie weiterreisen.
Dr. Saint-Michel schlug ihr sogleich vor, sich statt des Dampfschiffes seines Motorbootes zu bedienen. Er werde schon am frühen Nachmittage abfahren. Man werde gegen Abend in Laerdal sein. Es könne ein herrliches Erlebnis für sie werden, im Gegensatz zur Nachtfahrt auf dem Dampfschiff.
Sie schlug das Anerbieten nicht aus; doch gab sie ein Bedenken kund: ihr ehelicher Freund werde bestimmt gegen Mittag des nächsten Tages in Laerdal eintreffen und sehr unangenehm berührt sein, wenn sie nicht zurstelle wäre. – Er sei ein wenig empfindlich, sagte sie zweideutig.
Dr. Saint-Michel beschwichtigte ihr Bedenken mit vielen und guten Worten. – Skuur erhielt nach dem Mittagessen Befehl, das Motorboot klarzuhalten. In der Krambude wurden noch einige Einkäufe gemacht. Stina packte einen Picknickkorb. Die Koffer der Dame wurden nach dem Kai hinuntergeschafft. Ein herrlicher Nachmittag breitete sich vor den Reisenden aus. Skuur hißte die Flagge.
Ellend stellte sich wieder lachend in die Tür, als das Motorboot abgefahren war, rieb sich die Hände und verkündete: »Der Doktor hat es heute eilig. Er muß einer Dame den Fjord zeigen. Er hat eine Schwäche für Frauen.«
So verheißungsvoll die Fahrt begann, so schmählich war ihr weiterer Verlauf. Kurz hinter Beitelen schon – man hatte von der Mitte des Wassers aus die kahle Pracht der steilen Felsabstürze bewundert, die die Gabelung des Fjordes umstehen – versagte der Motor. Es gab einen kurzen Knall im Auspuffrohr, und damit stand die Maschine. Alle Anstrengungen, sie wieder ingang zu bringen, waren vergeblich. Skuur gab die

Versuche recht schnell auf. Er sagte, er sei ein alter Mann und könne das Schwungrad nicht wie einen Leierkasten drehen. Dr. Saint-Michel arbeitete sich große Blasen in die Handflächen. Er richtete mit seinem Bemühen so wenig aus wie Skuur mit zwecklosen Vorschlägen. Man mußte sich in das Unabänderliche fügen. Eine Zeitlang wartete man noch, ohne einen Entschluß zu fassen, in der Hoffnung, die Maschine werde sich besinnen. Man regulierte ein wenig am Mechanismus, prüfte die Brennstoffzuleitung, beheizte die Glühköpfe aufs neue. Schließlich drehte der Arzt wieder an der Kurbel. Doch der Motor blieb tot. Die Stunden vergingen. Die Dunkelheit senkte sich herab. Die fremde Frau des unbekannten Mannes begann unruhig zu werden. Ihre Befürchtungen beschleunigten jetzt die Beschlüsse Dr. Saint-Michels. Er gab Skuur ein Ruder in die Hand, nahm selbst das zweite und bedeutete dem Alten, daß es notwendig sei, das Motorboot anland zu rudern. Skuur war für die Arbeit nicht begeistert; sein Einspruch wurde nicht angehört, so fügte er sich. Mit stummem Eifer mühte sich der Arzt vorn, in der Nähe der Kajüte ab; Skuur tat das Gleiche widerwillig ergeben achtern. – Dr. Saint-Michel sagte etwas zum alten Skuur. Doch der war an diesem Abend ungemein schwerhörig. Der Arzt mußte laut rufen. Skuur faßte nur auf, daß man etwas von ihm wolle, verließ sein Ruder. Als er beim Munde Dr. Saint-Michels war, faßte diesen die Angst vor einem Verhängnis. Er schrie:
»Skuur, das Ruder – Skuur –!«
Sie liefen beide gleichzeitig nach achtern. Gerade platschte auch der Griff des Ruders ins Wasser. Das treibende Boot entfernte sich langsam vom Holz, das in den dunklen Fjord und in die dunkle Nacht gefallen war. Wieder war es so weit, daß es den Arzt gelüstete, einen Mord zu begehen. Er überschüttete den Alten mit Verwünschungen. Skuur antwortete nur:
»Der Doktor hat mich gerufen.«
Nun war es so weit, daß der Arzt beweisen mußte, seine Ritterlichkeit war echt. Skuur weigerte sich, mit einem einzigen Ruder das schwere Motorboot anland zu wricken. Er hätte es auch nicht geschafft. Dr. Saint-Michel unternahm das fast Unmögliche. Ihm ging buchstäblich die Haut von den Händen. Gegen den grauen Morgen hin erreichte man die Küste in

der Nähe eines Baches. Der Arzt war vollkommen erschöpft. Zwischendurch, in der Nacht, war es zu einem fast lächerlichen Ritual in der Kajüte gekommen. Mit den davoneilenden Stunden hatte sich das Bedürfnis eingestellt, daß man sich erfrische, damit die Müdigkeit und die Ungeduld nicht überhand nähmen. Man hatte Kaffee anbord; aber es waren ungemahlene Bohnen; eine Mühle fehlte. Dr. Saint-Michel machte sich anheischig, dennoch einen guten Kaffee zuwege zu bringen. Mit einem Hammer zerschlug er jede einzelne Bohne. Die fremde Dame schien ein wenig betreten, zumal das Antlitz des Arztes vor Freude strahlte. – Skuur hat später die Szene ausführlich beschrieben, wie der Arzt mit heiterem Gesicht, wunden Händen, mit einem Hammer bewaffnet, die Kaffeebohnen zertrümmerte. Der braune Staub breitete sich auf dem Tisch und dem Boden aus, kleine Körner flogen überall umher, gerieten der Dame in den Hals. – Skuur lachte. Alle lachten über den Doktor. Man machte seine Bewegungen nach, wie er die Kaffeebohnen zerschlug.
Als man das Ufer erreicht hatte, stand für den Arzt noch eine beschwerliche Wanderung bevor, um die Häuser einer Dorfschaft zu erreichen, die an den nordwestlichen Hängen des Blaaskavl liegt. (Ich habe den Namen der Häuser vergessen oder niemals gewußt.) Es gelang endlich, vier Kerle ausfindig zu machen und aus den Betten zu holen, die als Skyssruderer verpflichtet waren. Man stieg von den Anhöhen herab, zog ein Boot aus einem Schuppen ins Wasser. Man ruderte an den Platz, wo das Motorboot vertäut war, wo der alte Skuur geduldig und die fremde Dame ungeduldig warteten. Die Ruderer nahmen das Fahrzeug des Arztes ins Schlepptau. Die drei richteten sich wieder auf dem Motorboot ein.
Jetzt konnte auch die Dame abschätzen, daß man nur sehr langsam vorwärtskommen würde, daß ihr ehelicher Freund in Laerdal um die Mittagszeit vergeblich nach ihr Umschau halten würde. Sie bereute ihr unschuldiges Abenteuer, das sicherlich eine unvorteilhafte Auslegung erfahren würde. Sie verhärtete sich gegen Dr. Saint-Michel. Seine Versuche, sie zu erheitern, beantwortete sie mit grollendem Schweigen. Seine Entschuldigungen und Erklärungen erledigte sie mit einer beleidigenden Handbewegung. Skuur freute sich. Er sagte, man

hätte sich vom Dampfschiff ins Schlepptau nehmen lassen können; aber der Doktor habe ja rudern wollen; nun sei es zu spät dafür.
»Der Doktor hat rudern wollen. Der Doktor hat gerudert. Der Doktor hat auch einmal gerudert. Der Doktor hat sich die Haut von den Händen gerudert. Der Doktor nimmt ja keinen Rat an. Wenn er rudern will, dann will er rudern. – Ich habe wohl gesehen, wie der Dampfer vorüberfuhr; aber der Doktor sah es nicht, er ruderte nur. Na, vielleicht hammerte er gerade Kaffeebohnen. Allein in der Kajüte mit der Frau. Und dabei war er sehr verliebt. Da konnte ich ihn nicht stören. Ich mußte das Schiff vorüberfahren lassen.« Dergleichen sagte Skuur hinterher.
Als man nach ein paar Stunden in den Sognfjord gekommen war, streckten die Skysskerle die Ruder und riefen etwas zum Motorboot hinüber. Sie hatten sich geeinigt, welche Bezahlung sie verlangen wollten. Sie hielten es für klug, ihre Forderung auf halbem Wege vorzubringen und womöglich gleich zu erhalten. Außerdem waren sie durstig und hungrig. – Nachdem Dr. Saint-Michel einige Flüche ausgestoßen, begann er in seiner Brieftasche zu kramen. Er fand in der Tat einen Hundertkronenschein. Er reichte ihn gemeinsam mit den Resten des Picknicks den Leuten im Ruderboot, das nun längsseits neben dem Motorfahrzeug trieb. Skuur sagte, er könne ja auch einmal versuchen, mit dem Hammer Kaffeemehl zu machen, und den Leuten einen Trunk brauen. Davon wollte Dr. Saint-Michel nichts wissen; diese Wucherer sollten sich mit Wasser begnügen.
Als man am Nachmittage endlich vorm Eingang zum Laerdalsfjord war, sagte Skuur, er wolle jetzt einmal prüfen, ob die Maschine immer noch eigensinnig sei. Dr. Saint-Michel bewegte nur die Schultern. Skuur beheizte die Glühköpfe; dann drehte er am Schwungrad des Motors. Er sprang sogleich an. Skuur warf die Schleppleine los, eilte ans Steuer, bewegte das Rad der Umsteuerschraube. Man fuhr davon und ließ das Skyssboot hinter sich. Dem Arzt fehlte eine Zeitlang die Sprache. Er sah, daß Skuur lachte; er hörte ihn sagen:
»Zu spät kommen wir trotzdem.«
Das Gesicht der fremden Dame hatte einen wilden und empör-

ten Ausdruck angenommen. »Sie haben mich einfach hintergangen«, sagte sie.
Als Dr. Saint-Michel sich nochmals entschuldigte, überhörte sie seine Worte.
Auf der Schiffsbrücke in Laerdal stand der Ehemann und schaute auf den Fjord hinaus, wo sich das Motorboot näherte. Gräßliche Augenblicke reihten sich aneinander. Mit mißtrauischen Blicken prüfte der Mann die verspätete Gattin. Dr. Saint-Michel bekam nicht soviel wie einen Gruß. Als er ein paar Worte anzubringen versuchte, drehte man ihm den Rücken. Darin war sich das Ehepaar einig. –
In Dr. Saint-Michel keimte allmählich der Verdacht, der alte Skuur habe das Versagen des Motors absichtlich bewirkt. Das plötzliche untadelige Funktionieren, nachdem es zu spät war, hatte beinahe die Kraft eines Beweises. – Das Verhältnis zwischen den beiden Männern wurde immer schlechter.

– – – – – – – – – –

Es gab noch den einen oder anderen – ich glaube, meine Erinnerung wird noch manchem begegnen, der sich von der Verwandlung der Seelen durch den Pietismus zurückhielt. Und nicht jeder dieser Zögernden war ein Trunkenbold oder Inhaber eines verpfuschten alten Lebens oder auf der abschüssigen Seite der Beschäftigungen oder ein trauriger Krüppel. (Der Schuhmacher, sein Name ist mir fort, mußte sich jeden Morgen mithilfe eines Steigbügels, der über seinem Bette angebracht war, erheben, sich hochziehen. – Und jene Frau, die jede Woche zwei oder drei Tage lang am Flußufer in einem kupfernen Kessel, der auf Steinen stand, Wäsche kochte – der Rauch des Birkenfeuers ging dünn und blau in die Landschaft ein – war sie nicht schief gewachsen und flach auf der Brust wie unentwickelt in allen Jahren? – Ach, das Wagnis zu leben ist für viele groß.)
Am Strande, wenige Kilometer von Vangen entfernt, neben der Straße, die nach Fretheim führen sollte (sie war noch unvollendet), wohnte die Witwe Nordal. Ich habe die kleine Ökonomie nur einmal gesehen. (Aus Neugier hatten wir einen Besuch gemacht.) Ein sauberes Stubenhaus, ein kleiner Stall mit einer Kuh darin. Ein Garten voller Obstbäume, ein Acker.

Der Mann dieser Frau war Tischler gewesen. Er hatte seinen festen Arbeitsplatz in Bergen gehabt. Von dort hatte er regelmäßig Geld geschickt. Bis vor wenigen Jahren war es so gewesen. Dann starb er plötzlich und wurde in Bergen begraben. Die Frau hat sich ihr Leben lang wahrscheinlich mit einigen zwanzig hochzeitlichen Nächten begnügen müssen. Der Mann wollte, die Familie sollte nicht arm sein, nicht verbittert durch tränenlose Not, nicht krank vor Hunger. Sie hatten zwei Söhne, Adle und Ragnvald, und eine nachgeborene Tochter. Als wir nach Urrland kamen, waren Adle und Ragnvald elf und vierzehn Jahre alt. Als wir sie kennenlernten, war es ein Jahr danach. Mit sechzehn Jahren zog Ragnvald nach Bergen, auf daß er, damit er wie sein Vater würde, das Tischlerhandwerk erlerne. Adle erschien der Mutter damals alt genug, um ihr in der Wirtschaft helfen zu können.
Eine vernünftige Güte ging von der Witwe aus. Sie liebte ihre Kinder mit einer tiefen Entsagung. Das Dasein erschien ihr als eine schwere Aufgabe; aber sie verzweifelte nie. Sie hat weder Tutein noch mich nahe kennengelernt; aber sie vertraute uns blind, weil ihre Söhne wohlmeinend von uns gesprochen hatten. Ihrer Söhne war sie sicher. – Sie brauchte Gott nicht. Wahrscheinlich hätte sie nicht gewußt, was sie ihm schuldig gewesen wäre. Dieser Fremde hätte womöglich in väterlicher Fürsorge das Antlitz ihrer Kinder mit großen weißen Händen berührt – das wollte sie nicht. Sie wollte auf sich allein gestellt bleiben.

– – – – – – – – – –

Zwei Packarbeiter, groß, knochig, mit weißer Haut und langem Bauch, waren auf der Brücke beschäftigt, wenn ein Dampfschiff anlangte. Sie halfen das Fahrzeug vertäuen. Sie nahmen Kisten und Kasten, Fässer, Maschinen, Säcke und Drahtbündel, Stroh und Vosseschiefer, Bunkerkohlen und Bretter, Bohlen, Balken und Eisenzeug, die riesigen Koffer der Handelsreisenden in Empfang und schafften die Waren in die Schuppen. Luden Butter, Käse, Häute, geschlachtete Tiere und lebende, Ziegen, Schweine, Kühe, Pferde, Birkenholz, Fässer und die riesigen Koffer der Handelsreisenden ein. Sei es bei Tage oder bei Nacht; wenn die Dampfpfeife des Schiffes rief,

waren sie zurstelle. Die Arbeit am Kai allein konnte sie nicht ernähren. Sie waren Zimmerer und fügten die Bohlen und Balken der Holzhäuser zusammen, die von Zeit zu Zeit in Vangen neu errichtet wurden. Während des ersten Jahres nach unserer Ankunft bauten sie am »Haus der Jugend«, das die Gemeinde errichten ließ. Sie verstanden es auch, Dächer aus den schönen Platten des Vosseschiefers zu legen. –
Des Nachts brannte eine kleine rote Laterne am Bollwerk, um die Navigation zu erleichtern. Manchmal starrte auch dies stille und treue Auge vergeblich in die Dunkelheit. Nicht, daß es verlosch wie die Fackel, die Leander über den Hellespont ein Seezeichen zu Hero war. Die Nebel fielen jäh von den Bergen herab. – Eines Abends fuhr das alte Schiff »Fjalir«, es war aus zolldicken Eisenplatten zusammengenietet, hatte einen langen mächtigen Klüverbaum, als ob es ein Segelschiff wäre – schwer und langsam, mit der Kraft einer behäbigen Kolbenmaschine zerteilte es das Wasser – geradeswegs in den Kohlenschuppen hinein. Das Holzwerk des Baues zersplitterte mit merkwürdig dünnen ächzenden Lauten. Verworrene Klage, die geräuschvoll genug war, daß man sie überall in Vangen hören konnte. Auch in den Stuben des Hotels pochte der Lärm durch Fenster und Wände an. Die Dampfpfeife, deren dickgurgelnder Gesang vor kurzem verklungen war, das dumpf strudelnde Platschen der Schiffsschraube, der hohlklingende Anprall des Schiffskörpers gegen das Bollwerk – es gerann sogleich zu einer Vorstellung, es müsse auf der Schiffsbrücke ein Unheil geschehen sein. Wir liefen hinaus: Tutein, Dr. Saint-Michel (er war wieder einmal in Vangen und wollte mit der »Fjalir«, sobald sie aus Fretheim zurückgekommen sein würde, nach Laerdal fahren), Ellend, Janna, ich. Das Schiff war zum Stehen gekommen. Der Steuermann hatte den Befehl in die Maschine gegeben: »Volle Kraft rückwärts!« – Nun begann das Schiff zu gleiten, und über den Klüverbaum gehängt, neigte sich der Schuppen in den Fjord hinaus. Noch ein paar knackende Laute, dann kam das Schiff frei. Es folgten die gewöhnlichen Landungsmanöver. Die starken Eisenplatten des Dampfers hatten dem Anprall standgehalten. Das Schiff hatte keinen Schaden genommen. Übrigens, es war kein Nebel über dem Fjord gewesen. Eine finstere, mondlose Winternacht nur. Auch die Sterne schienen mürrisch ihr

verhaltenes Licht zu spenden. Widerwillig gegebenes Zeugnis ihres Feuers. Ein Handelsreisender wurde aus dem Schiff anland getragen. Er war sinnlos betrunken. Der Steuermann, der das Schiff manövriert hatte, blieb den größeren Teil der Nacht im Hotel. Man konnte sich die Zusammenhänge ergänzen.
Der Saal, den wir bewohnten, stieß gegen ein kleineres Gastzimmer; es gab eine Verbindungstür zwischen den beiden Räumen. Sie war mit einem, allerdings nicht allzu starken Riegel verwahrt. Als wir an diesem Abend im Bette lagen, konnten wir hören, wie das Gelage, das offenbar auf dem Schiffe begonnen hatte, nebenan fortgesetzt wurde. Wir unterschieden die Stimmen dreier Männer. Eine dieser Stimmen war die Ellends. Die drei versuchten, offenbar mit Rücksicht auf uns, jeden Lärm zu vermeiden. – Ich schlief ein und erwachte laut aufschreiend. Ich erkannte im Schein einer kleinen Petroleumlampe, die Tür zum Nebenzimmer war aufgestoßen worden. Tutein, von seinem Bette aus, warf eine gefüllte Wasserkaraffe gegen die Öffnung. Ellend und der Steuermann zogen einen im Saal liegenden Mann an den Füßen in das Nebenzimmer zurück und schlossen die Tür wieder. Der Handelsreisende mußte gestürzt sein und fallend den Riegel der Tür gesprengt haben. Am nächsten Morgen erschien er durch eben diese Tür nur mit Hemd und Unterhose bekleidet, um sich zu entschuldigen. Tutein fertigte ihn ab und schob ihn zurück. –
Die Packarbeiter oder Zimmerer nahmen auch die gewaltige Kiste, die den Bechstein-Flügel enthielt, in Empfang. Es war eines Morgens um drei Uhr. Ich war so früh aufgestanden. Es begann leise zu regnen. Ich fürchtete, das Instrument werde Schaden nehmen. Wir konnten mit vereinten Kräften das schwere Stück nicht in eines der Lagerhäuser schaffen. (Tutein hatte ich nicht geweckt.) Wir suchten Säcke und ein verschlissenes Persenning hervor, breiteten sie über die aufrecht stehende Kiste aus. – Die beiden Männer hatten stolze Schnurrbärte. Sie spuckten ekelerregend. Sie hatten Fäuste wie Eisenzangen. Die zerspellten Stahltrossen der Schiffe, aus denen einige Drähte hervorstanden, konnten ihre Haut nicht verletzen. – Die beiden Männer standen oft in Olafs Krambude.

– – – – – – – – – –

Die Krambuden waren Treffpunkte. Im Sommer, wenn die Luft lau war, wenn die Sonne über den Bergen stand, erfüllte der Marktplatz den gleichen Zweck. Stunde um Stunde standen Männer herum, schauten einander auf die Schuhe, kauten Tabak oder Gewürznelken, spieen um sich her. – Der Sommer ist auch die Jahreszeit der Arbeit. Es gibt nicht für alle Männer leere Tage. Allerlei Geschäfte treiben die Bauern nach Vangen hinab. Dann verbringen sie mit ihren Pferden ein paar Stunden auf dem Platz zwischen den Krambuden, redend oder schweigend, wie es sich trifft. – Der Winter ist lang, sehr dunkel. Feucht. Kalt. Die Arbeit ist verflogen. Die Langweile ist allmächtig. Es ist eine schlimme Jahreszeit. In den Krambuden ist Wärme. Ein großer gußeiserner Ofen strahlt fette Wärme aus; der Brandgeruch siedender englischer Kohle mischt sich mit den Dünsten von Öl, Chlorkalk, grüner Seife, Heringen, Klippfisch, Kaffee, Backobst, Pfeffer, Zimt, Tabak, Messing und Kampferspiritus. Zwei große Eimer sind aufgestellt, um den braunen Speichelsaft der Besucher aufzufangen. Und sie bewegen sich nicht von ihren Plätzen, wenn sie den Mund entleeren. Sie ergießen das dunkle, hinter den Wangen gesammelte Wasser, von Zeit zu Zeit, nach den Eimern zielend, durch den Raum. Manche ersparen sich sogar die Mühe des Zielens. Alle möchten, hier in diesen Krambuden soll die Langweile vergehen. Aber die Langweile ist ein schauderhaftes Ungeheuer. Wie ein Krake im Ozean, so rudert sie mit mächtigen saugenden armstarken Fängen in der Zeit. Und ihre Opfer zergehen langsam, umdüstert von dem trübschwarzen Körper, der seinen ätzenden Magen über sie stülpt und den faden Faulsaft der langsamen Zersetzung lutscht. Manchmal treten sie an eines der Fenster, die Männer. Da liegt der Platz in ihren Augen aufgeweicht, mit Pfützen gesprenkelt. Regen rieselt herab. Die Wolken hängen vor den Wänden der Berge, die aus dem Fjord hervorgewachsen sind. Diese Tage, getrübt von der unbarmherzigen Nässe. Diese Eingeschlossenheit im Tal. Diese Dunkelheit! Nacht, die sich nicht auflöst und nur um die Mittagszeit einem helleren Schein zwischen den Berggipfeln eine dürftige Stunde einräumt. – Die Petroleumlampe brennt in den Krambuden vom Morgen bis zum Abend. Wärme und ein wenig gelbes Licht, die Seele bedarf ihrer. Warum eigentlich blaken diese Lampen beständig?

Warum schraubt niemand den Docht herab, wie es einem rußfreien Leuchten entspricht? Ist die Faulheit soweit gediehen, daß alle Hände gelähmt sind? Daß der Qualm keinem die Nase reizt? – Stunden um Stunden, Tage um Tage, Wochen um Wochen stehen die Männer untätig vor der Verkaufsschranke und schauen zu, wie Olaf oder Per oder der Bursche Olafs oder der Sohn Pers die wenigen Kunden, die erschienen sind, um etwas einzuhandeln, bedient, ihnen das Salz oder das Mehl auswiegt, den Kattun vormißt, grellfarbige Schlipse um die Faust schlingt, Stiefel aus dem Futteral rotglänzender Kästen hervorzieht, prahlend Steingutwaren und Gläser vorzeigt, mit neuen Taschenmessern Papier zerschnitzelt, um die Güte des Stahls zu beweisen, Taschenuhren in Nickelgehäusen kunstvoll aufzieht, auf die Zeit ausrichtet und zum Ticken bringt, großartige Eintragungen in einem Buche vornimmt. – Dies Buch, gleichsam das heilige Buch des handelnden Hauses, Zeuge für den nie ruhenden Umschlag der Waren – es prangt meistens auf einem Pult im Kontor. Die Tür zu diesem Gemach steht fast immer sperrangelweit offen. Wird sie einmal geschlossen, kann man vermuten, es gehen geheime Dinge hinter der Tür vor. Entweder, ein Handelsreisender ist eingetroffen. Oder ein vertrauter Kunde tut sich an einer halben Flasche Schnaps gütlich.
Die Handelsreisenden besuchen ihre Kunden. Und dies sind Per und Olaf. Sie haben immer den einen oder anderen versteckten Auftrag seit ihrem letzten Besuch zu erledigen gehabt. Olaf, der unverheiratet ist und kaum dreißig Jahre zählt, ist für drastische heimliche Waren und für gemeine Mitteilungen besonders empfänglich. Er glaubt, wenn er schlimme Photographien in Händen hält, den geheimnisvollen Sog der großen Stadt zu spüren, das Laster, von dem er wähnt, es sei süßer oder üppiger dort als hier. Und in der Tat, Vangen konnte nur Naturalia bieten, nicht den bebilderten Verrat des Fleisches, den schwülen Ersatz.
Ihre Waren stellten die Beauftragten der städtischen Handelshäuser in einem Zimmer des Hotels aus. Da schimmerte der Tand; die schlechten Gewebe täuschten Eleganz und weltweite Moden vor; oder die industrialisierten Nahrungsmittel der dritten Qualität logen sich in die erste Warenklasse hinauf.

– – – – – – – – – –

Und die Frommen, von Abscheu gegen Per Eide befallen, weil sein Sohn der Liebling des Pfarrherrn geworden war – voller heldenhafter Überzeugung, rasch zur Rache fortgerissen – auch unbestimmten Herzens, wenn sie die Sünde des einen gegen die Sünde des anderen abwogen, gaben den Ausschlag im Konkurrenzkampf der beiden Krambuden. Zum Unterliegen der einen oder anderen kam es nicht. Das verhinderten die Verflechtungen nach vielen Seiten. Per Eides Handel mit gekochtem Ziegenkäse war besser als der Olafs. Und somit fesselte Per den größeren Teil der Landleute an seinen Laden. Und gelang es ihm nicht auch, weißeren Klippfisch zu beschaffen als Olaf es vermochte? – Sie rangen miteinander. Es ist der Streit, von dem man sagt, daß er den Verbrauchern der Waren zugute kommt. Und man müßte es glauben, wenn der Handel nicht die Hilfe der Lüge hätte.

*

Nach den ersten bestürzten Wochen in Urrland faßte ich den Beschluß zu arbeiten. Die gebieterische, unnachsichtige Gestalt der Felsen, die uns beatmeten, verrieten uns an die irdische Unruhe. Mir war zuweilen, als stäubte ein bitteres Salz von den Schneefeldern der greisen Granite herab. Es gab nichts Gedemütigtes in dieser Landschaft, in der Klippen und Wasser die Herrschaft hatten – außer den verstümmelten Birken – und ihr Geheimnis erfuhren wir erst ein halbes Jahr später.
Die Menschen, wir kannten sie noch nicht. Wir verstanden ihre Sprache nicht und halfen uns wie andere fremde Herren, indem wir englisch redeten. – Es kann verwunderlich scheinen, daß das Englische neben dem Dialekt, dem abgewandelten Landsmaal, gebräuchlicher war als die Sprache von Oslo. Seit vielen Jahren nahm der englische Gesandte hier seinen Sommeraufenthalt, und Seine Lordschaft konnte und wollte sich nicht herablassen, ein anderes Idiom als das seine zu sprechen. Freilich, der Lensmann, der ihm so gastfrei das schönste Haus Vangens überließ, verstand die englische Sprache nicht; er hätte sich auch geweigert, sie anzuwenden; sein Stolz und sein Reichtum waren groß genug, daß auch der Gesandte eine kleine Ausnahme von der Regel seiner Gewohnheiten machte. Dennoch kann vermutet werden, daß der langsam wachsende

Zwist, der die beiden Männer ein paar Jahre später soweit auseinander brachte, daß der Gesandte ins Hotel übersiedeln mußte, vom Gegensatz der Sprachen, die sie redeten, genährt wurde. – Anders verhielt sich der Propst. Da der Gesandte ihm bald nach seiner erstmaligen Ankunft einen Besuch abgestattet hatte, befleißigte sich der Pfarrherr, die englische Sprache von Jahr zu Jahr gründlicher zu erlernen. So wurde er ein untertäniger Freund des sehr ehrenwerten Viscounts. (Diese schiefe, einseitig demütigende Freundschaft wurde damit gekrönt, daß der Gesandte für die mittelalterliche Kirche ein neues Korfenster stiftete.)
Der Lensmann muß wohl mancherlei Beobachtungen zusammengetragen haben, daß er den Vater der Kirche gerade einen Schleifstein nannte. Er erklärte das sogar oberflächlich: er dreht sich und wird weniger.
Ellend Eide, der Wirt, war während seiner Jugend eine Zeitlang Diener bei einem englischen Adelsmann gewesen. (Er hatte eine volle prächtige Figur und selbst im Alter noch ein schönes, immer glatt rasiertes Gesicht – es sei denn, daß er sich für einige Tage oder eine Woche in ein Hotelzimmer zurückgezogen hatte, um dort zu trinken.) Es war fast selbstverständlich, daß er die »London Illustrated News« nicht nur abonniert hatte, sondern sie auch mit spöttischer Andacht las. – Die Männer, die vor Jahren einmal ausgewandert und als Halbamerikaner zurückgekehrt waren, fielen nur in eine liebe Gewohnheit zurück, wenn sie ihren Alltag mit der englischen Sprache bekleideten. Selbst der Postsekretär Gjör, der, obgleich aus guter Familie stammend (so sagt man), eine Zeitlang die Meere in niederen Diensten (ich glaube als Küchenjunge) befahren hatte, verbesserte mit steigender Beamtenwürde sein Hafenenglisch. –
Allmählich nur gewannen die Gefährten der nächsten Jahre Gestalt, ihre eigene. Und unsere vorgefaßte Meinung von ihnen schwand mit jedem Wort, das uns verständlich wurde, dahin, mit jedem Tun, das sich uns entschleierte. Anfangs aber war die Bestürzung, die uns lähmte. Als ob wir in der fremden Gegenwart einer untergegangenen Zeit lebten. Alles was wir erschauten und hörten, war uns abgewandt, bezog sich nicht auf uns. Wir waren so vollkommen einsam, als gingen wir

zwischen Toten oder wären selbst diese Toten unter Lebenden. Meine Erinnerung hat sich seit langem von diesem ersten stummen Getöse einer überwältigenden Landschaft, in der die Wolken wie herabgestürzte weiße Urwelten, wo die Menschen roher und reiner waren als in dieser, unserer mittelmäßigen Zeit, abgewandt. Sie sind sichtbarer geworden, diese Menschen, leibhaftig – und die Wolken wurden zu Nebeln, die sich auch auf anderes Land senken können. Unsere Seele wird nicht gestärkt, wenn sie den Geist der Natur durchdringt. Der Schauder vor der Wahrheit, die wir mit unserer Beschränktheit erfassen können (es gibt sicherlich eine andere und am Ende sogar eine mildere), ist zu mächtig. Doch unsere Augen werden mit dem Bild der Formen und Dinge vertraut, sogar leicht vertraut, wie unser Ohr mit einer Melodie, selbst wenn sie eigenwillig ist. So schutzlos wir sind, so geborgen können wir uns fühlen, wenn unsere unsichtbare Ergebenheit die Gestalt der Schöpfung bewundert, und die Einigkeit unausdrückbarer Gedanken und geheimnisvoller Mitteilungen in die Betrachtung mit einfließt. – Wir können uns nur selten als die Unerheblichkeit fühlen, die wir sind oder die in uns ist. –
Ich entsinne mich im Augenblick nur eines Eindrucks aus diesen ersten Tagen und Wochen. Tutein und ich, wir saßen an einem Abhang; die Herbstsonne wärmte mildtätig den Boden. Birken, deren Blattwerk den ersten fahlen Schein des Todes hatten, umstanden uns als Mitwisser. Wir erblickten das Tal unter uns, den schmalen Weg, der sich bis an die Berglehne heranschmiegt, den erregten Lauf des Flusses, seine tiefgrünen Stillstände und sein weißes eilendes Schäumen. Tutein schmiegte sich an mich, als fürchte er sich oder als bedürfe er einer Zärtlichkeit. Ja, er streckte mir den Mund entgegen wie zur Berührung. Aber er sagte nur:
»Dies muß wohl unsere zweite Heimat werden.« –
Ich erhob mich unwirsch. »Sie hat uns noch nicht eingeladen«, antwortete ich kurz.
Doch von diesem Augenblick an verfielen wir ihr. Sie war mächtig, verzehrend und dunkel in ihrer Liebe. Ihr Gewand war die Nacht, und der schwarze Winter war ihre Jahreszeit. An der Traurigkeit erkannte sie ihre wahren Söhne.
Ich begann also zu arbeiten. Um das Ziel kümmerte ich mich

noch nicht. Vielleicht wurde mir in jenen Wochen bewußt, daß meiner Begabung nur unter unsäglichen Mühen Funken zu entlocken waren. Oder auch, ich täuschte mich noch über die Ergiebigkeit meiner Seele. Ich fühlte mich der Musik zugeteilt. Noch jetzt erstaune ich: welche regsame Kraft, welche einflüsternde Gestalt war dieser bestimmten inwendigen Aussage fähig? – Mein Talent hat keine Geschichte gehabt. Es ist nicht von närrischen Lehrern verwöhnt worden. Meine musikalische Bildung war ungeordnet und gering. Meine Kenntnis von den Harmonien war abstrakt und mathematisch. Anstatt im Anfang ein Schüler zu sein, dachte ich mir neue Tonschritte aus. Die erste Fuge, die ich niederschrieb, war durch meine unsinnige Spekulation verkrümmt, verwuchert, ein einziges dichtes Gestrüpp, ein Flimmern von Licht und Schatten, kein Strom der Farben, ohne Tongeschlecht, einzig von rasender Bewegung ergriffen, wie der Laufschritt eines Gehetzten über moorigen Boden. Was an ihr – trotz allem – als Leistung, als überraschende Musikalität erscheinen mag, ist jener heißhungrigen Kombination und der erschöpfenden Mühe, gültige Gleichnisse in den Bewegungen, Rhythmen und Harmonien für meine sinnlichen Wahrnehmungen zu geben, entwachsen. Die sinnlichen Wahrnehmungen, die in meiner schwachen Liebe, in meiner grundlosen Traurigkeit, in meiner Bewunderung für das Wachstum, die Bewegung des Wassers und das Starren der Sterne und Berge enthalten waren. Mein Maß, das ausgerissen außer mir stand und die krause Musik schwermütig, wie welke Blumen zusammenwand. –
Ich mußte mich entscheiden, wen unter den Meistern ich lieben wollte. Gewiß, ich kannte erst eine kleine Auswahl. Aber ich hatte doch schon einen ungefähren Überblick über die Zeiten der Musik. Ich wußte von der liturgischen Pracht des Graduale Romanum, frühe Lieder, entzifferte Neumen gaben mir einen Geschmack vom Reichtum und der Schwermut, die einer einzigen Notenzeile innewohnen können. Mit Josquin hatten sich mir die Schleusen der polyphonen Musik geöffnet. Und nun strömte diese Kunst, Jahrhundert um Jahrhundert, an mir vorüber. Viele Landschaften entsandten ihre begnadetsten Söhne, um den Gesang der Welt mit ihrer Sprache auszulegen. Aber ich empfand mit einer unbegreiflichen Hellsichtigkeit

qualitative Unterschiede, die formal kaum oder überhaupt nicht zu belegen sind. Ich bin Palestrina gegenüber von Anfang an kühl gewesen; diese Zurückhaltung hat sich auch später nicht aufgelöst. Ich weiß, er ist der größte Komponist der katholischen Kirche – und mich erwärmt er nicht. Das kommt mir wie ein Unrecht vor, das ich begehe. Ich habe mich seinetwegen zuweilen bezichtigt, daß ich ein Tölpel sei. Ich kann nicht einen Tadel vorbringen; doch mein Herz schweigt, wenn seine Musik deutlich, fast überdeutlich das weiße Gefieder schöner Engel zeigt. Ich habe die »Vorwürfe« des Jahres 1560, diese Faux bourdons, Note gegen Note gesetzt, eifrig studiert. Das Überwältigendste daran erscheint mir der gregorianische Urgrund dieser Koräle. – Ich frage mich, ob eine Musik zu feierlich, zu typisch sein kann. Wahrscheinlich hat Palestrina die Melismen im gleichen Maße beargwöhnt wie ich sie liebe. Meine Veranlagung steht der Figuralmusik näher als dem bronzenen Gesang. Meine Sinne hüpfen, wenn Claudio Merulo das nie enden wollende Edelsteingeäder, diese unerschöpfliche Bewegung seiner Passagen, in köstlich klare Harmonien eingefaßt, in seinen Ricercaren und Toccaten verströmt. – Sehr dumm kommen mir die kritischen Köpfe vor, wenn sie etwa den vielschreibenden und abschreibenden Michael Praetorius für eine gleich große Begabung halten wie den Abgrund an Lauterkeit Samuel Scheidt. Bei dem einen ist alles Papier, bei dem anderen geschliffene Bronze. Wo findet man die Form mehr dem Kristall vergleichbar als in den Partituren des Hallenser Meisters? – Es ist so, die geschriebene Musik besteht aus Noten, und die Noten machen Musik. Ein Dur-Akkord ist ein Wort. Aber Worte machen keine Rede. Es gibt falsche Rede und ehrliche Rede; es gibt auch das Verworrene. Es gibt auch das Unverständliche oder nur Schwerverständliche. Es ist immer die ganze Persönlichkeit in der Musik, auch wenn sie nicht leiblich sichtbar wird. Es gibt Musiken, die sich nur langsam öffnen. Wir sind immer in der Gefahr, sie zu verkennen. Ich habe eine Zeitlang den älteren Cabezon verkannt – um ihn danach heftig zu lieben. Seltsamerweise ist die Musikalität, die Gabe, klingende Gedanken zu empfangen, bei gleich großen Meistern verschieden stark. Es läßt sich keinerlei Werturteil aus der Flüssigkeit der Einfälle herleiten. Fast möchte ich sagen, den Wenigermusikalischen gebührt ein größerer Ruhm. (Ich werde es sogleich widerrufen müssen.) Die Stimme ihrer Gedanken dröhnt tiefer, eherner; unter der Wut ihres Schaffens werden die Formen groß und fast unirdisch. Freilich, die Mehrmusikalischen teilen an uns die Gnade aus, daß wir innerlich lachen können (nicht mit dem Munde), selbst ihre Trauer ist noch tröstlich; die Tränen, die sie uns entlocken, sind leicht und bessern unser Leid. Sie sind keine schnellfüßigen Gaukler; die Schwermut tropft von ihren Händen wie von denen aller anderen, die die menschliche Welt betrachten. Indessen, aus einem kleinen Motiv, sei es heiter oder betrübt, formen sie eine fast unendliche Weite. Sie geben unseren Lungen einen beglückenden Atem. Dietrich Buxtehude und Wolfgang Amadeus Mozart sind unter diesen, die vom Schicksal für die höchste Bevorzugung ausersehen wurden, gleichsam, um den Verstockten zu zeigen, daß die Musik, die überall gegenwärtig tönt und nur eines bereiten Geistes bedarf, der sie einfängt, höher ist als alle Vernunft. – Sie bezahlten dem Schicksal mit Arbeit und Ächzen zurück. Das Dasein im Fleische ist nicht anders. Sie beide mußten das krasse Fleisch auskosten. Zwar, der eine starb hochbetagt, der andere jung. –

Man kann die Musik nicht gut mit dem Licht des Himmels vergleichen, das ich mir im Weltenraum, der nur voll Gravitation ist, gleichzeitig weiß und schwarz denke; weiß, wo es auftrifft, schwarz, wo es ins Unbegrenzte versinkt; – aber ich möchte doch sagen, daß das meiste des Erhabenen dieser Kunst mit dunkler oder schwarzer Flamme brennt, daß die Musik uns wie schwarzer Samt umgibt, dessen Falten in einem weißen Schein aufleuchten. Es kann nicht anders sein, da sie die Fähigkeit hat, neben der Freude das Leid, die Zeit und die bange Ohnmacht unserer Seele auszudrücken – doch nicht die Begriffe, gleichsam nur die Farbe der Regungen.

Johann Sebastian Bachs Musik ist fast nur schwarz, so dicht voll Schwärze, so voller Mühe, daß sie manchmal nicht ertragbar scheint. Nur das Gepolter der Wirklichkeit in seinen großen Orgelwerken, die Wirklichkeit rasender Bewegung, die Wirklichkeit der Töne und Formen bewahren das Herz vor einer widerlichen Demütigung. (Auch ihm dienen die Prinzipale, Mixturen, Trompeten und Posaunen zur rauschenden

Freude; aber sie ist nur selten so rein, so unbeschwert wie in den Fanfaren und Polterfugen Vincent Lübecks – nur ein Beispiel – sie bleibt raubtierhaft, manchmal geradezu verschlagen.) Ich will ihn gewiß nicht anklagen; doch die schwülen und gleichzeitig pedantischen Gebetsgemälde seiner Orgelkoräle (welches Meer an Einfalt sind die Samuel Scheidts) habe ich aus meinem Bewußtsein hinaustun müssen; sie sind voll seiner Kunst, aber so tödlich unfrisch. (Seine Trio-Sonaten sind nur voll seiner Kunst.) Wie ganz anders die Orchesterwerke, in denen die ein wenig ungebildete und muffige Gottbetrachtung hinweggespült ist, wo sein bösartiges und übervolles Herz die unerhörten Reiche seiner Herrschaft ausschüttet – da gleicht seine Musik einem Menschenbilde, aus dem eine ganz und gar irdische Besessenheit zu sprechen scheint. –

Ich habe die Feder niedergelegt gehabt. Meine Gedanken sind weitergegangen. – Mein Geständnis muß wohl ein wenig vollkommener sein. – Es gibt Musik, die mir gleichgültig ist, es ist das meiste – und sogar solche, die ich verabscheue. Ich meide sie; ich versuche nicht einmal, den formalen Reichtum, der ihr vielleicht innewohnt, für mich nutzbar zu machen. Ich bemühe mich, damit ihre Schöpfer mir zu Unbekannten werden. Am äußersten Punkt meines Widerwillens steht Richard Wagner. (Es gibt noch viele seinesgleichen.) Ich wage auch auszusprechen, nachdem ich erfahren habe, ein Engländer hat es vor mir getan, daß ich Beethoven in manchen Werken banal und merkwürdig unecht finde – wie barocken Stuck. Ich schreibe es nicht leichtsinnig nieder. Ich habe mich sehr gewissenhaft geprüft. Mein Urteil wird das der Welt nicht antasten. Es handelt sich nur um meine Liebe. Nur um die für mich gültige Liebe. (Ich will nicht hochmütig sein. Ich glaube, daß ich es nicht bin.) –

Ich vermag die Kunst nicht geschichtlich zu betrachten. Die Lehrbücher, die uns so viele Kenntnisse vermitteln, sind fast ausschließlich im heimlichen Wahn geschrieben, daß sich die Elemente der Kunst segensvoll entwickeln und es darin einen Fortschritt gibt. Wie unsinnig ist das! Man fühlt sich zuweilen versucht, das Gegenteil, eine Verkümmerung zu beobachten. Betrachtet man eine der erhaltenen Mammutelfenbein- oder Rentiergeweihstatuetten der Aurignac- oder Madelainezeit, so fühlt man eine Beschämung, weil der Dünkel in uns diesen Geist des Sehens und Formens unter den frühen Menschen gar nicht vermutet hatte. Dabei wissen wir nicht einmal, ob der Zufall uns die schönsten Werke jener Zeit erhalten hat. – Freilich, wir können uns verwundern, daß die Männer eine solche Fülle von Fett am Fleisch der Weiber begehrten. Die Bildhauer der geschichtlichen Jahrtausende haben uns ein anderes Körperideal gelehrt, und es scheint uns, daß die Formen, die sie uns preisen, gut sind. (Es gibt unter uns immer Ausnahmen.)

Die Musik ist, ich glaube, man braucht es nicht in Zweifel zu ziehen, eine späte Kunst. (Gewiß verhält es sich mit dem Liede anders. Ich habe mehrmals gelesen, daß die Neger in Afrika Tiere, Bäume und ihre Boote ansingen. Bei den Germanen soll es ähnlich gewesen sein. Die Viehhüter aller Länder, auch in Europa, kennen Melodien, die die Kühe und Schafe entzücken. Pferde und Schweine hören ihnen zu. Viele unserer Volkslieder scheinen so alt, daß sie einem Strom von Tränen gleichen, aber nicht dem Gesang. Wenn ich Musik sage, dann meine ich die gearbeitete Musik, die kontrapunktische, nicht die tönend ausschreitende Trauer, die unbewußte Erlösung der Seele.) Das Genie hat in unserer Zeit keine Helfer mehr; es steht ganz allein. So ist es schon seit Jahrhunderten. Es verkümmert oder geht unter, wenn es Tempel errichten will. Die tätigen Hände fehlen. Steine und Mörtel fehlen. Es ist eine grenzenlose Dürftigkeit. Der moderne Komfort schließt alle Verschwendung der Seele aus. Das Geld liegt auf den Banken oder steckt in den Maschinen, verrinnt auf den Straßen, es vergeudet sich nicht, außer im Schleudern von Bomben und Granaten. Das Genie des Bauens ist ausgestorben, seitdem es nur noch Zweckbauten gibt, Konstruktionen, irrsinnige Pracht und nutzlose Fassaden. Man darf annehmen, daß die Musik ein Ausweg geworden ist, ein Ersatz für das räumlich Erhabene. – Die Tempel sind nur noch eine geschichtliche Tatsache, sie sind nicht mehr in der Gegenwart. (Bald werden die großen wilden Tiere auch nicht mehr in der Gegenwart der Menschen sein.) Der Streit der jetzt lebenden Architekten untereinander ist immer ein Streit um einen Kadaver. Sie können nur hübsche Lösungen finden, aber nicht das steinerne Antlitz eines ewigen Geistes. – Nun, da

diese Kunst schon so fern von uns ist, verwirrt uns der eigene Stil nicht mehr so sehr. Wir betrachten ruhiger und hören auf unser Herz. Und wir entdecken, wenn wir uns nur nicht sträuben, daß unsere Liebe unterscheidet, daß wir ganz ungeschichtlich und ganz zweckabgewandt empfinden.
Ich habe oft mit Tutein über Architektur gesprochen, damals, als er zu zeichnen anfing, in Urrland. Unsere Einigkeit war so auffallend, daß es fast verdächtig war. Wir liebten die ägyptischen Tempel mehr als die gotischen Kathedralen. Ehrlicher gesagt: wir liebten die ägyptischen Tempel, die Kathedralen liebten wir nicht. Wir haben uns gefragt: warum lieben wir sie nicht? Wir konnten doch fast jede ihrer Einzelheiten bewundern. Wir haben eine Antwort gefunden. Der Stein ist in ihnen beleidigt. Der Stein hat in ihnen seine Wirkung verloren. – Die Baukunst ist eine Kunst der Masse. Jedes Bauwerk ist eine Höhle – erhöhlter Stein. Der Atem des Steines ist die Gravitation. Wird dem Stein der Atem genommen und der Raum an sich geschaffen, entsteht die Kulisse. Die gotischen Kathedralen sind großartige Kulissen, fast unbegrenzte Räume, in denen sich das Auge an bunten Glaswänden stößt – es würde sonst in die Auflösung der Helligkeit eingehen. Sie sind die Vorläufer der Eisenkonstruktion. Die romanischen Bauten, die alten Kirchen in Grusien, Georgien und Armenien sind anderen Geistes, sind vom Geiste des Steins. In ihnen sind die Gewißheiten der wirklichen Welt. In ihnen ist der Leib der Erde. In manchen fühlt man sich wie vom Stein umarmt, gar nicht geängstigt, sondern befriedet.
Manche Gelehrten haben den plötzlichen Gesinnungswechsel in der Baukunst des Abendlandes geistesgeschichtlich erklären wollen. Man kann ihre Erkenntnisse ohne großen Zwang dahin zusammenfassen: die Gotik war die erste kristliche Baukunst; die romanischen Kirchen sind die letzten heidnischen Tempel. Wenn diese Betrachtung richtig ist, häuft sich die Schuld des Kristentums gegen die Schöpfung. Mithilfe dieser Betrachtung kann ich etwas sehr Kompliziertes einfach ausdrücken: unsere Liebe galt der heidnischen Baukunst, der Baukunst an sich. Den Stein, der noch nicht an den Formen zergangen war, konnten wir lieben.
Man hat von der Kirche St. Front zu Périgueux gesagt, sie sei

ein Raum, dem an abstrakter Schönheit kein zweiter auf der Welt gleichkomme. Es ist tröstlich, daß dies Urteil nicht auf ein gotisches Bauwerk gefallen ist.
»Seltsam«, sagte Tutein, »man erkennt das. Diese einfachen Pfeiler, Gurtbogen und Kuppeln, dieser einfältige Rhythmus, diese ungekünstelte Gliederung überwältigen den Geist. Man sucht den Himmel nicht mehr. Warum entschließt man sich nicht, dies St. Front zu wiederholen und an andere Orte der Erde zu bringen? Die Menschen schämen sich ja auch sonst nicht, sich zu wiederholen, zu plagiieren und Massenprodukte herzustellen. Man kann die Symphonien Mozarts doch auch außerhalb Salzburgs hören. – Man könnte sogar die absoluten Maße verändern. In Périgueux ist das Maß der Quadratseiten etwa zwölf Meter. Man könnte es wachsen lassen, auf vierzehn Meter; vielleicht gar bis zwanzig oder fünfundzwanzig Meter. In den Gedanken des Baumeisters hatte die Form sowieso kein bestimmtes Maß. Es könnte womöglich noch erhabener werden. Ja, das Original könnte wie ein Entwurf des Meisters wirken, hinreißend gewiß, wie wenn ein Musiker die Partitur einer Symphonie auf dem Klaviere spielt. Man hat ja ohnehin das alte Bauwerk renoviert und zu seinem Nachteil verändert. – Nicht wahr, du hast mir doch erzählt, Mozart habe die Ouverture zum Don Giovanni, als er sie noch gar nicht niedergeschrieben hatte, seinen Freunden in Prag auf dem Klaviere vorgespielt? In seinem Hirn waren sogar drei verschiedene Ausformungen. Und es war doch schon die Musik, die werden sollte, die so klang, wie sie hernach auch für uns erreichbar wurde. Vielleicht mußte sich der Baumeister von Périgueux, weil ihm Steine und Handwerker fehlten, mit dem Zwölfmetermaß begnügen. Wir wissen nichts darüber.«
»Die Baukunst ist tot. Man will sie gar nicht mehr in der Wirklichkeit genießen«, antwortete ich.
»Vielleicht ist es anders«, sagte er, »wir wissen jedenfalls, was wir lieben.«

– – – – – – – – – –

Meine Fähigkeit, das Klavier zu spielen, war nicht viel besser als mittelmäßig gewesen. In Urrland machte ich Fortschritte. Tutein zwang mich, durch einen merkwürdigen Einfall, geistesgegenwärtig zu werden, unabhängig von den Launen meines Gemüts. Er prahlte mit mir und meinem Können. Ich muß vermuten, daß es ihm sehr wohl tat, sich einzubilden, ich sei ein auserwählter Mensch. (Ich kann nur wiederholen: er war aus besserem Stoff als ich, doch mehr ins Allgemeine entfaltet.) Er erzählte den Gästen, die während der Sommermonate das Hotel bevölkerten, ich vermöge den Karakter eines Menschen musikalisch abzubilden, gleichsam meine Witterung vom Wesen einer Person in Klavierspiel umzusetzen. Das war ein starkes Lob und ein großer Anspruch. – Doch glaube ich, ein wenig habe ich diese improvisatorische Kunst auszuüben vermocht. (Später ist sie mir vollständig abhanden gekommen.) Ich hatte wohl allmählich die höchste Entfaltung meiner technischen Fähigkeiten erreicht. Ich konnte ein Thema, wenn es nicht zu weit gesponnen oder zu eigenwillig im Aufbau war, ohne erhebliche Vergewaltigung zu einer kurzen Fuge verdichten und vortragen. Die Einfälle saßen mir lose. Ein seltsames verlockendes Brausen noch nicht an die Oberfläche gehobener harmonischer Quellströme war mir vernehmbar. Manchmal stiegen mir erstickende Tränen in die Augen. Die kurze Lust am Schaffen – eine Samenzelle im fliegenden Beischlaf der Geister zu sein. Der Geister, deren Namen Utukku und Lamassu sind: Geister der Erde.

Die Gäste versammelten sich in unserem Saal. Zuweilen waren es ihrer acht oder zehn. Sie warteten auf die Enthüllung ihres Karakters wie auf einen Orakelspruch. Ich war hart in meinem Urteil, doch milde in meiner musikalischen Aussage. Ich hatte nur selten Freude an einem Menschen. Der Klang an sich verwandelte eine schlimme Anklage und eine taube Aussichtslosigkeit in die Vergebung. Die Rede der Musik kommt von den gesegneten Lippen der singenden Schöpfung. Es ist uns erzählt worden, und die Sage wird mit uns nicht sterben: am sandigen Gestade eines Meeres blasen schöne Jünglinge auf großen Muschelhörnern. Die Mädchenleiber der Bäume und die fischglatten fleischigen Nixen der Flüsse, die Rudel der Rentiere und Wölfe, der rosenrote Schnee des Morgens, die kahle Kälte des nächtlichen Landes, die Finsternis lichtloser Höhlen, der Mondschatten, den wir selber werfen, sie träufeln jenen Gesang der Welt in unser Herz, der uns wunderbar mit

kühler Sehnsucht berührt, mit dem Ton einer Glocke, die in den Dom der durchsichtigen Schöpfung ruft, in die Hallen, die fast leer an Gestalt sind.
Der jeweilige Mensch war nur ein Vorwand; mit seinem Wesen bestimmte er nur die Tonart, den Rhythmus und die Gestalt der Themen, oft nur den Einfall der ersten Takte und das Tempo. Nach wenigen Augenblicken waren meine Gedanken und Vorstellungen von der Musik gefangen genommen, der Anlaß verblaßte. – Die Gäste verließen uns fast wie Erlöste, auch wenn ich nicht weise und gütig gewesen war, sondern vermeinte, sie hart angefaßt zu haben. Die Harmonie der Welt verzeiht selbst das Gewöhnliche.
Ein Zusammenklang ist niemals böse, doch böse ist es, einen Armen im Geschäft zu übervorteilen. Wenn ich einen handelnden Sünder sah, schlug ich noch nicht mit den Fäusten auf die Tasten. Doch, ein einziges Mal tat ich es. Da begannen alle, die anwesend waren, zu lachen, und ich schämte mich meiner Offenheit.

– – – – – – – – – –

Kristi lernten wir schon während des ersten Winters kennen. Dieser Winter war stürmisch und kalt. Der Saal, den wir bewohnten, war geräumig. Die Flucht der Fenster zur Straße hin und das eine auf den Markt hinaus ließen Schwaden eines beißenden Hauches hinein. Ein alter eiserner Ofen erwärmte den Raum. Der Ofen war in vier oder fünf schön verzierte Stockwerke aufgeteilt. Im untersten verbrannten die Birkenscheite. Ein wunderbarer Duft strömte vom vergehenden Holz aus. Sei es nun, daß die Kälte ungewöhnlich war oder daß Ellend den Verbrauch an Brennmaterial unterschätzt hatte (der Saal war kaum je vorher als Winterwohnung benutzt worden), es kam zu unliebsamen Auseinandersetzungen. Der Wirt beklagte sich, daß wir das Feuer im Ofen vom frühen Morgen bis zum späten Abend unterhielten. Und es war keine Übertreibung. Ich hatte mich überwunden, schon um fünf Uhr morgens aufzustehen. Ich kleidete mich hastig an und arbeitete nüchtern. Tutein erhob sich drei Stunden später. Wir frühstückten dann gemeinsam. Während der Wintermonate war meine erste Verrichtung, den Ofen anzuheizen. Kristi hatte mich gelehrt, die Birkenrinde von den Scheiten zu reißen und als Zündmaterial zu benutzen. Sie brennt wunderbar mit stark rußender roter Flamme. – Wir schlossen mit Ellend einen Vergleich. Er sollte wie bisher das Birkenholz beschaffen, den Lohn für Kristi, der die Scheite zersägte und spaltete und das Holz in den Saal trug, entrichteten wir. – So war Kristi unser Diener geworden. Kristi war in diesem Winter vierzehn oder fünfzehn Jahre alt. Seine Eltern habe ich nicht kennengelernt. Sie müssen unsagbar arm gewesen sein. Kristi besaß kein Hemd. Um seine Strümpfe war es ähnlich schlecht bestellt. Er trug nicht die kurze schwarze Hose mit den bunten Kniebändern. Eine lange zerfetzte Hose aus Drillich schlotterte um seine jungen Beine. Er besaß eine Jacke und einen halben Hut. Er sprach nur selten. Er lachte beständig, wenn er uns sah. Es war ein halbes Grinsen, und ich habe es nie deuten können. Kristi hatte eine auffallende Manie: er schloß niemals den vorderen Spalt seiner Hose. Nicht, daß die Knöpfe gefehlt hätten. Anfangs verblüffte mich die Tatsache. Er war kein Kind mehr, und zuweilen fiel ein Lichtstrahl auf seine schöne Haut. Ich hatte ihn gelegentlich auf seine Nachlässigkeit aufmerksam gemacht, aber nur sein Grinsen als Antwort bekommen. Zwischendurch vermutete ich, es sei eine Herausforderung, ein Antrag. Aber Kristi war voll fröhlicher Unschuld. Er ist mir fremd geblieben. Ich habe seine Seele niemals verstanden. Wenn ich ihm ein Hemd oder ein anderes Kleidungsstück schenkte, hatte ich gewaltiges Herzklopfen, weil ich nicht wußte, wie er es aufnehmen würde. Ich hatte Furcht, ihn zu beleidigen. Selbst die Lohnzahlungen hatten etwas Demütigendes für mich. Es war immer, als ob er des Geldes gar nicht bedürfe und das Brennholz nur zu seinem Vergnügen zerkleinere. Da es fast unmöglich war, ihn zum Sprechen zu bewegen, blieb unser Verhältnis bis zum Schluß ungeklärt. Zuweilen schob ich ihm ein Stück Schokolade in den Mund, wie ich es später mit Adle und Ragnvald machte. Ich hatte immer das gleiche Gefühl der Beschämung. Er verzehrte, fast täglich, den Sandkuchen, den Stina uns zum Nachmittagskaffee bringen ließ. Ein paarmal bot ich ihm ein Glas Portwein an. Er trank es stehend. Ich glaube, es hat sich nicht ein einziges Mal ereignet, daß er sich zu uns setzte. Vielleicht war er über das gewöhnliche Maß hinaus schüchtern. – Ich verdanke ihm also meine Kenntnis von der Birkenrinde.

Ich riß in der Finsternis und Kälte der Wintermorgen die Fetzen und Fahnen, die Haut, von den Stämmen und freute mich, wenn das Zündholz sie entflammte, die verzehrende Wärme die Placken knisternd einrollte. – Eines Tages hielt ich ein großes schönes Rechteck in meinen Händen. Es erschien mir so vollkommen in Farbe und Struktur, zusammengelegt aus hauchdünnen sahnefarbenen Schichten, daß ich es nicht verbrennen mochte. Ich wollte etwas darauf schreiben. Ich wollte es behalten. Ich legte es auf den Arbeitstisch. Als das Feuer im Ofen prasselte und ich mich zu lesen und zu schreiben anschickte, verriet mir die Birkenrinde etwas. Ihre Maserung glich meinen Papierrollen. Breite braundunkle Linien, die anhuben und aufhörten, nebeneinander-, ineinandergreifend, aufeinanderfolgend. Ich erlag der Versuchung, dies Schauspiel des Wachstums in den Raster meiner mechanischen Notenrollen hineinzudenken. Ich begann zu messen, einzuteilen, in Gruppen zu zerlegen. Ich glaubte mich nicht zu täuschen: es war die Notenschrift, die den Gesang der Dryaden aufgezeichnet hatte. An diesem Morgen noch machte ich eilige Entwürfe, versuchte, die reinen Harmonien, ihr Abgleiten in die Flut der Trauer, die Verwirrung der Wachstumsschändung durch schlechte Jahre und Menschenhände, durch Raupen auf den Blättern und Würmer an den Wurzeln, in das mir auferlegte temperierte System zu zwingen. Ich suchte den archimedischen Punkt, um die Zeichen zum Erklingen zu bringen. In den Tagen, die folgten, arbeitete ich mit wunderbarer Einfalt an einer neuen Notenrolle. Immer wechselnde Ausdeutungen verflochten sich ineinander, rückten wie ein Schwall sonderbarer Harmonien vor, urplötzlich sich auflösend, auseinanderfallend zu klagenden Wechselgesängen. Andere Rindenstücke wurden die Grundlage dafür, daß die Komposition nicht plötzlich abbrach. Meine Besessenheit ging so weit, daß ich unterschiedliche Temperamente, gegensätzliche Sätze aus meinem Archiv von Birkenrinden herleitete.

Da ich keinen Apparat besaß, die Komposition zum Vortrag zu bringen, überarbeitete ich meine Skizzen zu einem fertigen Notenbild. Als ich die Musik gespielt hatte, wußte ich, sie stammte nicht von mir, sie war mir zugefallen. Eine wunderbare irdische Kraft der Mitteilung hatte sich meiner bedient. Die Mittel des Klavieres dünkten mich bald ungenügend, diese Art Musik auszudrücken. Gegen den Sommer hin schrieb ich ein Quintett für Bläser, das Dryaden-Quintett, das mir einige Jahre später Lob und Erfolg einbringen sollte.

Der Buchladen des Verlages Askehaug und Co. in Oslo, in dem wir die Landkarten unserer neuen Heimat gekauft hatten, wurde unsere Vermittlungsstelle zum Reich des Geistes. Wie sehr plagten wir die unbekannten Angestellten mit Fragen und unlöschlicher Wißbegier! Große Stöße von Katalogen mußten sie uns senden. Kisten voller Noten trafen ein. Ein unablässiger Strom von Büchersendungen. – Tutein stand mir nicht nach. Die Musik war ausschließlich mein Revier; er versuchte gar nicht, Teil daran zu haben. Doch über alles Lesbare anderer Bezirke stürzte er sich. Er versenkte sich in Bücher mit Abbildungen. Es waren Veröffentlichungen über Baukunst, Malerei, Plastik, Werke der Ethnographie. Später kamen anatomische Lehrbücher hinzu. Eine Zeitlang erschien mir seine Sucht, zu lesen und zu betrachten, als ein plumpes Laster. Aber sein unbeschwertes Hirn war von wunderbarem Erinnerungsvermögen. Eine auffallende Kombinationsgabe befähigte ihn, die gegensätzlichsten Zuträge zu einer verläßlichen Anschauung zu verdichten. Er war das Gegenteil eines emsigen Wissenschaftlers: er wußte niemals die Quellen, die er benutzt hatte, schwankte nicht zwischen einerseits und andererseits, es ging ihm nur um den Gewinn.

Eines Tages begann er zu zeichnen. Er ruderte auf den Fjord hinaus, ließ sich mehrere Stunden lang im Boot treiben und brachte eine düster genaue Zeichnung des Blaaskavlmassives nachhause. Das Blatt – es liegt als eines von vielen hundert in einer meiner Mappen – vermittelt etwas Unheimliches. Tutein verriet sich. Niemals hatte er davon gesprochen, welcher Art Empfindungen ihn in dieser Landschaft heimsuchten. Nun verbarg er die verhängnisvolle Melancholie nicht mehr. Das war der Anfang. Die Blätter häuften sich nach und nach zu hunderten. Askehaugs Buchhandlung mußte ihn mit Bleistiften und Malgeräten ausrüsten. Für besonders leidenschaftliche Stunden hatte er sich einen Stoß englischen Whatmanpapiers kommen lassen.

Eine Knabe schnitzte mit einem Messer an einem Stück Holz. Tutein bat ihn, ein paar Minuten lang am gleichen Platze zu verweilen. Tutein zeigte mir, in freier Manier festgehalten, zwei tätige jugendliche Hände. Es waren die Hände Adles. Adle war so sehr überwältigt von der Auszeichnung, die, so meinte er, ihm zuteil geworden war, daß er sich dazu drängte, das Blatt hin und wieder anzuschauen, um es zu bewundern. Vielleicht war er von Tuteins Persönlichkeit ergriffen. Jedenfalls kam er recht oft zu uns auf den Saal. Er hatte keinen schönen Kopf. Er hatte tiefe Falten an der Stirn. Aber zuweilen, wie absichtslos, hielt er seine Arme stilliegend auf dem Tische. Tutein ging auf dies Spiel ein, nahm sein Skizzenbuch und zeichnete.
Es schien uns notwendig, daß Adle eine Belohnung für seine Tätigkeit als Modell erhielt. Jetzt war er es, der Stinas Nachmittagskuchen verzehrte. Und zum Überfluß kauften wir in Olaf Eides Krambude Schokolade. – Adle war klatschsüchtig. Jedenfalls wollte er sich uns durch allerlei Mitteilungen aus Vangen erkenntlich zeigen. So erfuhren wir manches, was uns sonst verborgen geblieben wäre. (Auch Ellend sprach gern und viel. Auch Dr. Saint-Michel sprach gern und viel.) Da seinen Mitteilungen nichts Hinterhältiges oder Bösartiges anhaftete, vor allem niemals die Absicht, jemandem zu schaden oder ihn verächtlich zu machen, konnten wir sie hinnehmen. Eines Nachmittags begann er vor Erregung an dem einen Fenster, das zur Straße hinausging, zu tanzen und zu schreien. Er hatte zuvor hinausgeschaut. Er schrie: »Sie sind nicht verheiratet, sie sind nicht verheiratet!«
Nun schauten auch wir auf die Straße hinaus. Ein Bursche lehnte gegen das Gitter des ›Parks‹ und sprach mit einem Mädchen, das ihm gegenüber mitten auf der Straße stand. Wir erbaten uns eine Erklärung von Adle. Er rückte sehr bereitwillig mit seinem Wissen heraus. Ein Liebespaar. Wie durften sie wagen, am lichten Tage miteinander zu sprechen, wo es doch nur im Dunkeln gestattet war!?
Wir drangen allmälich in die krausen Sitten unserer Mitmenschen ein. Die beiden hätten sich in die Retirade des Hotels hinter der Krambude Olafs zurückziehen müssen.
Unsere Freundschaft zu Adle trug den Stillstand der Unfrucht-

barkeit in sich. Wir argwöhnten bald, er kam nur, weil es ruhmvoll war und den Neid anderer Kinder erweckte, weil es angenehm, mit Schokolade und Kuchen gefüttert zu werden, weil wir ein Mittel gegen die Langweile waren, die wie ein Dämon Kinder und Erwachsene plagte. – Der unsagbar begehrliche Blick, den ich von einigen Kindern auffing, als Adle die Altanstufen hinanstieg, um mich stolz in der Tür des Hotels zu begrüßen, veranlaßte mich, sie alle heranzurufen, auf den Saal hinaufzutreiben und Schokolade an sie zu verteilen. Adle war beleidigt. Er verschwand mit den übrigen zugleich. Wie ein Lauffeuer verbreitete sich die Nachricht von meiner unerhörten Maßnahme. In den nächsten Tagen wurde das Hotel von Kindern belagert. Ich verteilte noch ein paarmal Schokolade unter sie. Ich bemerkte, Ellend war sehr unzufrieden mit uns geworden. Seltsamerweise, wir hatten gar kein Gefühl dafür, daß wir Ärgernis erregten. Erst eine Bemerkung des Postsekretärs Gjör (er kannte viele berüchtigte Vergnügungsstätten in den Hafenstädten dreier Erdteile) machte mich bedenklich; er sagte, wir seien wohl Millionäre, die sich seltsame Späße mit den einheimischen Kindern erlaubten.

Adle kam seltener. Er brachte, weil er unsicher geworden war, seinen älteren Bruder mit. Ich entsinne mich der ersten Begegnung genau. Der Bursche schob sich quer durch die Tür und blieb in der Ecke stehen. Mit ruhigen fragenden Augen prüfte er uns und die Gegenstände, die uns umgaben. Meinen Arbeitstisch, die Unzahl der Bücher und Partituren, den Flügel, die schön geschwungenen Mahagonibetten. Er faßte Vertrauen. (Bücher, mit denen man arbeitet, flößen einem Besucher Vertrauen ein.) Er setzte sich an den Tisch, hielt uns sein festes schönes Gesicht entgegen. (Seine Hände waren von Arbeit zerschrunden.) Er stellte einige Fragen. Zu unserer ungeheuren Überraschung sagte er, nachdem er ein paar Nebensächlichkeiten geklärt hatte: »Was finden Sie eigentlich an Adle? Er ist doch wie alle anderen Kinder.«

Tutein schaute ihn sinnend an. Ich spürte, er wollte antworten.

»Ich würde dich vorgezogen haben, wenn ich dich gekannt hätte«, sagte er mit unbewegter Stimme, »vermutlich wären wir keine Freunde geworden; man ist in deinem Alter ungeduldig.«

»Ich mochte nicht hinaufkommen, es ist um Adles willen«, sagte Ragnvald. Sein Blick hatte sich ein wenig verfinstert.
»Schämst du dich jetzt und gefällt es dir nicht bei uns?« fragte Tutein.
»Ich schäme mich nicht, und es gefällt mir«, gab Ragnvald zurück.
Ich rückte die Kuchenschale und Gläser zurecht. Adle setzte sich ins Sofa. Wir tranken ein wenig Portwein. Die Brüder verließen uns bald.
»Ich wette, wir haben heute den besten Burschen Urrlands kennengelernt«, sagte Tutein traurig.
»Und das betrübt dich?« fragte ich verwundert.
»Mich betrübt, daß er unnahbar ist, daß er uns fremd bleiben wird. Sehr fremd. Gerade von ihm könnten wir etwas lernen.«
»Er wird wiederkommen«, tröstete ich Tutein.
Ich behielt recht. Er besuchte uns während des Sommers zuweilen an seinen freien Nachmittagen. Es waren kurze Begegnungen, die selten die Dauer einer halben Stunde erreichten. Einmal versuchte Tutein, Ragnvald zu zeichnen. Es mißlang völlig, und Tutein war sehr niedergeschlagen.

– – – – – – – – –

Der Sommer bringt Gäste nach Urrland. Sie kommen über das Gebirge von Finse her gewandert. Die Dampfschiffe tragen sie durch den Sognfjord von Bergen herbei, oder Svaerre Aalls Motorboot holt sie von Fretheim oder Gudvangen ab. Der englische Gesandte, seine Familie und Freunde rücken ein, um Lachse und Forellen zu fischen. Gehirnspezialisten und Ingenieure, Sprachforscher, Botaniker, Margarinefabrikanten, Schirm- und Tabakshändler, die von Eisenspangen und Saucen sprechen, in denen sie Kautabak würzen, Sängerinnen mit unwahrscheinlichem Gepäck, Ministertöchter mit ihren Freunden, Matrosen fremder Kriegsschiffe, Damen, die unablässig Boston spielen, Kinder, die sich erholen sollen, Könige, die einander die Hand drücken, Parvenus, die ihre Frauen mästen wollen, Ausländer, die sich nicht verständlich machen können: man kann ihnen in Ellend Eides Hotel begegnen.
Die einheimischen Lebensformen zerfallen ganz unauffällig an diesem Strom aus den Städten. Freundschaften, Liebschaften,

Gewohnheiten, Tätigkeiten werden für kurze Zeit eingestellt und durch die Sensation des Fremdenverkehrs ersetzt. Geschäfte werden angebahnt, die englische Sprache überschattet den einheimischen Dialekt. Kinder und Erwachsene streiten sich, das Gepäck der Zugereisten von der Brücke bis ins Hotel zu tragen. Führer ins Gebirge bieten sich an. Die sechs Ruderer des Skyssbootes sind zurstelle. Ellend ist schon am frühen Morgen sorgfältig rasiert, verneigt sich geflissentlich vor den Fremden und gibt unwiderrufliche Befehle an Männer und Kinder Vangens, die am Gitter des ›Parks‹ Aufstellung genommen haben. Stina, die Wirtin, kommt aus den Verliesen der Küche nicht mehr heraus. Sie steht beständig, dick und schwitzend, vor dem Herd, der sich in drei Stockwerken aufbaut und in Bauches Höhe ein Feuerloch hat, damit die Riesenbraten und behäbigen Kuchen im Backofen geraten können.
An den Flurgattern des Talweges stehen Knaben wie Wegelagerer und bedienen die Viehtüren gleich Zollschranken. Jedem Pferdekarren schreien sie schon von weitem entgegen: »Wir nehmen kein Kupfer!« Will man also von ihnen den Dienst, daß sie das Gatter öffnen und schließen, muß man einen Zehner herabwerfen.
Ein Teil der Mägde und Frauen der Höfe sind um diese Zeit auf den Saetern im Gebirge. Die Männer arbeiten auf ihrem Anwesen oder hocken gedankenvoll über dem Wachstum. Man sieht nicht viele Bauern in Vangen, es ist nicht ihre Zeit.
Verständlich, daß unsere ungeprägte Freundschaft zu Adle und Ragnvald sich lockerte. Ich saß als Präsident am Kopfende der Table d'hote, Tutein zu meiner Linken, und war Dr. Saint-Michel zurstelle, zur Rechten er. Nur einem regierenden Minister mußte ich meinen Platz räumen. Und das geschah im Laufe der Jahre zweimal. (Könige und Fürsten aßen und tranken in einem nicht tapezierten Zimmer für sich. Dort nahm auch später der englische Gesandte seine Mahlzeiten ein.) Das Publikum, das im Saal meinem Spiel zuhörte, war bunt zusammengestellt. Viele werden mich für eine sommerliche Attraktion des Hotels gehalten haben. Manche verlangten Tanzmusik. Ein Apotheker schenkte mir, weil er ergriffen war, eine Flasche Rum; das Getränk war über fünfzig Jahre alt und duftete mit unbeschreiblicher Köstlichkeit. Ein reicher Mann

überbot ihn; er stiftete zu unserem nachmittäglichen Kaffee zehn Flaschen Benediktiner-Likör. Eine Dame ereiferte sich und schrie: »Warum gibt Ihnen der ungebildete Mensch nicht Geld? Sie sind doch sicherlich arm! Sagen Sie nichts, ich weiß es. Ich lese es in Ihrer Seele.« Wir mußten sie beruhigen.
Seltsam, kein Freund stieß zu uns, keine Zuneigung bestätigte unser Wesen. Tutein hatte einen unanständigen Antrag zurückzuweisen.

– – – – – – – – – – –

Ich war ziemlich mager geworden. Und nicht Stinas Küche trug daran die Schuld. (Ich werde Stinas Kochkunst noch umständlich loben müssen.) Ich hatte mich mit Arbeit übernommen. Das Dryadenquintett war nicht meine einzige Orchesterarbeit während jenes Sommers. Ein Schüler Josquins, der im sechzehnten Jahrhundert unerhört berühmte Clement Jannequin, hat eine große Invention »Le chant des oiseaux« geschrieben. Ich habe das Original niemals zu Gesicht bekommen, wohl aber fiel mir die Tabulatur des Orgel- und Lautenmeisters Francesco da Milano in die Hände, der die Vorlage Jannequins zu seiner Canzon de li Uccelli benutzt hat. Der Druck dieser Tabulatur für die Laute ist recht mangelhaft, die Stimmenführung bleibt, da nur die Schläge notiert wurden, unklar. Ich fand Gefallen daran, die Arbeit zu übertragen und auszudeuten. Die Melodik dieses Vogelgesanges ist unvergeßlich. Es ist etwas Unauslöschliches.
Eine hölzerne Brücke führt über den Urrlandsfluß. Kommt man an das jenseitige Ufer und geht man an der schönen Tannenhecke entlang, die den Besitz des alten Lensmannes abgrenzt, stromaufwärts, gelangt man in ein seltsames Reich kleiner Inseln. Ein Laufsteg, vielleicht einen Meter breit, führt über rauschende schwarzgrüne Stromschnellen zur größten der Inseln. Kleinere Stege verbinden die vier oder fünf Geschwister miteinander. Es sind Geröllaufschüttungen, die den Fluß zerteilen. Kleine Erlenhaine haben sich angesiedelt. Struppiges Gras wächst aus dem Boden hervor. Das gewaltige Fließen des Wassers hat gegen Süden einen kiesigen Strand angeschwemmt. Für die Lachsfischer hat man dort, halb im Gebüsch versteckt, eine Bank gezimmert. Die Sonne, wenn sie

um die Mittagszeit über der Schlucht des Tales steht, umarmt wie ein goldener Freund den Einsamen, der auf der Bank sitzt. In den glitzernden erregten Wasserläufen, die die Inseln voneinander trennen, wohnt die Hunderttausendzahl der Fischbrut. – Welches Vergnügen hat es mir bereitet, Stunde um Stunde den Riesengeschwadern der winzigen Lachse und Forellen zuzusehen! Welche Genauigkeit in den Manövern! Welcher einheitliche Wille in ihrer tausend zugleich! Niemals gerät eine Formation in Unordnung. Die hastig schnellen Bewegungen, das Wenden, Davonschießen, Stillestehen, es ist gleichzeitig bei allen. Nur das Fressen trennt sie. Das Fressen trennt sie für viele Jahre. Die Paarung vereinigt sie wieder zu lustvollen, Schwindel bringenden Berührungen. Ich habe sie manchmal mit Brotkrumen gefüttert; hatte ich nichts Eßbares bei mir, spie ich ins Wasser. Mit winzigen Holzsplittern narrte ich sie. –
Schöner als die Fische waren die gelben beweglichen Sonnenreflexe auf dem steinigen Flußbett. Das Schönste aber war der Ton des Wassers, das Lispeln der Blätter und das traurige Schweigen der herabschauenden Berge. Kein Ort ist mir so fern von aller Menschenwelt erschienen wie diese Insel. Nirgendwo ist mir so viel Trost aus der Tiefe gekommen. – Und ich war trostbedürftig. Ich stand mit schmerzender Stirn vor einem Dasein, das ich mir nicht gewünscht hatte und dessen bescheidene Taten im Ungewissen standen. Das Unbefriedigtsein stieg mir wie Wasser bis an die Seele. Die gräßliche Qual meiner Mühe, etwas Musikalisches zu leisten, zermürbte mich. Die Tränen saßen hinter meinen Augen. Und meine Wünsche, meine unsäglichen Träume, verwüsteten meine Gegenwart. Die Großen der Musik umstanden mich mit ihren gültigen Aussagen. Ich spürte, meine Einfälle waren nur Gestammel. In der strengen Schule der Technik bin ich ein schwerfälliger Schüler geblieben (kein schlechter); die verruchte Unergiebigkeit meiner Seele verlangsamte und verkleinerte alle Einfälle, so daß meine Gedanken zu Scherben wurden. – – –
Die Frage, wer ich wirklich bin, ist auch heute noch nicht stumm in mir. Ich schaue zurück, und es ist leicht, die Tatsachen aufzuzählen. Es sind fünfzig Kompositionen von mir gedruckt worden. Viele Kammer- und Symphonieorchester haben sich der Noten bedient. Hin und wieder ist es zur

Aufführung größerer Werke gekommen. Ein paar Orgelspieler plagen sich mit meinen Präludien und Fugen. Zeitungsschreiber haben mich gelobt und getadelt. In den neueren Handbüchern des Wissens steht mein Name als der eines bedeutenden aber eigenwilligen Komponisten aufgeführt. Ich selbst warte darauf, daß meine große Symphonie, ›Das Unausweichliche‹, aufgeführt werde, damit mir endlich das unwiderrufliche Urteil gesprochen werden kann. Seit manchen Jahren bin ich fast stumm; ich weiß nicht, ob ich mit einer Art Müdigkeit kämpfe, mit einem Überhandnehmen eines unbegreiflichen Todes. Ich habe es nicht gelernt, wenn auch musikalische Einfälle in mir erweckt werden, den Fluch mühevoller Spekulation abzustreifen. Ich bin erschöpft, weil ich die Hilfe der Fröhlichkeit nicht habe. Mir scheint, daß meine Gedanken sich zuweilen wiederholen. Dennoch habe ich nicht den Mut, an mir zu zweifeln. – – –
Ich lag mit dem Bauche auf einem der Stege über dem Wasser. Ich hielt die Arme vor meinen Augen. Ich lauschte und vernahm den schwermütigen Strom wunderbarer Harmonien. Ich lag reglos, bis ich spürte, meine Eingeweide schmerzten. Als ich mich erhoben hatte, rannte ich davon. Im Hause angekommen, brachte ich das Gehörte in fieberhafter Eile zu Papier. Als ich ein andermal die gleiche List anwandte, ertönte in mir jener Gesang der Vögel des Jannequin. Was ich auch anstellte, ich konnte die Erinnerung an ihn nicht vertreiben. Wochenlang suchte mich diese Erfindung eines anderen heim. Mir schien, als ob die von mir aufgezeichnete Musik des Wassers nur noch ein Teil jenes unvergänglichen Werkes wäre. Als ich ganz und gar verzweifelt war, mischte sich auch noch eine Passacaglia Buxtehudes hinein. Ich glaubte, den Verstand verlieren zu müssen, weil ich Eigenes und Fremdes nicht mehr unterschied. War nicht auch das Belauschen der Erde ein Diebstahl? Ach, wäre mir die Gnade zugefallen, naiv oder unbedenklich zu sein, naturhaft oder frech! – Ich wußte mir nicht anders zu helfen: ich zog meine Übertragung des Francesco da Milano hervor, richtete mir einen Stapel Notenpapier mit fünf Systemen ein und begann, die Komposition für Instrumente einzurichten. Es ist wahr, ich erweiterte sie. Ich stand vor der Notwendigkeit, eine fünfte Stimme hinzuzuerfinden und das polyphone Gewebe zu

verdichten und zu verdeutlichen. Ich wollte wenigstens meine Kunstfertigkeit beweisen. Endlich ergänzte ich die vier Teile des Werkes durch einen fünften Adagio-Satz, meinen Traum aus Wasser, Stein, Brückenholz und Eingeweiden. So war am Ende manches von mir selbst darin. – Das Werk – man hört es oft –, es wird, wie die jungen Eichen, noch feierlich rauschen, wenn ich verschwunden bin. Wer vermöchte auch diesem zu widerstehen:

*

Ein Sommer ging zuende. Die Gäste reisten ab. Tutein überraschte mich mit einer Zeichnung. Es war der Akt eines jungen Mannes.

»Errate, wer es ist«, sagte er heiter.

»Ich kann es nicht, Tutein, verrate es nur gleich«, antwortete ich.

»Ragnvald«, sagte er.

»Wie hast du es angestellt?« wollte ich wissen.

»Wir haben im Fjord gemeinsam gebadet, unterhalb des Hauses seiner Mutter«, sagte Tutein, »die Sonne hat uns getrocknet. Ich habe die Gelegenheit wahrgenommen. Ich glaube, Ragnvald ist damit einverstanden.«

Nun zeigte er die Füße des Jünglings auf einem anderen Blatt, die Schenkel, den trotzigen Kopf, Brust und Nabel, die stückweise Eroberung einer herrlichen Gestalt.

»Du mußt viele Stunden damit verbracht haben«, sagte ich.

»Es war ein angenehmer Tag«, sagte er, »der Bursche ist an jeder Stelle seiner Haut liebenswert – nur seine Hände, ich verstehe sie nicht – Arbeit allein kann sie nicht so dumm gemacht haben. Ich habe den etwas verrückten Gedanken: Adle hat die Hände bekommen und Ragnvald den Körper, und Adles Körper und Ragnvalds Hände sind unzulängliches Massenfabrikat aus trostlosem Fleisch. – Die Mütter und Väter sind eben nicht besser.«

»Das ist wahrscheinlich ein voreiliger Gedanke«, sagte ich.

Er bewegte die Achseln.

– – – – – – – – – –

Winde stürzten sich von den Bergen in den Fjord hinab, brausend wälzten sich ihre Strudel gegen Vangen. Die Oberfläche des Wassers kochte schäumend. Gelbe Birkenblätter wirbelten über den Marktplatz. Die Sonne verschwand in einem klebrigen Dunst. Die Wasserfälle wurden zur Seite gepeitscht. Der Herbst war da.

Unbemerkt war Jonathan nach Urrland gekommen. Eines Nachts hatte er in Begleitung des Propstes eines der Fjordschiffe verlassen und war im Hause Svaerre Aalls verschwunden. Jonathan, siebzehnjährig, der uneheliche Sohn des Lensmannes.

Noch einmal hatte die sterbende Sonne einen Tag um die Mittagszeit vergoldet. Die Bäume schwiegen und warteten auf elende Plünderer, die nächsten Stürme. Es gab einen plötzlichen Auflauf in Vangen. Menschen rannten mit verdüsterter Eile auf die Schiffsbrücke. Die Tür zu Per Eides Krambude wurde aufgerissen und nicht wieder geschlossen. Wir folgten dem allgemeinen Strom. Auf dem Brückenbollwerk bot sich uns ein herzzerreißender Anblick. Aall und sein siebenjähriger Sohn Lars trieben in einem winzigen Boot auf dem Fjord. Das Kind bediente die Ruder. Aall mit steinernem, entmenschten Gesicht, hatte einen Mann, der angekleidet im Wasser trieb, beim Rockkragen gepackt und tauchte ihn von Zeit zu Zeit unter. Als es ihm genug dieser Strafhandlung schien, befahl er dem Kind, anland zu rudern. Der Mann im Wasser wurde mitgeschleift. (Locken wir die Wiederholung grauenvoller Bilder aus dem Dunkel des Bösen hervor? Hat die Vorsehung nur ein paar typische Begebnisse zur Hand, die sie ohne Bedenken vervielfältigt, um daraus den Inhalt neuer Unglücksfälle oder neuer Verbrechen zu gewinnen? Gibt sich der Zufall – wie soll ich das Schreckliche benennen, diesen Überwinder unseres

Seins? – so ganz und gar keine Mühe uns zu schonen? Wie oft habe ich es sehen müssen, daß ein Mensch, angekleidet oder überrumpelt, in einem Gewässer dieser Erde treibt!)
Sie kamen nahe dem Kohlenschuppen der Nordenfjeldske Dampskibsselskab an den Strand. Der Mann im Wasser richtete sich auf. Gesenkten Hauptes, wie ein Verurteilter auf dem Wege zur Richtstätte, schritt er neben dem Boot aufs Trockene. Sein Gesicht war weiß. Seine Hände waren flach und lang. Die Gestalt war von hohem Wuchs. Das Wasser rann von seiner Kleidung. Aall packte ihn mit fürchterlichem Griff am Handgelenk. (Das Haus, die Wohnung des Motorbootbesitzers, lag versteckt unmittelbar neben dem Kohlenschuppen.) Angewidert wandte ich mich ab. Ich stieß gegen Ragnvald, der mir im Rücken gestanden war. Das Antlitz, in das ich schaute, war ungerührt. Eine offenherzige Neugier hatte den Blick geschärft.
»Wer ist es, Ragnvald?« fragte ich.
»Jonathan«, sagte er mit unsinniger Verächtlichkeit.
Ich ging den Weg hinauf. Seltsamerweise folgte Ragnvald mir, und als ich bei den Stufen das Altans stand, war er an meiner Seite. Tutein war noch auf der Brücke geblieben. Ich nahm es als Vorwand, um nochmals hinabzugehen, und Ragnvald folgte mir getreulich. Die Familie Aall war verschwunden, die Menschen auf dem Bollwerk verzogen sich allmählich nach dem Marktplatz. Tutein saß auf dem äußersten Randbalken des Anlegeplatzes und schaute in den Fjord hinab. Wir traten zu ihm.
»Was ist denn eigentlich vorgefallen?« fragte ich Ragnvald.
»Er hat sich das Leben nehmen wollen«, antwortete statt seiner Tutein, »er ist von hier abgesprungen. Unbegreiflich, wie Aall hat so schnell zurstelle sein können.«
»Eine ganze Stadt ist abgebrannt. Er bildet sich ein, die Stadt in Brand gesteckt zu haben«, warf Ragnvald ein.
»Ist er denn krank?« fragte ich.
Ragnvald bewegte nur die Schultern.
»Lebensmüde ist er«, sagte Tutein still. – – –
Am Nachmittag dieses Tages begegnete Ragnvald mir abermals. Er schien vor dem Hotel gewartet zu haben. Wir gingen zu zweit den Weg nach Vinjes Hof hinan. Wir gingen weiter

über Viehtriften in die Einöde hinein, die sich bis nach Oyjes Hof erstreckt. Ich begann Ragnvald auszufragen.
»Was ist mit Jonathan? Ich bin sicher, du weißt es.«
Ragnvald machte keine Umstände.
»Er tut es zuviel mit sich selbst«, sagte er mit gleichgültig leiser Stimme. Ich verstand ihn nicht, denn er redete im breitesten Dialekt, und fragte deshalb laut:
»Was tut er?«
»Mit sich selbst zuviel macht er es«, wiederholte Ragnvald.
Jetzt hatte ich verstanden und blickte Ragnvald unentschlossen in die Augen. Derlei Gespräche waren niemals zwischen uns gewesen, und ich wußte nicht, wie wir voreinander bestehen würden. Ragnvald aber redete ruhig weiter.
»Einmal am Tage, das ist das Maß. Das müßte er doch wissen.«
Ich glaubte, meinen Ohren nicht trauen zu können. Es bedurfte einiger Zeit, ehe ich mich gesammelt hatte. Das Geständnis Ragnvalds schien mir untauglich und ungeheuerlich. (Viele der gesündesten Araberknaben sterben zwischen zwölf und sechzehn Jahren.) Ich suchte nochmals seinen Blick, sein Gesicht. Ich prüfte den erwachsenen Ausdruck seiner Augen. Ich dachte an die Zeichnungen Tuteins. Kein Zweifel, er war der arglose gesunde Bursche mit dem breiten Pferdegesicht, der mir die erprobte Lehre einer Knabenschaft mitgeteilt hatte, eine Lehre, die den armen Jonathan nicht erreicht hatte. Unser Gespräch war schon zuende. Der Schrecken des Erstaunens schloß meinen Mund. Wir schritten schweigend weiter aus. Meine Gedanken, die Rosse, die schnell an allen Orten sind und ihre Hufe nicht in die Zeit setzen, sondern in das Moos der Träume, stoben davon. –
Wir wissen zu wenig von den Menschen, wir wissen zu viel von ihren Lügen. Sie lügen, weil es notwendig ist. Wir werden von der Wahrheit der Tatsachen überrascht, als wären es schmähliche Geständnisse. Aber die Wahrheit, sobald sie Ding und Fleisch geworden ist, ist doch wohl unüberwindlich. Wir alle haben Lehren für unser tierisches Dasein empfangen. Wir unterdrücken sie, als schwelte in ihnen die unheimliche Absicht eines Verführers. Ertragen wir es wirklich nicht, einen Karakter ganz zu erkennen? Verzichten wir ein für allemal darauf, uns selbst zu kennen? Müssen wir den kleinen schmächtigen Kör-

per Mozarts mit dem übergroßen Kopf immer nur im Spinnweb seiner Wundermusik, verklärt und todmüde, vom Biß der Krankheit vergiftet, hängen sehen? Da wir doch ahnen, fast mit Sicherheit wissen, er war der Leidenschaft, der tierischen Wollust fähig; er suchte sie, er fand sie – er verging wie irgendeiner der Herde. Und der billige Fichtenholzsarg umschloß doch neben dem Gekröse das unauslotbare Hirn, die Hände, die mit nervösen Spielereien die Gedanken beschützt hatten – und auch, was er verschwiegen, was er unvollendet zurückließ. – Wir alle sind von Kindern zu Eingeweihten geworden. Das Ritual ist für die meisten schäbig genug gewesen. Mich, den behüteten Gymnasiasten, haben die jungen Böcke aus der armseligen Nachbarschaft an einem dunklen winterkalten Sonntagabend in ihre Mitte genommen und mit Harn berieselt, damit ich der Preisgabe ihrer unkindlichen Erfahrung würdig würde. Aber ich fühlte mich nur besudelt und nicht neugierig. Ein Abtrünniger. Abtrünnig auch dem tierhaften Wohlergehen. – Jetzt war ich neben Ragnvald wie ein verkleideter Bettler. Ich war einfach nicht vorbereitet, zu hören, daß das gesunde Fleisch dies Maß an unbändiger Kraft hat. Ich hatte niemals von soviel Gesundheit Kenntnis gehabt, von soviel grundsätzlicher Notwendigkeit, sich vom Kind zum Erwachsenen zu verändern. Mit beladenem Herzen fragte ich Ragnvald inmitten der steinernen Einöde:

»Wie oft ist Jonathan versucht?«

»Vielmals am Tage, und in der Nacht auch«, antwortete Ragnvald.

Ich packte ihn bei den Schultern und hielt ihn mir vor die Augen.

»Es hat ja keinen Zweck, daß du lügst«, sagte ich mit zurechtweisender Männlichkeit; gleichzeitig versuchte ich, mich an irgend etwas auszuliefern, an etwas, das mich ihm ähnlicher machen sollte – an eine mitschuldige Verworfenheit. Er aber schaute mir verwundert auf den Mund.

»Man kann daran leiden. Es ist unheilbar«, sagte er mit dunkler, durch kein Mitleid gefärbter Stimme. Denn er war gesund.

Ich setzte mich erschöpft nieder.

»Ragnvald, ich möchte wissen, ich weiß nämlich nicht – mir erscheint es so sonderbar, dies Leben – deine Meinung wäre mir wertvoll – dein Urteil über den Zweck des Daseins – was du dir für die Zukunft vorgenommen hast – ich möchte daraus Rückschlüsse ziehen – ob du daran denkst, einmal ein Mädchen zu heiraten. – Ich glaube, mir ist die Liebe abhanden gekommen.« – Gelassen, doch mit Befremden starrte er mich an. Er übertrieb seinen Verdacht nicht. Eine Spur von Bitterkeit veränderte den Schnitt seiner Lippen. Er überlegte mit außerordentlicher Langsamkeit.

»Im nächsten Jahr, nach der Frühjahrsbestellung, werde ich nach Bergen in die Tischlerlehre gehen«, sagte er endlich.

Ich hatte ein nicht zu zügelndes Bedürfnis zu weinen. Ich wollte ihm den Ausbruch ersparen. Allein nach Vangen zurückschicken mochte ich ihn nicht. Ich schützte ein Bedürfnis vor, kletterte den Hang der Einöde aufwärts, verbarg mich hinter einem Geröllblock und wollte meinen Tränen freien Lauf lassen. Aber sie kamen plötzlich nicht mehr. Auf dem Heimweg sprachen wir kein Wort.

– – – – – – – – – –

Wie von ungefähr stellte ich mich im Hause Svaerre Aalls ein. Ich wurde in die Stube gelassen. Die Hausfrau war damit beschäftigt, auf einem herdartigen Ofen eine Mahlzeit zu bereiten. Der Siebenjährige beschmierte, auf einem Stuhle stehend, mit schmutzigen Händen die Scheiben eines Fensters. Jonathan, mit gesenktem Kopf, saß angekleidet neben seinem Bett auf einem aus Bast geflochtenen Lehnstuhl. Das Bett war mit ziemlich sauberem weißen Linnen überzogen. Es war zum Verwundern inmitten des allgemeinen Schmutzes. – Aall schob sich mir nach durch die Tür.

Ich versuchte, einen Blick Jonathans zu erhaschen, wiederholte meinen Gruß und streckte meine Hand nach der seinen aus. Er rührte sich nicht. Er atmete nur widerwillig. Ich konnte ein Gefühl des Abscheus nicht unterdrücken und war sehr betroffen, daß sich in mir kein echtes Mitleid regte. Ich fühlte die unbestimmte Aufgabe, die mich hierher getrieben hatte, zusammenstürzen. Einen Menschen verwerfen und preisgeben, weil er nicht so beschaffen ist, daß man ihn lieben kann, welche Demütigung! Wenn sich die Sinne verschließen und unfruchtbar bleiben, stirbt auch die Nächstenliebe. – Ich versuchte, mir

Rechenschaft zu geben, und ertappte mich in einer grausigen Unzulänglichkeit. Ein männliches Wesen von großer Stärke hatte sich mittels der eingeborenen Veranlagung zum Weibischen aufgelöst. (Wie hätte Ragnvald ihn nicht verachten sollen, der doch nur ein Tischler werden wollte, während jener den Ehrgeiz gehabt hatte, ein Ingenieur zu werden?) Es war kein Wahnsinniger, der vor mir saß; es war ein bei voller Vernunft Zerbrochener. Es war kein Kranker, es war ein Ungeliebter, ein Verlassener. Groß, knochig, mit einer mächtigen kühlen Stirn, nur gebeugt von der Schuld seiner Einsamkeit, so saß er da. Verzaubert und gegen alles Menschliche verhärtet durch den schwülen Lockruf seiner Eingeweide. Der ganz unfaßbare Zwiespalt seines Karakters schien mir jedem Seelenplan entzogen, so abstoßend, daß ich den Menschen, das Tier vor mir, gar nicht erkannte.

Noch ein anderes Unrecht tat ich ihm an. In der Irrenanstalt von St. Urban hatte ich als Knabe einen geisteskranken Jüngling gesehen. Es ist der schönste Mensch gewesen, der mir jemals begegnete. Er stand halb angekleidet mit traurigem Blick da. Der Krankenwärter redete auf ihn ein. Es waren recht allgemeine Betrachtungen: »Warum wollen Sie denn nicht Ihr Hemd schließen? Warum wollen Sie nicht den Hosenträger anknöpfen? Sie sind doch so gut erzogen worden. Warum denken Sie nicht an Ihre Mutter? Ihre Mutter grämt sich Ihretwegen. Machen Sie ihr eine Freude, knöpfen Sie den Hosenträger an. Danach wird Ihnen besser sein. Sie werden Ihr medizinisches Studium wieder aufnehmen. Sie sind so begabt. Die Wissenschaft kommt Ihnen wie ein Spiel vor. Warum wollen Sie denn nicht das Hemd schließen?«

Der Kranke hatte nicht geantwortet. Er sprach niemals. Er schloß das Hemd nicht. Er knöpfte nicht den Hosenträger an. Niemals. Sein trauriger Blick weilte in der Ferne. – Ich hatte mich nicht sattsehen können, so schön war der Mensch. – Und jetzt hatte ich gehofft, ihm abermals zu begegnen, hier, in der Stube Svaerre Aalls.

Ich war schon daran, mich beschämt davonzumachen. Da vernahm ich Aalls Stimme. Als ob ich ein unablässiger Zeuge der Scheußlichkeiten gewesen wäre, so wenig hielt er sich zurück. Er ängstigte das arme Opfer kraft meiner Gegenwart mit einer doppelten Last an Beschimpfungen. Er quälte, er drohte. Aus seiner Rede vernahm ich, und sogleich sah ich es auch, der junge Mann war im Stuhle angeschnallt. Schon vollkommen entwürdigt. Und Svaerre Aall ersparte ihm keine Schmach.

»Des Nachts binden wir ihm die Hände fest, aber es hilft nichts. Kastrieren muß man ihn.«

Der arme Mensch zuckte nicht einmal zusammen. Ich aber fürchtete, dieser Svaerre könnte die Drohung wahrmachen. Ich überwand mich. Ich sagte:

»Ich bin gekommen, um mit Jonathan einen Spaziergang zu machen. Es wird ihm gut tun. Ich bringe ihn hierher zurück. Ich verbürge mich.«

»Für den kann sich niemand verbürgen«, schrie Svaerre Aall, »aber ein zweites Mal werde ich ihn nicht aus dem Wasser ziehen, diesen Hund.« Plötzlich verriet er sich: »Wäre er mein Sohn, einen Tritt in den Bauch würde er bekommen, daß ihm das ganze – –« (Ich unterschlage den Nachsatz, zumal ich nicht mehr weiß, ob er unter zwei ungeheuerlichen Bildern das eine oder andere oder gar beide nacheinander wählte. Ich war damals recht empfindlich und fühlte, ich könnte ohnmächtig werden oder zu schreien anfangen.)

Ich erreichte, daß Jonathan losgeschnallt wurde und mit mir ging. In Vangen gab es Gaffer. Es begegnete uns Tutein. Als er unserer ansichtig wurde, beeilte er sich, davonzukommen. Ich wählte den Weg, den ich kürzlich mit Ragnvald gegangen war. Ich führte Jonathan in die felsige Einöde. Ich ging vorauf, und er folgte mir wie ein geprügelter Hund. Ich wagte kaum, mit der Wanderung innezuhalten, denn ich wußte, ich würde sprechen müssen. Endlich blieb ich stehen. Der Schatten der Berge war kalt, der Fjord lag wie ein schwarzer Spalt der Erde unter uns.

»Die Tage werden schon bedrohlich«, begann ich; dann plötzlich stieß ich mich in mein aberwitziges Vorhaben hinein. »Vor zwei Jahren oder vor drei Jahren hat man vergessen, Ihnen etwas zu sagen«, fuhr ich unvermittelt fort. Ich konnte keine Frage oder Antwort erwarten, dennoch stockte ich. »Seit einem Jahre sind Sie krank – so sagt man«, stellte ich fest. Und wartete wieder. Ach, ich machte viele Pausen, um den Ant-

worten die Tür offenzuhalten. Es währte lange, ehe ein Wort Jonathans eintrat. Es war das erste Wort überhaupt, das ich aus seinem Munde hörte. Ich hatte schon die Sünde geleugnet und die Krankheit. Und mancherlei Kräfte der Natur beschworen. Allmählich nur fand ich die schwierigen und erlösenden Aussagen. Wie ein Abgesandter sagte ich die Worte:
»Einmal am Tage, das ist das Maß.«
Und nun kam langsam das erste Wort, die erste Frage aus einem Mund voll Bitternis:
»Das ist erlaubt?«
»Es ist erlaubt, doch nicht befohlen«, sagte ich zweideutig.
»Wie kann die Sünde erlaubt sein?« fragte Jonathan.
»Die Sünde ist nicht erlaubt«, sagte ich, »aber die Einrichtungen der Schöpfung und die Notwendigkeiten des Fleisches sind nicht sündig; vielleicht sind sie lästig, wenn unsere Gedanken von einer Freiheit träumen oder sich außer der Zeit wähnen. Aber wir sind in der Zeit unseres Körpers, ganz unentrinnbar. Und die Gesundheit fordert Opfer von unserer Seele genau so wie die Krankheit und der Wahnsinn.«
»Die Notwendigkeiten des Fleisches sind lästig – es ist ein schöner Einfall, es so auszudrücken«, sagte Jonathan.
»Ich bestehe darauf, daß Sie das Gefühl der Sünde ganz beseitigen«, sagte ich entschlossen.
»Beseitigen?« fragte Jonathan in die Irre.
»Daß Sie sich zu einer anderen Anschauung bekennen. Der fromme Maßstab hat Sie schon fast erledigt.«
»Ich habe mich selbst erledigt«, sagte Jonathan.
»Sie haben keine Regeln für das tägliche Dasein«, sagte ich, »ohne Regeln für sich selbst kann kein Mensch bestehen. Manche Ordnungen müssen allgemein oder doch für viele gültig sein.«
»Und eine dieser Ordnungen haben Sie mir mitgeteilt?« fragte Jonathan hinterhältig.
»Es ist ein äußerster Vorschub, den man den Kräften des Leibes geben kann«, versuchte ich abzuschwächen, »es ist ein Ratschlag für die Starken. Es ist die Regel der Bauernburschen, die mit ihren Muskeln den Acker bewältigen. Das Gesetz für die Schwachen ist sicherlich anders.«
»Das Äußerste ist für mich ganz ungeeignet«, sagte er schwer-

mütig, »warum eigentlich machen Sie es mir so leicht? Ich bin daran gewöhnt, daß man mir etwas verbietet. Und ich halte alle Verbote, wenn es nicht über die Kraft ist.«
»Ich verstehe Sie nicht«, sagte ich mutlos, »es geht doch darum, daß Sie nicht widerstehen, daß alle Verbote niedergebrochen sind, daß ein maßloses Übertreten Ihre Gesundheit verzehrt.«
»Es ist Ihnen also gar nicht ernst gewesen, die Sünde von mir zu nehmen«, sagte er tonlos, »man hat mir die Sünde verboten. Sie ist entweder ganz und unablässig oder gar nicht. Und das Garnicht ist für mich das Unmögliche.«
Ich versuchte, ihn aus der Falle seiner Gedanken zu befreien, und beteuerte nochmals, daß ich in einem Trieb, der allen gemeinsam sei, das Wirken des Bösen nicht zu erkennen vermöge; immer nur die Absicht der Natur, die verlocke, vergeude, unbeugsam fordere und grausam verweigere. Ich sagte auch, ich fände es nicht unehrenhaft, ein Tier zu sein, doch oft beschämend, den Menschen zugeteilt zu gelten.
»So wollen wir ganze Sache machen«, sagte Jonathan, »Sie erlauben mir das Unerlaubte und tragen die Verantwortung. Ich werde mich in meinem Gebet auf Sie berufen und Sie allein beschuldigen.«
»Beschuldigen Sie mich nur«, sagte ich unwirsch. Ich fühlte mich von Jonathans unechter Frömmigkeit angewidert. Ich begriff in diesem Augenblick nicht, daß seine Aussage am Ende eines ungeheuren Entschlusses stand. Ich hätte die Schweißperlen an seiner Stirn besser auslegen können. Zu seinem Glück knackte er die taube Nuß meiner letzten Worte nicht; er blieb voller Hoffnung. Er sagte plötzlich gelassen:
»Den äußersten Vorschub brauche ich nicht.«
»Um soviel besser«, antwortete ich, noch immer verstimmt und gleichgültig, »hoffentlich halten Sie das Versprechen, das Sie sich selbst geben, und gut wäre es, Sie würden Ihre Möglichkeiten genau erwägen und danach Ihre Vorsätze einrichten.«
»Ich gefalle Ihnen nicht«, sagte er traurig und mit Würde, nachdem er lange geschwiegen hatte.
»Ich kenne Sie nicht«, antwortete ich schuldbewußt.
»Aber Sie wissen, daß ich einerlei Fleisch mit Ihnen bin«, sagte

er, »ich habe mich gar nicht vor Ihnen zu entblößen brauchen. Die anderen, die mich haben heilen wollen, haben mich betrachtet und betastet wie ein Mutterschwein, das ein Dutzend Ferkel im Bauche trägt.«
Wir stiegen mit Riesenschritten zum Strand hinab.

– – – – – – – – – –

Nach vierzehn Tagen erschien Jonathan bei uns im Hotel. Er wollte sich verabschieden. Ich fragte ihn nichts. Ich wußte schon, er würde nach Bergen zurückkehren, um noch ein Jahr lang das Gymnasium zu besuchen und dann eine akademische Laufbahn zu beginnen.
»Ich will mich bei Ihnen bedanken«, sagte er zu mir.
Ich wurde rot bis über die Ohren und wünschte nur, er möchte so bald wie möglich wieder gehen. Tutein nahm mir das Wort, setzte sich mit Jonathan an den Tisch und bediente ihn mit Wein und Reden wie einen willkommenen Gast. Ich stand Jonathan im Rücken. Er trug einen hellen, gut geschneiderten Oxfordanzug. Der grobe Bau aus Haut und Knochen kroch holzähnlich wie Wurzelwerk aus den Öffnungen der Jacke und Hose hervor. Die hohe flache Stirn hatte eine Entsprechung im mächtigen kugeligen Hinterkopf. Jonathan erhob sich bald. Er legte seine große Hand in die meine, er drückte sie hart und mit Überzeugung. Ich öffnete die Tür. Ich trat ans Fenster und schaute auf die Straße. Da stand der ältere Sohn Per Eides. Er hatte auf Jonathan gewartet. Sie hakten einander ein und gingen wie Vertraute davon. (Es mußte wohl so sein, daß auch er einen Freund fand.)
Als das Schiff, das Jonathan nach Bergen bringen sollte, anlegte, schickte ich Tutein auf die Brücke. Er berichtete mir, daß der Propst zurstelle war und den Jüngling umarmte. Auch der Lensmann war am Kai; er nickte dem Sohn mit dem Kopfe zu. Svaerre Aall sah man nicht. Frau Aall stand, fünfzig Schritte entfernt, am steinigen Strand, wo vor ein paar Wochen der Motorbootführer den Halbtoten anland gezogen hatte. Der Sohn Per Eides winkte dem Schiff mit einem weißen Taschentuche nach. Er hatte Tränen in den Augen. (Nach wenigen Wochen verschwand er von Urrland.) Mit achtzehn Jahren bezog Jonathan die Technische Hochschule in Trondhjem. Er

war auf dem Gymnasium ein hervorragender Schüler geworden.
Der Propst fragte mich kurz vorm Julfest – er trug gerade ein Paket auf die Post –, was ich mit Jonathan angestellt hätte. Es war der Name des Gymnasiasten auf dem Paket.
»Ich habe ihm befohlen, die Sünde zu tun, die alle anderen ihm verboten haben«, sagte ich dem Sachwalter Gottes.
Er fand keinerlei Antwort. Er schaute nur zu den Bergen hinauf.
Ich sah seinen Blick verlöschen.
Dieser Mann sagte, wenn die Dunkelheit des Winters das Tal erfüllte und es keine Rettung vor den Nebelwolken und verwüstenden Gedanken gab, wenn die Langweile wie der ewige Tod an den Türen der Häuser stand und nichts die Männer abhielt, selbst die todkranken Frauen zu schwängern, wenn den Kühen die Kruste aus Kot und Harn Schicht um Schicht auf den Schenkeln wuchs, wenn die Kinder mit rostigen Schmiedenägeln den gefräßigen meckernden Ziegen ins pralle Euter stachen, wenn die Burschen mit doppelter Unbarmherzigkeit den kalten Fischen den Bauch spalteten und das Weiche herausrissen (und doch schlugen sie noch wie lebend um sich, wenn man sie nach Stunden ins gurgelnde Fett der Pfannen legte), wenn sich alten Menschen plötzlich die Brust mit Schleim füllte, daß das Röcheln wie Trompetenstöße aus ihnen hervorbrach und den Tod herbeirief, wenn die Gebete der Gläubigen auf den Schneefeldern der Berge gefroren und nicht zu Gott gelangten, wenn das sprühende Feuer der Schmiede wie ein eingesperrter Stern von Bethlehem auf dem verrußten Herde lag, wenn das unruhige grüne Nordlicht über dem Nebel das Fell der langsam wandernden Rentiere betaute, wenn die Haut der Menschen unter Schmutz und Kleidung erstickte, wenn, verhöhnt von den geretteten Sternen, der Schmerz sich mit der Sehnsucht in Unzucht hingab, wenn die Hebamme am Leib einer Gebärenden den baldigen Tod des Kindes voraussagte, wenn alles so war, wie es war: »Ich ertrage nicht, ich ertrage nicht, ich ertrage den Engel der Finsternis nicht. Ich werde gefressen, ich werde gefressen –.« Und die Propstin rückte ihm die Pelzmütze auf dem Kopfe zurecht, löffelte ihm ein in Milch verrührtes Kräftigungspulver ein.

Er war sehr alt. Seine Gedanken, ein Leben lang, waren nicht Gott gefällig gewesen. Er glaubte an den Teufel. Er hatte ihn einmal als schwarzen behaarten Zwerg auf seinem Schoße sitzen sehen. Wie ein festgewachsenes Stück seiner selbst. Er hatte Jonathan als Kind schon erzählt, es gäbe zehntausend Teufel und noch viel mehr, es würden immer neue geboren. Sie würden im Darm der Menschen geboren und bissen sich an den Menschen fest wie Zecken im Wollfell der Schafe. Und er war der Vormund Jonathans, und Jonathan konnte der Lehre nicht entfliehen. Er konnte sich nur fürchten. Er sah wohl, mit dem Mist der Pferde kamen zuweilen Larven hervor, und Würmer gab es allüberall. So mußten des Propstes Worte wohl Wahrheit sein.
Jonathan hat das Bedürfnis gehabt, mir all das zu schreiben. Ich habe den Brief sogleich verbrannt.
Noch am Tage der Abreise Jonathans hatte der Lensmann durch Ellend bei uns anfragen lassen, ob wir Freude daran haben würden, mit ihm und dem Wirt gemeinsam Karten zu spielen. Ellend bedeutete uns, es sei eine ganz ungewöhnliche Auszeichnung, und wir dürften nicht ablehnen. –

– – – – – – – – – –

Mir erschien der lange Winter nicht wie eine Strafe oder wie ein Ungeheuer, das uns aussog. Es war für mich die Jahreszeit der Arbeit. Und sie war voller Überraschungen. Gewiß, Tutein und ich, wir waren miteinander nicht einsam. Wenn der Schein der kleinen Petroleumlampe auf den bunten Teppich fiel, der den Tisch bedeckte, wir den starken Kaffee langsam schlürften, das Birkenholz im Ofen duftend brannte und die Stunden bis zum Schlafengehen lang und dicht vor uns lagen, beladen mit der Gestalt aller Dinge, die man nicht sah – hinter den Fenstern die Straße, kahle Bäume und dann das tausend Meter tiefe Tal des Fjordes, unter uns, schwindelerregend, die wassergefüllten Abgründe, über uns, würden sie sich bewegen, wir würden zermalmt sein, die schweigsamen Berge; nur das Wasser, das aus ihren Schößen rann, flötete einen leisen Ton; und der Nebel, den sich die Geister als Mantel umhingen, um unerkannt ins Tal hinabzusteigen; und der Fluß, der, weil ihn fror, sehr still geworden war, nur hie und da ein schweres Glucksen

ausstieß – wenn die ferne Menschenwelt mit ihren Städten durch Himmel und Stein und Wasser mit dreifacher Finsternis von uns getrennt war – spürte ich mein eigenes Dasein wie eine feierliche Tatsache. Mir war, als hätte die Gegenwart eine größere Dauer als nur des Pendelschlages Stillstand vor der Umkehr zur neuen Bewegung. Und ich glaube, Tutein war einig mit mir. Er hing mit Leidenschaft an seinen Büchern; er fand, das Tal, die Bucht waren übervoll an Ereignissen, die Fülle der Erfahrungen und Gesichte gar nicht zu bewältigen durch ein Hirn, das fast zwei Jahrzehnte lang in die Irre gegangen war. Wir wurden nicht satt vom Anschauen der Berge, der Nebel nicht überdrüssig; nicht auf der Flucht vor der Dunkelheit waren wir, wir suchten sie und noch größere Einsamkeit in ihr.
Auch das unwirtlichste Wetter hielt uns nicht davon ab, das Tal, die Geröllhalden, die Abhänge, die weinenden oder mit Freudenfahnen besteckten Birkenwälder zu durchstreifen. Wir gingen nur selten zu zweit, meist jeder für sich, um ungestörter träumen, die Sinne schärfen, die zufälligen Abenteuer allein bestehen zu können. Es waren nur unbedeutende Ereignisse, mit deren Schilderung man die Spalten der Zeitungen nicht füllen dürfte. Die Pfützen auf dem Talweg, in die man trat, weil die Nacht für menschliche Augen auch nicht die kleinste Unterscheidung von hell und dunkel preisgab, wo das Tasten der Sohle allein den Weg ausfindig machte und ein gezackter schwarzgrauer Fetzen zwischen den Bergen ein Stück des Himmelsgewölbes ahnen ließ. Welche Erregung im Vorwärtskommen, welche Bilder inmitten der Blindheit! – Und triefendes Tageslicht – schlüpfrige Wege die Felsen hinauf. Geborstene Berge, in die man eintrat, wie durch einen fürchterlichen Schnitt in einen ungeheuren Leib hinein. Die Wundränder troffen von braunem Saft. Aber tief in den Gängen, schon in den Eingeweiden dieser trockenen Kühle, tempelhaftes Schweigen, das Wirken des Geistes, den der Stein ausatmet. Und vielleicht, der Gedanke ist wie ein Schluck salzigen Wassers, steht man in dieser ewigen Dämmerung als erster Mensch. Das Schweigen, das wie eine Verkündigung aus dem noch Engeren, dem noch tiefer Gelagerten entgegenströmt, ist ewig, oder doch hundert Millionen Jahre alt, genau in der

Stunde entstanden, wo das grausige Messer des Zwischenraums sich donnernd in den Berg stieß und ihn beschreitbar machte für den, dem es gefiel, einzutreten. Ich habe mich in diesen ungeheuren Tempelgängen auf den Bauch gelegt und gelauscht. (Ich entsinne mich, wenn auch nicht mit ganzer Deutlichkeit, daß ich mich als Kind schon so auf die Erde warf und etwas erwartete; aber immer nur das gleiche Gefühl erntete, daß meine Schwere gegen die Schwere der Erde drückte. Es hat doch sicherlich einen ganz ungewöhnlichen Grund, daß die Knaben in Norge, ehe sie vierzehn oder fünfzehn Jahre alt werden, so oft sich dazu die Gelegenheit bietet, auf der Erde hocken. Ich habe es in keinem anderen Lande mit so viel beharrlicher Leidenschaft durchgeführt gesehen. Selbst die kalte Jahreszeit, die vereiste Erde, hindert sie nicht daran. Auch in den Städten sitzen sie ohne Nötigung auf den bereiften und beschneeiten Steinen der Fußsteige, oft stundenlang. Es ist eines der Rituale dieses Landes – eine heilige Handlung seines Fleisches. Manche sterben sicherlich daran, an irgendeiner, gegen ihren Körper abgerichteten Krankheit. Was macht es aus, wenn es die Natur war, die sie zwang, ihre Schenkel, ihren Rücken, ihren Bauch am Boden zu haben?) Ich bin gegangen und gegangen, bis ich eingeklemmt zwischen den Wänden stand – in der Angst, daß ein kleines Bewegen, ein Atmen des Berges nur, mich zerdrücken würde, wie ein Insekt unter meiner Schuhsohle zerdrückt wird. Ich habe, wie eine Katze die Stube besudelt, in der sie sich noch nicht zuhause fühlt, meinen Darm entleert. Ich habe mit brennendem Verlangen nach der Dauer in der Zeit gegriffen, daß mein Fleisch versteinen möchte, durch und durch ein granitener Leib aus mir würde, mit schweigendem Mund, mit tauben Sinnen, mit stillestehendem Verdauen. Oder wenigstens begraben wollte ich sein in diesem nichts als Stein.
An einem Wasserfall stehen oder gar hinter ihm, gegen die ausgehöhlte Wand gepreßt, Stunde um Stunde, und lauschen, wie das Grollen, Stöhnen, Zischen, Donnern sich in Harmonie auflöst; Melodien wehen wie Bänder aus dem Kaos hervor, das betäubte Ohr unterscheidet allmählich den Gesang, den nie ermüdenden. Oder –: Das Auge erschöpft die Gestalt der Landschaft niemals; niemals gleicht ein Felsvorsprung zu einer

anderen Zeit sich selbst. – Und dieser Teppich aus harten Gewächsen, der über die Senkungen zwischen den Klippen ausgebreitet ist, in dessen Wollwerk die Schneehühner hocken, winterlich weiße Hasen; und der Schatten des Todes mit ihnen. Sie haben kein langes Leben. Sie verwesen in einem Magen; selten nur, daß es ein Mahl für Würmer wird, die mit der Haut verdauen. – Der Wind in den Büschen, ihm könnte man ewig begegnen, wenn man ewig wäre; aber man begegnet ihm nur mit der Frage, ob es nicht das letzte Mal ist, ob sein Wort sich an anderen Tagen und Nächten für unser Ohr wiederholen wird. Ich habe den Wind immer geliebt und liebe ihn wie ehemals; ich höre von ihm, daß ich noch lebe. – Wenn er mich auch manchmal erschreckt, ihm sei verziehen. Es ist nicht seine Stimme, die ich fürchte, es ist die Überstimme in ihm, das Gekreisch der toten Zeit, die gerade meinen Tod gebiert. – Und das Nachhausekommen, in den Schein der Lampe treten, Tutein vorfinden. Die Augen schließen sich schmerzend vor dem Licht, der Atem fliegt vor Anstrengung; die Stube, der Freund, die kleine Welt bricht wie der Lärm einer Brandung in das Abenteuer ein, daß man ganz allein mit sich gewesen ist und reif wie ein Kürbis, aus dem die Kerne hervorfaulen. Und das erste Wort an meinem Ohr, mein Name. Und der erste Blick in meine Augen. Wie oft habe ich dann seine Hand genommen und sie lange betrachtet, diese lebendige Hand, die mich erretten würde, wenn es nötig werden sollte.

Tutein las viel. Er zeichnete auch an den Winterabenden. Er zeichnete seine eigenen Hände, er wurde nicht satt, seltsame lebende Tiere in ihnen zu erkennen, ruhende, ungeduldige, folgsame, aufrührerische, einfältige, lasterhafte, wohltätige, verbrecherische. Er zeichnete auch den Kater Pukker, dies herrliche gequälte Tier, das Svaerre Aall jüngst kastriert hatte, und das seitdem in die unbewegten Weiten der Zukunft starrte, voll tatenlosen Grolls, nicht wissend – nicht wissend, warum die Triebe alle beieinander bleiben, wenn der eine ausgelöscht wird. Was für ein Tod war der Tod, wenn er stückweise kommen konnte? – Auch meine Hände und mein Antlitz fanden sich zwischen den Blättern Tuteins. Eines Abends sagte er zu mir – in der Stube war es überwarm –, er möchte mich einmal zeichnen.

»Tu's nur«, sagte ich und rückte näher in den Lampenschein.
»Nein«, sagte er, riß den Teppich vom Tisch und breitete ihn über Lehne und Sitz des Sofas, »dich ganz. Zieh dich nur aus.«
Ich entkleidete mich und legte mich auf den Teppich, so bequem es gehen wollte. Tutein rückte den Tisch beiseite und stellte die Lampe so, daß ihr Licht sich auf meine Haut setzen konnte. Er nahm ein großes Stück Whatmanpapier, und ich hörte, wie der Stift das Papier mit Linien beschrieb. Er betrachtete und strichelte sehr lange. Ich schloß die Augen und genoß, daß die seinen über mich hinfuhren und das Abbild nahmen. Er weckte mich, indem er sagte:
»Es ist recht gut geworden, scheint mir.«
Ich sprang auf und schaute ihm über die Schulter.
»Ist das ähnlich?« fragte ich nach einer Weile des Betrachtens.
»Fast zu sehr«, sagte er kritisch, verbesserte aber sein Urteil, indem er hinzufügte, »der Stift ist doch gut geführt.«
»Ich kann mir gar nicht denken, daß ich so aussehe«, sagte ich.
»Warum nicht?«
»Einmal, ganz allgemein gesprochen, man ist sich selbst der Fremdeste, zum wenigsten, das Kleid des Körpers ist einem fremd. Man riecht sich nicht, man erkennt die eigene Stimme nicht, man betrachtet höchstens die Umkehrung seines Gesichtes im Spiegel. Nackt kann man Narzissus an sich nicht entdecken.«
»Manche entdecken ihn«, sagte Tutein trocken und fügte die Frage hinzu: »Und das andere?«
»Ich hätte nicht geglaubt, daß ich so wohlgefällig anzuschauen bin.«
»Du hast närrische Vorurteile«, sagte Tutein, »du bist ein Mensch ohne nennenswerte Fehler, du hast einen Bauch, in dem ein langer Darm liegt, das ist das einzige, was dich von der Schönheit eines fleischfressenden Gottes unterscheidet.«
»Also die Schönheit einer Kuh«, sagte ich mit verfehltem Spott. Ich bekam auch darauf eine Antwort:
»Die Schönheit eines Kamels, eines Elefanten, eines Pferdes, eines Hasen.«
Ich schwieg. Tutein sprach weiter:
»Soll ich dir noch weitere Tiere aufzählen? Ich werde dich noch oft zeichnen, das muß dir als Zeugnis genügen.«

Ich kleidete mich an.
Er zeichnete mich noch oft. Die Winterabende sind lang. Und ihre Stille, wenn es regnet oder mondscheinhell friert, ist verführerisch, daß man der Phantasie alle Gatter öffnet und sie gleich einem unbefriedigten Hengst davonstieben läßt. – Als ich wieder einmal als Modell auf dem Sofa lag – es muß wohl der dritte oder vierte Winter unseres Aufenthaltes in Urrland gewesen sein –, zog Tutein einen großen Büttenpapierbogen auf ein Reißbrett, nahm schwarze Tusche, spitzte sich einen Federkiel zurecht, um sie breit auftragen und lavieren zu können. Er bereitete mich darauf vor, daß es sich um eine lange Arbeit handle. Er packte den Ofen ganz voller Birkenkloben, zog die Jacke aus, damit er nicht übermäßig schwitzen müßte, und begann. Ich lag, wie oftmals vorher, in der lauen Luft. Nach Stunden erst spürte ich ein leichtes Frösteln.
»Ist es noch nicht genug?« fragte ich.
»Bald«, sagte Tutein, »ich überlege mancherlei.«
Er stand auf, breitete eine Decke über mich, ging eine Weile im Zimmer auf und ab, deckte mich wieder auf, rückte mir die Glieder zurecht und arbeitete nochmals eine Stunde lang. (Er zog nur wenige Linien während dieser Zeit.) Endlich schien er fertig zu sein. Er zeigte mir das Bild, ein ungewöhnlich schönes und großes Blatt; wenige kräftige Kurven faßten die vielen Einzelheiten meiner Körperoberfläche zusammen. Ich war fast benommen, legte meine Hand um seinen Hals und sagte ihm mein uneingeschränktes Lob ins Ohr. Er antwortete:
»Ich schenke es dir. Aber es ist noch nicht ganz fertig.«
»Was fehlt denn noch?« fragte ich.
»Das wirst du bald sehen«, sagte er fast unfreundlich.
Für diesen Abend legte er die Zeichnung beiseite. Wir gingen sogleich ins Bett; die Nacht war schon ganz allein mit sich selbst, und die abweisenden Geräusche perlten von den Bergen herab wie gefrorene Tränen der Sterne, die nicht das Mitleid der Menschen suchen. Ich lag lange wachend, horchte und vergaß zu horchen, dachte an mich, an die Linien auf dem Papier und an das Fleisch, das warm als nächster Nachbar neben meinen Gedanken ruhte, zur Lust und Pein keinem anderen gegeben als mir. Tutein, im anderen Bett, schlief. Wie oft schon hatte ich seinen Atem im Schlaf gehört! Und der

Schlaf nahm auch mich und führte mich weg von dieser zufälligen Stunde, versiegelte das Tal und den Mund des Freundes, nahm mir mein Alter und den möglichen Hunger, stillte mich oder versuchte mich, ließ mich vergessen, oder Vergessenes erweckte er, sargte ein und öffnete Grüfte.

Tutein verbarg die Zeichnung vor mir. Er arbeitete daran, wenn ich abwesend war. Überraschte ich ihn gelegentlich, so hatte er sein Malgerät ausgebreitet, hockte hinter Büchern und stellte das Zeichenbrett rücklings gegen die Wand. Zwar wurde ich allmählich neugierig, doch verletzte ich das Geheimnis nicht.

Eines Tages, als ich von einem Spaziergang nachhause kam, lag das Bild in einem Passepartout auf meinem Bett. Die weiße Haut, von den dunklen Kurven der Tuschlinien eingefaßt; die Buckel, Rundungen und Täler der Muskeln, abermals auslaufendes gewölbtes Schwarz; das Ganze mit einem Durcheinander bunter Farben überschwemmt. Im ersten Augenblick erkannte ich gar nicht, was es bedeuten sollte. Ich las eine Schrift auf dem unteren Rand des Bildes: »Anias, wie ich ihn gesehen habe, und wie meine Gedanken ihn inwendig sehen, und wie er mir trotzdem lieb ist.« – Dann war auch schon das Erschrecken in mir. Tutein hatte ganz offenbar meine Haut durchsichtig wie Glas gemacht und mein Inneres bloßgelegt; unter meinem Gesicht saß ein Stück des knöchernen Schädels.

Tutein kam herein und betrachtete mich und meine Ratlosigkeit.

»Gefällt es dir nicht?« fragte er fast spöttisch.

»Ich weiß nicht«, sagte ich zögernd.

»Wir sind nicht anders und nicht besser; was den Heiligen erlaubt ist, kann wohl einem um die Wahrheit und die Genauigkeit beflissenen Zeichner nicht verwehrt sein.«

»Was meinst du damit?«

»Die Welt durchsichtig zu finden.«

Ich wußte nicht sogleich, worauf er sich bezog; doch durch langes Schweigen enthob ich ihn einer Auslegung. So sprach er denn ins allgemeine.

»Ich wollte dir auch durch das Bild beweisen, wie sinnvoll die Gestalt deines Bauches ist, mit dem du, so schien es mir kürzlich, nicht gut Freund bist.«

Ich schwieg auch jetzt noch, so daß er das Wort weiterführen mußte.
»Schließlich ist das eine neue Art zu malen, dem Gegenstand der Darstellung nahezukommen. Es handelt sich nicht nur um dich, mein eigenes Empfinden liegt auch darin. Ich sehe einen Berg plötzlich nur mit Finsternis behangen. Der Fjord ist in tausend Meter Tiefe lichtlos. Man kann versuchen, das bildhaft darzustellen, das Wissen und das Gesehene vereinigen. Man kann auch den Menschen nackter sehen als die Haut ihn macht. Rembrandt hat in seinen Anatomien offene Leibeshöhlen und aufgeklappte Hirnschalen gemalt. Aber man braucht nicht zum realistischen Mittel der Schlachtbankdarstellung zu greifen, um den vergänglichen tiefen Glanz des Fleisches einzufangen.«
Ich schwieg. Ich wußte damals noch nicht, daß er einen unausweichlichen Gedanken der modernen Malerei aussprach, daß er einen großen Versuch gewagt hatte. Er selbst wußte es auch nicht; es war uns unbekannt, daß der sehende Geist der Menschheit da, wo er vor der Zeit stand, am äußersten Punkt der Gegenwart, mit der unergründlichen Form und ihren Katastrophen rang – und das Durchleuchtete, das Inwendige, der Wirklichkeit wie einen großen Traum unterlegte. Daß der schaffende menschliche Geist daran war, sehr einsam zu werden, friedlos; daß die Flucht in den Himmel nicht mehr gelang; daß auch der erhabenste Gedanke für unberufene Nutznießer Dung oder Verrat wurde. Ach, die Weisheit dieser Erde gab dem Menschen vielleicht nur deshalb den Verstand, damit er die seit Millionen Jahren verschütteten Wälder ausgrabe und verasche und den Tran einer ungeheuren Fäulnis verbrenne, auf daß die Wälder wieder grün über dem Boden wachsen könnten, der Hunger der Bäume nach Kohlensäure gestillt werde.
Er aber sprach weiter:
»Wieviele hohe Herren haben sich mit einer Perücke aus falschen Haaren malen lassen und mit einer Brust voll Tressen, Gold und Emaille? Manche waren so stolz auf sich wie Giuliano de Medici, der einen Panzer trug, dem man die eigenen Brustwarzen aufziseliert hatte. – Wenn du dich indessen schämst, zerreiße ich das Blatt. Dazu braucht es nur weniger Sekunden.«
»Aber nein«, warf ich mich jetzt zwischen ihn und das Bild, »ich bin manchmal recht unerfahren –«

Er lächelte.
»Sieh es dir einmal genauer an«, sagte er milde, »ich glaube, es ist eine gute Arbeit.«
Es war eine gute Arbeit, doch unheimlich wie ein Wald im Finstern. – Die neue Zeit war angebrochen. Tutein war der Seefahrt entwachsen. Ein Mörder war er auch nicht mehr; er hatte nur noch den Namen eines Mörders.

*

Man kann vermuten, ich habe mich einmal gegen die Sitten unserer neuen Heimat schwer vergangen, denn die jungen Kerle des Ortes lauerten mir eines Abends auf, um mich unschädlich zu machen oder mir eine Lehre zu geben, die ich nicht so bald vergessen würde. Vielleicht war ich auch das Opfer einer Verwechslung.
Eines Abends machte ich mich ungewöhnlich spät aus dem Hause und wanderte das Tal aufwärts. Eine Unrast trieb mich, bis an den See zu gehen. Ich setzte mich auf einen Bootsrand an den Strand des Gewässers. Der leise Wellenschlag murmelte zu meinen Füßen. Vielleicht dachte ich garnichts und starrte nur in die undeutliche Finsternis. Ich hörte von einem Hofe her das Husten eines Menschen oder einer Kuh. Auf dem Heimwege überraschten mich Steinwürfe. Ich war an eine Stelle des Weges gekommen, wo eine Geröllhalde steil ansteigend bis an die Fahrbahn reicht. Die Steine fielen dicht, und einen Augenblick lang glaubte ich, im Bereich einer Lawine zu sein. Da sah ich, zwanzig oder dreißig Meter über mir, im grauen Dunst der Nacht schwarze menschliche Gestalten. Ich blieb verwundert stehen. Ich konnte mir den Steinhagel nun besser erklären; doch legte ich ihm keinen anderen Sinn bei, als daß die eiligen oder stolpernden menschlichen Füße ihn vom Boden gelöst hätten. Da hörte ich ein Schurren und Grollen, dann den verdächtigen dunklen Knall aufeinanderschlagender stürzender Klippen. Ich sah sogar den Funkensprung. Schwer kam es herangewälzt. Ich lief. Ich blieb stehen. Ein Fels verlegte mir den Weg. Kleinere Steine sausten jetzt durch die Luft. Ich zögerte nicht mehr; mit allen meinen Kräften floh ich. Ich achtete nicht auf den Lärm der polternden und rutschenden

Steine. Den Weg durfte ich nicht verlassen, denn ich würde stürzen. Ich mußte durch die Gefahr der künstlichen Lawine. Endlich wich die Halde zurück; ich glaubte mich der unmittelbaren Bedrohung entronnen; da traf ein kleinerer Stein meinen Fuß. Ich fiel. Ich schrie nicht. Ich fühlte meinen Magen seltsam leer und nüchtern werden. Ich wartete liegend darauf, daß man über mich herfallen würde, um mit mir das zu machen, was man in heimlicher Verabredung beschlossen hatte. Vielleicht würde man mich davontragen und irgendwo hinabstürzen. Ein unauffälliger Mord. Aber niemand näherte sich mir. Ich erhob mich mühsam. Mein Fuß schmerzte. Nachem ich einige Schritte getan hatte, ließen Schmerz und Lahmheit nach. Ich begann wieder zu laufen. Keuchend, mit jagendem Herzen, kam ich im Hotel an. Tutein war schon ins Bett gegangen. Doch wachte er noch. Er sah mich in die Stube stürzen. Als ich mich ein wenig beruhigt hatte, begann ich ihm mein Abenteuer zu erzählen. Er hatte keinerlei Meinung. Er sagte:
»Vielleicht hast du einem Mädchen, auf das ein Bursche Anspruch hat, den Kopf verdreht.«
»Nein«, sagte ich kurz.
»Vielleicht hast du jemand beleidigt«, sagte er.
»Nein«, sagte ich.
»Vielleicht habe ich beides getan«, sagte er, »und dich hat man statt meiner erwischt.«
Ich wußte nicht, was ich von dieser Rede halten sollte und sagte, indem ich meinen Fuß entblößte:
»Wenn es schon nicht mir galt, kann es jedem anderen gegolten haben.«
Der Fuß war sehr angeschwollen und blutunterlaufen. Tutein betrachtete ihn mißbilligend, bewegte ihn, während ich leise aufschrie, und sagte:
»Hoffentlich ist nichts gebrochen.«
Dann verordnete er ein heißes Seifenbad und trug das Nötige zusammen.

_ _ _ _ _ _ _ _ _ _

Drei befahrbare Wege führen aus Vangen heraus. Wenn ich sie im Geiste wieder beschreite, sammeln sich die Erinnerungen an ihrem Rande. Der eine, talaufwärts, am Fluß entlang, der nach sieben oder acht Kilometern am See endet, hat mir gerade den riesenhaften gezackten Schatten der nächtlichen Geröllhalde wieder gezeigt, die schwarzen Gestalten junger Kerle und das Gerippe zweier laubloser Birken, die meine Flucht bewegungslos betrachteten. Wenn ich ihn wieder und wieder wandle – in der Wirklichkeit haben meine Füße ihn oft beschritten –, er war die Hauptstraße, auf der man zum Pfarrhof, zu den Höfen im Tal, zu den grünschwarzen Strudeln des Flusses, zum zweihundert Meter langen Schleier des Gleitfalles, zu den Fährbooten über den See gelangte –, wenn ich nochmals und abermals ausschreite, werde ich die Zeit mehr und mehr entdecken, die Zeit, die einmal gewesen ist. Die Zeit und ihre Ereignisse, die Jahreszeiten, die wechselnde Farbe der Birken, die sich überall mit ihren Wurzeln den Bergen anklammerten, den ersten nächtlichen Schnee, der plötzlich die Entfernungen aufriß und mit seiner unterschiedlichen Weiße das Hohe vom Tiefen trennte. Diese Straße bezeichnete die erste Wegstrecke zu den bewohnten Abgeschiedenheiten, zu der Dorffestung von Steine und der Unzugänglichkeit von Blaavassbygd, zu den Häusern, die irgendwo im Massiv der Berge neben einem Fluß, einem See, in einer Mulde, an einem Steig nach Tönjum oder Hauge liegen. So einsam, daß das Gesetz dort ganz unkenntlich geworden ist. Die gemeinschaftliche Sprache der Bewohner Vangens ist in der Einsamkeit zerlöst. Es werden unbekannte Worte gesprochen. Unergründliche Sitten bilden sich. Es kann geschehen, daß unter dem gleichen Dach ein männlicher Heide und eine Frau von krankhafter amerikanischer Frömmigkeit wohnen. Daß sie Kinder miteinander zeugen, die, wie wenn sie niemals einander kennenlernten, wieder Heiden und Frömmler werden. Und die Frau wird wunderlich, und der Mann wäscht sich nicht mehr. Sie stellen im Kuhstall Weihnachtskerzen auf; aber in ihrer Stube bleibt es kahl und lichtlos. Das Schwein wird mit einem Ritual geschlachtet, wie es den abgesetzten Göttern angenehm war. Die Frau macht sich ein Kreuz an die Stirn, indem sie ihren Finger in das Blut taucht. Es kann geschehen, daß sie einander den ehelichen Beischlaf verweigern, weil sie plötzlich zu denken beginnen, ungeheuerliche Gedanken, die nur den Riesen zugebilligt werden können.

Eine dieser Einsamkeiten beschäftigte fast ein Jahr lang die

Gemüter in Vangen. Es begann damit, daß Einar Tyin in der Krambude Olaf Eides sagte, man wisse nicht, wie Helge Vetti auf Aursjøbygd lebe. Er sei jetzt fünfunddreißig Jahre alt; man habe niemals davon gehört, daß ein Mädchen zu ihm gekommen sei. Er müsse es mit der Stute oder mit dem Knecht halten. – Einar Tyin war einer jener Alten, die als junge Burschen in den Sommernächten noch auf der Schiffsbrücke getanzt hatten, die den Schnaps aus Halbpegelflaschen in sich hineingossen, die dabei waren, wenn man sich wegen eines Wortes oder eines Mädchens den Zweikampf mit dem Dolchmesser antrug. – Mit der Faust die Klinge bedeckend, mit dem langsam zurückweichenden Daumen die Spitze des einschneidigen Dolches allmählich freigebend. Der erste Antrag ging gewöhnlich nur auf einen viertel Zoll Stahl. Er wurde vom Gegner mit einem halben Zoll überboten. Der erste konnte nicht zurückstehen und erhöhte sein Angebot auf den Mut von dreiviertel Zoll. Dann steigerte man halbzoll- oder zollweise, bis die Schneide ganz entblößt war – wenn es einmal schlimm kam – und stach blindlings aufeinander ein. Einar Tyin hatte eine tiefe Schramme im Gesicht. Es war nur ein kleiner Streit gewesen. Die Mädchen hatten sich beschwichtigend dazwischengelegt. Nur einen Zentimeter Stahl. Es war Ehrensache, diese Kleinigkeit auszutragen, sich die Finger an der eigenen Klinge zu zerschneiden und die Spitze des Dolches seines Gegners irgendwo zu spüren. – Aber er hatte auch gesehen, wie einem Burschen der Bauch aufgeschlitzt wurde, so daß etwas Graues aus der Kleidung heraushing, anzuschauen, als gehörte es einem geschlachteten Tier. Man dachte gar nicht, daß das der Bursche sein könnte. Aber er starb daran. Einar war wie fast alle, die den verlorenen wilden Sommernächten nachtrauerten, dem endlosen Tanz, dem Halling und dem billigen Schnaps, nicht zu einem Glauben bekehrt worden. Er lachte das heisere trockene Lachen aller Verächter des kastrierten Lebens. So war denn seine Rede mehr eine Frage als eine Behauptung; sie sollte nichts Verächtliches ausdrücken. Wäre der Beredete doppelt schuldig gewesen, Einar Tyin hätte es nur sonderbar, aber nicht verwerflich gefunden. Die Gesetze waren so fern, daß er ihrer nicht gedachte; er kannte sie gar nicht. Er wußte nicht, daß er Helge Vetti eines Verbrechens beschuldig-

te. Der Geist des alten Mannes war nur unruhig; er wollte wissen, wie man auf Aursjøbygd lebe. Er wollte die Einsamkeit eines anderen beschauen.
Nun traf es sich, daß der Knecht, ein Bursche von achtzehn oder zwanzig Jahren, mit der Stute, die mit Käse und Butter beladen war, nach Vangen kam, um die Produkte dem Olaf zu verkaufen. Olaf wußte es so einzurichten, daß Einar Nachricht von dem Besuch erhielt, und dieser kam auch, um die Stute und den jungen Kerl genau zu betrachten. Das Pferd auf dem Marktplatz war gut gestriegelt und hatte ein blankes Fell. ›Vielleicht ist es die Stute‹, dachte Einar und murmelte es auch. Als er in der Krambude Gutten gegenüberstand, betrachtete er dessen dickes bleiches Gesicht, aus dem sich die Lippen überrot, dünnhäutig, blutgeschwollen hervorwölbten. ›Vielleicht ist es Gutten‹, dachte Einar und redete ein paar Sätze über den Käse und über das Wetter und ob der Bauer noch nicht zu heiraten gedenkt. Er sagte auch, das da draußen sei ein schönes und gut gepflegtes Pferd. Er fragte, ob Gutten es noch immer bei seinem Bauer aushalten könne. Dann sagte er etwas von der Hose des Burschen, worüber alle, die in der Krambude waren, auch Olaf, der Handelsherr selbst, lachten. Aber Gutten schien den Ausspruch des Mannes nicht zu verstehen. Jedenfalls tat er so, als ob er ihn nicht verstünde. Er wandte sein rundes, dickes, bleiches Gesicht mit den dünnhäutigen roten Lippen und schattenlosen Augen dem Sprecher zu und sagte nichts. Kein Wort sagte er. Der aber, das Verhalten des Knechtes mißdeutend, entfaltete sich mit Befriedigung. Er glaubte zu wissen, wie die Einsamkeit Helge Vettis beschaffen war. Er übersah ganz, daß die Männer in der Krambude zweideutig oder schadenfroh lachten. Der Knecht rechnete mit Olaf ab, setzte sich auf ein Margarinefaß, verzehrte ein Stück Dörrfleisch und Fladbrot, schaute aus dem Fenster, ob das Pferd das ausgelegte Heu gefressen. Dann nahm er die Waren, die er eingehandelt, trug sie hinaus, brachte sie auf dem Tragsattel unter und zog davon.
Als das Tinggericht gegen den Herbst hin in Urrland tagte, erschien Helge Vetti und mietete sich in Ellend Eides Hotel ein. Er hatte Einar Tyin vors Ting laden lassen; er führte Klage gegen ihn. Er besprach sich mit einem Rechtsanwalt, der gemeinsam mit dem Amtsrichter, dem Gerichtsschreiber und

anderen Advokaten aus Leikanger angekommen war. Auch Einar Tyin hielt es für klug, sich einen Rechtsbeistand zu dingen. Es war eine Beleidigungsklage. Seit Menschengedenken hatte es in Urrland keinen Beleidigungsprozeß gegeben. Das Gericht erkannte auch gleich, daß es sich um einen ungewöhnlichen Fall handeln müsse. Man witterte im Kläger und Beklagten zwei alte Feinde, die einander auf irgendeine Weise an die Gurgel wollten; man war auf ungeheuerliche Aussagen und Lügen vorbereitet, auf einen Skandal. Doch die Verhandlung verlief anders, als man erwartet hatte. Die beiden Parteien schienen einander kaum zu kennen (ihr Altersunterschied war sehr groß), sie hatten, soweit man erfahren konnte, niemals einen Zwist miteinander gehabt. Helge Vetti verlangte schlicht, daß Einar Tyin seine Verdächtigung zurücknehme. Und Einar Tyin wiederholte mit argloser Überzeugung, daß Helge, wenn kein Mädchen zu ihm komme, es mit der Stute oder mit dem Burschen halten müsse. – Er wurde zu einer kleinen Geldstrafe verurteilt, sein Ausspruch für null und nichtig erklärt, weil er auch nicht den Schein eines Beweises beibringen konnte. Helge Vetti war damit zufrieden und war sogar bereit, Einar Tyin die Hand zu reichen; der aber nahm sie nicht. Er sagte nur: »Was bist du für ein Mann?«
Ehe Helge Vetti in die Berge zurückging, wurde ihm zugetragen, daß Einar Tyin, nachdem das Urteil gefallen, in aller Öffentlichkeit, nämlich in der Krambude Olafs, den Verdacht wiederholt habe, allerdings wiederum mit keinem anderen Beweise ausgestattet als dem, daß die Natur ihre Forderung an den Menschen habe. Einar wußte noch immer nicht, daß er Helge Vetti einer strafbaren Handlung beschuldigte. Wäre ihm der Gedanke gekommen oder hätte man es ihm nachdrücklich erklärt, er hätte wahrscheinlich geschwiegen. Er wollte ein Schöpfungsgesetz bestätigt sehen, weiter ging seine Absicht nicht.
Helge Vetti erreichte seinen Rechtsbeistand noch gerade auf der Schiffsbrücke, als dieser anbord des Fjorddampfers steigen wollte, und teilte ihm mit, daß man erneut Klage gegen Einar Tyin erheben müsse. –
Noch einmal versuchte Einar den Knecht zu stellen. Es war vergeblich, dessen Schweigen zu brechen. Der Knecht verstand

die Worte des eifervollen Alten weniger denn je. Er wußte nichts vom Prozeß seines Hausherrn. So versuchte denn Einar in die vergangenen Jahre seines Gegners einzudringen, zu erkunden, was dessen Vater oder Mutter über den Sohn ausgesagt (die beiden waren seit langem tot), was eine alte Magd zu berichten wußte, in deren Schoß er als Kind zuweilen gesessen (sie lebte noch); einen Mann, der ein Jahr lang mit Helge gemeinsam im Gebirge gearbeitet hatte, machte Einar zu seinem Vertrauten. Er erfuhr genug, wie er meinte, genug, um seine Mutmaßung verfechten zu können. Es fand sich kein Mädchen, das sich als Helges Braut fühlte. Einar Tyin vertraute der Natur blindlings. Sie war mächtig, jedenfalls mächtiger als der Lügner, für den er den anderen hielt. – Der Rechtsbeistand ließ kurzerhand den Knecht Helges als Zeugen vorladen. Aber Gutten war ein undankbarer Zeuge. Er verstand die hohen Herren des Gerichts noch weniger als den erregt schwitzenden Einar. Er reckte sich ein wenig, und man sah seine Gesundheit. Von den dicken roten Lippen kamen nur wenige, fast unverständliche Worte, er wisse nicht, was man von ihm wolle. – Ob er sich in irgendeiner Sache über den Bauern zu beklagen habe, fragte der Rechtsbeistand Einars. – Er hatte sich über nichts zu beklagen, weder über das Essen noch über das Bett. Sie hatten es warm im Winter, und die Arbeit im Sommer war nicht schwerer als gemächlich.
Das Frühjahrsting erhöhte die Strafe beträchtlich. Einar wurde wegen wiederholter böswilliger Verleumdung zu mehreren hundert Kronen Geldstrafe verurteilt, die im Falle des Unvermögens in Gefängnishaft zu verwandeln sei. Er wehrte sich bis zuletzt. Er verstand das Gericht nicht. Er begriff den Lügner Helge nicht, nicht den Lügner Gutten. Er war bereit, die Natur zu bezichtigen, daß sie Winkelzüge mache. Er erkannte nicht, daß er einem Zusammenstoß dreier unterschiedlicher moralischer Welten beiwohnte. Er ahnte nicht einmal, daß sein Glaube als der tiefste, als etwas Tierisches bewertet wurde. Die alten Zeiten waren vorbei. Man tanzte nicht mehr auf der Schiffsbrücke. Der Schnaps war teuer. Er selber war alt. – Er sah, eine ungeheure Einsamkeit nahm seinen Gegner, dessen Knecht und dessen Stute wieder auf; sie wurden dem Gesetz entzogen, vor dem er selbst als Gezeichneter stehenblieb.

Nur eine Genugtuung empfing er in jenen grimmigen Tagen: er war nicht der einzige, den das Gesetz verstieß. Acht Burschen, die in Gemeinschaft ein schwachsinniges Mädchen verführt oder vergewaltigt hatten, wurden verurteilt. Diese Untat wäre sicherlich niemals vor das Gericht gekommen, wenn das Mädchen nicht geschwängert worden wäre. Als Einar die acht sah, jung, stark, gesund, anzuschauen wie die Kinder, jedenfalls nicht wie Verbrecher – und ihre Tat und die Folgen bis ans Ende durchdachte, gewann er sein Vertrauen zur Natur zurück. Auch schwachsinnige Mädchen mußten ihre Bestimmung haben. Er entsann sich, in seiner Jugendzeit ist etwas Ähnliches geschehen. Nur gab es damals kein Gericht. Oder doch, wenn es eines gab, dann kam es nicht nach Urrland. – Wenn dies geschieht und schon vorher geschah und immer wieder geschehen wird, dann zeigt sich, daß der Mensch für sein Leben Platz fordert und nicht nur den Gesetzen Raum gibt. Das wußten die neuen Menschen offenbar noch nicht oder nicht mehr. Das Gericht wußte es auch nicht. Man wollte es gar nicht wissen. – Er blieb mit der Bekümmernis zurück, wie er das Geld für den Prozeß beschaffen sollte. Sein Rechtsanwalt wollte sich dafür verwenden, daß die Summe in Raten entrichtet werden dürfe; nur versprechen müsse er jetzt, seinen Mund zu halten und nicht schmähliche Dinge von den Menschen zu verkünden, die man nicht beweisen könne.
»Ja«, sagte er, »die Schwachsinnige ist schwanger geworden, das kann man sehen.«
Allmählich erkannte er nun auch, da die acht ins Gefängnis mußten, daß Helge Vetti möglicherweise ein Verbrecher war. Diese Erkenntnis erleichterte ihm das Schweigen, denn es ist eine der höchsten Tugenden der rechtschaffenen Menschen, niemand zu denunzieren. Nicht den Dieb und nicht den Mörder. Und schon gar nicht den, der etwas Platz für sein Leben verlangt. Denn der Mensch ist ein Mensch.

– – – – – – – – – –

Am Eingang zur Siedlung, gerade dort, wo der Hauptweg sich gabelt und, ein wenig südlich verlaufend, zwischen Fluß und Kirchhofsmauer eingezwängt wird, während der nordwestliche Arm in die fröhliche Umgebung der Schmiede führt, lag das Haus der Jugend. Es war ein neuer Prachtbau. Die Gemeinde hatte ihn errichten lassen. Man konnte daran erkennen, daß die Frommen die Mehrheit des Gemeinderates ausmachten. Hinter den dicken Granitmauern des Untergeschosses befand sich, außer einigen Nebengelassen, eine komfortable Kaffeeküche; im hölzernen Obergeschoß gab es zwei Zimmer und einen Saal, in dem weise und erbauliche Gedanken durch ehrenwerte Redner an die Zuhörer ausgeteilt werden sollten. Es war ein in jeder Hinsicht gereinigter Ort; es durfte nicht einmal unter der Aufsicht Berufener getanzt werden. Da es der einzige Saal im Wahlkreis war und der Tanz auf der Brücke schon seit Jahrzehnten als Sünde verschrien wurde, so konnte in Urrland nicht getanzt werden. (Ein einziges Mal geschah es, daß es einem herumreisenden jungen Mann aus Ringebu erlaubt wurde, zu den Klängen einer Hardanger Fiedel den Halling zu tanzen. Er tanzte diesen Männertanz, der erfunden worden war, damit die jungen Burschen sich den Mädchen zeigen könnten und dadurch betört würden, wie aussterbende Negerstämme ihren rituellen Tamtam vor dem Gouverneur eines europäischen Staates. Nimmt er an ihren Gebärden oder phallischen Deutlichkeiten Anstoß, so ist es sein Recht, die feierliche Handlung zu verbieten. – Indessen, im Haus der Jugend dachte man sich nichts mehr dabei, daß der junge Mann in bunter dörflicher Tracht sich langsam drehte und die Mütze mit den Füßen von einer hohen Stange herabwarf. Es war nur noch eine Vorführung, ein Museumsstück. Allenfalls konnte der alte Lensmann sagen, er habe es in seiner Jugend besser gekonnt.) Statt dessen übten sich viele im öffentlichen Reden. Wir haben an einem einzigen Nachmittage drei solcher erhabenen Leistungen über uns ergehen lassen. Wir waren neugierig und wollten einmal erfahren, weshalb an gewissen Tagen Junge und Alte in den Tempel der Gemeinde strömten. Es gab frommen Gesang. »Ja, vi elsker dette Landet« wurde auch gesungen. Man sang der Einfachheit halber zuerst eine halbe Stunde lang. Dann erschien ein Mann auf dem Podium, einer der Heiligen der letzten Tage oder einer vom Hause Zoar oder von der Pfingstgemeinde oder vielleicht von einer neueren (älteren), noch besseren Mission und sprach, gestützt auf die Offenbarung Johannes, das Urteil über die sündige Welt. Er schrie und tobte wie Gott im Himmel, und die Textstellen des heiligen Rätselbuches zergingen zwischen seinen Lippen wie Brei. Er wußte alles unwiderruflich genau, bestimmt, vom Geiste eingegeben. Da gab es keinen Zweifel, kein Erbarmen, die Schlünde der Hölle wurden mitleidslos geöffnet und die Zuhörer, auf Mistgabeln gespießt, hineingeworfen. – Danach sang man wieder, um den Alpdruck ein wenig zu lüften. Als man lange genug gesungen, trat ein Bauer, irgendeiner aus den Seitentälern, vor die Hörer und sprach vom norwegischen Bauern. Die Rede war sehr lang; aber sie war doch nur die Variation über einen einzigen Satz: »Der norwegische Bauer ist der beste Bauer.« Er sagte ihn, wie ein Pfarrer seine Bibelstelle in einer schlechten Predigt, an die hundert Mal. Der Satz wurde, wie die Bibelstelle, immer besser, die Betonungen wechselten, so daß der Spruch in allen Farben schillerte. Bald war es das Norwegische, das aufleuchtete, dann der Bauer, dann das Beste. Immerhin, es ließ sich einiges aus der Grundmasse der Behauptung herauslösen. Zum Beispiel: »Der norwegische Bauer hat Kultur. Was ist Kultur?« – Nun, man erfuhr es. »Der norwegische Bauer hat Liebe. Liebe zu wem, zu was?« – Man erfuhr von dieser Liebe. »Der norwegische Bauer hat Nationalbewußsein.« – Man wurde auch darüber belehrt. »Der norwegische Bauer ist frei.« – Diese Freiheit wurde in glühenden Farben geschildert. »Der norwegische Bauer hat die besten Wirtschaftsmethoden.« – Es wurde auch das bewiesen. Es war keine Lücke in der Beweisführung. Der norwegische Bauer schwamm wie ein Ölfleck auf dem Wasser. – Es war ein selbstbewußter, ein ungeheuerlicher Vortrag. Die ganze Erde, außerhalb Norges, mußte mit Stümpern und Trotteln bevölkert sein. Es war außerordentlich, und die Zuhörer klatschten sehr. Man sang wieder. Es wurde dunkel. Man mußte die Lampen entzünden. Zum dritten Vortrag wurde der Saal gedrängevoll. Junge Burschen kamen zu Dutzenden herein. Den Grund hierfür erfuhren wir erst, als der Redner die Bühne betrat. Es war nämlich eine Rednerin, die Tochter des Schmiedes, das einzige Mädchen von augenfälliger Schönheit, das es in Urrland gab. Sie war siebzehn Jahre alt. Die Burschen, die noch an gar kein Bett gefesselt waren, leckten sich die Finger, wenn sie an sie dachten. – Haabjørg Amla tischte eingangs an die dreißig Bibelstellen auf. Sie

strotzte von Belesenheit. Jeder Katechet hätte seine reine Freude an dieser ungetrübten Quelle gehabt. – Wozu aber dies Aufgebot an verbürgter göttlicher Weisheit? – Das liebe Kind führte den Beweis, daß es sündig sei, zu heiraten. Sie malte die Freuden der Ehe in den schwärzesten Farben. Sie nannte die Burschen und Kerle eine Horde von Lüstlingen. Sie schreckte nicht vor drastischen Ausdrücken zurück. Nachdem sie die schrecklichen Gefahren geschildert, die jedes Mädchen umlauern, kam sie auf die Tröstungen zu sprechen, die sich ebenso bereitwillig den frommen Menschen öffnen: die Entsagung und das Sichversenken in Sinn und Buchstaben der Heiligen Schrift. Man werde dann der Offenbarung nicht entgehen, wie es ihr selbst widerfahren. Es habe sie gedrängt, die Kundschaft, die ihr geworden, allen zu verkünden. Lächelnd, ohne Stocken, mit anmutigem Ernst sagte sie ihre Predigt her. Es war erstaunlicher als alles, was wir bisher gehört. Nur einige Burschen lachten. Das war schade. Sie störten die feierliche Stimmung.
Als nun Haabjørg abgetreten war und die Versammlung sich unter Gesang auflöste und es gewiß wurde, daß draußen Nacht war, rotteten einige Burschen sich auf dem Wege neben der Kirchhofsmauer zusammen. Sie warteten dort. Sie brauchten nicht lange zu warten, Haabjørg flog ihnen lachend entgegen. Es war ja Nacht, und in der Nacht gilt eine andere Frömmigkeit. So ist es in Urrland, nachdem die Heiden zur Minderheit geworden sind.

– – – – – – – – – –

Eine zweite Straße eilt, kaum daß sie den Marktplatz verlassen hat, über den Fluß; eine hölzerne Brücke, mit hundert oder hundertfünfzig Pfählen im Schotter des Flußbettes verankert, trägt sie. Ein eisernes Gitter faßt sie ein, bis sie das gegenseitige Ufer erreicht hat. Dann scheint sie sich zu verlieren. Kleine Häuser und merkwürdig hohe Umfassungsmauern verwilderter Kirschgärten drängen sie vom geraden Lauf ab. Sie senkt sich bis zu einer winzigen Bucht hinab; die verfaulenden Algen des Kiesstrandes stinken heran. Dann schwingt sie sich bis zum Vorgebirge des Hovdongmassivs hinauf, über jene dunklen Kuppen hinweg, deren Granit feinkörnig, dicht, glasartig, fast unverwitterbar in mächtigen runden Hauben steht und aus dem grünschwarzen Fjordwasser aufragt, das hier niemals von einem Strahl der Sonne berührt wird. Sie endet plötzlich inmitten zerklüfteter Schieferabstürze, nahe dem Hause der Witwe Nordal. Es war eine unvollendete Straße. In der Zukunft einmal sollte sie bis Flaam weitergeführt werden.

– – – – – – – – – –

Der dritte Weg endlich, am Gestade des Fjordes entlang, verlor seine Fahrbarkeit schon bald, nachdem er den Hof Haakon Myrvangs berührt hatte. Bis dahin und ein wenig weiter noch gab es an den Hängen schöne Obstgärten. Vinjes stolzer Hof lag wie eine Burg auf der Anhöhe. Es muß der Wohnplatz der ersten Ansiedler gewesen sein, vor zweitausend oder viertausend Jahren. In der Nähe war der Ort des verschwundenen Tempels, der Ryddjakjyrka und das frühmittelalterliche Gräberfeld. – In der Ferne, fünfhundert Meter aufwärts, konnte man Oyje als eine Winzigkeit erkennen.
Die Obstgärten hörten auf; der Weg wurde ein Steig. Bald senkte er sich bis zum Strand hinab, bald kletterte er über Klippen hinweg. – Man konnte zuweilen denken, er habe sich ganz aufgelöst; aber man wußte auch, er führt am Fuß der roten Blaaskavlwand entlang bis Skaerdal. Und Skaerdal war ein Ziel. Skaerdal ist ein Tal und ein Bygd, ein kleines Dorf, drei oder vier Höfe an einem Platz gesammelt. Es gibt dort einen Fluß und Wasserfälle. Kühe, Ziegen, selbst Pferde, Wiesen, ein paar Äcker, Birken, die Brennholz für den Winter liefern. Skaerdal ist anders als andere kleine Dörfer. Es ist eine Welt für sich. Es gibt keine Fahrstraße, die herzuführt. Es gibt nur den einen schmalen Steig und Boote, die den Fjord befahren können. Im Norden und Osten gibt es die erstarrten, ehemals glühenden Berge, diese Mauern, fast zweitausend Meter hoch und dreißig oder fünfzig Kilometer dick. Auf ihren Häuptern liegt Schnee, und der Schnee nährt auch den Fluß, und der Fluß nährt Lachse und Forellen, genauer gesagt, er läßt sich von Lachsen und Forellen belaichen und nährt dann die Brut.
Der Steig führt am Wohnplatz der Trolle vorüber; man sieht den Silberstrahl des dünnen Wasserfalls. Man hört den leisen Ton in den Bergen. Dann senkt sich der Steig wieder zum

Fjord hinab; eine Elle breit nur, sich schlängelnd, zuweilen vom Wasser bespült, drückt er sich bis zum Fuß der roten Granitwand hinab, jenes Vorpostens des Blaaskavl, der senkrecht ohne Absatz und Schrunden tausend Meter hoch aufsteigt. Man fühlt sich fast vernichtet, wenn man im atmenden Schatten dieser Mauer ausschreitet. Das schwarzgrüne Wasser des Fjordes läßt den ungeheuren Abgrund ahnen, zu dem der Berg in der Tiefe hinabreicht, wahrscheinlich senkrecht abfallend wie das Sichtbare. Der Berg atmet einen warmen Hauch aus. Im Winter, wenn der Fjord sich mit meterdickem Eis belegt, bleibt die Schicht in der Nähe der roten Wand nur Zentimeter stark. Ich wußte es nicht; es hätte mich fast das Leben gekostet, als ich einmal, nur von Adle begleitet, mit Schlittschuhen den Fjord befuhr. Die schwarze Scheibe unter mir knisterte schon, bekam Sprünge – da, in einer mir gar nicht gemäßen Geistesgegenwart, suchte ich eilends in einem großen Bogen zur Mitte des Fjordes hinaus. Adle verstand meine Schreie, die ich ihm zurief. Er war auch leichter als ich.
Man begreift, die Einsamkeit Skaerdals wird noch größer, wenn der Winter den Ruderbooten die Ausfahrt versperrt und das Eis nicht trägt. Man muß die Toten solcher Jahreszeit dann irgendwo im Gebirge verscharren oder sie zum beständigen Schnee hinauftragen, damit sie gefrieren, um später in Vangen begraben werden zu können. Die Menschen der drei oder vier Höfe werden in ihren Sitten den Bewohnern von Urrland unähnlich, wie Helge Vetti und sein Knecht ihnen unähnlich geworden waren. Sie kennen einander, die Bewohner der drei oder vier Höfe – oder glauben doch, einander zu kennen. Sie reden miteinander. Es ist immer eine alte Frau oder ein alter Mann vorhanden, der die Kinder das Lesen lehrt. Ein umherreisender Schulmeister, der einmal im Jahre auf sechs Wochen im Dorfe Quartier nimmt, versucht auch die Kunst des Schreibens und die Anfangsgründe des Rechnens in den dicken Kinderköpfen zu wecken. Sein Erfolg ist klein. Das Dorf und seine Alltagsgeschichte sind stärker als die Gelehrsamkeit. Sagt der eine von einer Ziege, es sei ein Springlachs, dann nennen sie alle ihre Ziegen Springlachse. Erklärt einer unter ihnen, er habe beschlossen, die Regierung in Oslo abzusetzen, so erkennen die anderen an, daß sie abge-

setzt ist. Sie leben in Wirklichkeit ohne Bürokratie, Gericht und Polizei. Sie kennen kein Telephon. Nachrichten erreichen sie verspätet und auf Umwegen, schon längst entstellt. Die Erde wird für sie zu einem großen Gebirge, in dem Amerika ein Land wie Norge ist und Chikago ein Platz, ein wenig größer als Vangen. Wird ihnen mitgeteilt, die Erde trage zwei Milliarden Menschen, so schütteln sie den Kopf. Sie können die Zahl nicht denken. Sie sind nicht völlig unbelesen; aber sie haben die gedruckten Aussagen wieder vergessen oder in ihrem Hirn völlig umgestaltet.
Es begegnete mir, als ich zum erstenmal bis zur roten Mauer vordrang, eine ältere Frau. Ihre Haare waren rotweiß und zerzaust. Sie trug einen Korb unter dem Arm; sie wollte dringende Einkäufe in Vangen machen. Sie hielt mich an und redete mit mir. Sie wollte wissen, wer ich sei; sie habe mich noch niemals gesehen. – Sie wartete meine Antwort nicht ab. Sie erklärte sogleich: »Herr Jesus bestimmt es.« Ich erfuhr, daß sie viele Kinder geboren hatte. »Arne ist im Bett nicht anders«, sagte sie bezichtigend. Sie wollte die Kinder gar nicht, aber Herr Jesus und Arne wollten es, jedenfalls war Arne so beschaffen, daß es jedes Jahr ein Neugeborenes gab. Einige waren gestorben, andere waren nach Amerika ausgewandert, wenige waren geblieben. Aber wenn Herr Jesus es wolle, werde sie alle wiedersehen, die Gestorbenen und die in Amerika. Für die Zuhausegebliebenen brauchte sie die himmlische Hilfe nicht. Da war ein Junge, er glich Arne. Er betete nicht, er betete einfach überhaupt nicht. Und das ist eine sehr große Sünde. – Ich verstand ihre Sprache kaum. Mich verstand sie gar nicht. Sie zog Briefe hervor. Briefe aus Amerika. Ich sollte sie lesen. Sie waren in englischer Sprache verfaßt. Ich fragte sie, ob sie den Inhalt kenne. – Durchaus nicht. Es sei auch nicht nötig. Später, im Himmel, werde man sich schon verstehen. – Ich las den Satz, daß Norge keine Kultur besitze; nur in Amerika wisse man, was Kultur sei; ein Arbeiter könne dort ein gutes Beefsteak von einem zähen unterscheiden; in Norge sei alles Fleisch zähe (der Briefschreiber hatte das fette, saftige Rentierfleisch bereits vergessen); und die Fensterscheiben seien fast überall aus Spiegelglas. – Ich verzichtete darauf, als Dolmetscher zu wirken, zumal die Frau mich nicht verstanden hätte. –

Sie verpflichtete mich noch, für ihre Söhne in Amerika zu beten. Dann ging sie davon.
Diese Begegnung hielt mich davon ab, bis nach Skaerdal vorzudringen. Ein anderes Mal vereitelte es ein alter Ziegenbock. Ich war schon fast an der roten Wand vorüber; da kam mir ein Ziegenbock entgegengeschritten. Prächtige Hörner zierten seinen Kopf. Lange weiße und braune Haare hingen an ihm herab. Die Zotten machten ihn ehrwürdig und furchterregend. Er stank seinen Bocksgeruch. Er schritt langsam aus, bis er nahe heran war. Er versperrte mir den Weg. Ich mußte stehenbleiben. Ich sprach ein paar begütigende Worte, klatschte in die Hände; er veränderte seine Gesinnung nicht. Ich wagte mich noch einen Schritt weiter vor. Ich sah in seine gläsernen Augen mit den seltsam geschnittenen Pupillen. Er begann, mit seiner Zunge Triller zu schlagen. Sie fuhr ihm schnell zum Munde heraus, und ebenso schnell zog er sie wieder ein. Es gab einen dumpf saugenden, schmatzenden Laut und erweckte den Eindruck eines unappetitlichen Wahnsinns. Ich hatte nicht eigentlich Furcht vor dem Geist, der sich so zu erkennen gab; aber ich wich doch den einen Schritt zurück, den ich soeben vorwärtsgegangen war. Nun war es der Bock, der um eben diesen Schritt weiter auf mich eindrang, so daß der Abstand zwischen uns nicht vergrößert wurde. Er wiederholte die Zungentriller. Sie wurden länger und eindrucksvoller. Der Speichel stäubte ihm in feinen Spritzern zum Munde hinaus. »Er ist verrückt«, versuchte ich festzustellen, »ein zeugender Greis.« Ich versuchte, ihn noch einmal zur Rückkehr zu bewegen. Er starrte mich nur an und schlug mit der Zunge. Gewalt anzuwenden wagte ich nicht. Er war wenigstens ebenso stark wie ich. Er stand sicher auf seinen vier Beinen. (Schon die neugeborenen Zicklein stehen eine Stunde, nachdem sie das Licht der Welt erblickt haben, wie anmutige Statuen hoch über einem Abgrund auf einem Grat, der kaum so groß ist, daß ihre vier kleinen Hufe Platz darauf finden. Es schwindelt sie nicht; sie stürzen niemals. Übrigens sagt man in Norge, eine westländische Kuh könne besser klettern als eine ostländische Ziege. Was soll man dann von einer westländischen Ziege sagen?) Mit seinem Gehörn konnte er mich leicht in den Fjord hinabbefördern. An der Wand gab es keinen Vorsprung, den ich hätte

hinaufklettern können. So tat ich den zweiten Schritt zurück, hoffend, daß er eine andere Wirkung haben möchte als der vorige. Doch nein; der Bock folgte mir mit genau bemessenem Abstand. Ich entschloß mich noch nicht zum Rückzug, wiewohl sich mein Unbehagen allmählich mit Furcht mischte. Ich blieb lange Zeit stehen. Doch seine Geduld war größer als die meine. Sie war möglicherweise grenzenlos. Er begann wiederzukäuen, um mir seine Verachtung zu zeigen. Hatten seine Zähne einen Bissen verarbeitet, zeigte er mir wieder sein Zungenspiel, bis es ihm gefiel, sich einen neuen Ballen Kraut und Gras aus dem Bauch heraufzuholen. Er war beharrlich, aber kaum gefährlich. Ich begann meine Lage zu überdenken. Es mußte doch wohl einen Ausweg aus meiner ein wenig lächerlichen Rolle geben. Ich sah mich nach einem Stein um. Ich hob einen solchen auf, nicht gerade entschlossen, ihn gegen das Tier zu schleudern; aber er erschien mir als eine Waffe, als eine Entsprechung der Hörner. Der Bock war mir, wie mir schien, bei meinen Bewegungen noch näher auf den Leib gerückt. Nun zeigte ich ihm den Stein und sagte: »Wir werden uns also einigen müssen.« – Er aber, weil sein Gemüt sich inzwischen verfinstert hatte – oder weil ihn der Stein in meiner Hand ärgerte, senkte den Kopf. Nur ein wenig senkte er ihn, gewiß; aber es entging mir nicht. Es mußte also zum Zweikampf zwischen uns kommen, wenn ich mich auf eine Absicht versteifen würde. Das begriff ich. Es ging sehr ehrlich zwischen uns zu. Ich warf den Stein fort, und zwar abwärts, ins Wasser. Es gab eine weiße Fontäne, und der Bock zwinkerte mißbilligend mit den Augenlidern. Doch er verzieh mir diese Belästigung des Fjordes. Er begann sogar wieder, mit der Zunge zu spielen, und diese Tätigkeit, so glaubte ich schon zu wissen, war nicht die Begleitung zu einer heimtückischen Absicht. Er mochte aus meinem Tun geschlossen haben, daß es mit meinem Selbstbewußtsein und meinen Möglichkeiten, mich zu behaupten, nicht gut bestellt war. Ich hatte eine Niederlage erlitten, und er näherte sich nun um einen weiteren Schritt. Jetzt war der Bocksgestank wie eine Berührung, wie ein gegen mich vorgeschobener unsichtbarer Körper. Ich gestand meine Unterlegenheit ein. Ich ging zehn oder zwanzig Schritte zurück, mit meinem Antlitz dem Bock zugewandt. Er

folgte mir ohne Hast, sabbelte ein wenig mit der Zunge. Ich hoffte noch immer auf eine Lösung, die mir die Beschämung eines gänzlichen Rückzuges ersparen würde: auf einen Grat, den ich ersteigen könnte, auf eine Verbreiterung des Steiges, auf einen Gesinnungswechsel des Bockes. Es erfüllte sich nichts. Als das Tier mir wieder so nahe war, daß ein weiterer Schritt die Berührung gebracht hätte, zog ich mich zurück; anfangs noch zögernd. Als eine gewisse Entfernung geschaffen war, wandte ich mich um und lief davon. Nach geraumer Zeit hielt ich. Ich sah, der Bock folgte mir, ohne sein Ausschreiten zu beschleunigen. Er hatte sein Ziel und sein Maß. Ich hielt; er kam heran. Meine Überlegungen, sein Verhalten wiederholten sich. Ich gab mich endlich überwunden. Ich ging vor ihm her, entschlossen, meine Wanderung fortzusetzen, bis die rote Wand zurückgewichen und an den weniger schroffen Abhängen Gelegenheit zum Ausweichen gegeben war. Es legte sich ein passender Abstand zwischen uns. Bei den ersten Schuttbrüchen räumte ich den Weg und hockte mich auf eine Klippe. Er kam heran. Er schritt vorüber. Er würdigte mich nicht eines Blikkes. Ich schaute ihm nach, bis er verschwunden war. Ich begriff nicht, woher er gekommen, welches Ziel er haben mochte. Ich hatte ihn, darüber gab ich mir erst jetzt Rechenschaft, auf eine seltsame, unverhüllte Weise wahrgenommen, als eine Seele. Ich wußte nicht, ob es die Seele eines Tieres oder eines einem Ziegenbock ähnlichen Geistes gewesen. Die Vorstellung bedrängte mich, ob Svaerre Aall oder Ukom Brekke oder irgendein Bauer, der sich an dem eutergleichen Gepränge vergriffe, die Seele vernichten könne, daß sie zu schlechtem Ziegenfleisch würde. Ich kam zu dem Schluß, sie konnten auch einen Geist der Berge vernichten, wenn er nicht schlau genug war, sich ihnen zu entziehen. (Der Mensch kann alles vernichten.) Sie hätten den Stein geschleudert, den ich fortwarf. Es war nur zu fragen, ob der Bock ihnen den Weg verstellt hätte.
Nun, da er nicht mehr zu sehen war, folgte ich ihm. Als eine halbe Stunde später der erste Mensch mir entgegenkam, fragte ich ihn, ob ihm ein Ziegenbock begegnet sei. Ihm war kein Ziegenbock begegnet.
An einem sonnigen Pfingstmorgen endlich kam ich zum erstenmal nach Skaerdal. – Ich sah nichts von der Siedlung;

dennoch wußte ich schon, daß ich da war. Ich stand inmitten rund gewaschener Klippen neben einem brausenden Wasserfall, der sich mehr quirlend als schäumend an glatten Wänden in Stufen hundert Meter herabstürzte. Der Lärm des kochenden und strudelnden Wassers war plötzlich laut wie ein Donner. Das Ohr war so voll davon, daß die Augen kaum sahen. Als die Gewöhnung die Überraschung überwunden hatte, entdeckte ich im dunstigen Atem des Falles zwei oder drei kleine Mühlenhäuser, deren Balkenwände von grünen Algen überzogen waren, so daß sie wie ein Stück wachsender und vergehender Natur anzuschauen waren. Nun wußte ich es noch gewisser, daß ich in Skaerdal war. Ich stieg die granitene Rampe hinauf; der Weg legte sich wie ein unordentliches kiesiges Band über die Klippen. Als ich die Barriere erstiegen hatte, wurde der Weg breiter und ebener. Der Fluß war beruhigter. Das Tal öffnete sich zu einem kleinen Kessel. Es gab ein paar Wiesen. Da lagen auch die Höfe. Die Sonne berührte sie mit gütiger Wärme. Ich wußte kaum, wohin ich zuerst schauen sollte. Trotz der Nähe der Häuser fühlte ich mich immitten einer tiefen Einsamkeit. Meine Augen eilten nun die Talwände hinauf; mit hastiger Muße schaute ich. Die Neugier wich der Befriedigung. Die Hänge der Berge waren fast frei von Trümmerhalden. Alle Formen waren rund, gekuppelt. Nur das reine grüne, unablässig von den Schneefeldern herabfließende Wasser schien die Kurven dieses Tals in den Granit geschliffen zu haben. Die Gletscher und Eisströme vergangener Zeiten hatten jedenfalls nur auf der Sohle des Tals zerriebenes Gestein zurückgelassen. Ich sah das Werk vieler hundertmillionen Jahre. Nirgendswo vorher hatte ich es von solcher schwermütigen Anmut gesehen. Das Massiv der roten Wand war genau so mit runden Kuppen verschönt wie das des eigentlichen Blaaskavl. In der Ferne, talaufwärts, ergoß sich das grüne Flußwasser in weißen Fällen von den steilen gebuchteten Mauern herab.

Ich verließ nun den Weg und trat hinter ein Stallgebäude. Ein Pferch, mit saftigem Grün bewachsen, flimmerte im warmen Licht. An dem der Sonne zugekehrten rotbemalten Holzwerk des Bauwerks standen vier junge Burschen in ihrer Festkleidung. Ihre schönen bunten Kniebänder machten sie zu Königssöhnen. Sie betrachteten eine rossende Stute. Sie lachten über die fleischliche Sehnsucht des Geschöpfes. Ihr Gelächter klang überheblich, höhnisch und lüstern. Und war doch nur ein recht allgemeines Lachen. Es war der erste menschliche Laut, den ich hier vernahm. Darum erschien er mir rauh und vieldeutig. In den Gesichtern konnte ich lesen, daß es noch halbe Kinder waren, die dies Pfingstwunder bestaunten. Welche Unterhaltung oder Belustigung konnte es auch sonst für sie geben, als die grausamen oder empfindsamen Äußerungen der Natur zu betrachten? Vielleicht töteten sie eine Stunde später ein Eichhörnchen. Und die Sonne wärmte die Landschaft. – Mich schienen sie für nichts zu rechnen, denn meine Gegenwart veränderte ihre Laune nicht. Oder ich war unsichtbar. Oder sie lebten in einer anderen Welt. – Noch ehe ich meinen Blick von dieser Szene abwandte, kam ein älterer Mann in Arbeitskleidern auf mich zu. Er packte mich am Arm und begrüßte mich. Er führte mich in eines der Stubenhäuser, um mich zu bewirten. Im großen Zimmer des Hauses fand ich jene Frau wieder, die mir vor so und so langer Zeit auf dem Wege nach Vangen begegnet war. Sie saß auf einem gedrechselten Stuhl und las. Sie begrüßte mich nicht einmal. »Sie betet«, sagte der Bauer genau so verächtlich, wie sie ihr: »Arne ist nicht anders« gesprochen hatte. Ich wußte nun, in wessen Haus ich war. Ich mußte mich setzen. Aus einer Kammer trat ein Mädchen hervor und machte sich am Herd zu schaffen. Es setzte Butter, Käse, gedörrten Schafsschinken und Fladbrot auf den Tisch. Allmählich erwachte auch die Frau aus ihrer Versunkenheit. Sie seufzte. Es war nicht ersichtlich, ob sie mich wiedererkannte. Sie seufzte noch einmal, schüttelte den Kopf und fügte die Worte »Herr Jesus« hinzu. Arne rollte die Augen und deutete mit dem Finger auf seine Stirn, um mir durch Zeichen verständlich zu machen, daß die Frau vor Frömmigkeit für den Umgang mit Menschen nicht brauchbar sei. In der Tat beteiligte sie sich auch später, nachdem sie das Buch fortgelegt hatte, nicht an den Vorgängen in der Stube. Das Mädchen trug Kaffee auf. Ich mußte etwas essen. Ein dicker gelber Hund kroch unter einer Bank hervor. Der Bauer fütterte ihn mit großen Brocken weißen Ziegenkäses. Auch mir legte er davon viertelpfundschwere Scheiben vor, nötigte mich, sie mit Butter zu bestreichen und mit braunem Mysost zu belegen. Wir sprachen

nicht viel. Ich nahm vom selbstbereiteten Stückenzucker, lutschte darauf, bespülte ihn mit Kaffee, wie es die Sitte verlangte. Als ich aufbrechen wollte, wurde die Frau gesprächig. Sie erklärte, das Mädchen sei ihre Tochter; Erik treibe sich irgendwo auf dem Hofe umher; aber es sei an ihm weder Glaube noch Tugend. Nun drängte mich der Bauer zur Stube hinaus. »Sie redet«, sagte er zwischen Tür und Angel. Seine Stimme war leise; aber die Wut in seinen Augen war laut. »Komm wieder«, sagte er, »wir haben immer Käse und Brot, wenn es dir genügt.«
Ich ging. Die Burschen hinter dem Stall waren verschwunden. Einer unter ihnen mußte Erik gewesen sein. (Vielleicht hatten sie gerade ein Tier in einer Falle gefangen.) Ich schritt das Tal hinauf. Ich sah die kleinen Äcker, die bewiesten Hänge, das krause Grün der die Berge bevölkernden Birken. Eine Schafherde stob vor mir davon. Ich hörte den Glockenton einer wandernden Leitkuh. »Die amerikanische Frömmigkeit zerstört das Land«, dachte ich, »selbst diese Einsamkeit ist schon vergiftet. Das Heidentum ist besser. Es beginnt sich zu verteidigen. Es ist ein großes Unglück, daß der katholische Glaube ausgetrieben wurde. Wo einst die unterirdischen Geister des Ortes gewohnt, würden Altäre oder Kreuze stehen. Man würde die Kräfte der Berge erkennen. Die Spaltung zwischen Heiden und Kristen würde an Plätzen wie diesem nicht sein. In den wirklichen Religionen ist größerer Raum als in den Sekten. Und größere Weisheit. Wäre die Reformation nicht gekommen, hätte Kungfutse ein Heiliger der katholischen Kirche werden können. –«

*

Als der dritte Winter zuende ging, kam es zu einem großen Sterben in Urrland, und jedermann verknüpfte den pestartigen Einbruch in die Lebenden mit dem Obstgärtner, der seit einem Jahre in seinem Grabe lag. Alle Kerle und Weiber, die er seinerzeit mit Namen genannt oder berührt hatte, starben; die Häuser, in die er eingedrungen war, mußten Särge ausspucken. Es war ein Aufruhr der Toten gegen die Lebenden.
Trygve Steine begann damit. Er starb als alter Mann, sehr

gefaßt, beinahe unwissend, was mit ihm geschah, wie ein Kind. Als er eingesargt war, entfaltete er plötzlich Kräfte des Widerstandes gegen das Zugrabegetragenwerden, wie ehedem der Gärtner. Die Geister der Berge halfen ihm. Er lag in einer Kammer des Gebirgshofes aufgebahrt. Einundeinehalbe Meile vom Markt in Vangen entfernt. Tausend Meter näher dem Himmel als die Kirche im Tal. Und begann – nächtlich fing es an – einen eisigen Hauch auszuatmen. Die Granite atmeten mit ihm. Der See, der das Tal verschloß, über den die Leiche in einem Boote gefahren werden mußte, bedeckte sich mit einer Glasdecke. Der Propst wartete in der Kirche auf den Leichenzug. Der Leichenzug konnte nicht über das Wasser. Man mußte das Begräbnis aufschieben. Nach einer Woche erkannte man, es ging nicht mit rechten Dingen zu. Es taute, es fror, es taute, es fror. Der Leichnam Trygve Steines begann zu tropfen. Es war eine Plage. Dabei war der Greis mager gewesen. Das Wasser, das von ihm lief, war klar und roch nicht. Es würde zu riechen anfangen, heute oder morgen. Der Leichnam konnte nicht im Hause bleiben. Man beratschlagte, was geschehen solle. Man trug den Sarg hinaus, in die dünne und eisige Schneeluft, damit der Tote gefröre. Ein halbes Jahr lang blieb er in einer Felsschlucht aufgebahrt.
Als man ihn im Frühling auf den Rücken eines Pferdes lud, damit er bei der Kirche unter die Erde käme, begannen die Tücken des Aufsässigen erneut. Er bewegte die Beine, stieß das kleine sechseckige Brett des Sarges ein, so daß plötzlich die Füße, Knochen und Haut nur noch, hervorschauten. Die Frauen schrieen auf. Die Knechte wurden wild und verbissen. Sie schworen, sie würden den Widerspenstigen schon dahin bekommen, wohin er gehöre. Sie unterschätzten das Ausmaß der Revolte. Der Sarg entglitt ihren Händen und fiel in den See. Er tauchte unter, tauchte wieder auf. Wurde herausgezogen, ins Boot gesetzt. Dann erreichte man die Straße. Man fuhr mit Wägelchen. Der geistliche Herr kam dazu, um sehr verspätet die Worte zu sagen vom Fleisch, das zu Erde werden soll. Als er es gesprochen, polterte es gewaltig im Sarge. Der Tote in der Grube zwar war überwunden. Aber es war deutlich geworden, die Aufsässigkeit war beabsichtigt gewesen.
Als alle erschreckt vom Grabe zurücktraten, und der aufgewor-

fene Boden und das Geröll nicht nur wie eine frische Wunde der Erde erschienen, sondern als die unruhigen Ränder eines Grabes, das seine Ordnung nach den Himmelsrichtungen nimmt, in die Gemeinschaft der Nachbargräber eingeht, erkannte man, es war dem des Obstgärtners unmittelbar benachbart. Das baumlose Gräberfeld erschien nun vielen wie ein teuflischer Ort. Vergeblich richteten sie ihren Blick auf die alten weißen Mauern der Kirche, die ausgebuchtet, ermüdet vom Druck der plumpen Gewölbe, dastanden; kaum daß die ausgeloteten Ekken und die fast lieblichen Pforten, weich gekurvt, eingefaßt mit Quadern aus blaugrünem Kleberstein, die Heiligkeit des Ortes verkünden konnten. Eine plötzliche Wut richtete sich gegen den Totengräber und seine Ziege. Gegen die Ziege, weil sie das Gras von den Gräbern fraß und davon Milch gab wie andere Ziegen. Gegen den Mann, weil er die Milch genoß und mit Picke und Schaufel das angerichtet hatte, was jetzt zu erkennen war: daß man zwei tote Aufrührer nebeneinander gebettet hatte. Und womöglich, zu ihren Füßen lagen die beiden: Svend Onstad und seine Frau, der Mörder und die Ermordete, die, wie man wußte, weder Kreuz noch Kranz auf ihren Hügel bekommen hatten.
Einer vom Gefolge, dessen Mut sich hervortun wollte, verletzte die feierliche Stunde. Er trat an den Totengräber heran, der abseits stand, und machte ihm Vorhaltungen. Der Beschuldigte antwortete, indem er den Wütenden lange schweigsam mit seinen rotumränderten tränenden eitrigen Augen ansah. Und als der Angeschwiegene fast von Sinnen gekommen war, weil er im Wasser des entzündeten Blicks den Todesschweiß der Abgerufenen zu erkennen glaubte, kam die unwissende Stimme des Greises mit einer Frage:
»Wo hätte ich das Loch graben sollen, meinst du?«
»Hier«, schrie der vom Trauergefolge und wies auf das Rasenstück, wo sie gerade standen.
Der Totengräber schüttelte verneinend den Kopf.
»Hier liegen sie erst seit sieben Jahren in der Erde«, sagte er, »zwanzig Jahre geben wir ihnen.«
In ohnmächtiger Verzweiflung wies der Angreifer in die Richtung des neugeschaufelten Grabes.
»Und dort?« fragte er.

»Da sind wir im zwanzigsten oder zweiundzwanzigsten Jahr«, sagte der Totengräber, »da kann uns niemand hineinreden. Das hier hat seine Ordnung, der Himmel könnte es auch nicht besser machen.«
Durch das Gespräch wurde das Unglück nicht abgeschwächt. Im Hotel gab es einen Leichenschmaus, und als die Dämmerung anbrach, ging die Fahne im Park hoch zu Mast, als Zeichen, daß die Seele die Wanderung in den Himmel angetreten hat.
Die Nacht, die kam, war sehr finster. Wolken hatten sich zwischen die Berge gehängt, und die Pferde scheuten an der Kirchhofsmauer. In dieser Nacht – oder in der folgenden – sah jemand vier Gestalten auf der Dampfschiffsbrücke stehen. Er zweifelte nicht, wer die vier waren: der Greis, der Obstgärtner, der Mörder und die Ermordete. Sie schienen jemanden zu erwarten. Als aber das Schiff, das zu empfangen sie gekommen waren, sich mit seinen beiden Augen, dem roten und dem grünen, wirklich zeigte und mit dem heißen Dampf einer dumpfen Stimme den schlafenden Platz begrüßte, huschten sie davon und sprangen wie junge Böcke über die Kirchhofsmauer. Das hatten die beiden Packarbeiter, die auf den Ruf des Schiffes hin herbeieilten, gesehen. Als das Postschiff eingefahren war und angelegt hatte, trug man einen Menschen anland.
»Krank«, sagte der Steuermann.
»Tot«, sagten vier hinter der Kirchhofsmauer.
Der Kranke oder Tote aber sagte: »Abgemacht.«
Seit dieser Nacht traten die Toten überall ein. Ungebeten. Erst ihrer fünf, dann sechs, dann sieben. Der Gärtner hatte die Namen der von ihm Gezeichneten behalten. Und so lagen sie da, Burschen, Mädchen, Männer und Weiber, kalt und starr. Ihr Antlitz war dunkel, sehr häßlich. Erwürgte. Der Totengräber schaufelte Löcher auf dem Kiesacker bei der Kirche, wo der Leib zu Erde wurde, woher er gekommen, im Feld der Toten, die zwanzig oder fünfundzwanzig Jahre dahin waren. Als nach zwei Tagen siebzehn Tote gezählt wurden, gab er sein Handwerk auf. Der Propst weigerte sich, in die Trauerhäuser zu gehen. Er betete auf dem Pfarrhof. Er deklamierte das Wort: »Seuche.« Und Särge genug gab es nicht. Und der Distriktsarzt kam nicht. Er war acht Meilen entfernt beschäftigt. Oder

selbst tot. Man verscharrte die Verstorbenen bei den Höfen, in den Bergen. Trug sie in Schluchten, vermauerte sie. Es ging eine Woche dahin, zwei Wochen gingen dahin. Tote jeden Tag. Es war Unordnung wie im Kriege. Die Lebenden kannten keine Trauer, nur Furcht und Ekel vor den Gefallenen der Pest. Der rotzäugige Totengräber warf drei unbenutzte Gräber wieder zu. Dann starb auch er. Er war einer der letzten oder gar der letzte des großen Sterbens. Die Ziege des Mannes wurde von seinen Erben geschlachtet. Es war alles vorüber. Viele waren dahingegangen, aber der Kirchhof war nicht entsprechend gedüngt worden. Die Seuchentoten lagen wo sie lagen. Niemand wagte, ihre weißen festen Knochen zu entblößen. Niemand würde es während der nächsten hundert Jahre wagen.
Kinder werden zu Burschen, Kerlen und busenstarken Mädchen. Sie werden vergessen, sie werden nicht wissen. – Der verrufene Kirchhof kam wieder in Gebrauch. Die Unvernunft, daß die Alten oder Jungen aus den Tälern, vom Strande fort mußten, um im Kieselschotter des Kirchplatzes polternd zu den älteren Gebeinen zu verschwinden, kam wieder in Übung. Die Zeit der Wirrnis war vorbei. Hatte die Empörung nur dem Totengräber gegolten, weil er aufgeworfene Gebeine mit Spaten und Hacke zertrümmerte, anstatt sie zu sammeln? Kannte er die wohlwollende Ordnung oder Vorschrift nicht, die den Dahingegangenen ein bescheidenes Recht beließ? – Aus dem weißen spitzen Giebel der turmlosen Kirche herab fragte ein schwarzer glanzloser Fensterschlitz drohend schmal, menschfeindlich. Ach, das schwarze Giebelfenster war nur blind, ausgebrannt, ein totes Auge hoch oben. Wie die vielen toten Augen des Fleisches. Nicht sehend, nicht wahrnehmend. Taubblind. Die Burschen und Mädchen lieben die blinden lauen Nächte.

*

Der Sommer war da. Und Gesundheit war da. Nur mit Mühe konnte man in die Wochen zurückschauen, die gewesen waren. Wer am Leben war, wollte vergessen. Tutein und mich hatte die Seuche nicht angefallen. Außer dem Reisenden, den man sterbend hereingebracht hatte, war im Hotel niemand gestorben. Aber Ellend wurde von der Krankheit niedergeworfen. Hilflos keuchend lag er in seinem Bett, nach Atem ringend. Stina hatte uns weinend herbeigerufen, daß wir helfen möchten. Tutein sagte, nachdem er den sich auflösenden Wirt, der fett, triefend, blaurot im Gesichte dalag, lange betrachtet hatte: »Ellend wird mit dem Leben davonkommen.«

Unterdessen hatte Janna seit Tagen schon in alle Himmelsrichtungen nach Hilfe telefoniert. Drohend hatten Männer das Telegrafenhäuschen hinter der Küche des Hotels umstanden und die herzensgute Bedienerin der Apparate der einen oder anderen Unterlassung bezichtigt. Die Nachricht vom Tode irgendeines Menschen stampfte wie ein berittener Gendarm gegen die erregte Menge. Des Arztes in Laerdal konnte man nicht habhaft werden. Man erfuhr, die Krankheit raste überall in den Tälern, aber man wollte es nicht glauben. Inmitten der Anarchie traf von der Amtsapotheke eine Kiste ein, die im Hotel abgeliefert wurde. Tutein und ich öffneten sie; es lag ein Zettel Dr. Saint-Michels oben auf dem Inhalt. Mit zittriger Hand hatte er folgende Anweisung geschrieben: »Den Erkrankten gleich bei Beginn der Beschwerden ein oder zwei Ampullen unter die Haut spritzen. Die Stelle des Einstichs mit Alkohol desinfizieren. Den Kranken ein kleines Wasserglas Kognak verabreichen.« Eine Spritze, ein Kasten mit zweihundert Ampullen einer Morphinverbindung und etwa dreißig Flaschen Kognak lagen in der Kiste.

Tutein war an Ellends Bett gestürzt. Ohne viel Erklärungen ging er an die Behandlung des Kranken. Dann sind wir auf die Straße geeilt, haben uns zu Menschen führen lassen, die von der Seuche befallen waren. Am Abend dieses Tages fanden sich die Hebamme Frau Ragna Viung und eine Krankenpflegerin Fräulein Aase Breivik im Hotel ein und forderten, daß die Behandlung der Kranken in ihre Hände gegeben werde. Sie zogen mit der Spritze, den Ampullen und den Kognakflaschen ab.

Ellend genas langsam. Solange er bettlägerig war, fuhren wir frühmorgens auf den Fjord hinaus und fischten statt seiner, damit die Küche keinen Mangel an Fischen hätte.

– – – – – – – – – – –

Stinas Küche war eine jener altertümlichen großartigen Zauberstätten, in denen sich die Rohstoffe der Gemüse, Früchte, geschlachteten Tiere, Milch, Rahm, Mehl, Butter, Wein, Rum, Zucker, Hefe, Eier, Gewürze in delikate Speisen verwandelten. Sie gestand, mit leichtem Bedauern, daß ihre Kenntnisse in der Kochkunst nicht das Maß der großen Welt hätten. Aber sie habe doch auch schon für Fürsten gekocht. (Für sie nicht besser als für uns.) Sie sei niemals weiter herumgekommen als bis nach Larvik am Sognfjord. Dort sei sie bei einem männlichen Koch namens Einar Dahl, der vor vierzig Jahren ein Hotel unterhielt, in die Lehre gegangen. Er sei berühmt gewesen. Später habe sie sich dann an der Erfahrung vervollkommnet. – Sie hatte etwas von der französischen Kochkunst gehört; aber sie ahnte nicht, wieviel sie selbst davon beherrschte. Sie besaß ein altes Kochbuch, dessen unwahrscheinliche Rezepte nur für Patrizierhäuser zusammengestellt schienen. Das berühmte Motto eines berühmten Buches dieser Art, das besagt, ein Topf Rahm schade nicht, war in dem Handbuch Stinas ins Lehrhafte abgewandelt. Es war eben ein Nachschlagewerk, umständlich und drastisch zugleich. »Spare niemals an den Zutaten. Wer nicht mit Butter, Eiern, Rahm und Wein verschwenden kann, wird aus zehn Pfund Fleisch nicht drei Tassen Fleischbrühe zustande bringen.« – Indessen, Stina kochte mit Leidenschaft (sie hatte keine Kinder und kannte keine Vergnügungen mehr, seitdem sie für den Springtanz zu alt und zu dick geworden, und die Brücke überdies von den unreinen Geistern des Tanzes gesäubert war); das war die eigentliche Ursache für ihre überragende Leistung. Sie konnte es zum Beispiel nicht übers Herz bringen, die Kaffeebohnen geröstet in der Krambude zu kaufen. Sie hatte im Vorratshaus einen Sack voll schöner grüner Kaffeebohnen aus Java stehen und brannte davon zweimal in der Woche. Das gab etwas ätzenden Gestank im Hotel; aber ein schwarzes Getränk kam auf den Tisch, das an Köstlichkeit nicht überboten werden konnte. Das Handwerkzeug Stinas war gediegen und urwüchsig. Zweimal im Jahre mußte ein Tischler aus einem dicken Birkenholzstamm einen Mörser schnitzen, damit sie darin Fleisch und Fisch mit mildem steifen Rahm zu Puddings stampfen konnte. Sie besaß eine unübersichtliche Reihe hölzerner Löffel, Keulen und Backgeräte; Saucen und legierte Suppen wurden nur mit Birkenholzbesen gerührt und geschlagen. Die Kochtöpfe waren irden, eisern oder aus Kupfer. Stählerne Messer, riesige silberne Gabeln und Löffel, die einen halben Liter fassen konnten. Sogenannte moderne Küchengeräte verachtete Stina; sie besaß nur einen amerikanischen Cakemaker, mit dessen Hilfe sie Eier in Eierschnaps verwandelte. (Es gab Zeiten, wo wir uns Abend für Abend daran gütlich taten.) Ich entsinne mich mehrerer Dutzend Gerichte, die Stina unvergleichlich gut bereitete. Fischsuppen aus Forellen, Lachs oder Dorsch, mit Safran und Eiern bereitet. Schneehühner in einer Sauce aus zerstampfter Leber und Sahne. Rentierrücken mit einem überwältigend vollen Duft des Fleisches nach Wacholder, Moos und Ruch grünen Holzes. (Ich sehe noch jetzt im Geiste, wie Dr. Saint-Michel der Saft der Fettschwarte zu den Mundwinkeln herausläuft.) Das Kronsbeerkompott dazu von herber Eleganz. Die gleichen wilden Früchte der Hochtäler, als Nachspeise gereicht, waren mit einer äußerst schmackhaften Art Birnen versetzt und wurden, in Zucker geliert, mit dickem ungeschlagenen Rahm gegessen. Fischspeisen: wer hätte darin die dicke Wirtin überbieten können? Lachs und Forellen gekocht, gebraten, geröstet, mit grünen Machandelzweigen geräuchert und gekocht, geräuchert und gebraten, leicht gesalzen, roh zu Pudding zerstampft und im Ofen gebacken, zu Klößen geformt und gekocht. Gesottener Hellbutt und Winterdorsch, Schellfisch mit Mohrrüben. Selbst der Klippfisch, kunstgerecht gewässert, in Salzwasser gekocht und mit flüssiger Butter und gehackten hartgekochten Eiern dazu, war eine außerordentliche Speise. Fische kamen täglich auf den Tisch. Alle Arten der Zubereitung mundeten uns. Nur mit der nationalen Delikatesse des Laugenfisches konnten wir uns nicht befreunden. Er schmeckte uns zu sehr nach Eau de Javelle und roch verfault. Zwar, Stina bereitete die Lauge selbst aus Birkenholzasche. Und Dr. Saint-Michel erklärte, es sei die am leichtesten zu verdauende Form des Fischeiweißes. (Aber er aß auch gern »Rakkørred«, rohe, mit einigen Gewürzen eingelegte, sich langsam zersetzende Forelle.) In jenen Jahren nahmen wir die Gewohnheit an, wie die einheimische Bevölkerung ziemlich ausschließlich Fladbrot zu essen, das spröde und dünn wie ein Messerrücken ist. Stina ließ

das Brot aus Gersten- und Roggenmehl von einer alten Frau bereiten; zuweilen wurde auch grünes Erbsmehl hineingemischt. Der ausgewalzte Teig wurde auf einer großen kreisrunden Eisenplatte, unter der ein Holzfeuer brannte, gebacken. – Die Nachspeisen waren immer wie aus dem Reichtum heraus improvisiert. Rahm, Schlagrahm, Eiercremes, Weingelee, in Zucker festgewordene Früchte, Gelees aus allen nur denkbaren Obst- und Beerensorten, Reis, geriebene Schokolade, Mandeln, Rum und Säfte – das waren die Grundstoffe. Stina wußte nicht, daß man beim Zubereiten der Speisen betrügen konnte. Sie kannte keine Ersatzstoffe. – Sie wußte, daß man sie lobte. Sie lachte kurz und laut, wenn wir den Kopf durch die Küchentür steckten, um ihr eine Anerkennung zu sagen. (Wenn sie am Vormittage mit einem großen Messer hantierte und ich sie in Fleisch, Geflügel oder Fische schneiden sah, packte mich zuweilen ein Grausen. Ich erkannte, sie war vollkommen ungerührt. Sie hatte vergessen, daß das Material, das sie vor sich hatte, Tiere gewesen waren.)
Die täglichen Herrlichkeiten trug Öystina, das Mädchen, auf den Tisch. Öystina war groß und schwer. Sie hatte volle Haare, ein überrotes Gesicht, überrote Hände und einen nur zu leicht bebenden Busen. Sie war von irgendeinem Zeitpunkt an in Tutein verliebt. Wir wußten es nicht. Allenfalls konnten wir es ahnen. Es kam durch ein sehr peinliches Vorkommnis an den Tag. – Es war um die Zeit der Wahlen zum Storting. Da Urrland ein Wahlbezirk ist und seine dreihundert Menschen den gleichen Einfluß auf die Geschicke des Landes haben wie in Oslo hundertundfünfundzwanzigtausend, hielt es der Premierminister nicht für unter seiner Würde, im Haus der Jugend vor den Leuten von Vangen zu sprechen, damit sie ihm ihre Stimme gäben. Er war zwar Großaktionär einer Fischkonservenfabrik in Stavanger, deren Fahrzeuge auch den Urrlandsfjord von Kleinheringen geradezu säuberten, so daß die größeren Fische keine ausreichende Nahrung mehr hatten, also auswanderten oder ausstarben und das örtliche Fischereigewerbe vor einem Jahrzehnt schon zum Erliegen gekommen und die Armut herzzerreißend geworden war – doch hinderten solche Hintergründe ihn nicht (er brauchte hier nur an seinen Walfischfang und Margarinetran zu denken), von den Wohlfahrtseinrichtun-

gen, der sozialen Fürsorge seiner Partei und seinen persönlichen Bemühungen auf diesem Gebiet im besonderen ergreifende Tatsachen, vor allem aber Zukunftspläne zum besten zu geben. – Der Herr Minister war am Tage seiner Rede neben uns der einzige Gast im Hotel. Wir aßen zu dritt am großen Tisch des Speisezimmers. Ich hatte meinen Platz am Kopfende geräumt; Tutein und ich saßen somit zur Rechten und Linken des hohen Herren. Stina hatte das Beste aufgeboten, um die Gaumen zu befriedigen. Ich entsinne mich der einzelnen Speisen nicht, wohl aber des Nachtisches. Es war ein rotes Weingelee, zu dem eine aus Dutzenden von Eidottern gerührte Sauce gereicht wurde. Während nun Öystina das Gelee mit der linken Hand anbot, hielt sie in der rechten die kristallene Schale mit dem dickflüssigen gelben Inhalt über dem Haupte des Ministers. Das Verhängnis wollte, daß sie gerade in diesem Augenblick Tutein voll anschauen mußte. Die Gelegenheit war so günstig. Er starrte abwesend ins Unwichtige; sie aber wartete darauf, einen Blick seiner Augen zu erhaschen. Sie atmete schwer. Ihr Busen hob und senkte sich in traumhafter Lust oder Erregung. Ich sah, die kristallene Schale neigte sich. Ich weiß nicht, ob ich etwas tat, um das Unglück abzuwenden; jedenfalls war es zu spät. Der klebrige Inhalt der ovalen Kristallschale ergoß sich in den Hals des Ministers. – Was nun erfolgte, spielte sich so schnell ab, daß sich mir Einzelheiten nicht eingeprägt haben. Jedenfalls sprang der Minister von seinem Sitz auf. Öystina entledigte sich auf irgendeine Weise der beiden Schalen und lief hinaus. Ziemlich schnell erschien Ellend und brachte eine verwirrte Entschuldigung vor. Der Minister, ich zweifle nicht daran, bezwang seine schlechte Laune. (Die bevorstehenden Wahlen machten ihn rücksichtsvoll. Urrland bedeutete ein Hundertfünfzigstel seines Geschicks.) Er entfernte sich. Auf hinterhältige Weise kamen wir, Tutein und ich, dazu, von der Nachspeise zu essen. Stina trat, sehr gegen ihre Gewohnheit, ins Speisezimmer. Sie lachte. Sie lachte über den Minister, über Öystina; sie trauerte der verschütteten Sauce nicht nach. Sie war nicht anders, als daß sie lachen mußte. Öystina stand im Anrichtezimmer und weinte. Wir versuchten, sie zu trösten. –

– – – – – – – – – –

Wir fischten also in den grauen Morgenstunden auf dem Fjord oder vor der Flußmündung, solange Ellend bettlägerig war und in der Siedlung und auf den Höfen der Tod umherstreifte. Zuweilen war es so still auf dem Wasser, daß das Geräusch der Ruder zwischen den Knaggen wie lautes Pochen über den Fjord hallte. Das platschende Aufspringen eines Lachses aus dem Wasser zerriß die Luft weithin.
Das Gebet der Frommen in den Häusern, an den Betstätten und auf den Wegen war, während die vielen in den Betten starben, wie eine dumpfe unausstehliche Musik gewesen. Es glich der unablässigen öffentlichen Sünde. Ein bestialisches Schauspiel von der Ewigkeit. Da stellten plötzliche Prediger die Frage: »Was wird nach dem Tode sein?« Und sie bewiesen mithilfe des Glaubens nicht nur die Auferstehung der Seele, sondern auch die Ähnlichkeit jeder Person mit sich selbst, ihre Identität jenseits der Grüfte. – Ich konnte nur das Böse in diesen eifernden Menschen sehen, die sich mit dunklen Bibelstellen gegen den Tod verteidigten und mit Schadenfreude das Sterben der Ungläubigen anzeigten. Denn sie stellten Ansprüche. Zwei große Auszeichnungen maßen sie sich bei: über den Tieren zu stehen, vernünftiger, begabter, vor allem aber voller Seele zu sein, im Gegensatz zu diesen von Gott den Menschen zu Sklaven Bestimmten – und daneben, auch unter den Menschen noch auserwählt zu sein, über die Heiden gehoben, über die Ungläubigen, über die Weisen des Altertums, über Konfutse und über den Papst, über die Wissenschaft und über die Weltgeschichte, auserwählter als die Juden, mit dem Körper und Geist Gottes ausgestattet, kraft des Glaubens und der Gnade.
An einem dieser anarchischen Tage flatterte mir ein Amsel vor die Füße. Er lief ängstlich umher, seine Flügel waren zerschossen. Eine Katze würde ihn binnen weniger Stunden erwischen oder ein Iltis ihn erwürgen. Ihm war das Todesurteil gesprochen. Ich entsann mich, am Morgen hatte ich Schüsse gehört, jemand hatte auf ein Getier Jagd gemacht, und eine Schrotkugel hatte den Amsel gefunden. Ich wurde verzagt und traurig. Mit den Gedanken über dem Staube stehen, das können wir vielleicht eine Weile. Aber wir können den Schmerz nicht zum Erlöschen bringen. – Als ich wieder einen feisten Mund von Gott reden hörte, trat ich zu dem Manne, erzählte ihm die

Geschichte vom verwundeten Amsel und fragte ihn, ob er sicher sei, daß Gott unter allen Vögeln der Nähe gerade diesen einen dazu verurteilt habe, auf die angedeutete Weise zu leiden und zu enden. Der Mann blickte mich voller Verachtung an, spie einmal aus und sagte:
»Gottes Wege sind wunderbar.«
Mit großer Ruhe antwortete ich ihm:
»Ich kann mich damit abfinden, daß in einem Kriege Menschen getötet und verstümmelt werden; aber ich mache Gott einen Vorwurf, daß er es zuläßt, daß Pferde und andere Tiere auf den Schlachtfeldern verstümmelt und zu Kadavern werden.«
Der Mann schaute mir schief ins Gesicht, spie noch einmal aus und sagte:
»Davon steht nichts in der Bibel.«
»Dann ist sie kein vollkommenes Buch«, sagte ich gelassen.
Er wandte sich ab, wie man sich von einem Kranken abwendet, dem man nicht helfen kann und dessen Beschwerden für die Zuschauer nur lästig sind. Ich aber spürte einen Trost: ich selbst würde zum Kadaver werden mit aller Kreatur, mit allen herrlichen Pferden und allen Vögeln, mit Löwen, Elefanten und Walen. Mir war, als dächte ich diesen Gedanken zum erstenmal. Vielleicht war er mir zum erstenmal willkommen.

*

Als der herrliche Sommer, der jung als Frühling die Seuche gebracht hatte, verklungen war und die Reisenden aus den Städten in ihre künstliche Heimat zurückgekehrt waren, spürten wir, daß in Ellend und Stina die Furcht wuchs, wir möchten das Hotel niemals wieder verlassen und dort bleiben wie die Bäume im Park, die ihre Wurzeln in den steinigen Boden hinabgelassen hatten. Es war eine wirkliche Furcht, ein Entsetzen, das aus übernatürlichen Vorstellungen kam. Wir hatten, ohne uns besonders vergangen zu haben, die Unschuld allgemeiner Hotelgäste eingebüßt. Wir waren nicht wie die Zugvögel wieder davongeflogen, wir waren festgewachsen wie häßliche Zwerge, deren Füße, Brust und Eingeweide Stein sind, deren Gesicht allein mit schrecklich halbgeschlossenen Augen aus Moos und Gras hervorsprießt und deren langer Bart wie ein Bündel Birkenreiser im Winde pfeift.

Und Ellend fragte mich, als ob es ihm nur darauf ankomme, unterrichtet zu sein:
»Werden Sie auch noch diesen Winter bei uns zu Gast bleiben?«
Ich antwortete zögernd:
»Vielleicht«, und »warum nicht«, und »man kann es nicht wissen.«
Ellend entschlüpfte mir, wie eine Eidechse in der Sommerhitze zwischen Geröll und trockenem Zweigwerk dem forschenden Menschenauge entschlüpft. Als er fort war, wußte ich, wir hatten sein Vertrauen nicht mehr, ein heimlicher Groll war in ihm ausgesät, dieser Groll würde wachsen; wir mußten in einem unauffälligen Kampf unterliegen.
Schon nach wenigen Tagen, als er uns die Rechnung überreichte, bekamen wir die veränderte Einstellung zu spüren. Statt einer Abrechnung nach Wochen, die jeweils sieben Tage umfaßte, erhielten wir eine Aufstellung, die von Sonntag zu Sonntag acht Tage zählte. Im ersten Augenblick glaubte ich wahrhaftig, es handle sich um einen Irrtum und machte Ellend darauf aufmerksam. Aber halsstarrig antwortete er mir:
»Wir sagen acht Tage und meinen eine Woche.« Damit glaubte er mich überzeugt zu haben.
»Man sagt acht Tage, gewiß«, antwortete ich, »aber es sind doch eben nur sieben, und nur siebenmal je Woche haben wir eine Nacht gehabt zum Schlafen und sieben Tage zum Wachen und Essen.«
»Wir sagen aber acht Tage«, beharrte er.
»Aber doch niemals vorher, Ellend, haben Sie die Woche zu acht Tagen berechnet«, sagte ich etwas eindringlicher, um ihn von seinem Betrug abzubringen.
Doch er war nicht zu erschüttern. Ja, er verlegte sich aufs Streiten. Ich zählte ihm die Wochentage mit Namen an den Fingern her. Es half nichts. Er ließ mir empört die Rechnung zurück und machte sich die Treppe hinab.
Ich beratschlagte mit Tutein. Wir beide beurteilten die Lage als kritisch. Dennoch wollte Tutein den Versuch wiederholen, Ellend zu belehren; denn uns so dumm zu stellen, daß wir einer Redensart mehr Glauben schenkten als dem Kalender, konnten wir nicht über uns bringen. Wir wollten uns das Wohlwollen Ellends nicht auf unredliche Weise erkaufen. – Merkwürdiger-

weise konnte Tutein die Nichtübereinstimmung mit wenigen Worten aufklären. Ellend kam mit ihm gemeinsam in den Saal, um auch mir zu versichern, er habe nicht betrügen wollen, die Redensart sei an allem schuld. –

Um die Zeit des Nikolausfestes, als die Tage kaum zum Licht erwachten, zog sich Ellend mit Svaerre Aall und dem alten Skuur in ein leerstehendes Hotelzimmer zurück. Dort verbrachten sie gemeinsam vier oder fünf Tage. Als wir gelegentlich nach Ellend fragten, antwortete uns Stina mit lautem krankem Lachen:

»Ellend trinkt.«

Die Herrschaft der Finsternis war wieder angebrochen. Jeder unterwarf sich ihr. Und es war nichts Erhabenes an der Unterwürfigkeit. Die Männer standen in den trübe erleuchteten Krambuden, spieen in die bereitgestellten Eimer oder auf den Fußboden den braunen Saft von Tabak oder Nelken, die sie kauten. Die Stimmen kamen ungeheuer langsam aus den gelähmten Mündern. Die Worte waren gleichgültig. Die Gedanken waren in den Schlamm des Fleisches hinabgesunken. Und während sie spieen und ein Wort mit der Zunge zerkauten, spielte um ihren bleichen Bauch das tierische Verlangen, das sie wie im Halbschlaf mit süßen Zügeln bändigten, bis die nächste oder übernächste oder fünfte oder zehnte Stunde da war, in der sie sich selbst oder einen anderen Menschen überfielen, damit die Lust geschehe, die um der Vermehrung willen als Preis für Armut, Elend und Krankheit, in der Einsamkeit und in der Gemeinschaft, ohne Ansehen der Person, der Umstände und des Ortes von seiten der verwaltenden Weltordnung ausbezahlt wird. (Von den Ungerechtigkeiten der Verteilung muß ich wohl schweigen. Was hülfe es, wenn ich niederschriebe, was ich gesehen, was ich erraten kann, was mir berichtet wurde und was ich selbst mit fadem oder dünnem Geschmack unter dem Gaumen habe?) – Man sagt, erst um die Zeit der Sommersonnenwende, wenn das Licht und die Wärme sich am breitesten entfalten, sei der Ruf der Erde und des Himmels laut und allgemein in den Tälern und auf den Bergen, und der Taumel komme über alles Geschöpf, und die Menschen hielten nicht mehr an sich. Man erzählt dergleichen wie ein schönes Märchen. Doch die Finsternis kennt ihren Lockruf wie das Licht.

Sie durchdringt das Fleisch mit seltsamen und unwiderstehlichen Gedanken. Und alle diese Gedanken führen an das Gestade einer Schuld. Die Gebete, die man lispelt, und die vierseitigen Zeitungen, die jeder liest, sind nicht inhaltsreich genug, daß sie die Süchte, Ängste und Triebe durch einen Streit der Vorstellungen verdrängen. Es gab keinen Streit, kaum ein Widerstreben. Man schritt in die Finsternis hinein wie ein Tier zur Schlachtbank.
So vergruben sie sich irgendwohin und tranken, spielten, zeigten einander eines der gedunsenen Bilder, das ein Handelsreisender hinterlassen hat, fielen einander mit Fäusten oder Messern an, rückten sich schamlos mit unlauteren Körperstellen näher, beleckten wollüstig die Seiten der Bibel und dachten, daß Lars und Vibeke ertrinken möchten und Anes Kind in der Wiege krepiere, daß Lodvig unfähig zur Liebe würde und Marta unfruchtbar, daß Egil dem Hengst gleichen und Greta närrisch vor Verlangen werden möchte, daß der Taler in der Hand zu Gold würde und daß das Gold schon gewonnen wäre, wenn man Burre ein Schaf stehle. Und man wollte stehlen, man wollte den Hunger der Kinder mit dem Euter der Kuh stillen, die nicht einem selbst, sondern Kaare Vangen gehörte. Auch im Kuhstall war Nacht, und die Wege waren voll Finsternis. Und wenn ein Narr die irdische Gerechtigkeit verföchte, die immer parteiisch austeilt, man könnte ihm ein Messer in die weichen, aber im übrigen genau so finsteren Eingeweide setzen, die nicht lauter zu schreien verstanden als mit einem leisen Pfiff. Und man schlug eines Nachts bei Heino Ulfs die Tür ein, jagte ihn unter das Bett und besudelte die noch warmen Kissen über ihm. Und Ellend wollte sich unserer entledigen, auf die eine oder andere Weise, und beschimpfte uns vor seinen Saufgenossen. – Doch was da an Taten und Gedanken geschah, wuchs nur langsam und allmählich, denn es war eine gewaltig lange Zeit der Finsternis, und Eile war nicht vonnöten. Was geschehen mußte, würde geschehen. Und es geschah, was die Dunkelheit forderte. Es geschah auch, daß ich an meine Mutter dachte und vor Einsamkeit weinte, daß ich ihr einen Brief schrieb voller gräßlicher Andeutungen, daß ich den Greuel dachte, ein anderer sein zu mögen, als ich war, Tutein von einem Felsen hinab in den Fjord zu stoßen, um ein wüstes

Leben für mich allein zu beginnen. Ich dachte auch an die Herden der Rentiere, die jenseits des Fjordes an der Schneegrenze entlangzogen, an die Bullen unter den Kühen, an den Segen, der die Tiere bestrahlt, an die Verfluchung des rechnenden und messenden Menschen. Der Unfriede war mächtig.
Indessen rüstete sich der Propst zu einer seiner Abwehrveranstaltungen gegen die Finsternis. Er erschien auf dem Altan des Hotels (dort begegneten wir ihm) und lud uns zu einem geselligen Abend auf dem Pfarrhof ein. Er deutete an, es werde ihm willkommen sein, wenn ich einige Musikstücke vortragen würde. Als er unsere Zusage erhalten hatte, nahm er die schwere schwarze Pelzmütze ab, verneigte sich, dankte. Die blütenweißen Haare zerzauste ein zufällig daherjagender Wind. Seine dünnen Lippen hatten gezittert. Der Blick lag versunken hinter den Linsen einer Brille. Er zeigte mit den Händen nach der schwarzen Granitbarre, die das Vorgebirge des Hovdongmassivs ausmacht und den Ausblick nach Fretheim versperrt. Aber er sagte kein begleitendes Wort; dennoch verstand ich seine Bewegung, die ausdrücken wollte: abgeriegelt.
Als wir talaufwärts zum Pfarrhof wanderten, pfiff ein Wind, der mit graupigem Schnee gewürzt war. Die frühe Nacht hatte ihr schwarzes Segel schon über das Tal gezogen, und so trieb dieser Platz der Erde auf dem Meer der Stunden dahin. Und niemand kannte die Untiefen der Zeit. Die Flußinseln lagen verborgen in der Niederung, nur ein flüsterndes Zirpen der Erlengebüsche drang herüber. Der Wind kämmte den alten Birken am Wegrand das Haar. Ich hielt Tutein untergehakt und preßte seinen Arm. Unsere Schritte knirschten auf dem Kies des Weges. Ich hatte die magische Empfindung, daß diese Wanderung außerhalb der Wirklichkeit war, daß unsere Füße sich ohne unser Zutun bewegten und ohne Mühe oder Verlust an irdischer Energie. Aber gerade darum würde es ein verlorenes Erlebnis sein, ein Vorbote des Verlöschens, ein Zeichen, daß nichts unser Eigentum blieb, wenn das Hirn unter dem Schädeldach erst verjauchte. Ich richtete die Stirn aufwärts gegen den Eisblock des Weltenraumes, der zu dieser Stunde nicht schimmerte. Ich dachte an den unendlichen diamantenen Ozean der Gravitation, der auch dies Tal, diese Nacht, den Fluß, das Pfarrhaus, Tutein und mich trug, und daß die Sünden

und guten Taten nicht einen einzigen geizigen Funken in die Leere zwischen den Sternen hinaustrügen. Daß wir von der Nähe umzingelt waren, daß unseren Menschenblick, der weiter reicht als unsere Hand, die Berge umzingelten. So spürte ich, zum erstenmal mit scharfer Deutlichkeit, die Enge unserer granitenen Heimat. Die furchtbare Enge des lichtlosen winterlichen Tales. – Da hörte ich menschliche Stimmen hinter uns. Laut und singend redende Gäste, die das gleiche Ziel wie wir hatten. Ich spürte die Kälte und zitterte fröstelnd. Tutein neigte seinen Kopf zu mir: »Gleich sind wir angelangt.«

Als wir ins Pfarrhaus traten, verwandelten sich meine Empfindungen jählings. Brenzlich riechende Wärme erfüllte die Vorhalle. Vor einem Spiegel brannten zwei Kerzen. Und ich sah mich plötzlich Arm in Arm mit Tutein. Und Tuteins Angesicht war das eines Fremden, noch nicht befreit vom Anhauch der Gedanken, die ihn heimgesucht wie mich die meinen. Doch in eben dieser Sekunde erwachte er, wie auch ich erwachte, und sein hilfsbereites Lächeln, seine zutrauliche Anmut wandten sich meinem Spiegelbild zu. Ich empfand eine grundlose kindliche Vorfreude. Ich sah, in einer Ecke der Halle wuchs ein kleiner immergrüner Wald in Blumentöpfen. Altmodische Ziergewächse: Paradiesbäume, Porzellanblumen, Asparagus, Gummibäume und mit fleischigen gezackten Blättern Araliazeen.

Die Propstin, mager und klein von Gestalt, kam uns entgegen. Ihre Augen lagen tief in graue Schatten gebettet; aber sie leuchteten uns mit Güte, mit einer Art Frohsinn entgegen.

»Rad wird sich freuen, daß Sie gekommen sind«, sagte sie schlicht. Und damit schob sie uns durch eine der Türen in ein Zimmer. Auch hier war duftende schwere Wärme. Wieder zwei brennende Kerzen, die vor einem Stechpalmenzweig standen. Altmodische Möbel aus Nußbaumholz. Eine Petroleumlampe mit gedrechseltem Marmorfuß und runder Milchglaskuppel, milde leuchtend in einer Ecke. Anstoßend ein saalartiger Raum; eine zweiflügelige Tür, weit geöffnet, geleitete die Augen hinein. Ein etwas schäbiger Teppich bedeckte jenseits der Tür die Mitte des Fußbodens, und in der Mitte der buntgewebten krausen Muster standen die Füße des Propstes. Er hatte sich aufgereckt. Die Gläser seiner Brille funkelten im Schein der Kerzen. Sein Mund stammelte ein Wort der Begrüßung. Sein weißes Haar hatte einen rötlichen Schein. Er schritt auf uns zu, umweht von den Schwaden des häuslichen Sommers. Im gleichen Augenblick trat, frisch gewaschen und sauber gekleidet, ein Stallknecht ein (der Geruch der Rinder und Pferde haftete ihm noch ein wenig an); er trug in seiner Hand ein großes Glas voll kuhwarmer Milch; er reichte es dem Propsten, und der, vergessend, daß er uns die Hand reichen wollte, nahm das Glas, trank es bedächtig aus, reichte es dem Knecht zurück. Dann erst gab er seine magere Hand in die unsrige. Er lächelte ein wenig verschlagen.

»Ich muß meine schwachen Kräfte mühevoll pflegen«, sagte er, »ich bin alt.« Beim letzten Wort verzog sich sein Gesicht zu einer Grimasse.

»Wieviele Kühe sind auf dem Hof?« fragte Tutein den Knecht.

»Zehn«, antwortete der.

»Und zwei Pferde«, ergänzte der Propst.

Der irdische Reichtum des Mannes trat mir vor die Augen, das unermeßliche Glück, Haus, Hof, Vieh, Knecht und Magd zu besitzen, die Stuben voll warmen Sommers mitten im Winter und das Licht der Kerzen und rötlich brennenden Petroleumlampen inmitten der Finsternis. Und sogleich war auch ein Duft da, nach in Schmalz gebackenen Kuchen. Diesen Wohlstand, durch keine Sorgen benagt, eingebettet in die schöne Gewißheit eines monatlichen Gehaltes, verdankte der Mann dem Dienst an der Religion, der beamteten Fürsorge für den Himmlischen, und daß die Irdischen in Seinem Namen gezeugt, geboren, getauft, in die Register der großen Bücher eingetragen, konfirmiert und wieder eingetragen, verlobt, verheiratet und wieder eingetragen, zeugten, Kinder bekamen (wieder eingetragen), vergreisten und starben und nochmals eingetragen (was einem Ausstreichen gleichkam) würden. Mochte sein Amt seine Beschwernisse haben, so war es doch gefahrlos und machte den Träger der Würde zu einem fast freien und in diesem Tal zu einem großen Herrn.

Wie ich ihn beneidete, dem gegeben und nur wenig abverlangt wurde! Welche inwendige Kraft hatte ihn auf diesen freudvollen Lebensweg getrieben? War es der Glaube, von dem die, die es angeht, so viel Aufhebens machen, daß er die Berge versetze und das Wasser unter den Füßen der Entschlossenen in Stein verwandle? – Und doch standen alle Berge an ihrem Platz, und das Wasser war nirgendwo zur Brücke geworden. Die Geschichte der Menschheit und der einzelnen wurde mit dem Mittel der Gewalt abgerechnet, und nicht einmal ein Quentchen Mitleid wurde den Schwächeren zuteil. – Als ich den Propsten beneidete, bewunderte ich ihn auch schon, denn nicht der Glaube hatte ihn zum Eigentümer eines so schönen Daseins gemacht, vielmehr der Entschluß – trotz einer Welt voll Teufelei – ein wenig aus dem Napf der Auserwählten zu kosten, vom Honigseim der Dummen, die da geistig arm sind und deshalb den Geschmack der großen Bitternis nicht kennen, das Ungestilltsein, wenn das Unrecht, das Gemetzel, das Gedröhn der Gemeinheit, die immer recht hat, da sind. Ich stellte mir jenen fernen Jüngling vor, wie er sich prüfte, sich, seine Zuversicht, sein Verhältnis zu Gott, seine Möglichkeiten in den Jahren und in der weiten Welt – und wie er entschlossen den Weg wählte, jemand zu dienen, der nicht da war – oder der möglicherweise nicht da war, der in keinem Fall mit ihm hadern konnte, der nicht mutwillig oder jähzornig, wohlwollend oder verächtlich zu seinen Handlungen Stellung nehmen würde – weil er eben Gott, etwas Unfaßbares oder überhaupt nicht war. Nichts hatte er vom jenseitigen Herren zu erwarten. Um so besessener mußte er sich gegen den diesseitigen wappnen. Den glaubte er zu kennen. Er war anfällig und unerschrocken genug, sich selbst und die Mitmenschen einzuordnen. Er hatte schwache Nerven, nicht zu leugnen. Was schief an ihm war, konnte kein Gebet gerade machen. Die Lüge und die Heuchelei, mit denen jeder schuldig wird, wollte er voller Anstand begehen, wissend, daß kein Weg um diese Besudelung herumführt. Er hat einmal, im Laufe der Jahre, das Wort gesprochen, um dessentwillen er mir nicht aus dem Sinn kommt. Er sagte: »Die Schöpfung hat nicht mit dem Menschen gerechnet. Er ist überraschend gekommen, man weiß nicht, woher, ehe sie ihre Vorkehrungen treffen konnte. Seine Schlauheit war und ist größer als ihre Weisheit. Da liegen nun Herz und Lungen durch allerlei Knochen beschützt in unserer Brust und in der Brust der Tiere, in der Brust der Pferde und Kamele, Elefanten, Rinder, Schafe,

Katzen und Wölfe, der Krokodile, Giraffen, Schildkröten und Fische; und was wir im Bauche haben, ist auch nicht mit einfältigen Händen zu fassen, daß man es zerquetsche. Die Schöpfung hat einfach an die Hände des Menschen nicht gedacht, nicht an seinen Verstand, sie ist auf ein paar Jahre ins Hintertreffen gekommen. Da gehen die männlichen Tiere einher, auf die die Vorsehung so stolz ist, daß sie sie prächtig gemacht hat, wohlgestaltet, voller Kraft der Vermehrung, und der Mensch mit Messer und Säge, mit nackten Händen und mit den Zähnen seines Mundes vernichtet, worauf die Vorsehung so stolz war, daß sie es öffentlich ausstellte. Sogar die unzugänglichen und phantastischen Wale im Gebiet der Eisberge erreicht man mit Schiffen und zerreißt ihren Leib mit der Sprengladung einer Harpune. – Sie hat sich einfach verrechnet, diese Schöpfung, und die Vorsehung mit ihr. Mir scheint zuweilen, den Menschen sitzt der Teufel im Genick. Man kann ja kaum glauben, daß sie so schlecht sind, wie sie sich geben. Und so töricht und so schlau zugleich. Der Teufel ist an ihrem Ohr. Oder ihr Hirn ist falsch konstruiert. Wie aber sollen wir auf Besserung hoffen, wenn es nicht der Teufel ist?« – Er hatte seinen Gedanken nicht weiter ausgeführt; aber seine Augen brannten hilflos und entschlossen zugleich. Wie mochten sie gebrannt haben, als er ein Jüngling war und noch nicht abgehärtet durch Leid und grausige Bilder! – So faßte er den Entschluß, ein Beamter dessen zu werden, dessen Werke ins Hintertreffen gekommen waren und vor der Schlauheit des Menschen nicht bestehen konnten, so daß sie überall verwüstet wurden. Er wußte, daß er ernährt werden würde durch die, die nicht zu retten und nicht zu bekehren waren. Die mit weniger Anstand als er selbst ihren Gott erlogen. – Er ging seinen Weg bis in dies Tal. Wohin hätte er sich sonst wohl tragen lassen sollen? In irgendeine Stadt, wo die Scheinheiligsten noch großes Aufheben von der Technik, vom Fortschritt und der Humanität machen? Wo man im Errichten von Asylen und Krankenhäusern Werke der Nächstenliebe sieht, da es sich doch um nichts Besseres handelt als um Zwangsanstalten und Zuchthäuser. Es geht doch immer nur darum, die Gesellschaft vor Anarchie und Pestilenz zu bewahren, damit man der wahren Gerechtigkeit entraten kann. Der niedrigste und gemeinste

Hunger bringt für die Reichen keinen Segen. Die eingegitterte Armut, die von Ärzten und Bürokraten beschwatzte, ist nicht gefährlich. –
Weder hätte er dort ein Reicher unter Armen noch ein Bekannter des sichtbaren Teufels werden können.
Wie sehr ich ihn beneidete und wie heftig ich mich anklagte, daß ich, als es noch nicht zu spät für mich war, die einfachen Wege durchs Dasein nicht hatte finden können! – Doch allen Wohlstand würde er mit dem Tode verlieren. Gnade erwartete er nicht, vom Teufel nur ein letztes Hohngelächter. Es würde ihm nichts bleiben. Den Beinacker an der Bucht würden die Berge mit Schweigen verhöhnen. Er würde seine Lüge wohl mit Anstand bis ans Ende lügen, dessen war er gewiß; aber das Glück, da zu sein, war kürzer geworden. Es war schon dabei zu verlöschen. Und die Nacht brach schon in seine Gedanken und Vorstellungen ein. Und sein Glück, sein Wohlstand, waren nichts, was irgendwelchen Glanz warf; sie waren gering, recht allgemein und gediehen nur in dieser Abgeschiedenheit, in dieser Ummauerung durch die Berge. Und er ertrug es kaum noch, dies Leben, das er so sehr liebte, das er liebte als einzigen Schatz, als Bollwerk gegen das Nichtsein. Mochte Satan ihm und allen im Genick sitzen. Man fand sich mit der Nachbarschaft des Widersachers ab, diesem Feind des Fleisches. Er folgte einem nicht bis in das Grab, das war gewiß. Statt seiner tat sich die unauslotbare Scheußlichkeit des Nichtmehrseins auf, die Zertrümmerung des Fleisches, dieser plumpe Ausweg der Vorsehung, die sich verrechnet hat, die keine Gewalt über die Zeit bekommen hat, die von den Abläufen überrumpelt wurde, die die Entwicklung nicht bedacht hat und nun mit unsäglichen Mühen die Vermehrung mit dem Tod, den Aufstieg mit Niedergang, den Schmerz mit Betäubung und die Gedanken mit der Verzweiflung bekämpft. – Und noch sinnt sie, was sie der Menschheit antun soll, damit der Pendelschlag nicht aussetzt. – Ich beneidete ihn dennoch, denn ich hatte Heimweh nach einem klaren irdischen Glück. Ich dachte an meine Mutter. Ich vergaß, daß ich selbst nicht arm war, daß mein Schicksal dem des alten Mannes gar nicht so unähnlich war. Und so lechzte ich gierig nach dem, was ich schon besaß, nur, weil es hier in Haus, Hof, Wärme und Kerzen verzaubert

war, in einen sauber gewaschenen Knecht, in kuhwarme Milch. –
Da brachte die Propstin ein Tablett herein, vollgestellt mit Tassen, Zucker, einer Teekanne, einer Karaffe mit Rum, einem Porzellankorb voll Schmalzkuchen. – Der Propst legte mir die Hand auf die Schulter. »Lieber«, sagte er, »der Rum ist nur für Sie beide. Den übrigen Gästen müssen wir ihn vorenthalten.«
Und die Propstin schenkte Tee ein. Man hörte Gäste in der Vorhalle. Der Propst zog die Doppeltür zum Saal hin zu. Man hörte, die Gäste wurden durch jemand hereingeführt. Der Knecht erbat sich einen Schluck Rum. Ich sah auf die Hände des Knechtes; man konnte die Adern erkennen, und die Haut war belebt mit Schrunden, Grübchen und winzigen Trichtern, auf deren Grunde fast farblose Haare wuchsen – wie Schweinsleder, doch voller Leben, und sicherlich warm und weich, wenn man sie berührte. Es wurde ganz still in dem Zimmer, in dem wir waren. Sitzend Tutein, der Knecht und ich, stehend der Propst und die Propstin. Und man hörte die Geräusche der Gäste von nebenan wie einen übernatürlichen Lärm, der aber nichts Bedrohliches hat.
»Ich werde etwas sprechen«, sagte der Propst, »von der Schönheit, von einer Italienreise, die ich vor vierzig Jahren gemacht habe.« –
»Ach«, sagte ich, halb neugierig, halb unwillig, weil der köstliche Augenblick zerrissen wurde.
Wir schlürften Tee, bissen in das duftende Gebäck.
»Orla ist ein Leckermaul«, sagte die Propstin lächelnd. Dann ging sie hinaus. Auch der Propst verschwand durch die Doppeltür in den Saal, um die Gäste zu begrüßen. Er zog die Türflügel wieder hinter sich zu. Für uns kamen neue, andere Minuten.
»Setz dich zu uns an den Tisch«, sagte Tutein zum Knecht.
»Wenn du mir noch ein wenig Rum gibst«, antwortete er. Und wahrhaftig, er kam heran und ließ seinen Stuhl zurück. Er setzte sich zwischen Tutein und mich als Dritter aufs Sofa. Wir schlürften heißen Tee mit Rum. Dann lehnte ich meinen Kopf gegen die Polster zurück, schloß die Augen und sagte leise:
»Von der Schönheit will er sprechen. Dies ist doch schön. Dies ist schön für alle Sinne.«

»Bist du betrunken?« fragte Tutein; aber ich hörte es kaum. Ich stürzte plötzlich meinen rückwärts gebogenen Kopf von der Lehne herab, warf meinen Oberkörper über den Knecht hinweg in Tuteins Schoß und schluchzte.
»Du hast schwache Nerven«, sagte Tutein betreten. Seltsamerweise rührte der Knecht sich nicht, und Tutein streichelte meinen Kopf. Laut lachend, während die Tränen mir noch über die Wangen liefen, richtete ich mich nach einer Minute auf, goß ein wenig Tee hinunter, erhob mich vom Sofa und sagte mit frivoler Ausgelassenheit:
»Ich habe an meine Mutter gedacht.«
»Ich habe auch an meine Mutter gedacht«, sagte der Knecht.
»Ich habe nicht an meine Mutter gedacht«, sagte Tutein.
»Meine Mutter wohnt in Ardal«, sagte der Knecht, »sie ist sehr krank. Vielleicht wird sie noch vorm Julfest sterben. Schwerkranke Leute sterben vorm Julfest oder bald danach.«
»Ich habe an meine Geliebte gedacht«, sagte Tutein mit entstellter launischer Stimme, »sie ist seit langem tot.«
»Ach«, sagte der Knecht.
»Tutein!« schrie ich.
»Es ist doch so«, sagte er düster.
Ich ließ mich wieder aufs Sofa fallen und war nahe daran, die Geduld zu verlieren.
»Es ist doch sehr seltsam«, sagte der Knecht, »daß wir einmal im Bauche eines Menschen waren.«
Tutein pfiff durch die Zähne.
»Ohne Unterschied – alle«, sagte ich, um Tuteins Musik nicht aufkommen zu lassen, »Könige, Päpste, Knechte, Fischer, Bauern, Minister, Bankbeamte, Schornsteinfeger. Und die alten Weiber auch, und die Schwangeren auch, und alle Geliebten der Männer auch.«
»Ja«, sagte der Knecht bewundernd.
»Und die Rinder auch, alle Pferde, alle Schafe, alle Ziegen, Rentiere und Hasen, alle waren sie im Bauch einer Mutter.«
»Ja«, sagte der Knecht, »und sogar die Vögel.«
»Es ist so«, sagte ich und war begierig zu hören, welches Zeugnis Orla der Schöpfung ausstellen würde, die es so eingerichtet hatte. Er sprach unaufgefordert weiter:
»Wenn ich beim Melken sitze, und die Kuh trägt im sechsten

oder siebenten Monat, und ich stemme meinen Kopf gegen ihre Flanke, dann schlägt das Kalb zuweilen, als ob es schon laufen wollte.«
»Liebst du Tiere?« fragte Tutein eifrig. Sein Gesicht hatte sich wieder geglättet, und seine Augen schauten friedlich auf den Knecht.
»Ich weiß es nicht«, sagte der Knecht. »Ich finde es schöner, darüber nachzudenken als über die Bibel. In der Bibel steht nichts von den Tieren.«
Mir lief vor Erstaunen ein wenig Speichel aus dem Munde, jedenfalls war meine Hand plötzlich naß, ich mußte sie abwischen.
»Worüber nachzudenken?« fragte Tutein.
»Daß wir in unserem Bauche wie alle Tiere sind«, sagte Orla.
»Ja«, sagte Tutein, »die Natur oder der Schöpfer haben den äußerst gewagten Einfall gehabt, das Fressen und die Verdauung zu erfinden. Die Folgen sind geradezu entsetzlich. Alle Tiere, alle Pflanzen sind zur Speise geworden. Um den Hunger zu stillen, müssen unablässig Geschöpfe geopfert werden. Damit das Fleisch nicht ausstirbt, muß es immer wieder neu geschaffen werden. Darum sind die lebendigen Werke dieser Welt stets nur vorläufig. Die schaffende Kraft scheint sich selbst zu mißtrauen; mit jeder nächsten kleinen Zeugung werden kleine Veränderungen angebracht. Verbesserungen und Verschlechterungen. Die Spaltung in Mütter und Väter macht das Experiment zu einer ewigen Einrichtung. Betrachtet man die übersteigerte Welt der Insekten ein wenig genauer, lernt man das Hassen. Die gänzlich unbarmherzige, lebende, krabbelnde, zerkauende Zahl ist etwas Ungeheuerliches. Wenn das ein Gleichnis des Staates ist – dann wehe den Menschen! – Am Ende, wenn das Experiment zu nichts mehr führt und langweilig geworden ist, wirft die allmächtige Hand einen Feuerball in das verpfuschte Paradies und brennt es auf.«
In diesem Augenblick trat der Propst wieder durch die Flügeltür ein, schloß sie nochmals hinter sich, sah auf die Karaffe mit Rum, gewahrte, daß sie fast leer war, öffnete die Flügeltür wieder weit und sagte:
»Beginnen wir denn.« Und zu uns gewendet: »Bleiben Sie nur wo Sie sind. Wenn ich Ihre Hilfe brauche, werde ich mich

melden.« Und schritt wieder hinaus, stellte sich in die Mitte des Saales. Wir sahen, Stühle wurden durch die Luft gereicht, Burschen schoben Bänke herein, ein paar scheue Mädchen wurden durch das Gedränge im Saal zu uns herein verschlagen und suchten sich eilig einen Sitzplatz, um uns nicht unstet anschauen zu müssen. Auch Arne Eide kam herein und landete auf einem winzigen Sessel vorm Rauchtisch des Propsten. Nun war es schon ganz natürlich, daß wir zu dritt auf dem Sofa saßen.

Der Propst sprach von Firenze. Sein Gesicht, diese alte müde Maske, belebte sich. Er lachte, seine Augen bekamen ein junges Feuer. Er zeigte Photographien des bronzenen Davids Donatellos und des marmornen Riesenhirten Michelangelos herum. Ich dachte, als die Bilder in meine Hand kamen, daß die beiden Bildhauer, jeder auf seine Weise, ein menschliches Raubtier dargestellt hätten, echte Kopfabschläger. Michelangelos junger Mensch besitzt so wenig Bauch, daß nur wenig Darmwerk darin Platz finden kann; die schwerfaserigen Muskeln des Körpers können nur gewachsen sein, wenn der Mund viel Fleisch zermalmt hat. Die dunkle Bronze Donatellos scheint einem reißenden Tier im Geiste, einem herzlosen Flegel nachgebildet, einem wirklichen Menschen, einem Straßenjungen, dessen Hirn zu humanem Denken nicht zu erwekken ist, der nur die Schönheit des Leibes als Tugend hat, eine Wohlgestalt, die kaum verbirgt, daß der Trieb zu quälen in den gefälligen Muskeln lauert. – Ich dachte es an jenem Abend zum erstenmal.

Die übrigen Gäste des Propstes mußten über so viel Nacktheit bestürzt sein. Manche wurden rot bis über die Ohren, anderen klebten die Bilder in den Händen fest, noch andere schienen zu zweifeln, daß es Stein und Metall sei. Sie schüttelten den Kopf. Doch auch Bauwerke, Plätze und Straßenzüge wurden uns im Bilde vorgeführt. Und der Propst sagte, seine Füße hätten das Pflaster beschritten, unter einer Sonne, die damals noch jung war, noch sehr jung. Er schien sich ganz vergessen zu haben.

Während er sprach, stahl Arne Eide ungeniert Tabak aus der Schublade des Rauchtisches.

Am Ende des Vortrages gab es Tee und Gebäck für alle. Der

Propst bedeutete mir, daß nun der Augenblick gekommen sei, mich an das dünne und ein wenig verstimmte Klavier zu setzen. Ich wußte nicht, was ich spielen sollte. Ich bat den Propsten um Rat.
»Etwas Lustiges«, sagte er.
Ich dachte, alles, was ich bis jetzt von diesem Greis gehört und selbst vermutet hatte, müsse falsch sein: er ist ein Begnadeter, nicht ein Verfluchter.
»Ich bringe nichts Lustiges zustande«, sagte ich leise zu mir selbst, »aber ich will ihn abbilden, ihn inmitten der beiden Raubtierknaben.«
Ich spielte eine dreiteilige Erfindung von außerordentlicher Kürze und schneidender Lebhaftigkeit. Möglicherweise gelangen mir die beiden Ecksätze, die nackten Burschen, gut. Ich wiederholte meine Gedanken von vorhin und versuchte die tierische Sinnlichkeit, die einfältige Roheit und die unverhohlene Harmonie im Schönen mit eigenartigen Tonschritten und durchsichtigen Klängen auszudrücken. Und wie leicht war es, die Verschiedenheit der beiden Knaben darzustellen! – Das Konterfei des Propsten mißlang mir. Immer wieder warfen sich dunkle und alte Ströme über den jungen und heiteren Spaziergänger auf den Straßen von Firenze.
»Was für eine Komposition war das?« fragte mich aufdringlich der Propst.
»Nichts Besonderes«, sagte ich.
»War es von einem bekannten Komponisten?«
»Nein«, sagte ich.
»Lüg doch nicht«, fuhr Tutein dazwischen, »es war von ihm selbst.«
Der Propst strich mir über das Haar.
»Sie Gottbegnadeter«, sagte er.
Ich stand auf, suchte zwischen zerfetzten und vergilbten Noten. Ich spielte Griegs Musik zum Peer Gynt herunter. Ohne Anteilnahme. Die Berge haben nicht hingehört, die Dunkelheit hat nicht hingehört.
»Das ist nordische Musik«, sagte der Propst, »viel Sünde und wenig Erbauung.«
Ich hatte genug Antworten bereit. Ich schluckte sie hinunter. Die Gäste hatten die Musik seit geraumer Zeit mit Reden

übertönt. Es war ein guter Anlaß, den Deckel des Klaviers zu schließen.
Wir hatten mit den übrigen Besuchern zugleich aufbrechen wollen; aber der Propst hielt uns zurück. Er wollte noch ein paar ehrliche Worte mit uns reden, sagte er.
Ich entsinne mich nicht mehr an Einzelheiten des Gesprächs. Vielleicht wurde nicht einmal viel gesprochen. Die Heiterkeit des Greises verschwand wie ein Traum an der Wirklichkeit. Furchtbare Wolken ballten sich an seiner Stirn. Der Körper krümmte sich unter der Last untragbarer Gedanken und Vorstellungen. Wieder plagte ihn die Gewißheit, daß die Dunkelheiten, die von den Bergen kamen, ihn würgten, daß sie ihm die Sonne vorenthielten, deren geläutertes wärmendes Licht ihn trösten, ihn erretten könnte. Er sah die Feinde um sich, wie sie das Tal belauerten, ein einziger granitener Feind, eine ungeheure Masse ausgeworfener Eingeweide dieser Erde, ein grausiges Gekröse, ausgebuchtet und zäh verdauend. Noch im Schotter dies nichts als Stein, und der Schotter wartete auf seinen Leib, daß er ausgesogen würde.
Noch verteidigte der Greis seinen Besitz, er war ihm noch nicht entglitten. Aber wie lange würde er widerstehen können? Die falschen Zähne in seinem Munde schlugen klappernd gegeneinander. Er ertrug das Fortgehen der jungen Menschen nicht. Er zitterte am ganzen Körper und stammelte etwas Herzzerreißendes. Vergeblich versuchte die Propstin ihn zu beruhigen. Er antwortete ihr heftig, es gäbe keinen Trost im Alter. Nach langen furchtbaren Ausschreitungen versuchte er sich aufzuhalten:
»Aber«, sagte er, »Gott hat es so eingerichtet. Er hat es so eingerichtet, und der Teufel ist ihm behilflich gewesen. Wir haben nur den Trost, auf die Gnade zu hoffen. Auf die Gnade zu hoffen. Das lehrt unsere Religion.«
In dieser Nacht, als wir auf dem Heimwege waren und ich meinen Neid ganz ausgelotet hatte, sprachen wir zum erstenmal davon, uns ein Haus bauen zu lassen. Irgendwo in einem Hochtal müßte es liegen. Für jeden von uns beiden eine Kammer darin und ein großes Zimmer dazu. Die Mauern aus Granitquadern.

*

Ellend war wieder nüchtern geworden und zeigte sich uns. Er war auffallend freundlich, als ob die Möglichkeit bestanden hätte, daß wir all seine Flüche, die er im Verborgenen gegen uns ausgestoßen, gehört. Wenige Tage vorm Julfest wurde er feierlich. Er teilte uns mit, er sehe sich gezwungen, den Pensionspreis um eine Krone je Tag zu erhöhen. Diesen Angriff nahmen wir ohne Gegenwehr hin. Wir wollten Urrland nicht verlassen, und so bezahlten wir den Tribut, den Ellend für unser Bleiben forderte.
Der Vorfrühling, die Monate Februar und März, ging in ungeheuren Exzessen des Himmels dahin. Ein unaufhaltsamer Regen rieselte hernieder. Nebel lösten die schweren Wolken ab und schwere Wolken den Nebel. Überall zwischen dem Schotter der Wege gurgelten Quellen hervor. Der Fluß hatte kein Bett mehr. Die Granitbarren trieften grünschwarz, Moos und Heidekraut standen wie Wasserpflanzen in einem unbegrenzten Moor, nur daß dieser Sumpf sich zu Bergen gefaltet hatte, ohne doch auszutrocknen. Der Boden war zu Jauche geworden, in der die Bäume mit ihren Wurzeln wie Ertrinkende standen. Man konnte nicht eine Viertelstunde hinausgehen, ohne mit durchnäßten Kleidern zurückzukommen. Der Fjord hatte seine Wellen verloren und lag grau, gestreichelt von den unermüdlichen Tropfen, da. Die Ruderschläge eines Bootes wurden erst hörbar, wenn es schon nahe dem Strande war, eine Überraschung, die ans Wunderbare grenzte. Nur der Donner der Lawinen war wie etwas Gewöhnliches in der Luft. In den Häusern ging es entsetzlich zu; jeder war dem anderen im Wege, und jeder doch hatte Lust, sich am anderen zu vergreifen, vergriff sich oder versengte sich samt dem anderen. Es gibt für alles eine Zähmung. – Ich glaube, Tutein und ich, wir retteten uns, indem wir arbeiteten, von Zeit zu Zeit unsere Mäntel trockneten und die wasserschweren grauen sonnenlosen Tage mit unermüdlicher Neugier bestaunten.

– – – – – – – – – –

Als endlich der Mai gekommen war, und die Sonne auf Vangen schien, als das Grün aus dem Boden wie durch einen Zauber befeuert hervorschoß, als die Birkenblätter sich rot entrollten und grün zu Wolken an den Zweigen wurden, als die Luft nach unbegreiflicher Wärme schmeckte, hie und da eine Stalltür weit aufgeschlagen wurde, daß die Stimme der Rinder hinausdrang, als Amboß und Hammer lustig vom frühen Morgen bis an den Abend zur Schmiede hinaussangen, weil die Pferde neue Hufeisen erhielten oder die alten umgelegt wurden, die Ackergeräte instand gesetzt und Steinbohrer geschärft und gehärtet wurden, als der Fluß die erste Wildheit, mit der er das Tal überschwemmte, verloren, und das trübe Schneewasser geläutert war, so daß er geschwollen vom schwarzgrünen klaren fettschimmernden Wasser dahinquoll, als man begann, am Eingang des Tales ein neues Haus zu zimmern, als die Krambuden von den Umherstehenden leergeworden, als die Pferde, mit denen die Bauern von den Bergen herabgestiegen, wieder im Licht der Sonne auf dem Marktplatz angebunden standen, als die Beschäftigung allgemein und die Sehnsucht des Viehs, auf die Saeter zu kommen, unbändig geworden war – und der Propst ging lächelnd auf den Wegen umher, Ellend zeigte sich von Zeit zu Zeit vergnügt in der offenen Tür des Hotels, der alte Lensmann schalt über die Ziegen, die man über den Marktplatz trieb, Svaerre Aall machte Probefahrten mit seinem Motorboot, jeder tat, was er sich seit langem vorgenommen hatte – als die Berge täglich im Licht erstrahlten, mit rosenroten Häuptern erwachten und sich mit Purpurgold zur Ruhe begaben, waren alle, Menschen und Tiere, in ihrer Seele verwandelt. Die Brunst war wie ein schönes Lied, wie eine frühe schöne Blüte an den Bäumen, und der Durst war willkommen, weil jeder Trunk labte, und der Hunger war eine angenehme Vorstufe zu den Mahlzeiten. Tutein und ich, wir stiegen zum Föhrenwald hinauf, der hoch oben über Vangen den Winter lang fast schwarz dagestanden war, hin und wieder weiß gekleidet, und der jetzt einen Anflug von Gelb und Braun bekommen hatte. Wir suchten einen Ort für das Haus. Das Hochtal hinter dem Wald, ein ungeheures Rund graugewaschenen Granits. Hin und wieder leuchteten weiße Schneewälle auf. Zwergbirken, die erst in den Knospen standen, ewige Wacholder, Heidekraut, Blaubeeren, Moose, Bärlapp, Kronsbeeren, voreilige Blumen, ungeduldige Gräser mit überspitzen langen blaßgrünen Lanzen zwischen verwelkten Halmen.

»Hier oder anderswo«, sagte ich.
»Wie willst du deinen Flügel heraufschaffen?«
»Man muß es versuchen«, sagte ich.
Anderswo, das war das Hovdongmassiv oder die Hochtäler jenseits des Sees, die bis zum Skorskavl vordringen. Die Nordseite des Fjordes, der Wall vor dem Steganosi fiel zu steil ab. Kaum, daß Schafe und Ziegen einen Pfad in einer der Schluchten zu den wenigen grasbewachsenen Hängen fanden. – So waren wir auf den Hovdongsaetern, ehe das Vieh angetrieben wurde, die ersten sommerlichen Schläfer auf den harten Reisigbetten in den Hütten. Wir stiegen weiter hinan auf das Dach der norwegischen Welt. Flach, scheinbar nur leicht gewellt, erstreckt sich das Land weiß, grau und rosa bis nach Jotunheimen. Die Täler, die Fjorde, alles Menschliche waren unseren Augen verborgen, lagen in der Tiefe im felsigen Hochplateau vergraben. Ein Reich ohne Menschen, schön und leer, voll einer langsamen Zeit, voller unbemerkter Farben, wo der Tod, der das Getier ereilt, weiß ist, ein kaltes Feuer. Den Verwesenden ein Leichentuch aus eisigen Sternen.
»Man kann hier nicht wohnen«, sagte Tutein.
»Nein«, antwortete ich, »wir wandern nur.«
Unter dem Gipfel des Storskavl erreichten wir ein seenreiches Hochtal. Schäbige Saeterhütten lagen am Kieselstrand eines der Seen.
Wir zogen ein Boot ins Wasser und fischten Forellen. Das Boot drohte zu sinken, weil Wasser durch alle Fugen eindrang. Wir brieten die Fische und übernachteten. Am Morgen fiel Neuschnee.
»Wir sind uns nicht genug, um hier leben zu können«, sagte Tutein.
Ich antwortete nicht. (Das Tal besteht nicht mehr. Die Urrlandsfallelektrizitätsgesellschaft hat es in ein Staubecken verwandelt.)
Wir stampften talabwärts. Regen und Nebel durchnäßten uns. Das Hochtal verbreiterte sich. Ein ungeheures Wachstum zwerghafter Bäume ergoß sich über einen sumpfigen Untergrund. Der Fluß dieses Tales versank in Niederungen. Das Heidekraut reichte uns bis an den Nabel. Eine Wildnis, von höhnenden Klippen umstellt. Wir bahnten uns einen Weg.

Plötzlich fiel das Tal ab. Der Fluß sprang gischtend zweihundert oder dreihundert Meter in die Tiefe. Uns war, als läge der Friede vor unseren Füßen. Grünende Wiesen, gesprenkelt mit leuchtenden Blumen. Ein Platz, mit zehn oder fünfzehn Saeterhütten vollgestellt. Niedrige Waldbüschel aus Kiefern, Wacholder und Birken durchsetzten das leuchtende Grün. Warmer Dampf stieg uns entgegen. Wir glitten über Geröll, über Granitbarren, Rasenstücke, zwischen Birkenstämmen, durch Wasserläufe und Tümpel hinab. Wir fanden einen ausgetretenen Viehpfad, folgten ihm durch Gebüsch und kamen in das unbewohnte Sommerdorf. Es glich den vielen Wohnplätzen im Gebirge. Ein Netz von durch Viehhufe ausgetretenen Wegen, das die einzelnen Hütten einspann, sie miteinander verband und das sich in der Landschaft in sich auflösenden Strängen verlor. Alte graue Häuser mit kleinen leeren Fensterscheiben, das Dach mit Birkenrinde und Heideplacken bedeckt. Während wir zwischen den Hütten umherstöberten, nicht wissend, was wir entdecken wollten, auch gar kein Verlangen hatten, irgendwo einzudringen, einzig dem alten Geruch des Vorjahres nachhingen, erblickten wir ein wenig abseits ein Haus, ein schönes Haus, aus Granitquadern aufgeschichtet. Verwundert schritten wir hinzu. Und fanden bestätigt, was wir von ferne gesehen: große reine glattgesprengte Blöcke bildeten die meterdicken Mauern. Die Fugen waren sorgfältig mit Zementmörtel verstrichen. Fünf Fenster, je mit einem Steinbalken überdeckt, waren, gefällig für das Auge, nach drei Himmelsrichtungen in die Mauern eingepaßt. Der Vorraum, mit einem Einbruch im Quaderwerk, an einer Giebelseite sich öffnend, lag nach Norden. Wir traten in den Vorraum. Da war der offene Herd für den kupfernen Kessel, in dem die Ziegenmilch zu Käse eingedickt wurde. Die Tür im Hintergrunde war verschlossen. Ich entsann mich, man hatte erzählt, der junge Bauer auf Voll habe seiner hübschen Frau als Hochzeitsgabe ein neues Saeterhaus erbaut. Man hatte sich darüber verwundert, daß der Mann einen Sommer lang drei oder vier Handwerker im Gebirge beschäftigte, und Pferde hatte er von seinen Nachbarn geliehen, daß sie, wer weiß was für Lasten das Tal aufwärts – über den See geht es im Boot – ins Gebirge schleppten. – Dies mußte das Haus sein.

Es war schöner und fester als irgendein Haus in Vangen. »So ein Haus besitzen« – sagte ich mißgünstig.
»Man könnte es für den Winter mieten«, sagte Tutein.
»Meinst du, es steht unbewohnt da?« fragte ich.
»Vermutlich«, sagte Tutein.
Wir umstrichen das Haus abermals, schauten in die blanken Fenster hinein. Es gab eine Küche, und die Küche war voller Töpfe, Pfannen und Geschirr, alles in Regalen angebracht. Eine Kammer mit Borden für Butter und Käse. Die Stube, drei Fenster erhellten sie, war geräumig. Ein großer vierkantiger, über und über bebilderter Ofen aus Eisen stand auf leuchtenden Messingfüßen in einem Winkel zwischen Mauer und ausladendem Schornstein. Zwei Betten waren mit handgewebten bunten Teppichen bedeckt. Man konnte erkennen, sie waren gerichtet; Pfühle und Decken hatte man nicht zutal geschafft. Ein Tisch, Stühle und eine Bank fanden sich auch, dazu einer jener merkwürdigen, mit Stahlfedern ausgerüsteten Schaukelstühle, die nicht nur bequem sind, sondern auch, wenn man sich ihrer bedient, erregend Schlaf und Wirklichkeit vermischen. Ich dachte: ›Hat der Bauer diesen Prachtbau errichten lassen, nur um darzutun, daß er wohlhabend ist und daß seine Geliebte Taler im Kasten hat wie er selbst? Hat er an alle schönen, unergründlichen und mit der Ehe so erlaubten Sünden gedacht, daß man sie hier auskosten könnte, bis der Boden der Natur erreicht ist, die vollkommene Sattheit, für die man dem Schöpfer nicht mit einem Gebet dankt wie für das tägliche Brot?‹ –
»Ich glaube, das Haus empfängt zuweilen sonntäglichen oder alltäglichen Besuch«, sagte ich zu Tutein.
»Möglich«, antwortete er.
Wir machten uns auf, suchten den Weg, der talwärts führte. Im Donner des mächtigen Wasserfalls schritten wir die Serpentinen hinab. Uns begegneten die ersten Bauern und Hüterinnen, die Vieh ins Gebirge trieben: Kühe, Ziegen, Schafe und Pferde. Wir setzten uns eine Viertelstunde lang an den Rand der aufsteigenden Klippen, bis die lange lebende Schnur der Wandernden vorübergezogen war. Wir begrüßten die Menschen und nickten den Tieren zu. – Der schmale Fußsteig am Gestade des großen Sees war von den Füßen der Tiere und Menschen feucht zerstampft. Kuhfladen waren auseinandergetreten, die

Schafe und Ziegen hatten ihre schwarzen Pillen verstreut; auch die Pferde hatten Dung hinterlassen.
»Der Abfall der Pflanzenfresser ist recht erträglich«, sagte Tutein und wich dem Schmutz nicht mehr aus.
Im See standen drei magere Lachse, die dort, gegen alle Vernunft und Regel, nach der Erschöpfung des Laichens den Winter verbracht hatten und jetzt hungriger waren als Wölfe im Schnee. Vielleicht auch hatten sie ihren Hunger schon wieder vergessen.

– – – – – – – – – –

Wir sprachen nicht viel vom Hausbau. Wir hatten keinen geeigneten Platz gefunden. Wir waren unentschlossen. Es kam der Sommer. Gäste zogen in Vangen ein. Unter ihnen war auch die Witwe eines Weinhändlers, eine ältliche dicke Frau aus Halmberg in Schweden. Sie war offenherzig, entschlossen und eine Anhängerin vernünftiger Maßnahmen. Sie ließ durchblikken, daß ihr Sohn, der das Geschäft ihres verstorbenen Mannes weiterführte, ein Taugenichts sei; aber glücklicherweise doch nicht schlimmer als die ärgsten Söhne arger Väter. Als man ihr zutrug, wir hätten die Absicht, uns in Vangen dauernd niederzulassen und ein Haus zu bauen, redete sie uns mit mütterlicher Strenge an, wir seien halb verrückt; ein wenig Vernunft anderer Menschen werde uns nicht schaden. Sie fühlte sich berufen, uns das Fehlende einzuträufeln. Das Ziel ihrer heftigen Reden, die sie eine Woche lang über uns ausschüttete, war: so junge, begabte, wohlanständige und des wirklichen Lebens bedürftige Menschen wie wir müßten nach Halmberg übersiedeln. – Das schöne Halmberg, am Meer gelegen, mit einer alten Festung bewehrt, eine Stadt voller anmutiger Mädchen, die im Sommer um viele Hundert durch zugereiste Badegäste vermehrt seien. Ein Stadthotel mit einer tüchtigen frischen Tanzkapelle, gutes Klima, Muße zur Arbeit. Klein, gewiß, aber doch eine Stadt voll Feuer. – Als ob es keine Kleinstädte neben Halmberg gäbe.
Die Witwe siegte. Wir beschlossen, Urrland zu verlassen und Halmberg als Wohnung zu nehmen. Es ist unbegreiflich. Es fällt mir so schwer, das Wort Schicksal niederzuschreiben. Es war unser Schicksal, nach Halmberg zu kommen. Urrland war

unsere Heimat geworden. Halmberg war der Ort, an den wir kommen mußten, damit etwas anderes geschah als in Urrland geschehen konnte. – Urrland mußte untergehen. Urrland ging wirklich unter. Um die gleiche Zeit, da wir einen Platz für ein Haus im Gebirge suchten, weilten Vermessungsingenieure in den Bergen. In Oslo war eine Aktiengesellschaft gegründet worden, deren Plan es war, das Hochtal am Storskavl durch einen Staudamm abzuriegeln, es sich mit Wasser füllen zu lassen, das Wasser in einem siebzehn Kilometer langen Tunnel, den man sprengen wollte und gerade in diesem Sommer vermaß, durch das Hovdongmassiv zu leiten, es bei Vangen in stählerne Röhren abstürzen zu lassen und mit hundert Atmosphären Druck durch Turbinen zu pressen. Man hatte schon errechnet, daß man in zwei Bauabschnitten siebenhunderttausend Pferdekräfte gewinnen könnte. Siebenhunderttausend nutzbar gemachte Pferdekräfte verwandeln die Landschaft, treiben die heimischen Kräfte der Schöpfung aus. Fabriken entstehen, riesige Maschinenhallen, Öfen, in denen Aluminium ausgeschmolzen wird. Der ätzende schwere Dampf einer chemischen Industrie verseucht das Tal. Hochspannungsleitungen zerfetzen den Himmel. Aus den freien Armen, die in zergehenden Holzhäusern wohnen, werden gebundene Proletarier, die die Annehmlichkeit des Wasserklosetts mit größerer Bedrückung bezahlen. Der Wohlstand des Landes, von dem man so gerne spricht, mehrt sich nur bei den Göttern, die auf den Sesseln der Bankhäuser thronen. Urrland sollte in den nächsten Jahren untergehen.

– – – – – – – – – – – –

Im Herbst reisten wir davon. Es war ein früher Morgen, als unser Gepäck in Svaerre Aalls Motorboot verladen wurde. Koffer und Kisten. Der Flügel stand verpackt auf der Schiffsbrücke; er sollte uns folgen. Das Schiff würde ihn nach Bergen und Oslo bringen, die Eisenbahn weiter südlich. Der erste Schnee war in den Bergen gefallen. Der Blaaskavl begann sich rosa zu färben. Der Fjord lag still und schwarz.
Am Tage vorher hatte ich eine Abschiedsfuge komponiert, gleichsam, um zu zeigen, was ich schon konnte. Beim Zusammenkramen meiner Noten hatte ich wohl entdeckt, wie weit-

verzweigt meine musikalische Arbeit schon war. Große Papierstöße voller Skizzen und Entwürfe, eine stattliche Anzahl fertiger Werke. Ich hatte gelernt, musikalische Gedanken zu formen, zu erweitern, zu verflechten. Ich kannte die Logik der Harmonie. Ich hatte viele berühmte Werke analysiert, hatte meine Liebe zu Josquin entdeckt, wußte schon, daß ich einer älteren und härteren Schicht des musikalischen Ausdrucks zugeteilt war. Ich beherrschte das Handwerkszeug des Kontrapunktes. Der musikalische Satz bedeutete mir nur dann eine Mühsal, wenn meine Gedanken und Einfälle die Regel sprengten, wenn die Stimmen und Vorstellungen aus meiner Verwirrung und Unzulänglichkeit kamen, wenn ich an den Grenzen meiner eingeborenen Maße und meiner Erlebnismöglichkeiten war.
Ich hatte gelernt, Klavier zu spielen. Auf manche virtuose Leistungen zwar mußte ich verzichten, weil meine Finger schon zu alt waren, als sie in die Schule kamen. – Emsig hatte ich manche Notenrolle gestanzt.
Und Tutein, hatte nicht auch er seine Beschäftigung gefunden? Hatte er nicht das meiste der Vergangenheit abgeschüttelt? – Es ist kein berühmter Maler oder Zeichner aus ihm geworden. Die Öffentlichkeit ist von seinem Tun ausgeschlossen geblieben. Er hat nur für sich selbst und für mich in tausend Blättern das Gesicht der Welt, Menschen und Tiere eingefangen. – Wenn ich die Mappen hervornehme und Blatt für Blatt betrachte (seltsamerweise geschieht es nur selten; es können Jahre dahingehen, ohne daß ich das Mausoleum des Schrankes, in dem sie liegen, öffne), den ungeheuren Strom an Gesichten, wie nur er sie formen konnte – Linien, die wie gemeißelter Stein ein Geschöpf abbilden –, durchscheinende Körper, Fleisch, aufgebrochen wie ein Acker nach dem Pflügen, eine erhabene Wirklichkeit, mit ungewöhnlichen überfeinen Augen gesehen, große Fortlassungen, tiefes Hinzufügen zum alltäglichen Hinblicken – beunruhigt es mich, daß er im Verborgenen blieb. Es gibt dafür keine einfache Erklärung. Es gebrach ihm nicht an Talent, nicht an Fleiß, nicht an der Lust zu zeichnen und zu malen. Er verachtete auch den Ruhm nicht. Dennoch verschmähte er ihn für sich selbst. Er wollte ihn nicht. Er hat sich jedem Schritt zu einer öffentlichen Anerkennung wider-

setzt. Er wollte nur meinen Ruhm, nicht den seinen, wiewohl der seine leichter zu erlangen und unbefleckter gewesen wäre. Es ist unbegreiflich. – Ich denke an ihn, wie schön er damals war, wie besessen und eifrig! Wie voller unbestechlicher Wahrheit, was für ein Mensch, unergründlich und immer bereit, für mich offen und ohne Hintergründe zu sein! Nur das eine verschwieg er, daß er er selbst war, das Unentrinnbare, an dem wir alle erhaben und zerstückelt werden. – Doch er lächelte sogar, wenn seine Seele ihn häutete. (Trotz Stinas guter Küche waren wir beide noch magerer geworden. Das Feuer unserer Lenden war zusammengesunken; aber die Sucht, mit den Mitteln des Geistes am Turmbau der Menschheit zu arbeiten, brannte mit heißen ehrgeizigen Flammen.) – Das alles geschah in Urrland. Und Urrland ist unsere Heimat geworden. Der Boden, der unsere Schule wurde.

Nicht nur zum Fleiß hielt uns diese Heimat an, nicht nur, daß wir reiften, haben wir ihr zu danken. Sie selbst, in ihrer Unnahbarkeit, war eine große Vielfalt auch ohne unser Hinschauen. Die Menschen, die sie trug – niemand war mit uns verwandt, niemand kam uns nahe bis an die Haut –, waren wie ein Stück der Schöpfung, so gut und schlecht sie sein mochten; und sie waren nicht besser als anderswo. Sie waren ein Teil der Berge, die nur kümmerliche Nahrung gaben. Sie waren nicht Herren allein. Neben ihnen hatten die Tiere ihren Platz. Die schönen Rentiere, die eigensinnigen Lachse, die Eichhörnchen, Wiesel, Schneehühner, Hasen, die Schellfische in der Tiefe, die Dorsche und Hellbutte in den oberen Zonen des Fjordwassers. Selbst die Haustiere waren ein schöner und sinnvoller Teil dieser Welt. Der Tod stand überall. Aber auch die alten ansässigen Götter lebten noch, die Unterirdischen, die Trolle und ihre weiblichen Gefährten, die, zur Lust geschaffen, nackt in den Grotten der Flüsse lagen oder in Felsspalten kauerten. Jene meist Unsichtbaren, die schon sehr alt waren; aber doch nicht von Ewigkeit zu Ewigkeit lebten, deren Macht groß, aber nicht unbegrenzt war; die schwach und nichtig wurden, wenn sie die Grenze ihres engen Reiches verließen. Die man überlisten, überraschen und verwunden konnte, die oft ratlos der Schlauheit der Menschen preisgegeben und die rächend die Hilfe von Tieren und dünnen Geistern suchten. Die, wie ihre

angeseheneren Verwandten vom Olymp, allerhand seltsame Neigungen hatten und des Nachts zwischen Rindern, Schafen, Pferden schliefen, die deren Freunde waren, ihnen halfen und als Entgelt sich den einen oder anderen Genuß bei den Vierbeinigen stahlen. Die nur selten einen Menschen liebten. – Sie waren noch wirklich, weil es Einsamkeit genug für sie gab. – Es war das volle Maß an irdischer Schöpfung, und ich begriff zum ersten Mal diese Ganzheit. –
Ich erlebte einen Tag, wo ich ganz in die frühe Angst der Menschheit gestellt wurde, wo ich dem Geist der Natur gegenüberstand, ohne ihn doch zu erkennen. Wo die Qual mich heimsuchte, daß ich Tutein verloren hatte – und das Wunder geschah, daß er wiederkam. – Er war schon am Vormittag in einem kleinen Boot auf den Fjord hinausgefahren, um zu zeichnen. Dr. Saint-Michel kam um die Essenszeit mit seinem Motorschiff an. Wir gingen ohne Tutein zu Tisch. (Es geschah zuweilen, daß er von den Mahlzeiten fortblieb.) Als wir nach der Sättigung auf den Altan in die Herbstsonne hinaustraten (Ellend hatte sich zu uns gesellt), schien ein plötzlicher grauschimmernder Dunstschleier das Sonnenlicht von Gold in Silber zu verwandeln. Es war so wenig an Veränderung, daß das Auge sich zu täuschen glaubte. Da sah ich, daß jenseits des Fjordes, hoch oben am Absturz der Berge, der Renfall (es ist nicht sein wirklicher Name; ich habe seinen Namen vergessen und nenne ihn nach den Tieren, die dort oft, gleich winzigen Punkten, in langer Reihe vorüberzogen), statt sich in einem einzigen weißen Sturz tausend Meter hinabzugießen, aufgehoben wurde und senkrecht in den Himmel strömte. Ja, er fiel, aller Schwerkraft enthoben, in den Raum des Himmels, ins Bodenlose hinein. Man traut seinen Augen nicht. Aber mein Mund schrie schon. Ich zeigte hinüber. Mein Verstand rechnete, daß nun in jeder Sekunde zwei Kubikmeter Wasser in den Himmel flössen. Kein Zweifel, auch die anderen sahen es, Dr. Saint-Michel und Ellend. Wie nun auch sie es sahen und mit dem Munde bekräftigten, war die Furcht da, die Furcht vor dem Übernatürlichen, vor dem Verhängnis. Die Augen suchten anderswo in der Landschaft. Der Blick senkte sich zum Fjord hinab. Von Fretheim her anschwellend hob sich der Fjord. Er hob sich mehrere Meter. Man konnte es am Hovdongvorge-

birge zweifelsfrei erkennen. Aber er verlor auch seine Farbe. Das Licht und die schwarzen Schatten seiner Oberfläche erloschen; statt dessen erschien ein kochendes Grau, nicht unähnlich einer schwerbeladenen Gewitterwolke. Doch war dies neue graue lichtlose Wasser ausgelotet wie der Fjord. Die Front einer unbekannten Materie wälzte sich gegen Vangen. Die Angst, das Erstaunen bekamen keine Zeit, sich zu entfalten. Im nächsten Augenblick wurden die Blätter von den Bäumen des Parks gerissen. Ziegel fielen vom Dach herab. Dr. Saint-Michel hielt sich am Geländer des Altans fest. Ellend wurde in die Tür hineingepreßt; ich selbst erhielt von ihm einen Stoß und kam gemeinsam mit ihm in den Vorraum. Nun hörten wir das Haus ächzen. Es bebte und schwankte. Die Flut des Fjordes war heran. Man erkannte oder wußte, es war Wasser, von unvorstellbaren Kräften der Luft aufwärts gesogen wie der Fall. Nun stürzte auch Dr. Saint-Michel ins Haus. Er konnte sich nicht länger auf dem Altan halten. Der Lärm ringsumher war so groß, daß man Einzelheiten nicht unterschied. Man wußte nicht, was zerschlagen oder umgerissen wurde. Es war ein ungeheures trommelndes donnerartiges Rauschen von fast eintöniger Stärke. Wir schlugen die Tür zu.

»Mein Boot«, schrie Dr. Saint-Michel, als wir noch dastanden (man mußte schreien, wenn man sich verständlich machen wollte), »mein Boot zertrümmert!«

Er brachte es dahin, daß wir ihm hinausfolgten. Wir kämpften uns im Park durch die Sturmstrudel bis zum Granitbollwerk hinab. Ich hatte es bis dahin für unmöglich gehalten, daß Luft so dick sein könnte. Sie schlug wie ein festerer Gegenstand schmerzend gegen die unbeschützte Haut. Die Jacke, die Knöpfe der Kleidung riß sie uns auf. (Wir kamen, von Baum zu Baum uns wuchtend, vorwärts.) Das Boot war allerdings in Gefahr; aber noch waren die Taue nicht gerissen. Es galt, das Fahrzeug vom Bollwerk fernzuhalten. Merkwürdigerweise gelang es uns. Ich weiß nicht mehr, was wir anstellten. Wir wurden von den zerpeitschten Wellen durchnaß. Wahrscheinlich ließ die Heftigkeit des Naturereignisses schon nach. Der Fjord kochte und gischtete noch. Es war viel leichter, wieder heraufzukommen.

»Wäre ich eine Stunde später unterwegs gewesen, ich hätte das da draußen nicht überstanden«, sagte Dr. Saint-Michel.
Erst jetzt (jedenfalls gibt meine Erinnerung es mir so ein) dachte ich an Tutein, daß er ja möglicherweise um diese Stunde auf dem Fjord gewesen sei. Das Bangen ging mir sogleich in die Kehle; aber ich bezwang mich noch. Der Sturm verlor sich ganz. Auf dem Hügel der Ryddjakjyrka waren die größten Birken mit den Wurzeln ausgerissen und weit fortgeschleudert worden. Im Fjord schwammen Bäume, Sträucher, eine Kuh und ein Schaf. Vangen war nicht umgestürzt worden, weil das schwarze Vorgebirge die Luftstrudel nach aufwärts geschleust hatte. Am frühen Nachmittag schon saß ich im Saal und spielte mit Karten, um die gräßliche Unruhe in mir zu bezähmen. Ich hoffte nichts mehr; aber ich wollte noch hoffen. Als der Tag sich neigte und dem Fjord und den Bergen rosagoldene Lichter aufgesetzt wurden, kamen Boote aus Underdal. Man suchte die Leichen zweier Menschen, die umgekommen sein mußten. Man hatte das Boot, in dem sie gesessen, bereits gefunden. – Ich bezwang mich nicht länger. Ich vertraute Ellend meine Befürchtung an, daß auch Tutein umgekommen sein könnte. Der Wirt lief in Vangen umher, um Ruderkerle zusammenzubringen. Dann gab er es auf, weil er meinte, es sei klüger, Svaerre Aall und sein Motorboot zu heuern. Noch später fiel ihm ein, man könne Dr. Saint-Michel bitten, auszufahren, um nach Tutein zu suchen. Jedenfalls verging auf diese Weise Zeit. Vielleicht wollte Ellend, daß man nichts überstürze. Er konnte den Grad meiner Furcht und Unruhe nicht ermessen. Der Arzt war recht unwillig. Er sagte:
»Wenn Ihr Freund auf dem Fjord war, ist es mit ihm vorbei. Wenn er das Glück hatte, anland zu sein, wird er wieder auftauchen.«
»Sein Boot kann an der Küste zerschlagen sein«, stammelte ich.
»Auch dann wird er Gelegenheit finden, heimzukommen«, sagte Dr. Saint-Michel.
Ich machte noch irgendeinen anderen Einwand.
»Jedenfalls will ich nicht nach einer Leiche suchen«, sagte der Arzt.
Als es soweit war, daß Ellend und ich das Ausfahren des Skyssbootes für das Zweckmäßigste hielten, kam Tutein durch

die Tür herein. Er war sehr verwundert über uns; er wußte gar nicht, daß ein Wirbelsturm gewesen war. Er war im Schatten aller Winde gewesen. Über ihm war der Renfall in den Himmel geschleudert worden; aber er wußte es nicht, er hatte es nicht wahrgenommen. Er hatte in einer Schlucht gesessen und den grasenden Schafen und Ziegen zugeschaut. Auch das Boot war nicht zerschellt. Ich blickte ihn an wie einen Auferstandenen. Er konnte es nicht verstehen.

Es sind mir Menschen begegnet, die berichteten, sie hätten Engel gesehen. Engel sind nichts Ewiges und nichts Allmächtiges, sie sind nicht Diener und Ausgesandte, sie haben nicht Flügel und wohnen nicht im Himmel: es sind Dryaden oder Jünglinge, deren Quellwohnung man verstopft oder verschüttet hat, Hüter wilder Herden – die Gebeine der Tiere sind längst zerbrochen –, die zu den Menschen geflüchtet sind, weil sie weiterleben wollten; obgleich der Ort, der sie beherbergte, von eben diesen Menschen gerodet, verwüstet und der Einsamkeit beraubt wurde.

Mai

Die Engel sind Männer und feiger als die Unterirdischen. Vielleicht sind sie schön wie Nymphen und das Adonisgeschlecht der schnellen Brunnen- und Baumgottheiten. Die Engel wollen den Menschen zum Guten überreden, ihr Wirken ist die Lehre, der Ringkampf des Geistes. Vergeblichkeiten. Das Gute hat keinen Platz in der Natur. – Wer aber ist mein Widersacher? Ich habe ihn einmal gesehen. Das ist alles, was ich von ihm weiß. Ich kenne seine Absichten nicht, nicht seine Dauer. Wo sind die Grenzen seines Reiches, wo endet seine Macht? Wohnt er in meinem Schatten?
Seltsame Gedanken bewegen mich. Ich spüre, wie die Geister der Einsamkeiten in meine Nähe kommen. Schon fürchten sie mein Haus nicht mehr. Manchmal, wenn ich von weither heimkomme, meine ich zu wittern, ihrer einige haben auf Tuteins Sarg gesessen und haben sich nur ein wenig furchtsam erhoben, weil sie Pferdegetrappel herannahen hörten und meine Schritte vor der Tür. Und Schritte eines Menschen, selbst meine Schritte, es nimmt ihnen die Ruhe. Sie sind empfindlich. – Anfangs, als Tutein und ich auf diese Insel gekommen waren, glaubten wir, es gäbe hier so viel Wind und nüchternes Dasein, so wenig Verbrechen und Ausschweifung, berechneten Ackerbau und Gedanken des Fortschritts, zu viele Wege und durchgeforstete Gehölze, Kirchhöfe wie Mistbeete gepflegt, kaum wildes Getier, keine verrufenen Mühlen und unergründlich tiefe Wasser, daß die Könige der vielen Orte, die Unsichtbaren, gestorben. – Doch dann faßten sie Vertrauen zu uns, wichen uns nicht mehr aus. Tutein empfand ihr Dasein als erster. Dann zeigte sich ein Unwirscher unter ihnen der Stute, daß sie vor Entsetzen zitterte und nicht vorüber wollte, bis ich sie beim

Kopf nahm und meine Gestalt zwischen sie und den Geist stellte. Am Wege zu unserem Haus, neben einem Quelltümpel zwischen Klippen, haben die Durchscheinenden einen ihrer Plätze. Es gibt dort ein Erlengebüsch, Binsen wachsen im schlammigen Humus des Gestades. Es ist ein Ort wie außerhalb der gewöhnlichen Landschaft. Im Walde bei einem Stein, unmittelbar an einem Schneisenwege: ich gehe dort mit Unruhe, mit einer namenlosen Erwartung vorüber. Ehemals habe ich mich an diesen Orten gefürchtet. Die Furcht ist vorüber. Ich werde niemals einen der Unterirdischen, wie man hier sagt, sehen. Ich werde durch die Gestalten hindurchgehen auch fürderhin, wie ich die Luft verdränge. Doch ihre unsichtbaren nackten Hände greifen nach meinem Herzen. Sie durchdringen auch mich. Soweit geben sie sich zu erkennen. Ich weiß, es kann sich nichts zwischen ihnen und mir anspinnen. Ich werde nie erfahren, ob sie schön oder häßlich sind. Ich werde nichts ihres Wesens erfahren. Meine Sinne sind stumpf. Pferd und Hund können nicht reden. Aber ich begreife, diese, unsere nächsten Nachbarn, die Herren des Bodens, den wir geliehen haben, sind mit uns zufrieden. Oder sie sind nachsichtig mit uns. Das Pferd erschrickt nicht mehr vor ihnen. Manchmal versammeln sie sich im Stall und geben dem Tiere gute Worte und allerlei Lehren. Ich vernehme ihre Stimme nicht. – Ich bin beladen mit meinem Widersacher.
Zuweilen denke ich, es ist die Gestalt meines Todes. Er verlangt gar keine Rechtfertigung von mir, er nimmt mir meine Kraft, mein Erinnern, den Sinn meines Gewesenseins stückweis; und ich wehre mich nur gegen das Verlieren. Ich will, auch wenn ich am schwächsten bin, noch ein Abtrünniger sein, mich zu allen Ausschweifungen meiner Gedanken bekennen, die jemals gewesen sind. Ich will zusammen mit Tutein gerichtet werden, ich will mit allen Tieren verfaulen, die nicht in die Ewigkeit kommen.
Er hat seit langem nicht mehr zu mir geredet. Er hat mir nicht wieder mit unbarmherzigen Fäusten den Schädel geschlagen. Er wird wiederkommen, weil ich stückweis vergehen muß.
Ein unaufhörlicher Regen hat Frost und Schnee vertrieben. Das Wasser des Himmels ist allmählich wärmer geworden und hat die Kälte, die noch im Boden saß, erweicht. Das Wachsen regt

sich. Aus der Tiefe reckt es sich gegen den fahlen Himmel; er aber verkündet nur die Angst und Melancholie des Zeugens, nicht die allgemeine Lust. Seltsam, wie wenig die sich paarenden Vögel der trüben Trauer gewahr werden. Sie zwitschern weltvergessen, schlagen die Flügel in Erwartung des lebensvollsten Augenblicks. Und dann denkt die Zeugung in ihnen weiter, das Gesetz, das den Weibchen die Eier abverlangt und jeden zur ihm gemäßen Haushaltung anspornt. Die Rehkitzen haben den letzten Schnee erlebt. Manche, mit verwunderten Augen, sind daran gestorben. Und ihre Mütter haben unruhig und voll Schmerz ein zum Bersten gefülltes Euter unter sich getragen. Der erste Wurf der Hasen ist dahin. (Für alle Neugeborenen, die so gestorben sind, hat das heftige Nordlichtfeuer eine unwiderrufliche Bedeutung gehabt. Es bedeutete Kälte. Es bedeutet immer Kälte. Die Kälte ist mit dem Tod verwandt, sie ist sein Bruder – der Schlaf ist nicht der beiden Bruder. Er ist voll Traum.) Aber die Frösche, in den von Eis befreiten Tümpeln, sind zur Oberfläche gerudert, vergnügen sich, laichen. Das Grün der Kräuter, Gräser und Büsche ist nicht mehr zurückzuhalten, es schüttet sich über die Landschaft aus; nur die meisten der großen Bäume verharren noch – erst in wenigen Tagen werden sie verwandelt sein. Und während sich das meinem Auge Wunderbare vollzieht, vermehren sich die Raubzüge aller Lebewesen gegen den Schwächeren, der gefressen wird. Auch viele der Frösche werden gefressen. Es ist keine Schuld, der Schwächere zu sein. Es ist Schicksal. Und so dampft der Schmerz in den Duft des Frühlings hinein. Die warmen Ströme der Luft schmecken fade. Es ist, wie es ist. Und es ist fürchterlich. Und die Blinden danken Gott dafür. Und die Abtrünnigen danken ihm nicht. Sie leben ihr wüstes Leben, ohne zu danken. Mein Leben ist ohne die Zuversicht auf Gott. Es ist nur schwer, aber nicht unmöglich, so einsam zu sein. So einsam für immer. So voller Verantwortung. Und so machtlos ohne Trost.
Ich bin wieder einmal meinem Pferde am Halse gehangen, weinend vor Traurigkeit. Und ich spürte am Ende unter der Asche meiner Tage die Liebe zu diesem Geschöpf, zum warmen Blut in der königlichen Gestalt unter dem sanften braunen Fell: mein Pferd, mein letzter Freund.

Der Pudel, Eli, ist Tuteins Hund gewesen. Er war unser Hund; aber er schlief vor Tuteins Bett, so war es sein Hund. Und der Hund hing an ihm mehr als an mir. Und Eli ist jetzt alt und denkt viel an Tutein, daß er davongegangen und nicht wiedergekommen ist. Und er ist alt und will bald davongehen. Er läuft keiner Hündin mehr nach. Seine Augen blicken trübe, zuweilen blicken sie überhaupt nicht. Er legt sich niemals auf Tuteins Sarg. Ich glaube, er weiß nicht, daß Tuteins Leib darin liegt. Er hat manches gesehen; aber er hat es nicht begriffen; er hat nicht begriffen, daß ein Leichnam in eine Kupferhülse eingelötet wurde. Er denkt, Tutein ist fortgegangen und nicht wiedergekommen. Ich werde weinen, wenn Eli stirbt. Eli erzählt mir oft von Tutein. Eli schläft jetzt neben meinem Bett. Er fragt mich: Wo ist Tutein? Und ich antworte ihm: In der Vergangenheit. Da, wo deine Lust an Hündinnen ist. Wo alle unsere Gedanken und Erlebnisse sein werden, wenn die Zeit für uns erst dünn geworden ist. – Elis Augen werden ganz blind vor Gram.
Ilok, die Stute, ist jünger. Vor zwei Jahren hatte sie ihr erstes Füllen, vor einem Jahre das zweite. In diesem Jahre ist sie güst geblieben. Ilok ist in dem Stall, den sie bewohnt, geboren worden. Sie ist bei uns geboren worden. Tutein hat sie als Füllen gekannt. Ich habe sie aufgezogen, wie man sagt. Sie ist ein schönes Pferd. Und so arglos wie kein anderes Geschöpf auf dieser Insel. Sie denkt viel, und die Unterirdischen erzählen ihr hin und wieder allerlei Sachen.
Als sie zwei Jahre alt geworden war, brachte ich sie auf die Tierschau, und die Herren Bauern und Sachverständigen, die sie lange prüfend betrachteten, erteilten ihr die nächsthöchste Prämie und schrieben dazu: »Ein kleines, aber schönes Jungpferd von angemessener Tiefe und Breite, gleichmäßiger Gangart und mit regelmäßigen Gliedern. – Gesamturteil: sehr gut.« Es ist wahr, Ilok ist ein wenig klein, wenn man sie mit manchen ihrer Verwandten vergleicht, den Nachkommen der Waldpferde oder des Tarpans, die man hier belgisch nennt. Sie ist kein Steppenpferd, sie ist kalten Blutes, wie man unsinnigerweise sagt. Sie ist voller Schatten wie ein Gehölz. Und angenehm wie eine geheizte Stube im Winter. Wenn ich mit meinem Wagen dahinfahre, belächeln mich manche, die auf der

Straße gehen, daß ich mir kein edleres Pferd halte, wie sie sich ausdrücken, etwa ein Halbblut oder gar ein englisches Pferd, dessen Gedanken nicht in den Augen zu lesen sind, dessen Blick fern ist, fast wild vor Abwesenheit. Es gibt schnellere Pferde als Ilok, und weiter meinen die Gaffer nichts mit ihrer unbegründeten Heiterkeit. Und sie neiden mir das schönste Waldpferd und meinen, ihr Neid werde natürlicher, wenn sie ihn mit Spott mischen.
Aber ich werde Ilok niemals verkaufen. Es tut mir noch weh, wenn ich daran denke, daß ich ihre Mutter verkauft habe. Und doch fügte es sich wie selbstverständlich. Und Tutein hatte es angeraten, nachdem Ilok geboren war und man erkennen konnte, sie würde ein prächtiges Tier werden. Und Tutein starb. Und Ilok wuchs mir ans Herz. Sie war menschlicher als ihre Mutter, die eine unerschöpfliche Gebärerin unter den Pferden war, die Jahr für Jahr trächtig wurde und herrliche Geschöpfe durch die Wurflefzen ausstieß und sie säugte, bis sie stattlich waren und die Mutterliebe zu ihnen verebbte. Sie hatte meine Bewunderung; aber Ilok gewann mein Herz. Ilok tröstete mich mit ihren Augen, als die Einsamkeit wie ein furchtbares Gebirge um mich aufwuchs. Ilok redete zu mir.
Ich habe seitdem oftmals gedacht: wir können gemeinsam alt werden. Noch freilich ist sie jung, viel jünger als ich; aber nach zehn Jahren werden wir gleich alt sein, und nach abermals zehn Jahren werden wir beide Greise sein. Und sollte sie Brot und Hafer nicht mehr kauen können, will auch ich mein Brot nicht mehr kauen. Wenn das Schicksal gütig gegen uns ist, können wir am gleichen Tage sterben, ohne daß dem einen oder anderen ein Stück wertvollen Lebens geraubt wird. Einen Menschen will ich nicht mehr lieben.
Als ich ihr vorhin weinend am Halse hing, legte sie mir ihren Kopf sanft auf die Schulter, sie krümmte den Rücken seitwärts, gleichsam um mich zu umschließen. Wie eine Katze wollte sie sich einrollen, und nur die starken Füße und Pferdeknochen waren ihr im Wege. Ich kannte diesen Antrag schon und wußte, was er bedeutete. Ich hob ihren Schwanz und sah etwas weißlichen Schleim abfließen.
»Wir müssen zum Hengst, Ilok«, sagte ich, »du hast dein

Leben, ich habe das meine. Aber sterben wollen wir gemeinsam. Verfaulen, das können wir gemeinsam.«
Ich küßte ihre Nüstern, die sie mir voll ins Gesicht preßte.

*

In Halmberg mieteten wir eine kleine Wohnung; das Mittagessen nahmen wir in einer kleinen Pension ein; für die Nebenmahlzeiten verköstigten wir uns selbst. Der Flügel kam an. Ehe er aufgestellt war, erhielt er zu den bisherigen noch einige weitere Schrammen. Die Schnitzerei neben der Klaviatur brach entzwei. Die Nachbarn glaubten, daß ich von Beruf Klaviervirtuose sei. Diese Meinung breitete sich über die Stadt aus. Es besuchte uns der Redakteur der kleinen Zeitung, die in Halmberg erscheint, und fragte mich aus. Ich enttäuschte ihn mit meinen Antworten. Er bat mich, da meine Auskünfte ihm nicht ganz verläßlich erschienen, etwas auf dem Klaviere zu spielen. Ich tat es bereitwillig. Nach zwei Tagen konnte ich von meinem Genie in der Zeitung lesen. Als es soweit gekommen war, machte sich der Besitzer des Stadthotels auf, suchte unsere Wohnung, klopfte gegen die Tür und zog, als er eingelassen worden war, die Zeitung aus seiner Rocktasche, las die wesentlichen Abschnitte Tutein und mir laut vor und äußerte dann die bestimmte Zuversicht, daß ich, als Bewohner dieser Stadt Halmberg, darin einwilligen würde, in seinem Etablissement mehrere Konzerte zu geben. Damit wir dessen Erstklassigkeit kennenlernten, lud er uns sogleich zum Abendessen ein. Im übrigen war er nicht so freigiebig. An jedem Konzertabend würde ich kostenlos ein Diner des Tages bekommen. – Ich schob sogleich ein: für zwei Personen. – Er beeilte sich, das mit einem Kopfnicken zu bekräftigen, darauf komme es gar nicht an. Und auch eine viertel Flasche Punsch zum Kaffee sei einbegriffen. In barem Gelde meinte er, zwanzig oder fünfundzwanzig Kronen aufwenden zu können. – Für eine Stunde oder einundeinehalbe Stunde, wie er sagte. Er habe ja auch die Unkosten für die Kapelle. Und man wisse ja gar nicht, was dabei herauskomme, ob der Umsatz an Speisen und Getränken gesteigert werde; vielleicht müsse man einen Eintrittspreis erheben; aber solche Maßnahme schrecke die Besucher ab. Ich

verlangte fünfzig Kronen. Er bedauerte, mir nicht entgegenkommen zu können. Endlich ließ ich mich dazu herbei, ein einziges Konzert für fünfundzwanzig Kronen zu spielen. Sollte es zu Wiederholungen kommen, weil mir Erfolg beschieden, wurde eine Erhöhung auf fünfzig Kronen in Aussicht gestellt. Der Hotelbesitzer wiederholte seine Einladung auf den Abend, schlug vor, man könne dann Einzelheiten besprechen, und ging befriedigt.
Tutein freute sich aufrichtig. Er erwartete sich etwas.
»Wir machen Fortschritte«, rief er, »Halmberg weiß dich zu schätzen. Es ist der Beginn einer Laufbahn.«
»Es ist eine Kleinstadt«, sagte ich gemäßigt, »dennoch werde ich mir einen schwarzen Anzug schneidern lassen müssen.«
Wir aßen zu Abend im Stadthotel. Ich war über die Eleganz der Gesellschaftsräume erstaunt. Der Speisesaal, in dem das Konzert stattfinden sollte, folgte im Grundriß den Schenkeln eines rechten Winkels. Wo die zwei Richtungen zusammenstießen, war ein Podium aufgebaut, das einen Flügel und mehrere Notenständer trug, eine Pauke, einen Notenschrank und ein kleines Kotykiewicz-Harmonium.
»Die Kapelle beginnt die Saison am nächsten Sonntag«, erklärte der Hotelbesitzer.
Der Fußboden war mit einem einzigen ungemein großen roten Teppich belegt, dessen Fläche grünrankende Pflanzen in ungefähre Quadrate aufteilten. Die Wände waren mit vergoldetem Stuck und den undeutlichen Bildern ausdrucksloser Gobelins bedeckt; sie stellten Waldlandschaften mit duffen Quellen, Schäfer und Schäferinnen, Herden auf Rasenstücken und Säulenhallen mit Marmorfußböden, über die vereinzelte prächtige Gestalten schritten, dar.
An kleinen Tischen saßen die Gäste und wurden vom glitzernden Licht reich behängter Prismenkronleuchter bestrahlt. Schwarzbefrackte Kellner, die lautlos Speise und Getränke herbeitrugen – nur hin und wieder lärmten sie etwas achtlos mit dem Geschirr. – (Alle Hotels der besseren Klassen gleichen einander. Sie sind dem Armen zum Schimpf, sie bedrücken den Unsicheren, sie beschämen den Einfältigen und Unerfahrenen, sie begünstigen den Hochstapler, sie bedienen den Vermögenden nach seinem Wunsch. Den Militärs, Schauspielern und

Börsenspekulanten ist es erlaubt, zu schelten und sich flegelhaft zu benehmen. Die durchschnittlichen Menschenkinder müssen es mühevoll lernen, eine Hoteltreppe würdig hinauf- und hinabzuschreiten, so daß der Groom die Gemütsbewegung nicht wahrnimmt, die ihnen das Herz bedrückt. – Wie oft habe ich diesem Groom ein Geldstück in die Hand gelegt – um – um mich zu verstecken! Um der Beklemmung Herr zu werden, daß ich ertappt würde.) –

Wir verabredeten den Tag. Ich forderte drei Wochen Zeit, um mich vorbereiten zu können. Ich fürchtete mich vor dem Lampenfieber und sagte, ich würde nicht ohne Noten spielen können. – –

Nach wenigen Tagen wußte man in der Stadt, daß der einheimische (man sagte nicht der zugereiste) Komponist und Klaviervirtuose Gustav Anias Horn im Stadthotel ein Konzert geben werde, und auserlesene Sachen würden zum Vortrag kommen. – Leider mußte ich die auserlesenen Sachen recht gründlich meinen Fingern einüben, und die Nachbarschaft war bald meines Konzertes überdrüssig. Und ich war es auch. Ich wußte nicht, wie ich bestehen würde. Tutein tröstete mich damit, es sei ja nur eine Leistung für fünfundzwanzig Kronen.

Ein sinnloses Gefühl der Angst quälte mich am Tage des Konzertes. Ich war kreidebleich, als ich mich an den Flügel setzte. Ich bat, den Saal abzudunkeln, damit ich nicht die Köpfe der Zuhörer so deutlich sähe. Dennoch spielte ich fast fehlerfrei. (Ich stockte nicht einmal in den Sprüngen des Prestos der a-moll-Sonate Mozarts.) Nach den ersten zwanzig Takten kam mir auch der Geschmack an der Musik zurück.

Es war mein erstes Konzert. Ich erntete Beifall. Man wünschte eine Zugabe. Ich spielte den zweiten Abschnitt des Gloria der Messe L'homme armé aus dem sechsten Ton des Josquin, die ich mir am Tage zuvor für Klavier eingerichtet hatte. Das Befremden der Hörer war so groß, daß ich dem Redakteur der Zeitung hinterher eine Erklärung geben mußte. (Die Torheiten, die man aus Überzeugung begeht, sind immer die größten.) Immerhin, ich konnte unter Händeklatschen an den Tisch Tuteins gehen, um mit ihm gemeinsam zu essen.

Neben ihm saß ein älterer, recht dicker Mann mit einem unentschiedenen roten Gesicht. Die beiden hatten schon

gemeinsam eine halbe Flasche Punsch geleert. Als ich mich ihnen näherte, stieß der Fremde einige leise Worte des Glückwunsches aus.
»Großartig, großartig«, sagte er, »ein Ohrenschmaus.«
Ein Kellner brachte, scheinbar unaufgefordert, noch eine halbe Flasche Punsch, stellte auch für mich ein Glas bereit, schenkte ein.
»Ich bin Pferdehändler«, sagte der Mann, »aber die Musik liebe ich dennoch.«
»Wir sind einig geworden«, sagte Tutein. »Ich werde mich ein wenig im Pferdehandel umtun.«
Vor Verwunderung konnte ich kein Wort hervorbringen.
»Auf den Viehhandel versteht sich Ihr Freund«, sagte der Mann, »in Südamerika hat er als Kommissionär gewirkt.«
Ich schwieg noch immer, trank hastig meinen Punsch, und Tutein nahm das Wort.
»Es ist das keine große Sache, ich werde unter der Anleitung von Herrn Vogelquist arbeiten.«
»Ich brauche einen zuverlässigen Gehilfen«, sagte der Mann, »verstehen Sie mich recht, einen Menschen mit selbständigen Einsichten und mit einem guten Gefühl für Pferde.«
»Tutein ist ein Neuling«, sagte ich nüchtern.
»Er wird nach drei Wochen kein Neuling mehr sein«, sagte der Pferdehändler, »er hat scharfe Augen, das genügt. Alles übrige wird er bei mir erlernen, falls es ihm behagt. – Ich brauche junge Hilfe. Ich werde alt. Bei jedem Wetter auf der Landstraße kutschieren, es behagt mir nicht mehr, es schadet mir.«
»Wir sind einig geworden«, wiederholte Tutein.
»Durchaus«, sagte der Pferdehändler, »Verdienst auf Halbpart.«
»Und Verluste?« warf ich beunruhigt ein.
»Da mache ich ein Auge zu, während des ersten Jahres«, sagte der Händler.
»Wir werden einander kennenlernen«, sagte Tutein, um mich milde zu stimmen.
»Tutein besitzt nichts«, sagte ich noch, um den Mann abzuschrecken.
»Wer anders beginnt, bringt es zu nichts«, antwortete der Pferdehändler.

Ich konnte an diesem Abend nicht froh werden. Der Fremde schlug vor, meinen Erfolg auf seine Kosten gebührend zu feiern. Tutein sagte mir ein paar Schmeicheleien ins Ohr. Unbekannte kamen an unseren Tisch, um mich das eine oder andere zu fragen. Der Wirt, gefolgt von zwei Kellnern, näherte sich, übergoß mich mit einem Schwall von Worten. Dann breitete er eigenhändig ein weißes Tischtuch aus, und seine Gefolgsleute richteten die vertragliche Abendmahlzeit an. Für den Pferdehändler wurde ein drittes Gedeck gebracht. Auf sein Geheiß gab es auch schweren Burgunderwein.
Dann erschienen auf dem Podium, fast unbemerkt von den lärmenden Gästen, die Mitglieder der Kapelle. Es waren vier Damen, die gleichgekleidet rote Hosen, graue Jacken und weiße Hemdblusen trugen. Sie stimmten die Saiteninstrumente und begannen zaghaft mit dem ersten Musikstück. Sie brauchten länger als ich, um die Befangenheit abzuschütteln. Endlich schien der schwere Dunst, den meine Musik hinterlassen hatte, zu weichen. Die Klavierspielerin wagte hart in die Tasten zu schlagen, die Violine wurde klar, rein und gesprächig, ein lustiges Feuer verbreitete sich. Ich atmete auf. Die Polyrhythmik einer gutgearbeiteten Jazzkomposition beschäftigte meine Gedanken. Ich bewunderte die instrumentale Gewandtheit der musizierenden Damen. Endlich schaute ich mit offener Anerkennung zu ihnen auf und beklatschte ihre Leistung. Das Publikum folgte meinem Beispiel. Im Laufe des Abends stellte ich mit einer Art Beschämung für mich selbst fest, welches Maß an Können und Vorzügen man diesen Musikern abverlangt. Ein großes und abwechslungsreiches Repertoire. Jede der Damen mußte wenigstens zwei verschiedene Instrumente bedienen können. Die Klavierspielerin setzte sich nicht nur gelegentlich an das Harmonium, sie spielte auch mit Virtuosität eine Ziehharmonika. Die Violinistin blies eine Klarinette, die dritte konnte das Cello mit einem Saxophon vertauschen, und die vierte bediente das Schlagzeug, blies Trompete, Fagott und Saxophonaigu. Und ein hübsches Gesicht verlangte man von ihnen, feste Brüste, die sich natürlich unter der Bluse abhoben, geraden und ungekränkelten Wuchs. Und ein nie ermüdendes geschminktes Lächeln, auch wenn ihr Körper blutete.

Tutein konnte sich nicht so bald von dem Pferdehändler losmachen. Sie trafen Verabredungen; es wurde spät, ehe wir nachhause gingen.
Am nächsten Morgen verabschiedete sich Tutein umständlich. Er wollte mit dem Pferdehändler über Land fahren. Ich wünschte Glück, streckte mich noch ein paar Mal in meinem Bette und war gerade früh genug auf den Beinen, um eine Dame empfangen zu können, die sich an der Tür meldete. Sie stellte sich als die Tochter eines Admirals und Gattin eines Seeoffiziers vor, der einen Torpedozerstörer befehligte. Ihr Anliegen war, als begeisterte Zuhörerin vom Tage vorher, mich für den Abend einzuladen.
– Zu einer Tasse Tee, wie sie sagte, nach dem Essen – ohne Schleier und Feier; um diese Stunde seien ihre Kinder im Bett, das Haus sei still und das Lampenlicht am wohltuendsten. – Ich sagte zu, ließ mir Namen und Adresse geben, dankte, und die Dame eilte davon.
›Seltsam –‹, dachte ich; aber ich dachte auch nicht mehr.
Tutein blieb lange aus. Ich schrieb gegen Abend einen Zettel für ihn, daß ich ausgegangen sei und erst später nachhause kommen würde.
Ich ging bei passender Zeit fort, schlenderte durch die abendlichen, spärlich erleuchteten Straßen. Auf den Schlag neun Uhr stand ich vor einem mächtigen vierstöckigen Mietshaus. Es war ein vornehmes Haus, recht neu. Das Kellergeschoß war aus gewichtigen Granitquadern aufgeführt, und im ersten Stockwerk waren die Fenster zur Straße hin mit schweren Eisengittern verwahrt. Die Haustür war nicht verschlossen. In einer mit öländer Kalkstein verkleideten Vorhalle brannte elektrisches Licht. Ein Fahrstuhl lud ein, sich seiner zu bedienen. Ich fuhr in den dritten Stock hinauf und klingelte nach einigem Zögern an der Tür, die nun die richtige sein mußte. Die Dame selbst öffnete mir. Sie nahm mir Hut und Mantel ab und tat beides in einen Schrank. Sie ging mir voran durch eine kunstvoll geschmiedete Gittertür. Wir traten in eine halberleuchtete Halle. Wir gingen weiter durch noch zwei Türen und kamen in einen kleinen Raum; ich denke mir, es war das Zimmer der Dame. Es hatte eine Nische, in der ein mit Roßhaar bezogenes Sofa stand. Davor ein Tisch, anmutig gedeckt. Zwei Teller,

zwei Tassen, vier Gläser, Gebäck, Sandwiches, Silbergeschirr, ein Strauß Blumen und eine Flasche Parfüm. An den stoffbezogenen Wänden hingen alte Porträtköpfe. Ein Diwan mit einem Bärenfell darauf, eine Schatulle, ein Wäschepuff, ein geöffneter Wandschrank, in dem Wein- und Likörflaschen standen. Das erste, wovon sie mir anbot, war das Parfüm. Sie fragte, ob ich Parfüm liebe. Sie wartete meine Antwort nicht ab, öffnete den Flakon, tat sich einige Tropfen vor die Brust und betupfte mich dann gleichermaßen. Ich lachte. Was auch hätte ich sonst tun sollen?

Wir setzten uns, und ich brachte nochmals, etwas gesammelter, meine Begrüßung vor.

»Sie glauben am Ende gar nicht, daß ich verheiratet bin«, sagte sie.

»Doch«, gestand ich; ich hatte keinerlei Verdacht, daß es anders sein könnte.

Aber sie bestand darauf, es mir zu beweisen. Ich sollte ihre beiden Knaben sehen. Der eine war acht Jahre alt, der andere dreizehn, wie sie sagte.

»Dabei bin ich noch sehr jung, ich habe den ältesten mit siebzehn Jahren bekommen«, sie lachte, »leicht entfacht und schnell gemacht.«

Wir verließen also das Zimmer, schritten einen Korridor entlang. Eine Tür öffnete sich geräuschlos. Schnell knipste die Dame das Licht an. An einer Längswand standen zwei Betten. In den Betten lagen die Knaben. Beide hatten die Augen geschlossen.

»Sie schlafen«, sagte triumphierend die Dame.

Ich aber sah, das Gesicht des Älteren war tief rot vor Überraschung oder Ärger, und sein Schlaf mußte geheuchelt sein.

Wir schlichen wieder hinaus. Draußen schloß die Mutter die Tür ab.

»Vorsichtshalber«, sagte sie, »man kann dreizehnjährigen Knaben nicht trauen.«

Ein Unbehagen beschlich mich.

Als wir wieder im Zimmer der Dame angelangt waren und das gedämpfte Licht den Möbeln, Bildern und Teppichen einen rotgoldenen Frieden gab, beruhigte auch ich mich. Die Dame huschte unauffällig im Zimmer hin und her. Sie hantierte in

einem Winkel, dem Licht abgewandt. Plötzlich gab es einen Knall, und schnell kam sie mit einer geöffneten halben Flasche Champagner an den Tisch, goß davon in zwei Schalen und sagte:
»Zum Butterbrot trinken wir ein Glas Sekt, das liebe ich.«
Sie setzte sich aufs Sofa, hieß mich mit meinem Stuhl nahe herbeirücken, stieß mit mir an und legte mir Sandwiches vor. Sie selbst aß wenig. Mit mageren blassen Händen hielt sie Messer und Gabel und zerschnitt das Brot. Die Adern schimmerten blau durch die dünne Haut hindurch.
Sie trug ein enganliegendes schwarzseidenes Kleid, das gänzlich ohne farbigen Schmuck war. Wir tranken das zweite Glas. Ihre Stimme zitterte ein wenig, als sie zu mir sagte:
»Ich habe Ihnen Besseres zu bieten als ein durchschnittliches Gesicht –«
Ich verstand sie nicht. Und sie wußte wohl, daß ich sie nicht verstand.
»Geben Sie Ihre Hand«, sagte sie fast heftig, und sie nahm meine Hand und führte sie an ihre Brüste.
»Fassen Sie doch zu«, sagte sie, ohne sich noch zu bedenken, »Ihr Urteil ist mir wichtig.«
Aber ich ließ die Hand sinken und starrte vor mich hin.
Sie erhob sich ohne Hast, schritt an den Wandschrank, goß sich ein Glas Kognak ein und trank es.
»Geben Sie mir auch bitte«, sagte ich, um etwas zu sprechen.
»Das hätten Sie drei Minuten früher sagen können«, erklärte sie gelassen. Sie kam heran, goß mir ein.
»Sind es nicht schöne und gesunde Knaben?« fragte sie mich.
»Ja, gewiß«, sagte ich.
»So haben Sie gesehen, was ich kann«, sagte sie. Sie schwieg. Sie suchte nach Worten. »Sind Sie ein Narr – oder sind Sie nur schüchtern?« fragte sie unvermittelt.
»Ich möchte fort«, sagte ich stockend.
»Wollen Sie mich beleidigen?« fragte sie zurück, »trinken Sie lieber Tee oder Kaffee?«
»Ich will Sie gewiß nicht beleidigen«, sagte ich still, »aber ich möchte mich nicht vor Ihrem halberwachsenen Sohn schämen. Ich habe gesehen, er schlief nicht. Sein Gesicht war rot vor Zorn –«

»Vor Scham«, sagte sie entschlossen, »vor Scham, daß wir ihn ertappten.«
»Ertappten –?« fragte ich unsicher.
»Er ist in dem Alter«, setzte sie ihre ungewisse Beleidigung gegen das Kind fort.
»Sie haben ihn eingeschlossen«, sagte ich erbost.
»Gleichviel«, sagte sie, »trinken Sie lieber Tee oder Kaffee? Sie werden noch nicht nachhause gehen, außer, wenn Sie vorhaben, mich zu demütigen.«
»Ich trinke lieber Tee«, sagte ich.
Sie ging hinaus. Ich hörte, weil sie alle Türen offenließ, sie drehte irgendwo einen Schlüssel im Schloß. Es wurde still. Sie blieb lange fort. Ich war ratlos und verwüstet. Ich schalt mich, weil ich das natürliche Verlangen eines anderen Menschen mit meinen Kategorien bekämpft hatte. Ich hätte sagen sollen: sie gefalle mir – oder: sie gefalle mir nicht. Ich aber wußte nicht einmal, ob sich das eine oder das andere bei mir eingestellt hatte.
Sie kam zurück; ihr folgte ein großer schöner Knabe in einem Matrosenanzug.
»Erling wird mit uns Tee trinken«, sagte die Dame.
Ich gab dem Knaben die Hand. Er blickte an mir vorbei.
Der Knabe und ich saßen schweigend am Tisch, während seine Mutter den Tee bereitete. Auch als wir zu dritt den Tee schlürften, wurde kaum ein Wort gesprochen.
»Erling wird Sie bis auf die Straße begleiten«, sagte die Dame, als ich mich anschickte, fortzugehen. Erling trat ans Fenster und verbarg sich hinter dem Vorhang.
»Nun haben Sie ihn wachend gesehen, mein Junges«, sagte sie leise, »und Sie brauchen sich nicht vor ihm zu schämen. Doch mir sind Sie etwas schuldig geblieben, und ich habe das Recht, Sie als eine hübsche Puppe zu betrachten, die man nicht auskleiden kann.« –
Erling kam hinter dem Vorhang hervor, öffnete mir die Tür, schritt voraus. Im Fahrstuhl stand er dicht neben mir, und seine schönen Augen suchten die meinen. Doch er fragte mich nichts. Auf der Straße reichte er mir die Hand, verbeugte sich tief und sagte mit höflicher Stimme:
»Ich danke Ihnen, daß Sie meine Mutter besucht haben.«
Er verschwand in der Haustür. Ich blieb lange unschlüssig

stehen, ob ich noch versuchen sollte, etwas rückgängig zu machen. Endlich schritt ich langsam davon.
Tutein war noch immer nicht nachhause gekommen. Und als er endlich kam, schlief ich schon. Er weckte mich, um mir von den Herrlichkeiten des Tages zu erzählen. Fünfzehn junge Pferde hatten sie gekauft. Morgen werde man sie nach Halmberg führen, die Mähnen mit Stroh geflochten, den Schwanz aufgebunden. Ich müsse die Tiere sehen.
»Wir haben dreimal gefrühstückt und dreimal zu Abend gegessen, auf sechs verschiedenen Höfen«, sagte er.
»Und fünfzehnmal habt ihr Schnaps getrunken«, sagte ich.
»Du hast es erraten«, sagte Tutein, »auf vierzehn verschiedenen Höfen.«
»Und wieviel hast du verdient?« fragte ich.
»Das wird sich erst erweisen, wenn die Pferde weiterverkauft sind«, sagte Tutein, »einstweilen hat mir der Pferdehändler einen Vorschuß von fünfhundert Kronen gegeben. Du hast ihm ja gestern erzählt, daß ich nichts besäße.«
»Fünfhundert Kronen ist ein größerer Betrag als fünfundzwanzig Kronen«, sagte ich gelassen.
»Ja«, sagte Tutein, ein wenig bedrückt.
»Und womit eigentlich hast du sie verdient?« fragte ich.
»Mit meiner Begabung«, sagte er lächelnd.
»Mit welcher Art Begabung?« fragte ich.
»Es ist ein wenig umständlich, es zu erklären«, sagte er, »für Pferde muß man ein angeborenes Talent haben. Den Handel mit Schafen und Rindern kann man den Kaufleuten und Schlachtern überlassen. Ein guter Roßkamm muß Herz und Genie besitzen, wie sie Michael Kohlhaas besaß, und die Fähigkeit dazu, wegen eines Pferdes einen Aufruhr zu machen.«
»Ich kann kaum glauben, daß du das alles heute in Erfahrung gebracht hast«, sagte ich.
»Nun ja«, fuhr er fort, »wenn du mir gleich in die Rede fällst, komme ich über die Einleitung nicht hinaus.«
»Ich will dich nicht weiter unterbrechen«, sagte ich noch, »es sei festgestellt, dein Pferdehändler besitzt Talent, und das gleiche Talent hat er bei dir entdeckt. – Worin äußert es sich? Es gibt ja nicht jeden Tag Aufruhr, und Herz und Genie müssen wohl den einen oder anderen Ausschlag gegeben haben.«

»Das gerade will ich verdeutlichen«, sagte er ein wenig gekränkt, »man muß die Pferde nicht nur beurteilen können, man muß die Gabe haben, die einmal genau angeschauten in beliebiger Zahl unter beliebigen anderen unbekannten herauszufinden. Man muß sich ihrer auch noch über lange Zeit hinweg erinnern können.«
»Darauf also versteht sich dein Pferdehändler?« sagte ich.
»Er hat es darin weit gebracht. Wenn man ihm zweihundert Pferde an einem Vormittage vorführt, und eines der zweihundert wird ihm zweimal gezeigt, ruft er sogleich, was die Ungehörigkeit bedeuten solle, er habe das Pferd schon vorher gesehen.«
»Und du meinst, und auch er meint, du könntest ihm darin gleich werden?« fragte ich.
»Er hat heute allerlei Proben mit mir angestellt, und ich habe sie alle bestanden«, sagte Tutein, »auch die Nase – oder besser ausgedrückt der Geruch – ist von Wichtigkeit. Pferde, die man zur Zucht verwenden will, müssen gut riechen. Das heißt so viel: sie müssen gesund riechen. Es ist ein besonderer, ein geradezu schöner Geruch. Die meisten Menschen können ihn von den allgemeinen Ausdünstungen gar nicht unterscheiden; für sie hat Schweiß und Harn und Pferdemist den gleichen Gestank.« –
»Auch darin hat er dich geprüft?« fragte ich.
»Ja«, sagte Tutein, »und ich entdeckte sogleich, daß alle Fuchspferde schwach im gesunden Geruch sind. – Du kannst dir gar nicht ausmalen, wie sehr der Pferdehändler lachte, als ich es ausgesprochen hatte. Er lachte und umarmte mich, er küßte mich auf die Backe. Der Bauer mußte Schnaps in den Pferdestall bringen, und wir tranken sogleich Bruderschaft. Erst als wir drei Schnapsgläser hintereinander geleert hatten, erklärte mein Duzbruder, warum er sich so gefreut habe. – ›Das‹, sagte er, ›ist die höchste Weisheit, es ist der Geruch der Eierstöcke, mein Freund; mein Freund, Fuchsstuten sind am häufigsten unfruchtbar. Ihre Farbe ist die häufigste. Auf dem weiten Erdenrund würde es nur noch Fuchspferde geben, wenn ihre Fruchtbarkeit nicht zu wünschen übrigließe. Und du mit deiner göttlichen Nase hast das sogleich gerochen. Es wird ein großer Pferdekenner aus dir werden, ein gewaltiger Händler. Du

müßtest Züchter werden. Ich wußte, als ich dich gestern sah, daß du mir der richtige Gehilfe werden würdest.‹ – So also redete er.«

»Auch ich finde deine Begabung erstaunlich«, sagte ich anerkennend, »des Pferdehändlers Vermutung über dich ist auch erstaunlich.«

»Die Beurteilung der Pferde nach ihren äußeren Merkmalen fällt mir noch schwer«, sagte Tutein, um das Lob abzuschwächen.

»Wie solltest du auch zugleich ein Pferdekenner sein können, da du doch keine Erfahrung hast«, sagte ich.

»Es fehlt mir noch viel vom Handwerklichen«, sagte Tutein, »du hättest sehen sollen, mit welchem Geschick Gösta – ich meine den Pferdehändler – also Gösta – daß ich ihn fortan so nenne, daran mußt du dich gewöhnen – mit einer kleinen gebogenen Schere sein Monogramm den gekauften Pferden ins Fell schneidet. G V, Gösta Vogelquist. Und mit welcher Bestimmtheit er den Preis für ein Pferd angibt. Keine Rede des Bauern, keine noch so gute Stammtafel bringen sein Urteil ins Wanken. Er bezahlt seinen Preis, oder er kauft das Tier nicht. Und jedermann sagt ihm nach, daß er einen guten Preis bezahle. In zwei Fällen hat er mehr geboten als der Verkäufer forderte. Er wolle kein Betrüger sein, sagte er den verblüfften Bauern und legte hundert Kronen zum Kaufpreis. – Ich soll nun unter Göstas Anleitung diese fünfzehn Pferde auf dem Markt von Träslöv verkaufen. – Ich stehe vor den Tieren, eine Peitsche in der Hand, wie es sich geziemt, im weißen Leinenmantel – und besorge den Handel. Gösta steht vielleicht an meiner Seite; aber er mischt sich nicht ein. Es ist die letzte Probe.«

»Ich zweifle nicht am Erfolg«, sagte ich, »nur deinen Gösta begreife ich nicht. Er könnte doch alles gerade so gut allein machen wie bisher.«

»Er könnte es«, sagte Tutein, »aber er will es nicht. Er sagt, er werde alt, er sitze lieber in einer Weinstube als daß er auf dem Markt stehe. Er will die Annehmlichkeiten des Geschäftes voll bis an sein Lebensende auskosten; aber die Beschwernisse, die Kümmernisse, der Ärger sollen mir zufallen, gegen Halbpart, wie wir es abgesprochen haben.«

»Du bist also auf dem besten Wege, ein bedeutender Herr der Viehmärkte zu werden«, sagte ich, »schon dein erster Tag war

verheißungsvoll. Viel gutes Essen, viel starkes Getränk und Geld in die Tasche.«
»Es gibt auch Rückschläge«, sagte er.
»Fünfhundert Kronen sind ein größerer Betrag als fünfundzwanzig Kronen. Sechs Mahlzeiten sind gewichtiger als eine. – Und Gelegenheit hattest du auch«, fuhr ich fort, »in einem Stall oder auf einem Boden, auf einem Treppenabsatz, in einer Kammer, am Rande eines Gehölzes eine hübsche Bauerstochter oder eine Magd unter den Röcken zu bedienen.«
»Woher weißt du das?« fuhr er auf.
»Ich weiß es gar nicht, ich denke es mir nur«, sagte ich.
»Warum denkst du es?«
»Weil ein Unterschied zwischen einem mittelmäßigen Künstler und einem Pferdehändler ist«, sagte ich.
Merkwürdigerweise fragte er mich nicht, welchen Unterschied ich im Sinne hätte.
»Du solltest nicht für fünfundzwanzig Kronen spielen«, sagte er.
»Die Kapellmädchen spielen für geringeren Lohn«, sagte ich, »und man verlangt doch, daß sie hübsch sind und feste Brüste und Schenkel haben, damit, wer hinschaut, sich daran freuen kann.«
»Du bist doch kein Mädchen«, sagte er.
»Es kommt nur auf mein Gesicht und meine Hose an«, sagte ich heftig.
»Du suchst Streit«, sagte er und begann, sich zu entkleiden. Nach einer langen Pause fügte er hinzu: »In drei Tagen werde ich nach Träslöv fahren.«

*

Früh am Morgen ging er wieder fort, um Preislisten aufzustellen, das Eintreffen der Pferde zu überwachen und dem Stallburschen Anweisungen zu geben, wie er sagte.
Ich hatte wieder Besuch. Diesmal war es der Besitzer des Stadthotels, der mir einige Spalten der Lokalzeitung vorlegte. Ein unbegrenztes plumpes Lob meiner musikalischen Fähigkeiten. Nur zum Schluß war eine dreiste Frage gestellt: – Warum haben wir keine eigenen Kompositionen des Künstlers zu

hören bekommen? Der Applaus war so stark, daß sich auch außerhalb der Vortragsfolge am Schlusse Gelegenheit gefunden hätte, deren einige vorzutragen. Statt dessen wurde eine dunkle Altertümlichkeit geboten. – Ich wußte, wie ich die Neugier der Zuhörer zu bewerten hatte. Ich schlug dem Hotelbesitzer die Bitte ab, auf einem zweiten Konzert Werke von mir zu spielen. Er bot mir hundert Kronen. Ich schüttelte den Kopf nochmals verneinend. Er schien es so aufzufassen, daß mein Starrsinn zu erweichen sein würde, und ermahnte mich, mir das Angebot in Muße zu überlegen. –

– – – – – – – – – – – –

Ich bin vom Schreibtisch aufgestanden, um Ilok ein wenig zu trösten, mit ihr den morgigen Tag zu bereden. Wir hatten heute zum Hengst fahren wollen; aber zwei Begebnisse haben sich uns entgegengestellt. Der Hengst hat heute andere Stuten zu bedienen, oder doch eine zum wenigsten. Ich möchte, daß Ilok ihn einen ganzen Tag für sich allein hat, zwei Tage lang. Außerdem strömt ein Regen herab, ein Regen von ungewöhnlicher Dauer und Heftigkeit. Es ist, als ob alle grauen Tage der vergangenen Wochen mit ihrer Nässe, die den Schnee zerlöste und den Boden in Morast verwandelte, nur eine Vorstufe der Feuchtigkeit gewesen, und daß erst diese Nacht und dieser Tag eine Belehrung darüber bringt, was es bedeutet, daß die Wolken aus Wasser gemacht sind. Daß es in der Luft schwimmende Meere gibt, einen unfaßbaren Verstoß gegen die Kräfte der Anziehung. Von jeder einzelnen Ziegelrinne strömt ein kleiner Bach und ergießt sich durch die Luft in einem Wasserfall zur Erde. Vor meinen Fenstern hängt ein Gitterwerk aus zerperlendem Wasser. Und die Landschaft, weiter hinaus, ist verschleiert durch unablässig fallende, dicke, unzählbare Regentropfen. Es ist wie eine unbegrenzte, stillestehende Brandung, wie ein Ozean zu neun Zehnteln aus Luft, zu einem Zehntel aus Wasser. Die Landschaft der Erde verwandelt sich schnell. In einer Nacht sind all die Quellflüsse entstanden, die den Boden überströmen, die Tümpel, die die noch undeutlichen Wiesen ausfüllen, die aus Gräben und Bächen hervorwachsen und die Äcker mit graublanken Spiegeln durchsetzen.
Ich bin an diesem Morgen in den Wald hinausgegangen, um

das Steigen des Wassers, das Hervorsickern aus Moosen und Gräsern, die Strudel und Gießbäche in den Senkungen und Tälern zu sehen. Ein Gurgeln und Rauschen von überall her. Blank gewaschener Steinschotter auf allen abschüssigen Wegen. Ein eintöniger trübbrausender Gesang. Lebende Würmer und tote Blätter treiben davon. Das Segeln der Vögel ist wie die traurige Flucht der Vergangenheit – ein Mantel breitet sich aus, und das Gewesene fällt gestaltlos, vollkommen zergangen und dünner als der dünnste Atem, heraus. Es ist nichts als der Mantel. Und der Mantel ist es auch nicht. Und man fragt sich: war es ein Vogel? – Die jungen Eichen zeigen den Schoß ihrer Knospen. Tuteins Hand hat geholfen, sie zu pflanzen. Aber sie wachsen für sich und in der Gegenwart und auf eigene Gefahr. Es muß ein Vogel gewesen sein. Es war nicht Tuteins Hand. Tuteins Hand, die ich wohl sehen möchte und doch niemals mehr sehen werde; von der ich nur weiß, daß sie als Knochen und plundrige Haut in einem Kupferbehältnis eingelötet im Kasten verborgen liegt. Tutein, der ganze Tutein, hat nur noch die Gegenwart im Kasten. Nicht hier draußen, nicht im Regen. –
Wie schwer zu ertragen ist dieser Frühling! Ich denke daran, daß ich Tutein eines Tages begraben muß, daß ich ihn bald begraben muß, ehe es zu spät ist. Daß ich nicht sterben darf, solange er nicht begraben ist. Daß ich ihm schuldig bin, daß er bei mir bleibt, solange ich lebe, daß ich ihm aber auch schuldig bin, ihn zu begraben, solange ich noch lebe. Und ich hoffe noch immer, daß mich ein Brief erreichen wird. Wenn es auch unwahrscheinlich ist, so hoffe ich es doch. Der Brief eines Matrosen, der der Diener eines Reeders geworden ist. Bis dahin will ich alles hinausschieben. Ohne gerade leichtsinnig zu sein, habe ich noch ein wenig Zeit, darauf zu warten. – Mein Widersacher, mein Tod, wird mich nicht hinterrücks überfallen und mich erwürgen. Er hat mit seinen Fäusten meinen Kopf bedroht. Er wird weiter auf mich einschlagen. Er wird mich nicht in einem einzigen Kampf zum Erliegen bringen. Mein Gehirn ist nicht so schlecht, daß es einfach ausläuft, weil man mit Schmerzen hineinschneidet. Ich werde allmählich sterben wie alle, die nicht auserwählt sind. Oder irre ich? – Habe ich mich vielleicht auf Dinge eingelassen, die, ohne daß ich noch

ihrer Schwere gedenke, plötzlich reif geworden sind und aus der Vergangenheit herabfallen und mich treffen, mich umwerfen, auslöschen? – Auch ein anderer Brief kann mich noch erreichen. Nicht ein Brief meiner Mutter. Sie ist tot. Nicht ein Brief meines Vaters. Er hat mich ausgestrichen und ist auch gestorben. Mein Verleger kann mir schreiben. Er könnte mir schreiben, daß nun doch, ganz wider alles Erwarten, meine Symphonie in einer dieser großen Städte von einem dieser großen Orchester, die von einem dieser großen Dirigenten geleitet werden, aufgeführt werden soll. Und daß einer der großen Köre – junge Knaben, die noch nicht onanieren, Frauen, die gebären könnten, Männer, die schon oft gezeugt – in die krausen Harmonien einsinkt, in die Takte, die ich aus Notenzeichen aufgebaut habe – und die Münder, wie ein Mund, die jungen Münder und die alten Münder, wie ein Mund, sprechen den Text, den Text, den ich ausgewählt, weil ich keinen besseren finden konnte. Und sie hören den Strom, das Toben und Klagen der Instrumente und unterstellen vielleicht, daß die Geigen, die Hörner, die Fagotte, Flöten, Trompeten, Klarinetten, Bässe und Posaunen den gleichen Text umschreiben. Den Text, den sie nicht verstehen, der zu kurz ist, als daß sie ihn verstehen könnten, wenn sie nicht schon alles im voraus wissen: ER WAR'S, DER ALLES SAH BIS AN DES LANDES GRENZEN. Wer sah? – werden sie fragen. Und welchen Landes Grenzen? – Hilft es ihnen, wenn man sagt, es ist die Vergangenheit? Es ist ein Held, der sah. Und es gibt keinen Helden mehr, wie er einer war. Und es gibt das Land nicht mehr, das er überschaute. Es gibt seinen Schmerz nicht mehr. Es gibt den ersten Tod nicht mehr. Der Tod ist inzwischen allgemein geworden. – Ich habe an Gilgamesch und Engidu gedacht, als ich den ersten Satz schrieb. Ich meinte, ich müsse es andeuten, daß ich an sie gedacht. Daß ich an Tutein gedacht, meinen Freund. Und so ruft denn der eine Mund, der viele Münder hat, die eine Verkündigung, die ganz leer ist, weil sie sich auf keine Ewigkeit beruft. – – – Und sie fürchten sich vor dem zweiten Satz. Ich weiß es bestimmt, sie fürchten sich vor dem zweiten Satz, weil sie nicht wissen, wie all die Musik, die da aufbricht, zusammengehen soll. Mein Verleger hat es mir geschrieben, vor zwei Jahren, als er das Werk herausbringen sollte und sich weigerte, es zu drucken. Sie denken an ihren Text, an den strengen Satz ihrer fünf Stimmen, an den ehernen Rahmen der ebenso strengen Instrumente. Vielleicht verfluchen sie den Text des chinesischen Dichters, einzig, weil ich ihn gewählt habe; ich wählte ihn, weil ich keinen besseren finden konnte. Einen besseren konnte ich Abtrünniger nicht finden. DAS LICHT DES WEISSEN MONDES FÄLLT AUF DIE STRASSE. ES IST WIE SCHNEE. ICH DENKE AN MEINE HEIMAT. – Mein Verleger hat mir seinerzeit geschrieben, wie wundervoll der strenge Satz sei, die Instrumente, das Ganze. Aber es sei ein Schandfleck in der Partitur oder ein Versehen – er wage nicht, an meinen Schwachsinn zu glauben: – Ein Orgelsatz, eine Passacaglia, die in eine schier unausgründbare langsam fließende, geradezu ungeheuerlich monotone Fuge einfließe, voller kontrapunktischer Kunststücke (und er hat sie sicherlich nicht alle gefunden, vielleicht nicht ein Zehntel der Kunststücke; er hat ja niemals Schneeflocken genau betrachtet). Sehr schön auch das, wenn man sich einmal entselbste und das geistige Gebäude für Granit nehme, was doch wohl den meisten Menschen schwerfallen möchte. – Aber gleichzeitig, gleichzeitig! – Ich hörte geradezu seinen Schrei, den er über seinen Schreibtisch hinweg seiner Kontordame zurief, damit sie ihn zu Papier bringe. – Es müsse ein Versehen, ein Irrtum –. Kein Mensch werde das auffassen können. Es sei eine Herausforderung, es sei einfach falsch. Unmöglich. Ein Werk, in der vorliegenden Form, nicht unterzubringen, nicht aufzuführen, nicht zu genießen. – Ich aber bestand auf Passacaglia und Fuge, auf der Gleichzeitigkeit, auf dem Schneefall. Ich habe den Schneefall gesehen. Wie ich jetzt den Regen sehe. Jener Schneefall, den ich gesehen, ist Vergangenheit. Er ist zertaut. Aber die Musik, sie ist doch noch. Sehr merkwürdig. Sie ist noch. Während ich hier sitze und an die regennassen jungen Eichen denke und an Tuteins Hand denke, ist die Musik noch. Und vielleicht erreicht mich eines Tages ein Brief, und es steht darin, daß es doch zum Klingen kommt, daß ich von hier aus, über Meere und Länder hinweg, einen oder zwei oder zehn Menschen anrühre, und daß diese meine Vorstellung vom Schnee noch sein wird, möglicherweise noch sein wird, wenn ich nicht

mehr bin, wie die Eichen noch sind, obgleich Tuteins Hand nicht mehr ist.
Es können mich Briefe erreichen; möglicherweise habe ich noch ein wenig Zeit, darauf zu warten. Warum eigentlich habe ich die Symphonie »Das Unausweichliche« genannt? Glaube ich an das Unausweichliche? Ich glaube an den Zufall, wie ich an die Gravitation glaube. Der Zufall ist das Unausweichliche. Er ist der Herr über das Schicksal. Er ist das Werk der Engel und Dämonen. (Und auch der letzte unzerlegbare Ausklang des Gesetzes.) Er ist es, der die Pärchen zusammentreibt. Und die Stunden der Lust bestimmt, die Stunden der Empfängnis, die Stunden der Bekümmernisse und die Stunden der Morde und Totschläge. – Nicht die Lust und die Empfängnis und die Kümmernisse und die Morde und die Totschläge. Die sind, sind immer, waren immer, werden immer sein. Doch die Stunden, die genauen Stunden, das genaue Gesicht der Ereignisse, nicht die Ereignisse, das Genaue, das sehr Genaue, in dem wir zu allerletzt unser eigenes Gesicht erkennen, unser unverfälschtes Abbild, das Einmalige, das wir unseren Vätern und Kindern voraushaben und selbst Gott, sofern es ihn geben sollte, die Abweichung vom strengen Gesetz, das alle Ereignisse, Erlebnisse und Phänomene schon vorher kannte, doch nicht das Genaueste, Geschmack, Geruch, den Ton und die Wärme der Stunde, die nur einmalig ist, nie wiederkommt, niemals genau so wiederkommt, die Gegenwart, die aus der Zukunft plötzlich da ist und schon donnernd im Vergangenen versinkt. – Er hat mich (der Zufall) mit Tutein zusammengetrieben. Ich habe es nicht gewollt. Aber jetzt will ich, daß es so ist wie es ist. Und ich will, daß alles Folgende so ist wie es sein wird. Ich will keine Gnade. Ich bin noch nicht überwunden, mein Herr Tod. Ich habe noch ein wenig Zeit, auf einen Brief oder auf zwei Briefe zu warten. Denn ich bin geworden. Ich war die eine Samenzelle, die den Namen Ich trug; und während die Millionen Samenzellen, die alle den Namen Du hatten, vergingen, gar nicht in Betracht kamen für das Leben, wiewohl sie hätten in Betracht kommen können, vergingen, weil der Zufall mich aufrief, unter vielen Millionen oder gar Milliarden, mich, genau so wie ich war, begann ich zu wachsen, mich zu ergänzen, doch ohne mich zu verändern. Ich ergänzte mich, im

Mutterleib, durch die Geburt, durch die Nahrung, durch alle Sinne, durch meine Taten, mein Nichtstun und durch die Stunden, die nur mir gehörten, durch meinen Schlaf, durch Gefühle und Erlebnisse, meine Träume, durch Küsse, Küsse, die ich mit Ellena tauschte, mit anderen, durch Tutein, durch Tuteins Blut, durch Schuld und keine Reue, durch alles, was ich war und tat, was ich erlitt und ersann, fast gleich mit allen, die da leben, aber doch verschieden von ihnen, um so viel verschieden, daß man mich nicht mit ihnen vertauschen kann. Und ich bin noch. Und ich warte. Ich warte auf die Briefe. – Und wenn sie eingetroffen sein werden? Oder niemals eintreffen? Was wird dann sein? – Ich weiß es nicht. Ich weiß es nicht. Und niemand weiß es, weil es keinen Herren über die Zeit gibt. Deshalb ist der Name unseres Schicksals so undeutlich. Manchmal versuchen wir, es zu berechnen. Aber die Rechnung ist falsch. Sie ist immer falsch. – Durchnaß bin ich hereingekommen.

Jene Weinhändlerswitwe, die der Anlaß war, daß wir nach Halmberg kamen, haben wir nur selten wieder zu Gesicht bekommen. Sie hat uns einmal zum Tee eingeladen. Ich habe anfangs im Laden ihres Sohnes hin und wieder eine Flasche Wein gekauft. Später kauften wir in anderen Läden. Das ist alles. Wir waren für sie erloschen. Es ist unbegreiflich, warum es ihr Wunsch war, daß wir nach Halmberg übersiedelten. Sie wußte es sicherlich auch nicht. Sie hat es nur ausgesprochen, und es war ihr Temperament, es wiederholt und mit heftigen Worten auszusprechen. Und wir sollten schwach werden und ihrer Stimme erliegen. Als die Stimme erreicht hatte, was zu erreichen war, verging die Witwe in ihrer Stube, und die Stimme verging mit ihr.

*

Die Sonne schien nach dem Regen. Es war eine milde Sonne, eine wirkliche, grauweiße Scheibe, und der Dampf stieg von den Tümpeln, Rinnsalen, schlammigen Äckern, von den Bäumen, von den Steinen der Straße, von den Dächern der Häuser, aus meinem Munde und aus den Nüstern Iloks auf. Wir fuhren dahin. Ich öffnete meinen Mantel, weil die Luft stillestand und

mir warm wurde. Ilok begann zu schwitzen. Es sind fünfzehn oder sechzehn Kilometer bis zum Hengst. Der Morgen war noch jung und verhangen, als wir uns aufgemacht hatten. Aber bald kam die Sonne durch die Fluten des Dampfes. – Wir kamen an. Ich schirrte ab, holte für Ilok Wasser zum Trinken. Dann war der Knecht da, in braunen Reitstiefeln. Er führte Ilok in eine Box, die der des Hengstes benachbart war. Die beiden sollten einander sehen, beriechen. Das Wiehern des Hengstes zerschnitt die Luft. Er war schon bereit. Und Ilok, sie zerging in diesem Augenblick. So ist es. Sie beschnupperte die Nüstern, die sich über die Bretterwand ihr entgegenstreckten. Ihr Rücken knickte ein. Sie hob den Schwanz. Sie vergoß Harn. Anders ist das Fleisch nicht. Der Knecht schirrte den Hengst an, und ich führte Ilok hinaus, vor das Hoftor, auf eine morastige Wiese. Wir mußten auf gar nichts warten. Ich legte Ilok die Fußfesseln an, damit sie nicht, ausschlagend, den Hengst verletzen könne, band die Haare ihres Schwanzes zusammen, nahm sie stramm an den Zügeln, beklopfte sie, sagte: »Ruhig, Ilok, steh stille, Ilok.« Drängte sie mit dem Kopf gegen ein Gitter, denn ich sah, der Knecht kam mit dem Hengst. Er beschnupperte sie nicht lange, er setzte ihr nur einmal die Zähne ins Fell. Dann erhob er sich, fiel auf ihren Rücken herab. Er stieß zu. Und nun hielt ich seinen linken Vorderschenkel, stützte ihn, während das Glück über ihn kam. Er keuchte. Ilok drohte zusammenzusinken. Für sie war es noch nicht das Glück. Nur Überraschung erst, eine Vorstufe. Und ich preßte meine Schulter gegen den Vorderschenkel des Hengstes, damit der Augenblick länger würde, aber der Hengst glitt herab, trennte sich von Ilok und schlug mich mit dem Vorderfuß über den Arm.
»Ich komme am Nachmittag wieder«, sagte ich zum Knecht, »die Stute nimmt schwer auf«, log ich.
»Ja, ja«, sagte er und führte den Hengst schon durchs Hoftor. Ich führte Ilok ein wenig hin und her.
»Es ist ein Augenblick, Ilok«, sagte ich, »wer verstünde, daß es nur ein Augenblick ist? Die Schweine sind besser daran. Jedenfalls, ihre Zeit ist länger. Doch, wer wüßte etwas Genaues? – Ich kenne ja dein Erlebnis nicht. Und das ihre nicht. Und die Erlebnisse aller anderen nicht. Denn ich bin ich. In diesem sind

wir getrennt. Ich habe keinen Teil daran. Ich denke mir nur etwas. Ich denke mir, es gibt Ähnlichkeiten. Doch man weiß nichts von den Ähnlichkeiten. Dennoch wünsche ich, dabei zu sein, wenn du verwest, daß wir beide gleichzeitig verwesen. Wenn wir einmal gleich alt sein werden und du keine Füllen mehr wirfst. Heut bin ich dein ehrfurchtsvoller Diener. Der dich bewundert. Der deine Schönheit bewundert. Und die Schönheit deines Genossen, seine Lust an dir.« –
Ich schirrte sie wieder an. Ich reichte dem Knecht fünf Kronen vom Wagen herab.
»Für dich«, sagte ich, »heute nachmittag kommen wir zurück. Die Stute nimmt schwer auf.«
Und langsam fuhren wir davon. Wir fuhren drei Kilometer weit bis zum nächsten Gasthaus. In einem fremden Stalle schüttete ich Ilok Hafer ein, kramte Heu aus einem Sack hervor, bestellte mir selbst zu essen, bat, für die Nacht ein Zimmer herzurichten. Ich trank Punsch und dachte an Ilok, an den Hengst, an Tutein, an Ellena, an eine für mich namenlose junge Chinesin, an Augustus, an Melania, an Egedi, an Buyana, an eine Negerin, an Gemma, an das Fleisch, das ich gekannt habe und das mir süß gewesen ist. Und daß morgen oder übermorgen unter vielen Millionen Samenzellen eine einzige im Leibe Iloks auserwählt werden wird. Und daß danach eine andere Zeit für sie kommen wird. Daß neue Hormone ihren Leib durchsetzen werden, daß das Gesetz der Vermehrung und alle anderen Gesetze auf ihr spielen werden, zirpen und trommeln, als wäre sie ein Instrument. Damit das unausweichliche Dasein entstünde, das schon da war, schon immer dagewesen war. – Daß auch ich Ilok liebte und sie mich; doch die Wurflefzen waren dem Hengst vorbehalten, dem Artgenossen, den sie wieder vergessen würde, wenn sie erst schwanger war. Daß aber die Liebe in ihren Augen, ihren Nüstern, ihrer Zunge, in ihrem Fell mir gehörte. Daß sie sich gefallen lassen würde, wenn auch ich, wie ihr Füllen, an ihrem Euter söge. Daß ich ihr Diener war und daß die Rolle mir wohl stand. – Daß mir der Tod auch jetzt wieder leicht schien. Dieser Gedanke war immer noch neu und unverbraucht, so nachdrücklich, als ob es das erste Mal gewesen wäre. Vielleicht kam es wirklich nicht mehr auf mich an, nachdem alles gewesen

war, dessen ich mich erinnern konnte. Vielleicht war meine Zeit vorbei. – Ich trank noch Punsch. Vielleicht – der Frühling lag schwer auf dem Land, gewalttätig, stieß, wie ein ungeheures männliches Tier, in den weichen Morast der aufgeweichten Erde hinein, und Milliarden und aber Milliarden wurden zum Leben auserwählt, Menschen, Tiere, Pflanzen. Das Wachstum dieses Jahres floß nach allen Seiten über. Aber ich täuschte mich nicht, die Verwesung ernährte es. Ich trank noch Punsch; ich glaube, ich wurde glücklich. So glücklich, wie man nur in der Einsamkeit sein kann. Wenn die Gedanken den Geschmack der Träume annehmen.

Dann war es Zeit, daß ich wieder anschirrte und zum Hof zurückfuhr. Der Knecht zog sogleich den Hengst hervor. An der gleichen Stelle wie am Vormittage senkte er sich über Ilok herab. Aber diesmal, in seinem Glück, ruhte er lange auf der Stute, und sie stand still, ohne einzuknicken. Ich sah, ihre Augen schauten starr in die Ferne. Als es vorüber war und der Knecht den Hengst abgeführt und ich Ilok vor den Wagen gespannt hatte, reichte ich wieder fünf Kronen hinab, sagte wie vordem:

»Für dich, morgen früh kommen wir zurück. Die Stute nimmt schwer auf.«

Er lachte. Und langsam fuhr ich davon.

Wir übernachteten im Gasthaus, ich in einem ungelüfteten schäbigen Zimmer, Ilok in einer Box des fremden Stalles. Am Morgen und am Nachmittag besuchten wir abermals den Hengst. Ilok wurde nicht satt am Glück. Welches Leben könnte satt daran werden? Aber dieser zweite Tag war doch eine große Freude.

Wir übernachteten noch einmal im Gasthaus. Am nächsten Morgen fuhren wir heimwärts.

Eli hat zwei böse Tage gehabt und keine Freude. Er ist so alt, daß er nicht mehr gerne weit vom Hause fort will. Es ist vordem geschehen, wenn ich ihn einmal mitgenommen, daß er unablässig weinte. – So hatte ich ihm sein Lager im Stall bereitet, wegen des Schmutzes, der ihm abgehen würde, ihn wohl mit Wasser und Speise versorgt, ihn getröstet. Aber sein Blick war nicht ruhig, als ich mit Ilok abzog. Er senkte den Kopf auf die Vorderpfoten. Ich hätte weinen mögen. Ich dachte: ›Hoffentlich stirbt er nicht jetzt, nicht, wenn er allein ist.‹ – Er ist nicht gestorben, er freute sich kaum, als wir zurückkamen. Er war nur überrascht. Er war sehr mitgenommen. Nur allmählich kam er aus der Angst um mich und um sich zum gewöhnlichen Daseinsgefühl zurück. Ich dachte zum erstenmal: ›Vielleicht muß ich ihn töten.‹ Ich dachte es. Ich werde es niemals wieder denken. Eli ist noch nicht am Ende seiner Vorstellungen. Ich werde ihn niemals zwingen, innezuhalten. Ich war einer törichten menschlichen Vorstellung anheimgefallen. Vielleicht erfährt Eli doch noch, daß Tutein im Kasten liegt. Und nicht fortgegangen ist, nicht freiwillig.

*

Er kam aus Träslöv zurück, und ich konnte auf seinem Gesicht lesen, daß alles nach Wunsch verlaufen war. Er hatte die fünfzehn jungen Pferde verkauft. Abseits stehend, lächelnd, hatte der Händler seinen jungen Kompagnon beobachtet. Sein Ja, sein Nein, seinen Handschlag. Wie ihm der weiße Leinenmantel zu Gesicht stand, wie er die Peitsche hielt, wie er seine Hand auf die Kruppe der Pferde legte! Wie er die Käufer mit seiner schönen und arglosen Gestalt für sich gewann, nie verlegen war, ihnen alle Schliche und Ungehörigkeiten zu verzeihen, sie aber niemals mit ihrer Bosheit oder Schlauheit, Trockenheit oder Geschwätzigkeit zu seinem Schaden durchließ, sondern sie immer wieder zum Zweck der Unterhaltung zurückführte, zum ehrenhaften Handel mit jungen Pferden, die anzuschauen eine Freude war. Die mit blankem Fell, mit aufgebundenen Schwänzen und mit Stroh in den geflochtenen Mähnen an den Barrieren festgebunden standen. – Sie machten am Abend noch den Gewinn auf, der Händler und sein Kompagnon.
Tutein fragte mich:
»Was möchtest du, daß ich dir für tausend Kronen schenke?«
»Was möchtest du, daß ich dir für fünfundzwanzig Kronen schenke?« fragte ich zurück. Sein Antlitz verdüsterte sich.
»Vergiß das endlich«, sagte er.
»Leg das Geld in einen Kasten, oder trage es auf eine Bank«, sagte ich. Ich wollte nicht vergessen.
– – – – – – – – – –

Meistens handelten sie mit einzelnen Pferden, der Händler und sein Kompagnon. Sie fuhren über Land. Sie kauften auf einem Hofe ein Tier, verkauften es nach einem anderen Hof, einem anderen Bauern. Es brachte Fünfzigkronenscheine ein. Manchmal verloren sie am Handel. Es geschah nur selten. Es kam der Tag, wo Tutein mich fragte:

»Was möchtest du, daß ich dir für zweitausend Kronen schenke?«

Ich hatte einen Wunsch. Er war allmählich herangewachsen. Es dürstete mich nach einer Genugtuung. Ich sprach ihn aus. Ich sagte zu Tutein:

»Es wird wahrscheinlich kein großer Klavierspieler aus mir werden. Ich bin schon zu alt, oder meine Finger sind ungeschickt. Ich habe nicht die Lebensführung eines Musikers. Die Kunst gedeiht am besten in der Öffentlichkeit und in den Traditionen. Auch Josquin ist der Schüler eines Mannes gewesen, der Schüler Okeghems. Er war Kapellsänger in Mailand, in Rom, rückte, je mehr seine Erfahrung wuchs, zum Direktor von Domkören auf, war in Cambrai, in Modena, Paris, Ferrara. Ich verstehe so gut wie nichts vom Dirigieren; ich kann mir kaum vorstellen, welcher Art die musikalische Bildung auf den Konservatorien ist, wie die Stätten beschaffen sind, die die dichtesten Punkte der Musikübung unserer Zeit sind, die großen Sammelstellen allen Schaffens, die Versuchslaboratorien der Klänge; wo die neuen Formen, die melodischen Einfälle, die immer mehr erweiterte Lehre vom Kontrapunkt – die neuen Menschen sich bewähren müssen; ich habe keinerlei Erfahrung; ich bin der Schüler keines Mannes; ich habe meine Kenntnisse aus Büchern und Partituren. Ich habe viel gearbeitet, das ist das Ganze. Es fehlen mir alle äußeren Merkmale eines Musikers. Von den Instrumenten habe ich nur ein theoretisches Wissen. Das Klavier ist mein einziger Freund unter ihnen. Auf den Tasten kann ich gerade die Musik an sich bewältigen; aber ich kann die Leute, die mir etwa zuhören, keine Fagotte hören machen oder das harte Zirpen einer Geige, wenn ich die Tasten anschlage. – Dennoch bin ich besessen. Ich komponiere viel. Ich denke in musikalischen Formen. Ich fürchte mich weder vor der Einfachheit noch vor dem Abgründigen. – Das ist meine Beschäftigung. Und da liegen alle die

Rollen verpackt, die ich gestanzt habe; ich höre sie nicht, niemand hört sie. – Ich könnte mit ihnen ein Konzert geben. Ich werde dann kein Lampenfieber haben. Ich brauche mich nicht zu schämen. Es gibt Spielapparate, die man vor die Klaviatur eines Flügels rücken kann.« –

Er verstand mich sogleich. Ihm lag nichts am Gelde. Wir lebten ja gemeinsam vom Ertrag meines Kapitals, das durch Diebstahl oder Unterschlagung entstanden war. Es war unser gemeinsames Verbrechen, wie der Mord unsere gemeinsame Schuld war. Das Kapital war etwas eingeschrumpft. Tutein hatte sich schon vorgenommen, es wieder aufzufüllen. Doch die zweitausend Kronen in der losen Hand sollten verschwendet werden. Wir kauften einen Selbstspielapparat. Meine Notenrollen paßten nicht zur Einteilung der neuen Maschine; ihr Saugstock war enger und empfindlicher gearbeitet. Es gab auch Appelle für die Art des Anschlages. Ich begann meine Arbeit nochmals. Den Vorrat ungestanzten Papieres konnte ich verwenden. Ich verschaffte mir kleinere Locheisen. Es ist sehr unbegreiflich: ich begann abermals. Welche blinde Begierde trieb mich? Wollte ich mich nur an den wenigen Bewohnern Halmbergs, die mein Konzert gehört hatten, rächen, indem ich sie verblüffte? Wollte ich auf eine geheimnisvolle Art Tutein demütigen, indem ich seinen Handel in den Schatten meines Fleißes stellte? – Vielleicht war ich nur emsig und sehr jung und ohne ein Gefühl der Zeit. Unersättlich in meinen Gedanken und Träumen. Ich muß wohl der Musik, als ich zum Leben aufgerufen wurde, verschrieben worden sein. Ich erfuhr es erst sehr spät. – Ich begriff die Nutzlosigkeit oder Abwegigkeit meines Vorhabens nicht. Ich beschritt einen großen Umweg. Einen großen Umweg zu meinem Ruhm.

Ich begann mit dem Gerümpel der Paraphrasen, die ich in Südamerika für das elektrische Klavier Uracca de Chivilcoys erfunden hatte. Ich lachte manchmal über die alten Einfälle. Was ich damals ersonnen hatte, war nicht geistlos, das war auch mein neueres Urteil. Die »Stars and Stripes«, die Musik Sousas, mit der Amerika zum erstenmal in die etwas düsteren, beschmutzten, aber immer noch mit dem Dunst von Weihrauch erfüllten Kammern der europäischen Musik eingebrochen war, überrankt von einem unermüdlichen Gerede fast

keuschen Laufwerks – was hatte ich mir dabei gedacht? – Ich fand kaum etwas zu verbessern. Die rein geometrischen Gebilde, ich zeichnete sie auch auf der neuen Rastereinteilung ab, vermehrte sie um ein paar gestanzte Wellenbewegungen, um Kurven, die ineinandergriffen. Die Kompositionen der neueren Zeit begeisterten mich. Ich würde nun den Chanson des Oiseaux, das Dryadenquintett zu hören bekommen, mich selbst belauschend.
Diese eintönige Arbeit des Stanzens brachte mir neue musikalische Einfälle. Ich schrieb, auffallend schnell, eine Symphonie für kleines Orchester (ohne doch die Komposition auf eine Notenrolle zu übertragen). Die Flucht in so andersgeartete Klangvorstellung hinein bezahlte ich mit der freiwilligen Buße einer Klavierkomposition: einer Sonate. Ich benötigte das Werk als Abschluß meines mechanischen Programmes.
Nach Monaten erst war ich mit der Arbeit des Stanzens fertig. Der Winter war gekommen und vergangen. Der Frühling hatte sich schon zum Sommer entfaltet, und in Halmberg rückten Feriengäste ein, um im Meere zu baden, um in leichten Kleidern zu lachen, um an reichbesetzten Tischen zu speisen.

– – – – – – – – – –

Tutein hatte nun sein eigenes Pferd und einen kleinen Wagen. Es geschah immer häufiger, daß er allein über Land fuhr. Und immer häufiger, doch gleichsam verstohlen, erschien der Pferdehändler bei uns am Abend, mit ein paar Flaschen Burgunder unter dem Arm. Er trank viel, er sprach viel. Er sprach niemals von seiner Frau. Er war verheiratet. Er sagte, er beginne glücklich zu werden. Das Geschäft liege in guten Händen. – Er küßte zuweilen seinen Duzbruder Tutein auf die Backen und sagte dann gerührt: »Welch ein Mensch, welch ein Mensch.«
Der Besitzer des Stadthotels drängte mich, endlich einen Zeitpunkt für mein Konzert festzusetzen. Ihm schien die Badesaison gerade die rechte Gelegenheit. Da ich mit dem Stanzen der Rollen fertig war, konnte jeder nächste Tag gewählt werden. Die Lokalzeitung kündigte Werke des einheimischen Komponisten Gustav Anias Horn, gespielt auf einem mechanischen

Klaviere, an. Tutein ließ ein umständliches Programm drukken, das mit allen möglichen Erklärungen versehen war, und das die Tatsache hervorhob, ich selbst hätte alle Notenrollen gestanzt. –
Es war ein warmer, windstiller Sommerabend. Die Fenster nach der Straße und zum Garten hin standen offen. Der Saal war bis auf den letzten Platz gefüllt. Ich betrat des Podium mit einem Korb voll Notenrollen. Mein Selbstspielapparat war vor den Flügel gestellt worden. Das Publikum war erwartungsvoll. Die Maschine bedeutete ihm mehr als ein Mensch gegolten haben würde. Man las eifrig das Programm. Einige drängten sich herzu, als ich die erste Rolle einsetzte. Ich selbst war ruhig, meiner Sache ganz sicher.
Es wurde ein größerer Erfolg als mein erstes Konzert. Die Zuhörer tobten, schrieen, überboten sich in der Anerkennung. Die Sommergäste hatten ihre Sensation, und die Einheimischen genossen meinen plötzlichen Ruhm, an dem sie durch Bravorufe mitgewirkt hatten. Ziemlich betäubt vom Lärm, stieg ich vom Podium herab und suchte den Tisch Tuteins und Göstas. Ich hatte kaum eine Erfrischung zu mir genommen, als ein Herr mich vertraulich zu sprechen wünschte. Es war einer der Sommergäste. Er stammte aus Kopenhagen, sprach aber leidlich schwedisch. Sein Beruf war, das stellte sich später heraus, alte Klaviere aufzukaufen, polieren und reparieren zu lassen und dann wieder auf den Markt zu bringen. Er belieferte jedermann, vor allem aber Händler und kleinere Klavierfabriken. In guten Zeiten setzte er jährlich viele tausend Instrumente um. Er fuhr in einem Rolls-Royce-Wagen. Nach ein paar Jahren fallierte er und schädigte eine Bank um eine Million Kronen. – Er fühlte sich also als Fachmann; das mechanische Klavier und die Kompositionen dafür hatten sein Interesse. Er erzählte, sein Vater sei Organist gewesen und habe komponiert.
»Kennen Sie nicht Erik Bevin?« fragte er, »so heiße ich. Viele berühmte Werke hat er geschrieben, mein Vater.«
Ich kannte ihn nicht. (Mir fiel unter den dänischen Komponisten nur Carl Nielsen ein, dessen Werke so voller Naturbilder sind wie die Buxtehudes.) Er verübelte es mir nicht. Die Sache hatte also sein Interesse.

»Und«, sagte er, »prima, prima Sachen haben Sie da geschrieben. Ich verstehe mich darauf.« –
Er hatte einen Plan, ich sollte die Vorführung in Kopenhagen wiederholen. Er erbot sich, das Nötige in die Wege zu leiten. »Vielleicht«, meinte er, »man wählt zu Anfang den kleinen Saal bei Hindsberg. Ich kenne Hindsberg gut. Wir arbeiten zusammen. Ich habe ihm diesen Saal eingerichtet – verstehen Sie richtig, ihm geraten, wie er ihn akustisch ausstatten solle, in diesem alten Gebäude in der Bredgade. Sie kennen doch Hindsberg? – Also, es ist eine erstklassige Pianofortefabrik, etwas altertümlich, aber erster Klasse –« Doch sehr bald erschien ihm der Saal zu klein. Er meinte, man müsse gleich ins Große gehen. Das Odd-Fellow-Palais sei der richtige Ort. Man werde eine Konzertagentur betrauen. Man müsse sowieso den Vertrieb der Rollen oder Kompositionen organisieren, und da sei Borups und Skandinavisk Musikforlag das geeignete Haus. – Zweifellos hatte er auch einen Plan bereit, sich selbst auf die eine oder andere Weise einzuschalten. Doch davon äußerte er nichts. Vielleicht war ihm die ganze Sache noch zu sehr im Stadium des Experimentes. Einstweilen hatte ich es mit der Flamme seiner Begeisterung zu tun. Er machte am Ende sehr genaue Vorschläge, und ich willigte ein, in Kopenhagen mit meinen Rollen aufzutreten.
Er wartete noch die über alles Maß lobende Besprechung in der Lokalzeitung ab. Dann fuhr er mit seinem Rolls-Royce davon, feste Zusagen hinterlassend.
Während der Badesaison mußte ich meine Vorführung noch einmal wiederholen. Zu viele hatten den seltsamen Genuß nicht miterlebt. Und nun hatte man sie lüstern gemacht.

*

Die Monate rannen dahin. Das Julfest war gekommen. Ich hatte, verleitet durch das Musizieren der vier Damen, die noch immer das Abendpublikum des Stadthotels zu unterhalten vermochten, eine polyrhythmische jazzartige Komposition gestanzt. Sie war sehr strenge gearbeitet, wirkte aber durch die Vielfalt der nebeneinanderlaufenden unterschiedlichen Zeitmaße recht verwildert, gesanglos, an manchen Stellen wie klop-

fender Lärm. Ich selbst vermochte sie mit meinem Ohr nicht aufzunehmen. Sie blieb als sinnlicher Eindruck fremdartig, betäubend; nur selten fanden sich die eilenden Läufe der Rhythmen und Stimmen zu sattem Wohlklang zusammen. Der technische Aufbau der Komposition war nicht angreifbar; darum bestimmte ich sie für die Vorführung in Kopenhagen. Ich schämte mich auch, zu viele Orchesterstücke oder gar Klaviersachen hören zu lassen. Ich wollte nicht zeigen, daß ich komponieren könne, ich wollte eine Maschine vorführen, die mehr vermochte als die zehn Finger zweier Hände.
Zwischen Weihnachten und Neujahr endlich bekam ich eine Sendung der Konzertagentur. Man teilte mir kurz mit, daß Herr Bevin in meinem Auftrage die Firma veranlaßt habe, ein Konzert für mechanisches Klavier zu veranstalten, die notwendige Reklame zu übernehmen, als da seien der Druck und das Aushängen von Plakaten, das Einrücken von Zeitungsannoncen und redaktionellen Vorankündigungen, weiter den Vertrieb der Besucherkarten usw. Man habe den großen Saal des Odd-Fellow-Palais am Abend des dreißigsten Januar belegt. Ein Flügel der Firma Hornung und Möller stehe gestimmt zur Verfügung, den Selbstspielapparat habe der Vortragende zu stellen, er habe gleichfalls für die Bedienung der Maschine am Abend der Vorführung zu sorgen. Als Garantiesumme verlangte man dreihundert Kronen, die bei entsprechendem Eintrittskartenverkauf zurückbezahlt würden. Die Firma selbst werde sich außer allen Unkosten fünfzehn Prozent vom Kartenumsatz berechnen, doch mindestens fünfundsiebzig Kronen. Eine Reihe von Formularen, die ich ausfüllen sollte, lagen bei; auch das Muster eines Programmzettels, nach dessen Vorbild ich den meinen abfassen möchte.
Ich war betreten und machte ein langes Gesicht. Ich erkannte, daß mir die Erfahrung fehlte.
Tutein sagte: »Du mußt es wagen. Es ist zwar anders, als wir es uns gedacht haben. Aber es ist immer anders. Es ist ein Anfang.«
»Es wird uns tausend Kronen kosten«, sagte ich.
»Vielleicht«, sagte er, »vielleicht aber bringt es einen Gewinn, der sich nicht leicht mit Zahlen ausdrücken läßt.«
Er glaubte an meine Begabung. Er behielt mit seiner Voraussa-

ge recht. Es kam alles anders, als ich es mir vorgestellt, als der Händler mit alten Klavieren sich's gewünscht hatte.
Die Formulare wurden ausgefüllt. Die Garantiesumme wurde eingezahlt, der Spielapparat verpackt. Einige Tage vor dem dreißigsten Januar fuhren wir selbst nach Kopenhagen – zu dritt. Gösta wollte es sich nicht nehmen lassen, dabei zu sein. Außerdem fühlte er sich verpflichtet, uns die äußeren Annehmlichkeiten des Daseins zu lehren – auf seine Kosten. Er kenne gute Gaststätten in Kopenhagen, sagte er, wo man abgründig gute Weine und delikates Essen serviert bekomme. Man müsse so weit wie nach Paris fahren, um etwas Ähnliches zu finden – und doch nichts Besseres. Er führte uns in das kleine Hotel Nordland in der Vesterbrogade, das so unscheinbar in einem finsteren Hinterhof liegt, und in dessen Küche man so gut französisch kocht. Er hatte nicht übertrieben. Leider trank Gösta zuviel der guten Weine. Und der Kognak zum Kaffee war auch ein Gedicht. Und zwischen Tür und Angel einen Aperitif des Hauses, es stimmte so festlich: ein kleines Wasserglas voll eines duftigen Cocktails.
Gösta übernahm also die Rolle, den künftigen großen Mann mit leiblichen Genüssen zu ehren; und Tutein, nicht wissend, was er mir sonst hätte Gutes antun sollen, unterstützte ihn darin unauffällig. So tranken sie beide recht viel. Nur ich war mäßig. Es war gut, daß ihnen ihre Aufgabe gefiel; so konnte es ihnen entgehen, daß mich schwere Schatten bedrängten. Am Tage unserer Abreise hatte ich einen der seltenen Briefe von meiner Mutter erhalten. Sie fragte mich diesmal dringender als sonst: Wie geht es dir? Was treibst du? Wo hältst du dich auf? Weshalb kommst du nicht zurück? Welche Schuld bedrückt dich? – Sie schrieb es: »Welche Schuld bedrückt dich?« Es waren nicht Fragen aus der Leere ins Leere gerichtet. Sie hatte alarmierende Nachrichten. Die Verdächte meines Vaters hatten Rückhalt bekommen. Meine Mutter berichtete, der Vater sei mit Herrn Direktor Dumenehould de Rochemont zusammengekommen. Geschäfte hätten sie zusammengeführt. Der Reeder sei sehr freundlich gewesen, mein Vater abweisend. (Er haßte reiche Leute, ohne sich jemals Rechenschaft darüber zu geben, weshalb er sie haßte.) Der Reeder habe unvermittelt von mir zu sprechen begonnen. Er habe nach mir gefragt, als

ob er nichts von mir wisse. (»Du kannst Dir denken, wie beschämt Dein Vater war, ihm Deinetwegen Rede und Antwort stehen zu müssen, weil er Dich, zum wenigsten hat er es mir gegenüber geäußert, für einen Zuchthäusler hält.«) Doch dann stellte sich heraus, er hatte allerlei Erkundigungen über mich eingezogen. Er hat Waldemar Strunck besucht, um ihn auszufragen; in der Erinnerung des Dieners Kastor hat er mit Neugier zu kramen begonnen, und einige Behörden des Auslandes waren bemüht worden. Jedenfalls wußte er sehr genau, daß ich nicht nach dem Schiffbruch der ›Lais‹ in die Heimat zurückgekehrt war. (»Du mußt Deinen Vater gut genug kennen, um zu wissen, daß er vor nackter Pein hätte sterben mögen, und daß seine Seele Dich in jenen Minuten verfluchte, weil Du Dich niemals hast rechtfertigen können. Niemals, niemals hast Du mir geantwortet, wie es sich geziemt hätte, wenn Du ohne Schuld wärest. Oder bist Du krank? Hat Dein Geist Schaden genommen? Hast Du etwas erlitten, das Du nicht hast tragen können?«) Und es war ihm, trotz vieler Aussagen und Berichte, keine Klarheit geworden, unter welchen Umständen und auf welche Weise der Schiffbruch geschehen. – Es sei niemals aufgeklärt worden, warum die Schiffspapiere und die Kasse des Superkargos nicht gerettet worden wären. Auch die Versicherungsgesellschaften hätten den Verklarungen im In- und Ausland zweifelnd gegenübergestanden. (»Welche Hölle für Deinen Vater, das alles anhören zu müssen, da er Dich für einen Verbrecher hält, für einen Schuldigen, der diese oder eine andere Verfehlung trägt.«) Und die vielen Todesfälle seien ein erstaunlicher und düsterer Abschnitt im Geschehen gewesen. Der Mund des Mannes, der sicherlich viele Fragen hätte beantworten können, sei zu früh verstummt. Nicht zu bezweifeln, der Superkargo habe sich erschossen; aber die Schuld, die er damit in den Augen so vieler auf sich geladen, sei nicht bewiesen. (»Sie ist nicht bewiesen und nicht zu beweisen, wenn man es genau bedenkt. Zumal, er soll ein Ehrenmann gewesen sein. Rechtschaffen, stolz, mit untadeliger Vergangenheit, der Sohn eines hohen Beamten.«) Sie ist nicht zu beweisen. Nein, sie ist nicht bewiesen. Es ist etwas anderes bewiesen. – Seltsamer aber als alles Spätere sei das Verschwinden Ellenas gewesen; ihr Tod, wie man jetzt annehmen müsse. An ihrem Schicksal hätte ich möglicherweise mitgewirkt. (»Dein Vater sagte mir, er sei daran gewesen, ohnmächtig zu werden. Er habe in jenem Augenblick die Gewißheit erhalten, daß Du ein Mörder seiest. Oder doch einer jener Entarteten, denen es eine Lust ist, einen Menschen in den Tod zu treiben, durch grausame Reden oder Peinigungen.«) – Möglicherweise hätte ich an ihrem Schicksal mitgewirkt. – Ja. Ich bin nicht ohne Schuld. Ich wollte das Abenteuer. Mein Wunsch erfüllte sich. Ich habe mit Tutein Halbpart gemacht. Aber es ist dennoch anders. Ich bereue nicht. – Der Reeder war es, der den Verdacht auf mich lud – (wenn ich den Vater ausnehme, dessen heimlicher Wunsch es geworden war, da ich nicht zurückkehrte, daß ich ein Verbrecher sein möchte). Welchen Grund hatte er, Verdächte aufzustellen? Was ging mein Leben ihn an, wenn sein Gewissen mit ihm nicht haderte? (»Schreib mir! Rechtfertige Dich! Ich weiß nicht, was sonst geschehen kann. Dein Vater ist krank. Er will Gewißheit. Er schont Dich nicht mehr. Das Wort des Herrn Dumenehould hat seinen Geist verwüstet. Er weiß nicht mehr, wer Du bist. Er weiß nicht mehr, daß er Dein Vater ist. Aber ich bin Deine Mutter.«) Das Wort Herrn Dumenehoulds. So war es damals. Und noch immer ist es so. Sein Schiff, die ›Lais‹, ging unter, beladen mit Kisten in der Form und Größe von Särgen. Es ist darüber gesprochen worden. Es ist darüber geschwiegen worden. Und ein Mann, Klemens Fitte, suchte eine Hure, seine Mutter, in einer der Kisten. Und ich suchte Ellena, nachdem sie verschwunden war. Aber es war Alfred Tutein, der sie ermordet hatte. Doch er hatte sie nicht ermorden wollen. Und sie wurde hinter eine der leeren Kisten geworfen, die der Superkargo aufgestellt hatte. Und wir versenkten das Schiff, weil wir glaubten, daß sie in einem kupfernen Mausoleum versteckt sei. Und sechs Matrosen beteerten sich das Antlitz, als das Verhängnis nicht mehr aufzuhalten war. Und ich hatte gesehen, der Reeder war in jenem kupfernen Mausoleum, das mit Holzbohlen verwahrt war, verschwunden. – Als aber die ›Lais‹ unterging, war es anders. Es war anders. – Als Tutein mir seine Schuld gestand, eine Sekunde lang, sah ich das schwielige Gesäß eines syphilitischen Affen; es war eine Gestalt. Es war die Gestalt des bösen Gedankens. Und Herr Dumenehould mußte den bösen Gedanken gedacht haben. Er hatte die Särge bereitgestellt. Er – – – –

Ich erwarte einen Brief. Antwort von Kastor. Ich erwarte einen Brief. Meine Ungeduld ist sehr groß.

Schwere Schatten bedrängten mich. Ich bangte um Tutein. Ich machte alle Stationen, die da lügen und fälschen, in mir bereit. Ich wollte ihn retten, wenn es zum Ärgsten kam. Ich wollte ihn kraft meiner Zärtlichkeit retten. So verheimlichte ich ihm auch den Brief. Doch das Herz war mir schwer. Ich war sehr traurig. Ich dachte an meine Mutter, und daß ich ihr antworten müßte. Aber welche Antwort war gut genug, nachdem es so weit gekommen war? – Ich konnte zu ihr fahren und mich zeigen. Doch wenn es mit einem Menschen so steht, wie es mit mir stand, zeigt er sich nicht mehr. Ich war ohne Reue. Aber ich war nicht arglos. Ich meinte, man würde mir die Hinterhältigkeit ansehen können, wenn man mich prüfte. Ich erwog gar nicht, zu meiner Mutter zu fahren. Ich erwog nur, ihr zu schreiben. – Ich wollte alles leugnen. Aber es fehlte mir an Zeugnissen. Ihre Fragen waren einfältig. Meine Antworten würden hintergründig bleiben.

So kam der Abend der Vorführung. Ich hatte am Nachmittage den Apparat eingespielt. Der Klavierhändler Bevin war nicht in Kopenhagen; er befand sich auf Geschäftsreisen im Ausland, so sagte man. Er würde aus den Tageszeitungen erfahren, wie das Experiment verlaufen war. Es war unnötig, daß er sich beteiligt zeigte.

Ich entsinne mich kaum noch, wie dieser für mich so bedeutungsvolle Abend begann. Die Gedanken an meine Mutter wollten nicht von mir weichen. Gösta war sehr heiter und voll schöner Getränke. Tutein war erwartungsvoll, beinahe aus dem Gleichgewicht. Sein gutes Gesicht war verbissen. Er wollte meinen Erfolg. Gösta hatte ein paar Dutzend Eintrittskarten gekauft und sie sehr freigiebig unter die Leute gebracht; natürlich knüpfte er schöne Reden an die Gaben, die er verteilte. – Der Saal war halb voll. Später erfuhr ich, der Klavierhändler hatte angeordnet, daß dreihundert Freikarten an Hochschulen und Konservatorien verteilt würden; darüber hinaus gab es eine Freikartenreserve, deren sich jeder bedienen konnte, der es wollte.

Der Saal war also nicht leer. Ich haspelte das Programm herunter, hörte kaum hin, was das Instrument erzählte. Am Schlusse gab es Beifall. Ja, der Beifall schien sogar echt zu sein. Man klatschte so lange, bis ich mich entschloß, eine Zugabe vorzutragen. Als ich den Selbstspielapparat von der Tastatur fortschob, wußte ich noch nicht, was ich tun würde. Ich wußte nur, eine Notenrolle wollte ich nicht spielen. Nicht einmal eine jener Kompositionen für Orchester. Und doch hatte ich das Dryadenquintett und den Chanson des Oiseaux im Korbe. Als ich mir einen Stuhl heranrückte, war die Traurigkeit in mir sehr groß. Ich verstand nicht mehr, weshalb ich mich auf all dies eingelassen hatte. Weshalb ich die Bürde meines Daseins tragen mußte. Ich war nur schwach und sehr niedergeschlagen. Ich hatte keine Scheu vor dem Publikum; ich war wieder einfältig. Ich war sicher, ich würde, ohne zu stocken, eine Komposition spielen können, die ich vor ein paar Wochen niedergeschrieben hatte, ein bewegtes Adagio. Es schien meinem inneren Verhalten zu entsprechen. Und so spielte ich. –
Als ich vom Stuhl aufstand, war es sehr still. Ich verneigte mich. Allmählich kam Händeklatschen. Es verstummte bald genug. Nur vom nahen Balkon zur Linken kam ein vereinzeltes Geklapp ununterbrochen zu mir herab. Ich ging hinaus. Ich kam zurück. Das Klatschen war noch immer da. Ich fühlte, wie sich der Saal leerte; aber das Klatschen blieb. Es bekam vom Hintergrund des Saales her ein Echo. Dort standen Gösta und Tutein und fielen verlegen in den vereinsamten Beifall ein. Schließlich verneigte ich mich vor dem Händepaar, das sich über der Brüstung des Balkons bewegte. Die Menschen waren hinausgegangen, der Saal aber war noch hell erleuchtet. Nur ein Mann stand auf dem Balkon und klatschte. Es wurde mir unheimlich zumute, so daß ich auf dem Podium stehenblieb, mich immer wieder verneigte, einen Anlauf nahm, davonzukommen und doch wieder blieb. Plötzlich drang eine Stimme zu mir, vom Balkon herab. Erst ein paar Sekunden später begriff ich, was gesagt worden war, weil ich die dänische Aussprache nur schlecht verstand. Der Mann wollte zu mir herunterkommen. Ich floh ins Künstlerzimmer; armselig stand ich unter einem dreiarmigen elektrischen

Kronleuchter und wartete. Wartete auf Gösta und Tutein oder auf den Unbekannten. Ich wartete auf niemand. Ich war verstört und sehr allein.
Dann klopfte es gegen die Tür, und er trat ein. Er nannte seinen Namen, den ich sogleich wieder vergaß. (Jetzt kenne ich ihn.) Er sagte, er sei Kritiker an einer der großen Tageszeitungen.
»Ich habe Ihre letzte Komposition beklatscht«, sagte er.
»Sie ist ziemlich traurig«, sagte ich.
»Schade, daß sie für das Klavier geschrieben ist. – Ich selbst spiele nur Violine.« –
So begann es. So begann meine Bekanntschaft mit dem Manne, der dazu ausersehen war, den Anfang meines Ruhmes in Händen zu halten. Den Anfang und die Fortsetzung dazu.
Als er das Wort Violine gesagt hatte, öffnete sich die Tür abermals, und Gösta und Tutein kamen herein, um mich zu beglückwünschen. Gösta hatte in einem Korbe eine Flasche Champagner und Gläser mitgebracht. Ich konnte nichts dagegen ausrichten: die Flasche wurde entkorkt. Vorsichtshalber waren fünf Gläser vorhanden, so daß auch der Kritiker eins bekommen konnte. Eins war zuviel; das trank Gösta, denn er trank für zwei. Man machte sich miteinander bekannt. Der Kritiker willigte ein, mit uns ins Hotel Nordland zu kommen. Er hatte noch viele Fragen an mich. Gösta hatte einen Wagen auf der Straße für uns bereitstehen. Der Kritiker schob Gösta und Tutein hinein und sagte dann: »Fahren Sie nur voraus, wir werden zufuß nachfolgen.«
Gösta und Tutein fuhren davon. Der Mann schob seinen Arm unter den meinen.
»Sie sind ein großer Künstler, Sie wissen es nur noch nicht«, sagte er, »diese mechanische Musik, sie ist gut gemacht; aber es ist Unsinn. Narrenstreiche. Das Adagio ist nicht mit Gold aufzuwiegen.«
»Wollen Sie in die Zeitung schreiben, daß es Unsinn ist?« fragte ich beunruhigt.
»Ich weiß noch nicht, was ich schreiben werde. Das hängt sogar noch ein wenig von Ihnen ab und von der nächsten Stunde«, sagte er.
»Ich bitte Sie, es nicht zu schreiben«, preßte ich hervor und war dem Weinen nahe.

»Was ist mit Ihnen?« fragte er, »warum soll ich nicht schreiben, was sich als meine Überzeugung einstellt?«
»Es wäre sehr schlimm«, sagte ich ergeben.
»Und wenn ich nun schriebe, daß das Adagio von einem großen Meister herrührt, der sich neben jeden anderen Meister stellen kann – daß ein neuer Schöpfer im Reich der Musik da ist, den man vor zwei Tagen noch nicht kannte? – (Ihr Name ist in keinem Nachschlagewerk zu finden.)«
»Ich weiß nicht«, sagte ich kleinlaut, »ein Adagio, ein einziger Satz – das ist sehr wenig. Und es ist nur für Klavier geschrieben.« –
Er lachte, und ich selbst unterbrach meinen Gedanken und sagte: »Wenn es Ihnen Freude macht, will ich eine Violinstimme hinzuschreiben.«
»Hinzuschreiben?« fuhr er auf, »kann man das? Kann man etwas Vollkommenes vollkommener machen? Das ist ja Unsinn.«
»Ich will es versuchen«, sagte ich, »aber Sie sagen, auch das sei Unsinn.«
Vielleicht sah er beim Licht einer Laterne, daß mir Tränen in die Augen kamen. Er blieb plötzlich stehen, hielt mich am Arm fest und fragte:
»Handelt es sich um eine Geliebte?«
»Nein«, sagte ich, »um meine Mutter. Ich muß meiner Mutter schreiben. Ich hatte gehofft, Sie könnten es mir erleichtern, ihr zu schreiben. Ich bin seit vielen Jahren vom Haus fort. Sie weiß nicht, was ich in all den Jahren getrieben habe. Und wenn dann gedruckt steht: nur ein Adagio und viel Unsinn –«
Ich glaube, ich begann zu schluchzen, weil ich in diesem Augenblick nicht wußte, wie ich Tutein erretten sollte. Ich hatte verstohlen gehofft, dieser Abend würde mich auf geheimnisvolle Weise rechtfertigen. Ich hatte nicht mit der Wirklichkeit gerechnet. Ich wußte ganz und gar nicht, wer ich selbst war.
Er tröstete mich. Er sagte sehr laut:
»Ich werde nicht schreiben, daß es Unsinn ist. Sie müssen mir nur noch einiges erklären. Ich habe unter anderem Ihre Jazzfuge nicht verstanden. Ich erkenne wohl, daß sie gut gearbeitet ist. – Glauben Sie denn an das mechanische Klavier?«

»Nein«, sagte ich einfältig.
»Haben Sie denn nur für die Maschine geschrieben?« fragte er.
»Nein«, sagte ich, »ich habe einige Sachen für Orchester fertig, auch allerlei Klaviersachen, mit den Händen zu spielen.«
»Und nichts für die Violine«, sagte er tadelnd.
Nun versprach ich ihm, das Adagio innerhalb zweier Tage zu ergänzen, noch ehe ich Kopenhagen verlassen würde – und später eine ganze Sonate nachzuliefern.
»Königliche Geschenke«, sagte er.
Ich erzählte ihm von meiner Arbeit. Er verwunderte sich sehr. Er fragte mich, als wir auf dem Rathausplatz angekommen waren:
»Haben Sie keinen Verleger?«
Nein, ich hatte keinen Verleger, ich hatte nicht einmal daran gedacht, daß man meine Sachen verlegen könnte.
»Sie sind ein Ausnahmefall, etwas ganz Ungewöhnliches.« – Er sagte viele sehr starke Worte. Er biß sich an mir fest. Er begann mich zu lieben, um der Musik willen, die ich konnte. Als Mensch war ich ihm sehr fremd.
»Sie sind anders als alle«, sagte er. »Ich bin in der Gefahr, etwas Unkluges zu tun. Ich kenne Ihre Sachen noch gar nicht. Aber ich wage es doch, Sie als einen Propheten auszurufen.«
Er sagte derlei. Er wolle sich auch einmal die Finger verbrennen, um der Musik willen. Er sei alt genug, der Gefahr nicht auszuweichen. Er versprach, mich mit einem Verleger in Verbindung zu bringen. Er wollte meine fertigen Kompositionen sehen. – – –
Gösta und Tutein hatten lange auf uns gewartet. Nachdem wir gegessen, verabschiedete sich der Kritiker. Er bat mich noch, ihm am nächsten Tage einige Stunden einzuräumen, damit wir uns weiter aussprechen könnten. – In der Nacht noch verfertigte ich eine Violinstimme zum Adagio. Am nächsten Vormittage hatte ich die Komposition ins Reine geschrieben und überreichte sie dem Kritiker. Er gab mir sein gedrucktes Urteil über mich. Zum Gebrauch für die Zukunft, vor allem aber, um meiner Mutter schreiben zu können.
Sein Händeklatschen am Abend vorher war von den Herren vom Fach, den Mitkritikern, den Zensoren anderer Zeitungen, beobachtet worden. Sie zogen daraus ihre Schlüsse. Vielleicht

gestanden sie sich ein, daß seine Meinung eine größere Bedeutung habe als die ihre. So leisteten sie ihm Gefolgschaft oder widersetzten sich ihm trotzig. – Gösta kam mit dem Ergebnis ihrer Überlegungen. Es stand zu lesen, daß meine Darbietung eine neue Epoche der Musik einleite, eine Auferstehung der Tasteninstrumente für jedermann. Es seien die Möglichkeiten einer andersgerichteten Kompositionsweise aufgezeigt worden, Abschaffung des Notensystems, das Vordringen graphischer Darstellung mit der Fülle neuartiger mathematischer Kombinationen. (Sollte Herr Bevin an diesem Erguß beteiligt gewesen sein?) Daß man den einsamen Gesang eines Genies, vergleichbar dem der Sphären, gehört – einsam vor einer ungerührten Maschine das große tönende Herz des Menschen –. Daß meine Musik der vollendetste Frevel, eine Herausforderung, eine Beleidigung, geistloses Machwerk, Mißlaut, ein schlechter Witz sei.
»Es ist niemals anders«, sagte der Kritiker, »es fehlt meinen Kollegen der Sinn für den Anstand und für den Abstand. Sie loben oder schelten. Sie helfen niemand. Sie gleichen kläffenden Hunden. Man müßte sie für dumm halten, wenn sie nicht so klug wären. Manchmal leider ist es ihnen versagt, auch nur die musikalische Form zu erkennen. Aber es ist vieles für Ihre Frau Mutter dabei.«
Ich war nicht mehr bekümmert, weil ich ihr schreiben mußte. – Wenige Zeilen nur: »Die Verdächte sind unbegründet. Aus den beigelegten Zeitungsausschnitten kannst Du erkennen, was ich getrieben habe und noch treibe. –«
Tutein übersetzte die Besprechungen. Ich sagte ihm nicht, weshalb er sie übersetzen solle.

*

Er hieß Thygesen, Peter Thygesen. Er begleitete mich in die Bredgade, wo ich die Abrechnung der Konzertagentur entgegennehmen sollte. Er sagte, es sei kein Umweg, wir müßten doch in die gleiche Straße.
Die Abrechnung war arg genug. Ich erhielt die Kautionssumme zurück und achtzehn Kronen und einige Øre dazu. Das war mein Verdienst; jedenfalls weniger als fünfundzwanzig Kro-

nen. Ich versuchte zu lachen; aber es gelang mir nicht. Ich war gekränkt. Die Reklame hatte mehrere hundert Kronen gekostet, das Büro hatte sich den Mindestsatz von fünfundsiebenzig Kronen berechnet, die Saalmiete und Ausgaben für Heizung und Licht beliefen sich auf hundertzwanzig oder hundertfünfzig Kronen. Die Dame am Schalter, die meine Betrachtungen erraten haben mochte, sagte:

»Die Kritiken sind gut.«

Wir brauchten nicht viel weiterzugehen. Im gleichen Hause, ein Stockwerk höher, hatte der Verleger sein Kontor. Er wußte schon, wir würden kommen. Er hatte die Zeitungsausschnitte vor sich liegen.

»Worum handelt es sich eigentlich?« fragte er, wie wenn er nichts wisse und nicht im voraus durch Thygesen unterrichtet worden wäre. – Wir kamen über den Anfang hinaus. Thygesen lieh sich eine Geige. Ein Flügel stand in einem Nebenzimmer. Wir spielten das Adagio.

»Nicht schlecht«, sagte der Verleger.

»Sie sind ein Esel«, sagte Thygesen, »es ist ein Diamant, ein funkelnder Diamant. – Wie haben Sie es nur angestellt, eine Violinstimme hinzuzuerfinden? Es ist ja so herrlich gearbeitet.« –

»Ich habe ein paar Dutzend Takte verändern müssen«, sagte ich.

»Sie nehmen dies Stück in Ihren Verlag, als Nr. 1«, sagte Thygesen.

»Nun ja«, sagte der Verleger, »es kostet ja nicht viel zu stechen.«

Inzwischen hatten zwei Männer meinen Selbstspielapparat vom Odd-Fellow-Palais herbeigeschafft. Und die Notenrollen dazu. Ich spielte den Chanson des Oiseaux. Ich erklärte, wieweit die Komposition von mir stamme und welchen Instrumenten ich die Ausführung zugedacht hätte.

Thygesen war benommen. Ich konnte erkennen, daß er mich liebte, daß er mir verfallen war. Er kannte die Vorlage des Jannequin so wenig wie ich.

»Das drucken Sie, das drucken Sie«, diktierte er dem Verleger.

Das Dryadenquintett bestand die Prüfung so gut wie der Gesang der Vögel.

»Warum haben Sie uns das nicht gestern vorgeführt?« fragte Thygesen.
»Es sind keine Klavierkompositionen«, sagte ich entschuldigend.
»Und was haben Sie noch?« fragte der Verleger ziemlich eifrig.
Ich konnte nur Titel und Art der Kompositionen angeben.
»Nach diesen Proben bedarf es keiner weiteren Prüfung«, sagte Thygesen.
»Ich denke mir, wir können fünf Kompositionen herausbringen«, sagte der Verleger, »fünf oder sechs. Man muß vorfühlen, wie die Sachen gefallen. Man kann nicht zuviel wagen. Es ist ein unbekannter Name. Man weiß nicht, was das Ausland dazu sagen wird.«
»Wenn zehn Kompositionen vorhanden sind, werden Sie zehn Kompositionen herausbringen, und der Vertrag darüber wird heute oder morgen abgeschlossen«, sagte Thygesen.
»Herr Thygesen bedenken niemals die Schwierigkeiten, das Risiko, das Geld, die Verpflichtungen des Verlegers der Kultur und der Welt gegenüber. Unser eigentliches Absatzgebiet ist klein. Ich bin mir durchaus nicht klar, ob sich das uns befreundete Haus in Leipzig für diese Sachen interessieren wird. – Der Komponist ist immer ein Privatmann, und er darf machen, was ihm gefällt; der Verlag aber ist das Vorzimmer der Öffentlichkeit«, sagte der Verleger.
»Reden Sie doch nicht«, sagte Thygesen, »ich habe zu dieser Musik ja gesagt, und Sie werden nicht nein sagen. Das Vorzimmer der Öffentlichkeit ist die Zeitung und nicht Ihr Laden. – Haben Sie jemals bereuen müssen, Carl Nielsen gedruckt zu haben?«
»Herr Thygesen, gewiß nicht, nein niemals. Dennoch ist es manchmal schwer gewesen –«
»Schweigen Sie, schweigen Sie! Lassen Sie die Verträge schreiben. Wir finden uns morgen wieder ein. Und vergessen Sie nicht, unser junger Freund braucht einen Vorschuß.«
»Es ist unmöglich, Herr Thygesen bedenken nicht –«
»Er braucht einen Vorschuß«, sagte Thygesen bestimmt.
Wir gingen noch nicht. Die Jazzfuge plagte den Kritiker. Ich mußte sie noch einmal vorführen.

»Es ist etwas daran; aber sie gefällt mir nicht«, sagte Thygesen, »ich höre sie nicht.«
Ich versuchte sie zu erläutern.
»Wenn Sie es einmal für Hände einrichteten –«, sagte er zögernd.
»Nein«, antwortete ich, »für Jazzorchester –«
»So etwas brauchen wir, das ist gefragt«, sagte der Verleger.
»Sie sind unverbesserlich«, sagte Thygesen, »ich fasse Ihre Einmischung indessen so auf, daß Sie unserem Freunde den Auftrag erteilen, eine Jazzfuge für Orchester nach den hier gegebenen Motiven zu schreiben. Der Meister hat ja erklärt, daß es ihm und der Musik an sich auf Polyphonie und Polyrhythmik ankomme.«
»Sie überrumpeln mich. Ich kaufe die Katze nicht im Sack –«
»Nein, aber die Motive auf der Papierrolle –«
Sie stritten eine Weile. Es wurde noch von der Violinsonate gesprochen, die ich mir für Thygesen zu schreiben vorgenommen hatte.
Gösta und Tutein mußten lange auf mich warten. Sie warteten, sitzend, an einem der kleinen Tische des kleinen festlichen Speisesaals im Hotel Nordland. Als sie erfuhren, was ich mit Thygesens Hilfe erreicht hatte, gerieten sie außer sich. Tutein schrie:
»Es ist ein Unterschied zwischen einem Pferdehändler und einem Musiker.«
Er küßte mich vor allen Gästen und den Kellnern mitten auf den Mund. Er hatte Tränen in den Augen. Plötzlich begann er fassungslos zu weinen. Ich versuchte ihn zu beruhigen. Auch Gösta kam ein wenig aus dem Gleichgewicht. Er schritt schwankend über den roten Teppich des Raumes und flüsterte einem der Kellner etwas ins Ohr. Er kam mit dem Kellner zurück, der in drei flache Gläser Kognak schenkte. Tutein wischte sich die Tränen ab und trank.
»Ich habe dich nicht zugrunde gerichtet«, sagte er, und die Tränen perlten ihm nochmals aus den Augen, »heute hat es sich entschieden –.« Er setzte sich plötzlich und sagte nichts mehr.
Gösta hatte seine Fassung zurückgewonnen. Man konnte erkennen, die warme Sonne des Glücks bestrahlte ihn. Er hob sein Glas und sagte: »Eine schöne Stunde. Ein schöner Tag.«
Herr Bevin kam zu spät. Vergeblich deklamierte er vor mir die

Stimme jenes Kritikers, der verkündet hatte, daß ein neues Zeitalter der Tasteninstrumente angebrochen sei, daß die graphische Darstellung das altertümliche Notenbild, diese gelehrte Rätselsprache einer Geheimkaste (mir ist der Satz wieder eingefallen) verdrängen werde. – Ich antwortete ihm, es sei ein Irrtum. Musik sei Musik und Maschine Maschine.
»Maschine, Maschine«, sagte er erregt, »wie oberflächlich. Ist die Tastatur keine Maschine? Ist eine Orgel keine Maschine? Eine Klappentrompete, ein Saxophon, sind es keine Maschinen? Und was sagen Sie vom Grammophon? Wird nicht die Radiophonie einmal die Welt erobern?« –
»Leider«, sagte ich kurz.
»Sind Sie ein Gegner des Fortschritts?«
»Ich glaube, ja«, sagte ich, »seit Josquin und Isaak ist die Musik nicht besser geworden; nur die Formen haben sich gewandelt.«
Er wollte den Vertrieb meiner Notenrollen übernehmen. Er hatte ein paar Komponisten an der Hand, wie er sagte, die lebhaft bemüht waren, es mir gleich zu tun. Große Geister, geschickte Techniker, unverdrossen und wagemutig. –
Es war vergeblich. Er richtete nichts aus. Er sagte nicht, daß ich undankbar sei; aber er dachte es. Er empfand selbst, er war zu spät gekommen. Im übrigen war ihm die Sache nicht wichtig. Und so schieden wir friedlich voneinander.

*

Die Ereignisse, der Gang der Stunden waren sehr betäubend für mich. Es kam mir zum Bewußtsein, daß die Frage gestellt worden war, wer ich sei. Tutein, wenige Minuten lang, erschrak über mich, verzweifelte, weil ich ein unnahbarer Gegenstand geworden, als ob ein Brett vor meine Gestalt geschoben worden wäre und mein Fleisch geschmacklos und entartet durch eine tiefere Bedeutung. Aber seine Liebe machte den Augenblick des Schauderns vergehen. Er blickte voll zu mir auf. Ich war immer der gleiche geblieben, kein Zweifel, und er hatte mich nur nicht zugrundegerichtet.
Ich hatte Verpflichtungen auf mich genommen, ich empfand es nicht anders. Ich sollte Musiken schreiben, so gut ich es verstand. Es war notwendig, daß ich mich noch eifriger als

bisher auf den endlosen Gefilden musikalischen Schaffens umsah, daß ich weiterlernte und meine Einfälle an den Erfindungen anderer schulte. Ich rechnete gar nicht mit mir selbst. Ich hatte die Frage überhört. Ich hätte sie auch nicht beantworten können. Sie steht noch immer neben mir. Allenfalls kann ich mich meinem Widersacher oder meinem Tod, wer er nun sei, vorstellen, indem ich sage: Ich bin ich und nicht ein anderer. (Ich weiß indessen nicht einmal zuverlässig, ob der Ausspruch nicht eine Fälschung wäre. Tutein hat teil an mir. Soweit habe ich meine Abstammung überlistet, daß er teil an mir hat.)
Die Monate und Jahre in Halmberg, die nun folgten, waren äußerlich ruhig und ereignislos. Ich arbeitete besessen; aber zuweilen ohne Begeisterung. Ich hielt meine Versprechungen. Die Zahl meiner Werke wuchs. Sie wurden gedruckt. Sie wurden gekauft und gespielt. Meine Einnahmen blieben sehr bescheiden. Mein Ruhm war langsam und ohne Pomp. Thygesen lobte mich. Manchmal tadelte er mich. (Er fand etwas auszusetzen, weil es ihn beschämte, daß er mich so sehr liebte.) Andere fanden sich, die mich lobten und tadelten. Es wuchsen Mauern um mich. Meine Arbeit machte mich einsam. Nur Tutein brach zuweilen durch schwer zu öffnende Tore herein. Mir traten dann Tränen in die Augen vor Freude und Trauer. Für Halmberg wurde ich eine Einrichtung. Die Einrichtung Komponist. Ich war kein Gesprächsgegenstand, ich war eine Größe.
Die Briefe meiner Mutter waren beruhigter. Nicht, daß ich aus den Verdächten entlassen war. Es gab nur keine Fortschritte in den Ermittlungen gegen mich. Die Zeitungen meiner Vaterstadt beschäftigten sich mit mir, zurückhaltender als die Zeitungen anderer Städte. Eines Tages konnte meine Mutter mir schreiben, sie war im Backsteindom des Heiligen Nikolaus, dem Beschützer der Seefahrer, gewesen, um einige meiner Werke zu hören. (»Dein Vater hatte es abgelehnt, mitzukommen; aber ich traf Herrn Dumenehould in der Kirche.«) Sie traf den Reeder, der sich ihr vor Jahr und Tag schon hatte vorstellen lassen. Sie nahmen nebeneinander Platz. Sie lauschten gemeinsam den fremdartigen Tönen, die ihnen doch hätten vertraut sein müssen. Sie waren nicht einmal meiner Mutter vertraut. Sie verwunderte sich nur, ihr Herz bebte vor unterdrücktem

Stolz. (»Als die Orgel anhub – auf dem Programm stand: Präludium, Passacaglia und Fuge –, und ich wußte, es ist von Dir, wurde es mir einen Augenblick lang dunkel vor den Augen. Ich sah, die Kerzen in den messingenen Leuchtern an den weißgekalkten Pfeilern bekamen schwarze Flammen. Und es drangen Töne herab, scharf und dünn, für mich sehr fremdartig, fast salzig. Ich verwunderte mich, daß das Werk so lang war. Es währte zwanzig Minuten oder gar darüber, so sagte mir Herr Dumenehould.«) Sie verwunderte sich, daß das Werk so lang war. Und sie verging fast, als sich zu den Prinzipalen und Mixturen die Trompetenstimmen einfanden. (Ich entsinne mich der 32-füßigen Posaune, die sich mit messingenen Zungen und mächtigen dickwandigen Zinnleibern grollend der Baßmelodie zugesellen kann.) Aber sie konnte über die Komposition nichts aussagen, nichts über die Form und nichts über den Gehalt. (»Ich habe es nicht verstanden, und erst am Tage danach habe ich aus der Zeitung ersehen, welche Bedeutung man diesem Werk beilegt. Bei dem Titel ›Fantasie‹ konnte ich mir einiges denken. Das Stück stand am Ende des Programmes. Es hatte ein gewisses Feuer, so bildete ich mir ein. Gegen den Schluß hin, eigentlich sehr plötzlich, geschah ein solches Brausen, ein unerhörtes Klingen und Hasten, ein Durcheinander, wie mir schien, daß ich sehr erschrak und nicht wußte, wo hinaus das wollte. Ich hielt den Atem an, weil ich mich nicht zu fassen wußte, und Herr Direktor Dumenehould packte mich am Arm und sagte: ›Das ist wirklich erschütternd.‹ – Ich war mitgenommen, als das Stück nach ein oder zwei Minuten zuende war. – Ich begreife das alles gar nicht. Du bist mir dadurch noch fremder geworden. Einige Bekannte haben mich beglückwünscht, und Direktor Dumenehould de Rochemont hat mir lange die Hand gedrückt. Er bewundert Dich.«) Es standen nicht nur Werke von mir auf dem Programm; aber sie hörte nicht danach hin, was andere auszusagen hatten. Sie schrieb darüber kein Wort. Sie klammerte sich an die Sätze und Auslegungen der Zeitungen. Sie hatte auf einer Bank des riesigen Backsteindoms gesessen, und der salzige Klang einer jahrhundertealten Orgel hatte ihr erschreckende und wundersame Nachrichten von ihrem Sohn gebracht. Es war etwas Großes, sie deutete es vielleicht so; doch schuldbeladen, ge-

heimnisvoll traurig und unmenschlich. Formen, die sie nicht begriff. Das Kind in ihrem Schoß, sie erkannte sein Gesicht nicht mehr. Auserwählt und doch verworfen. Sie sehnte sich nach mir. Sie erkannte mich nicht in der Musik. Sie klammerte sich an die Worte der Zeitungen. Sie nahm die Glückwünsche entgegen. Sie brachte meinen Vater zum Schweigen. (»Herr Dumenehould fragte beunruhigt, ob Dein Vater krank sei, weil er das Konzert nicht besucht habe. – Ich konnte ihm nicht antworten. Aber ich habe Deinem Vater das Verwundern über sein Ausbleiben berichtet.«) Sie wollte wissen, wo ich wohnte, warum sie mir immer noch die Briefe an eine angenommene Adresse schreiben müsse. Sie wiederholte alle Fragen, die sie je gestellt. – Und ich beantwortete sie nicht.
Sie war alt und vergrämt; aber es gab auch für sie noch ein Später. Mein Ruhm wuchs. Sie spürte davon wenig oder nichts. Eines Tages doch schrieb ihr der Reeder, das Philharmonische Orchester der Stadt werde Werke von mir zu Gehör bringen; er habe sich erlaubt, für sie und meinen Vater Plätze zu besorgen; er befürchte, das musikalische Ereignis möchte ihrer Aufmerksamkeit entgangen sein. – Diesmal folgte mein Vater der Aufforderung, mitzugehen. Zu vieren, der Diener Kastor muß der vierte gewesen sein, so vermute ich, saßen sie in einer der vordersten Reihen. Mein Vater hatte seinen Frack angezogen (meine Mutter erwähnt es ausdrücklich). Es gab sogleich ein Ärgernis für sie. Auf dem Programmzettel gedruckt eine große Überschrift: AUSLÄNDISCHE KOMPONISTEN. Hinter meinem Namen war ein Stern angebracht, und eine Fußnote bemerkte, daß ich in meiner Vaterstadt geboren, aber in Schweden beheimatet sei. Mein Vater empfand diese Angabe wie eine Beleidigung; meine Mutter glaubte sich mir nähergerückt, nachdem sie meine neue Heimat so bestimmt bezeichnet fand. (»– Er will nicht zurück – sagte Herr Dumenehould zu mir – welche Gründe es auch sein mögen. –«) Die zweite Hälfte des Abends war meinen Werken eingeräumt worden. Die vier waren also zu früh gekommen. Sie warteten mit Ungeduld, daß der erste Teil vorübergehe. Es gab eine Pause. Als dann das Orchester das allgemeine Stimmen der Instrumente wieder begann, wurden meiner Mutter die Hände heiß. Die Augen brannten ihr in den Höhlen. Auch mein Vater war schweigend

erregt. Drei Werke standen auf dem Programm: jene schnell geschriebene Symphonie in F, eine Suite und der Chanson des Oiseaux, der damals ungewöhnlich häufig gespielt wurde. (»Wie der Mann im Frack auf dem Podium erschien und den Taktstock hob, überkam mich eine Angst; ich glaubte, daß alles ein Traum sei oder daß jemand plötzlich hervortreten werde, um zu verkünden, es sei ein Irrtum, einen Komponisten Gustav Anias Horn gäbe es nicht. Aber weder erwachte ich, noch gab es einen Widerruf. Die Hände des Kapellmeisters bewegten sich, und dunkel geblasen – es seien am Anfang Fagotte und Klarinetten gewesen, sagte mir später Herr Dumehould – hob die Musik an. Ich war überwältigt. Es baute sich mir ein Reich aus Farben und Tönen auf, unfaßlich zwar für meinen geringen Kopf; aber doch auch voll einfacher Schönheit, die ich begriff. Manchmal war mir, als ginge der Klang der Hörner und Streicher hoch über mich hinweg, und der Schall blieb für mich gestaltlos. Ich verstehe zu wenig von der Musik; ich war, trotz aller Freude, unablässig ängstlich, ob es Dir auch so gelungen war, wie man es sich wünschen konnte.«) Sie war ängstlich. Aber die allgemeine Begeisterung ergriff sie. Sie saß schon gefaßter vor den Sätzen der Suite. Zwar, ihren Sohn erkannte sie nicht. Aber sein Name stand über allem, was geschah. Der Name war wichtig. (»Ich begriff allmählich, daß es ein großes musikalisches Ereignis war. Ich erfuhr, der Erste Bürgermeister war im Konzertsaal, auch der Rektor der Universität; und ein Senatsrat drückte mir nach dem Konzert die Hände. Ich begreife gar nicht, woher man wußte, daß ich Deine Mutter war.«) Der Chanson des Oiseaux gefiel ihr. Sie meinte, das Stück sei ihrem Geiste faßlich gewesen. Sie habe den unablässigen Gesang der Vögel gehört. Das taumelnde, nicht endenwollende Schlagen eines unbekannten Wundervogels. Und mitten im Gesang ein schwüler Stillstand wie der Mittag eines heißen Sommertages. Fernes Grollen eines Gewitters; aus der Schwüle aber, erquickendem Regen gleich, der beruhigende Fall erhabener Tonfolgen. So beschrieb sie den tragischen Mittelsatz, den ich unter so ganz anderen Gedanken und Eingebungen auf einem Steg über einem Flußbett liegend in Urrland erfunden habe. – Wahrscheinlich sprach sie einem anderen Menschen nach. (»Der Beifall wollte kein Ende nehmen. Man rief Deinen Namen. Es verbreitete sich das Gerücht, Du müßtest zugegen sein. Dein Vater erhob sich, als ob er etwas sagen wolle. Aber es kam nicht dazu. – Er ist seit jenem Abend noch schweigsamer geworden, es ist fast unnatürlich, wie wenig er spricht.«) Der Reeder lud sie zu einer Flasche Wein ein. Der vierte erzählte, er sei beim Schiffbruch der ›Lais‹ dabeigewesen. Er kenne mich. (Mehr erfuhren meine Eltern nicht von ihm.) Es muß Kastor gewesen sein. Kastor hat einige meiner Musiken gehört. Wenn mein Brief ihn erreicht hat, wird er wissen, daß er mir Antwort schuldet. Sollte er den Reeder ins Vertrauen ziehen, wird er auch nicht anders entscheiden können, als daß mir eine Antwort zuteil werden müsse. Sie werden mir ein wenig äußerliche Achtung zollen, was sie auch sonst von mir denken mögen. (»– Er wird nicht zurückkommen – Dein Vater wiederholt den Satz oft. Es ist die alte Beschuldigung, die er nun so verkleidet, nachdem Herr Dumenehould de Rochemont seine Vermutungen soweit eingeschränkt hat, daß er nur noch die Folgen Deines Tuns betrachtet. Dein Verhalten ist rätselhaft. Es ist für meinen armen Kopf ganz und gar unbegreiflich. Bedenke doch, es gibt für jede Schuld ein Verzeihen. Und wenn die Menschen auch oftmals schwach sind, so daß ihre Vergebung ausbleibt: der Schuldige hat den geraden Weg der Zerknirschung und Sühne.«) Ich hätte ihr antworten müssen, daß ich abtrünnig bin, daß ihre Worte keine Instanz meiner Seele erreichen. Daß sie mein Mitleid hat, sogar einen Teil meiner Liebe; aber die moralische Weltordnung ist vor meinen Augen zerkrümelt. Es gibt keine Reue in mir, nicht einmal Trotz. Es ist Einsamkeit um mich her, und sie schweigt. Die Felsen der Gesetze stehen in den siedenden Stromschnellen der Zeit. Kein Gott bewegt sie, um den harten Ablauf zu beschämen. Der Schwächere unterliegt dem Stärkeren. Das ist die Ordnung, die jeder erkennt, wenn er zu lügen aufhört. Es ist keine Schuld, der Schwächere zu sein; aber Richter und Fabulierer hängen ihm die Schuld an, denn es ist unmöglich, den Siegreichen zu demütigen. Jedes Wort, das von ihm berichtet wird, ist Lüge. Die Demut der Armen aber ist gottgefällig, so lehrt man. Diese Lehre ist die letzte Zuflucht derer, die an den persönlichen Gott glauben: Elend, Armut und Schmerzen die Vorhallen seines

Palastes! – Ich schrieb es ihr nicht. Sie war meine Mutter. Und ich wußte, ihre Jahre würden bald verronnen sein. Ihr Maß an Ängsten und Zweifeln wurde voll. Dann blieb von ihr nichts mehr als ich – ein schwacher Teil von ihr in mir. – Ich antwortete ihr mit Worten. Ich tröstete sie oberflächlich. Eines Tages bedurfte sie keines Trostes mehr. Mein Vater schrieb es mir nicht. Sie schwieg. Sie schwieg. Sie fragte nichts mehr. Daraus verstand ich. Es ist sehr erstaunlich: er schrieb es mir nicht. So fest glaubte er an meine Schuld. Und so wenig konnte er verzeihen. Er stellte seine Ermittlungen ein. Das war alles, was er gegen sein Gewissen vermochte. Ein unerbittliches Gewissen. Altäre, auf denen Menschen geopfert werden, die eigenen Kinder. Damit der Staat bestehe, damit die Ernte gerate, damit Gott den Duft des Weihrauchs beifällig rieche: Jungfrauen, vom Minotauros begattet und zerstampft, Jünglingen das Herz mit Steinmessern aus der Brust gerissen, Neugeborene in den glühenden Ofen des Baalrachens geworfen. Sie haben es so angestellt, die unerbittlichen Gewissen. Und sie haben es Recht und Sittlichkeit genannt. Auto da fé, Schauspiel des Glaubens. Waren es ihrer sechs oder zehn Millionen, die man in den kristlichen Jahrhunderten lebend verbrannte? – Die Schlachtfelder stinken nach fünfzig Jahren nicht mehr. Fromme Vereine benennen sich nach einem schwedischen König, dessen Söldner eine Fahne trugen, auf der ihre Greueltaten durch Schwerter, Fackeln und ein aufgeschlitztes Weib mit Stolz dargestellt waren – weil er vor seinen Schlachten, Berichten zufolge, betete. Es ist nutzlos, an den Greuel zu denken. Ihn nicht zu wollen, ihn zu bekämpfen, vergeblich. Er ist der Stärkere.

Er ist auch dahin, mein Vater. Eine Behörde hat es mir berichtet. Einige tausend Kronen sind mir als Hinterlassenschaft zugefallen. Er hat mich nicht enterbt, er hat nichts gegen mich unternommen; diese Aufgabe fiel ihm nicht zu. Seine Aufgabe war es, mein Dasein zu ertragen, ohne Rache zu fordern, denn ich war sein Sohn. Sein Grab und das meiner Mutter auf einem öffentlichen Friedhof meiner Heimatstadt – irgendein Gärtner, gegen Bezahlung, pflegt es Jahr nach Jahr. Fünfzig Jahre lang wird es gepflegt werden. Dann erlischt die Macht meines Willens und die des ausgesetzten Geldes. Dann ist die Grabruhe

unwiderruflich verwirkt. Schauderhaft, diese organisierte Grabschändung. Aber die Priester haben noch immer ein Gesicht. Und Worte, Worte. Es ist zuende mit meinen Eltern. Es ist mit Tutein zuende. Nur zwischen mir und Herrn Dumenehould schwingt die Kraft der Verdächte. – Ist es nicht schon zu spät für eine Aufklärung? Alle Schuld ist verjährt und entblättert. Muß ich mich nicht bald meiner Neugierde schämen? Warum ist es nicht stille in mir? Warum verlangt es mich nach einer Folgerichtigkeit in den Maßnahmen des Schicksals?
Mein Vater starb später als meine Mutter, später als Tutein. Er wurde so alt, daß seine Ohren versagten. Er konnte nicht mehr hören, daß sein Sohn Musiken geschrieben hatte. Das Erinnern an den glanzvollen Abend im Konzerthaus, wo man zu vieren nebeneinander in einer der vordersten Reihen gesessen, verblaßte. Vielleicht lebte er kümmerlich. Vielleicht begegnete ihm Herr Dumenehould de Rochemont nicht mehr. Vielleicht, sein brüchiger Geist erhielt so viel Frieden, daß er mich ganz und gar vergessen durfte.

*

(Müdigkeit des Frühlings ist in mir. Schwül, süß, traurig, fast gestaltlos berührt mich der Rausch. Vergeblich warte ich auf eine Sehnsucht. Ich bin nicht offen dafür. Das Wachstum, das den Boden mit strotzenden Wurzeln der Auferstehung vergewaltigt, ihn durchsäuert, lockert, milliardenfach spaltet und aussaugt, es erreicht mich gerade mit dem geilen Duft von Verwesung und Paarung. Die ersten Blumen brechen auf. Violett und gelb tönt es zwischen altem Moos, modrigen Blättern und frischem Grün. Die große Zauberei, das Entrollen der Blätter aus den braunharzigen Knospen, ist da.)
Tuteins Pferd warf ein Füllen. Er hatte seine Freude daran. Ein Jahr danach brachte es noch ein Füllen zur Welt. Tutein freute sich auch dieses Tieres. Es schien ihm, die Segnungen des Daseins versagten sich nicht mehr. Haus und Hof des Händlers standen ihm offen, als wären sie sein Eigentum gewesen. Er verbrachte seine Tage zu Wagen oder rechnend und schwatzend im kleinen Kontor Göstas; zuweilen befuhr er die Märkte. Er trieb den Handel, wie er ihn gelernt hatte, genoß den Augen-

blick. Er teilte noch immer die Wohnung mit mir; aber nur selten war ihm das Herz so voll, daß sein Mund sich aufschloß. Sicherlich hatte er Freunde oder Bekannte außer mir. Ich lernte sie niemals kennen. Als es einmal davon eine Ausnahme gab, war das Verhängnis an unserer Tür.

Gösta verfiel. Er veränderte seine Lebensgewohnheiten nicht, Krankheit langte ihn nicht an, die Fröhlichkeit wich nicht aus seinen Augen. Aber seine Haut wurde matt und schrundig. Sein Haar, bis dahin leicht ergraut, wurde plötzlich weiß. Seine Hände zitterten. Seine Zähne und das Weiße seiner Augen wurden gelb. Er fuhr niemals mehr über Land. Er handelte nicht mehr. Er hatte seinen Füßen nur ein paar Wege vorbehalten. Des Morgens konnte man ihn oft im Laden eines Weinhändlers treffen. Er trank dort stehend einige Gläser. Nach Verlauf eines Jahres stellte der Mann ihm einen Stuhl bereit, damit er sich setzen könne. Und er setzte sich und stand so bald nicht wieder auf. Er unterhielt sich mit dem Mann. Sobald ein anderer Kunde in den Laden trat, sagte Gösta:

»Dieser Wein ist gut. Er schmeckt mir. Packen Sie mir davon zehn Flaschen ein.«

Er vergaß diese Formel niemals. Er saß ja nicht in einem Ausschank. Gegen Mittag suchte er eine kleine Gastgeberei auf, aß dort ein paar Butterbrote mit Heringen belegt und trank ein Maß gewöhnlichen Schnapses. Und mich besuchte er. Er vergaß niemals, Getränke mitzubringen. Es gefiel ihm bei mir. Ich mußte ihm etwas vorspielen, während er trank.

»Tutein ist fleißig«, sagte er zuweilen, und es freute ihn, daß Tutein über Land gefahren war oder im Kontor saß und rechnete oder mit Bauern schwatzte oder den Stallburschen anhielt, seine Pflicht zu tun.

»Ich lebe länger, weil er fleißig ist«, sagte Gösta. Es war unverständlich, was er meinte. Wenn er mit mir anstieß, sagte er:

»Ein alter Mann und ein großer Mann. Der alte Mann ist glücklich, weil er alt ist. Der große Mann ist traurig, weil es dazugehört. Großes Licht bringt großen Schatten.« –

Gösta schmeichelte mir, und ich ließ es geschehen.

Eines Morgens pochte Göstas Frau ungestüm gegen unsere Tür. Sie zwängte sich herein, ehe Tutein ganz geöffnet hatte.

»Gösta ist tot«, sagte sie, »Gösta liegt tot in seinem Bett. Er ist entstellt. Sein Gesicht ist schief. Ich habe im Zimmer nebenan geschlafen. Ich habe nichts gehört.«
Wir wollten uns sogleich aufmachen; aber sie hielt uns zurück.
»Ehe ihr ihn seht« (sie sagte ›ihr‹ zu uns und ›du‹ zu Tutein, wiewohl ich sie kaum kannte und Tutein ihr immer mit Abstand begegnet war), »– ehe ihr ihn seht, müssen wir einiges zwischen uns geordnet haben.«
Tutein fand ihre Geschäftigkeit unpassend; aber er fügte sich. Sie nahm einen Stuhl, setzte sich. Erst jetzt bemerkte ich, wie elegant sie gekleidet war, wie jugendlich sie aussah.
»Wir müssen etwas schreiben«, sagte sie, »ich beerbe Gösta. Nur die blutige Hand erbt nicht. Er ist selbstverständlich eines natürlichen Todes gestorben.« – Sie sprach dergleichen aus. »Da ist dies Geschäft, dieser Handel mit Pferden. Ich bin unterrichtet, welche Absprache Gösta mit Tutein gehabt hat. Gösta ist sehr großzügig gewesen. Es besteht nichts Schriftliches darüber. Es ist eine Unterlassung, die mich in arge Verlegenheit bringt.« – Sie zögerte noch, ihr Ansinnen auszusprechen. »Ich schlage vor, daß wir es schriftlich machen. Und zwar sogleich. Tutein, du sollst das Geschäft weiterführen. Aber es muß seine Ordnung haben. Es ist Göstas Geschäft, und ich beerbe ihn. Es ist also mein Geschäft.« –
Sie wollte Tutein auf zehn Jahre an sich oder an das Geschäft ketten. Er sollte Haus und Stallungen von ihr als Erbin Göstas pachten und einen hohen Mietzins bezahlen. Mühe und Arbeit eines Geschäftsführers sollte er ohne Sondervergütung übernehmen, der Ertrag des Handels müßte je zur Hälfte ihm und ihr zufallen.
Er will es nicht, sagte er kurz, nachdem sie lange und mit schmeichelnder Stimme geredet hatte. Sie stand vom Stuhl auf, sprühend vor Entrüstung und Entschlossenheit.
»Gut«, sagte sie, »du bist dann sofort entlassen.«
»Wenn Sie meine Hilfe während der nächsten Tage nicht nötig haben, brauche ich das Kontor nicht wieder zu betreten«, antwortete Tutein, »zufälligerweise habe ich vorgestern mit Gösta abgerechnet, und seitdem ist kein Handel gewesen.«
Sie brach plötzlich zusammen. Tränen stürzten ihr aus den Augen. Sie jammerte über ihre Torheit. Sie hat in aller Einfalt

ihre Gedanken geäußert, und Tutein, unmenschlich, hat es übel aufgenommen. Sie ist vollständig in seine Hand gegeben. Von ihm hängt es ab, ob sie darben muß.
Von ihm hängt nichts ab. Er gab ihr ruhig das Wort zurück.
»Nenne doch endlich deine Bedingungen!« schrie sie.
Er hatte Mühe, sich in sich selbst zurechtzufinden. Gösta war tot, und damit war alles anders geworden. Gösta war gegen ihn großmütig gewesen, aber seit einigen Jahren hatte Tutein alle Bürden allein getragen, und der eigene Halbpart war schmaler gewesen als der Göstas. Sie mußte ihn nochmals anschreien, ehe er zu sprechen begann.
Er will an der Absprache mit Gösta nichts ändern. Er will seine Arbeit wie bisher tun. Haus und Stall werden gemäß ihrem Kapitalwerte verzinst. Der Bursche erhält seinen Lohn. Das Geschäft trägt diese Unkosten, wie es die vielen anderen tragen muß. (Er denkt daran, Gösta hat im letzten Jahre, nur durch kleine handgeschriebene Zettel belegt, der Kasse beträchtliche Summen entnommen, um all diese Unkosten zu decken. Er – Tutein – denkt, der Verkauf einer Koppel Pferde zu gutem Überpreis hat ihm selbst keinen Gewinn gebracht. Gösta aber brauchte dringend mehrere tausend Kronen. Das war vor zwei Tagen.) Stall und Böden stehen dem Geschäft zur Verfügung. Das Wohnhaus, durch einen Torweg in zwei ungleich große Flügel geteilt, gibt Wohnraum für die Kompanie. Ihr, der Frau Göstas, verbleibt der größere Hausraum zur Rechten, mit der zweiflügeligen Eichenholztür zwischen den Lindenbäumen zur Straße hin; zur Linken – der Eingang befindet sich im Torweg, drei Stufen hinauf durch eine engbrüstige Pforte – wird man das Kontor unterbringen, die Kammer für den Stallburschen, ein saalartiges Zimmer, um Kunden bewirten zu können, und einen Schlafraum.
»Anias und ich, wir nehmen dort unsere Wohnung«, so schloß er.
»Wir wollen es niederschreiben«, drängte sie.
Er gibt ihr seine Hand darauf. Und er verspricht, nicht davonzulaufen, ohne sie ein Jahr vorher verständigt zu haben. Und in Halmberg wird er niemals zu seinem Vorteil allein mit Pferden handeln.
Sie kann das alles nicht im Kopfe behalten, klagte sie.

Er wird es niederschreiben, wenn Gösta im Boden ist, lenkte Tutein ein.
Endlich war es so weit, daß wir fort konnten, um Gösta zu sehen. Er lag in seinem Bett mit offenen Augen. Aus seinem entstellten Gesicht wich schon die Spannung des plötzlichen Todes.
»In einigen Stunden wird er weniger grimmig aussehen«, sagte Tutein, »ich glaube, ich muß ihm die Augenlider schließen, die Frau versteht sich nicht darauf. Zwar, ich tue es zum erstenmal. Sie aber wird es niemals zum erstenmal tun.« Nach einer Weile fügte er hinzu: »Ich schließe das eine, du das andere Auge.«
Sie hatte weder einen Arzt benachrichtigt noch sonst jemand verständigt. Sie war zu uns gelaufen, und da wir gekommen waren, hielt sie es für unsere Pflicht, daß wir uns des Leichnams annähmen und ihm zuteil werden ließen, was man einem Toten schuldig ist. Das behördliche Sterbezeugnis, die Einsargung und das Begräbnis. Sie ließ sich kaum blicken. Sie empfing einige Bekannte und Angehörige – auch ihre Modistin. Es wurde eine sichtbare Witwe aus ihr. Ein enganliegendes schwarzes Hauskleid war unter den Händen der Schneiderin schon fertig geworden, ehe Gösta im Sarge lag. Als er aufgebahrt stand, trug sie eine lange Schleppe und eine Kappe auf dem Kopfe, von der dunkle Schleier herab über ihr Gesicht fielen. Am Tage des Begräbnisses rauschende Seide, schwarze Spitzen, schwarzer Hasenpelzmantel, Hut und Schleier. Sie stand an seinem offenen Grab. Diese Ehre erwies sie ihm. – Das Gefolge war klein. Gösta hatte keine weithin leuchtenden Tugenden besessen, die den Kreis der Bekannten mehren. Ehrenämter und Vereine hatten sein bürgerliches Dasein nicht verziert. Wohltätig war er auch nicht gewesen, nicht Schützenkönig, nicht Schöffe, nicht Mitglied des Kirchengemeinderats und nicht Duzfreund des Bürgermeisters. Keine Sangesbrüderschaft sang an seinem Grabe, keine Hornmusik war seinem Sarge voraufgeschritten. Gösta, der sich Tutein und mich zu Kameraden gewählt, der viele Flaschen Wein geleert, der in der Nacht nach jenem Tage starb, an dem er festgestellt hatte, daß er die letzte bare Münze verausgabt und genau genommen seinem Gefährten Tutein schon eine beträchtliche Summe schuldete, Gösta bekam nur ein unauffälliges Leichenbegäng-

nis. Andere Schulden hinterließ er nicht. Es wurde niemals aufgeklärt, auf welche Weise er den bedeutenden Betrag, den er am Tage der letzten Abrechnung mit Tuteins Wissen von der Bank abgehoben hatte, verwendete.
Tutein hatte harte Wochen vor sich. Das Betriebskapital fehlte. Seine eigenen Rücklagen waren klein. Hypothekenzinsen wurden fällig. Göstas Begräbnis mußte bezahlt werden. Die Frau bat jammernd um Geld, sie habe nichts zum Leben. Drohend warf sie Tutein die Rechnungen ihrer Modistin auf den Schreibtisch, sie werde Haus und Stall und alles verpfänden. Er kaufte Pferde, stellte Wechsel aus. Vor einem Notar schloß er den Vertrag mit der Witwe Göstas. Eine Woche danach waren die Ställe überfüllt, eine Koppel junger Pferde war in die Stadt geführt worden. Die Frau hatte immer neue Forderungen an ihn. Es war zu erkennen, sie verschwendete. Tutein sah ihr manches nach. Er wußte noch nicht, ob er den Schwierigkeiten gewachsen war. Er wurde ruhelos. Inmitten der Ungewißheit betrieb er unseren Umzug. Der Nordflügel des Wohnhauses wurde hergerichtet. Das saalartige Zimmer, ein ehemaliger Lagerraum, erhielt einen Fußboden aus Kiefernholz. Eine Wand wurde aufgemauert, damit der Knecht seine Kammer und wir einen Schlafraum erhielten. Das Kontor, das jetzt eine Art Vorraum bildete, füllte sich mit Staub. Die Fußtapfen der Maurer und Zimmerer zeichneten sich grauweiß auf dem dunklen Lack der Dielen. Es war ein Übergang. Die Handwerker verschwanden. Maler und Scheuerfrauen hinterließen helle und saubere Räume. Tutein putzte die Blechkiste, die unter dem Sofa stand, in der sich die Zigarren für Besucher befanden. Er öffnete den kleinen Geldschrank, der ein neues Hauptbuch enthielt und eine Kasse aus Drahtgeflecht, in der einzelne Kronenstücke und kleinere Münzen lagen. Er schüttelte den Kopf. Dennoch war er fest entschlossen, nachdem es so weit gekommen war, durchzuhalten und das Unternehmen aus der Krise herauszuführen. Er glaubte noch einmal an seine und meine bürgerliche Existenz, an Gemächlichkeit, Wohlstand, gesunden Schlaf, meinen Ruhm und seine Geschäftstüchtigkeit, an alles, was auf Augenblicke vom Lächeln des Glückes angestrahlt wird.
Es war soweit, daß wir umzogen. Anfangs waren die neuen

Räume nur dürftig mit Möbeln ausgestattet; aber mein Flügel gab dem großen leeren Saal ein festliches Aussehen. Bald hatte Tutein auch einen schweren Tisch aus Mahagoniholz besorgt, und ein Nachbar Handwerker verfertigte sechs mehr gewaltige als schöne Sessel. So konnte den ehrenwerten Herren Bauern Branntwein und Butterbrot gereicht werden. – Es war ein schönes Zimmer, zehn Meter lang und fünf Meter breit. An den beiden Schmalseiten waren je zwei Fenster, zur Straße und zum Hofplatz; mitten an einer der langen Wände stand ein runder, weißglasierter Kachelofen mit messingenen Türen. Tutein gewöhnte sich an, des Nachts entweder hier auf einem Diwan oder im Kontor auf dem Sofa zu schlafen. Das dritte Zimmer überließ er mir, damit ich ungestört arbeiten könnte. Wenn ich des Abends in meinem Bette lag, hörte ich die späten Schritte des Knechtes oder sein jugendliches Stöhnen und Schnarchen durch die Wand – und vom Saal her, daß Tutein nachhause kam oder von einem stillen Wachen vorm Ofen aufstand und seine Lagerstatt richtete. Er war ungesprächig geworden.

Die Wintertage waren kurz, der Handel ruhte völlig, wie es immer um diese Jahreszeit gewesen war. Tutein saß stundenlang vor dem Ofen, schob Birkenkloben in das Feuerloch. Er dachte nach oder tastete sein Dasein ab. Er sagte manchmal am Ende langen Schweigens:

»Ich bin glücklich. Es ist hier warm. Hier ist Friede. Niemand kommt herein außer dem Knecht.« – Er sagte auch: »Daß auch ich von Menschen abstamme, ist verwunderlich. Ich bin irgendwelcher Leute angenommenes Kind. Ich habe keine Eltern und keine Verwandten. Ich bin nur da. Es war niemals davon die Rede, daß ich einem Vater oder einer Mutter ähnlich sähe.«

Es kam zu häufigen Zusammenstößen mit der Witwe Göstas. Sie beschuldigte ihn, er versäume das Geschäft, der Verdienst bleibe hinter billigen Erwartungen zurück. – Sie konnte nicht haushalten. Tutein hatte ihr bereits beträchtliche Vorschüsse bezahlt. Je mehr er ihr entgegenkam, desto ärger wurde sie in ihren Ansprüchen. Er legte ihr die Abrechnungen vor; sie antwortete darauf, sie wolle nicht wie ein Bettelweib leben. Er bewies ihr, daß Göstas Einnahmen in den letzten Jahren niemals größer gewesen; sie nannte Gösta einen Trottel. Er schlug vor, ihr monatlich eine bestimmte Summe auszubezahlen, die etwa einem Zwölftel des Jahreseinkommens entspreche, damit sie sich mit einer regelmäßigen Einnahme besser einrichten könne; sie sagte darauf, sie werde mit dem Mietzins übervorteilt. Er erklärte ihr, daß der Besitz bis zur äußersten Grenze mit Hypotheken belastet sei, und daß ein Verkauf der Gebäude kaum einen Überschuß bringen würde; dieser Nichtbesitz aber werfe ihr jährlich achthundert Kronen ab. – Erst als es dahin gekommen war, daß er ihre Forderungen grob abwies, ließ sie ihn ungeschoren und begnügte sich damit, die monatlichen Beträge, die auszuschütten er sich erboten hatte, anzunehmen. Vielleicht begann sie sogar, weil sie keinen Ausweg sah, ihre Ausgaben einzuschränken.

*

Die folgenden Jahre wurden von unserem Leben wie unreife Früchte abgepflückt. Damals noch schien es mir, als habe auch diese Stadt Halmberg ein heißes und bekümmertes Gesicht wie so viele ihresgleichen. Ich entsinne mich hoher nüchterner Fenster. Häuser, die wie Greise aussehen. Ich entsinne mich der Linden, die vor unserer Wohnung zwischen blankem vielfarbigen Katzenkopfpflaster standen, des geschweiften schwarzen Schildes über dem Torweg, auf dem mit Goldbuchstaben (Tutein hatte sie erneuern lassen) geschrieben stand: GÖSTA VOGELQUISTS PFERDEHANDEL. – Aber jetzt sind die Straßenzüge zerfallen, das Pflaster ist in den Boden gesunken, als wären tausend Jahre vergangen, und eine Trümmerstätte, was sie einst sein wird, die Stadt schon jetzt. Es ist nur der Untergang in meinem Hirn. Die noch immer lebenden Bewohner mögen sich trösten. Nicht die Kugel eines Jahrtausends ist vorübergerollt, nur mein armer Kopf, der schon das Grab wittert, schlägt gegen die Steine der Zeit.
(Ich habe einen neuen Anfall fürchterlicher Kopfschmerzen gehabt. Ich bin, als es am schlimmsten war, drei Kilometer weit zu meinem nächsten Nachbarn gewandert. Ein Wind wehte. Ich weiß nicht, ob er warm oder kalt war. Ich erbrach mich, ich blieb am Wege liegen. Ich raffte mich wieder auf.

Nach langer Zeit, es müssen mehrere Stunden darüber hingegangen sein, erreichte ich den Hof. Man rief telephonisch einen Arzt herbei. Der Bauer und sein Knecht nahmen mich unter die Arme und führten mich in meine Behausung zurück. Ich stöhnte, ich schrie. Sie wollten mich ins Bett bringen. Ich wollte aufrecht stehen. Alle Gegenstände, sofern sie sich überhaupt in meinen Augen abzeichneten, waren schwarz. Schwarze Gesichter zweier Menschen in meiner Stube. Sie blieben, bis der Arzt gekommen war und sich meiner erbarmte. Er gab mir eine Morphineinspritzung, vielleicht auch ein anderes Gift, damit sich etwas ändere. Er sagte, meine Haut sei eiskalt. Aber es stand mir Wasser an der Stirn. Nach zehn Minuten streifte er mir Jacke und Hose ab und geleitete mich ins Bett.

Er ist heute wiedergekommen. Klinisch, so versuchte er zu erklären, handle es sich um eine zeitweise Erweiterung der Blutgefäße im Hirn. Es sei Veranlagung; wahrscheinlich habe meine geistige Arbeit – so drückte er sich aus – die Entwicklung der Anormalie begünstigt. Auch möglich, daß die Entartung die Ursache für meinen Hang zur geistigen Arbeit sei. – Damit weiß ich, daß er mich und mein Tun verachtet. – Daß alles menschliche Genie für ihn das lästige Beiwerk eines unheilbaren Krankheitszustandes –. Ich bat ihn, den Versuch zu machen, das so klar erkannte Übel abzustellen. »Wir sind recht machtlos allgemeinen Kopfschmerzen gegenüber, die nicht die Folge einer Ursache sind, die wir behandeln können.«

Er verschrieb mir ziemlich starke Pulver, wie er sagte, einzunehmen, sobald ich das Herannahen der Schmerzen fühlte. Nicht während eines Anfalles; ich würde mich nur erbrechen. – Er ging. Ich lag noch immer im Bett. Aber vor Stunden war ich aufgewesen, weil das Stampfen Iloks im Stall mich geweckt hatte. Körner forderte sie, Wasser. Und Heu habe ich ihr reichlich in den Stall getan. Ich konnte nicht abschätzen, wann ich wieder die Kraft haben würde, sie zu versorgen.

Ich liege im Bett, und es ist das Nachher. Nach einer Verwüstung aller meiner Gedanken, Erinnerungen und Triebe liege ich im Bett. Und meine Gedanken, Erinnerungen und Triebe kehren zurück. Aber ich weiß doch, sie waren mir genommen gewesen. Mein Widersacher oder mein Tod hat sie in Verwahrung gehabt. Er kennt sie, er kennt mich. Er kennt das Gewe-

sene, das Wirkliche, das überhaupt nicht mehr ist, und das Gedachte, Verfälschte, Geschriebene, das allmählich wird. Es ist müßig, daß ich ihm Rechenschaft gebe. Ich bereue nicht. Das kann ich sagen, ich kann es wiederholen. Aber ich kann kaum noch ausdrücken, welche Taten oder welches Verhalten ich hätte bereuen sollen – warum – mit welchem Ziel ich mich beharrlich weigere. Meine Niederschrift wendet sich nur an mich selbst. Sollte es einmal geschehen, daß ich vergesse, daß ich alles vergesse, daß mein Erinnern mir lebendigen Leibes ausgerissen wird, daß ich vergesse, wer und was in jenem Kasten eingesargt liegt, wenn mein Gefühl, meine Liebe, mein Trieb, benachbartes Fleisch wie meines, wenn es makellos ist, köstlich zu finden, nicht mehr da ist – wenn ich einmal nach meinen Schmerzen zurückbleibe wie einer, der keine Vergangenheit hat, von niemand herstammt, der keinen Namen, nicht einmal eine Zukunft, weil auch sie im Vergessen einbegriffen ist, hat – dann wird nur das sein, was ich geschrieben habe, ein sehr unvollständiges Dasein, Bilder, von zusammenhanglosen Kräften zusammengetragen. Aber ich werde doch wissen, daß Tutein, ein Mensch, der starb, bei mir im Zimmer ist, daß Ilok, ein Pferd, im Stall steht, daß Eli, ein Hund, meine Hand leckt. Daß es doch so ist, wie es ist, wenn ich es auch nicht mehr aus der Erfahrung weiß.
Doch wenn ich auch verlerne es lesen zu können? Dann bin ich überwunden. Dann gibt es den Abtrünnigen nicht mehr. Dann gibt es nur noch die anderen, die ich nicht kenne, die den Namen Du haben, denn ich habe Ich geheißen.)
Das Verfahren gegen den Reeder, Herrn Dumenehould, ist, wahrscheinlich vor langer Zeit schon, eingestellt worden. Meine Frageklage wurde abgewiesen. Ich habe es nur niemals erfahren. Ich warte vergeblich auf einen Fortgang der Ermittlungen. Man weiß seit langem, ich habe meine Verdächtigungen dem Unrichtigen angehängt. Der Schuldige – man könnte ihn so nennen, wenn man darauf erpicht ist, die willentliche Anzettelung von Verwüstung, Untergang, Leid und Schmerzen Schuld zu nennen – ist hinter gewaltigen Aktenstößen verborgen. Er hat einen Wall von Papier um sich errichtet. Der Wall kann nicht erstürmt werden. Der Schuldige ist vor jeder Verfolgung und Strafe geschützt, er ist auch vor lauter öffent-

licher und allgemeiner Schuld fast unschuldig. Schuldiger als er sind seine Eltern, seine Lehrer und die Professoren der Universität, bei denen er Recht und Rechtsbegriffe lernte, was Moral, was Ehre sei und Staatsführung, Ökonomie und Verwaltung. Es läßt sich denken, und ich denke es. (Meine Gedanken sind mir zurückgegeben, und der Tod hat sie ein wenig geputzt; mit seinem jauchigen Speichel ist er darüber hingefahren, weil meine Gedanken ihm gefielen, eben jene, die ich selbst noch gar nicht angeschaut habe.)
Er lebt oder er lebt nicht mehr, jedenfalls, er hat gelebt, ein alter ausgedienter Offizier, eine Exzellenz, deren Lebensaufgabe ein unablässiges Planen war, ein Ergründen von Möglichkeiten, ein Erwägen hypothetischer Angriffe und Verteidigungen, ein Erproben und Bewerten kriegerischer Mittel – ein Fachmann, dessen Dasein voll ungezählter Episoden war. Er hat die eine schon fast vergessen. Erinnert man ihn daran, muß er eingestehen, sie war seiner Zeit wichtig genug. Hinterher verlor sie ihre Bedeutung. Er war damals noch jung, einer Sonderabteilung des Kriegsministeriums zugeteilt.
Es begann mit einem Bericht. Ein unterer Kolonialbeamter eines kleinen Staates beschwerte sich über das Verhalten eines Negerstammes beim Straßenbau. Die jungen Männer wollten sich nicht ausheben lassen, sie flohen, wurden von Stammesangehörigen versteckt, und wurde man ihrer habhaft, flohen sie wieder und rissen andere Arbeitswillige mit sich in den Aufruhr. Man hatte schon einige Dörfer angezündet. Aber der Stamm war groß, es waren ihrer zwanzigtausend Menschen, Weiber und Kinder eingerechnet. Und kriegerisch waren sie von altersher. Ihr König, ein verschlagener Greis, hatte dreißig Frauen und siebenundneunzig Söhne; und jeder der Söhne, soweit sie mannbar, wiederum zwanzig oder dreißig Frauen; und viele der Enkel hatten es schon zu einem Dutzend Weiber gebracht, so daß die jungen Männer des Stammes in weitgehenden Freundschaften lebten, weil der König und die Königskinder, die Medizinmänner und die Medizinmännerkinder, die Minister und die Ministerkinder und deren Verwandtschaft, Onkel und Brüder und Bruderkinder alle Weiber und heranwachsenden Mädchen in ihre Harems zusammentrieben. Es war ärger als arg. Am ärgsten aber war der Stolz dieser Leute,

ihre Schlauheit, ihr Entschluß, sich zu widersetzen, keine Abgaben zu bezahlen, lieber zu hungern als zu arbeiten. Das Zeugnis von Missionaren lag vor, daß sie den kristlichen Glauben nicht annehmen wollten und gegen Nachbarstämme feindliche Handlungen unternahmen.
Der Gouverneur entsann sich, daß der Leiter der staatlich konzessionierten Forstgesellschaft vor geraumer Zeit gegen eben diesen Stamm Beschwerde geführt hatte; denn die ausgehobenen Arbeiter waren weder mit dem Lohn noch mit der Menge Manioks oder Hirse zufrieden gewesen. Man hatte harte Strafen verhängen müssen; aber dadurch war eine feindliche Stimmung aufgekommen, so daß man in gewissen Bezirken die Holzung und Rodung mit ortsfremden Arbeitern nur bei beträchtlichen Sicherheitsveranstaltungen hatte durchführen können.
Er faßte einen Beschluß. Er gab den Bericht, in vielen Punkten verändert, an den ihm bekannten Referenten im Kolonialministerium weiter. Er verlangte militärische Unterstützung zur Niederwerfung des Aufstandes. Ehemals – und an manchen Orten war es noch so – handelte man auf eigene Verantwortung, nahm die Weiber der Aufrührer als Pfand und ließ sie durch schwarze Soldaten begatten; oder man hackte so und so vielen die Hände ab. Als warnendes Beispiel. Auch das gab Pfänder, und die Maßnahme konnte bestehenden Rechtsnormen zugeordnet werden. Indessen, zwischen einst und jetzt schwelte der Dunghaufen fürchterlicher Skandale. Der unermüdliche Sir Robert Casement war im Auftrage seiner Regierung mit einem Massaiknaben, einer weißen und einer schwarzen Bulldogge samt einer gefüllten Brieftasche in den Busch gegangen und war mit dem Knaben und den beiden Bulldoggen wieder hervorgekommen. Schamlos, als echter Eiferer, hatte er bloßgestellt, was bloßzustellen war; unbedenklich war ein europäischer Staat dem Schimpf und der Verachtung preisgegeben worden. Die Anklagen hatten Mitläufer bekommen. Mächtige Kolonialnationen waren schon bereit, von der uneingeschränkten Gewaltanwendung gegen Eingeborene Abstand zu nehmen; Anschauungen entwickelten sich, die mit Menschlichkeit belastet waren. Das Zeitalter der Sklavenjagden wurde immer mehr verdünnt; Strafexpeditionen waren ein äußerstes

Mittel geworden, zu dessen Durchführung es womöglich Parlamentsbeschlüsse bedurfte.
Und es waren ihrer Zwanzigtausend. Er durfte den Kampf mit dem Ziel ihrer Ausrottung nicht aufnehmen, ohne zuvor die Billigung von höchster Stelle erhalten zu haben. Er wußte, sie war kaum zu erwarten, wenn er nicht triftige Gründe ins Feld führte und nicht zugleich eine verläßliche und unauffällige Methode vorzuschlagen wußte. So deutete er an, daß die Verwendung von Flugzeugen und Giftgasen die Vertraulichkeit gewährleisten würde.
Er hatte eine erhabene Minute, als er seinen Bericht zuende gebracht. Er entschied über das Leben von Zwanzigtausend. Und damit gab er einen Baustein zur heroischen Geschichte. Der zuständige Referent im Kolonialministerium nahm den Bericht entgegen und versah ihn mit aller Schwere und Heimlichkeit, die ihm offenbar gebührten. Er beschloß drei Dinge: erstens, die Öffentlichkeit auszuschließen, zweitens, sogleich sich einen Spezialisten der Wehrmacht als Ratgeber attachieren zu lassen, drittens, seinem hohen Vorgesetzten, dem Herrn Minister, mit besonderem Nachdruck Vortrag zu halten. – Er erntete bei seinem Chef Anerkennung, Förderung seiner Pläne, erweiterte Vollmachten. Es wurde sogleich eine Konferenz zwischen den beteiligten Ministerien hinter verschlossenen Türen abgehalten. Die Spezialisten begrüßten die Möglichkeit eines groß angelegten Experiments. Freilich, man befand sich im Raume eines kleinen Staates mit nur unzureichenden Reserven an Macht und moralischem Ansehen; selbst die geeigneten Kriegsmittel lagerten in keinem heimatlichen Arsenal. Man war um einen Ausweg nicht verlegen. Man beauftragte die Militärkommission, die zur Zeit, Studien halber, in einem großen Staate weilte, Verbindungen zur ausländischen chemischen Großindustrie anzuknüpfen.
So kam es, daß ein junger Offizier, der in einer Sonderabteilung des Kriegsministeriums Dienst tat, den Befehl erhielt, einige Herren einer ausländischen Militärkommission zu empfangen und ihnen bei der Lösung einer bestimmten Aufgabe behilflich zu sein. Die Verbindung zu einem Trust der Chemie war bald geschaffen; die leitenden Herren der Geheimfabrikation arbeiteten einen Plan in allen Einzelheiten aus. Ein Vertrag

wurde unterzeichnet. Das Ganze mündete in eine geschäftliche Transaktion ein, die sich nur durch die Art der verhandelten Ware von anderen kaufmännischen Abschlüssen unterschied. Man hatte sich geeinigt, Diphenylchlorarsen und Dimesenit zu verwenden, die damals als die wirksamsten Giftgase galten. Es sollten vollständig gebrauchsfertige Bomben hergestellt werden, und die chemischen Werke hatten sich verpflichtet, die Ware auf eigene Rechnung und Gefahr bis vor den Hafen eines kleinen afrikanischen Platzes zu liefern, bis vor den Strand, wie man sich ausdrückte, als ob es sich um die Waffenlieferung für einen Bürgerkrieg gehandelt hätte. Die Geheimhaltung des Auftrages wurde ausdrücklich zugesichert. Man gab ihm den Schlüsselnamen: Aktion Pusta. Wegen der Gefährlichkeit der Stoffe wurden außerordentliche Transportveranstaltungen notwendig. Die Spezialisten, die durch keine Vorstellung zum Erschrecken zu bringen waren, wurden angesichts der Wirklichkeit erregt. Es war zuvor noch nicht geschehen, jedenfalls wußten sie es nicht, daß man fünfhundert Tonnen vergasbarer Erzgifte über Land und Meere gefahren. Mit Eisenbahnzügen die Geleise entlang durch Städte, an Dörfern vorüber, über unruhige Gewässer, ein ungeheurer Tod für Millionen, doch eingeschlossen in eisernen Behältern, die wiederum eine Sprengladung enthielten, wodurch sie zertrümmert werden konnten. Dieser Tod durfte nicht ausbrechen, ehe er nicht am Ziel der Reise war. Er war für Zwanzigtausend bestimmt, nicht für die Millionen einer Großstadt oder für die Bauern, Knechte, Rinder und Pferde einiger Dörfer. Es bedurfte vieler Sicherheitsmaßnahmen.

Der alte General entsinnt sich nicht, ob das Schiff, das die fürchterliche Last trug, den Namen ›Lais‹ hatte. Er hat es niemals gewußt. Er kennt die Einzelheiten des Vorganges nicht. Er kennt nur das Allgemeine, und daß es damals eine Angelegenheit von großer Wichtigkeit war, ein Experiment, dessen Ausgang die Eingeweihten mit Erregung, geradezu mit Unruhe erfüllte. Es war gleichsam aus dem Bereich des kleinen Staates herausgetreten, um sich an die schaffenden Hirne einer mächtigen Militärorganisation zu wenden. Dadurch war die Vertraulichkeit gewachsen. Es war selbstverständlich, daß man das Transportschiff nicht unbewacht in die Ungewißheit der

Ozeane hinaussegeln lassen durfte. Man gab der Ladung einen Superkargo bei; der Trust der Chemie hatte einen Mann bereit, dessen Verläßlichkeit verbürgt war. Die unauffällige Begleitung durch ein Kriegsschiff wurde angeordnet. Er weiß nicht, ob das Schiff den Namen ›Lais‹ hatte. Es war ein Segelschiff. Und es fuhr aus, als ob es ein durchschnittliches Kauffahrteischiff wäre. Es sollte irgendwo an der Küste Afrikas bis vor den Strand fahren. Es hatte einen erprobten Kapitän, eine biedere wohlausgewählte Mannschaft und einen Superkargo, den Agenten des Trusts. Man hatte auch ihn, vorsichtshalber, über die Art der Ladung im unklaren gelassen.
Das Experiment mißlang. Es kam gar nicht zur Ausführung. Das Schiff erreichte sein Ziel nicht. Das Ziel, das niemals bekanntgegeben worden war. Es ging unter. Es versank. Bei ruhiger See verschwand es von der Oberfläche des Wassers. Es war ein neues Schiff gewesen. Der Untergang wurde vom Kriegsschiff, das sich hinter der Kimmung hielt, nicht bemerkt. Es wurde ihm nicht einmal telegraphisch berichtet. Drei Tage lang suchte das Kriegsschiff den Segler und wußte nicht, daß er verschwunden war.
Der alte General meint, es muß etwas Unberechenbares mit der Ladung geschehen sein. Einige Menschen kamen bei dem Schiffbruch um. Der Superkargo beging Selbstmord. Die Mehrzahl der Besatzung wurde von einem Frachtdampfer aufgefischt. Der Kapitän war bei späteren Verhören sehr wortkarg. Er gab seine Laufbahn auf. Es ist zu vermuten, zwei junge Menschen, die anbord gewesen waren, haben genauere Kenntnis von dem, was wirklich geschehen ist. Aber sie scheinen ihr Wissen gefürchtet zu haben. Sie entzogen sich den Verhören soviel wie möglich. Sie kehrten nicht in ihre Heimat zurück. Man ließ sie heimlich bewachen. Sie verstanden zu schweigen. Und nur darauf kam es den Behörden an. Sie schwiegen. Sie trieben sich in der Welt umher. Man ließ sie ungeschoren. Allmählich vergaß man ihre Angelegenheit und ihre Akten, wie man das Scheitern des Experimentes vergaß. Im übrigen vermied man es, gründliche Verhöre anzustellen. Man ging darüber hin, daß sich in den Aussagen der Mannschaft Widersprüche fanden. Man rügte den Kapitän kaum, daß die Schiffspapiere verloren waren. Man stellte die Zahl der

Toten fest, ohne die Umstände ihres Ablebens weiter zu ermitteln.
Mit der Zeit verlor der Vorfall seine Bedeutung. Der Gouverneur entledigte sich der Zwanzigtausend auf altertümliche Weise; man gab ihm die Erlaubnis und Machtmittel dazu, weil in der Zwischenzeit der Bericht des niederen Beamten, der nun auch befördert wurde, die Grundlage für staatswichtige Weiterungen geworden war. Man fürchtete sogar die Öffentlichkeit nicht mehr.
Es ist Vergangenheit.
Ich liege in meinem Bett. Ich habe es niedergeschrieben, und ich muß wohl bekennen, daß es meine Gedanken sind. Und doch erscheint es mir so, als hätte ich nur eine weitmaschige fremde Wirklichkeit erhorcht. Das Geschehen, das meine Augen nicht gesehen haben, ist so bürokratisch und blutig gewesen. Ein Ablauf, den viele Hände und Hirne bestimmt haben. Und jeder wirkte, wie er es vermochte.
Die Zellen meines Hirns lagern noch am Rande der Schmerzen. Sie sind ermattet. Aber gerade darum kann ich nicht glauben, daß sie die Wildnis des bisher Ungedachten aufsuchen, anstatt mechanisch die Schubfächer verbürgter Erinnerungen auszukramen.
Sogar die Stimme des alten Generals meine ich gehört zu haben. Er sagte aus, und ich begriff allmählich, er berichtete einem Vorgesetzten, stockend und gar nicht würdevoll, wie es einem General ansteht. Dieser Vorgesetzte war möglicherweise sein Tod. Er wurde befragt, weil seine Kenntnis in dieser Sache nicht verlorengehen sollte oder doch erst ein wenig später, ohne seine Mithilfe.

*

Es ist vergeblich, daß ich meinen Kopf unablässig damit plage, daß er ergründe, auf welche Weise ich Kenntnis von jenen Vorgängen erhielt. Meine Vernunft reicht nicht aus, und ich bescheide mich, nachdem ich mich nutzlos erschöpft habe. (Vielleicht können zwei Tode einander begegnen.) Der Bericht des greisen Offiziers liegt vor. Dieser Mensch lebt oder er hat gelebt. Was er auszusagen hatte, war dem Geist der Wirklich-

keit von jeher bekannt. Seine Aussage hatte nur noch Bedeutung für mich. Mein Widersacher wollte mich demütigen, sehr tief erniedrigen: ich kann nun an der Gestalt meiner Vergangenheit, nachträglich, nichts mehr verändern. Sie ist plötzlich erstarrt. Alle Türen sind zugeschlagen. Ich soll erkennen, keine Antwort Kastors auf meinen Brief wird das nüchterne Licht, das sich auf meine Gedanken und Empfindungen von einst gesenkt hat, mildern. Mein Abenteuer ist enger geworden.
Tutein hat das Gefühl seiner Schuld übertrieben. Er hat dem Verbrechen keine Grenzen gegeben. Ich habe niemals genau hingeschaut, welche Gestalt die Schuld hatte. Ich habe sie mit ihm geteilt, ohne sie recht zu kennen; wir teilten etwas Großes, die bittere Frucht eines bösen Gedankens, eines Gedankens, der weder ihm noch mir gehörte, der aber über uns gekommen war, weil ein anderer ihn unter furchtbaren Exzessen von sich geschleudert, auf das Schiff gebannt hatte; die Planken der ›Lais‹ waren damit durchtränkt. Die einen meinten, es sei Blut gewesen, andere glaubten an verdorrte Leichen; ich hörte Schritte, und später sah ich einen Käfer, anzuschauen wie die syphilitischen Hinterbacken eines Affen. – Jetzt, nachdem ich den Bericht überdacht, ist unsere Schuld ganz unser Eigentum – zufällig, abgenutzt, verjährt. Eine leichtsinnige Handhabung meiner Gefühle brachte den wilden Schoss meines Verdachtes gegen den Reeder. –
Ein turmhohes Gebäude ist zusammengestürzt, weil die Wirklichkeit ihre wahrscheinliche Andersartigkeit gegen mich ausspielt, birst, wie der Bauch des Judas. Meine Vermutungen liegen als Trümmer umher. Ich muß mich mit der neuen Gewißheit, daß ich nichts mit Herrn Dumenehould und seinen allgemeinen oder heftigen Gedanken zu schaffen habe, abfinden. Es bleibt nur jener unbekömmliche Rest: er hat mich verdächtigt, den Tod Ellenas verschuldet zu haben. Er wußte, was dem Offizier vielleicht unbekannt geblieben ist, daß ihr Verschwinden und das Scheitern des Schiffes nicht gleichzeitig waren. Und seine (Herrn Dumenehoulds) Betrachtungen über den Untergang der ›Lais‹ müssen somit verschieden von denen des Offiziers gewesen sein. Ich muß es endlich begreifen – ich muß es in allen meinen zukünftigen

Überlegungen berücksichtigen: er war, soweit es die Ladung betraf, ebenso – um nichts weniger – unwissend wie der Superkargo.

– – – – – – – – – –

Es fällt wie Regen auf mein Abenteuer. Der Staub wird weggespült. Ich bin sehr mutlos geworden. Es war kein Blut in den Planken der ›Lais‹. Es war kein Knaben- oder Weiberfleisch in den Kisten. Es hing kein eiterndes Gespenst in der Takelage. Es waren nicht die Schritte des Reeders anbord. Es war keine Falschheit im Superkargo. Die Besatzung bestand aus biederen Männern. Nur Tutein, auf dem Grunde seiner Seele, war ein Mörder. Das ist das Wirkliche. Das ist so wirklich wie eine Geburt oder ein plötzlicher Tod. Er konnte seiner Tat so wenig entrinnen wie ein Schlachttier dem Messer. Er war nicht anders. Er war nicht besser. Und so, wie er war, habe ich ihn geliebt, weil ich selbst so war, daß das Geschehen nicht anders sein konnte, als es ihm gefiel zu sein. Jetzt, nachher, ist alles unveränderlich. Und nun, wo ich noch gewisser weiß, es ist vergeblich, das Gewesene verändern zu wollen, wünsche ich noch weniger, es möchte anders gewesen sein. Denn das Wirkliche schmeckt besser als alles, was nicht ist. Es ist nur Geschmack am Wirklichen.

*

Ich versuche, das Gespräch mit mir selbst aufrechtzuerhalten. Es gelingt kaum noch. Die Wirklichkeit und die Gleichzeitigkeit des vielgestaltigen Geschehens, sie scheinen sich uns immer mehr zu entfremden, je tiefer wir sie begreifen möchten. – Eine fast schmerzende Leere breitet sich um mich her aus. Es ist, als ob meine Augen nicht mehr aufnehmen könnten was sie sehen, vor Überdruß, immer wieder schauen zu müssen, daß sich etwas darbietet. Der Frühling ist ungeheuerlich geworden. Er birst aus der Erdkrume hervor. Er fällt mit dem Licht und mit der Finsternis herab, wie sich das Plankton auf den Grund der Meere hinabsenkt. Ich habe meine Zuflucht zu körperlicher Arbeit genommen. Wie leicht und befriedigend ist es, mit den Muskeln etwas zu vollbringen! Ein Stein, den man davonwälzt, verändert seinen Ort, und es ist etwas Bleibendes. Das Holz, das man spaltet, fügt sich nicht wieder zusammen; der Garten, den man umgräbt, behackt und bepflanzt, gibt einen Ertrag. Ich habe Holz aus dem Walde zusammengefahren. Ich habe Ilok auf saftigen Kleestücken grasen lassen und habe als Hütebursche an einem Abhang gehockt. Meine Tage sind wie immer vom Morgen bis zum Abend gewesen. Aber am Abend sank ich müde ins Bett, erschöpft von der Arbeit, doch froh, daß sie vollbracht war, beruhigt, daß ich meine Gedanken von mir geschoben hatte.

Vielleicht ist es das beste, wenn ich ein paar Tage lang von meiner Niederschrift Abschied nehme, den Wagen hervorziehe, ihn mit Proviant belade und mit Ilok die Straßen befahre. An fremden Häusern und Gärten vorüber, an Straßengräben und Klippen, durch Wälder, den Drähten der Telephonleitungen nach. Die grünen Hügel der mit Korn besäten Äcker ruhen zu beiden Seiten des Weges, wenn der Wald sich lichtet. Das Wasser der Bäche ist klar und frisch. – Ich muß eine Verwundung in mir heilen. An den Abenden trinke ich in einem Gasthause dunkles Bier und Schnaps. Eli muß sich dareinfinden, mitgenommen zu werden.

Vielleicht begegnet ER mir wieder. Denn ER weiß, daß meine Lage verändert ist, weil ich etwas erfuhr, was mir jahrzehntelang vorenthalten war. Wenn mein Wissen erst eine Woche alt ist, wird es seine Kraft verloren haben. Es kommt darauf an, daß es nicht mächtiger wird als ich selbst. Es könnte sonst geschehen, daß ich die andere Seite meines Daseins erführe, das Außenbild – daß ich mir selbst entgegenkäme, eine erschrekkende Gestalt, und von mir denken müßte, was alle, die mich jemals gesehen und berührt, von mir gedacht haben. Oder zum wenigsten die wenigen, deren Fleisch warm neben dem meinen gewesen ist. Daß ich mich vollkommen verlöre. – Ich bin schon sehr undeutlich geworden. Es gebricht mir an Lust. Es fehlt mir eine fremde Stimme. Daß der Sarg schweigt, ist etwas Schlimmes. – Tutein, ich weine.

JUNI

Juni

Ich bin IHM nicht begegnet. An den Tagen, die von der Sonne überhell erleuchtet waren, brauste das Wachstum an allen Orten. In der Mittagshitze schienen die Schlieren der Luft ein Gewebe aus Freude über dem Lande zu weben. Und ich wünschte, es möchte so sein, wie es mir erschien. Die Abende waren kalt, und es war angenehm, in der Gaststube eines Wirtshauses zu sitzen. Meistens war ich allein. Ich erwartete IHN, daß er hereinträte. Er blieb aus. Ich hatte Zeit, meine Unruhe zu beschwichtigen. Es ist nichts Erbauliches, die Stunden damit zu verbringen, Bier und Schnaps zu trinken und am Ende heißen starken Tee in sich zu gießen, um mit Gleichmut in ein fremdes kaltes Bett steigen zu können. Doch ich schlief traumlos in diesen Nächten. Die Mahlzeiten waren mir eine reine Freude. Der Duft von Kaffee und frischem Weizenbrot füllte mir den Mund im Vorgeschmack mit Speichel. Ich spürte das Glück meiner Freiheit.

Im Waldgasthaus Gallingbakke hielten wir zwei Tage lang. Denn nach dem Mittagessen des ersten Tages legte ich mich wieder ins Bett und verhandelte in Tuteins Abwesenheit über seinen Mord an Ellena, weil wir uns zwei Jahrzehnte lang nicht richtig erklärt hatten. Sein Geständnis ging unserer Freundschaft vorauf. Er hat es niemals wiederholt, nicht verändert oder widerrufen. Es lag wie ein Stein an seinem Ort. Er sagte, es ist nicht sein Vorsatz gewesen, Ellena zu ermorden. Er sagte aber auch, die Schuld sei plötzlich gewesen. Das ist ein Widerspruch. Zum Mörder konnte er erst werden durch die plötzliche Schuld. Der Zustand, keinen Vorsatz zu haben, drückt doch gewiß nichts weiter aus, als daß der Mord in der Zeit geschah und nicht außer ihr. Tutein konnte als Kind nicht den

Vorsatz gehabt haben, Ellena (die er gar nicht kannte) zu ermorden, überhaupt irgendeinen Menschen zu ermorden. Der Vorsatz bestand möglicherweise auch eine Minute vor der Tat noch nicht. Aber die Schuld war plötzlich da. Das heißt, der Vorsatz stellte sich ein, denn Tutein hätte sich sonst nicht schuldig fühlen können. Es war aber das Bewußtsein der Schuld, das unseren Lebensweg bestimmte. Der Zeitpunkt für das Auftauchen des Entschlusses, zu morden, ist an sich gleichgültig, wenn er sich überhaupt irgendwo zwischen den Sekunden findet. Und das hat Tutein immerhin gestanden. – Es schien mir wichtig, das noch einmal zu verhandeln. Denn ich wurde sein Freund; nicht, weil er unschuldig oder nur scheinbar schuldig war: er wurde ein Teil von mir, weil er schuldig. Er wollte, daß ich ihn, nachdem er ein Geständnis abgelegt hatte, tötete. Er fürchtete das Gericht und das Schafott. Da ich sein Richter und Henker nicht sein wollte, sondern sein Freund, forderte er von mir, daß ich ihn niemals verließe. Denn er fürchtete sich ohne mich, weil die eine Sekunde des Vorsatzes gewesen war. Er hatte diese Forderung an mich. Als der Wendepunkt drohte, ich möchte mich ihrer entledigen und ein gewöhnlicher Mensch ohne Geheimnis werden, widersetzte er sich. Ja, er ersann ein Mittel, sich eines Teiles seines Leibes und seiner Seele zu entledigen und sie mit einem Teil von mir zu vertauschen. Es war eine äußerste Maßnahme. Er mußte darauf verfallen, und ich konnte mich ihm nicht entziehen. Er mißtraute dem Geist; das dinghafte Fleisch würde zur Verantwortung gezogen werden, wenn es dahin kommen sollte, daß er sich würde verantworten müssen. Seine Hände waren um den Hals Ellenas zusammengepreßt worden. Von seinen Gedanken damals wußte er so gut wie nichts. Wenn es sich dabei auch um Gedanken gehandelt hatte, so waren sie erdig gewesen. Einsilbige Gedanken. Ellenas Mund. Ellenas Brüste. Ellenas Schenkel. Meine Schenkel. Seine Schenkel. Des Superkargos Schenkel. – Er mußte das dinghafte Fleisch mit mir teilen. Solange es nicht geschehen war, lag, trotz aller heißen Worte und verschwörerischen Vorstellungen, der Stein der Schuld verhärtet in ihm, und meine Gegenwart war nur ein Trost, doch keine leibliche Erleichterung für Zeit und Ewigkeit. – Wie wenn ich den Stein durch

seine Haut hindurch von Zeit zu Zeit nur befühlte, als handle es sich um eine geschwulstige Krankheit.
Ich muß vom unbegreiflichsten Abschnitt unseres Zusammenlebens berichten. Ich weiß nicht, wie ich dazu kommen soll, Worte zu wählen, die nicht zweideutig werden. Denn was zwischen mir und Tutein geschah, ist etwas Unnatürliches, aber nichts Zweideutiges. Wir haben unsere Umwelt überlistet und für uns selbst ein Wunder angefertigt. Wir sind zu echten Verschwörern geworden, und unser Geheimnis ist weiter ins Weite gewachsen. Doch jetzt, wo unsere Sinne keinen Teil mehr an jener blutigen Weisheit haben, stehe ich davor wie ein Schuldiger vor dem Gesetz, das ihn nicht kennt. Verwirrt, beschämt, fast entsetzt, das unabänderliche Wort der Anklage zu hören. Ich bin nicht trotzig und verstockt. Ich leugne nicht. Die Vergangenheit war in einer anderen Welt, unter einer anderen Sonne, in besseren Jahren. Sie war noch nicht beschriebenes Papier.
Ich habe die Geschehnisse, die noch unverwischt in mir sind, wieder und wieder betrachtet. Plötzlich, im Dunst der Sonne, malten sie sich auf Iloks Kruppe, standen zwischen den Gläsern auf dem nackten Holz des Wirtshaustisches, waren da, wenn ich die Lider zum Schlafen schloß, verwilderten die Augenblikke meines Erwachens. Ich stand davor wie ein Dritter. Dieser Dritte haust noch in mir, der unverfälschte Mensch, der als Gustav Anias Horn geboren wurde, der der Anlaß war, daß es zu verhängnisvollen Ausschreitungen kam. Ich kann von diesem Dritten als einer Person sprechen, weil ich seitdem ein Bastard bin, ein Doppelwesen. Ich will niederschreiben, wie es dazu kam. Es ist wahrscheinlich der Sinn meines Daseins, daß es dazu kam, wenn sich auch die Augen des Dritten darüber entsetzen.

*

Tutein schloß Freundschaft mit seinem jungen Knecht. Wie einst Gösta Tutein mit sich über Land genommen, so fuhr dieser jetzt mit dem Knecht an seiner Seite. Wahrscheinlich, die Einsamkeit war zu groß geworden. Die Landstraße, überhell von der mittäglichen Sonne, von Menschen verlassen, war voll

undeutlicher höhnender Geister. Und an den Abenden, wenn das Gefährt zwischen den Geröllmauern der Heidetriften, an den Fronten der schweigenden Kiefernwälder entlang, dem grauschimmernden Band des bepflasterten Weges nach, über den Kröten krochen, den Igel raschelnd überquerten, Hasen erschreckt als Rennbahn benutzten, bis sie der perlende Blätterwald eines Klee- oder Luzernefeldes aufnahm – an den Abenden, wenn der Wind des Tages sich gelegt und das Licht sich mit Nacht mischte zu einer phosphoreszierenden Undeutlichkeit, in der die Entfernungen der Landschaft zergingen und die Entfernungen zu den Sternen sich auftaten, wenn das Pferd dem Knacken eines Zweiges oder dem Flügelschlag eines Vogels erschreckt die Ohren entgegenspitzte und sein Hufschlag weithin in die Stille drang wie ein klopfendes Signal – an den Abenden waren seine eigenen Gedanken unversöhnlicher als die boshaften Gespenster des Tages, die den Weg belauerten. In den frühen und dunklen Nächten des Herbstes war die Finsternis voller Bilder, und er hatte nur den einen Trost, daß der Geruch des Pferdes zu ihm kam, daß er an einer fetten Mahlzeit irgendwo satt und warm geworden war, daß die betäubende Wirkung hastig getrunkenen Schnapses in seinem Hirn nistete.
Er wurde sehr schweigsam. Man konnte nur seinen Lippen ansehen, daß Furcht in ihm war. So nahm er sich den Knecht zum Freund und Gefährten. Es schien so, als ob der junge Mensch ihm sehr nahe käme. Der Knecht meinte gewiß, Tutein habe keine Geheimnisse vor ihm; doch Tutein öffnete sich ihm nur in der Gegenwart, Tutein hatte vor ihm keine Vergangenheit; er verschwieg ihm alles. – Der Knecht führte die Zügel. Tutein saß neben ihm, in seinen Mantel gehüllt, lehnte sich ihm an, verbarg das Gesicht hinter des Jüngeren Schulter oder schloß die Augen vor der Nacht oder vor der Sonne. Nur manchmal, befremdet, umfaßte sein Blick das Pferd und den Wagen, in dessen bequemem Sitz zwei Menschen saßen, er selbst und der andere, beschirmt durch ein ledernes Verdeck mit weit herabhängenden grünbetreßten Lederfalten. Wenn Regen herniederschlug oder wirbelnder Schnee, zogen sie das ölgetränkte Schutztuch über Schenkel und Füße bis zur Brust herauf, hüllten sich fester in ihre

Decken. Tutein war nicht mehr allein auf den Straßen. Die Stunden konnten ihm nichts anhaben. Das Wetter focht ihn nicht an. Keine Nacht war ihm zu tief, keine Fahrt zu lang, kein Aufbruch zu spät, kein Weg zu unheimlich oder schwierig. Oft schlief er im Wagen, so sehr vertraute er dem Pferd und seinem Knecht.
Er hieß Egil Bohn. Er war kaum zwanzig Jahre alt. Er war das siebenzehnte Kind unter zwanzig, von denen nur fünf gestorben. Seine Eltern besaßen einen dürftigen Hof außerhalb Halmbergs. Vor zwei Generationen noch hatte die Familie eine stattliche Vollhufe besessen, irgendwo auf einem fetten Boden Skaanes. Aber die Fruchtbarkeit der Frauen hatte den fetten Boden und die Pferdehufe gefressen. – Egil hatte keine nahe Verbindung mehr zu seiner Familie. Seit seinem vierzehnten Lebensjahre war er zu Bauern verdungen worden. Er hatte es in der Wissenschaft nicht weit gebracht; die Dorfschule hatte ihn lesen, rechnen und schreiben gelehrt. Nach sechs Jahren war seine Schrift schon steif und greisenhaft. Sehr langsam nur vermochte er Wort an Wort zu reihen, wenn er sie niederschreiben sollte. Nachdem er Tuteins Vertrauter geworden, begann er, sich in der fast verlorenen Kunstfertigkeit zu üben. Er saß dabei, wenn Tutein schrieb oder die Bücher führte. Er rechnete die Zahlen nach, die Tutein zusammengezählt hatte. Er entdeckte, daß er es schnell und fehlerfrei konnte. Die Irrtümer waren immer auf Seiten Tuteins. Er übte sich im Schreiben. Seine Buchstaben wurden binnen kurzer Zeit ausdrucksvoll und deutlich. Tutein überließ ihm die Bücher.
Er ging nicht oft zum Tanz. Er hielt nicht viel von den Mädchen. Er mußte immer an die Fruchtbarkeit denken, die sein Dasein im Elternhause so dürftig gemacht hatte. Die Kleider, die er als Kind getragen, waren immer von einem älteren Bruder abgelegt. Das Brot, das er gegessen, war meist trocken oder dünn mit Pferdefett oder Ochsentalg bestrichen gewesen. Die wenigen Stuben seines Elternhauses standen voll rohgezimmerter Betten, in denen zwei bei zwei nackt die Nachkommenschaft schlief. Die Eltern hatten ihr Lager, ein ausziehbares Doppelbett, unter den schwarzen Hahnenbalken auf dem Boden. Die größeren Kinder nannten es die Eheeinrichtung. Er selbst hatte jahrelang, Nacht für Nacht, seinen

Körper an den eines Bruders geschmiegt. Im Winter, wenn es hart fror, er entsann sich dessen sehr genau, bereitete es eine große Vorfreude, daran zu denken, daß die Wärme des anderen neben der eigenen sein würde. Im Gegensatz zu vielen der Geschwisterpaare vertrug er sich mit seinem Bettbruder gut. Ja, sie umarmten einander manchmal und lachten dabei. Sie waren nebeneinander und fast gleichzeitig zu halben Männern geworden. Als der Tag kam, wo der Bruder vom Hause fort mußte, um bei einem Bauern Dienst zu tun, weinte Egil in der Nacht salzige Tränen und ließ sie auf die Brust des Bruders fallen. Der aber, um ein Jahr älter und mannhafter, war ganz ungerührt und flüsterte ihm zu: »Nun bekommst du ein Bett für dich allein. Und ich habe mit dem Bauern ausgemacht, daß auch ich mein Stroh im Bettgestell mit keinem zweiten zu teilen brauche.« – In der Nacht darauf, als er das Bett für sich hatte, fror ihn. Er weinte nochmals; aber er wußte nicht weshalb. Ein halbes Jahr später war er selbst ein Kleinknecht auf fremden Höfen. Er mußte hart arbeiten. Manchmal wurde er geprügelt. Es gab reichlich zu essen und zu trinken, und er wuchs. Manchmal bedrängte ihn ein Knecht oder eine vollblütige Magd. Er nahm diese anderen Menschen hin, ohne sich ihrer zu erwehren. Es war das Allgemeine. Es war das Leben eines Kleinknechtes. Er hatte seine Freude an einem neuen bunten Hemd, an einer Joppe, die er mit selbstverdientem Gelde in einem Laden erstand. Dreimal im Jahre betrank er sich: zum Julfest, am St.-Hans-Abend und auf dem Viehmarkt in Stafsinge. Bei diesen Gelegenheiten betranken sich alle, die sonst nüchtern waren. Er wußte nicht, daß er gut gewachsen war und ein klares, fast ebenmäßiges Gesicht hatte. Er wußte nicht, daß er verläßlich war und gut gegen Tiere. Er dachte: ›So ist der Mensch, und so bin ich auch.‹ Er hatte in all diesen Jahren nur ein einziges Mal den Zweikampf mit einem Menschen versucht. Sein Dienstherr, Alfons Kure, ein behäbiger Bauer, beschuldigte ihn, Eier aus dem Hühnerstall gestohlen und roh, mittels zweier kleiner Löcher, die er in die Schale gebohrt, ausgetrunken zu haben. Und die Frechheit sollte er besessen haben, diese ausgeblasenen Eier wieder in die Nester zu legen, als ob nichts geschehen wäre. – Er war der Täter nicht gewesen, und deshalb wies er die Anschuldigung zurück. Als

Alfons Kure dabei beharrte und ihn an einem Ohr packte, begann er sich zu wehren. Er schlug dem Mann mit flacher Hand ins Angesicht. Er unterlag in dem Streit. Die Fäuste des Bauern trommelten ihn zu Boden und bearbeiteten noch seinen Bauch, als er vor Schmerzen schon wehrlos war. Er wankte zur Tür. Er nahm seine Habseligkeiten. Schüchtern und verbittert verdingte er sich Alfred Tutein. Allmählich faßte er wieder Vertrauen. Als Tuteins Bereitschaft, jedem Menschen aufgeschlossen und angenehm zu sein, dem jungen Burschen ganz offenbar wurde, verlor er sein Herz. Einen Winter lang und einen Sommer dazu hütete er das Geheimnis seiner Zuneigung. Dann fiel Tuteins Blick voll und traurig auf ihn, ihn gleichsam prüfend, und in diesem Augenblick wußte er, daß er seinem Dienstherrn verfallen war.

Trotz des so schwer mit Furcht, Zuneigung und Trauer beladenen Blicks, sprach Tutein ihn diesmal nicht an. Nicht einmal einen Befehl hatte er bereit. Es gab nichts im Stall, auf dem Hof oder Boden zu ordnen. Und weil es für Egil eine Not war, daß Tutein schwieg, fragte er:

»Ich werde doch bei Ihnen im Dienst bleiben dürfen?«

»Ja«, antwortete Tutein.

Erst an einem der nächsten Tage kam es zu einer kurzen Aussprache zwischen den beiden. Tutein trug dem Knecht an, ihn hin und wieder auf den Fahrten über Land zu begleiten. Schon nach kurzer Zeit war ihm die Begleitung Egils unentbehrlich.

Sie saßen nebeneinander im bequemen Rücksitz des Wagens. Sie sprachen nur wenig miteinander. Es war ein unausschöpflicher Trost für Tutein, daß Egil ihn liebte oder verehrte, und daß er Egil vertraute. Er vertraute ihm blind. Er schlief im Wagen. Er lehnte sich gegen Egils Schulter. Die Vergangenheit wurde in tiefe Verliese versenkt. Er teilte die Stunden mit Egil. Nur des Nachts schlief der Knecht in seiner Kammer. Die Tage hatten für sie keine Grenzen mehr. Am Morgen begann ihr Geschäft. Das Füttern der Pferde, das Reinigen der Ställe, die Wortgefechte mit Käufern, der Empfang von zufällig in der Stadt weilenden Bauern, das Telephon, das Ausfertigen von Rechnungen und Wechseln, Verhandlungen mit der Bank, das Führen der Geschäftsbücher, das Zurechtlegen der Reisen.

Dann ein plötzlicher Aufbruch, weil man sich ein Geschäft nicht entgehen lassen wollte, weil es wichtig war, sich von der Qualität dieser oder jener Pferdenachkommenschaft zu überzeugen. Sie sammelten Stöße von Stammtafeln, die Notizblätter mit Tuteins Beurteilung der Hengste und Zuchtstuten häuften sich zu Bänden. Der Abend beendete ihr Zusammensein nicht. Häufiger und häufiger geschah es, daß sie ihre Abendmahlzeit in einer ländlichen Gastgeberei einnahmen und dann Stunde um Stunde trinkend, schweigend oder behutsam redend verbrachten und erst spät in der Nacht wieder im Hause anlangten. Kamen sie zeitig nachhause, war noch die eine oder andere Arbeit im Kontor zu verrichten. Tutein begann, Egils Anschauung von der Welt und vom menschlichen Dasein unauffällig und absichtslos zu erweitern.
Tutein hatte nicht gedacht, daß es so kommen würde. Er hatte keinen Plan gehabt, nur ein Bedürfnis. Es wurde eine allmähliche Offenbarung, daß Egil geschmeidig war und sich mit ungeahntem Fleiß erweitern konnte, nicht unähnlich ihm selbst. Daß Egils Furcht vor der menschlichen Vermehrung und ihren Folgen seine Liebeskräfte verschüttet hatte, die sich nun unaufdringlich und ohne Zeichen der Leidenschaft an Tutein verschwendeten, um die Furcht, von der er niemals sprach, zu bannen. So wurde ihnen keine Zahl gemeinsam aneinandergereihter Stunden zu groß. Der Umkreis ihrer Reisen dehnte sich mit dem zunehmenden Vertrautsein und dem Wunsch, einander in der Gegenwart zu haben. Der Handel nahm einen Aufschwung.
Sie sprachen nur wenig miteinander. Das ist keine Unterstellung von mir. Egils Gedanken blieben zumeist im Verborgenen. Nur seine Augen, seine groben Hände, seine sich kräuselnden Lippen drückten etwas Unbestimmtes aus, das Tutein wohltat. Er ahnte vielleicht, daß Egil ihn liebte; aber er nahm diese Liebe nicht an; er wollte die unmittelbare Nähe Egils, doch nicht sein Fleisch. Er wollte in den tiefen Brunnen einer beispiellosen Beruhigung untertauchen. Und Egil brachte das Opfer, daß er seine junge Zeit verschwenderisch an Tutein austeilte. Selten, daß Egil in diesen Jahren ein paar Stunden, außer denen der Nachtruhe, für sich nahm. War Tutein gelegentlich beschäftigt oder abwesend, saß Egil versunken, sich

selbst im Wege, im Kontor oder auf einer Kiste im Stall; oder stand auf der Straße gegen eine der Linden gelehnt, verloren, wartend, träumend, beglückt, traurig, frierend oder mit leichtem Schweiß bedeckt, wie gerade die Stunde war. Er ging nicht oft zum Tanz. Er hielt in diesen Jahren nicht viel von den Mädchen. Er dachte an ungezügelte Fruchtbarkeit, die die Welt verengt und die Tiere ausrottet, die Wälder umlegt und die Stämme der Fabrikschornsteine vermehrt. Vielleicht dachte er es gar nicht, es war in ihm eingebettet wie ein Instinkt. Es war sein Glaube. Er hatte es erfahren. Darum war seine Kindheit nicht gewesen und war ein Kind erst jetzt, das mit geschlossenen Augen in den Fußstapfen seines Brotherrn ausschritt.

*

Es war nicht ihre Absicht, mich von ihrer Gemeinschaft auszuschließen. Aber ich war doch nicht der Dritte auf dem Wagen. Ich war nicht dabei, wenn sie Pferde auf den Höfen umher kauften und den Handel mit Handschlag und Schnaps bekräftigten. Ich saß nicht mit ihnen in den ländlichen Gastgebereien. Ich saß zuhause. Es war sehr still in der Wohnung. Ich arbeitete emsiger denn je. Ich erkannte, Tutein war strebsam; Gösta Vogelquists Pferdehandel nahm einen Aufschwung; so mußte ich mit Fleiß meine Aufgabe lösen. Ein Jahr glitt dahin, ein zweites. Die Zahl der von mir geschriebenen Musiken wuchs. Ich saß oft lange am Flügel und spielte, bis ich erschöpft war. Ich freute mich, wenn Tutein und Egil am Nachmittage oder am Abend hereinkamen und sich eine kleine oder größere Überraschung für mich ausgedacht hatten, und sei es auch nur das Erzählen einer Anekdote, wie sie dies oder jenes Pferd erstanden hatten.
Einmal wöchentlich besuchten wir das Dampfbad. Es war die größte Freude des siebenten Tages. Es war zumeist ein Dienstag. Wir saßen zu dritt im Dampfraum nackt auf einer der Marmorbänke oder lagen, jeder für sich, auf einer der Pritschen. Andere nackte Gestalten gingen ein und aus. Der Schweiß perlte uns aus den Poren der Haut. Man schaute einander an, wohlgefällig. Alle Gedanken zergingen, weil die Haut in behaglicher Arbeit Säfte des Körpers ausschied und

sich weich dem warmen Dampf entgegenhielt. Dieser Zustand, nur Fleisch und ohne Ideale zu sein, dieser unbeschreiblich reiche Zustand, sich als Tier zu fühlen und alle menschliche Verantwortung zu vergessen, die Zeit zu vergessen, während die Triebe ruhmlos schlafen! Danach das Planschen unter der Brause, das Untertauchen in kaltes Wasser, das Abschleifen der Haut mit Holzwolle, das Wiederholen all dieser lustvollen Verrichtungen, bis die Erschöpfung vollkommen und die letzte Spur der Sorgen ausgetrieben. Man wankt gleichsam vor die Hände des Bademeisters, daß man mit Salz abgerieben werde, um danach das letzte abkühlende Brausebad zu nehmen. Es folgen das langsame Abtrocknen und Reiben des Körpers, das Hin- und Herschreiten auf den Fliesen des Fußbodens, das Sichniederlegen auf ein hartes Ruhebett. Ein Badejunge kommt und schlägt, festgelegte Regeln befolgend, linnene Decken über den strahlenden Körper, zieht eine oder zwei wollene Decken darüber. Mit Mühe drückt man ihm ein Fünfundzwanzigörestück in die Handfläche. Er verneigt sich und flüstert: »Schlafen Sie gut.« – Und man schläft gut. Man versinkt in den Schlaf. Man wird nach ein paar Stunden geweckt. Mit der gleichen Behutsamkeit, mit der man zur Ruhe gebettet war, wird man der Betthüllen wieder entledigt. Der Badejunge bearbeitet noch einmal mit einem Tuch die neu belebte Haut. Man hört die Stimmen seiner Freunde von nebenan. Man verspürt Hunger und Durst. Es ist Zeit, sich anzukleiden. – Wir aßen und tranken gut nach dem Bad des siebenten Tages. Eine schöne Freiheit schwebte zwischen den kauenden Mündern. Die Speise rann in den Bauch, und es war gleichsam, als sähe man einander noch immer nackt; und es war schön, auch dem Trieb des Bauches hingegeben zu sein. – Ich glaube, Egils Glück war an solchen Tagen vollkommen. Vielleicht kämpfte er zuweilen mit den jugendlichen Forderungen seiner Männlichkeit. Aber er war von schöner Zurückhaltung, ohne schamhaft zu sein. Vielleicht hatte Tutein ihn schon zu einem Heiden gemacht, der nur halb an die Sünde glaubt.

Die Wintertage mit den frühen und langen Abenden, wechselvollem Wetter, Regen, Schnee und Frost, Sturm und stillestehendem Nebel, verschlugen die beiden ins Haus. Der Handel stand still. Fremde, die den Pferdehändler hätten besuchen können, kamen nur selten in die Stadt. Tutein, der vielleicht noch stiller, beinahe wortkarg geworden war, wandte sich wieder der Aufgabe zu, den weißen runden Kachelofen des Saales zu beheizen. Und träumend saß er oft davor. Auch Egil saß irgendwo, mit sich selbst beschäftigt. Sie horchten darauf, wie meine Feder das liniierte Papier mit Noten füllte. Manchmal fragte Tutein, was für ein Instrument gerade jetzt zu vernehmen sei, und ich antwortete ihm jedesmal der Wahrheit gemäß. Zuweilen sagte er auch so seltsame Sachen, daß gerade der Augenblick für eine Trompete oder Flöte sei. Durch diese kurzen Unterbrechungen meiner Arbeit kam mir zuweilen ein instrumentaler Einfall. Egil wünschte sich einmal, ohne es näher zu begründen, den Zusammenklang merkwürdiger Instrumente. Sie hatten fordernde Wünsche an mich, und ich befleißigte mich, sie zu erfüllen. Tutein drängte mich zu großen Formen. Er sagte, wenn ich einen Einfall auf dem Klavier andeutete: »Das ist Stoff genug für eine Orchesterarbeit.« Als ich einmal den Anfang einer Klaviersonate, den ich gerade niedergeschrieben hatte, spielte, runzelte er die Stirn und meinte, daß ich die Arbeit falsch angelegt hätte; wenigstens ein Streichquartett müsse daraus werden. – Und es wurde ein Streichquartett daraus.

Wir reihten viele Mosaiksteine aneinander, ungezählte Minuten. Es ist zum Verwundern, daß sie still dabeisaßen, während ich komponierte; fast unbegreiflich, daß ich sie wie Zensoren duldete und kaum wagte, meine Gedanken abschweifen oder sich verwirren zu lassen. Ihre Gegenwart steigerte meinen Fleiß; ich wanderte bis ans Ende meiner Vorstellungskraft, wo der Ton der zeitlosen Musik beginnt, der Stillstand der Akkorde. Ich arbeitete noch, nachdem sie mit kurzem Gruß zur Ruhe gegangen waren, Tutein auf dem Sofa im Kontor, Egil in seiner Kammer. War meine Phantasie erschöpft, versenkte ich mich in die Vorbilder der großen Meister. So war es oft. – – –

Von ferne sah Peter Thygesen auf mich und befeuerte mich zu neuen Anstrengungen. Auch er schrieb mir in seinen Briefen Formen und Instrumentierungen vor, in die ich die Inhalte meiner Einfälle gießen sollte. Sie halfen mir, sie zwangen mich, klare Entscheidungen zu treffen.

Es kamen Tage, Wochen, Monate, in denen mein Geist versagte, wo ein Unbefriedigtsein mich verdroß, meine Arbeit mir schal und nutzlos erschien. – Ein Überdruß an der Musik, ein verhängnisvoller, geradezu monströser Überdruß. Ich verwarf nicht nur mich, ich verwarf die meisten, die einen tönenden Namen haben. Oft erst nach langer Zeit des Niedergebrochenseins suchte ich Heilung an den reinsten Quellen, bei Josquin, Isaak, in der Tabulatura nova Scheidts, bei Dietrich Buxtehude, in den fugierten Instrumentalpalästen Bachs, in den Zaubergärten Mozartscher Andantes und Adagios, bei meinem heimlichen Freunde jenseits des Sundes: Carl Nielsen. (Ich habe ihn niemals persönlich kennengelernt.)

– – – – – – – – – –

Als nach abermals einem langen Winter ein feuriger Frühling anbrach, Tutein und Egil wieder gleichsam dem Hause entflohen, fühlte ich nur noch Leere und Bitterkeit. Kaum, daß ich besinnlich genug war, nicht friedlos ins Weite hinauszulaufen. Ich litt in der vereinsamten Wohnung. Ich wartete den ganzen Tag mit Ungeduld auf die Heimkehr der beiden. Am Abend, blieben sie lange aus, fand ich keinen Schlaf, bis ich ihre Schritte hörte. Mein Hirn schien ausgeronnen. Brach lag es unter dem Schädeldach; kein faßbarer musikalischer Gedanke stellte sich ein.
Mein Zustand war unerträglich und gefährlich. Wäre ein Verführer mit Einflüsterungen über mich gekommen, ich weiß nicht, welchen Verrats oder welcher Abirrung ich fähig gewesen wäre. Doch der Verführer blieb aus.
Ich sah, wie Sonne und Wind den beiden Freunden die Gesichter braun beizten. Ich fühlte Neid. Inmitten meines Zusammenbruchs (er war ganz ohne eine barmherzige Erstarrung) versuchte ich mir Rechenschaft über mein Schaffen zu geben. Das plötzliche Versagen meiner Fähigkeiten glich einem Todesverlöschen bei vollem Bewußtsein. (Es war keine Ermattung.) Ich erfuhr, wie ich an mir selbst verkommen war und unaufhaltsam weiter abwärts glitt. Ich vernichtete einige Kompositionen, die noch Fragment waren – – die einzige Antwort, die ich auf das gehässige Stillschweigen in mir hatte. Nein, meine recht gründlichen Kenntnisse in den Lehren vom Kontrapunkt halfen mir nicht mehr. Deutlicher als jemals vorher erkannte

ich, daß ich vom Gesang der Länder und Meere abgeschnitten war. Von den Triebkräften meiner Arbeit war mir nur eine verworrene Erinnerung geblieben. – Mit Tränen in den Augen saß ich vor den weiten Landschaften der Orgelkompositionen Dietrich Buxtehudes. Ja, ich saß sehnsüchtig an ihrem Gestade und schaute auf das Spiel der Wellen, hinaus auf den unfaßbar geläuterten Schein und Widerschein, auf diese süße Melancholie, auf das Meer voll unmittelbarer Sprache, das in der Passacaglia, in den Chaconnen, im Fugen- und Toccatenwerk der Präludien brandet. Ich versank vor diesen persönlichsten Werken des musikalischsten der Musiker in schwermütige Trauer über mich selbst. Ich beneidete Carl Nielsen, dem alle Volkslieder, die jemals auf Fyn gesungen wurden – seit grauer Vorzeit bis in unsere Tage hinein – im Ohre summten, all der eherne Kummer, das brennende Liebesverlangen, die unaustilgbare Lebenserfahrung, die in Tönen und Strophen wirksam waren. – In wenigen Nächten, bei Punsch, Kaffee und Geplauder schrieb Mozart die Partitur des Don Giovanni nieder, weil die Musik so deutlich in ihm war, daß er gar nicht fehlen konnte. – Wohin sollte ich vergehen? Welchem Stümper sollte ich mich vergleichen?

Ich schrieb an Peter Thygesen und schilderte ihm meine Enttäuschung über mich selbst, meine Verzweiflung. Er antwortete schlicht, jeder große Mensch müsse durch schwere Krisen zu einer anderen Vollkommenheit schreiten. Mein Zustand sei keinem erspart geblieben. Mozart habe seine Zwergengestalt und die langsam wachsende Vergiftung durch verpfuschte Nieren gehabt. Größer als die Kraft seines Geistes sei die Müdigkeit gewesen. Er sei im Formalen kaum über die Mannheimer Schule hinausgewachsen. Seine Zweifel an sich selbst inmitten der unablässigen Geldsorgen der letzten Jahre müßten vernichtend gewesen sein. Wir wüßten sehr wenig davon. Die Bettelbriefe, die vergeblichen Reisen, der sich wiederholende, aufgezwungene Wohnungswechsel, die Schwangerschaften Konstanzes, die sterbenden Kinder hätten uns um die zehn besten Werke des jungen Meisters betrogen. – Der große Dietrich Buxtehude, den ich in meinem Briefe erwähnt, habe seine schönsten Jugendjahre mit politischen Zweideutigkeiten vertan; und seine tierhafte Liebe zu jungen Mitmenschen sei ebenso heidnisch gewesen wie die Mozarts. Er habe von Helsingör fliehen müssen, und die Ehe mit einer zänkischen Frau in Lübeck sei wahrscheinlich der einzige Ausweg gewesen, sein von Landesverrat und Sodomie beflecktes Leben zu retten. (»Die Biographen der toten Meister wollen nicht erkennen oder aussprechen, welcher Art seelischer und sinnlicher Erfahrungen notwendig sind, um einen Menschen zur unbürgerlichen Befassung mit dem Geist zu zwingen. Alle Schaffensstaten sind durch die Sinne gegangen, ehe sie zu einer Form gerannen; und die reifsten Früchte sind auf modrigem Boden gewachsen. Lionardo sagt sogar von den Erkenntnissen, wenn sie nicht durch die Sinne gegangen, daß sie keine andere Wahrheit zu bringen vermöchten, außer der schädlichen. Die Anklagen gegen die Wurzeln des Geistes werden immer nur von den Unwissenden erhoben, von denen, die die Wahrheit niemals genau erfahren wollen und im Ungefähren sich's wohl sein lassen.«) Er antwortete mir so, als ob er mich kennte und nur auf Parallelen zu verweisen brauchte, um mich zu beruhigen. Aber er kannte meine Geschichte nicht. Vielleicht glaubte er nicht, daß es so um mich stand, wie ich ihm berichtete. – Ich konnte ihm keine weiteren Aufklärungen geben. Ich wollte ihm mein eigentliches Wesen nicht zeigen – nicht meine tiefe Aufrichtigkeit einsetzen.

– – – – – – – – – – – – – –

Am St.-Hans-Abend betranken sich Tutein und Egil. Wir hatten am Meeresgestade ziemlich lange in die Flammen eines haushohen, aus Reisern geschichteten Brandhaufens gestarrt, waren vor der plötzlichen Wärme des verbrennenden Geästs zurückgewichen, waren wieder nähergetreten, als das Holz zur Glut zusammengesunken. In den dämmerigen Gruppen der rot angestrahlten Menschen, die gleich uns herzugekommen waren, sind wir untergetaucht. Leises Reden, Geschrei, Geprassel des Feuers. Raketen wurden gegen den Himmel abgeschossen. Kinder liefen wie Hunde zwischen den Beinen der Erwachsenen umher, klammerten sich den Fremden an, weil es zu ihrem Spiel gehörte, Unvorbereitete zu erschrecken. Einige Burschen zogen Schnapsflaschen hervor und tranken gurgelnd von der klaren Flüssigkeit, reichten den noch feuchten Flaschenhals

ihren Kameraden. Die Heiterkeit war künstlich und trocken. Man war nur ungeduldig, wünschte die nächste Stunde der Nacht herbei, die dunkler sein würde. Die Luft war warm; so gab es unter dem Himmel überall Raum für flüsternde oder keuchende Paare.
Wir gingen in unsere Wohnung zurück. Die Straßen der Stadt waren fast menschenleer. Hin und wieder huschten ein paar Gestalten vorüber. In dunklen Türöffnungen sah man sich bewegende Schatten. Es war die Stunde, wo man die Fenster an den Fronten der Häuserreihen schließt, damit das Geheimnis der Wohnung nicht hinausdringe.
Tutein hatte Speisen anrichten lassen. Er entzündete die Kerzen, die auf dem Tische standen; mit dem Licht wurden die Herrlichkeiten, für Mund und Magen bestimmt, sichtbar: Salate, Fisch, Braten und Käse. Erste Erdbeeren. Dazu Bier, Schnaps, Wein und Punsch.
»Eßt und trinkt«, sagte er heiter, »und daß es euch bekomme!«
»Unserer sind nur drei«, sagte er, als wir schmausend am Tische saßen, »wir müssen uns selbst genug sein.«
Egil hatte schon glühende Augen. Es war das Fest des längsten Tages; er würde sich betrinken. Der wasserklare süße Schnaps brannte unter dem Gaumen und füllte den Magen mit betäubender Wärme. Und der Wein war köstlich. Tutein sprach dem Wein zu, begieriger als sonst.
»Die Felder und Wälder dampfen«, sagte er, »viel schönes frisches Gras wird geknickt.«
Ich dachte: ›Wir sitzen hier zu dritt, und es kann nicht anders sein. Egil hält nichts von den Mädchen. Tutein ist ein Messerstecher, der zahm geworden ist. Ich selbst habe mich ihm verdungen und kann keine Musiken mehr schreiben.‹ – Auch ich sprach dem Wein zu. Egil trank schon vom süßen Punsch. Mit ungeschickten Händen fischte er Eisstücke aus dem Kübel, tat sie sich ins Glas und überschüttete sie mit dem starken gelben Getränk. Die Speisen rührten wir nicht mehr an; über unsere Zungen kam nur noch das Naß. Die Kerzen brannten herab. Ich sagte, gewiß am Ende einer langen Gedankenkette:
»Wir hätten die Witwe Göstas einladen können.«
»Jemand anders hat sie eingeladen«, sagte Tutein.
Darauf war nichts zu entgegnen. Wir tranken weiter. Die

Kerzen brannten herab. Plötzlich erhob sich Egil. Er schwankte nicht. Er ging zum Kachelofen und ließ sein Wasser auf den Fußboden.
Tutein machte große und erschrockene Augen; aber sogleich schlug seine Überraschung in eine alte Unflätigkeit um. Er begann laut zu lachen und sagte:
»Er hat einen Strahl wie ein Eselshengst.«
Egil kam an den Tisch zurück, immer noch aufrecht und festen Schrittes. Er stimmte in das Lachen Tuteins ein. Tutein entblößte den Arm und zeigte die Umrisse des Weibes, die seiner Haut mit blauer Farbe eintatauiert waren, und die wir alle kannten. Dann nahm er Egils Hand, streifte ihm den Rockärmel samt Hemd zurück und bildete mit Daumen und Zeigefinger seiner beiden Hände eine weiche Doppelfalte aus Egils Haut, ein drastisches Bild. Er sagte:
»Das hast du heute versäumt, mein Junge.«
Ich wollte mich einmischen. Und wollte es nach wenigen Sekunden nicht mehr. – ›In einer Hafenkneipe lernt man dergleichen‹, dachte ich – ›es ist ein Spiel wie alle anderen Spiele. – Ich selbst habe mich niemals damit befaßt; – das ist mein Fehler. Er ist ein Mörder, ein Messerstecher, ein Pferdehändler. Ein Seemann und ein Knecht. Ein Verlorener ist als Dritter dabei.‹ – Egil wurde es übel. Er ging auf den Hof hinaus, um sich zu erbrechen. Ich erhob mich, holte Feudel und Wassereimer und begann die Pfütze, die Egil hinterlassen, aufzuwischen. Mir im Rücken schrie Tutein:
»Nein!«
»Doch«, sagte ich ruhig, »es muß aufgetrocknet werden.«
Als ich mit der Arbeit fertig war, die Geräte hinausgetragen hatte und wieder zurückkam, fand ich Tutein verstört.
»Ich bin betrunken«, sagte er, »aber daß es dahin kommen konnte.« –
Es war das Ende der Feier. Egil kam bleich wieder herein. Tutein schickte ihn ins Bett. Er selbst zog sich ins Kontor zurück. Nach einer Viertelstunde schlief er schon.

*

Ich entsinne mich, das Wetter schlug plötzlich um. In der

Nacht hatte sich eine seltsame Schwüle vorbereitet. Als ich am Morgen erwachte, wälzte sich von Westen und Norden eine grollende Finsternis heran. Die funkelnden Explosionen der Blitze schleuderten ihr Augenblickslicht durch die Fenster; die knisternden Schläge der zerreißenden Luft machten die Scheiben klirren. Ich lag noch immer unter meiner Decke. Ich hörte, ich sah, es regnete stark, und der Wind peitschte das Wasser, daß es prasselnd dem Bleiblech der äußeren Fensterbänke aufschlug. – ›Es ist ein Vorwand, liegenzubleiben‹, dachte ich. Ich erhob mich indessen, um mir einige Bissen Brot und kalten Aufschnitt in den Mund zu stopfen. Ich stand mit aufgeknöpftem Nachtanzug im dämmerigen Saal und aß. Ich schluckte hastig einige Gläser Weißwein. Ich spürte die betäubende Wirkung des Alkohols, und daß mein Gelüst nach Fleisch und Salat wuchs. Ich aß mich satt. Ich trank mich satt. Die Blitze, als ob sie den Saal durchflögen, erhellten ihn von zwei Seiten. Der Regen, wie mit Eimern gegossen, überflutete die Scheiben der Windseite. Mit Hagel untermischt trommelte er minutenlang auf die Dachziegel, so daß Lärm und Stille wie zwei unversöhnliche Gegner neben mir im Saale standen. Ich fürchtete mich ein wenig, zum wenigsten, mein Herz pochte. Ich dachte an das äquatoriale Gewitter vor einer der Küsten Afrikas, das meine Sinne überwältigt hatte, an den Totschlag eines Knechtes und dreier Kühe, die den Schutz eines Baumes gesucht und so miteinander den Ort ihres Todes gefunden. – Ich war noch ein Kind im milden Alter von elf Jahren und sah, wie der Knecht auf einem Leiterwagen an unserem Hause vorübergefahren wurde. Seine Kleider waren naß; der Regen aber hatte vor einer Stunde schon aufgehört. Er rührte sich nicht. Die Kühe holte später der Schinder. – Man kann den elektrischen Tod sterben. Er ist schnell und hinterläßt unsere Haut mit rotem Geäder, vergleichbar dem Wachstum der Eisblumen. – Ich öffnete leise die Tür zum Kontor. Tutein schlief noch fest auf seinem Sofa. Ich schlich in mein Bett zurück, schloß die Augen, horchte auf die Geräusche. Ich glaubte, durch die Wand zu hören, daß Egil einen Augenblick nach mir wieder ins Bett gekrochen war. So hatte er auf dem Hofe nach dem Rechten gesehen und die Tiere gefüttert. Egil, der, wenn er sich der letzten Nacht erinnerte,

nicht wagen würde, mir unter die Augen zu kommen. Am Gefühl der Schwüle und Sattheit schlief ich wieder ein.
Um die Mittagszeit traten Tutein und Egil an mein Bett. Ihr Antlitz war zerknittert und schuldbewußt. Sie schauten mich an, daß ich etwas sagen möchte, und ich sagte:
»Es regnet noch immer.«
Sie pflichteten mir bei, und damit war die Versöhnungsaussprache zuende. Wir aßen nochmals von den noch immer bereitstehenden Speisen; dann räumte Egil den Tisch ab, kochte starken Kaffee. Wir stellten fest, es regnete weiter. Es wurde so kalt, daß Tutein Feuer in den Kachelofen legte. Wir gingen an diesem Tage nicht ins Freie. Egil kam noch einmal bis an die Grenze des Betrunkenseins. Ich fragte Tutein:
»Was ist mit dem Burschen?«
Tutein zuckte die Achseln. Er antwortete:
»Verläßlicher ist keiner. Er weiß noch nicht so viel wie wir. Das ist sein Leiden.«
Gegen Abend nahm Tutein Bleistift und Papier hervor und zeichnete Egils noch unwissenden Kopf, der schwer von Gefühlen war und verschwommen vom Wein. Er zeichnete auch Egils blonde schrundige Hände. Schöne Hände, wie sie unter tausend Menschen einer hat.
Am nächsten Morgen war Weststurm, der Böe nach Böe herantrieb. Tutein und Egil fuhren gleichwohl über Land. In Ölmäntel gehüllt stapften sie auf den triefenden Hof hinaus, verkrochen sich im Rücksitz des Wagens, verschwanden durch den Torweg.
Das Wetter wurde ärger. Am Abend telephonierten sie, sie würden über Nacht fortbleiben. Das Verdeck des Wagens schien ihnen gegen den eisigen Landregen, der von Westen her herangepeitscht wurde, nicht genügend Schutz zu bieten. Auch dem Pferde würde die Heimfahrt unbekömmlich sein.
Drei Tage lang raste das Wetter. Drei Tage lang blieben sie fort. Die Einsamkeit im Saal war sehr groß. Sie war wie die Einsamkeit anbord der ›Lais‹, als der Sturm das Bullauge meiner Kammer unter den Wasserspiegel herabdrückte, und ich im Bette liegend mit mir selbst und mit Ellena haderte. Sie lebte noch. Doch ihr Tod war schon vorbereitet. Der unbekannte Zuschauer wartete nur noch auf den Blitzstrahl der plötzlichen

Schuld – daß ein Hirn, das schon bereit war, sich auch entzünde. – Jetzt war die Zeit später, das Abenteuer meiner Verschwörungen war gewesen. Meine Sinne waren nicht stark und wild genug, daß ich das Gefährliche als Held hätte bestehen können. Es war mir nicht anders ergangen als einer Stute, die man einmal zum Hengst führt, damit sie tragend werde. Ich war ein Fremder in den Abläufen, die mich heimgesucht hatten. Ein Bürge für Tutein war ich, die Beruhigung seiner Seele, eine Glocke, die weithin tönt, und die er zuweilen hört. Ich hatte mich mit schwierigen Dingen eingelassen. Meine Seele und mein Geist waren daran erlahmt; mein Fleisch hatte keine rechte Wohnung mehr. Ich war ein kleines Talent; aber die Sprachen der Kunst waren weitschweifig und mannigfaltig. Ein karger Boden, der nur geringen Ertrag bringt.

Am vierten Tage kamen sie zurück. Am fünften fuhren sie wieder davon. Das Wetter war kalt geblieben. Wolken jagten am Himmel. Auf den Roggenfeldern, kaum erblüht, begann das Korn sich umzulegen. Das Vieh fror auf den Triften. Es kamen Pferde in den Hof. Eine Woche lang bevölkerten sich die Ställe. Auf einem Markt fanden die Tiere ihre neuen Herren.

Ein unfreundlicher Sommer, trübe, regnerisch und kühl, hatte sich in den Wochen eingerichtet. Ich verließ kaum das Haus. Mich fror beständig. An den Abenden unterhielt ich ein kleines Feuer im Ofen, mir selbst und den beiden Heimkehrern, die steif und durchfroren vom Wagen herabgeklettert kommen würden, zum Behagen.

Nachdem Egil der beständige Begleiter Tuteins geworden war, fehlte oft jemand zum Stalldienst. Es war zumeist keine erhebliche Arbeit damit verbunden, und ich hatte sie oft besorgt. Als Tutein die niederschmetternde Wahrheit begriff, ich war ein Feind meiner Arbeit geworden, dang er einen Burschen von knapp fünfzehn Jahren, mehr ein Kind als ein Mann, damit ich durch gelegentliches Pferdefüttern und Ausmisten nicht abgelenkt würde. (Er sah die unerklärliche Grausamkeit der Prüfung so wenig wie Thygesen; auch er glaubte, ich sei nur behindert, vielleicht angestrengt – während ich schon auf etwas verzichtet hatte. Denn eine Gabe – eine Zuversicht war mir verloren.) Es geschah in den ersten Tagen des Juli. Das Kind

hieß Holger. Holger schlief mit Egil in der Kammer. Holger saß des Nachmittags oft bei mir im Saal. Holger erzählte mir Geschichten. Sehr kindliche Geschichten. Vom Schulmeister, der Magnus Magnusson hieß, und der allwissend war. Er kannte alle Städte der Erde mit Namen, alle Flüsse und Gebirge, Fjorde, Meere und Meeresbuchten, er wußte, wie alle Worte orthographisch richtig zu schreiben waren, das große Einmaleins kannte er auswendig, dazu den kleinen Katechismus, das erste Buch Moses, das Hohelied Salomos, das Evangelium nach Markus, fünfzig Gedichte, die sich reimten, ebensoviele Lieder und noch vieles mehr. Er wußte sogar die lateinischen Namen einiger Blumen. Aber all diese Wissenschaft half ihm nicht viel, außer daß sie ihm das Brot gab. Er hatte keinen Ruhm davon, sondern nur Beschwernisse. Wie ein echter Weiser erntete er Spott. Es begann schon am frühen Morgen. Seine Hausfrau weckte ihn und sagte: »Füttere das Schwein!« Und wenn er es gefüttert hatte, schrie sie: »Holz hast du nicht gespalten.« Und hatte er Holz gespalten, sollte er Feuer in den Ofen legen. Und brannte das Feuer, mußte er Wasser tragen. Und nach dem Wassertragen mußte er sein Bett richten. – »Denn«, sagte seine Hausfrau, »du selbst hast darin geschlafen, und was geht mich dein Schlaf an.« Und der Gemüsegarten ging sie auch nichts an. Und ob die Schulstube im Winter warm wurde oder nicht, mußte seine Sorge sein. Und ob er vor Beginn des Unterrichts sein Frühstück bekam, war dem Zufall anheimgestellt. Er litt; aber er wehrte sich nicht.
Die Schulkinder waren für ihn eine Furcht einflößende Horde von Feinden. Holger erzählte lachend und unbefangen, wie diese Horde ihre Anschläge gegen den Wehrlosen vorbereitete und durchführte. Erzählte, daß es Tage gab, an denen der Mann weinte, nur noch fassungslos weinte, weil er der Bosheit nicht gewachsen war und von der Taktik dieser Bosheit, von der Kriegsführung mit Tarnung, Wolfsgruben und Rückhalten nichts verstand. Er wußte vielleicht nicht einmal, daß es Bosheit und Grausamkeit gab, und glaubte, das Ganze sei ein Unglück, das nur ihn betroffen, das er weder angreifen noch beseitigen konnte – wie das Schicksal selbst. Er habe gebetet, gefleht, geweint, geschrien, gedroht; aber die Kinder lachten.
Ich hörte Holger zu, als ob die Geschichten erbaulich oder

heiter wären und nicht ein Urteil über das Sinnen und Trachten des Menschen von Kindesbeinen an. – Holger war ein Kind und so schlecht, daß er seine Geschichten lustig fand, so schlecht wie alle Kinder. So schlecht wie ich. Ich hörte ihn schweigend an und dachte vielleicht nur, daß die Wahrheit überall und auf allen Stufen unterlegen sei. Aber ich freute mich der Geschichten nicht. Ich hörte sie nur. Ich bewahrte sie nicht wie einen Schatz in meinem Herzen. Die allgemeine Bosheit war ausgedehnter als die meine.

*

Mich erreichten schlechte Nachrichten. Mein Verleger sammelte die gedruckten Stimmen über mein Schaffen, Zeitungsausschnitte, Notizen über Vorträge und Vorlesungen, Programme. Ich vermute, er hatte sich zwei Mappen angelegt. Auf der einen stand LOB, auf der andern TADEL oder ERFOLG und MISSERFOLG des G.A.H., Mappe A und B. Er sandte mir in diesem Sommer den Inhalt der Mappe B. Er war unzufrieden mit mir, darum ordnete er die Strafe an, daß mir die Beschimpfungen bekanntgegeben würden. – Das meiste des Tadels war Geschwätz. Verärgerte, Verstockte, solche, die jede Kunstäußerung haßten, Analphabeten der Notenschrift, Ausgesandte der Kleinbürger, Ohrenverklebte und Dumme schrieben. Es war nicht wichtig. Nur einzelne ihrer Peitschenhiebe trafen mich. Diese Frage nach mir selbst: wer ich sei, was ich wolle. Und daß mir das Können verschlossen. – Daß mir das Können verschlossen. – Warum sollte ich nicht an ihre Hellsichtigkeit glauben, selbst wenn sie zur Herde der Dummen gehörten? Ich starrte ja seit langem in die Grimasse meiner außergewöhnlichen Verarmung. – Ein gewichtiges Heft, eine Zeitschrift für Musikwissenschaft, füllte die meisten ihrer Spalten mit einer gelehrten Abhandlung, die den Titel trug: – EIN NEUER KOMPONIST, GUSTAV ANIAS HORN, ANALYSE SEINER BISHER ZUGÄNGLICHEN WERKE. – Der sehr belesene und mit vielen Titeln gekrönte Verfasser legte in der Einleitung dar, daß die geschätzte Zeitschrift ihrer Bestimmung nach nicht Raum für die Würdigung eines Lebenden bereit hätte; aber der genannte Komponist habe sich durch die

Art und die Technik seiner Komposition ein Ausnahmerecht erworben, wie man im Folgenden erkennen werde.
Ein Plagiat, so schrieb er, habe in neuerer Zeit Berühmtheit erlangt. Die große Invention des Chanson des Oiseaux habe, wie schon einmal vor Jahrhunderten, die Gemüter bewegt und trage Ehre und – Geld ein. Das Geld, unvermeidbar, fließe in die Tasche dessen, der das Geschäft verstehe, denn Leute im Grabe müßten wohl verzichten; die Ehre aber solle dem bleiben, der sie immer gehabt. Und diese Ehre sei alt und ehrwürdig.
Er setzte auseinander, welche Beziehungen zwischen dem Komponisten Gustav Anias Horn, Francesco da Milano und Clement Jannequin bestehen, ohne doch zu erwähnen, daß ich in der Vorrede zum Werk selbst darüber Rechenschaft abgelegt hatte. – Der Komponist gebe vor, so schrieb er, das Original der Komposition nicht zu kennen, weder in einer der auf Bibliotheken zugänglichen Ausgaben des Attaignant, Jacques Moderne, Tylman Susato, Le Roy und Ballard u.a., noch im Neudruck Henri Experts in »Les maîtres musiciens de la renaissance française«. – Wie dem auch sei, so drückte er seine Zweifel an meiner Wahrhaftigkeit aus, der objektive Berichterstatter habe jedenfalls die Quelle zur Hand und die Aufgabe, Meister und Bearbeiter miteinander zu vergleichen. Den rund gerechnet dreihundert Taktabschnitten des Werkes ständen doppelt so viele Abweichungen bei G.A.H. gegenüber, ungerechnet die großen Einbrüche, in denen die Flöte des Pan geblasen werde – wie er sich ausdrückte. Und nicht alle Abweichungen seien Verbesserungen. Vieles sei belanglos, manches unverständlich, noch anderes ungeheuerlich, und siebenundzwanzig Verstöße gegen die Regeln der Kunst seien zu vermerken. Daß eine fünfte Stimme hinzuerfunden und imitierend hineinverwoben wurde, sei zwar erstaunlich und verrate Geschick; aber man werde doch der Redlichkeit des Zeitgenossen gegenüber angesichts der Tatsache bedenklich, daß der niederländische Madrigalienkomponist Philippe Verdelot (gedruckt im zehnten Band von Susatos Chanson-Sammlung) zu einer anderen Invention Jannequins, der Bataille, eine fünfte Stimme geschrieben habe; es liege eben nichts näher, als anzunehmen, daß auch dieser Einfall der Stimmenvermehrung eine Nachah-

mung sei, und daß man die Unbildung des Komponisten in Fragen der Musikwissenschaft nicht wortwörtlich zu nehmen brauche. (Er werde das auch noch weiter beweisen.) – Die Auswirkung der fünften Stimme äußere sich nicht nur darin, daß zuweilen ein beängstigendes Dickicht polyphoner Gedanken entstehe, sondern auch in einer Verlängerung des Textes, die notwendigerweise schwere Eingriffe im Aufbau des Werkes nach sich ziehe. Dem Programm Jannequins, das tönende Leben der Vögel abzubilden, sei durch Gustav Anias Horn ein viele Instrumente blasender Pan hinzugefügt worden, der den dritten Teil (vierter Teil G.A.H.) der Komposition geradezu aus dem Gleichgewicht bringe – als ob der Lockruf des Waldes, der vielfältig herüberschallt, noch nicht genug mit Melancholie erfüllt sei. Wo Jannequin den betäubenden, gleichsam ewigen Klang abbreche und in das Fugato des Anfangs zurücksinke, sei es dem Neuerer noch nicht genug. Auch er fange das Thema auf; aber es zergehe ihm wieder unter den Händen, und ehe man sich's versieht, werde die Flöte des großen Pan von Fagott und Klarinette geblasen, mit einer Art nachmittäglicher Wehmut, als sei der bocksfüßige und leicht hinkende Meister der etwas sittenlosen Natur vom Lärm der Kreatur aus seinem Mittagsschlaf, von dem das Altertum gesprochen hat, erwacht und wisse sich vor Rührung über sein nutzloses Dasein nicht zu fassen. Geradezu, als ob es dem Komponisten plötzlich an sittlicher Überzeugung gebreche, so daß er der geläuterten Welt der Harmonie den Trieb einpflanze, den Trieb des fleischlichen Gottes, in dem man den Tod ahne. – Der Mittelsatz sei wahrscheinlich eine Erfindung des jüngeren Komponisten allein; er sei gut gearbeitet und klinge möglicherweise auch gut – der Herr Professor schrieb »möglicherweise«, als ob er nicht lesen könnte und darum kein Urteil hätte. –

Es war nur der erste Teil meiner Abstrafung. Aus dem Umfang des Heftes war sogleich zu erkennen, daß es nicht wenig war, was mir bevorstand. Der Herr Professor meinte, ich bildete mir ein, ein Meister der Form zu sein, und es sei deshalb angebracht, mein Opus nach dieser Seite hin zu untersuchen. Er griff sogleich den Höhepunkt meiner Bemühungen auf dem Gebiet des imitierenden Stils heraus, die Passacaglia für Orgel. Nachdem er sie gründlich mit den Scheinwerfern Bach und

Buxtehude beleuchtet hatte, rügte er, daß ich den seit alters her geheiligten dreiteiligen Takt, um eine Reihe von krausen Kunststücken anzubringen, zeitweilig in ein vierteiliges Taktmaß umgebogen, wodurch der Fluß erlahmt, das Thema des Ostinatos unheilvoll gedehnt wurde, usw. Die Kunststücke selbst: eine Aufeinanderfolge von Kanons und brüsken Fugatos, die, in der Bewegtheit zunehmend, ihren imitatorischen Einsatz durch alle Intervalle hindurch, bei der Dezime beginnend, selbst Septime und Sekunde nicht scheuend, bis zum Unisonoklang herab verschöben. Zuweilen verweilte ich sogar nach einem mir besonders geglückt dünkenden Abschnitt, wiederholte und setzte dem an sich schon reichen Formgut einen zweiten verwegenen Kanon hinzu, den niemand aufzufassen vermöchte. All das, so meinte er, hineinverwoben in ein üppiges Rankenwerk, dessen Wachstum bald altertümlich, bald neu, auf den Feldern der Koloristen als auch denen gesitteterer Meister wie Bach und Mozart genährt worden sei. Am Ende stehe eine Fuge, die nur auf kurze Strecken aus den Fesseln des Ostinatos entlassen werde. – Betrachte man das Skelett dieses Werkes, so schleiche sich eine gewisse Bewunderung für den Schöpfer des Gebildes ein; aber man werde frostig berührt, wenn einem der Gedanke komme, daß alles nur zusammengetragene Formen seien, möglicherweise mit dem Ziel, Bach in seiner Kunst der Fuge zu lästern oder ihm gleichzukommen. Auch in diesem so strengen Plan fänden sich Einbrüche verwirrender Art: minutenlang jagten sich die Fetzen musikalischer Gedanken, die, unverständlich für den Hörer, in eine monotone Sechszehntelbewegung umgeprägt würden, von der sogar der Ostinato vorübergehend ergriffen werde. Die Fuge endlich lasse einen klaren melodischen Plan vermissen. Von Anfang an werde ihr die Fessel des Ostinatos angelegt, und durch zweihundert Takte schwanke sie ungewiß zwischen einer Fuga reale und einer Fuga de tono. Die großen Höhepunkte durch Modulationen in andere Tonarten seien geschleift und in den Strom des Ostinatos versenkt worden; nur taktweise bekomme man den Geschmack der fremden Tonarten zu spüren, fast erschrekkend das spontane Aufleuchten von Dominante und Subdominante. Die Modulationsteile seien mißglückt, und er erlaube sich, eine bezeichnende Stelle herauszugreifen und seine eigene

Erfindung dagegenzusetzen, damit man erkenne, daß brauchbares melodisches Gut mittels Eigensinnes oder mangels musikalischer Einsichten mißbraucht wurde. – In der Tat, er ließ seine Verbesserung abdrucken. – Im übrigen hätte ich mir allerlei Kunstgriffe entgehen lassen. Umkehrungen von Dux und Comes seien ängstlich vermieden, während Verkürzungen und Verlängerungen einen breiten Raum einnähmen; die Engführung endlich scheine mein Steckenpferd zu sein, ich scheute mich nicht, Verkürzung, Verlängerung und normale Ausdehnung gleichzeitig zu gebrauchen, wodurch unvermeidlich schwere Verstöße gegen die Kompositionsregeln Eingang fänden. Rhythmisch und melodisch prägnante Kontrapunkte würzten zwar die Zwischensätze; aber es sei des Guten zuviel getan, die Fuge werde in einzelne Teile zerbrochen, und man erkenne die Bruchfläche mit schmerzlichem Bedauern. – Während er nun einerseits die tonale Eintönigkeit dieses Werkes tadelte, erboste er sich andererseits über die Durchbrechung aller geheiligten Regeln im Andante meiner Urrländer Abschiedsfuge. Der wiederholte Eintritt des Themas im Abstand der Terz jage die Komposition durch, praktisch gesprochen, alle Tonarten. Obgleich die Vorzeichnungen alle fünfzehn oder zwanzig Takte gewechselt würden, wimmle das Notenbild von enharmonischen Verwechslungen; und nur die glücklichen Einfälle reicher Melodik könnten das Werk vor der Bezeichnung eines Tollhausstückes bewahren.
Als nächste Arbeit nahm er sich die gleichfalls der Orgel zugeteilte Phantasie vor. Er nannte sie eine Anhäufung von unausgereiften Fugen und embryonalen Fugatos, untermischt mit Schnitzeln einer kanonischen Imitation, die, einstmals ein zusammenhängendes Band, durch die unbeherrschte Willkür des Komponisten in Stücke zerrissen wurde. Wie im Anfang der musikalischen Zeiten, gelähmt von Vorbildern seit Okeghem, fügte ich Teil an Teil, ohne eine einzige Episode ihrem Inhalt gemäß musikalisch zu verwerten. Nicht nur die Meister der niederländischen Schule, auch die beiden Gabrieli, Claudio Merulo, Sweelinck (die Belesenheit des jungen Komponisten sei unzweifelhaft bedeutend) hätten ihm über die Schultern geschaut; aber er habe gezweifelt, wem unter ihnen er die Hand habe reichen wollen. Es sei die große Form eines Ricercars

angestrebt; etwa einen Sweelinck überbietend, sei das an sich schon kolossalische Gebilde mit einer Toccata à la Merulo eingeleitet worden, mit scharfen und ungewöhnlichen Abweichungen von der gewählten Tonart gewürzt, altertümlich gefärbt und unter eigenwilligem Laufwerk erstickt, ganz und gar gesanglos. Und dann sei der Sprung ins Bodenlose erfolgt. Noch niemals sei ihm so viel melodische Unordnung in der an sich geordneten Form begegnet. Zuweilen, in drei, vier Linien, sei ein Fugato durch alle Möglichkeiten der Imitation, Verschränkung, Umkehrung, Dehnung, Kürzung und Engführung, oft noch tonal verschroben, zu Tode gehetzt, damit möglichst schnell die Gelegenheit komme, daß sich der Autor mit ebenso viel unkluger Besessenheit auf ein nächstes, womöglich noch bizarreres Gebilde stürzen könne, dessen motivisches Material bei selbst schärfster Analyse kaum als dem gleichen musikalischen Ideengut zugehörig zu erkennen sei. Plötzliches Überspringen auf jenes vorher erwähnte kanonische Band, das der Komponist vor zwanzig oder dreißig Takten abgerissen hatte, bringe den Hörer vollends in einen Zustand der Ortsunkundigkeit, so daß die wechselnden Eindrücke allmählich die Betäubung einleiteten, mit der der Komponist den Hörer am Ende des Werkes zurücklasse. – Er wolle und könne sich nicht enthalten, anzudeuten, daß gleichwohl ein erklecklicher Reichtum musikalischer Gedanken vorhanden sei, die bei größerer Reife des Autors ihre Früchte getragen haben würden.
Keine meiner Fugen, keine meiner großen Arbeiten im imitierenden Stil fanden (trotz seines Wohlwollens, wie er behauptete) Gnade vor seinen Augen; und so fiel das meiste meines Schaffens in den Abgrund des Verfehlten, Bedeutungslosen oder musikalisch Unerzogenen. Seine ätzende Analyse hatte schon den größten Teil meiner Orchesterarbeiten ergriffen, und nur weniges, das nicht ohne weiteres den kristallischen Formen des strengen Stils zuzurechnen war, harrte der Würdigung. Ich war nicht verwundert, daß er das Dryadenquintett an die Spitze dieser Gruppe stellte. Er versuchte das Werk mittels verwandter Erscheinungen einzufangen. Die sonderbare Harmonik erklärte er aus der Verwandtschaft hoher Partialtöne. – Das sei seit Debussy nicht neu und gelte nur in kleinen

esoterischen Zirkeln als geistvoll. – Er hatte den Verdacht, daß es sich um eine Programmusik handle, wagte indessen nicht, sich festzulegen. Er konnte von der Birkenrinde nichts wissen, nichts von Kristi, nichts von den Bergen, die den Fjord umstanden; nichts von den Bäumen, die auf den Halden wuchsen, nichts von den Muscheln blasenden Jünglingen, nichts von den Nixen im Wasser, nichts von den buchenen Mädchen, die mit Haar, Kopf und Hals, Schultern und Armen im Boden versanken, daß es Wurzeln wurden, deren Leib verholzte, deren Schenkel sich dehnten, deren Füße und Zehen zu Zweigen und Blättern wurden, echte Dryaden, deren einst fleischliche Gestalt nur noch ein ungestillter Schoß verriet. – Er sah nur die Noten, und sie entwirrten sich ihm nicht zu Bildern. Die Klangfarben der Instrumente gliederten sich ihm nicht zu Landschaften. Er sah das Gesetz nicht, mit dem die Flut der Harmonien über ein Wehr schäumte. Er kannte Kristi und die Birkenrinde nicht. So nannte er es gesetzlos. Und war doch seiner Sache nicht ganz so sicher wie bisher. Endlich schien es ihm richtig, wenn er behauptete, daß der Mann, der sich so viel darauf zugute tue, stark in den strengen Formen zu sein, das Bedürfnis gehabt habe, zuweilen alle Bindungen beiseite zu schieben, um als echter Zerstörer einer ungeordneten Zeit seinen Beistand zu geben. Anarchistische Werke, zersetzend, giftig, sinnlich, gottleugnerisch. Nicht kühn, sondern geistabgewandt, nicht erziehend, sondern verführerisch.
Und so sammelte er, was von meinen Werken noch übrig und ihm zugänglich war, in dies trübe Becken. Die Geschichte vom wandernden Troll und dem Wald der Rentiergeweihe, die kurz als Suite in F-dur bezeichnet ist, aber, wie der Kritiker richtig bemerkte, zumeist in die Paralleltonart und anderswohin abirrte – er deutete sie nicht. Einige der gedruckten Werke verschwieg er. Vielleicht waren sie ihm nicht zugänglich oder trotz ihres Umfanges zu unwichtig gewesen.
Zum Schluß endlich legte er dar, warum es ihn getrieben habe, eine eingehende Würdigung meiner Werke vorzunehmen, strenge, aber immer wohlwollend zu urteilen. Es sei nicht die empörende Tatsache eines Plagiats allein gewesen, die ihn auf den Plan gerufen. Diebe gebe es viele. Der Ruhm des Komponisten aber sei bedenklich im Steigen begriffen. Die Stimmen

mehrten sich, die zum wenigsten seine Orchesterwerke als richtungweisend bezeichneten; die tüchtigsten Organisten sähen in seinen Orgelwerken eine ihrem technischen Können gemäße Aufgabe, so daß es nicht selten sei, daß man den alten Meister Bach in schöner Eintracht neben Horn auf dem Programm finde. Und wo ein Virtuose Vidor, Reger, Nielsen oder César Franck zu Gehör bringe, würde er sich fast schämen, wenn er nicht die Passacaglia oder die Phantasie des jüngeren Komponisten an den Schluß seines Vortrages setze. – Bedenklicher noch, man beginne in dem Schöpfer so widerspruchsvoller Werke einen Meister der Form zu sehen und die mehr abirrenden Arbeiten einer zukunftweisenden Harmonik zuzurechnen. Er habe es deshalb für seine Pflicht gehalten, das Maß der Dinge wieder herzustellen. Das geringe Alter des Komponisten berechtige nämlich zu der Annahme, daß über kurz oder lang ein auch in den Mitteln, nicht nur in der Dauer gewaltiges Werk erscheinen werde, eine vielleicht abendfüllende Symphonie oder ein Oratorium, und mit dem bisherigen Erfolg als Voraussetzung könne es geschehen, daß man einem Götzenbild verfalle und Blut und Rauch eines heidnischen Opfers als Offenbarung des Geistes hinnehme. In einer neuartigen, dunklen und berauschenden Instrumentierung würde ich schon nicht fehlen. Der Fall dieses Menschen sei ein ernstes Problem. Neugierige, die nicht im Besitze kritischer Sonden, seien gewarnt; das Gefährliche sei in Kirchen und Konzertsäle eingezogen. Alte Formen, schauderhaft entstellt, hätten sich belebt; aber nicht der Gesang von Himmel und Erde, sondern das Pfeifen und Grollen Unseliger werde in die Bezirke der reinen Musik gezogen. Die negerhafte Entartung sei unverkennbar. – Wer ist dieser Mensch? Aus welchen Quellen schöpft er? Wohin wird sein Weg führen, wenn dies der Beginn ist? – Er kenne ihn nicht. Er habe nicht die Möglichkeit, mit ihm als Mensch zum Menschen zu sprechen. Er wisse nicht, ob sein Aufsatz ihm vor die Augen kommen werde. Er habe den Versuch einer Belehrung gewagt.

Ich konnte dem Manne unmöglich jemals ein Leid zugefügt haben. Er hatte es selbst ausgesprochen, daß er mich nicht kenne. Ich kannte ihn gar nicht. So mußte er seiner Überzeugung gefolgt sein. Ohne Zweifel, er hatte mit seinem Instinkt

meine Liebe entdeckt. Und sie mißdeutet, gewiß. Wie aber konnte er das Brandmal des Bösen an mir entdecken? Täuschte ich mich so sehr über mich selbst, daß ich böse war, ohne es zu spüren? –
Mein Zustand verschlimmerte sich. Die schmerzvolle Traurigkeit wurde zum Ekel – zum Nichts. Ich ertrank in den Fluten des Nichts. Wer ist dieser Mensch? Aus welchen Quellen schöpft er? Nicht der Gesang von Himmel und Erde. Nur die schwierigen Formen, die er nicht bestanden hat. Die Harmonien, die aus dem Boden gequollen, die ihn durchsetzt, aufgelöst und verstört gemacht haben. Die zähe Arbeit, zu der es ihm an Intuition gebrach. Mein Fleisch war erlahmt.

*

Nach vierzehn Tagen hatte ich einen Brief von Thygesen; nur eine Zeile stand auf dem Bogen: »Sie haben die Anrempelung eines Musikgreises doch wohl nicht ernst genommen?«
Nach einem Monat kam mit der Post ein zweites Heft der Zeitschrift für Musikwissenschaft. Abermals füllte ein einziger Aufsatz das gewichtige Heft beinahe aus. – EIN NEUER KOMPONIST, GUSTAV ANIAS HORN, ANALYSE SEINER BISHER ZUGÄNGLICHEN WERKE, EINE ENTGEGNUNG – VON PETER THYGESEN. Er hatte verlangt, daß die geschätzte Zeitschrift noch einmal ihre Seiten für den beschimpften lebenden Komponisten öffne. Er hatte mir das Heft geschickt. Er folgte in der Aufteilung des Stoffes seinem Gegner. Er wies zuerst die Beschuldigung des Plagiats zurück. Der Autor des Werkes habe nichts verborgen und somit nichts gestohlen. Der Ruhm, den das Werk geerntet, falle zu gleichen Teilen auf Clement Jannequin und G.A.H. Ein Teil der Abweichungen vom Original erklärten sich hinlänglich aus der vom Komponisten benutzten Quelle, dem Lautensatz Francesco da Milanos. Doch die meisten der siebenundzwanzig Verstöße gegen die Regeln der Kunst, das Belanglose, Unverständliche und Ungeheuerliche der Veränderungen schlügen die Brücken zu jener Erweiterung des Werkes, die der Herr Professor so treffend als die Flöte des Pan bezeichnet habe. Gegen die Ausdeutung der großen Erweiterung im vierten Teil der Kom-

position vermöge er, Thygesen, nichts einzuwenden: der aus dem Mittagsschlaf erwachende Gott. Die Abneigung des Herrn Professors gegen ihn vermöge er allerdings nicht zu teilen. Ganz unstatthaft sei es, den dritten Satz, der ohne Einschränkung G.A.H. gehöre, in diesem Zusammenhang zu überspringen; es sei der Stillstand des Mittags selbst, der Schlaf, vielmehr der Traum des fleischlichen Gottes, ein Traum, mit allen Sinnen geladen, mit der Fülle der Welt und des Daseins, und nur die Trauer banger Ahnungen schleiche als mittägliches Gespenst durch die Sattheit übervoller Gesichte. Dieser Mittelsatz, in seiner graphischen Ausdehnung ein Drittel des ganzen Werkes, von dem der Herr Professor meine, daß er möglicherweise gut klinge, gehöre zum Unvergänglichen des Geistes. Einmal geformt und niedergeschrieben, erscheine es, als ob er seit jeher bestanden, von unveränderbarer erhabener Härte. Alles in allem, die Einbrüche, Erweiterungen und das Flötenspiel des Gottes einberechnet, sei die Hälfte der Komposition eine Neuschöpfung, und dabei sei die herrliche fünfte Stimme nicht mitgezählt und mitgewogen. Wolle man angesichts dieses Tatbestandes noch den Vorwurf des Plagiats aufrechterhalten, müsse man den gleichen Stein der Bezichtigung gegen nahezu alle Großen der Musik schleudern. Dann sei der größte unter ihnen, Bach, auch nur ein diebischer Lausekerl. Das Werk des lebenden Komponisten habe, in Gleichheit mit allen anderen Werken der Kunst, nur eine einzige Prüfung zu bestehen, sich als Antrag an den Geist der Besten unter den hörenden Menschen zu bewähren. Es sei nicht zweifelhaft, daß der vom persönlichen Haß nicht berührte verständige Musikbeflissene, möge er nun gelehrt oder von den Sinnen bewegt sein, den um fast vierhundert Jahre älteren Teilen des Werkes keine bessere Zensur geben werde als der feurigen Ergänzung, die voll des gleichen Wohllautes sei, doch auch voll erquickender neuer Erfindungen.

– Man zerlegt den Elefanten, aber man sieht ihn nicht. – Der Prosektor des Geistes habe mit blutigen und jauchigen Händen den Zuhörern gezeigt und zugerufen: Sind es nicht Haare? Sind es nicht Knochen? Ist es nicht Gedärm, Blut, Muskel – und niemand würde ihm, angesichts des anatomischen Abfalls, zu widersprechen wagen, denn unzweifelhaft, es seien Teile eines

zerlegten Tieres. Aber die Gestalt sei, ehe jemand Zutritt zur blutigen Stätte erhalten habe, auf der Schlachtbank erledigt worden. Den Elefanten sehe man nicht mehr. Es sei wahrscheinlich, daß keine der von G.A.H. angewandten Formen in den ungeteilten Elementen neu; möglich, daß sich im Raum der greisen Musikgeschichte an vielen Orten Bruchstücke fänden, aus denen sich jeder der vorgetragenen Gedanken zusammensetzen lasse. Möglich, daß sich im Überreichtum des Figurenwerkes, dieser ganz unausschöpflichen Einfälle, Fetzen von Erinnerungen gesammelt hätten, die jedem, der sich der Musik verschrieben habe, vorstellbar seien. Könnten denn einzelne Tonschritte überhaupt neu sein? Sie könnten es so wenig wie die Worte, die die Dichter gebrauchten. Und doch beschuldige man sie nicht, Worte niederzuschreiben, die jeder kenne. Man beschuldige sie nicht, wenn sie Gefühle, die jeder haben könne, zum Gegenstand ihrer Darstellung machten. Auch das Einmalige, Ungeheuerliche, das Unerwartete, das brennendste Feuer des Geistes, äußere sich noch mit den Mitteln faßbarer Ausdrücke. – Es sei etwas Grauenhaftes geschehen, der Verstand habe sich zum Schulmeister über den Geist aufgeschwungen. Die Verbesserungen des Herrn Professors enthüllten, heimtükkisch deutlich, daß er etwas Lebendiges mit einer Leiche verwechselt habe. Kein Hauch der Musik habe ihn berührt, nicht die Tat. Die musikalische Tat eines Mannes, der bei ihm Anstoß erregte, weil er niemals der Nachahmer eines Lehrers oder Stiles gewesen. Die Freiheit errege immer Schrecken bei jenen, denen es eine Lust sei, sich dem Durchschnitt einzuordnen. Im lebenden Genie sähen die Schulmeister vor allem die Gefahr. Erst die toten Heroen seien verehrungswürdig, weil sie keine Überraschungen mehr bereiten könnten. – Welch grausiger Verkennungen habe der Leser dieser »strengen aber wohlwollenden« Analyse Zeuge werden müssen!
Jenes Band eines ununterbrochenen Kanons, von dem der Herr Professor in der Phantasie für Orgel spreche, sei nicht in Schnitzelwerk zerlöst: es seien die Pfeiler einer Brücke, auf die die Bogen schön geformter Fugen sich auflagern. – Es sei in der Tat als Ganzes eine neue Form, eine, die den Einsichtigen schwindeln mache in Angst, der Baumeister möchte vor ihrer Vollendung erlahmen. Der Mann mit dem erhobenen Zeigefin-

ger habe die innere Statik dieses Werkes nicht begriffen, daß die scheinbare Hast in einzelnen Abschnitten des Werkes Gewölbe seien, die sich über dunkle Meerestiefen lagern. Er habe nur die Geister der großen Gestorbenen gesehen, die dem jungen Komponisten über die Schulter geschaut, seine Lehrmeister über lange Zeiten hinweg. Man könne nachlesen, der junge lebende Mensch habe die Hand keines genommen. So müsse er denn wohl die Lehren mit seinem Geiste umgedeutet und sich die Freiheit des Denkens und Schaffens genommen haben. Und was so zur Form geprägt, als Motiv oder Melodie ausgesprochen sei, müsse wohl seinen Ursprung im Gemüt, in der Sinnlichkeit, in der Arbeit, Kraft und Intuition des Befehdeten haben.
Der nicht nur ausgeweidete, sondern zerstückelte, schon aufgelöste Leichnam gleiche in der Tat keinem einheitlichen Kunstwerk mehr. Wer fast erblindet sei, könne von einem Fetzen Fleisch, den er gerade noch unter einem Vergrößerungsglase zu erkennen vermöchte, auf das Vorhandensein eines zerlegten Tieres schließen; doch Art und Größe verrieten sich ihm nicht. Nicht tasten, nicht sehen können, habe eine schauderhafte Ähnlichkeit mit verschlossenen Ohren. Wer das Außergewöhnliche vom Allgemeinen nicht trenne, habe die Verpflichtung zu schweigen. – Wenn man einmal die Analyse des Herrn Professors von ihrem unbegreiflichen Hasse reinige, bleibe eigentlich nichts als Lob für den jungen Komponisten zurück. Vertraute Formen habe er erweitert, ihre Möglichkeiten seinen musikalischen Zwecken untertan gemacht. Er habe sich unter das Joch des geschichtlich Gewordenen gebeugt, solange die Flucht seiner Gedanken diese Bezähmung dulde; doch neben der Zucht gebe es in den Werken des G.A.H. eine freie und große Natur, satte Landschaften und überraschende Traumgebilde. Er sei unerschöpflich in den langsamen Sätzen, von Zeit und Dauer unberührt. Diesem eiferlosen Betrachten einer tönenden Welt gelte der Haß des gelehrten Kritikers. Er hasse den vollkommenen Mangel an Banalität und gesellschaftlich geprägtem Gefühl. Er hasse die Freiheit in der Motivbildung, deren Strophen eine nie vorher zu bestimmende Länge hätten und vom kürzesten Einfall bis zu einem langen Gesang variierten. Er hasse die gänzliche Arglosigkeit der Weltanschauung, in

der es die musikalischen Bilder von Furcht und Schrecken nicht gebe. Anstatt eines Dramas finde man immer nur die Traurigkeit, statt Gut und Böse den milderen Dualismus männlicher und weiblicher Regungen. Auf diesem Hintergrunde bildeten sich die Farben der Instrumentation, allerdings meist ungewöhnlich dunkel, fast immer kühn und ohne jedes Vorurteil. Freilich, die zuweilen sehr lang gesponnenen Motive verrieten eine Veranlagung, deren Frucht es sei, daß der Komponist sich mit unbeschnittener Lust oft seltsamen, schwer zugänglichen, hartnäckigen und weiträumigen Melodien – vergleichbar dem Geläute von Glocken oder dem Plätschern eines Baches, dem Rauschen in mächtigen Baumkronen, der Brandung, dem Wind, kurz einem naturhaften Refrain – hingebe. Eine Ausdauer des Hinhorchens, eine Demut des Bildens und Schreibens, die allerdings ungewöhnlich und darum befremdlich sei. – Der feierliche Augenblick der Musik sei in den Werken des G.A.H. beängstigend lang und fordere vom Hörer Unerschrockenheit. Es gebe keine Winkelzüge, keine feige Denkweise. Der Fälschung begegne man nicht. –
(Ich habe die Hefte aus alten Papieren hervorgekramt und nochmals gelesen, um nichts Unrichtiges niederzuschreiben. Eine anschließende Untersuchung Thygesens über die Gesetzmäßigkeit in meiner Themenbildung oder des strophischen Gesangs, die weder der Straße noch den Urkundenschränken der Kirchen entlehnt seien, erspare ich mir, hier auszuschreiben. Es war, alles in allem, eine Rechtfertigung des Schwerverständlichen an mir.)

*

Das ungeheure Lob Thygesens machte meine Schmach noch betäubender. Denn ich war nicht mehr der, dem es gelten konnte. – Meine Verzweiflung war längst zur Traurigkeit geworden, und die Traurigkeit stumpfte sich zur Gleichgültigkeit ab. Ich dachte schließlich in meinem Elend: ›Es ist unabänderlich. Es ist mit mir vorbei. Das Gewesene ist gewesen; aber das Zukünftige hat keine Zukunft.‹ Ich schrieb Thygesen nicht. Dies: ich kann nicht mehr, ich bin am Ende. – Ich sagte es keinem. Ich sagte es nur mir. Vielleicht bekam ich

sogar ein fröhliches Gesicht, während meine Seelenkräfte verwesten.
Der Sommer blieb regnerisch und kühl. Erst der Herbst fegte das Himmelsgewölbe sauber. Die Sonne – wie ein schönes braunes rundes Brot duftet und die Augen der Kinder, die danach lüstern sind, erwärmt – so duftete sie und erwärmte die späte Zeit des Jahres.
An einem dieser gehaltvollen Tage sah ich Gemma. Ich hätte sie seit langem bemerken können, denn das Haus, in dem sie wohnte, lag in der gleichen Straße wie das unsrige, nur wenige Schritte entfernt, in der Gustav-Vasa-Gatan. (Gösta Vogelquist in der Gustav-Vasa-Gatan. G.V.G.V.G.) Für mein Bewußtsein war diese Begegnung die erste. Später freilich verlor ich mich in Träumen und dachte, daß ich sie von jeher müßte gekannt haben, daß sie mir schon in einer Landschaft vertraut gewesen, die vor meiner Geburt lag. Die Wochen dieses Herbstes verrannen schnell; die Tage waren wie Feuer, das sich, die Helligkeit zeigte es an, sogleich verzehrte. Es wurde alles verbrannt, selbst die Landschaft, die vor meiner Geburt schon in meinen Augen gewesen war und in der Gemma ein weißes Standbild am Ende einer langen Allee gewesen. Es wurde alles verbrannt.
Sie wusch die steinernen Treppenstufen, die von der Haustür zur Straße hinabführten. Sie hatte nackte Beine, die voll aus dem bauschigen Rock hervorstanden. Sie wurde meiner gewahr und blickte mich mit undeutlichen Augen an. Sie blickte mich an, ich ging vorüber. Ich zog meinen Hut. Es war lächerlich. Ich grüßte erst, als ich schon längst vorüber war. Sie wußte, wer ich war. Ich wußte nicht, wer sie war. Aber ich lernte sie kennen. Sie wurde eine Zeitlang ganz deutlich für mich. Vertraut wie eine Stube, in der man geboren wird und durch die der Strom einer ganzen Kindheit geht. In der Bett, Tisch, Schrank und Stühle und selbst die alten Bilder an den Wänden ihren unveränderbaren Platz haben. In der die Gesichter der Eltern wie die großen Gestirne des Tages und der Nacht aufgehen und verschwinden. Und schwarzgekleidete Verwandte kommen von Zeit zu Zeit und bemessen das Jahr mit ihren Besuchen. Es fallen Reden aus ihrem Mund; aber man weiß, die Worte sind schon vor tausend Jahren dagewesen, denn die Geburt hat man vergessen – und was hätte wohl

jemals anders sein sollen, wenn die Geburt nicht gewesen war? – Sie war vierzehn Jahre jünger als ich. Ich war nahezu vierunddreißig Jahre alt, sie zählte zwanzig.
Sie näherte sich mir; aber sie war scheu wie ein Reh. Es geschah, daß ich auf dem Fußsteig an ihrem Hause vorüberging. Sie erschien wie zufällig in der Tür. Ich grüßte. Ein Herr war mir entgegengekommen, ein Mann, älter als ich, der Syndikus der Bürgermeisterei, wie ich bald erfuhr, ein Freund Tuteins. Auch er grüßte. Es blieb unentschieden, wem sein Gruß galt. Aber sowohl Gemma als auch ich erwiderten ihn.
Meine Gefühle für Gemma waren so heftig, daß Tage und Nächte wie eine ungeheure Zeit des Durstes an mir zehrten. Ihr Bild, schon ganz in den purpurnen Urgrund meines Daseins eingewebt, verstellte mir die Schauseiten der Wirklichkeit und würzte meine Träume mit einem kurzen ätzenden Glück, aus dem ich stöhnend ins Wachsein zurückfiel. Doch mein Tun war langsam. Mein Durst blieb allen verborgen, selbst Gemma. Tutein hatte keine Veränderung an mir wahrgenommen. Es brauchte zweier Monate, ehe ich Gemma auf wenige Minuten im Saal unserer Wohnung empfing. Und sie war es, die diesen Besuch unter einem Vorwand angeboten hatte.
Sie trank ein Gläschen Lacrimae Christi und aß ein Stück Gebäck. Ich überfiel ihre Lippen mit einem Kuß. Sie erhob sich sogleich und sagte: »Ich gehe jetzt. Aber dies ist nun geschehen.«

– – – – – – – – – – –

Tutein und Egil hatten schon die schweren, mit Schafspelz gefütterten Fahrmäntel hervorgeholt. Ich entsinne mich: sie traten, unförmige Gestalten, in den Saal, stellten sich an den Ofen, in dem das Feuer brannte, als sei es ihnen in der Vermummung nicht warm genug. Sie wollten ausfahren; aber ein Hindernis hielt sie noch zurück, ein Wort, das gesprochen werden sollte. Ich saß am Tisch und las Korrekturen. Verspätet hatte mein Verleger drei Arbeiten stechen lassen, die nun plötzlich zum Julfest noch erscheinen sollten. Mißmutig und mit Zweifeln beladen saß ich vor dem blauen Dunkel der negativen Plattenabzüge. Die beiden zur Ausfahrt Bereiten standen am Ofen und warteten, daß ihnen das Wort käme. Seit

geraumer Zeit schon vermochte ich den Sinn der Noten nicht mehr aufzufassen. Die Partitur zerschmolz vor meinem Blick wie nasser Schnee auf brauner Ackerkrume. Endlich zog ich einen kleinen Kasten aus meiner Tasche hervor, öffnete ihn und zeigte den Inhalt: zwei goldene Fingerringe.
»Ich werde mich verloben«, sagte ich leise.
»Ich habe es mir gedacht«, sagte Tutein ebenso leise.
Dann gingen sie hinaus und fuhren über Land.
Ich war nicht froh über den Ausgang des Gespräches. Ich ließ den Kasten wieder in die Rocktasche gleiten. – ›Er hat Egil für die tägliche Beruhigung‹, dachte ich. Weiter kam ich nicht. Ein großes schwarzes Feld, das weder Sonne noch Mond beschienen, breitete sich vor mir aus.
Ich wollte die Korrektur zuende bringen. Noch einmal in jenen Tagen begeisterte ich mich an dem, was ich selbst erfunden hatte. Vielleicht nahm ich ein wenig Hoffnung daraus. Es ist wohl nicht möglich, daß ich, als ich Gemma einen der Ringe an den Finger tat, ganz ohne Hoffnung war.
Sie war sehr erstaunt, daß es nicht anders vor sich ging. Eines Morgens, als ich wußte, ich würde den ganzen Tag allein im Hause sein, ging ich zu ihr und nahm sie mit mir in unsere Wohnung. Ich hatte zwei Kerzen auf den Tisch gestellt, zwei Gläser und eine Flasche Champagner. Ich hatte Holger Geld zugesteckt und ihm eingeschärft, er solle sich nicht in der Wohnung blicken lassen. Ich entzündete die Kerzen, rückte die Gläser heran, füllte sie mit dem brandenden Wein. Dann nahm ich die Ringe hervor und teilte sie zwischen ihr und mir. Ich reichte ihr das eine Glas, nahm das andere. Wir tranken. Mein Herz schlug mir so hart gegen die Rippen, daß ich keines Gedankens, keiner genauen Empfindung fähig war. Ich las die Überraschung in ihrem Gesicht. Eine stumme Frage. Der Schatten einer Ungewißheit verdüsterte es. Ihre Pupillen, bernsteinbraun, gerannen zu dunkleren Tönen. Dann lagen wir einander in den Armen. Wir hatten eine morsche Brücke über ein gefährliches Wasser überquert. Ich biß mich an ihren Lippen fest. Unaufhaltsam, von zwei Seiten kommend, näherten wir uns der schönen Einigkeit des Fleisches. Schon stießen unsere Hände gegeneinander vor. Noch einmal kam es wie giftiger Haß in unsere Seele, ein letzter Kampf des Widerstrebens. Das

Unbekannte, das jeder für den anderen ist, durchbrach den Damm der Zuneigung. Das schwarze undurchsichtige Wasser der Vergangenheit überflutete den Willen zur Preisgabe. Die Last der Schuld, die mit jeder Geburt aus den Schößen der Kreißenden dem elenden noch jungen Leben nachgedrungen, war da, unterschiedlich die ihre von der meinen, unterschiedlich wie unser Geschlecht. Aber die meine war durch Jahre der Verschwörung vergrößert. In diesem Augenblick mußte sie es fühlen. Sie bebte in der Furcht vor meinem Körper. Es ging vorüber. Meine Hände spürten, daß es vorüberging. Ihre Brüste schwollen mir spitz und voll entgegen. Das große tierische Gefühl entfaltete sich. Das Gras muß wachsen. Die Blume muß aufspringen. Der Safran befruchtet, die Frucht muß reifen. Die Natur, die ungerührte, die grenzenlose Gleichgültigkeit, die mitleidlos verschmäht, Gutes oder Böses zu tun, die Gebären und Sterben mit harten Händen in die Kette der Zeit einwebt, Fressen und Gefressenwerden, abwechselnd das Schwarze und Weiße, damit weder Tod noch Leben voreinander einen Vorsprung bekommen, hält den zum Leib Verdammten nur ein Geschenk bereit, die kurze kühlende Lust.
Ich zog Gemma auf den Teppich vor dem Ofen hinab. Die letzte Furcht schlich von uns. Ich überschüttete ihre Gestalt mit meinem Küssen und mit meinem Verlangen, und plötzlich glaubten wir einander zu kennen und vertrauen zu dürfen, ganz grundlos, nur weil wir einander sahen und einander nahe waren. Und mit der blutwarmen Berührung ineinander eingingen. Wir spürten die Gleichgültigkeit der Schöpfung nicht und daß unsere ganze Tugend darin bestand, willenlos zu sein. Der samtene Duft ihrer jungen Haut schlug über mir zusammen. Und ich vergalt ihr lockendes Sichaufschließen mit der Tatsache, daß ich ein Mann war. – Anders ist das Fleisch nicht beschaffen.
Am Nachmittage ging sie von mir, den Ring an der Hand, um ihrem Vater zu sagen, daß sie sich verlobt habe. – Ihre Mutter war vor zwei Jahren gestorben; sie hatte mir das Grab auf dem Kirchhof gezeigt. – Er würde es nicht billigen. Es war ihre Pflicht, ihm den Haushalt zu führen, so meinte er. Er war ein einsamer Mann, fast ein Ausgestoßener, ein Offizier, Stabskapitän, den man frühzeitig pensioniert hatte. – Sie war entschlossen, nicht auf ihn zu hören.

Tutein, bei seiner Rückkehr, bemerkte sogleich, daß ich den Ring an meinem Finger hatte.
»Es ist soweit«, sagte er wie zu sich selbst.
Egil nahm meine Hand in die seine, schaute den Ring genau an und sagte:
»Eine Fessel. Kleidsam ist sie nicht.«
– – – – – – – – – –

Es war nun mit ihren Fahrten über Land vorbei. Sie begannen, sich in der Wohnung einzurichten. Tutein verzieh mir meine Liebe und machte keinerlei Einwendungen gegen mein Verlöbnis. Wie zwei Hehler bemächtigten sie sich meiner trunkenen Schwäche, und ich ließ es geschehen. So ergeht es dem Fisch, der, vom Dummkoller befallen, die Hand des Menschen nicht fürchtet, die nach ihm greift; denn alles Berühren bedeutet Lust des strömenden Samens. Mit eingetrockneten Kiemen noch, aufs Land geschleudert, nistet das Gefühl der grenzenlosen Weite in der dunklen Höhle des schüpfrigen Leibes.
Nach wenigen Tagen schon war Gemma unser täglicher Gast. Egil verbeugte sich vor ihr und gab ihr schalkhafte Worte. Tutein erfand die Formel: »Freund unseres Freundes.«
Es war bald eine allgemeine Vertrautheit zwischen uns vieren, als wären wir ohne Unterschied zwanzig Jahre alt gewesen. So oft auch Gemma uns besuchte, des Abends um neun Uhr verließ sie das Haus. Sie sagte, sie könne es ihrem Vater nicht antun, länger zu bleiben; er brauche ihre Gesellschaft.
Ich hatte den früh gealterten Mann besucht und mich ihm vorgestellt. Er hatte mich recht feierlich, schwarz gekleidet, empfangen. Er redete ins Lange und Breite. Nur ein Ausspruch war bedeutungsvoll: Gemma werde vor Eintritt der Mündigkeit nicht heiraten können; er werde seine Einwilligung dazu nicht geben. Er habe nichts gegen das Verlöbnis, nichts gegen die häufigen Besuche. Junge Männer brauchten Geld, junge Mädchen Küsse. – Er erwiderte meinen Besuch. Er ließ sich die Freuden der Tafel munden, trank viel vom Burgunderwein. Er sagte von uns dreien: »Eine Gesellschaft hübscher Männer.« Und nach einer Weile: »Warum sind gerade Sie Gemma gefährlich geworden?«
Ich konnte darauf nicht antworten.

Nochmals kam er auf seine Besorgnis zurück: »Gemma ist doch wohl keine Braut auf Teilhaberschaft?«
Tutein lachte. Ich schüttelte den Kopf. Egil pfiff durch die Zähne: »Daran hat noch niemand gedacht.« Gemma errötete bis unter die Haarwurzeln. Sie schaute ihren Vater voll an; aber ihr Mund schien bekümmert. Er errötete nun auch ein wenig, als er den Blick der Tochter auffing. Dann verging die Wirkung seiner Rede.

*

Nur ich wiederholte mir die Frage: »Warum bedeuten Tutein und Egil keine Versuchung für Gemma?« Egil, der erst zwanzig Jahre alt war und mit seiner frischen vollkommenen Gestalt, mit seinen schönen Händen und seinem guten Gesicht wie eine einzige Verlockung einherging. Und Tutein – nach einem mühevollen und arbeitsreichen Sommer versenkte er sich in die Eintönigkeit der winterlichen Lebensführung; sein Gesicht wurde schmaler und jünger. Seine Augen erwachten zu einer unergründlichen Tiefe. Seine Gedanken (er schien beständig mit ihnen zu spielen) beluden ihn mit einer männlichen Anmut, die fast überwältigend war. Doch Gemma gab sich den Anschein, als ob sie an den beiden vorbeisähe. Die Reden, die hin und her geworfen wurden, waren wie Daunen, die man aus alten Betten schüttelt. – Sie gab mir keinen Grund zu Bekümmernissen und Zweifeln. Ihre Träume und Sehnsüchte trugen meine Gestalt. Sie war es auch, die die beiden lehrte, eine außerordentliche Gleichgültigkeit zu zeigen, wenn sie mit mir allein in die Schlafkammer verschwand, um einige Stunden in größerer Ungezwungenheit zu verbringen. Die beiden wurden nicht aus dem Saal vertrieben. Sie durften alles wissen und im Vorzimmer unserer Ausschweifung hocken.
Gemmas Aufrichtigkeit und Arglosigkeit duldete das Beiwerk einer oberflächlichen Verstellung nicht. Nachdem sie sich gewissenhaft geprüft hatte, gab sie sich dem Genuß ohne Vorbehalt anheim. Das sagenhafte Reich des vielgestaltigen Fleisches hatte sich ihr geöffnet. Ohne Verlegenheit war sie Schritt um Schritt vorwärtsgegangen, nicht eigentlich voller Erwartung; aber unermüdlich, ihre Sinne zu erweitern. Mit wachsendem

Wohlbehagen besann sie sich darauf, mir das Angenehme zu vergelten. Sie hatte keine falschen Vorstellungen von ihrem Wert. Sie wollte natürlich sein und meinte, daß es Millionen Mädchen gäbe, die an ihre Stelle treten könnten. Ihr lebhafter und kühner Sinn schien sie zuweilen der Verdorbenheit entgegenzutreiben. Doch mit schroffem Stolz verwandelte sie das Sichgleitenlassen in ein schönes Wagnis, an dessen Ende sie mit neuer Freiheit innehielt.

Meine Rolle war schwankender. Das Verhalten Tuteins war unerklärbar. Je mehr ich mich an Gemma band, desto ungewisser erschienen mir alle Abläufe. Manchmal wurden mir die Hände feucht und starr vor lauter Verzweiflung. Die Feierlichkeit meiner Liebe hatte verborgene Risse. Ich log. Ich wußte, daß ich log. Ich wußte, daß ich lügen mußte, um Tutein zu schonen; so ergab sich die einfache Erkenntnis, daß Gemma nicht nur an ihrem Leib, sondern auch in ihrer Seele unverdorbener sein mußte als ich, weil sie jünger, weil keine kindliche Gier die Sünden meiner Jahre aufwiegen konnte. Wenn ich sie in meine Arme schloß, war mir, als sei ich ein verwundetes Tier, das aus einer klaren Quelle trinkt, die das Wunder plötzlicher Heilung bringt. Die Stunden der Beruhigung trugen mir kein Bild der Zukunft herbei. Der Drang, Musiken niederzuschreiben, schlief noch immer. Inmitten meiner Freude fühlte ich meinen Kopf dürrer werden. Zuweilen ein Aufschrei – und danach ein gräßliches Schweigen. –

Ich verwirrte Gemma. Sie suchte immer wieder tastend zu mir. Es war, als ob sie den Tod liebkoste, die gewaltige Mühsal des Entblätterns. Sie vermochte mich nicht zu trösten. Die aufgestaute Müdigkeit hinter meiner Stirn überwältigte mich, warf mich zuboden. Starr lag ich unter ihr, während sie sich, wie der Himmel selbst, Mund, Brüste, Nabel und Schenkel, über mir wölbte – bis der wohllüstige Schwindel die Finsternisse hinter meinen Augen vertrieben hatte und ich zur Einfalt der Gegenwart zurückkehrte.

– – – – – – – – – –

Ich entsinne mich jenes Tages, an dem der Syndikus der Bürgermeisterei bei uns eintrat. Ich stand gerade am Fenster und schaute hinaus, wie der erste Schnee, von einem hartnäcki-

gen Winde getrieben, in unruhigen Wirbeln durch die Straße stob. Es war schon fast finster, und der Himmel hing wie dunkler Schlamm über der Stadt. Ein letztes Lindenblatt hatte sich bis zu diesem Tage am Geäst festgehalten; jetzt flatterte es mit den Schneeflocken schwarz und tot einher, legte sich irgendwo zum Vergehen nieder. – »Eines Tages ist es soweit«, sagte ich. – Und die Ernte des Todes, Gestalt bei Gestalt, drängte sich plötzlich hinter den Fenstern der gegenüberliegenden Häuser. Die Wände entschwammen ins Unermeßliche. Die Zahl, die unausdenkbare Zahl schuf ein freies flaches Feld voll Öde. Sie nickten mit dem Kopfe.
Ich trat zurück; aber im gleichen Augenblick sah ich ihn auf dem Fußsteige vorübergehen. Ich entsinne mich seiner Spuren im Schnee. Eine Minute später stand er im Saal. Tutein hatte ihn hereingeführt. Er umarmte ihn fast. Egil lief herbei. Der Mann legte ihm die Hände auf die Schultern und sagte:
»Egil, mein Sohn.«
Man hörte sogleich heraus, daß es sich nicht um einen leiblichen Sohn handle. Noch ehe ich dem Fremden vorgestellt wurde, entzündete Tutein Licht: eine Petroleumlampe und zwei Kerzen dazu. Er trug sie herbei, stellte sie in die Nähe des Mannes; dann schob er mich aus der Dämmerung herbei, nahm meine Hand und legte sie in die des anderen. Er sagte die Namen her.
Adolf Xavier Faltin war groß, knochig, hager. Rotblondes Haar, sorgfältig gescheitelt, stand dicht und duff über einer hohen blassen Stirn. Zwei mächtige Hände mit wohlausgebildeten Fingernägeln hingen schlaff an überlangen Armen neben den Schenkeln herab. Zuweilen hob er sie wie beschwörend auf, verschränkte sie aber sogleich, als ob er sich selbst nicht verhehle, daß ihre Bewegungen ein wenig lächerlich wirkten. Er trug eine Brille. Seine Augen standen grau, scharf, doch mit einem Anflug von trauriger Güte hinter den Gläsern.
»Da bin ich endlich«, sagte er gelassen und ließ sich in einen der unförmigen Sessel fallen. Nun schwebte sein Kinn dicht über seinen Knieen, und seine großen Hände suchten sich vergeblich zwischen den aneinandergepreßten Schenkeln zu verbergen. Er gab den Versuch auch sogleich auf und legte sie, jedermanns Wohlwollen voraussetzend, auf die Lehnen des Sessels.

»Faltin«, begann Tutein, »Doktor der Rechte und Syndikus dieser Stadt, ist mein Freund. Er ist einer seit langem vorgebrachten Einladung endlich gefolgt. Er hat seine Bedenken überwunden – und es waren Bedenken mancherlei Art. Vor allem, er hielt sich für zu alt, um in unserem Kreise von Nutzen sein zu können.«

»Ganz recht«, unterbrach ihn Faltin und wandte sich mir zu, »entscheidende Jahre trennen uns. Bis jetzt haben Wein, Schnaps und gutes Essen Ihren Freund, seinen Gehilfen und mich am unfruchtbaren Tisch eines Gasthauses zusammengeführt. Wir haben es so angenehm miteinander gehabt, wie unsere Mägen es zuließen; doch jetzt, wo ich das Wagnis auf mich genommen habe, mich in ein Haus zu begeben, das das Heim trefflicher junger Menschen ist, schulde ich einen Beitrag zu dieser Kameradschaft. Zum wenigsten schulde ich, Ihnen nicht widerwärtig zu sein, denn meine Gegenwart wird Ihnen einfach aufgeladen. Ich möchte nicht, daß es eine saure Arbeit wird. Denn – bin ich einmal gekommen, werde ich mich öfter einfinden. Es ist hier hübsch; es ist wirklich ein Erlebnis für mich. Es ist selten, daß man so viel wohlgeratene Menschlichkeit beisammen sieht. – Bei mir im Hause bin ich allein. Und doch nicht einsam genug, daß eine Bequemlichkeit daraus würde. Eine Haushälterin plagt mich. Drei Kinder streiten miteinander und mit mir. Vergeblich versuche ich in ihnen den Fortschritt zu entdecken. Ich entdecke nur die grauen Züge eigener Fehler und Gebrechen. Da steht ein Bursche vor mir mit meinen Händen. Ein Mädchen hat rote Haare. Der jüngste Knabe trägt das Antlitz seiner Mutter: ein Mädchenkopf auf einem mageren knochigen Körper. Es ist der Stillstand seit Jahrtausenden. Alte Glieder, stückweis aus vielen hundert Gräbern ausgescharrt, alter Moder mit Odem belebt, unvollkommenen Geistes von jeher, mit neuem Dünkel verdummt. Kein Fortschritt. Aber die Natur will, daß wir kleine Kinder groß machen, auch wenn wir erkennen, daß es nicht frommt.«

Er schwieg plötzlich. Tutein versuchte, sich auf eine Gegenrede zu besinnen. Er brachte nichts zustande. Endlich sagte er doch:

»Anias wird dich schätzen lernen –«

»Ich werde mich hier einfach nützlich machen«, antwortete Faltin, »ich bin alt genug, um auf das Wohl meiner Freunde bedacht sein zu können.«
Er saß da, als ob er sich niemals wieder erheben wollte.
»Lassen Sie sich einmal genauer anschauen«, sagte er endlich zu mir. Ich trat zu ihm; ich spürte, ein kühler Hauch stand mir entgegen. Ich senkte die Augen, um nicht erkennen zu müssen, daß ich ihm mißfiel. Zu meiner großen Überraschung hörte ich seine Stimme zärtliche Worte sagen. Ein Arm schmiegte sich langsam um meine Hüften:
»Ich bin Ihr Freund, denken Sie immer daran. Halten Sie sich an mir fest. Der Abgrund ist immer nahebei –«
Erschreckt fuhr ich auf. Der Mund hatte sich schon wieder geschlossen, der Arm war von meiner Hüfte herabgefallen. Ehe ich mir noch Rechenschaft über den seltsamen Antrag geben konnte, hatten Tutein und Egil mich an den Tisch gezogen. Sie lärmten ein wenig, reichten Kognak und drangen darauf, daß wir den Begrüßungstrunk schlürften. Nun erhob sich auch Faltin.
»Nichts für ungut«, sagte er mir im Rücken, »ich werde mich Ihnen stellen, wenn es nötwendig ist.«
Ich hob sein Wort nicht auf. Wir stießen miteinander an.
Gemma kam an diesem Tage nicht. Ich wußte, daß sie nicht kommen würde, und so nahm ich mir Muße, das Wesen des plötzlich Aufgetauchten auszuloten. Aber immer wieder fühlte ich, wie mir meine Aufmerksamkeit, ja selbst mein Bewußtsein entrannen. Ich kam dem Menschen nicht näher. Ich erfuhr, daß er einundfünfzig Jahre alt war, und ahnte, daß er gelitten hatte. Die Güte in seinen Augen mußte sich allmählich aus triftigen Gründen verhärtet haben; ein fast übermenschlicher Wille hatte die Härte von innen her in Traurigkeit verwandelt. Die Worte, die er sprach, waren vom Verfall umwittert; aber im brüchigen Klang der Stimme nistete ein Mitleid, das das alltägliche Leben mit all seinen Gewalten nicht würde vertreiben können. – ›Das Knochenbündel eines Riesen‹, dachte ich. Ja, die Hockermumien, die ich im Museo Canario gesehen hatte, fielen mir ein, vergrößert. Stoff- und Balgfetzen, die zu Plunder zergangen waren, ließen die verdorrte braune Haut erkennen. Der Bauch, von fürchterlichen Veränderungen heim-

gesucht, hatte nur noch Erde und Moder als Eingeweide. Ich hatte Mühe, mich von dem Vergleich, der sich in mir gebildet hatte, loszureißen. – ›Seine Knochen wiegen so viel wie eines anderen Menschen Bein und Muskelwerk zusammen‹, dachte ich noch; und die Neugier fragte mich, ob er auch wohl so gewaltige Lenden habe. Meine Gedanken wurden immer wieder aufgehalten, und ich kam nicht ans Ende meiner Beobachtung. Ein seltsamer Mensch, zerbrochen, doch immer noch willens, da zu sein und nach ungewöhnlichen Erlebnissen zu jagen. Oder täuschte ich mich? War sein Scharfsinn erschöpft? War er gekommen, um Schutz zu suchen, mit leeren Händen – und nur dem Versprechen zwischen den Lippen, sich nützlich zu machen?

Er blieb lange, und als er endlich ging, versprach er, sich bald wieder einzufinden; seine Seele habe im schneidenden Wasser reiner Quellen gebadet.

*

Er kam so bald wieder, daß ich ihn vor Gemma noch nicht erwähnt hatte, als sie sich gegenübertraten. – Wir saßen um den Tisch herum, zu viert, Tutein, Egil, Gemma und ich. Da wurde die Tür gleichsam aufgebrochen. Sie schlug gegen die Wand, daß ihr Rahmenwerk erzitterte. Faltin, in Hut und Mantel, füllte die Öffnung ganz aus. Sein Gesicht war unbeweglich, ich entsinne mich. Ich sprang auf und beeilte mich, Gemma seinen Namen zuzuflüstern. Aber ehe ich mein Vorhaben ausgeführt hatte, stand der Riese schon mitten im Saal und sagte, er mußte mein Hineilen zu Gemma richtig gedeutet haben:

»Unnötig. Wir kennen einander.«

Gemma erbleichte. Ich sah, alles Blut entwich ihrem Antlitz. Ihre Pupillen erweiterten sich, so daß die Augen schwarz erschienen, der Ausdruck höchsten Entsetzens. Doch die grauen Lippen bewegten sich schon.

»Guten Tag, Xaver«, sagte sie.

»Guten Tag, meine Liebe«, erwiderte er.

Danach war es, als ob nur diese unbedeutenden Worte die Herzen der beiden Menschen bewegt hätten.

»Ich wußte, daß du hier sein würdest«, sagte er noch, »lange bin ich dir ausgewichen; aber nun sind deine Freunde auch die meinen.« Er schüttelte allen die Hände. Sie antwortete ihm nicht. Er warf Hut und Mantel durch die noch immer weit offenstehende Tür ins Kontor, verschloß sie dann, kehrte an den Tisch zurück, wandte sich nochmals an Gemma:

»Es ist mir schwergefallen, hier einzukehren. Oder zum wenigsten, dir hier zu begegnen. Nun ist das alles überwunden. Und manches andere wird überwunden werden. Wenn du nur Mut hast, daran mitzuwirken. Ich will in diesem Kreise das nützlichste Mitglied sein – und das anspruchsloseste dazu.«

Sie antwortete ihm auch diesmal nicht; aber seine Worte schienen für sie von besonderer Bedeutung zu sein. Sie lächelte plötzlich. Und ihr Lächeln vertrieb die Furcht, die mich beschlichen hatte. Später, als der Abend die Stadt gewisser umspannt und der Schnee mit milder Schwere lautlos die Dächer und Häuser und das holprige Pflaster der Straße verwandelte, als der rote Schein von Kerzen und Lampen den unhörbar hohen Gesang der Erscheinung auf unsere Hände und Antlitze drückte und die Gegenwart uns wie ein Stillstand beruhigte, gelangten wir zu jenem seltsamen Genuß des Beieinanderseins, den man Geselligkeit nennt. Ein Austausch von Meinungen hub an, ohne daß ein Streit aufkam. Jeder schnitt aus seiner Erinnerung ein paar Bilder heraus, die keinen der Anwesenden beleidigten, und die doch für die Zuhörer neu und ungewöhnlich waren. Das alles verflocht sich mit einer süßen Melancholie zu einer Einigkeit, die kein Wort ausdrücken kann. Nur einmal noch gab es eine Verwirrung. Faltin zeigte mit der Hand auf die Schlafzimmertür und sagte:

»Geht nur hinein. Ich möchte nicht der Anlaß sein, daß es unterbleibt.«

Feurige Flammen peitschten Gemmas Gesicht. Aber das Blut verflog so schnell aus ihren Wangen, als wäre ein Rauch darüber gezogen. Sie schüttelte den Kopf und sagte mit leiser Stimme:

»Nein.«

Kurz vor neun Uhr verließ sie uns, wie es die Regel war.

_ _ _ _ _ _ _ _ _ _

Als Faltin nach drei Tagen abermals auf Besuch kam, rief er sogleich in den Saal hinein:

»Gemma wird heute nicht kommen. Ich bin ihr begegnet. Sie plagt sich mit Einkäufen.«
Diese so laut vorgetragene Ankündigung erregte mich ungemein. Eine verworrene Wut, die sich in nichts gründete, verdichtete sich augenblicklich in mir; ich war bereit, mich gegen den schwarzen Mund zu werfen. Aber ehe es zu einer Ausschreitung kam, war ich entwaffnet. Faltin stand schon vor mir und streichelte mich mit einem gütigen, fast mitleidigen Blick. Und nur ein tiefes Erschrockensein, eine Erbitterung, die außerhalb meines Bewußtseins gewesen war, blieb mir.
»Dieser Abend soll köstlich werden«, sagte er, als wir zu viert am Tische saßen, »gib uns ein wenig Alkohol auf die Zunge, Tutein, damit sie beschwingt wird, und dann wollen wir sprechen und hören.«
Seltsam, aus der verschränkten Gestalt dieses grobschlächtigen Menschen erhob sich ein gestaltloser Zauber. Seine Stimme tönte ernst, voll, von jedem Spott gereinigt, so menschlich, daß jeder seine eigene Sprache in ihr vernahm und mit der Vertrautheit zugleich die Beruhigung empfing, die wir suchen, wenn wir unsere Zweifel mit Auslegungen beschwichtigen.
Ach, die Stunden verdichteten und verdüsterten sich; sie brachten schwere Einbrüche in meine immer zaghafte Gelassenheit. Tutein nahm bald das Wort, begann zu erzählen, daß mir heiß und kalt wurde – bis ein grausamer Schmerz mich zerriß, die Fastgewißheit, er müsse den Verstand verloren haben.
Er sagte, er sei in Angoulême geboren, als Sohn eines Uhrmachers und Verfertigers technischer Wunderwerke, unter denen eine Planetenuhr noch das geringste der kunstvollen Instrumente. Niemals vorher hatte er dergleichen angedeutet. Immer wieder war aus seinem Munde gekommen, daß er seine Eltern nicht kenne, daß er als Pflegekind mit fremdem Gesicht zwischen Unähnlichen aufgewachsen. Und nun beschrieb er diese Stadt, deren Namen ich zum ersten Male aus seinem Munde hörte, wie sie, erhöht, auf einem Bergvorsprung am Ufer der Charente ins Tal hinabsieht, altertümlich, seit Jahrtausenden, mit ihren Gräbern und den Menschen über der Erde. Der Abstieg hinter dem runden Chor der Kathedrale mit den befliesten Rampen und den unerwarteten Treppen, auf denen die Holzschuhe an den nackten Füßen des Knaben lustig klap-

perten, von mittäglicher Sonne bestrahlt. – – Diese Welt aus altem bebilderten Gestein und blauem Himmel. – Auf verwinkelten Wegen geht er den Abhang hinab, bis er auf halber Höhe in ein Haus tritt; es ist der enge Palas einer Burg, deren übrige Mauern und Türme geschleift sind. Die Jahrhunderte haben hier ihr düsteres Grab gefunden. Die zerstäubten Geschlechter haben nur noch das Leben säuerlicher Schatten. Die Hände, die durchsichtigen Hände, können nur noch das Flöten von einem gebogenen jungen Mund fortstehlen. Kräftiger ist die Speise nicht, die sie zu sich nehmen. Wenn man ausspuckt, ihnen ins Antlitz, vergehen diese Helden sogleich an überladenem Magen. – Drei offene Gurtbogen des unteren Geschosses sind mit hölzernen Latten vergittert – unwirtliche Gelasse, mit aus Bruchsteinen roh gemauerten Gewölben überdacht, feucht über den Abgründen der Erde. Der Kalkputz ist herabgefallen. (Wahrscheinlich gibt es dort ein paar Grabplatten, die mit ihrer flachen Schwere in den Boden eingesunken sind. Sie mögen bebildert und beschriftet sein; Männer in blechernen Rüstungen, Frauen in steifen unwahrscheinlich gefalteten Röcken. Betet für die ausgestorbene Familie! Oder nur die Lebensdaten in schwungvoller Ausführlichkeit. Achtunddreißig Jahre, sieben Monate, elf Tage alt. Sie starb im zehnten Kindbett und nahm das Jüngste mit sich zu Gott. Das Ganze mehrmals geborsten oder von schlürfenden Sohlen abgewetzt: gefaltete Hände, die Züge des Antlitzes, die runde Schamkapsel, die ewige steinerne Schrift.) Im oberen Stockwerk befindet sich der Laden. Nochmals eine Treppe höher die Werkstatt.
Ich will versuchen, seine Worte zurückzurufen und niederzuschreiben. Der Klang seiner Stimme von damals hat sich mir im Ohre bewahrt. Das Erschrecken hat in die gebrechlichen Tafeln meines Hirns tiefere Spuren gegraben. – »Ich gehe die steinernen Stufen einer Treppe hinauf, stoße die Türe auf und stehe im Laden. – Vater – sage ich bebend, und er schlürft heran. Seine Gestalt schleicht an einer Flucht kleiner Fenster vorüber: zwölf schmale Fensternischen, durch Doppelsäulen und zwei Mauerpfeiler voneinander getrennt, durch eine einzige lange steinerne Fensterbank vereint, eine wunderbare Wand aus Licht und Schatten. – Vater – sage ich – zeige mir deine Uhren. – Er führt mich zu den Regalen. Ich höre das melodi-

sche Ticken der Uhren wie das Pochen vieler Herzen. Er rückt einige der kostbaren Stücke heran, hebt sie hoch, trägt sie auf die Fensterbank. Seine Finger bewegen die Zeiger auf einem Zifferblatt, und mit jeder Stunde, die schnell herbeikreist, flötet das verborgene Räderwerk ein kleines Lied. Es flötet lieblich wie ein Vogel und ist doch vernünftig wie eine Melodie, zu der man hätte Worte setzen können. Während ich es denke, sehe ich im Gehäuse einen winzigen goldenen Amsel, der die Flügel schlägt, den Schnabel aufsperrt; doch sobald das Lied zuende ist, fliegt er ins Innere des Gehäuses davon, eine Tür schlägt zu. – Noch einmal alle zwölf Stunden – bitte ich. Er schüttelt verneinend den Kopf. Er hält mir eine kugelförmige Repetieruhr ans Ohr. Er zieht die Feder auf, und das kleine Wunderwerk zählt mir mit einer feinen Glocke die Stunden und Minuten vor, in denen der Tag gerade steht. Plötzlich hebt ein dumpfes Getön an, Glocken, Schellen, Tierstimmen, Trommeln, Flöten fallen ein. Die volle Stunde wird von den hundert lebenden Räderwerken begrüßt; eine Minute lang schwebt eine Heiligkeit durch den Raum, als ob der schwarze Engel des Todes hindurchgeschritten. Allmählich erst gerinnt die Zeit zum Schweigen des gleichmäßigen Tickens. Ich habe den Atem angehalten. – Das ist das Erhabene – sagt der Vater – daß jede Stunde ihren Wert hat, daß keine endet, ohne daß ihr Lob verkündet wird. Wieviele Stunden habe ich schon gehört! – Ich schaue mit scheuem Verwundern auf die großen Standuhren mit den schweren, an gehaspelten Tierdärmen hängenden Gewichten aus Blei und Messing, deren Pendel langsam schwingend die Sekunden zählt. Der Ton ihrer Glocken war silbern und rein gewesen, so daß ich ehrfürchtige Müdigkeit in meinen Knieen spüre. – Zeig mir deine schönste Uhr – bitte ich. – Später – antwortet er –, wenn sich der Tag neigt. – Er legt einen flachen Kasten vor mich hin. – Lies die Zeit ab – sagt er zu mir. – Es ist ein Kasten – sage ich und versuche, ihn zu öffnen. Es gelingt mir nicht. Er ist von allen Seiten verschlossen. Der Vater lacht. Er berührt mit einem Finger die eine der sechs Flächen, es ist die blankeste; und sogleich erscheinen, wie von innen durchgeschlagen, Zahlen, die bald wieder verlöschen. – Wie kann es sein? – frage ich verwundert. – Viele Dinge sind möglich – sagt er still –, aber nur wenige der Möglichkeiten sind unschuldig. Eine Uhr ist unschuldig, auch wenn sie ans Wunderbare grenzt. Die meisten Maschinen sind schuldig, diese nicht. – Nun streichen wir wieder an den Regalen vorüber, in denen Zeigerwerke in schönen Gehäusen stehen. Gelbglänzende Bronze rankt sich um die Zifferblätter. Auf marmornem Sockel steht ein Kinderpaar, Amor und Psyche, und trägt die goldene Scheibe, auf der römische Zahlen von Sträußen aus Vergißmeinnicht gehalten werden; das Kobaltblau der Emaille schmeckt wie die Lippen eines sterbenden Mädchens, das man liebt. Schon zerstreut von all den Herrlichkeiten, frage ich wie ein Nimmersatt: – Ist das alles? – Nein, es ist nicht alles. Auf einem Wagen schiebt er einen durchbrochenen Himmelsglobus heran. Messingene Reifen bezeichnen die Bahnen der Planeten; aus wasserklarem Quarz gedrechselte Kugeln veranschaulichen die Gestirne. In der Mitte des Weltenraumes sitzt Frau Venus und hält in ihrem Schoße einen honiggelben glitzernden Stein, die Sonne. Mit zarter und geschickter Hand löst der Vater die Fessel der Unruh, die die Sekunden abmißt; die kunstvolle Maschine stürzt aus der Zeit heraus, die Planeten beginnen sich zu bewegen, kreisen in ihrer Bahn, der Mond nimmt ab, wächst wieder. Ein Monat vergeht, ein Jahr vergeht, der Zodiak mit seinen über das Himmelsgewölbe ausgeschleuderten Tieren, schwarz in glänzendes Metall graviert, hat sich leise schwankend dreihundertfünfundsechzig Tage lang an mir vorübergewälzt. Mir schwindelt. Da hebt wieder das dumpfe Getön an. Der Lobgesang der vollendeten Stunde beginnt. Bricht ab. – Ein Jahr lang muß die Uhr jetzt stillestehen – sagt der Vater –, das habe ich für dich getan. – Er denkt etwas. Er setzt die Hemmung der Sekunden wieder ein. Das Weltall liegt tot auf seinem Wagen. Ich bin dem Weinen nahe. Er tut etwas für mich. Er tut niemals etwas für die Mutter. Sie kennt die Uhren nicht. Sie fürchtet sie. – Es sind schon viele Stunden herum – höre ich ihn sagen –, wir haben nicht auf die Zeit achtgegeben. – Der Gehilfe eilt herbei. Er trägt zwei dicke Folianten, in denen die verzweigten Berechnungen und die kunstvollen Bilder des ineinandergreifenden Räderwerks aufgezeichnet sind. – Setz dich auf die Fensterbank – sagt der Vater zu mir –, rühr dich nicht. Der Tag neigt sich. Die Uhren warten auf ihren Schlaf. – Eilends verschließt der Gehilfe die

Folianten in einen Schrank. Ich sehe meinen Vater die Tür zum Laden verriegeln und in den Hintergrund laufen. Der Gehilfe flieht ihm nach. Ich sehe sie über eine enge Wendeltreppe aufwärts entschwinden. Das letzte, was ich von ihnen sehe, sind die Füße des Gehilfen. Da hebt das dumpfe Getön wieder an, mahnender als vorher, fast unheilvoll. Der Silberton der Standuhren wird erstickt; die Flöten, kaum, daß sie angesetzt haben, ersterben; das Tiergeschrei vergeht mit einem kurzen Angstgebrüll, das Pergamentfell der Trommel platzt. Aus der Tiefe dringt wie ein Erdbeben das erzene Brummen einer Kirchenglocke. Das große Regal vor mir beginnt sich zu bewegen. Geschmeidig, wie wenn es ein Segel vorm Winde wäre, entweicht es nach rückwärts. Der Schrank, in den der Gehilfe die Folianten verschlossen hatte, versinkt. Jetzt saugt die Wand auch das große Regal auf. Die Standuhren wenden ihr Zeigergesicht ab und verkriechen sich in einen bereitstehenden Schatten. Der Raum wird leer. Noch steht mein Herz nicht still; aber ich vermag mich nicht mehr zu rühren. Da fällt es, wie Staub erst, dann mit deutlicher Gestalt von den Wänden, der Boden öffnet sich. Der Ton der Glocke kommt, ein Bündel zerbrochener Blitze, aus dem Spalt, der anzuschauen ist wie eine dunkle Gruft, von der die Deckelquader abgewälzt sind, daß die unheimliche Gestalt ruheloser Toter emporsteigen könne. Und es bewegt sich dort unten. Es bewegt sich an den Wänden. Geräusche, ein leises Knacken; eine Empore schiebt sich vor. Ich erkenne fleischfarbene Engel, die in einem Gebüsch aus Lorbeer, Akanthus, Petersilie und Buchsbaum schweben. Es ist eine winzige Barockorgel, die über die Brüstung der Empore hervorragt. Seltsame Lauben, von buntbeschnitztem Holzwerk umrahmt, stehen vor den Mauern. Niedrige Betschemel sind aus der Gruft aufgestiegen. Ich sehe menschliche Gestalten sich zwischen ihnen bewegen. Ich weiß nicht, sind es Lebende, Tote, ist es ein Räderwerk, das man wie Puppen bekleidet hat? Dünn und zirpend tönt es vom Pfeifenwerk der Orgel herab, ein Koral, der Note für Note mit allen Harmonien anspringt. Zum ersten Male spüre ich, daß ein mechanisches Wunderwerk sich vor meinen Augen aufgebaut hat. Ich höre das Ticken der Uhren hinter den Wänden. Eine Nockenwalze bewegt die Ventile vor den Mündern der Pfeifen.

Der Tag hat sich geneiget – – Ein Uhrwerk baut ihm einen kleinen Tempel, damit er nicht ohne Anerkennung ins Grab der Nacht sinkt. – Später, wenn sich der Tag neigt – hatte der Vater gesagt –, sollte ich sein schönstes Werk sehen. Jetzt knackt es wieder in allen Teilen des künstlichen Raumes. Die Verwandlungen heben an. Die Grüfte der Wände öffnen sich und verschlingen die Erscheinung. Kahl steht der Raum. Ich sitze noch immer auf der Fensterbank. Ich gewahre im Hintergrund die Wendeltreppe. Ich fliehe nach oben. Ich durchquere den Werkstattraum, auf dessen Tischen Teile unvollendeter Uhren liegen, Gerüste aus schön poliertem gelben Metall, in denen der feingliedrige Organismus hängen wird. Weißglänzende Achsen und die Tausendzahl der Zacken an genau gefrästen Zahnrädern. In einer Nische vor einem Fenster, das zur Straße gewendet ist, sitzt mein Vater mit seinem Gehilfen an einem Tisch, trinkt Wein, bricht Brot, eine paar schwarze Oliven verzehren sie dazu. – Was sagst du zu der Uhr, die den ganzen Laden ausfüllt? – fragt mich mein Vater. Statt meiner antwortet der Gehilfe: – Sie haben Besseres gemacht, Meister. – Darüber läßt sich streiten – ereiferte sich mein Vater. Er schiebt mir sein Glas zu, reicht mir Brot und Oliven. Ich frage ihn: – Warum ißt du niemals mit der Mutter und mit mir zusammen? – Die Uhren würden traurig werden, wenn ich sie verließe – antwortet er leise. – Auch wir sind traurig – sage ich entschlossen. – Sie würden stillestehen und niemals wieder ihren Gang beginnen. Euer Herz steht nicht stille, es bricht nicht. –«
Ich weiß bestimmt, er hat all diese Worte gesagt. Es waren ihrer mehr; aber sie waren so schlicht und so ungeheuerlich. Ich faßte nach seiner Hand, weil ich meinte, ihn begütigen zu müssen. – Ich fürchtete einen Ausbruch am Ende dieser tragischen Lüge. Er aber schob meine Hand beiseite und sagte:
»Du zweifelst wohl daran? Und doch ist es so gewesen. Sieh, meine Eltern lebten voneinander getrennt, und ich habe den Laden niemals wiedergesehen, weil meine Mutter aus der Stadt fortzog und mich mit sich nahm. Ich habe den Weg nach Angoulême nicht zurückgefunden.«
Egil war der nächste, der ein Geheimnis preisgab.
»Bei einer Verwandten von uns stand auf einem Schrank der Oberkörper eines Menschen. Es war die Tante Mimi. Sie war

bei den Brüsten durchschnitten. Wir fürchteten uns sehr. Sie war aus Papiermaché. Das Haar war nur gemalt, die Augen blickten trübe, fast erloschen. Man sagte uns, es sei eine Putzmacherpuppe. Wir glaubten es nicht. Wir fürchteten uns, denn sie hatte einen Geist, der lebte.«
»Erzähl weiter, Egil«, sagte Faltin.
Egil stockte. Er konnte nur diese eine Form des Unheimlichen zeigen; die schauderhaften Berührungen – seine gewisse Gegenwart – vielleicht waren sie ihm bis jetzt erspart geblieben. Schon kurze Zeit danach war der Dämon bei ihm. – Die Kinder fürchteten sich. Er dachte sogleich an die Zahl seiner Geschwister.
»Wir sind einander kaum ähnlich«, sagte er, »in uns sind zugleich siebenzehn Tote auferstanden. Man soll die Toten ruhen lassen.«
Er spottete. Er sprach wieder von der Eheeinrichtung seiner Eltern unter den Hahnenbalken auf dem Boden des Wohnhauses, vom ausziehbaren Bett, das erweitert werden mußte, wenn der Leib der Mutter anschwoll. »Sie hatte schon weiße Haare, als sie das letzte Kind gebar. Aber die Geburten kamen ihr sehr leicht. Die meisten von uns sind aus ihr herausgefallen. Es hörte erst auf, als sie inwendig vertrocknete.«
»Aber du bist doch ein schöner und stattlicher Bursche«, sagte Faltin.
»Ich möchte lieber nicht sein«, antwortete Egil, »wenn es wahr ist, daß wir nach dem Tode in einer anderen Wirklichkeit weiterleben, dann müssen wir wohl vor der Geburt ebenda gewesen sein. Mit dem ersten Schmerz sind wir in diese Welt hineinspaziert. Wären wir draußen geblieben, so müßte uns anderswo wohl sein; oder der Tod stände uns im Rücken, der jetzt vor uns steht. Wir haben diese frühe Wanderschaft vergessen, so sagt man. – Daß ein Vater uns gesät hat, läßt uns nicht viel Hoffnung auf ein ewiges Leben. Daß die millionenfache Saat, in der wir doch, die Gewordenen und Nichtgewordenen, mit allem Geist und zukünftigem Leibe enthalten sind, nicht in den Himmel oder die Unterwelt eingeht, können wir getrost vermuten. Ich habe jedenfalls niemand behaupten hören, daß es sein könnte; und so muß, während wir im Leibe einer Mutter wuchsen, an einem gewissen Tage unser Anspruch an Himmel

oder Hölle entstanden sein. Es gibt Menschen, die darüber streiten, ob es im dritten, im fünften, im siebenten Monat geschah. Noch andere schieben diesen Anspruch bis zur Geburt hinaus. Wenige wählen sogar ein beträchtliches kindliches Alter. – Und wir, sofern wir miteinander wahre Freunde sind, wir erheben den Anspruch überhaupt nicht, denn es ist nicht nur verwegen und anmaßend, es ist auch dumm. Es kann nicht sein, weil der Anspruch sonst ins Unermeßliche ausgedehnt werden müßte, auf alles, was da nicht ist und niemals sein kann. Ja, es müßten die Gedanken zu seligen oder unseligen Körpern werden.«

Mit Erstaunen und Bewunderung schaute Faltin auf Egil.

»Du bist in Tuteins Schule gegangen«, sagte er endlich, »du hast viel gelernt. Die Theologen würden die Hände ringen. Aller vergeudeter Same spaziert, zur Gestalt geworden, die er hätte sein können, in den Himmel. Ein schöner Gedanke. Und warum sollte es nicht sein? Findet sich in jenen Gelassen Platz für zwei Milliarden mal Milliarden Seelen, die gelebt haben, so werden zweihundert Milliarden mal soviel auch kein Gedränge verursachen. Der Weltenraum hält allen astronomischen Zahlen stand. Und die Gottheit erst recht. Wir befinden uns sowieso auf dem Turnierfeld der Metaphysik. Wir haben unseren eigenen Tod noch nicht gesehen und sind deshalb dem Geschwätz der Propheten, Frommen und Kanzelredner ausgesetzt. – Aber du solltest doch ein wenig vorsichtig mit deinen Worten sein, Egil, die Menschengesetze haben kein Erbarmen. Wir leben in einem Lande, in dem einer zum Verbrecher wird, wenn er JENEN lästert, den niemand kennt. Die Minderheit hat unrecht, heißt das demokratische Gesetz. Der Schwächere hat unrecht, ist die Verallgemeinerung; und darin sind sich alle Machthaber einig; und müssen somit alle als gute Demokraten gelten. Danach wird regiert und der Grund der Staaten gelegt. Das Urteil der Richter steht im Banne dieser Grundanschauung; und die Geschichte schreibt ihren Bericht nach dem Diktat der großen und kleinen Sieger. Zwar leugnen alle, daß es so vor sich geht. Es ist so leicht zu leugnen, wenn man die Macht besitzt, redliche Fragen zu verbieten. Gott duldet keinen Widerspruch, denn Priester und Gläubige fühlen sich seinetwegen berufen. Und wessen sie fähig sind, die Kundschaft davon hat

nicht einmal die Geschichte unterdrücken können. Sie sind zu allem fähig.«
»Aber sie können doch nicht –«, stammelte Egil, »den Tod, den eigenen Tod können sie doch niemand vorenthalten.«
»Was redest du vom Tod«, sagte Faltin beunruhigt, »das gefällt mir nicht. Du bist noch nicht einundzwanzig Jahre alt, da sind die Lenden wichtiger als das Grab.«
Egil begann zu schluchzen. Vielleicht waren wir fahrlässig, daß wir seine Tränen mit einem matten Trost beschwichtigten und uns schämten, vom unaussprechlichen Geschmack des blinden Hasses gegen sich selbst, der ihm auf der Zunge saß, zu erfahren. Wir besänftigten ihn nur. Wir brachten ihm keine Hilfe. Wir sahen den Dämon nicht, der die Hand nach ihm ausstreckte. – An diesem Abend sprangen wir drei aus unseren Sesseln auf, eilten zu Egil und legten ihm unsere Hände auf Hals, Schulter und Wangen.
»Egil«, sagte Tutein, »Egil, die Angst ist groß. Aber es gibt keine Erlösung von der Angst. Es gibt nur Betäubung. Keine Liebe hilft. Freundschaft ritzt nur die Haut, um einen Tropfen Trost hineinzuträufeln. Es sind nur Winzigkeiten. Glaube nicht an die Ausschweifung! Sie ist unerreichbar. Wir sind immer nur auf dem Wege zu ihr. Wenn sie uns zum Schlaf verhilft, mag sie gut sein. Aber sie ist keine Stütze für die Erwachenden. Egil, wenn ich eine jener Uhren besäße, von denen ich vorher erzählte, dann könnte ich mir beweisen: er war mein Vater. Aber nun glaube ich mir selbst nicht. Das ist meine Angst, daß ich mir selbst nicht glaube. Und du, du weißt nicht, wer du bist. Wir drei mit unseren fast hundertzwanzig Jahren können dich nicht zu dir selbst erwecken.«
»Tutein, zu viele Worte«, sagte Faltin, »er hat sich mit Gedanken übernommen. Du hast mit deinem wunderbaren Uhrenladen selbst mein Herz ausgepreßt. Das seine hat einen Sprung bekommen.«
Egil schüttelte uns plötzlich ab. Er sagte:
»Ich habe keine Furcht. Ich weiß nur, Tutein, die Furcht ist bei dir. Darüber habe ich geweint.«
»Es wird alles unklar«, sagte Faltin, »eine allgemeine Vermischung der Eindrücke. Es ist für vernünftige Menschen unstatthaft, so unbesinnlich zu sein.« Er forderte mich auf,

etwas zu erzählen, damit die Verwirrung zerbrochen würde. Ich wollte nicht. Ich erkannte mit furchtbarer Deutlichkeit, daß es für die, die sich nicht auf Gott berufen, keine Gnade gibt; daß, wer leugnet, sich an das Ungewisse ausliefert; daß die Kraft der Seele nur in der Zuflucht des Glaubens übermenschlich entfaltet und erst eine Sekunde nach dem Tode zerschlagen wird – während das Elend der Wahrhaftigen schon vor ihrem Ende da ist und sie stückweis verzehrt, so daß der Tod sich womöglich nur ein Bündel Müdigkeit aufladet.
Ich glaubte noch immer, Tuteins Geist sei verwirrt, und Egil habe den Hauch der schrillen Lüge verspürt.
»Berichten Sie von sich«, sagte ich zu Faltin, »damit auch ich erfahre, wer Sie sind.«
»Sie wünschen es«, antwortete er, »Sie werden enttäuscht sein.«
Er erzählte aus seinem Leben. Was ihm gerade wichtig erschien. Womit seine Erinnerung aufwartete. – Die Gedanken fügen sich immer wieder auf wunderbare Weise zusammen. Es sind unsere Gedanken. Oder die Gedanken, die in uns gedacht werden. Unsere Freunde. Sie lügen mit uns. Sie schweigen mit uns. Sie prahlen und bezichtigen. Sie umflattern uns mit übergroßen Schwingen. Wir werden übergroß an ihnen. Spiegelbild eines Hohlspiegels. – Sie machten ihn vergessen, daß er die Knochen eines Gorillas hatte. Freilich, es waren gutmütige Knochen. Er sagte (ich glaube, ich gebe den Inhalt seiner Sätze ziemlich getreu wieder). »Ich habe keine Herrschaft über meine Abstammung. Doch alles, was ich bin, gehört der Menschheit. Sie verfügt über meine Tage. Über meine Arbeitskraft. Sie ordnet mich ein. Sie bestimmt, wie ich mich ernähre. Und wie das Verdaute beseitigt wird. Sie wählt für mich die Art meiner Wohnung und begrenzt die Dauer meines Schlafes. Wann ich aufzustehen habe, ist im Reglement meines Amtes enthalten. Nur die Stunden der Nacht gehören mir scheinbar allein. Aber schon halten sich die Ängste der Welt bereit. Die Pflichten warten selbst im Schlafe auf mich. Die ungelösten Schulaufgaben der Kindheit muß ich im Traume lösen – und kann es noch immer nicht. Die unbezahlte Rechnung meines Schneiders macht das Rechenstück zur Quadratur des Zirkels. Man kann es überhaupt nicht lösen. Doktor Boström erklärt dazwischen

mit großer Dringlichkeit, daß es nun keinen Aufschub mehr gebe, meine Leber müsse entfernt werden. – Einen Schnitt in den Bauch, und alsbald kann Frau Larsson sie braten. Frau Larsson ist eine ausgezeichnete Hausfrau. Sie hat die besten Zeugnisse, besonders was gebratene Leber angeht. Sie hat ihre Gesetze für mich bereit, diese Menschheit. Sie reguliert, was ich erfahren soll, welche Erkenntnisse mir verborgen werden müssen. Sie denkt, sie schreibt vor, sie ordnet an, sie baut die Straßen der Welt. Nur die tierische Existenz läßt sie mir. Die Höhle, in der meine Empfindungen wohnen. Zwar bin ich gezähmt, aber doch ganz allein im Wald meiner Triebe. Aber ich bin kein Räuber, kein Mörder, nicht eines jener Raubtiere, die man, wenn man sie faßt, aufs Schafott zerrt.«

Er konnte es ohne Spott sagen und dabei unablässig an kackbraune Handschuhe denken. Er wußte nicht, warum er es denken mußte. Er hörte auch eine Stimme, und die Stimme sagte wie eine Verkündigung: »Man darf sich keinen froschgrünen Schlips vorbinden!« Wenn er einen gelben Anzug trüge, was der Erscheinung seiner gewaltigen Knochen gewiß vorteilhaft sein würde, könnte er sich auch einen grünen Schlips vorbinden. Warum denn nicht? Die gesamte Natur, sozusagen, ist grün.

»Ich bin der Syndikus dieser Stadt. Es ist ein Amt wie so viele andere. Die Rechtswissenschaft hat mich nicht geläutert, sie hat nur die Vernunft in mir geschärft. Ich erkenne mehr, als mir dienlich ist. Ich glaube nicht an das Gesetz, das ich vertrete. Es ist mir wichtiger, daß ich auf eigene Verantwortung Unheil oder Nutzen stifte, als daß ich die Belange der Stadt wahrnehme.« –

Indessen, er ist kein Aufrührer. Er bindet den grünen Schlips nicht vor. Er trägt keinen gelben Anzug. Wozu auch? Sein Vater, der Kauffahrteikapitän war, hatte einen kleinen goldenen Ring im rechten Ohrläppchen. Soll Glück und Gesundheit bringen. Glaubte man damals. Nun glaubt man es nicht mehr. Aber die Wissenschaft hat neuerdings bewiesen, daß die großen Bronzeringe an den nackten Gliedern der Negerinnen Brustkrebs verhindern. Brustkrebs und Gebärmutterkrebs und Mastdarmkrebs. Krebs an den Geschlechtsteilen. Eine andere Gruppe von Gelehrten bezweifelt es. Es sind immer und über-

all andere da. Man kann alles glauben und alles bezweifeln. Die Welt ist wirklich unendlich.
Er sagte, er ist in seinem Verhalten der Mitwelt gegenüber immer von großer allgemein anerkannter Verläßlichkeit gewesen. Sein Anstand ist mustergültig. Nachsichtig gegen den Karakter anderer. Verzeihend und bereit, sich selbst zu überwinden, zu helfen, die humanen Tugenden anzuerkennen und zu befolgen. Über die inneren Regungen muß er die Auskunft verweigern. Niemand kennt sie, und am wenigsten er selbst. Sie liegen in den Händen des Unbekannten, die niemals aufgedeckt werden. Im übrigen ist man übereingekommen, daß nur gilt, was sichtbar wird. Er will deshalb nur vom Sichtbaren sprechen. Die kackbraunen Handschuhe sind sichtbar. Er hat sie sich wirklich gekauft. Er sagt von ihnen, daß sie kaffeebraun seien. Wenn er ausschreitet, dann schreitet er schnell aus, denn die Knochen seiner Beine sind sehr lang. Es ist immer, als ob er unter dem Mond ausschritte und einen verlorenen Toten suchte. Mit solchen Knochen und solchen Handschuhen sucht man etwas, was sich nicht finden läßt.
Er hat bis zu seinem fünfundzwanzigsten Jahre eine starke Freundschaft zu einem gleichaltrigen Menschen gehabt. Eine Freundschaft von der rechten Art. Voller Sicherheit, nicht eingeengt, offen, geheimnisvoll. Man hat das Geld geteilt. Man hat die Erlebnisse geteilt, die Weltanschauung, die Bücher, die Kunst, das Wissen und den Glauben an einen wirksamen Gott ohne aberwitzige Persönlichkeit. – So ist es: wenn der Mensch zu lieben beginnt, wenn er nur erst mit dem Munde und dem kleinen dicken Bauch liebt, dann liebt er nur sich selbst, auf daß er wachse und er selbst werde. Er liebt die Zitzen der Mutter, die Zitzen der Ziegen und Kühe, die Zitzen der Esel, die Zitzen der Wolken, die Zitzen alles Trinkbaren. Bald liebt er auch die Löffel und die Teller, wenn sie voll sind. Er ißt mit den Augen, so sehr liebt er die Speise. Plötzlich liebt er auch die Eltern. Das ist schon eine recht verwickelte Sache. Der Mund und der Bauch haben noch immer Teil daran; aber man weiß nicht recht auf welche Weise, denn dies ist die Liebe, die große Liebe. Noch später, ein wenig später nur, liebt er den gleichgeschlechtlichen Artgenossen. Das ist um vieles unerklärlicher als die voraufgehende Liebe. Denn es ist die echte Liebe, die

opferbereite Liebe, die blutschwarze unvergängliche Liebe, die Freundschaft, die selbstlose Liebe. Und endlich liebt er das Weib. Es ist die natürliche Liebe, die gottgewollte Liebe, die zeugende und vermehrende Liebe, die ganz und gar unvermeidbare Liebe. Es ist die rote, die weiche, die zitzenhafte, die alles umfassende Liebe. Sie hat, wie alle Liebe, mit dem Munde und mit dem Bauche zu schaffen. Auch sie entlaubt sich wie die Bäume im Herbst. Sie bleibt nicht grün. Sie wird gelb und braun und fällt.
Kaffeebraune Handschuhe. Es ist ein durchaus anständiges Wort. Im Winter ist man allein. Es ist weiß. Das Haar ist weiß. Die runzelige Haut unter dem Hemd ist weiß. Er liebt nicht einmal sich selbst mehr. Nicht einmal sich selbst. Der Mund und der Bauch schmatzen die würzige Speise und den ätzenden Trank. Aber er liebt sich nicht einmal selbst. Inzwischen (wenn es auch schon fast vergessen ist) hat er Tiere geliebt, Bücher, Musik, griechischen Marmor, die Brüste Fräulein Rosens und den Adamsapfel und die Waden des Schülers Papow, den Punsch der Herren Söderblom, die Bettdecken der Firma Wenneberg und Alin, den Wald von Mosegaard und den Strand; irgendwo gab es eine tausendjährige Eiche und ein großes grünes Feld, das gelb war, weil die Blumen zahllos aus dem Grün hervorschossen, und einen Nebelmorgen zwischen Klippen; es gab viele begeisternde Morgen; den Schlaf liebt man, wenn man müde ist, man liebt ihn mehr als den schlaffördernden Wein. Eine ganze Welt voll Annehmlichkeiten. Dafür hat er gelebt, daß er dies und so vieles andere liebte. Und liebt sich nun nicht einmal selbst mehr mit der bleichen faltigen Haut unter dem Hemd. – Eine Freundschaft von echter Größe, segensreich für das kahle Ich, dessen Nacktheit sich mit lebendigem Laubwerk bekleidete. Nicht überspannt und nur von jener leichten Hinneigung im Körperlichen, das alle tiefen Erlebnisse Jugendlicher würzt.
Eines Tages fühlt er sich hintergangen. Es ist eine sehr lange, unbestimmte, hinterhältige Empfindung. Der Freund schickt sich an zu heiraten. Die Braut wird von ihrem Geliebten und dessen Freund, ihm selbst, umhegt. Allerlei schöne Zukunftsbilder werden gezeichnet. Manche kleinen Feste werden gefeiert. Als Ausgleich dafür muß er, der Freund, gewohnte Be-

dürfnisse unterdrücken. Das Geld in seiner Tasche ist immer knapp. – Er hat mancherlei Gedanken gehabt. Solche, die von einem schönen Glück angestrahlt waren, auch solche, die ihn traurig stimmten. Er gewinnt die Gewißheit, daß eine Veränderung bevorsteht. Er unterstellt als selbstverständlich, daß es die Wandlung zu einem noch unbekannten Glück ist. Er sagt sich mit einer inneren rauhen Vernunft, er sagt es deutlicher als alle anderen Betrachtungen: diese Wendung ist das Natürliche. Es ist der natürliche, vorbestimmte Weg des ausschreitenden Lebens. Die Liebe, die sich einfindet, ehe das Altern merkbar wird. Es ist nicht notwendig, weiterzudenken. Man soll ihn nicht in der Enttäuschung antreffen. Man feiert kleine Feste. Er bezahlt, er hat hinterher wenig Geld in der Tasche. – Das Glück war gleichsam im Vorraum und würde bald eintreten.
Die Hochzeit wird sehr bescheiden gehalten. Man ißt in einem Wirtshaus auf dem Lande zu fünfen. Die Liebenden, der Freund, zwei Trauzeugen, gute Bekannte. Es war eine schöne Feier. Die Liebenden fahren davon. Der Freund, die guten Bekannten bleiben zurück, trinken auf das Wohl der Liebenden, die den Bund für das Leben geschlossen haben. Er hat Tränen vergossen, Tränen der Freude, Tränen der Trauer, Tränen über sich selbst, Tränen für alle. Es ist der Abbruch schöner Wochen gewesen. Die Liebenden reisten in ein fremdes Land. Der Freund schreibt dem Freunde schöne und gehaltvolle Briefe. Urwahrheiten werden ausgetauscht. Auch die schüchterne Frage wird gestellt: »Wann wirst du die Erfüllung des Daseins finden, die ich in meinen Armen halte?«
Die Liebenden kommen zurück, eine bescheidene Wohnung ist für sie eingerichtet worden. Er selbst hat daran mitgeholfen, mit kleinen Einfällen, sie behaglich zu machen. Eine Stunde vor der Rückkehr des Paares schafft er einen mit Trauben geschmückten Henkelkorb in die Wohnung, ein Füllhorn dem Gaumen mundender Sachen: Wein, Likör, Käse, Wurst, Schinken, Lachs, Sardinen, Früchte, Plumpudding. Dies alles prangend auf dem neuen Tisch des Wohnzimmers. In die Küche stellt er die einfacheren Dinge: Brot, Butter, Zucker, Kaffee, Salz. Er verrät nicht, wer der Spender ist. Warum auch? Er fühlt sich noch immer als einen Teil des anderen.
Am nächsten Vormittag erscheint er selbst, einen Strauß Blu-

men im Arm. An der Tür wird er von der Frau des Hauses empfangen. Er erfährt, noch vor der Tür stehend, der Freund ist seinen Geschäften nachgegangen und nicht im Hause. Zwischen Tür und Angel, er ist entschlossen, einzutreten, trotz der Abwesenheit des Freundes, hat er die Worte zu hören bekommen: Tryg (so nannte die Frau ihren Mann) sei jetzt verheiratet. Er habe Pflichten auf sich genommen, und die Freundschaft müsse notwendigerweise in den Hintergrund treten. – Der Blick, der sie berührte, hat sie furchtsam gemacht. Sie schickt sich an, die Tür zu schließen. Doch der Freund, jetzt entschlossen, es dem Banditen gleichzutun, setzt den Fuß zwischen die Tür. Die Frau schreit auf. Der Freund hat sich eine Weile bedacht. Dann hat er den Blumenstrauß durch den Türspalt gezwängt und sie genötigt, ihn anzunehmen. Danach ist er gegangen. Es ist die natürliche Liebe. Es ist die egoistische Liebe. Es ist die große egoistische gottgewollte Liebe. Die dumme Liebe. Es ist das Fundament der Menschheit. Die Familie, die zeugende und die Menschheit vermehrende und erhaltende Familie, die von den Staaten und Religionen beschützte und gelobte, an den Gräbern ersprossene, mit den Jahren erwachte, im Blute schäumend gebraute Liebe. Der große Zweck der Welten, gehegt von den Wänden einer städtischen Wohnung. Die Freundschaft ist sogleich etwas Anrüchiges geworden, etwas Nutzloses, Unfruchtbares, Gesetzloses, das keinen Weg in die Zukunft hat. Die Ehefrau hat verbriefte Rechte. Der Freund ist nur der Teil einer zweifelhaften Erinnerung. Er erinnert sich. Er war in Wirklichkeit sehr niedergeschlagen und äußerst betreten. Aber er wollte den Blumenstrauß nicht wieder mit sich forttragen. Er wollte den Blumenstrauß abliefern. Deshalb setzte er den Fuß zwischen die Tür. Wie ein unverschämter Bettler oder Hausierer. Hätte er den Blumenstrauß wieder mitgenommen oder mitnehmen müssen, die Freundschaft mit dem Abwesenden wäre zuende gewesen. Nun aber, weil der Blumenstrauß, wenn auch unter Widerstand, angenommen oder ausgehändigt wurde, löschte der Vorfall die Freundschaft nicht aus. Er veränderte sie nur. Er gab ihr das Maß, brachte sie auf den Stand der Unfruchtbarkeit. Er geht noch immer im Hause des Ehepaares ein und aus. Es ist eine durch Frost konservierte Freundschaft. Eine Freundschaft

aus Überlieferung. Eine zwecklose Anhänglichkeit. Ohne jede Vertraulichkeit. Aller Austausch von ehemals ist versiegelt. Ein Aktenbündel, das niemand wieder hervorziehen wird. Das ist das Wesen der Unfruchtbarkeit, der abgeblühten Liebe, der gealterten Freundschaft, der reinen Freundschaft, die kein Verbrechen oder ein heimliches Laster verdeckt.
Er hat keine Hochachtung vor den natürlichen Abläufen bekommen. Auch die dümmsten und boshaftesten Weiber sind befähigt, einer Reihe von Kindern das Dasein zu geben. Das Ei in ihnen erscheint der Natur so wertvoll wie irgendeines. Und sie macht es wachsen oder vergehen, nach ihren Launen. Die Regungen der Seele verwandeln sich so leicht in Tünche. Weiche Schenkel im Bett machen den klügsten Mann zum Narren. Die warmen gleitenden Nächte sind stärker als der härteste Wille des Mannes. Der Wille eines Mannes, es ist ein lächerliches Wort. Er verdunstet, wenn er über den Versuchungen geröstet wird. Die Familie ist ein Fundament, und Kinder sind die Fortsetzung. Die Natur will ihren Willen, und daß keiner widersteht. Die Hirsche brunsten und werden blind vor Brunst. Sie alle werden blind vor Brunst, die Tiere. Das ist die Liebe, die sehr vergängliche Liebe, die durchaus echte, nicht zu diskutierende Liebe. Es fehlt nicht viel, daß er die landläufige Frömmigkeit verehrt, weil sie das dichteste Tuch ist, das über das tierische Treiben gedeckt wurde. Ein dauerhafter Schirm, vor die unabwendbare Grausamkeit der sechszig oder siebenzig Jahre menschlichen Lebens gestellt. Die mehr privaten Auslegungen des Geistes sind unzulänglicher, weil ihnen die gewaltige Reklame der unablässigen Wiederholung fehlt. Sie müssen als Einzellügen bestehen und haben höchstens die Dauer ihres Trabanten, sechszig oder siebenzig Jahre. So sind denn auch die schlechten Bücher, die alles verschweigen, die man selbst den Kindern in die Hand gibt, dauerhafter als alle Bemühungen des Geistes.
Er erzählte das Erlebnis ausführlich. Er versenkte sich darin. Eine weite Toga umflatterte ihn. Viele Meter unzerschnittenen Tuches, das große Wollaken eines enttäuschten Gerechten. Der weit ausschreitende langbeinige Gerechte mit den kackbraunen Handschuhen, dem goldenen Ring im rechten Ohr, den dicken Bronzeringen um die mageren Arme und Beine, der behaarte

Gorilla, der bebrillte Kalkgesichtige, der Rotgescheitelte, die kotbraune Hockermumie, der Zechfreund Tuteins, der Syndikus unserer Stadt, der Blumenausträger Xavier Faltin, der es unterlassen hatte, in einem gelben Anzuge umherzugehen. Seine Gedanken, die sich wunderbar zusammenfügten und die Zeit überwanden, das Ungemach und den Schmerz überwanden. –
Er gab es als Voraussetzung und Entschuldigung für das, was ihn später ereilte. Er sagte: er hat niemals aufgehört, jenen Anstand zu pflegen, der den Menschen ausmacht. Jene vergebliche Bemühung, das eigenwillige, unerbittlich fordernde, unerbittlich geprügelte und zurückgedrängte Tier zu überwinden. Das Zeugnis über ihn muß gut ausfallen. Er hält sich für einen Musterschüler in den Fächern der Gesittung und Übereinkunft. – Bald nach dem raschen Verdorren der Freundschaft hat auch ihn das natürliche Schicksal ereilt. Nicht, daß die gebräuchliche Liebe ihm zuvor ein vergitterter Garten gewesen wäre. Einzig, er hat sich ihrer Unbedenklichkeit, ihrer Unbedingtheit, der süßen Blindheit noch nicht anvertraut. Er hat, im Schutz seiner Freundschaft, geistige Vorbehalte gemacht, die er jetzt nicht mehr aufrechterhalten kann. Er sieht gleichsam das Schicksal der Menschheit und des Einzelnen, dem nicht zu entrinnen ist. Er will auch nicht entrinnen. Er will, so bedachtsam wie möglich und mit Augen, die er mit Wachsamkeit geschärft hat, der Notwendigkeit, ein lüsternes Tier zu sein, begegnen. Er will der Natur erliegen, sich beugen, aber seinem Geist zu erkennen geben, daß er bei vollem Bewußtsein ist und weiß, was mit ihm geschieht, geschehen wird. Er will nicht zu den Betrogenen zählen. Er will nicht eine Frau lieben, die töricht ist wie die seines Freundes, die eitel auf die Bestimmung pocht, die Milliarden von Frauen auch zugeteilt ist und mit ihnen allen weiblichen Tieren. Wenn es für ihn, der ein Mann ist, nur um den Genuß geht (und bei diesem Zeitpunkt glaubt er zu erkennen, eine andere Verheißung besteht nicht), dann soll ihm eine Schönheit zufallen, die sich willig dem Ziel seiner Wünsche beugt, die vorurteilslos in das graue Gesicht der ihnen beschiedenen Zeit blickt und dem unaufhaltsamen Vergehen mit der Kunstfertigkeit spottet, angenehm und gesund die kurze Frist des Blühens zu bestehen.

So hat er die Frau, mit der er sein Dasein teilen wollte, gefunden. Man weiß nicht, welche Kräfte sie zum Wohlgefallen an ihm zwangen, zum Entzücken an den schweren Pferdeknochen, an den Gorillagliedern, an dem steinernen Schädel. – Sie ist gleichaltrig mit ihm gewesen. Von ungewöhnlicher, etwas kühler Schönheit, ebenmäßigen Wuchses; kleine feste Brüste; von den Fußsohlen bis zum Becken hoch aufgeschossen, dunkel getönte Haut. Von Anfang an hat er sie ins Unrecht gesetzt. Seine Liebe zu ihr ist so maßlos, so ohne Vernunft, ohne Abwägen gewesen, daß die ihre zu ihm klein und ausdruckslos erscheinen mußte. Sie hat ihn mit einer dauernden verhaltenen Glut geliebt. Seine unerschrockene, unerbauliche Brunst hat sie bedrängt. Wenn sie auch klug ist, tauglich für vieles – zum wenigsten klüger mit ihren Sinnen als jene, die voll kalten Erschauerns, die Zärtlichkeit heucheln – sie, an einem milderen Gestade des Genusses, bezwingt ihr echtes Bedürfnis nach einfältiger, leicht faßlicher menschlicher Güte nicht; sie lechzt nach einem Trank, der keinen Rausch bringt. Mitten in ihrem Durst ist es ihr manchmal, sie bedeutet nur das Bild, das den Lebensgefährten in Raserei versetzt. Sie hat ihn bemitleidet. Sie zweifelt an ihm. Sie versteht ihn nicht. Und wünscht doch, ihn ganz zu verstehen, um ihn zu erfüllen und zu ergänzen. Sie liebt die Lust wie er, aber sie liebt sie spielerischer. Sie fühlt, daß sie ihm in der Gewalt der Liebe unterlegen ist, und trauert darüber. Als sie einander kennenlernten, hatte sie ein Alter, das sie nicht mehr verpflichtete, die Forderungen bürgerlicher Vorurteile zu erfüllen. Sie hat Gemeinschaft mit männlichen Gefährten gehabt. Sie ist verwöhnt worden. Man hat sie angebetet. Zuweilen hat man sie mißbraucht. Sie hat es lernen müssen, sich loszulösen, wenn die Zeit erfüllt war. Nun spürt sie die Fesseln der Ehe. Der Dualismus der Geschlechter ritzt ihren Geist und schmerzt. Sie liebt ihn; aber sie kommt ins Unrecht, weil er sie heißer liebt, sich ihr unterwirft, gegen sie Aufruhr macht, mehr von ihr verlangt, als ihre Seele zu geben vermag. Sie erkennt das Mißverhältnis, fühlt sich schuldig, ohne inwendig von einer Verfehlung überzeugt zu sein. Sie hält zu ihm. Zuweilen entgleitet sie ihm. Sie kennt den Geschmack andersgearteter Männlichkeit. So ist ihre gegenseitige Liebe allmählich ein Kampf geworden. Das Glück in den Umarmungen wird brüchiger. Seine Liebe hat sich mit den Jahren gesteigert; aber sie ist unheilvoll geworden, verschroben. Eine eisige Flamme. Er muß sich eingestehen, daß er unbefriedigt ist. Doch schlimmer dünkt es ihn, er vermag auch die Geliebte nicht oder nicht mehr in den alles lösenden Taumel zu ziehen. Die Tierheit, der er sich unterworfen hat, bringt keine Erlösung; er empfängt nicht die Weisheit, die im Fleische verborgen ist. Seine Sehnsucht ist frisch wie am ersten Tage. Seine Liebe ist eine klaffende Wunde, die sich nicht schließen will. Die furchtbaren Stürme der Eifersucht gehen über ihn hin. Er wünscht sich eine Trennung von der geliebten Frau. Er erkennt die Qual, die sie einander bereiten. Aber er vermag nichts gegen seine Liebe. Die Gefährtin nimmt mehr und mehr die Rolle auf sich, das Opfer zu sein, das ihm dargebracht werden muß. So geht es jahrein, jahraus. Das ist das Gesicht seines Unglücks.

Eines Tages fühlt er, der Kampf hat ihn erschöpft und abgestumpft. Er begreift sein Unrecht. Er blickt auf das Mißverhältnis ihrer Liebe zueinander. Er hat in seinem Verlangen alle Billigkeit hintangesetzt und den Raum für die Entfaltung ihrer Hingabe mitverschlungen. Diese Erkenntnis und einige Maßnahmen in seinem Verhalten zu ihr bringen ihnen ein gemeinsames Glück. Vielleicht ist es schon das Glück der Entsagung. Sie unterscheiden es nicht genau. Jedenfalls ist es kurz. Der warme Spätsommer zergeht unerwartet an kühlen Nebeln. Er fühlt plötzlich, die maßlose Liebe ist verbraucht. Er sieht, sie ist noch immer ein schöner Mensch. Die Herrlichkeiten stehen ihm offen wie niemals vorher, weil er sich beschieden hat – und ihre Kräfte sich zu entfalten beginnen. Die Beklemmung will nicht weichen, daß es leer in ihm ist. Das Feuer hat ihn verzehrt. Er glaubt, sich selbst zum Trost, die Beruhigung in ihm ist allgemein, endgültig. Die Zeit ist um. Das Alter meldet sich. Die Natur nimmt zurück, was sie gegeben hat. Wir besitzen ja nichts. Wir sind nicht das, was in uns verdaut wird. Wir sind nicht das, was in uns gedacht wird. Wir sind nicht das, was in uns gefühlt und erlebt wird. Oder doch nur kleine Teile davon. Wer sind wir? Was sind wir? Woher kommen die Worte? Die Musiken? Der griechische Marmor? Die Pinselwelten der Maler?

Er hat sich getäuscht. Es begegnet ihm ein Mädchen, an Jahren nur die Hälfte seines Lebens. Es betrauert das erste Entsagenmüssen in der Liebe. Alles an ihr ist frisch, ganz jung, erstmalig. Ihre Augen sind beständig feucht vom ungewohnten Schmerz. Sie spürt ihr Hinneigen zu dem fremden Manne noch als Wagnis, als steile Ausnahme, nur ihr von himmlischen Mächten beschieden, um das Unrecht, das sie glaubt erlitten zu haben, wieder gutzumachen. Sie ist weder stattlich noch hübsch, aber so eigentümlich verständig, gesund, fast geruchlos, in ihrem Gehaben ohne Vorbehalt. Weitab von jeder weiblichen Schlauheit. Wie er zum erstenmal ihre Haut berührt, durchrieselt ihn ein Schauer. Etwas Unbekanntes kommt ihm entgegen, ein neues Glück, von dessen Art er keinerlei Vorgeschmack gehabt hat. Es ist eine junge, eine edlere Sinnlichkeit, die ihn erfaßt. Er spürt, daß seine Kräfte, sich zu verströmen, den ihren unterlegen sind; er wechselt die Rolle. Er wird Mühe haben, der unbekümmerten, kindlichen Hingabe standzuhalten. Aber gerade dies Unterlegensein, gleichsam dem Grenzenlosen gegenüberzustehen, macht ihn entbrennen. Mitten im Taumel vermag er noch mit einem Zipfel seiner Vernunft zu erkennen, daß ihm eine natürliche Offenbarung zuteil wird: ein jugendlicher Mensch, die noch taunasse Blüte, ist den Sinnen wohlgefälliger als der reife Glanz aufgeschlossener trockener Farben in der Mittagssonne. Die makellose Schönheit der ihm angetrauten Lebensgefährtin erträgt nicht den Vergleich mit der herben Frische eines frühlinghaften Körpers, an dem die Haut wie junges Grün der Bäume ist. Spät, wie ihm scheint, empfängt er die Gnade, daß ihm der junge Mensch zugeteilt wird. Was er mit neunzehn Jahren versäumte, nach abermals neunzehn Jahren wird es ihm angetragen.
Er spürt wiederum die furchtbare Gewalt des tierischen Daseins. Er wird die Vereinigung voller auskosten, weil das Unabwendbare ihn weiser vorfindet. Er schreitet aus, mit ganzem Willen bereit, sich dem Gesetz, das Geburt und Tod angeordnet hat, zu unterwerfen. Er wird überrascht von einem harmonischen Gleichklang in der Vereinigung, von dem er niemals hat sprechen hören. Er scheut, nachdem er diesen höchsten Gewinn erlangt hat, nicht mehr den notwendigen Kampf, der sich entspinnen muß. Er hat die Gewalten unter-

schätzt. Nach einer anfänglich versöhnlichen Bereitschaft der drei Menschen füreinander beginnt ein Hader aller gegen alle. Jeder verfällt einer Selbstbehauptung, die einer unaussprechlichen Verhöhnung des anderen gleichkommt. Anfangs hat man ihn, den umstrittenen Mann, geschont. Aber bald überwuchert der unerbittliche Streit, in dem nur noch dem Ich ein Recht eingeräumt wird, jede Rücksicht. (Welchem Ich? Sie sind ja beide Weib.) Er erkennt viel zu spät, beide Frauen kämpfen für ihr Leben, kämpfen für etwas, was ihm, dem Manne, verborgen ist und verborgen bleiben wird. Nicht für eine jener Überzeugungen, denen sich Männer hin und wieder verschreiben: sie folgen einem Instinkt. Aus dem tiefen Dunkel ihrer Leibeshöhle, echte Töchter der Mütter, wächst ihr Haß, ihr Jammer, ihre unvernünftige Liebe. Sie treten nach ihm, dem Manne, den sie vorgeben zu lieben. Sie drohen, seine Eingeweide zerreißen zu wollen. Sie beschimpfen die groben Knochen in ihm. Es gibt kein Maß für ihre haßerfüllten Auslegungen. Tränen, fürchterliche Umarmungen wechseln miteinander ab. Er sieht, wie sie einander zerfleischen; er will ihre Empörung mit Vernunftgründen schlichten. Seine Bemühungen schlagen fehl. Er sieht, wie jeder sich ins Unrecht setzt. Gesittung und Übereinkünfte werden zerschlagen. Die wilde Eifersucht zehrt seine Kräfte auf. Er altert, er schwindet dahin. Mit Entsetzen stellt er fest, daß das frische Kind, das in der Liebe lauter, schrankenlos und festlich war, böse Triebe entwickelt, hinterhältig hämisch rachsüchtig die gemeinsame Atemluft vergiftet. Drei Jahre erträgt er einen höllengleichen Zustand. Dann ist sein Wille verbraucht, seine Einsichten sind verflogen, der Anstand, den er hat wahren wollen, ein leeres Phantom. Er stolpert in seine Schwäche hinein. Er fällt der Stärkeren als Beute zu, der Jüngeren, der Tigerin, die bedenkenloser in der Selbstverteidigung war. Er erkennt noch, kapitulierend, daß er der Lebensgefährtin, der er die Treue der Gemeinschaft bis an die weißen Haare hat halten wollen, unrecht tut. Auch er versteht es nicht, ein Freund zu sein. Er ist verbraucht, er flieht den Weg des geringsten Widerstandes. Als die Trennung vollzogen, der Kampf vorbei, nimmt die Ermüdung, die Ernüchterung in ihm überhand. Noch einmal versucht er, sich in die Liebe des jungen Weibes zu stürzen, ein blindes Werkzeug gemeinsamer Tierheit. Die große Einigkeit gelingt nicht mehr. Das Zeugen gelingt, die Vermehrung ist nicht aufzuhalten. Aber der Geist in ihm steht schal über der Brunst. Die Einsamkeit sucht ihn heim. Er verstummt. Sein inneres und äußeres Leben beschlägt sich mit Traurigkeit. Er weiß, sein Leiden ist unheilbar. Er entschuldigt seine Genossinnen. Er entschuldigt sich selbst. Aber er denkt mit einer unbekömmlichen Klarheit über die Mechanik der Triebe nach. Ihm wird das Apparathafte des Fleisches geläufig. Seine verstockte mißhandelte Vernunft flüstert ihm Sätze zu. Sehr frivole. Weib ist Weib. Sie alle haben Brüste. Sie alle haben die Gleitbahn, auf der wir ausrutschen. Man verbinde uns die Augen, und man kann uns beliebig täuschen. – Er findet, er hat alles genossen, was einem männlichen Tier zusteht. Er hat dafür voll bezahlt. Er ist zerschunden worden. Er hat der Menschheit gegeben, was sie erwartet: kleine Kinder, die man groß macht. Er ist höchst ehrenwert, ein Mann in zweiter Ehe. Er hat seinen Platz in der Gesellschaft. Und sie läßt ihm kaum Muße genug, sein Dasein zu bedenken. Die Trümmer seiner selbst sind längst mit dem Staub der Gewohnheit bedeckt. Er erkennt kaum noch einen ornamentalen Schnörkel seines Karakters. Er sagt: ja, Herr, nein, Herr, wie man es von ihm erwartet. Man erwartet indessen gar nichts von ihm, es sind das nur seine Einbildungen, daß man etwas erwarte. Wenn er morgen ausgestrichen wird, so wird es nicht bemerkt werden. Wer hat wohl Ohren, um sein Schicksal anzuhören? Er ist seines Lebens überdrüssig. Aber er versteckt das Gefühl hinter vorgetäuschten Verpflichtungen. Die Beschämung über seinen Zustand bedeckt ihn wie ein graues Netz. Er sieht, seine Haut wird schlaff, seine Augen blicken trübe, vergehen hinter der Brille; unwichtige Runzeln zerschrinden sein Antlitz, die mürben Muskeln vollführen die Bewegungen nur unwillig. Er fragt sich: Wofür hat er gelebt? Und wie? – Die letzte Frage kann er beantworten: überwiegend schlecht. Die erste beantwortet ihm die Frau: für seine Kinder. – Er aber glaubt es nicht. Es ist die Antwort einer Frau. Er wird immer weniger. Es ist nicht aufzuhalten. Er muß sich fügen. Ein Aufruhr wäre lächerlich und unwirksam. Zehn Jahre, zwanzig Jahre liegen noch vor ihm, wie es sich trifft. Und er hat doch alles gehabt,

was einem Menschen beschieden sein kann, außer der Beruhigung. Eines Tages, am Ende einer langen Reihe innerer Vorstellungen kommt er zu dem Schluß, er ist um ein Erlebnis betrogen worden. Um das natürlichste Recht. Um den Genuß, für den man den Preis des Todes bezahlt: der erste Geliebte eines Menschen gewesen zu sein, ein Mädchen entjungfert zu haben.
Vergeblich versucht er, die Vorstellung zu beseitigen. Er bekennt sich ohne alle Täuschung, daß es sich nicht um ein Liebesverlangen handelt, das die Zuneigung zu einem bestimmten Menschen als Voraussetzung hat. Es ist ein Verlangen an sich, am krausen Baum der Triebe gewachsen. Die Person des Gegenspielers ist unwichtig geworden. Weib ist Weib. Sie alle gleichen einander. Die berüchtigte Natur hat ihm einen neuen Köder hingeworfen. Mit allen moralischen Kräften widerstrebend, verfällt er dem Fetisch der Jungfräulichkeit. Einstweilen sind es nur seine Gedanken und Träume, die versumpfen. Seine Stirn glüht, wenn er halbwüchsigen oder gerade gereiften Kindern nahe kommt. Die eben ersproßten Formen überwältigen ihn. Da, ihm zum Glück oder Verhängnis, stirbt die Ehefrau. Er hat sie weder ermordet noch ihren Tod gewünscht. Sie ist ein Opfer ihrer Hausfrauenpflicht geworden. Sie hat im kalten Winter eilig für die Kinder Kleidungsstücke gewaschen. Eine schwere Erkältung hat sie befallen. Eine Lungenentzündung wird daraus. Ehe er recht an den Ernst der Krankheit glaubt, stirbt sie. Kein Wort des Abschieds ist gefallen. Es ist plötzlich zuende zwischen ihnen. Sie ist fort. Er schmeckt die Leere wie eine fürchterliche Strafe. Wenn die Dunkelheit hereinbricht, befällt ihn Gespensterfurcht. Die Angst vor seinem eigenen Tode ist geweckt. Die Vergangenheit bekommt das gräßliche Antlitz des ewig Nichtseienden – doch nie Verlöschenden; kein Raum, keine Physik bindet sie. Die Kinder sind kein Trost, nur eine Last. Das Ziel der Menschen summt ihm im Ohr: kleine Kinder groß machen. Er fragt: Wozu? Es gibt keine Antwort. Frau Larsson waltet im Hause. Er ist nicht alt genug, um weise zu sein. Und doch zu weise, um sich jung zu fühlen.
Es ist die Zeit, wo er sich mit Tutein und Egil am Tisch eines Gasthauses trifft. Er faßt eine tiefe Zuneigung zu den beiden

Männern. Die tödliche Redlichkeit auf ihren Gesichtern rechtfertigt selbst die trüben Seiten ihres Tuns. Und nun ist er in diesen Saal eingebrochen und findet den dritten. – – –
Er kam an diesem Abend nicht weiter. Er wollte auch nicht weitererzählen. Er zog die braunen Handschuhe aus seiner Rocktasche hervor, die kackbraunen Lederhandschuhe, und bekleidete seine Hände damit. Warum? Wollte er gehen? Wußte er nicht, was er tat? Man hörte das Rasseln der Bronzeringe an den langen nackten Beinen. Wir alle waren verstört. Es war etwas neben uns im Saal. Ich meinte im Kontor die Schritte Herrn Dumenehoulds gehört zu haben. Ich wußte, es konnten seine Schritte nicht gewesen sein.
»Es ist der Tod«, sagte ich unvermittelt.
»Welcher Tod?« fragte Tutein betroffen.
»Oder der böse Gedanke«, sagte ich.
»Oder Verrat«, schrie Tutein, »der Verrat. Der Verrat, damit du es weißt.« Sein Gesicht war weiß geworden. Das rote Feuer der Kerzen vermochte es nur noch grau zu färben.
»Schnaps ist zuweilen bekömmlicher als reden«, sagte Faltin.
Er erhob sich, holte Gläser, goß uns ein. Nun rasselten auch die Gläser. Und der Atem im Knochengerüst rasselte. Ehe wir tranken, sagte er noch:
»Gefahr! Wir müssen aufeinander achtgeben.«
»Das Wort kenne ich«, schrie ich zurück, »später ist jemand verschwunden.«
Tutein goß sich den Schnaps über die Kehle. Er antwortete nicht.
»Es steht etwas bevor, es wird etwas geschehen«, sagte Egil unwissend. Er griff vor sich ins Leere. Er stand plötzlich allein, wie abgesondert, an dem einen Ende des Tisches.
Faltin machte den düsteren Vorstellungen, die uns heimgesucht hatten, dadurch ein Ende, daß er auf Egil zuschritt, ihn beim Hals packte, dessen Gesicht dem seinen zuwendete und ruhig zu sprechen begann:
»Ehe es soweit kommt, wird Hilfe da sein. Wenn mein Körper auch schon schlecht ist und mein Geist abgenutzt, Lasten kann man ihnen noch aufpacken. Egil, ich bin für euch alle da, auch für dich.«
Egil blickte ihn scheu, ein wenig spöttisch an.
»Von mir ist doch gar nicht die Rede«, sagte er.

»So habe ich etwas mißverstanden«, sagte Faltin, »ich habe seit geraumer Zeit Furcht wegen deiner Lenden.«
Egil biß sich die Lippen. Er brachte ein allmähliches Lachen in sein Gesicht.
»Nun entlasse mich nur aus deinen Gorillaknochen«, sagte er.
»Du junges Tier«, sagte Faltin und ließ ihn frei.
Sie stießen ihre Gläser gegeneinander und tranken. Ich nickte Tutein zu.

*

Wie vor sechszehn Jahren ist in dieser Nacht, der Nacht vor dem St.-Hans-Tag, das Wetter umgeschlagen. Eine klare, ein wenig im Wind geschüttelte Sommerwärme hat in den letzten Wochen das Wachstum vorangetrieben. Das Korn ist aufgeschossen, die Klee- und Luzernefelder stehen tiefgrün und saftig, beknospet, im Dunst ihres eigenen Atems. Die Zeit der gelben Blumen ist gewesen, jener sinnlichen Farbe, deren Geilheit das Auge fast schmerzend berührt. – Nun mischen sich violette und weiße Töne hinein. Die braune Erde, wo sie frei liegt, schimmert wie kräftiges Brot. Die reichbekleideten Bäume gedenken für kurze Zeit des Herbstes nicht. Der Harzgeruch der Tanne brennt in der Sonne und lockt bei mir eine verzagte Sehnsucht nach der Begegnung mit Menschen hervor, nach der Gegenwart eines unter ihnen. Aber ich begnüge mich lächelnd mit der Anwesenheit der Unsichtbaren. Der Wald tröstet mich. Ja, ich habe Ilok zum Grasen in den Wald geführt. Eli hat sich die wärmsten Plätze des lebendigen Bodens als Lager gewählt. Ich habe mich der Kleider entledigt, habe mich auf Iloks Rücken geschwungen, und liegend, meinen Kopf neben ihrem Hals, habe ich zugeschaut, wie sie fraß. Meine Haut ist ganz vollgesogen von ihrer Wärme und von der Wärme des Himmels. Mein Glück war vollkommen. Meine Gedanken waren entschwunden. Meine Haut war wichtiger als mein Kopf. Ich war ein echter Kentaur und ein echter Zwitter, ein Freund Pans. Und der Wald war groß wie die Welt. Der Kentaur begraste die Welt. Ilok, so glücklich zu sein – oder von so grenzenloser alles hinnehmender Gleichgültigkeit – – – Wir verdienen es umeinander, daß wir einmal ineinander hineinverwesen. Ich wünsche es, solange ich atme. Du wünschst es nicht. Aber wenn das Atmen vorüber ist, steht nur noch das Gewesene neben uns. Ich zweifle daran, daß ich es spüren werde, ob es dein Fleisch oder die Erde ist. Vielleicht spüre ich es als letzte Wahrnehmung. Unendlich verdünnt.

In der Nacht hat sich eine seltsame Schwüle vorbereitet. Aus dem Rauch schwefliger Morgenwolken fiel knisternd das blaue oder rosig schimmernde Feuer der Blitze. Anfangs stand das Gewitter wie zögernd um die schweigende ängstliche Landschaft herum. Das gellende Licht der berstenden Luft schien einen Geschmack auf den Lippen zu hinterlassen. – ›Die elektrischen und magnetischen Stürme haben uns schon erfaßt‹, dachte ich. Dann entfaltete sich das Toben in der Luft. Mächtige wirbelnde Böen warfen sich über das Land. Schrill begann es in den Zweigen der Bäume zu pfeifen, und das Laubwerk flatterte ängstlich wie junge Vögel unter dem Blick des Falken. Staub und Sand hoben sich vom Boden auf und gischteten ätzend über Wege und Felder. Inmitten der kurzen Sturmpausen hörte ich das Winseln, Kreischen und dumpfe Umsinken einzelner stürzender Bäume. In der gleichen Sekunde war der Windtrichter, der sie gefällt hatte, beim Hause und preßte Blätter und Schmutz gegen die Scheiben. Herabfallende schwere Tropfen verwandelten augenblicks das unerlöste Bild. Das flammende Krachen der Blitze stand um das Haus. Ein ohrenbetäubender Lärm brachte die Fensterscheiben zum Klirren. Der fahle Fackelschein der klaffenden Wolken züngelte zu mir ins Zimmer. Der Wolkenbruch schwemmte das Feuer hinweg. Es wurde finster von den Regengüssen. In graugelben Streifen schüttete sich das Wasser über die Felder, die unvorbereitet, widerstandslos die Flut hinnahmen. Ich dachte, daß ich das alles schon vorher erlebt, das Feuer, das man auf den Lippen schmeckt, die orgelnden Schleusenlaute des Himmels – diese Heimsuchung mit Verzagtheit, weil der Geist der Natur plötzlich regsam vor den Fenstern steht.

Der Regen hält an. Wie vor sechszehn Jahren. Die Schwüle ist fortgewaschen. Der Wind, der den Regen herabschlägt, ist kühl.

– – – – – – – – – – – – – –

Die Erzählung Faltins bekam eine Fortsetzung. Eines Abends, als Gemma wieder abwesend war, fragte Tutein:

»Was ist aus dem Fetisch der Jungfräulichkeit geworden?«
»Er ist zerbrochen«, antwortete Faltin.
»Vielleicht verstehe ich die Antwort richtig«, sagte Tutein, als hätte er alle Zusammenhänge erraten; aber er war begehrlich nach einer gewissen Auskunft.
»Rede nur«, sagte Faltin, »die großen Geheimnisse sind immer sehr einfach.«
»Das Reden steht dem an, der getreue Auskunft geben kann«, sagte Tutein, »die Vermutung ist nicht so stark wie die Gewißheit.«
»Nur keine törichte Zurückhaltung«, ermunterte ihn Faltin. Er war niedergeschlagen und saß wieder wie eine jener Hockermumien da.
So sagte denn Tutein: »Du hast dir das natürliche Recht genommen. Du bist der erste Geliebte eines Mädchens geworden.«
»Du sagst es. So ist es. Ich bin versöhnt. Meine Forderungen an die Schöpfung sind erloschen. Vielmehr: die Forderungen der Schöpfung sind in mir erloschen. Ein kurzes Glück. Weniger als das. Es war eine Notwendigkeit. Meine Freiheit lag erst hinter der Verruchtheit«, so sprach Faltin.
»Das Mädchen wurde betrogen, weil deine Liebe seit langem verbraucht ist«, sagte Egil eifervoll.
»Der Betrug überfällt auch den Edelmütigen. Wer an die Liebe glaubt, liefert sich blindlings aus. Jeder Rechtschaffene gibt soviel er vermag. Wir machen sogar Schulden bei unseren Gefühlen, wenn uns die leere Ohnmacht überkommt. Auch die Anleihe reicht für die Liebe nicht aus«, sagte Faltin.
»Wer war es, den du betrogst«, fragte Egil ungeduldig, »und traf es sie ins Herz? Verging sie? Oder fand sie Trost in der Ernüchterung? Wie viele Jahre alt war sie?«
»Gemma«, sagte Faltin.
Ich hörte es. Ich glaubte es nicht. Tutein und Egil blieben stumm.
»Nun ist es heraus«, sagte Faltin mit zitternden Lippen, »ich habe aufgehört, vor meinen Freunden ein Betrüger zu sein. Alle Fragen sind beantwortet.«
Es rührte sich nichts in mir, als wäre ich ein Stück dürres Holz gewesen. Ich dachte daran, daß ich der erste Geliebte Egedis

gewesen war. Ich hatte kein Recht, erzürnt zu sein. Ich schritt auf Faltin zu. Ich sagte:
»Ich habe es gehört. Ich glaube es nicht. Nehmen Sie meine Hand.«
»Nicht glauben, nicht glauben«, ächzte er, »beginnen Sie keine Torheit!« Er schüttelte meine Hand. »Das Schicksal ist nicht gütig«, fuhr er fort, »ich konnte nicht wissen, daß Ihre Liebe und Gemmas Ekel schon aufeinander lauerten. Ich kroch in den Busch zurück, aus dem ich hervorgekommen war, nicht reuig, aber beschämt.«
Er verabschiedete sich bald. Egil sprang mich an wie ein junger Hund, ängstlich und zärtlich zugleich.
»Nicht wahr«, sagte er, »es war nur ein kleiner Schmerz? Und der ist schon vorüber. Faltin hat sich sehr geschämt. Aber er konnte es nicht über sich bringen, dies zu verschweigen. Er hat verzichtet. Es ist das beste, wenn das Wissen unter uns bleibt – wenn Gemmas Unmut nicht geweckt wird.«
»Es ist gut, wenn ich vergesse, was ich ohnedies nur halb glaube«, sagte ich, »meine Vergangenheit gibt mir kein Recht, mich störrisch zu benehmen. Mit vierunddreißig Jahren liebt man nicht zum erstenmal; und mit zwanzig hat man auch schon Jahre des Verlangens hinter sich. Jahre des Verlangens oder Wochen des Verlangens.«
Tutein war sehr finster geworden. Entgegen aller Gewohnheit verließ er uns an diesem Abend. Er kam erst spät zurück. Egil und ich waren schon schlafen gegangen. Er trat noch zu mir ans Bett, weckte mich, entzündete eine Kerze, rückte sich einen Stuhl zurecht.
»Gemma ist von Faltin schwanger«, sagte Tutein.
»Ja«, sagte ich, um anzudeuten, daß ich es gehört hätte.
»Du wirst dir etwas überlegen müssen, sie hat es dir verschwiegen«, sagte er.
»Warst du bei Gemma?« fragte ich.
»Nein, bei Faltin«, antwortete er.
»Faltin hat vor kurzem erklärt, er habe alle Fragen beantwortet«, sagte ich gelassen, »der Betrug des Verschweigens sei zwischen uns vorbei. Ich will nicht glauben, daß er gelogen hat.«
»Ich war eifriger, die volle Wahrheit zu erfahren«, sagte Tutein.

»Du hast Faltin bedrängt«, sagte ich, »du hast ihn dahin gebracht, zu erklären, es sei möglich, daß Gemma von ihm schwanger ist.«
»Ich habe ihn hart angefaßt. Er wollte nichts aussagen. Er wollte einen Rest für sich behalten. Er wollte uns schonen. Ich habe einige Stunden lang mit ihm gerungen. Er hat alles aufs Spiel gesetzt. Unsere Kameradschaft ist fast zerbrochen. Endlich verließen ihn seine Kräfte.«
»Entsinnst du dich seiner Worte?« fragte ich.
»– Es ist zu vermuten – so begann er«, sagte Tutein.
»– Es ist zu vermuten –«, unterbrach ich sogleich, »weiter ist sein Geständnis nicht gediehen. Er hat unter Bedrohung eine Aussage gemacht, die allein Gemma zukommt. Er weiß, daß nur Gemma das Geheimnis bewahrt. Ihre Liebe ist keinen Monat alt geworden.«
»Woher weißt du es?« fragte Tutein bestürzt.
»Man kann es errechnen«, sagte ich.
»Ein Monat ist genügend Zeit –«, sagte Tutein.
»Gemma ist verdächtigt worden«, sagte ich, »aber ihr Schweigen ist eine Rechtfertigung, die du gar nicht ermessen kannst.«
Er verließ mich fast unwillig.
In jener Nacht faßte ich den Entschluß, Gemma nichts von dem, was gesprochen worden war, zu verraten. Ihr Wort sollte das erste sein.

– – – – – – – – – –

Nach zwei Tagen waren die Reden, wie wenn sie nicht gewesen wären. Faltin fand sich wieder ein. Gemma kam, begrüßte die Kameraden. Sie schien ihre letzte Scheu verloren zu haben. Sie zog mich mit sich in die Schlafkammer. Faltin war kein lästiger Zeuge mehr. Mein Herz war nicht ohne Falsch. Es pochte unruhig, als ich mit ihr allein war. Meine Hände glaubten zu spüren, ihre Brüste waren gewachsen, ein voller milchiger Duft umwölkte ihren Leib. Ich vergaß es wieder. In arglosen Umarmungen vergingen die Befürchtungen. Nach abermals einigen Tagen sprang mich das Mißtrauen an. Ich sah Faltin auf der Straße vorübergehen; aber er fand nicht herein. Gemma, kaum daß sie gekommen, erklärte, bald wie-

der fortzumüssen; ihr Vater sei unpäßlich, und sie könne den alten Mann nicht lange allein lassen.
Ich beschloß nach einigem Zögern, im Hause Gemmas einen kurzen Besuch zu machen. Ich nahm eine Flasche Rotwein und schlich davon. Ich war recht erstaunt, daß der Vater mir die Tür öffnete. Er zog mich ins Haus, in die Stube. Ich fragte nach seinem Wohlergehen. Er hatte sich nicht zu beklagen. Ich war unbedacht genug, ihm anzudeuten, daß Gemma mir von seiner Unpäßlichkeit gesprochen habe. Er verzog die Augenbrauen auf seltsame Weise. Überrascht, von Unbehagen berührt. Ich nahm die Flasche hervor und überreichte sie ihm. Er freute sich aufrichtig.
»Du bist höflicher, als ich es jemals gewesen bin«, sagte er gerührt, »meiner Unpäßlichkeit wird der Rotwein guttun. Nun habe ich verstanden.«
Während er noch heiter die Flasche betrachtete, fragte ich ungeduldig: »Wo steckt denn Gemma?«
»Sieh an, ganz recht«, er wandte sich von der Flasche ab, »ich meine doch, sie hat mir gesagt, daß sie heute abend bei dir sein werde.«
»Sie ist nicht bei mir«, sagte ich tonlos.
»So wird sie bei jemand anderem sein«, sagte er gelassen.
»Ja, gewiß, sie wird bei irgend jemandem sein«, wiederholte ich.
Einen Augenblick lang hielt ich den Atem an. Meine Gemütsbewegung verbarg ich.
»Bitte«, sagte ich nach einer Weile, »du verrätst ihr nicht, daß ich hier gewesen bin.«
»Ich werde es ihr nicht verraten«, antwortete er lachend, »kleine Geheimnisse würzen die Zuneigung.«
»Ja«, sagte ich, »kleine Geheimnisse würzen die Zuneigung. Und wie ist es mit den großen?«
»Der Mensch bedarf auch ihrer«, sagte er, »er entgeht ihnen nicht; aber sie sind gefährlich. Es bleibt zwischen allen Freunden und Liebenden ein Rest von Unaufgeschlossenheit. Wenn er schwindet, ich glaube, dann ist ein Verbrechen geschehen, ein wirkliches oder eine tödliche Ausschweifung – oder beides.«
»Sind Frauen verschwiegener als Männer?« fragte ich noch.

»Frauen können alles verschweigen, Männer nur weniges«, sagte er.
»Dank für die Belehrung«, sagte ich.
»Meine Erfahrung ist nicht groß«, sagte er entschuldigend, »ein pensionierter Landsoldat versteht sich nicht auf die Worte und nicht auf das Leben; der Geruch von Juchten, Pferdedung und Menschenschweiß verdirbt die bessere Weisheit.«
Ich verabschiedete mich.
Ich hätte schreien mögen; aber ich hatte keine Stimme. Die kalte Luft der Straße schlug mir entgegen. Ich hatte ganz vergessen, daß es fror, und meine durch keine Gedanken vorbereiteten Augen begannen zu tränen. – Nicht auf unbestimmte Reden hören. Die Mißverständnisse unterdrücken. – Vielleicht dachte ich das. Vielleicht war ich nur erschöpft. Ich hielt mich an den Stäben eines Gartengitters fest. Ich stand da, von einer Lüge verwundet. Aber ich empfand die Verwundung nicht. Ich war nur unschlüssig, wohin ich mich wenden sollte. Ich wollte mich nirgendwo hinwenden. Mein Wille war ausgelöscht. Ich empfand nichts, ich dachte nichts. Eine große Betäubung brauste in meinen Adern. – Ich muß wohl die wenigen Schritte bis zu unserer Wohnung gegangen sein, ohne umzusinken. In der Dunkelheit entzifferte ich die großen Goldbuchstaben über dem Torweg: GÖSTA VOGELQUISTS PFERDEHANDEL. Das war die erste und schwerste Leistung nach der Betäubung. Das übrige war leichter; in den Torweg zu treten, die Haustür zu öffnen, den Rock abzulegen, in den Saal zu gehen und mit Tutein und Egil allgemeine Worte zu wechseln. Ein paar Stunden abwegiger Gedanken, die nicht aufbewahrt werden, die nicht eingetragen werden in das große Buch der Verantwortung. – Ich weigerte mich endlich, eine Rechnung aufzumachen.

_ _ _ _ _ _ _ _ _ _

Als ich wieder einmal allein mit Gemma im Schlafzimmer war und das Frohlocken unserer Sinne geweckt war – ich hielt ihre junge Gestalt an mich gepreßt, meine Hände suchten die Schwellungen ihres Körpers, das warme weiche behäutete Fleisch, ihr Bauch lag rund in meiner flachen Hand, der Taumel hatte mich schon erfaßt – begann ich plötzlich zu sprechen.

»Warum hast du mir verschwiegen, daß du schwanger bist?« – Sie fuhr mit dem Kopfe herum. Ihr Körper folgte der Bewegung des Kopfes. Sie warf sich in die Kissen zurück und lag nun regungslos vor mir. Kein Mienenspiel überzog ihr Gesicht. Sie schaute mich nur an. Ich konnte nicht erraten, ob ihre Augen erschrocken, traurig oder nur abwartend an mir hingen. Ich kniete vor ihr, und somit konnte sie meine Gestalt abschätzen wie ich die ihre. Wahrscheinlich, in diesem Augenblick, wo sie mir so ganz entglitten war, daß ich nichts dessen wahrnahm, was in ihr vorging, betrachtete sie das redende Bild, wie man einen Gegenstand betrachtet, den man auf seine Zweckmäßigkeit oder Tauglichkeit prüft. Ohne Liebe, ohne Verlangen, ja sogar ohne Mitleid.
»– daß du möglicherweise von Faltin schwanger bist?« – Es veränderte sich nichts an ihrer Haltung und ihrem Blick. Vielleicht, sie schaute mich gar nicht mehr an. Ich war erloschen, für ihr Bewußtsein nicht anwesend. Sie schaute rückwärts, in sich hinab. Sie befragte das Kind, das schon da war, das winzige Gebilde aus wucherndem Schleim, von dem zum ersten Male gesprochen worden war, das sie aber seit langem als ihr Eigentum hingenommen hatte (vielleicht widerstrebend und bangend anfangs, dann mit natürlichem Stolz wie ein befruchtetes Tier), das sie liebte (wiewohl sie es kaum wahrgenommen), weil es in ihr war, und weil sie es mit weiblichen Organen und einer weiblichen Seele einschloß. Die Männer, die Väter, sie erschienen ihr verachtenswert. Der Streit ging sie nichts an. – Vielleicht war sie arglos.
»– er ist doch vor mir dein fleischlicher Freund gewesen.« – Eine Weile noch verharrte sie in ihrer Lage, nahm es hin, daß ich noch immer mit gespreizten Schenkeln über den ihren kniete. Dann schlug sie mich, auffahrend, mit männlicher Wucht ins Gesicht. Ich war so unvorbereitet, so wenig fähig, irgendeine Überlegung anzustellen oder einem Instinkt zu folgen, daß ich, geohrfeigt, mich nicht bewegte. Vielleicht ließ ich, von einer Ermattung befallen, die Hände sinken. Ich tat nichts, um die Schläge, zu denen sie sich nach dem ersten anschickte, abzuwehren. Ihre Fäuste trommelten gegen meine Brust. Gleichzeitig, oder zwischendurch, preßte ihr Mund eine Reihe von Scheltworten hervor. Sie schrie nicht; vielleicht

sprach sie sogar leise. Aber deutlich, fast bedachtsam, fügte sie die Silben aneinander.
»Feigling. Schäbiger Köter. Gemeiner Lümmel. Kaltschnauziges Vieh.«
Erst vor den Worten floh ich. Mich zu wehren, noch immer nicht vermochte ich es. Mein Hirn versagte mir, den Zusammenhang zu erkennen. Ich war mitten in einer Katastrophe, deren Ursache und Ausmaß unüberschaubar blieb.
Ich war aus dem Bett gesprungen. Sie folgte mir. Sie wiederholte ihre Beschimpfungen. Sie trieb mich vor sich her, und meine Flucht gab ihr Gelegenheit, nur noch das Wort »Feigling« gegen mich zu schleudern. (Ich bin, wenn auch nicht kränklich, so doch immer vom Bewußtsein einer Schwäche behindert gewesen. Ich habe mich niemals mit Spielkameraden geprügelt. Die Technik der Faustschläge ist mir gänzlich unbekannt. Mit jemand am Boden zu liegen und mit ihm zu ringen, ich habe das Erlebnis auch als Kind nicht gehabt.) In dem engen Zimmer standen wir uns bald wieder gegenüber. Entkleidet wie jemals zur Lust.
»Du bist ja irrsinnig«, sagte ich vollkommen erschöpft und außer mir.
Sie krallte sich an mir fest, biß mich in die Schulter. Ich begann mit ihr zu ringen. (Etwas, was ich nicht vermochte.) Vor Schmerz mußte ich doch wohl einen Schrei ausgestoßen haben. Faltin, Tutein, Egil standen plötzlich im Zimmer. Faltin, ich entsinne mich, er war es, packte Gemma von hinten, zog sie zurück. Tutein schob sich zwischen uns. Ich bebte am ganzen Körper. Ein trockenes Schluchzen brach aus meinen Lungen hervor. An meiner Hand klebte Blut. Bei dem gewaltsamen Versuch, mich von Gemma zu befreien, mußte ich ihr oder mir eine Verletzung beigebracht haben. Ich sah, Faltin hielt sie noch immer hart gepackt. Er hatte ihr die Hände am Rücken verschränkt. Aber kaum ein Zucken um den Mund verriet ihre Erregung.
»Auf solche Weise kann man die schweren Aufgaben des Daseins nicht lösen«, sagte Faltin.
Sie entwand sich ihm; sogleich lief sie zu mir und gab mir einen Fußtritt in den Bauch. Jetzt warf sich Tutein über sie, und mit Faltins Hilfe schleppte er sie in den Saal.

Ich empfand die Demütigungen nicht. Ich zitterte nur, die Zähne schlugen mir aufeinander. Ich hatte keinen Gedanken. Nur ein unbestimmter Drang, ein Instinkt nötigte mich, den Kameraden oder womöglich auch Gemma eine Erklärung zu geben. Wiewohl ich außerstande war, einen einzigen zusammenhängenden Satz zu sprechen, erschien ich in der Türöffnung und begann Worte zu stammeln. Ich bedachte nicht, wie unwürdig es war, wie herzzerreißend es wirken mußte, einen nackten Menschen anzusehen, der, seiner nicht mächtig, den Versuch wagt, Abläufe zu erklären, die er nicht begriffen hat; der nicht einmal der Sprache fähig ist und dessen Blut und Muskeln ein einziges Geschrei nach verlorener Liebe, verlorener Brunst, der ohne Hoffnung ist, weil er wähnt, das Letzte verloren zu haben. Ich dachte nicht daran, daß ein Gott mich bestrafe, ich war in der Strafe. Es fiel mir nicht ein, daß mein Schaffen erloschen; ich war im Erloschensein. Ich wußte nicht, weshalb Gemma mich gezüchtigt und ausgestoßen hatte; ich war noch mitten im Fall.
Als sie meiner ansichtig wurde und mich sprechen hörte, verlor sie aufs neue die Besinnlichkeit. Sie schlich sich heran, heimtückisch, wie versöhnt näherte sie sich. Doch ich wich zurück. Als sie zusprang, prallte sie auf Egil. Faltin und Tutein führten sie in die äußerste Ecke des Saales.
»Schließ dich ein, kleide dich an«, schrie Tutein mir zu und warf die Tür ins Schloß. »Es ist zwecklos, es ist jetzt gar nichts auszurichten, du siehst ja, wie es steht, halte den Mund, beruhige dich, scharre ein wenig Vernunft zusammen –«, das kam noch als Stimme durch das Holzwerk.
Ehe nun die Tür verriegelt wurde, reichte Egil Gemmas Kleider in den Saal hinaus, damit auch sie ihre Blöße bedecken könnte. Er versprach sich davon zum wenigsten eine Beruhigung ihrer Nerven, wenn auch nicht ihres Gemüts.
Ich begann fassungslos zu weinen. Ich sagte zu Egil: »Ich büße. Das ist der Anlaß und der ganze Inhalt. Ich büße, weil ich am Leben bin.«
Er antwortete nur: »Armer Mensch.«
Er, der sich wenige Wochen später erhängte, sagte zu mir: »Armer Mensch.« Er nahm meinen Kopf in seinen Schoß und ließ es sich gefallen, daß seine Schenkel von meinen Tränen naß

wurden. Dann half er mir, in die Kleider zu kommen. Er betupfte mir die Augen mit Wasser. Endlich fand er, daß ich einigermaßen beruhigt aussähe. Er ging an die Tür und horchte. Im Saal wurde leise gesprochen. Ich erfuhr nicht, ob er die Worte verstand. Bei einem gewissen Zeitpunkt öffnete er die Tür, ließ sie sperrangelweit offen stehen, trat in den Saal. Gemma und Faltin standen in ihren Straßenmänteln da.
»Ich werde Gemma nachhause begleiten«, sagte Faltin. Sie gingen langsam davon.
Ich erhaschte noch einen Blick der Geliebten. Sie schien zu lächeln; wahrscheinlich, sie schaute abermals oder noch immer in sich hinab und war zufrieden. Ich sah auch, während sie den Mantel über der Brust zusammenschlug, eine Sekunde lang das undeutliche Mal einer Brustwarze durch den Stoff ihrer Bluse. Ehe ich aus einem kurzen, unmeßbar kurzen Traum erwachte, waren sie fort.
Tutein hatte ein paar Gedanken in sich geordnet und begann zu sprechen, um die Beschämung von mir abzuwaschen.
»Sie ist nicht toll, o nein, sie ist sehr vernünftig. Sie ist ein Raubtier, wir haben es kaum geahnt.«
Sie hatte den beiden Männern den Vorfall im Schlafzimmer erzählt, die Worte und die Wirkungen. Aber sie hatte sich nicht einmal erklärt, ob sie auch schwanger sei. Auch über die Gründe ihres Verhaltens hatte sie die Auskunft verweigert. So war es gewesen, und es war unabänderlich. Sie hatte den Verlobungsring an ihrem Finger behalten.
»Sie ist dir überlegen«, sagte Tutein.
»Ich bin ihr verfallen«, antwortete ich, »es ist nicht verwunderlich. Sie hat mir die natürlichen Freuden geschenkt – ihre Wohlgestalt, die voller Jugend ist –, die Hingabe, mit der sie Faltin verdrängte. Faltin ist mein Nebenbuhler. Auch er ist bedürftig. – Sie hat mich wahrscheinlich belogen. Belogen, um mich noch mehr lieben zu können. Ein kleines Geheimnis. Ich meine die Lüge von vorgestern, daß sie zu Faltin gegangen sei und nicht zu ihrem unpäßlichen Vater. Sie ist, ich irre mich sicherlich nicht, bei Faltin gewesen. Sie hat ihm gesagt, daß sie von mir schwanger sei, daß er nichts mehr zu hoffen habe. Und heute habe ich ihre Freude zerbrochen. Ich habe ihre Freude zerbrochen. Ich habe ihr kleines Geheimnis nicht geschont.«

»Ich weiß nicht, worauf sich deine Aussagen beziehen«, sagte Tutein, »es ist auch gleichgültig. Du bist unvernünftig, krank, schwer verletzt. Sie schuldet dir eine Erklärung. Eine unzweideutige. Sie wird wissen, wem sie das Kind verdankt. Nachdem es so weit gekommen ist, macht sie sich schuldig, wenn sie es nicht verrät. Sie hat einige Tage Bedenkzeit. Sie wird sich selbst Rechenschaft geben müssen. Faltin wird sie nicht bedrängen. Sie weiß, daß sie dich beschimpft hat und wenigstens nachträglich den Grund dafür beibringen muß: ihre Lauterkeit. – Ich fürchte indessen, du wirst ihr viel verzeihen müssen. Einstweilen heißt es abwarten.«
Er hatte sehr fest, fast kalt gesprochen. Als er schwieg, spürte ich, daß er mich liebte, mit jener alles verzeihenden Liebe, die nichts ansieht. Seine Augen hatten mich umfaßt, als ich nackt, zerschunden und von guten Gedanken verlassen in der Türöffnung gestanden, ein Straßenköter, den man von einer Rassehündin fortgeprügelt hat, ganz erniedrigt und nicht wissend, womit mich rechtfertigen, wohin mich bergen, weil ich allein und nichts außer mir der Anlaß und ganze Inhalt der wütenden Bosheit war – und hatte immer noch Wohlgefallen an mir gefunden.
Ich beruhigte mich nun. Ich war sehr müde geworden. Vielleicht habe ich mich an diesem Abend nicht geachtet und nur noch von seiner Gnade geatmet. Er blieb an meinem Bett, dem Bett des Schreckens, bis ich eingeschlafen war.

– – – – – – – – – –

Der nächste Tag brachte so viel Verwirrung, daß für meinen Kummer kein Raum verblieb. Am frühen Morgen schon erschienen zwei Männer und drangen in die Wohnung der Witwe Göstas ein. Ein Rollwagen stand auf der Straße. Den beluden sie mit Hausrat. Egil war der erste, der die Ungehörigkeit entdeckte. Tutein stellte die Männer zur Rede. Sie behaupteten, in ihrem Recht zu sein. Die Möbel seien ihrem Auftraggeber verkauft worden. Den Schlüssel zur Wohnung habe man ihnen ausgehändigt.
Die Witwe Göstas war fort. Die Zimmer standen kalt und kahl. Die Fenstervorhänge waren herabgenommen, die Feuerlöcher der Öfen mit zerrissenen Briefschaften angefüllt. Die

Aussteuer an Wäsche und Kleidern war aus den Schränken verschwunden; nur ein paar Fetzen, die offenbar als wertlos befunden worden waren, lagen am Boden. Die silbernen Eßbestecke fehlten, das porzellanene Geschirr stand auf einer nackten Tischplatte zu Türmen aufgebaut. Jeder persönliche Gebrauchsgegenstand, Parfüm, Schmuck, Kamm, Bürste, Creme, Schuhe, Kleider, Koffer, war verschwunden. Kein Zweifel, sie hatte die Wohnung freiwillig mit dem Vorsatz verlassen, nicht zurückzukommen.
»Sie muß gestern abgezogen sein«, sagte Tutein, »wir haben es nicht bemerkt.«
Er ließ die Männer gewähren. Auf dem Bürgermeisteramt erfuhr er, Frau Vogelquist sei mit unbestimmtem Reiseziel fortgezogen. Ein Bahnbeamter wußte, daß sie in den Nacht-D-Zug Richtung Göteborg gestiegen war. Um die Mittagszeit fanden sich die ersten Gläubiger ein, die Tutein Rechnungen vorzeigten und um Bezahlung ersuchten. (Es erwies sich später, Göstas Witwe hatte Schulden hinterlassen, die etwa einem Jahresverdienst aus dem Pferdehandel gleichkamen.) Am Nachmittag erfuhr der Notar, vor dem Tutein den Vertrag mit Göstas Witwe abgeschlossen hatte, durch einen befreundeten Rechtsanwalt, Haus und Anwesen waren einem Viehhändler verkauft worden. Trotz der hohen hypothekarischen Belastung hatte der Käufer siebentausend Kronen ausbezahlt. Eine Verletzung des Vertrages mit Tutein lag nicht vor. Am Abend erschien der Viehhändler selbst. Er stellte sich als der neue Besitzer des Anwesens vor, trabte durch alle Gelasse. Endlich, als man im Kontor saß, machte er Tutein den Vorschlag, in seine Firma als Teilhaber einzutreten; man könne dann Vieh- und Pferdehandel zusammenschlagen; überhaupt, es brauche sich für Tutein nicht viel zu ändern. Eigentlich, so meinte er, habe Tutein ja gar keine freie Wahl, er müsse zugreifen, denn mit dem Kauf des Hauses sei auch das Recht erworben worden, nach Jahresfrist an diesem Platz mit Pferden handeln zu dürfen; man werde das Schild mit den schönen Goldbuchstaben über dem Torbogen: GÖSTA VOGELQUISTS PFERDEHANDEL belassen. Sehr einfach. Auf alle Fälle, das Schild werde an seinem Platz bleiben. Es sei ein altes, wohlbekanntes Schild, wohlbekannt wie das Geschäft selbst. Indessen, man solle ihn

nicht mißverstehen, er sei der Herr im Hause und besitze das nötige Geld. – Er lachte befriedigt.
Nach diesem Antrag schaute Tutein den Mann beängstigend lange an; dabei schwieg er so beharrlich, daß es den Zeugen Egil und mir eng ums Herz wurde. Dem Händler erstarb das Lachen. Er begann auf seinem Stuhle hin und her zu rücken. Am Ende mußte er sich ein wenig Schweiß von der Stirn wischen.
»Weshalb – antworten Sie mir denn nicht?« stotterte er.
Tuteins Augen blieben dabei, ihm die Haut vom Gesicht zu schälen. Endlich schien es ihm genug des Häutens zu sein.
»Göstas Hausfrau«, sagte er, »Frau Vogelquist, hat mir das Dasein als Händler sauer gemacht; mit Ihnen würde ich beständig Streit haben und immer den kürzeren Span ziehen.«
»Sie wollen nicht?« fragte der Händler empört.
»Ich habe hier noch ein Jahr lang Rechte«, sagte Tutein, »darein müssen Sie sich finden.«
»Warum haben eigentlich Sie die Baracken nicht gekauft?« fragte der Händler, »an Hochmut fehlt es Ihnen ja nicht; aber die Brieftasche ist wohl mager.«
»Sie werden Göstas Witwe besser gekannt haben als ich«, antwortete Tutein, »die Überrumpelung ist nicht ihre Erfindung allein. Sie haben es sich siebentausend Kronen kosten lassen, um mich zu fangen. Aber ich entschlüpfe Ihnen dennoch.«
Der Mann ging als unser Feind.
»Was soll werden? Was soll mit uns werden? Was soll mit mir werden?« fragte Egil. Seine Stimme klang zum ersten Male gebrochen. Ich sah eine heimliche Träne in seinen Augen; aber Tutein sah sie nicht.
Tuteins Gedanken schweiften fern von uns umher. Er sagte:
»Ich werde den Pferdehandel auflösen. Es ist der bequemste Ausweg.«
Er sprach nicht mit uns. Er hatte es zu sich selbst gesagt. Egil erschrak. Er sprach abermals:
»Was soll mit mir werden? Wir haben keinerlei Verabredung. Aber ich habe doch angenommen, daß es mir besser ergehen würde als einem Knecht, den man fortschickt.«
Tutein antwortete nicht. Vielleicht hatte er Egils Worte gar nicht vernommen. Er ging zu Faltin und ließ uns allein.

»Was wird er anstellen?« fragte mich Egil.
»Er ist außer sich«, versuchte ich ihn zu beruhigen, »er ist ganz unvorbereitet. Er will sich Rat beschaffen.«
»Es waren zwei schlimme Tage«, wagte Egil sich vor.
»Ich habe heute kaum an Gemma gedacht«, sagte ich gleichmütig.
»Heut ist die Reihe an mir«, sagte Egil.
»Du bist doch nicht übler daran als Tutein«, antwortete ich.
»Tutein denkt nicht an mich«, sagte Egil, »aber ich denke immer an ihn. Tutein hat viele Geheimnisse; aber ich habe nur eins.«
»Männer«, sagte ich, »Männer sind nicht verschwiegen, es ist ein Fehler. Man soll die Geheimnisse nicht preisgeben. Ich bin gestern geschwätzig gewesen; das hat mir das Unglück gebracht.«
»Ich werde zu schweigen wissen«, sagte er entschlossen.
Er erhob sich, er streckte seine Glieder.
»Es ist Schlafenszeit«, sagte er.
Er ging in seine Kammer.

*

Es regnet noch immer; das Wetter ist ärger geworden. Eine eisige Verdüsterung des Himmels erwürgt das Licht der langen Tage. Ich denke zurück.
Die Entscheidungen fielen in dichter Reihenfolge. Es war zu erkennen, Tutein wollte den Pferdehandel aufgeben. Seine Besuche bei Faltin konnten nicht den Zweck haben, sich belehren zu lassen, wie er dem Viehhändler begegnen sollte. Göstas Witwe hatte Tutein einen Brief gesandt, eine kurze Darstellung dessen, was geschehen war. Sie betonte, ihren Vertrag nicht gebrochen zu haben. Eine Aufstellung ihrer Schulden legte sie bei und bat, die Beträge von den Einnahmen zu bezahlen, die ihr noch ein Jahr lang zuständen. Sie beschuldigte ihn mit geschriebenen Worten, unverträglich gewesen zu sein und ihre Hoffnung auf ein weiteres gedeihliches Zusammenwirken zerstört zu haben. Ihren Wohnsitz verschwieg sie. Sie sei frei, frei, frei, fügte sie mit gespreizter Schrift hinzu. Tutein zerriß den Brief.

»Nun kann sie Göstas Grab vergessen und ein Jahr lang im Überfluß leben. Sie ist glücklich, ich glaube es ihr«, sagte Tutein, »später kann sie sich aushalten lassen oder in ein Bordell eintreten. Wenn es dafür zu spät sein sollte, wird sie sich für den Tod schminken und ihn in ihrer besten Robe empfangen. Sie ist mutig.«
Man konnte auf seinem Gesicht lesen, die Liquidation war vollständig. Der Name der Frau Vogelquist war ausgestrichen. Die Gläubiger waren an ihre Stelle getreten. Sie würden bezahlt werden.
Nein, sein Geist beschäftigte sich nicht mit dem Pferdehandel. Das Geschäft war schon zusammengebrochen, verschleudert, weil er wollte, daß es so sei. Seine Gespräche mit Faltin, die er geheimhielt, erfüllten ihn ganz. An den Tagen ging er umher wie ein Schlafender. Unserer schien er nicht zu bedürfen.
Gemma besuchte uns nicht mehr. Auch den Ring sandte sie nicht. Sie nahm sich viele Tage Bedenkzeit. Ich ahnte, daß sie Faltin und Tutein zuweilen sah. Um diese Zeit tauchte der Name Doktor Jenus Boströms häufiger in den Erzählungen Tuteins auf. Er war Stadtphysikus, Träger zweier hoher Orden und Oberarzt des kleinen Krankenhauses, ein Bekannter Faltins. Er war dem Genuß des Morphins verfallen. Ich erfuhr es später. In seinem Geiste bewegte Doktor Jenus Boström neuartige biologische Systeme, eine dissidente Anschauung vom Wesen des organisierten Protoplasmas, die ihm die Beschaffenheit der Menschen, ihre Ähnlichkeiten und Unähnlichkeiten untereinander, erklärte.
Wie zwei Verbannte hockten Egil und ich an den Abenden allein im Saal. Ich sah, daß Egil litt; große Veränderungen vollzogen sich in seiner Seele; sein schöner und guter Körper schwelte im Feuer heimlicher Ausschweifungen. Es war keine Zerrüttung, es war ein Nachgeben an dunkle Triebe bei einem unbekömmlichen Zeitpunkt. Es vermehrte die eisigen Einsamkeiten, die ihn umstanden. Ich verriet mit keiner Zärtlichkeit, daß er sich in meinen Armen hätte ausweinen dürfen. Wir sprachen kaum miteinander. Und waren am Ende stolz darauf, daß wir schweigen konnten. Vielleicht waren meine Leiden nicht schlimm. Sie schliefen noch. Sie waren da; doch übermüde wie Knechte, die bei Schnaps und Bier eine Nacht durch-

tanzt haben und mit geschlossenen Augen in der Frühe Kühe melken; ihre geschwollenen Hände bewegen sich und drücken ziehend die Zitzen; aber der Melkschemel trägt ihren gelähmten Körper; das Gift der wollüstigen Raserei ist ihnen wie ein Stecken in die Brust getrieben. So begrub man ehemals Selbstmörder.

Eines Abends, kaum daß Tutein fortgegangen war, kam er auch schon zurück. Ich erkannte sogleich, er war verstört oder bedrückt.

»Was gibt es?« fragte ich, als ob ich neugierig wäre.

»Ich bin Faltin begegnet«, sagte er, »er war auf dem Wege zu uns.«

»Und er kam von Gemma«, ergänzte ich.

»Er hat Gemma besucht, das ist wahr. – Wir stießen im Torweg zusammen«, sagte er.

»Er hat seinen Besuch bei uns aufgegeben, und du bist umgekehrt«, sagte ich. »Ihr könnt nicht viele Worte gewechselt haben.«

»Er hat mir einen Ring gegeben, den er von Gemma erhielt«, sagte er, »ich habe ihn an meinen kleinen Finger getan. Er paßt dort. Ich will ihn nicht wieder abziehen. – Ich möchte, daß du damit einverstanden bist. Dann ist es ganz natürlich, daß du den deinen weiterträgst.« – Ich verstand ihn in diesem Augenblick noch nicht. Ich begriff nur, Gemma hatte das Verlöbnis aufgelöst. Der Ring war Faltin übergeben worden. Faltin hatte ihn Tutein ausgehändigt. Tutein trug ihn an seinem Finger. Das war geschehen, und ich begriff nicht mehr, warum ich bis zu dieser Minute gehofft hatte, Gemma würde in unsere Wohnung zurückkehren. Die Wohnung war ja schon untergraben.

Wahrscheinlich, ich antwortete nichts. Vielleicht sah Tutein mir an, daß trübe Schwermut meinen Geist verwirrte. Ich seufzte. Ein schmerzhaftes Zucken durchrann meine Adern. Ich stand vor der dunklen Wand der Welt. Und doch war es Egil, der sich zuerst auf mich stürzte, um mich vor einer Verzweiflung zu retten, deren mörderische Bosheit er nur ahnte. Ich sah ihn auf mich zueilen. Sein Schatten erreichte mich vor ihm, und so nahm ich ihn selbst nur als etwas Schwarzes wahr, wie einen Teil der Wand aus Nacht. Tutein riß ihn zurück. Ich weiß bestimmt, er riß ihn zurück. Er sagte:

»Egil, geh, geh Egil, geh ins Kontor! Ich will mit Anias allein sein.«
Eine schreckliche Eifersucht fuhr wie ein Blitz vom Himmel zwischen sie. Egil – ich denke es mir – zögerte nicht, den furchtbaren Schlag zu begreifen. Er taumelte nicht einmal. Er ging gehorsam hinaus. Er kam für eine eherne Freundschaft nicht inbetracht. Sein Herz war nur ein Muskel – wurde von seinem Brotherrn festgestellt. Er hatte alles falsch verstanden, er war der Knecht im Hause. Er ging gehorsam hinaus. Vielleicht horchte er an der Tür. Vielleicht – es war nicht mehr nötig, er wußte alles. Er besprach sich schon mit dem Dämon. Und der Dämon erklärte ihm, daß die Angst Tuteins in der Vergangenheit gewachsen war, dort, wo er Egil belog, immer belogen hatte. Daß alles, was in den letzten Wochen geschehen war, ein Teil jener Vergangenheit, das Vordringen eines mächtigen Schattens, der nicht verwesen konnte. Das Loch voll Düsternis (wie hätte er es anders nennen sollen, da der verjauchte Leichnam Ellenas sich ihm nicht zeigte oder, wenn er sichtbar wurde, stumm blieb) war aufgerissen worden, und die unwissende Liebe Egils war ganz nutzlos.
Seine Liebe war nutzlos. Nur das zerfleischte Herz des Mitwissers, wie er meinte, das meine, wurde angefleht. Er unterstellte vielleicht oder der Dämon belehrte ihn, daß es seit jener Vorzeit, die er nicht kannte, niemals frei gewesen, eingegittert, mit Händen zerkrallt – er wünschte sich, daß es das seine gewesen wäre – er wünschte irgend etwas, das nicht sein konnte, daß es sei – er dachte an Gemma und vergaß sie, er gedachte seiner Schenkel und vergaß sie, er sah sehr viel, sah, was keinem Auge zu schauen gegönnt, es sei denn in der Vernichtung, im letzten schrecklichen Fall (er fiel, er fiel): eine fremde Seele und das zerfleischte Herz, das, wie er meinte, jenen köstlichen Tropfen des Trostes und der Hingebung weinen konnte, den Tau des Erbarmens, so daß die Rache überwältigt wurde und der Spalt, aus dem das Nichts als schreckliche Verdammnis heranbrauste, sich schloß. Eine Sekunde lang waren diese Vorstellungen, und wiederum waren sie nicht, weil nur Asche in ihm war. Es war ein plötzliches Gesicht, so kurz, daß ihm davon nichts blieb als der Schmerz. Vielleicht nicht einmal der. Nasse Asche. – Und der Dämon sagte, daß

Egil nur sein Herz der gleichen Zerfleischung zu überantworten brauche (welcher Zerfleischung? fragte er schon), um jeden Vertrauens und aller Liebe würdig zu werden, gleich zu werden allen Hehlern und Mitwissern der Welt. Beweisen, zerfleischen, teilhaben an der großen Verschwörung, der unendlichen Trauer. Nur die Entschlossenen wagen den Schritt. – Er hörte nur noch die Verlockung. Er wollte inbetracht kommen. Er hörte Tuteins Stimme durch die Tür. Sofern der Dämon seine Ohren nicht schon verschlossen hatte. Vielleicht war er ganz allein mit jenem gestaltlosen Geflüster, das ohne Rührung, doch voll schlauer Berechnung ist. Allein mit der Verzweiflung, die er noch kurz vorher nur wie etwas Unbekanntes geahnt hatte. Seltsam, er zögerte die Tat hinaus. Er hat die Nacht hindurch geweint. Vielleicht hat er auf Tutein gewartet.
Tutein, am Morgen, als er in den Pferdestall trat, stieß gegen ihn. Er hing in der Box des Kutschpferdes. Das Pferd stieß mit den Hinterfüßen nach ihm, weil es den Schatten fürchtete, den schwankenden Körper. Er mußte sich auf die Kruppe gesetzt und dann mit einem Schlag das Tier vorangetrieben haben, daß er herabglitt. Tutein hob ihn sich auf die Schultern, brachte das Pferd heran, lud ihn darauf, durchschnitt Seil und Schlinge. Er trug ihn eilends ins Haus. Er spürte, der Körper war noch blutwarm. Das gedunsene Gesicht schien der Tod noch nicht der Seele abgerissen zu haben. Schon kniete er am Boden neben dem Erstickten, bewegte dessen Arme, riß ihm die Kleider ab, blies ihm Luft in die Nase, ja, mit gierig saugenden Küssen sprengte er ihm den Mund und vereinte seine Zunge mit der Egils.
Es war das erste, was ich vom Unglück erfuhr, daß Tutein über dem Reglosen, dessen Mund schon mit Erde gefüllt war, lag, an ihm rüttelte und sog. Ich hätte glauben können und glaubte es vielleicht, ein Vampir vernichte sein Opfer. Ich sah den Mörder. Ich schrie auf. Er aber wies mich an, ihm die Kognakflasche, die in einem Schrank stand, hinzureichen. Er benetzte Brust und Lippen des Ausgestreckten. Er versetzte ihm leichte Schläge auf den Bauch.
»Einen Arzt«, sagte er, »– nein, warte noch ein wenig.« –
Ich war noch immer ratlos.

»Hilf mir doch«, sagte er, »Egil hat sich erhängt. Aber er lebt noch. Ich weiß, daß er noch lebt.«
Wir streckten den Körper, stauchten ihn wieder zusammen, damit die Rippen aufgetrieben würden und wieder zusammensänken. Wir erkannten, ich weiß nicht mehr, woran, daß die Luft durch den Mund ein- und ausging. Wir arbeiteten mit dem nackten Körper, bis uns der Schweiß aus allen Poren brach. Das erste, was sich verwandelte, war wohl das Gesicht. Es schwoll nicht nur ab, es erbleichte bis tief unter der Haut. Die Augen, die im grauenvollen Trotz halb offen gestanden hatten, schlossen sich. Wir sahen das Herz schlagen, nicht regelmäßig, eher ungestüm, wie wenn es den Stillstand überholen wollte. Egil erwachte aus der Ohnmacht. Vielmehr die Augenlider schlugen sich auf. Die ersten Seufzer kamen viel später. Und auch nach den Seufzern, als er schon regelmäßig atmete, lag er bewegungslos, wahrscheinlich mit gelähmten Gedanken.
Als das Leben sichtbar zurückgekehrt war, eilte Tutein ins Kontor, telephonierte mit Doktor Jenus Boström. Ehe der Arzt eintraf, hatten wir Egil Kognak eingeträufelt und in Decken gehüllt vor den Ofen gebettet. Mithilfe von Kissen hatten wir den Oberkörper ein wenig aufgerichtet. Egil sprach noch immer nicht. Das Schlucken fiel ihm schwer. Seine Augen waren verwundert und leer. Vielleicht wollte er nicht sprechen.
Doktor Boström kam. Er war in heiterer und milder Stimmung. Er war damit zufrieden, daß Tutein ihm eine Erklärung gab, die aus drei Sätzen bestand. Er verabreichte zwei Einspritzungen, besah sich die Abschürfungen am Hals des Kranken.
»Ein Zufall, daß er lebt«, sagte Doktor Boström wohlgefällig, »es fehlt den Menschen an Optimismus. Ich bin immer optimistisch.«
(Er hatte sich vor einer halben Stunde eine Spritze bereitet).
»Ich bin verschwiegen. Ein Arzt muß verschwiegen sein. Es wird keine Weiterungen geben. Sie werden niemals wieder etwas von dem Zwischenfall hören. Aber ins Bett muß unser Freund.«
Tutein begleitete ihn hinaus.
Ich hatte Bedenken, Egil in seiner Kammer zu betten. Ich

räumte ihm mein Bett ein. Er ließ sich willig ins Schlafzimmer führen. Er hängte sich nur ein wenig über meine Schulter. Er würde keine Schmerzen haben, er würde bald einschlafen. Ein Narkotikum zerlöste die Erschütterung seiner Seele. Man kann uns das Glück für kurze Stunden bringen, das unpersönliche Glück, das unsere Sinne nicht berührt, die phantastische Vertauschung unseres Bewußtseins.
Als wir uns allein gegenüberstanden, Tutein und ich, sagte er: »Ich habe mich verschworen, nicht mehr zu töten. Die Wunden, die ich Melania zugefügt habe, sollten die letzte Gewalttat gewesen sein. Jetzt kommt es ohne mein Zutun.«
»Egil liebt dich«, antwortete ich, »du hast bei ihm Schutz gesucht. Er hat sich dir nicht verweigert. Du hast die Zeichen um dich her nicht gedeutet. Du hast daran mitgewirkt, daß Gemma mich verlassen hat. Faltin ist dein Bundesgenosse. Nun ist auch Egil zerschmettert. Warum hast du dich blind gestellt? Welches Ziel verfolgst du? Du bist eigensinnig, sehr eigensinnig.«
Er sah mich verwundert an. Er versuchte gar nicht, meine Worte zu verstehen oder sich zu rechtfertigen.
»Ich will nicht«, sagte er einfach.
»Du willst, daß wir in der Finsternis bleiben. Du willst die Erlösung nicht. Du verjagst die jungen Freunde. Handreichungen zwar nimmst du von ihnen an, weil dir die Vergebung undenkbar ist. Die Gnade stirbt an deiner Furcht. Schon ein begehrlicher Kuß aber ist dir zuviel. Du verführst sie mit deiner liebenswürdigen Gestalt; aber dein Herz, dein Vertrauen, sogar dein Mitleid verweigerst du ihnen.«
Ich beschimpfte ihn. Doch mitten im Ausbruch blieb ich stecken. Ich sah die ganz unirdische Erschöpfung in seinem Gesicht.
»Ich will – ich wollte«, sagte er, »daß Egil lebt. Ich darf nicht noch einen Menschen verbrauchen. Es ist genug, daß du zerstört wirst, langsam. Ich habe einen Fehler gemacht, daß ich Egil zu meiner Beruhigung benutzte.«
Er konnte nicht mehr genau ausdrücken, was er meinte. Mir fiel die fast wortlose Unterhaltung vom Abend vorher ein, dieser ganz unfaßbare Antrag, mit dem er mich überschüttet, seine aus einem einzigen Schmerz entsprungene Zerknir-

schung, sein Wille, meine Trauer zu überwinden, daß nichts an Bekümmernis bliebe außer der seinen, sein besudeltes Gewissen, das er mit der willfährigsten Gestalt zu überdecken suchte, seine halb bewußtlose Liebe, die eher einer sickernden Wunde, einem häßlichen Schnitt ins Gesunde hinein glich, als dem Kelch einer Blume, der auf dem Grunde der Einsenkung seine Bestimmung trägt. Und daß er mich, entgegen aller Vernunft, mit dem Anschauen seines Ungemachs tröstete; daß eine einschläfernde wohltuende Ausstrahlung meine Haut traf, wenn er sie mit seinen Händen berührte; daß er ein Wunder vermochte, weil er sich, für keine Sinne wahrnehmbar, opferte. Ein Mensch, der sich nicht kennt, der für sich selber dunkel bleibt, aber nach außen mit unsichtbaren Flammen strahlt.
Ich sagte schnell:
»Geh zu Egil und hilf ihm.«
Er schien mich verstanden zu haben. Er antwortete:
»Ja. Aber ich bin sehr müde.«
Er zog sogleich die Konsequenz aus der Feststellung. Er raffte eine Decke vom Boden auf, begab sich ins Kontor, legte sich aufs Sofa und schlief augenblicks ein.
Egil schwamm im Nebelsee der Betäubung, und Tutein ruhte aus, ehe er einen neuen Kampf begann, ehe er sich den ungewissesten Stunden anvertraute, die voller undeutlicher Gefahren waren – in denen er zu allem bereit sein mußte.
Ich blieb allein im Saal. Ich legte Holz ins Feuer. ›Monat Februar –‹, dachte ich. Es war die Stunde, in der ich ihn mehr bewunderte als jemals vorher.
Um die Mittagszeit erhob er sich. Festen Schrittes ging er zu Egil ins Schlafzimmer.
Ich habe niemals erfahren, was sie miteinander sprachen, welche äußerste Verschwendung seines Wesens Tutein trieb. Erst spät am Abend trat er in den Saal, lächelnd, aber erloschenen Blickes. Die Müdigkeit, die ich schon am Morgen an ihm bemerkt hatte, schien jetzt in jeder einzelnen Zelle seines Körpers zu nisten. Er hatte sich nicht geschont. Er war in seiner Hingabe, im Wiedergutmachen, in der Widernatur sehr viel weiter gegangen, als ein Vorsatz oder eine ethische Bereitschaft ihn hätten treiben können. Er machte den Selbstmord ungeschehen, weil er nicht eine Ungestilltheit Egils so beließ,

wie sie vor dem Hervorsuchen des scheußlichen Strickes gewesen war. Als ob er Egils Liebe einfach erschöpft hätte, zum Ausrinnen gebracht, sie ihres Sinnes beraubt, weil er sie einmal und schrankenlos erfüllte.
Trotz der fortgeschrittenen Stunde, es war elf Uhr, telephonierte er an Faltin und bat ihn, sogleich zu kommen.
Nun war auch Egil angekleidet in den Saal getreten. Ein wenig taumelnd, bewegte er sich auf mich zu. Das Licht der Lampe schien ihn zu blenden. Er streckte mir eine Hand entgegen.
»Ich war sehr unbedacht«, sagte er, »nicht wahr, wir wollen den Schrecken vergessen.«
Er legte seinen Kopf an den meinen, wie ein Kind tut.
»Ich ziehe noch heute nacht zu Faltin«, sagte er. Er war nicht bekümmert. »Faltin ist ein hervorragender Mann.«
Faltin traf ein. Doktor Boström, der Verschwiegene, hatte ihm schon erzählt, was in unserem Hause vorgegangen war. So bedurfte es nicht vieler Erklärungen, ehe man sich geeinigt hatte. Faltin sollte Egil mit sich nehmen. Nicht für diese Nacht nur; kein vorübergehender Unterschlupf. Er sollte in das Haus eines Freundes wie in ein Vaterhaus einziehen. Nicht als verlorener Sohn, sondern wie ein eben erwachsener, der seine Schute zimmert, um damit ins Leben, in die Zukunft hinauszustaken.
»Egil soll nicht verlorengehen«, sagte Faltin fast feierlich, »die Stunde ist da, wo ich mich nützlich erweisen kann. Es verändert sich alles in dieser Welt; wir fassen er nur so schwer. Heute ist Egil als Knecht entlassen worden; morgen ist er mein Sohn, mein viertes Kind, das älteste und das beste.« –
Ich dachte an Gemma und die Frucht in ihr, die bald ein Mensch sein würde. Ich schwieg.
Sie gingen davon, ehe ich es erwartet hatte, fast ohne Abschied. Es war kurz nach Mitternacht.
»Es ist, als ob ein Toter hinausgetragen worden wäre«, sagte Tutein.
Ich spürte die Leere, die zurückgeblieben war.
»Warum eigentlich –?« begann ich zu fragen.
»Er durfte nicht Knecht bei mir bleiben. Er ist zu schade dafür«, sagte Tutein.

»Du hättest ihm den Pferdehandel überlassen können«, sagte ich.
»Es darf geschehen, was geschehen will; aber wir müssen fort. Fort von hier. Fort von allen Menschen.« –
Seine Gedanken schienen sich zu verwirren.
»Wir sind noch nicht am Ende des Unglücks«, sagte er.
Er bat mich, schlafen gehen zu dürfen.
»Morgen bin ich wieder bereit«, sagte er.
Seine Augen standen wie in tiefen Höhlen. Ich entsann mich nicht, sein Gesicht jemals so ausdruckslos, gelangweilt und voller Schatten gesehen zu haben. Es war die alte Verzweiflung. Aber er war jetzt hinfälliger. Seine Muskeln konnten sich in einen tieferen Schlaf fügen.

*

Es ist noch immer regnerisch und kalt. Ich denke zurück. So war es auch damals in den Tagen nach dem St.-Hans-Abend. Es ist nicht erbaulich. Das Schicksal ist im Wetter; das Wetter ist ein Teil des Schicksals. Für die Pflanzen, für die Tiere der Freiheit, auch für den Menschen. Für mich. – – –
Es fror. Der Februar ging seinem Ende entgegen. Tutein war für mich bereit. Aber die größere Leere um uns entfesselte erst meine Trauer um das Verlorene. Und sie wollte nicht milder werden. Die Tage, die dahingingen, waren wie Wächter, die sich ablösten. Sie bewachten uns in unserem Gefängnis. Wir hörten nichts mehr von unseren Freunden. Wir gedachten ihrer, und es brannte. Tutein trug noch immer den Verlobungsring Gemmas an seinem Finger (er hat ihn niemals abgelegt), und ich nahm Anstoß daran, doch sprach ich es nicht aus. Er umschlich mich, ohne weiter zudringlich zu sein, als daß er des Abends neben meinem Bette saß und meinen willenlosen zerlösten Körper streichelte. Seine Hände waren so voll jener heilenden Beschwichtigung, daß sich der hartnäckige, schimpfliche Schmerz in mir verkroch. (Wie ein sehr unbegabter Schmerz, der sich nie erweitern kann, verkroch er sich.) Tutein war fähig, das Wunder, sein erstes Wunder zu wiederholen. Das Wunder, daß ich vergehe, daß ich nur noch er bin, daß ich ganz und gar von ihm abhängig bin. Daß ich nur will, was er will.

Daß ich nur ein Verlangen habe, ihn zu verlangen. – Ich wurde süchtig nach seinen Berührungen wie Doktor Boström nach dem Morphin. Das ist meine Krankheit. Es war unsere einsame Verzweiflung. Wir sahen keinen Menschen, wir sahen nur uns. Gewiß dachte ich an Gemma. Aber ich sah nur Tutein. Ich dachte ehemals an Ellena. Aber ich sah nur Tutein. Ich hatte ihn damals. Ich besaß ihn. Es geschah etwas. Es geschah sehr viel. Ich will versuchen – ich habe es oft versucht – es wieder vor meine Seele zu stellen. Ich habe es immer und immer wieder vor meine Seele gestellt. – Es war gleich nach dem Mittagessen. Ich war in einer unleidlichen Erregung. Die offene Wunde, an der meine Liebe verblutete, die ohnmächtigen Bilder meines verquollenen Hirns, die bittersüße Vergangenheit und die törichten Irrbilder, weil ich mir die Reihe zukünftiger Tage in der Leere dieser grauenvollen Trennung nicht vorstellen konnte – die mir zugefügten Beleidigungen und die Scham über das ekelerregende Schauspiel, das ich gegeben, im Liebesspiel, nackt, von der Geliebten durch Dritte getrennt zu werden, geohrfeigt zu werden, dieser Schlamm eines Tages, dies niederschmetternde Begebnis, wir waren beide nackt, und sie ohrfeigte mich –, jagten mir elende Tränen in die Augen. (Es war der immer gleiche dumme Schmerz, der aus seiner Höhle hervorkam.) Ich bin nicht stolz; aber es gibt auch für den Unedlen Grenzen des Hinnehmens. Man hat sehen können, daß sie mir in den Bauch trat. Und sie alle wissen, daß ich ein so jämmerlicher Kerl bin, daß ich sie immer noch liebe. Ich habe mich nicht gewehrt. Ich habe mich in die Tür gestellt. Sie alle konnten mich betrachten, wie ich dastand. Sie hatten ihre Meinung. Sie waren so rücksichtsvoll, daß sie ihre Meinung für sich behielten. – Der Schmerz hatte seinen typischen Verlauf, doch er verwirrte mich jetzt, nahm mir den Verstand; eine Wut wurde, eine Krankheit, daß ich mich auf den Fußboden warf, mit den Fäusten trommelte, mir die Lippen blutig biß. Das war nun der Anfall, und Tutein war darauf vorbereitet. Er dachte nach. Sicherlich dachte er etwas sehr Bitteres. An meinen Zustand. Daß ich mich unappetitlich aufführte. Was sollte er dabei tun? Er hatte die Ohrfeigen so wenig vergessen wie ich selbst – und daß meine Nacktheit damals sehr abstoßend war, das Gegenteil der sinnlichen Schönheit. Er sah

damals, wie schäbig ich bin. – Er stand am Fenster und schaute hinaus. Inmitten meiner Raserei oder an ihrem Ende, als die Erschöpfung schon stärker war als die Kräfte des Kummers, spürte ich einen neuen Vorwurf gegen ihn: daß er mich jetzt versäumte, liegen ließ, wie ich lag, weil es Mittag war, mich nicht aufhob, entkleidete, ins Bett legte und mit seinen wunderbaren Händen streichelte wie an den Abenden, damit ich einschliefe. – Ein neuer unedler Tränenstrom bewässerte mein Antlitz. Er versiegte bald; mein Bewußtsein kehrte zu den Holzpuppen der unzulänglichen Vernunft zurück; ich hörte Tuteins Stimme, die gegen die Glasscheiben gerichtet war:
»Wir sollten versuchen, so abscheulich zu sein, wie wir sind. Anias, wir sollten eine Ausschweifung versuchen, eine Besudelung, daß uns niemand mehr erreicht. Daß wir vor niemand mehr bestehen, nur noch voreinander. Voreinander müssen wir weiterbestehen. Es wird nicht lange mehr mit uns in den alten Bahnen gehen – wenn wir uns nicht besinnen, daß wir einen Bund miteinander haben, der es ausschließt, daß wir voreinander fliehen. Du warst dabei, dich zu entfernen. Vielleicht auch ich. Du hättest sicherlich mancherlei Glück gefunden. Aber du hättest mich um der guten Stunden willen verstoßen.«
Er sprach immer nur gegen die Fensterscheibe. Vielleicht wußte er gar nicht, daß ich am Boden lag. Er wollte es auch gar nicht wissen. Es war nicht der geeignete Augenblick, es zu wissen. Er mußte vergessen, wie abstoßend ich damals war, als ich nackt in der Tür stand, verprügelt, in den Bauch getreten, weil ich gesagt hatte, daß Gemma –. Nun sagte er etwas von Ausschweifung. Das ist nun etwas, was er sich vorstellt, vormacht. Daran hält er sich fest. Das ist ein Wort, fast so besudelt wie Verbrecher oder Mörder. Aber weniger einfältig. Betrügen und Stehlen vermehren den Reichtum. Mord kommt in gesitteten und wohlgegründeten Familien nicht vor. Ausschweifung häuft nichts an. Ausschweifung ist eine Form der Vergeudung. Ausschweifung, das ist etwas, was man ohne Handschuhe an den Fingern tut.
»Was verstehst du unter Ausschweifung?« fragte ich, am Boden liegend.
Er drehte sich nicht zu mir um.
»Das ist das Unerreichbare, das fast Unerreichbare, wonach

wir uns sehnen. Ein Mensch verliert sich vollkommen. Gibt sich auf, löscht sich aus und hat gleichzeitig einen anderen, der sich verliert, sich aufgibt, sich auslöscht, ganz in seiner Gewalt. Er verfügt über ihn. Es gibt keinerlei Stimmen mehr in der Welt, die ihn hindern, irgend etwas zu tun. Es kommt nicht auf die Zuneigung oder die Liebe an, nicht auf die Schönheit, nicht auf das Bekömmliche. Es gibt gar keine Rücksichten mehr, keinerlei Schonung. Es ist das durchaus Ungesunde, das Verwerfliche. Die ehrbaren Menschen verfallen ihr nie oder geben vor, ihr nie zu verfallen. Es ist die vollkommene Nacktheit des Menschen vor den Möglichkeiten der Schöpfung. Die Natur kann plötzlich alles in ihm tun, alles in ihm denken, sie kann ihn durch sich selbst und in der Lust vernichten, weil die Schranken der Selbsterhaltung niedergebrochen werden. Wie ein Spinnenmännchen spielt er mit seinem Leben. Weil er aller Pflichten ledig sein will. Weil er das durchaus Unvernünftige und das Instinktlose will. Weil er will, was die Vernichtung will, von jeher wollte, immer wollen wird. – Es ist eine Sehnsucht für uns. Sie kann uns in das uns bestimmte Dasein zurückführen.«

»Die Ausschweifung kann uns in das uns bestimmte Dasein zurückführen«, wiederholte ich.

»Ja«, sagte er, »wenn wir sie erreichen. Das ist natürlich sehr ungewiß. Man soll sich nicht täuschen, die Umstände sind ungünstig. Es war schon vorbereiteter Verrat in dir. Aber wir hatten uns, ehe du deine Leiden in eine Frau ausgossest, zu etwas anderem entschlossen. Zu einer Treue, zu einer Freundschaft, zu einer entsetzlichen Einigkeit. Ich ermesse nicht, welcher Schaden dir zugefügt worden ist; doch ich erkenne, daß es mit mir aus sein wird, wenn deine Gedanken nicht umkehren. Ich habe alle Kraft daran gewendet, dich zu trösten; aber es ist vom ersten Augenblick an ein Stillstand im Trost gewesen. Meine Hände, mein unsichtbarer Wille haben dir das gegeben, was sie an ehrbarer Hilfe zu geben vermochten. Jetzt sind sie an ein Gitterwerk gekommen. Sie greifen hindurch. Sie erreichen dich nicht mehr, wenn du dich ihnen nicht stellst. Einen Stein kann man nicht erwecken. Und du bist ein Stein. Du liegst unter der Anstrengung des Trostes wie eine Leiche. Ich kenne das. Es war einmal so, und es wiederholt sich. Ich

weiß keinen anderen Vorschlag, als daß sich etwas ändern muß. Egil belebte sich. Du bleibst starr. Es gibt keine Besserung, wenn wir uns nicht wieder auf das besinnen, was wir seit langem gewußt haben: daß wir einerlei Fleisch sind, einerlei schuldig. Es ist jetzt vielerlei Zwietracht zwischen dir und mir; es fehlt nicht viel, daß du an die Gegensätze glaubst, die du durch unterschiedliches Verhalten erwiesen siehst. Ich indessen mißtraue der aufgezäumten Seele. Ich fürchte nicht deinen Groll, nicht einmal deinen Verfall. Ich fürchte nur deine Bewußtlosigkeit, deinen Hang, dich nicht zu entscheiden, dein Gedemütigtsein, dein Gefühl der Minderwertigkeit.« – Er sprach noch immer gegen die Fensterscheiben. Es kamen schreckliche Worte:
»Du bist nicht mehr viel wert. Ich sehe, daß du kaputt bist. Worauf ich gehofft habe, deine Musik – du bist erschöpft. Auch Gemma hat dir nicht geholfen. Worauf ich gehofft hatte. Es ist doch wirklich sehr erstaunlich, daß die Liebe für den Mann so unnütz ist! Man kann denken, man kann sagen, ich habe dich kaputt gemacht. Wenn es so ist, dann haben wir nichts mehr zu hoffen. Man kann unser Leben nicht rückgängig machen. Man kann nur das Vorwärtstempo beschleunigen. Das kann man. Das will ich. Wenn ich auch weder Weg noch Ziel kenne. Ich will die Einigkeit, die wir einmal begonnen haben, vollenden. Und wäre es das übelste Stück Menschenleben. Du mußt meinen Vorschlag annehmen. Daß du dich mir nicht nur anvertraust – daß du dich mir hingibst. Ich weiß nicht zu was. Zu dem, was ich nicht weiß. Das vollkommen Unbekannte. Das erst erfunden werden muß.«
Ich sagte ruhig: »Ich habe mich dir nie und mit nichts verweigert.«
Er sagte: »Du hast meine Worte noch immer nicht richtig ausgelegt. Ich meine eine andere Treue als du. Ich meine die Treue der wahrhaft Verworfenen, die unablässige Verschwörung gegen den Lebenssinn der anderen. Ich stelle mir vor: eine Mutter, eine echte Menschenmutter verzeiht ihrem Kinde jedes Tun, weil sie sich selbst verzeiht. Das ist ein Trieb des Menschen. Wir können nicht anders, als Entschuldigungen für unser Handeln zu erfinden. Unsere Haut ist unsere Wohnung. Ich weiß wohl, es kann zwischen dir und mir keine Verbindung

sein, die die Natur nicht geschaffen hat. Das muß man nach langen Jahren der Träume und Wünsche der eigenen Seele eingestehen. Du bist nicht meine Mutter, weil du es nicht bist. Aber du hast mir verziehen, wie nur eine Mutter es könnte. Ich weiß, du hast zehntausend Mütter beschämt, die am Vorurteil der Welt gestrauchelt sein würden. Du kannst nicht von mir schwanger werden, so wenig wie ich ein Kind tragen könnte. Die Natur sagt nein. Sie hat von allem Anfang an nein gesagt. Derlei Dinge werden in uns angeordnet, vollzogen, eingerichtet. Die Schwangerschaft handelt in den Müttern. Sie werden nicht schwanger. Es wird in ihnen schwanger. Auch in uns ist ES und wird zu vielem. Wir haben versucht, einerlei Körper, einerlei Fleisch zu werden. Die Natur hat es uns verwehrt. Die wenigen Tropfen Blut, die wir getauscht haben, es ist in der Verdauung unseres Körpers vergessen und unwirksam gemacht worden. Es ist mehr Tierblut über unsere Lippen gekommen als gegenseitig Speichel aus unserem Munde. Wir sind mit der Geißel unserer Bestimmung umhergejagt worden. Wir haben schon alle Ewigkeiten verwirkt; aber wir haben den irdischen Lohn davon nicht bekommen. Wir haben zusammengehalten wie nur selten zwei Menschen; wir haben vielerlei Art Anarchie betrieben; aber wir haben uns niemals unserer Verbrechen gefreut. Wir haben unser Tun getragen wie eine Last, die man nicht abschütteln kann. Wir sind nicht mutig genug gewesen, auch jenem obersten Ordner zu trotzen, wir haben immer nur die Menschen getäuscht, die sowieso halb blind, halb taub und halb verrückt sind. Uns hat die Freude gefehlt und der innere Friede, die Zuversicht am anderen. Unsere Geheimnisse vor der Welt sind nach und nach so wenige geworden, daß wir längst das normale Maß des Betruges nicht mehr erreichen. Ich muß immer das gleiche gestehen: ich bin unfähig gewesen, meinen Mord an Ellena zu verwinden oder gar zu vergessen. Es ist ein Graben, über den ich nicht springen kann. Dennoch spüre ich, daß meine Selbstbezichtigungen matt geworden sind. Ich entschuldige mich nicht, ich verkläre mich nicht; aber die Zeit drängt mich von der Schuld ab. Der Schauplatz der Schuld verblaßt. Ich habe nur noch Furcht vor einem ungerechten Urteil. Ich würde es nicht fassen können, wenn ich noch jetzt einer Anklage fremder Menschen erliegen müßte. Sie, die Tiere schlachten, aber nichts vom Mörder wissen, sagen, die Tat sei erst nach zwanzig oder fünfundzwanzig Jahren zu kassieren. Es ist jetzt mehr als ein Jahrzehnt dahin. Ich muß zwanzig oder fünfundzwanzig Jahre warten, ehe ich eine unanfechtbare bürgerliche Freiheit gewinne. Bis dahin wird deine Freundschaft zu mir nicht dauern. Du wirst ausbrechen. Die Treue geht in Trümmer, weil die Natur nein gesagt hat. Ich will die Natur nicht anerkennen, denn ich würde an den Galgen kommen. Meine Auflehnung muß sich gegen Gott wenden, denn alle Trennung und alles Straucheln müssen wohl in ihm begründet sein. Er denkt oder Es denkt und handelt in uns. – Vielleicht auch, daß wir eines Tages ein sehr verschwiegenes, ein schöneres Gesetz entdecken. Im Geheimen hoffe ich darauf. Aber ich weiß, es wird nicht zu uns kommen. Wir müssen uns dahin aufmachen. Wir müssen die Brücken abbrechen, die uns in die Allgemeinheit zurückführen könnten. Die Freunde waren unsere Versucher. Egil war mein Versucher. Gemma war deine Versucherin. Wir dürfen nicht zurück. Denn wir hätten unsere Jugend an einen Irrtum verloren. – Ich will dich nicht beschwören; aber ich ahne, das Schicksal würde dich im Ehebett aufstöbern, dich bei der Hand nehmen und dir zeigen, wie ich unter den Händen eines Henkers vergehe. Oder mich selbst zwischen zwei Mühlsteine stürze. Zerfleischt das Fleisch, das einerlei Fleisch mit dir sein wollte. Und du würdest eine Strafe erleiden, die der meinen gleicht – des eigentlichen Lebens beraubt – unbeschreiblich allein zu sein. Ich will nicht drohen. Mit welchem Rechte auch dürfte ich es? Nein, nein, nicht den Schrecken, ein unordentliches Gewirr von Bildern als Mittel wählen, um dich aufzurütteln. Mir ist nur die Gewißheit geworden, daß ich immer noch mehr von dir begehre als du von mir. Ich will die Fortsetzung unserer Gemeinschaft. Ich will die bedingungslose Einigkeit mit dir, die, nach der Aussage der Frommen, die Seele nur mit Gott haben kann. Aber ich will sie mit dir. Ich berste vor Verlangen nach dieser Einigkeit. Ich will sogar jetzt sterben, und ohne Furcht, wenn es mir dazu hülfe, die Trennung, die zwischen uns ist, aufzuheben. Ich bin so besessen, daß ich mir wünschen könnte, du möchtest so schwere Brandwunden davontragen, daß die Ärzte mir meine

Haut von den Muskeln schälten, um sie der deinen aufzupflanzen.« –
Er hatte sehr leise gesprochen. Ich war ruhig aufgestanden und umarmte ihn von hinten. Er fuhr fort, ohne sich zu bewegen, gegen die Scheiben zu sprechen.
»Dergleichen will mein eigentlicher geheimnisvoller Traum nicht. Es sind das die bürgerlichen Auswege. Falsche Vorstellung aus Verzweiflung. Verfehlte Wunschbilder des Augenblicks. Ich will nicht den Umweg über Unglück, Schmerzen und Entstellung. Ich will den geraden Weg zu unserer Blutsverwandtschaft. Ich will die echte, die tausendfache, die in den Himmeln vorgeschmeckte Wollust. Ich will dich nicht zwingen, denn dazu bin ich nicht gewalttätig genug. Ich will dich verführen, wie jeder echte Liebende den anderen verführt. Du sollst nicht in das Unwiderrufliche hineingestoßen werden; du sollst zuvor alle Bedenken gemeistert haben; und ich will nichts, wenn du nicht mit Eiden versicherst, daß du es willst. Daß du das Bodenlose willst. Daß du zu mir hinabsteigen willst, Stufe für Stufe, bis wir irgendwo in den Grotten der Schuld und Abwege ineinander hineinverwachsen. Ich weiß nicht, wie ekelhaft ich bin; aber ich ahne, ich muß mich zu mir selbst bekennen und erkennen, die Zeit ist vorüber, wo ich unschuldig war, ein getriebenes Tier, das seinen Weg nicht kennt. Ich habe deine erste Geliebte getötet. Ich wollte es nicht. Ich wollte dir ein Anwalt sein. Ich hatte keine Vorstellung von meinen Möglichkeiten. Ich zerschellte mit meinem Vorsatz, weil ich noch im kindlichen Alter war. Ich vermeinte, Gut und Böse seien handhabbare Gewichte, um damit die Taten der Welt zu wiegen. Ich habe mitgeholfen, Gemma zu entlarven, sie fragwürdig zu machen, zu vertreiben. Ich wollte noch immer ein Anwalt sein und hatte eine Vorstellung von meinen Methoden und ihren Wirkungen. Aber schon ist mein Tun wie ein Stein, der ins Wasser geworfen wurde. Er zeichnet Wellenkreise auf der Oberfläche. Sie breiten sich aus. Man gedenkt nicht mehr des Steines. Es kann auch ein Fisch gewesen sein, eine Sumpfgasblase. – Es geht darum, ob ich auch diesmal wieder verspielt habe, ob mein Versuch vergeblich war, ob ich dich unheilbar verwundet habe – oder ob ich dich überzeugen kann, es ist notwendig, daß wir einander die Freundschaft

bewahren – daß es für uns beide zu spät ist, das kleine Glück zu suchen, daß wir der Vernichtung verfallen sind, oder ausersehen für die Ausnahme – für eine neue Variante der Natur, Bastarde zu sein – aus aller Verwandtschaft Ausgestoßene, die keine Verpflichtungen haben, außer, einander zu folgen als echte Verbündete, als echte Brüder.« –
Er konnte nicht weitersprechen. Er weinte lautlos.
»Ich will, was du willst«, sagte ich gegen seinen Rücken.
»Ich habe mich nicht verstellt«, antwortete er, »ich will etwas – etwas Gemeines, etwas Verwerfliches, ich will das Experiment der Ausschweifung. Ich will so nahe zu dir wie ein Chirurg, der dir den Magen öffnet, das Kniegelenk auseinandertrennt – dem du eine Maschine bist, deren Räderwerk man durchstochert. Aber ich will nicht aufhören dich zu lieben, auch wenn ich in Morast hineintappe. – – Ich kenne dich nämlich nicht. Ich habe dich bis jetzt gezähmt gesehen. In der Bezähmung bist du allmählich ein elender, ein unbegabter, ein reizloser Mensch geworden.«
Ich sagte und spürte mich ganz als den Ekelhaften, von dem er sprach: »So wollen wir uns nochmals prüfen und aneinander messen.«
»Nein«, sagte er, »dafür ist es zu spät. Jetzt soll der Bessere von uns beiden so werden wie der Schlechtere ist. Und er soll nicht zaudern, wenn er auch von einem Menschen zur Bestie würde. Heute brechen wir miteinander. Oder wir vereinigen uns. Wir sind wahrhaftig nicht mehr hoheitsvoll. Wir sind grausige Wesen. Sollten wir einander auch heute noch ertragen, wollen wir einander wie Besessene lieben, unser Herz mit sengenden Strahlen ritzen. Und an die Wirklichkeit unseres Daseins glauben – an die Abweichung, an dies einzigartige Geschick. Bis meine Zeit um ist, bis zwanzig oder fünfundzwanzig Jahre vergangen sind. Das entscheiden die Juristen. Dann können wir abermals von Beschlüssen und Veränderungen sprechen wie heute. Die erste Hälfte des Weges ist zurückgelegt. Wir brauchen neue Schwüre.« –
Er hatte sich mir zugewandt. Sein Gesicht war bleich. Unendlich ruhig und ebenmäßig. Es ist kläglich, es zu gestehen, ich war davon anfangs nur betroffen. Später allerdings – – – Jede Erregung war von ihm gewichen, auch die äußerlichen Zei-

chen der Jahre waren abgefallen, die ersten Falten in seiner Haut, die Schatten, die mit den Blicken kommen, die wir nach innen richten. Nein, sein Antlitz hatte keine Ähnlichkeit mit seiner Rede. Der Strom seiner Gedanken schien es nicht berührt zu haben. Er stand in wunderbarer Klarheit da und wartete auf mein Wort. Ich legte meine zitternden Hände auf seine Schultern. Ich sagte endlich:

»Ich weiß nicht, wohin dein Wille uns führen wird. Aber ich finde, es liegt nichts an mir; wahrscheinlich bin ich der Schlechtere. Wenn du meine Fähigkeiten überschätzest, wirst du den mageren Ertrag als Ernte bekommen. Vielleicht bin ich so zahm, daß es schwerfallen wird, mich zu verwildern. Das mußt du alles bedacht haben. Mein Wort bekommst du.«

Er lachte. Er sagte: »Ich dachte nicht, daß es so leicht sein würde.«

Er preßte mich mit einem harten Griff an sich. Meine Handgelenke schmerzten in der Umspannung seiner Finger. Er bedeckte mein Gesicht mit dem seinen. Er beugte mir den Kopf zurück und setzte mir seinen weit geöffneten Mund an die Kehle. Ich fühlte die beiden Reihen seiner Zähne an meinem Hals; aber aus den Zähnen wurden Lippen. Und die feuchten Lippen wichen den warmen Perlen, die aus seinen Augen hervorstürzten. Fast stieß er mich von sich. – –

Dann begannen Tage des Schweigens, wie es sie noch niemals zwischen uns gegeben hatte. Unablässiges Schweigen. Schweigen. Keinerlei Worte. Tutein dachte, grübelte, beging das Verbrechen, seine Gedanken nirgendwo anzuhalten. Er wich nicht von meiner Seite. Aber er sprach kein Wort. Und merkwürdig, auch mein Mund war verschlossen. Wir verbrachten die Zeit wie Stumme. Am Abend pflügten wir die Straßen mit unseren Füßen. Wir krochen in unsere Betten wie Menschen, die miteinander grollen. Ich entsinne mich, ich lag wachend; mit weit geöffneten Augen schaute ich das Dunkle an; und die Bilder, die mein Hirn wahllos ausschüttete, bemalte Fratzen, Grashalme, flammende Kaninchen, gebärendes Nordlicht, graues Laub, das auf Papier getuscht ist, gespaltenes Knochenmark, das Sperlinge aufpicken, Menschenbauch, der sich in eine riesige Elefantenleber verwandelt, tanzende Sterne, die keine Gravitation hält, Regentropfen, die Tiefseefische be-

fruchten, leserliche Buchstaben, die zu unleserlichen Worten zusammentreten. Eine Welt, die durch keinen Gedanken und keine Assoziation zusammengehalten wird. Nur Bilder. Mein Herz pochte mit gewaltigen Schlägen. Meine Brust war eng.
An einem Nachmittage, wie wenn die bedrückenden Tage nicht gewesen wären, begann Tutein wieder zu sprechen. Er nahm mich unter den Arm und fragte:
»Wenn ich dir ein Gift reichte und dich bäte, es zu schlucken, würdest du es nehmen?«
»Vielleicht – wahrscheinlich würde ich es schlucken«, sagte ich zögernd, »wenn es für dich von ungewöhnlichem Nutzen wäre.« –
»Ich habe welches«, sagte er langsam, »und ich möchte, daß du es nimmst.«
Vielleicht empfand ich nichts Besonderes, als er es aussprach. Jedenfalls dachte ich nicht, ich würde binnen weniger Stunden gestorben sein. Ich war indessen entschlossen, das Gift zu nehmen. Meine Empfindungen waren abgeschwächt, meine Vernunft war gelähmt, meine Lebenskräfte schliefen. Ich dachte an keine Zukunft. Ich glaubte keine zu haben. Der Augenblick war ausdruckslos, voll geistiger Unordnung. Es gibt diese fahlen Minuten, die trüben Nebellandschaften gleichen. Wir geben uns darin widerstandslos einer irrigen Beurteilung der Tatsachen hin.
Tutein zerbrach den Hals einer kleinen Ampulle aus braunem Glas, schüttete den Inhalt in einen Becher, nahm eine zweite Ampulle, wie mir schien, von anderer Größe und Farbe, zerbrach ihren Glashals, schüttete hinzu, tat Wasser darüber und forderte mich auf zu trinken. Ich nahm den Becher, setzte ihn an die Lippen und trank langsam, versuchte die Lösung zu schmecken. Ihr Geschmack war fade und bitter zugleich. Tutein sah mir aufmerksam, mit einer Art Wohlgefallen zu.
Mir schien, ich brauchte ziemlich lange, um die Flüssigkeit zu schlucken. Als ich das Gefäß von mir gestellt hatte, sagte Tutein:
»Es ist ein Gift; doch weder so stark, daß es tötet, noch von einer Wirkung, die dir Unbehagen macht. Vielleicht betäubt es, nimmt dir ein paar Empfindungen und zerbröckelt die Bollwerke deiner Hemmungen.«

Ich schaute ihn verzagt an. Ich spürte, mein Vertrauen zu ihm und zu mir selbst war erschüttert. Gewiß nicht hatte ich mich auf den Tod vorbereitet; aber mein dumpfes Herz hatte sich zu einem Opfer angeschickt. Ich fühlte mich betrogen.

»Du hast deine Freundschaft zu Doktor Boström«, sagte ich.

»Jetzt ist doch alles im Einklang«, rief er in mein bekümmertes Gesicht, »wer sein Leben nicht vorenthält, der gibt Leib und Seele. Dein Leichnam hätte sich meiner nicht erwehren können; aber nun wird alle Berührung und Durchdringung im Leben sein.«

»Ich verstehe wirklich nicht –« sagte ich kleinlaut.

»Wer könnte auch den Teufel verstehen? – Du bist ein prächtiger Mensch. Ich bin nur ein Versucher«, sagte er.

»Du mußt mir erklären«, sagte ich und war schon ganz versöhnt.

»Anias«, sagte er, »das Schwerste ist der Anfang.«

»Welcher Anfang?« fragte ich.

»Der Anfang der Ausschweifung«, sagte er.

Ich schaute von ihm weg, setzte mich auf einen Stuhl. Tutein war sogleich neben mir und stützte mich an der Schulter. Seine Hände strichen mir über das Haar, sie nisteten sich in die Höhlungen meines Antlitzes. Im gleichen Augenblick befiel mich ein verführerischer Schwindel, die Sucht, ins Bett getragen zu werden. Das Verlangen war so heftig, daß ich zu weinen begann. Ich fühlte eine Veränderung in den Wahrnehmungen meiner Sinne. Mein Kopf schwebte gleichsam über mir. Ein leiser, unablässiger Ton war in meinem Ohr, ein milchiges Zusammenfließen meiner Vorstellungen, Wünsche und Gedanken. Ein kaum erregtes, unausdrückbares Glück. Ich sprang vom Stuhl auf (ich vermochte es), eilte durch die Tür und warf mich aufs Bett. Eine unausschöpfliche Tröstung, wie es sie in den Spielen der Kinder gibt, zog in mir ein. Tutein war bei mir wie ein Schatten. Er schaute mich an. Ich schloß die Augen; ich spürte, wie sich ein warmer Flaum auf meine Haut senkte. Ein unbegreifliches Glimmen, das wie Scham meinen Körper mit einem Anflug von Röte färben mußte. Dann schien mir, eine vollkommene Finsternis verdrängte alle Vorstellungen aus meinem Hirn. Eine zwiespältige Wißbegier, aus Furcht und Lust gespeist, rüttelte mich wieder aus dem Wohlbehagen auf. Die

Wände, die Decke des Zimmers erschienen mir schwarz und weit abgerückt, schwarz alle Gegenstände, die mein Blick streifte. Jedenfalls gab es keine Farben. Nur das Gesicht Tuteins, auf das sich die wunderbare Klarheit eines Friedens niedergelassen hatte, schien mir die natürlichen Farben und die Gegensätze von Licht und Schatten bewahrt zu haben. Allerdings hatte es keine Augen, wie eine antike Bronzestatue, der die Emaille ausgefallen ist.
»Du solltest die Augen wieder schließen«, sagte er.
Ich tat es sogleich; aber ich gewahrte noch, wie er seine Hände aufhob. Sie schienen mir mit den Fingern wie Fledermäuse zu sein. Unheimlich wie eine kindliche Fiebererscheinung. Und kunstvoll wie das Geäder vergehenden Laubes oder das marmorne Maßwerk eines islamischen Fenstergitters. Ich wäre mir aufsässig vorgekommen, hätte ich noch einmal die Augen zu öffnen gewagt. Ich dachte oder irgend etwas in mir dachte an die flatternden Bewegungen dieser fliegenden kleinen Säugetiere. Es wurde an ausgesparte Gänge im Gemäuer alter Türme gedacht, in denen sie tagsüber und im Winterschlafe hausen. Es wurde gedacht: schwarz, schwarz, schwarzes Blut, das mein Herz pumpt, schwarze Erde, die mich zudeckt, schwarzes Wohlergehen, in das ich einsinke.
Als ich, wieder ungehorsam, die Augen aufriß, sah ich Tutein auf mich niederstürzen, ganz verwandelt. Er war etwas Weißes. Ich fühlte, wie das Weiße inmitten des Schwarzen sich mir hart anpreßte. Ein Stein, sein Kopf, rollte neben dem meinen aufs Kissen, seine Brust fiel als Last auf die meine. Wiederum hatte sie kein Gewicht, denn mir war, als ob wir fielen, und daß es mein Streben war, schneller zu fallen. Er aber hielt mich, daß wir beisammen blieben. Es kam der Augenblick, wo er seinem Vorsatz folgte. Seine Finger waren in meinem Munde. Er faßte nach meiner Zunge, zog sie heraus, gleichsam, um sich zu vergewissern, daß sie unter meinem Gaumen sei als ein Stück von mir, verwerflich oder liebenswert; etwas Unveräußerbares, Unaustilgbares, von dem er sich jetzt genaue Kenntnis aneignen mußte, um auch den feinsten Betrug auszuschließen. Er prüfte mich wie ein Händler ein Tier prüft, für das er einen hohen Preis bezahlen soll. Er blies mir Luft in die Nasenlöcher, um den Ton zu hören, den die Hohlräume anschlugen, damit er

wisse, es ist ein Weg in mich hinein; wenn auch die Finger zu grob, der Atem, den er in seinen Lungen gewärmt, tastete ins gestaltvolle Dunkle. Ich schmeckte, daß es sein Atem war, nicht der Rauch aus den Lungen jedermanns; es war noch ein verfeinertes Gefühl von ihm im Luftstrom. Er faßte mit seinen Händen nach den Gelenken an meinen Gliedern und in die Fasern meines Fleisches. Ich fühlte, daß ich nackt war, und daß ein wohlberechneter Schnitt, ich weiß nicht wo, mich zertrennte. Der Händler drang mit seinem Zugriff bis zu den Häuten der Muskelscheiden. Er umklammerte etwas Willenloses, fast Gefühlloses, mich, mit seinen Fäusten und Knieen. Nach seiner furchtbaren Betrachtung meines Wesens sagte er, ich hörte es, mit heiserer Stimme gegen meine Stirn:
»Das bist du.«
Damit war es gleichgültig geworden, ob ich ihm gefiel oder nicht. Danach war ein Geschmack, ich schluckte ihn. Ich war willenlos. Es war das Beste an mir, daß ich willenlos war.
Das Wunderbare jenes Zustandes: die Zeit zerschellte. Auch nicht das Bruchstück eines Ablaufs blieb in meinem Bewußtsein. Alles war gleichzeitig. Wachen und Schlaf gingen ineinander über. Schmerz und Lust folgten einander nicht, sie waren miteinander wie ein Stillstand. Und keine Vernunft gliederte Fühlen und Denken und ordnete sie nach den Begriffen, die uns von Kindesbeinen an gelehrt wurden. Die letzten Stunden dieses Tages und die der Nacht wurden aus dem Strom der Zeit herausgeschöpft und in das ewig Nichtseiende entleert; sie leuchteten wie ein dünner Strahl aus Quecksilber. – – –
Ich erwachte, lag in meinem Bett. Ich hatte ja die ganze Nacht in meinem Bette gelegen. Ich konnte die Felldecke zurückschlagen. Ich schlug sie zurück. Ich lag noch immer nackt da. In meinem Brustmuskel klaffte eine Wunde. Sie schmerzte nicht, sie klebte. Klebte und floß. An meinem Schenkel klebte und floß es auch. Ich war mit Blut besudelt. Mit salzigem, übelriechenden Blut. Mitten im Zimmer stand Tutein und wusch sich vom Kopf bis zu den Füßen. Das Wasser rann ihm in Tropfen und Rinnsalen über die Haut. In einem Becken, in dem er mit den Füßen stand, sammelte es sich. Die Flüssigkeit war dunkel und trübe. Braunrot wie die Abwässer einer Schlachterei. Kotbraunrot. Er trocknete sich mit einem Handtuch, rieb sich

die Muskeln. Ich entdeckte den Mund einer großen Wunde an ihm. Ich dachte: ich stinke nach seinem und meinem Blut. Er stinkt nach meinem und seinem Blut. Er experimentiert. Er will beweisen, daß er ein Mörder ist. Er ist rückfällig. – Er sah, daß ich erwacht war.
»Mach schnell, daß du aus dem Bette kommst«, sagte er, »ich werde dich abwaschen.«
Ich erhob mich, stellte mich bereit. Er begann, mich mit einem Schwamm zu bearbeiten.
»Es gibt auch ein Nachher«, sagte er.
Mich fror; er aber vertrieb diese Empfindung mit seinen schnellen Handgriffen. Meine Beobachtungen machte ich langsam. Ich sah, das Wasser hatte eine Schicht von meiner Haut gelöst. Sie war wieder wie die Haut des Menschen, der ich war. Nur die beiden Wunden bluteten. Ich sagte:
»Ist es denn möglich, daß es dir Freude macht –?«
»Was soll mir Freude machen?« fragte er langsam.
»Das – das Fleisch zu öffnen, um nachzuschauen, was dahinter – was darinnen – daß es blutet.« –
»Ich verstehe«, sagte er leise, »du hältst mich für einen schäbigen Mörder. Ich bin dabei, diese Unterstellung ein wenig genauer zu untersuchen. Ich kann dir schon jetzt sagen, es gelüstet mich nicht, ganz und gar nicht, zu wissen, was hinter der Haut ist, die ich durch Mord verändert oder mit Wut angefallen habe. Es gelüstet mich nur, zu erfahren, was in dir ist. Ich bin nur dein Mörder. Ein privater Deinmörder. Dein Vampir. Ich habe dein Blut getrunken. Du hast mein Blut getrunken. Natürlich schmeckt es nicht gut. Man muß dich chloroformieren, damit das Gräßliche und das Lustmörderische in dir und mit dir geschehen kann.«
»Ich will nur wissen, ob es deine Veranlagung ist«, sagte ich.
»Nein«, antwortete er, »es ist eine beträchtliche Überwindung. Es ist fast unerreichbar, das Gefühl. Das Gefühl, zu handeln und sich dabei aufzulösen. Sich aufzulösen und zu lieben. Zu lieben und geliebt zu werden. Entweder, wir lieben, oder wir werden geliebt. Aber wir beide wollen es, laut Übereinkunft, anders eingerichtet haben. Wir wollen beides. Wir wollen unter Ausschluß der normalen Phänomene leben. Lieben und geliebt werden. Doppelte Forderung. – FERN, IN EINEM DUNST

VON WOLLUST UND SCHMUTZ WERDEN HÄNDE AUF WEISSE GELEGT – sagt ein Dichter.« –
Die Wunden bluteten. Meine Wunden und seine große Mundwunde. Die Lippen seiner Wunde vergossen rote salzige Tränen. Wenn da eine Vereinigung gewesen war, eine frevelhafte, ich hieß es gut. Lungenkranke trinken das warme Blut geschlachteter Rinder, um zu genesen. Sie trinken Blut jahrein, jahraus. Warum sollten wir nicht etwas für unsere Gesundheit tun dürfen? – Mein Gehirn erschien mir so leicht, schwebend wie eine Rauchfahne.
Tutein muß mich aufgefangen haben. Ich lag in seinen Armen. Für nur den Bruchteil einer Sekunde mußte der Schwindel mich übermannt haben. Warum mußte ich auch an das Blut der Rinder denken, das Menschen mit blutenden Lungen trinken?
»Ins Bett lege ich dich nicht wieder«, sagte er freundlich, »mach ein paar Schritte! Dein Herz ist nicht gerade stark.«
»Was weißt du von meinem Herzmuskel?« gab ich zurück.
»Mancherlei«, sagte er ernst, »ich habe dich an soundso viel Orten aufgestöbert. Ein paar Kleinigkeiten an dir habe ich besser kennengelernt. Du weißt das nicht. Aber ich will dich nicht beschwindeln.«
Er legte mir seine rechte Hand flach auf den Bauch. Plötzlich fühlte ich einen grauenvollen Schmerz. Mein Atem stand stille. Er hatte mir die Finger in die Weichteile gestoßen und hielt sie umkrallt. So schlägt ein Raubtier seine Pranken ins Fleisch seines Opfers. Ich wollte schreien. Ich vermochte es nicht. Er lockerte sogleich seinen Zugriff.
»Du hast manches ausgestanden«, sagte er, »aber du hast es vergessen.«
Ich pfiff einen entsetzten Atem durch die Zähne. Ich zitterte. Ich schaute ihn an. Jetzt erst wurde mir bewußt, von den Händen des Mörders verlangt die Vorsehung eine berufliche Technik. Sie gibt die Veranlagung, die Raubtierpranke; das Geschick des Handelns muß erworben, erdacht, ausprobiert werden. Die plötzliche Schuld steht am Ende eines langen handwerklichen Könnens. Es gibt intellektuelle Mörder; sie üben sich in Gedanken. Es gibt Muskelmörder, sie üben mit den Händen. Sie sind schöne Katzen und Kater, diese letzten. Er spielt mit mir wie die Katze mit der Maus. Aber ich kenne

ihn. Plötzlich verwandelt er sich. Dann ist er wieder er selbst. Dann hat ihn die Ausschweifung verlassen. Er wird niemals wieder morden. Er spielt nur das tragische Spiel seiner Schuld. Er hat niemals Tiere gequält und zu Tode gemartert.
Er sagte: »Unter dem Adler an meinem Rücken habe ich auch eine Narbe. Die hat mir Georg beigebracht. Eine Wunde. Wir waren noch sehr jung. Das ist lange her.«
Sein Antlitz war sehr bleich. Eine Art Durchsichtigkeit ließ seinen Kopf kleiner erscheinen. Katzenhaft oder vogelhaft. Die Augen lagen tief und glanzlos. Es ereignet sich hin und wieder, daß man in einem lebenden Menschen schon den gestorbenen sieht. Ich nahm vorweg, was ich später erdulden sollte. Ich vergoß bittere Tränen. Er erriet nicht, weshalb ich weinte. Er fragte nach meinem Ungemach. Ich antwortete nicht. Wir kleideten uns hastig an. Als es geschehen war, wagte ich, ihn abermals voll anzublicken. Sein Antlitz war noch immer weiß, gleichsam, als sei die rote Farbe des Blutes in seinen Adern verbraucht worden. Das Licht, das vom Fenster schief auf ihn fiel, zeichnete ihm tiefe Schatten in die kalkige Farbe. Vielleicht streifte sein Blick in diesem Augenblick das Bild, das ein kleiner Spiegel von ihm zurückwarf. Jedenfalls begann er, sich die Wangen heftig zu reiben. Er schrie fast:
»Wir haben ein großes Frühstück nötig. Mich plagt ein ätzender Hunger. Würde es dir gefallen, wenn wir ein Glas Likör tränken? Einen runden weinduftenden Cordial-Medoc? Danach einen starken Kaffee. Eier auf Speck, in der Pfanne gebraten. Orangemarmelade. Kühle Butter, auf weiße Sternbrote gestrichen. Ich schlage vor, wir gehen ins Stadthotel. Wir schreiten über die großen roten Teppiche mit den eingewirkten grünen Blumen. Den Likör nehmen wir hier.«
Er öffnete den Kleiderschrank und holte hinter Anzügen und Mänteln eine Flasche hervor. Er maß sich ein halbes Wasserglas zu und fragte, ob ich einen gleich großen Apéritif für den Beginn des Tages wünschte. Er wartete meinen Entscheid nicht ab, sondern füllte auch das zweite Glas zur Hälfte. Er sog den Likör mit vollen Zügen ein, schmeckte vor, schluckte. Ich tat es ihm nach. Ich spürte sogleich eine dumpfe belebende Wärme. Ich zollte Tutein volle Anerkennung, daß er das rechte Mittel gewußt, um eine lästige Minute leichter zu machen. Ich

empfand aber zugleich einen brennenden Durst und trieb zur Eile, daß wir ins Stadthotel kämen.
Jener Tag ging dahin wie ein lange vorbereitetes Fest. (Solche Feste haben wir zuweilen gefeiert.) Ich bekam nicht ein einziges Wort von Tutein, das heftig oder zweideutig gewesen wäre. Hernach erschien es mir unfaßbar, daß sich nicht ein prächtiger Gedanke oder eine reine Erinnerung in meinem Hirn bildeten. Ich vergaß die unmittelbare Vergangenheit vollständig; es fiel, weder lüstern noch gleichgültig, ein Bild Gemmas in das warme Dunkel meines Wohlbehagens. Am gleichen Tage bildete sich ein Geheimnis. Ich habe niemals erfahren, ob er mich mit einer abwegigen verzehrenden Glut liebte – diesen, der kaputt war, liebte. Oder ob er sich überwand, diesen, der kaputt war, zu lieben. Ob er durch eine unübersehbare Handlung des Willens die geraden Wege seiner Triebe verlegte. Vielleicht hatte er jahrelang daran gearbeitet. Der Tod Ellenas hatte ihm unwiderruflich die unbekümmerte Lust am Weibe genommen. Seine sinnlichen Erlebnisse waren seitdem ein Spiel mit dem Feuer gewesen, ein verhüllter Selbstmord – und standen stets am Ende eines übermächtigen körperlichen Zwanges. Er leugnete nicht einmal, daß die Gewalten seines Fleisches mächtiger waren als die des meinen. Er suchte immer wieder mit seinen Händen nach Blut. Ich kenne die Gedanken, die er in jener Nacht dachte, nicht. Er verwandte mich nach Gutdünken, gab mir einen Posten, derweil er noch einmal eine Revolution machte.

*

Es scheint mir nicht genug, daß ich mich demütige und meinen Bericht bis an die Wahrheit des Wirklichen heranrücke. Hinter den Torheiten und Heftigkeiten unserer Seele, mögen sie schroff oder lächerlich oder ekelhaft sein, türmen sich die Schöpfungstatsachen, die potentielle Energie der zum Leben berufenen Materie. Es ist ja unmöglich, daß wir selbst unser Sein erfinden, seine Taten und die Schößlinge der Träume und Süchte. Unser Wille ist immer vom Gesetz umfangen und niemals außer ihm. Die Liebe, der wir zugeteilt werden, kennt keine Norm; sie ist immer der Abgrund in uns. Wer sich

scheut, zu lieben – wer sich weigert, einen zweiten zu lieben wie sich selbst, wenn die auserwählte Stunde da ist – und die Vernunft befragt, die andere besitzen – stirbt arm.
Ich spüre, daß mein Empfinden sich weit vom tausendjährigen Vorurteil der Vielen entfernt hat. Ich besitze den religiösen Trieb, die Kandare, die mir das Maul klemmt, wenn meine Gedanken aufsässig werden, nicht mehr. Der Anfang des Geistes war auch der Anfang des Betruges. – Jene vorgeschichtlichen Maler und Bildhauer, die die archäologische Wissenschaft mit dem Spaten im Boden und in den Höhlen von Oviedo, Gaume, Espèluenges, Gourdan, Combarelles, Altamira, Marsoulas, Niaux, Tuc d'Audoubert und wie die Orte der Erde sonst heißen mögen, aufgespürt hat – jene frühen Schaffenden, die die Wände der Grotten und glatte Klippen mit den Bildern von Tieren bevölkerten, Elfenbein, Knochen, Rengeweih, Bernstein, Schiefer, Kalkstein, Speckstein, Kiesel beritzten und in mühsamen Monaten zu Statuen formten, hätten ihr Leben nicht fristen können, sie wären an der Kunst, am heiligen Nachschaffen Hungers gestorben, wenn sie ihre Werke nicht für Zaubergeräte ausgegeben hätten. »Wer meinen Mammut bewundert«, wurde geschrieen und beteuert, »dem wird es gelingen, einen Mammut zu erlegen. – Wer das Fett des von mir geschaffenen Weibes anschaut, dessen Weib wird fett werden.« – Noch in späten, geschichtlichen Zeiten ließ der betrügerische Geist Gott sprechen, daß es wohlgefällig sei, den Rossen der Feinde die Fesselgelenke durchzuschneiden.
Ich lese die meisten Bücher der Philosophen mit Erschrecken; ich entdecke in ihnen Fehlleistungen, weil die sinnliche Fülle versiegt ist. Der Text vor mir erscheint wie von schwarzen Löchern unterbrochen – mitleidlose Denkfetzen, stumpfen Gehirnen vor Jahrtausenden eingeprügelt. Und Dichter, in deren Schriften viel Rühmenswertes zu finden ist, versagen in der Menschlichkeit. Es findet sich bei Klopstock oder Lessing keine Textstelle, die sich gegen das Rädern Verurteilter wendet. Keine Zeile gegen die furchtbaren Ausschreitungen eines verruchten Rechts! Sie wären damit einverstanden gewesen, daß Tutein lebend in Stücke gebrochen worden wäre, »langsam, von unten beginnend, und vor dem Zerquetschen der Schamteile noch einmal innehaltend«. Sie setzten sich mit Henkern

und ihren Knechten nicht an den gleichen Tisch; aber sie bewahrten ihr Vorurteil über Gott und das Verbrechen. Und die Menge von heut würde Tutein auspeitschen lassen und ihn an den Strick bringen. Denn er ermordete Ellena. – Dies aber war und ist: Tutein hat mich betastet, er hat mich tastend verwundet. Er hat sich und mich gleichzeitig verwundet. Er hat sich und mich auf das Roheste, auf das Elementarste reduzieren wollen – um in dieser Schlacke des Fleisches die Glut der Liebe dennoch zu erkennen. – Ich bin störrisch und frage nach dem Mechanismus. Ich frage nicht, ob es gut oder böse gewesen ist, denn es war unausweichlich. Die Ausschweifung war ein Wort, die Substanz davon sammelte sich um den Tastsinn, den die Denker so wenig berücksichtigen und die Religionen nicht achten. – Und doch, ist er nicht das eigentliche Tor zur zwecklosen, autonomen Güte? Können wir denn ohne das Glück, auch in ihm uns zu entfalten, unser Leben fristen? Sollen wir verdächtigt werden, weil uns durch das Auflegen unserer Hände das Tier mit der Weiche seines Felles entgegenströmt? Gibt es Vergleiche des unbegrenzten Empfindens, einem Pferde die Handfläche ans Euter oder zwischen die Schenkel zu halten? Welche entsagende Zärtlichkeit begehrte nicht wenigstens einen Händedruck, eine sanfte Berührung des Haupthaares des Geliebten? – Ach, wenn mich Tutein, ohne es recht zu ahnen, ohne es jemals sagen zu können, geliebt hat wie sich selbst – und alle unvergänglichen Kräfte in ihm nach der Berührung geschrieen haben, nach der Berührung meiner Haut an allen Orten – nach einer Berührung in ungehemmter Freiheit, ohne die Schranke der Erkenntnis? Wenn sein Leben diese Gewalt enthielt, dies Ziel, einmal, nächtelang mich zu besitzen wie seine Bettdecke oder das Hemd, das er trug – wie ein Ding, nicht wie ein Echo seiner selbst? Einmal satt werden des Gefühls, der Berührung, der nicht mehr staubaren Zärtlichkeit. – Soll es denn nicht wie im Hören und Denken die Weite, die besessene Größe des Sinnes geben, die absolute Dimension des Lebens, die sich auch in den langen Zeiten nur schwer erschöpft? Ist der Wurf der Würfel, der sein Dasein bedeutete, von einem Falschspieler gemacht worden?

– – – – – – – – – –

Die glückhafte Betäubung, in der mich Tutein anfangs mithilfe seiner Seelenkräfte gehalten hatte, ließ nach. Ich trieb mit ihm gemeinsam, willentlich, in das schrankenlose Laster hinein. Schlachten und geschlachtet werden. Er ließ mich Chloroform einatmen, um mich zu entsittlichen, ganz unverantwortlich zu machen. Ich weiß nicht, ob wir den Grund einer Erkenntnis oder Ermattung erreichten. Ich weiß nur, eines Abends schritten wir unter einem blinkenden Sternenhimmel aus. Und Tutein sagte plötzlich:
»Wir haben übereinander gelegen nicht anders, als wären wir ineinander hinein verjaucht. Wie die Toten, wie die echten Toten. Und über uns, als ungeheurer Sargdeckel, lastete das Diamantgebirge der Gravitation mit all den gefrorenen Sternen.«
Eines Morgens, es war der Morgen eines späteren Tages, weinte er, sagte mit leiser und klarer Stimme:
»Mehr wird uns nicht zugeteilt. Besseres hat die Natur nicht für uns. Wiederholungen, das ist der Ausweg. Aber man wiederholt nicht die Reise zu den Gletschern der Seele. Ich danke dir, Anias. Du hast deine Sache gut gemacht. Du bist zehnmal unter meinen Händen gestorben. Ich bin jetzt wieder ganz vernünftig, Anias. Ich werde vernünftig bleiben. Ich werde niemals wieder als ein gesitteter Mensch eine feste Anschauung oder einen moralischen Entschluß haben können. Etwa wie der unglückliche Faltin. Er ist in vielen Wassern gewaschen worden. Doch er steht voller Güte als ein ehrenwerter Mann da. Er hat seine Gefühle geordnet. Er tut das Gute. Er bezähmt sich. Selbst Doktor Boström gehört der gesitteten Welt an. Sein Laster ist das Morphin. Es ist ein durchaus handfestes, doch verzeihliches Laster. Es hat nur eine Richtung. Es ist tragisch, ohne sonderlich abstoßend zu sein. Wer beständig in Hurenhäuser geht und syphilitisch wird, erregt weniger das Mitleid als jener spritzensüchtige Held. Morphin ist der reinen Mohnblüte abdestillierter vergiftender Saft. Einer schönen Pflanze schädlicher Saft. Ein feinerer Genuß als der Trunk. – Und gar erst Egil. Ich bin ganz sicher, daß er ein reiner menschlicher Tor ist, der mich einmal mit Liebe verachten wird, bemitleiden, entschuldigen. – Ich habe ihn auch einmal geliebt, aber er ist nicht geheuer – auch dich wird er bemitleiden. Er wird die menschliche Ordnung lernen und

die göttliche Ordnung anerkennen. Er wird mit großer Menschlichkeit alles betrachten: dich und mich und Gemma und Faltin, seine Eltern, die Eheeinrichtung, die Brüder. – Wir sind in dieser Stadt fertig. Wir müssen fort von hier. Darum müssen wir fort von hier: weil es hier Freunde von uns gibt. Fort von hier und anders leben als bisher. Einsamer als bisher. Mit noch mehr verbrauchtem Aufruhr in der Erinnerung. Und ohne Reue. Vom Ballast menschlichen Verhaltens nehmen wir nur die uns verständliche Treue und ein wenig Güte mit – und Barmherzigkeit gegen Tiere. Mit den Menschen, unseren Nächsten, haben wir nichts mehr zu schaffen. Wenn wir gegen sie nachsichtig sind und verschwiegen vor ihnen, dann werden wir die besten Bürger sein. Und größere Forderung, als es zu scheinen, hat niemand an uns.«

Er beruhigte sich allmählich.

»Wer von uns beiden ist der Bessere oder Schlechtere?« fragte er plötzlich.

Die Frage wurde nur gestellt, nicht beantwortet.

»Wir sind die besten Menschen, wenn wir verschwiegen sind«, er nahm den Gedanken wieder auf, »das Rechtfertigenmüssen in der Kälte des Weltenraumes hinter der Milchstraße ängstigt mich nicht. Jeder muß sich offensichtlich in irgendeiner Weise mit dem abfinden, was er erleben mußte. Es ist keine große Arbeit, genau betrachtet. Spätestens, wenn die Knochen zermorscht sind, verliert die Vorsehung das Recht, männliche oder weibliche Gefühle von uns zu fordern. Sie hat dies Recht sowieso nicht, wie jeder Stümper beweisen kann. Denn die Säfte in uns mischt die Sucht nach Variation, mit der die Schöpfung belastet ist. Außerdem will ich meinen freien Willen, von dem die Sachverständigen der Seele immer sprechen. Man begreift: so oder so. Die Tatsachen sind nur in einer gewissen Zeit an einem bestimmten Ort. Das Nachher und das Vorher – die Worte und die Urteile – die Meinung der anderen und die eigene Meinung: wir streiten nicht mehr. Wir haben uns vollgesogen. Vollgesogen mit Lust und Erschöpfung und Schmerz. Was ich erlebt habe, hast du allmählich auch erlebt. Man denke sich: zwei Menschen vier Tage oder fünf Tage lang, eine Woche lang ineinander geschmolzenes Metall, Kupfer oder Zinn, himmlische und irdische Liebe. Mehr irdische Liebe.

Rotes Kupfer. Besseres, Tieferes, Unwiderruflicheres besitzt niemand.«
Jetzt flossen die Worte wie eine Quelle von seinen Lippen. Er richtete den Kopf auf. Ein Anflug von Röte ging über sein bleiches Antlitz.
»Es ist genug gewesen, es ist übergenug gewesen«, sagte er, »ich bin zufrieden. Man muß einzig das Glück erkennen, um glücklich zu sein.«
Er ging wieder an den Kleiderschrank, in dem der Vorrat an Schnäpsen gewachsen war. Er setzte eine Flasche an den Mund und trank. Er gab mir die Flasche.
»Wir machen keine Umstände mehr«, sagte er.
Er betrachtete sich im Spiegel. Auch seine Lippen waren blutleer und schmal geworden.
»Man könnte meinen, es ist genug«, wiederholte er, »ich habe mir gewünscht, einmal so auszusehen wie ein Waldboden, voller Schatten, entkräftet, durch Ausschweifung zermürbt. Ganz befreit von jedem Verlangen. Ein Mensch, dem, wie einem Pferd, zwecks Lymphebereitung Blut abgezapft worden ist. Eine ausgepreßte Frucht. Ein Mensch, der sich bescheidet, weil er seine Grenzen erkannt hat. Seele und Leib, Herz, Nieren, Lungen, Milz, Darm, Triebe, Gedanken, Erkennen, Geist, sie haben ihre Grenzen. Und immer spricht jemand dazwischen, es gehöre uns gar nicht. Den Ausflug in den Himmel können wir uns sparen. Dort ist es leer. Und doppelt leer, wenn es nicht in uns voll ist.« –
Er sagte noch mancherlei. Er wiederholte sich. Er machte immer wieder Anstrengungen, die Tage festlich werden zu lassen. Aber die Kraft einer Hoffnung, einer vorsorgenden Hoffnung, war in ihm gebrochen. Deshalb mißlangen viele Stunden.

– – – – – – – – – –

Auf der Straße begegnete uns Gemma. Sie trug ein unvorteilhaftes Kleid; man konnte erkennen, daß sie verändert war. Ihre Brüste standen vor, wie ich es nie an ihr gesehen hatte, und der Bauch – es war sogleich eine Frage qualvoll in meinem Bewußtsein – hob sich, vielleicht nur meinen Augen erkennbar, ihrem Herzen entgegen. Ich begrüßte sie ehrfürch-

tig. Sie schaute mir in die Augen und ging fremd an uns vorüber.
»Was ist das?« schrie ich Tutein an.
»Trennung«, sagte er. Und nach einer Weile: »Frauen kennen keine Freundschaft. Die Liebe ist für sie ein Gegenstand. Nichts, was ein Mann für den Tod brauchen kann.«
»Sie war verändert«, sagte ich verwirrt.
»Sie war ungezogen«, sagte er.
»Vergrämt«, sagte ich.
»Entschlossen«, sagte er.
»Wozu?« fragte ich.
»Mutter zu werden«, sagte er.
»Wird Faltin sie heiraten?« fragte ich.
»Sie wird den Vater zu finden wissen«, sagte er.
Ich sah, Tuteins Gesicht war voller Wolken. Doch der Unfriede in ihm machte mich nicht scheu. Ich sprach weiter.
»Bin nicht ich es?« fragte ich.
»Sie wird es wissen«, sagte er, »sie wird es verschweigen. Sie hat ihre Entschlüsse gefaßt.«
»Ich kann es nicht errechnen«, sagte ich kleinlaut.
»Du bist bei derlei Sachen vollkommen untüchtig«, sagte er mit lieblichem Tonfall. Ich begriff nun, seine Stimme hatte neue Laute, um mir seine Wut anzuzeigen.
»Es ist doch, selbst wenn sie mich hintergangen, mir etwas verschwiegen haben sollte, zweierlei möglich«, sagte ich.
Seine Stimme wurde noch sanfter: »Wenn sie dir etwas verschwiegen hat, ist dreierlei möglich, viererlei möglich, fünferlei möglich, sechserlei möglich, siebenerlei möglich, achterlei möglich, neunerlei möglich, kurz vielerlei möglich. Die Kapazität einer normalen, in ihrem Berufe rechtschaffenen Frau ist bedeutend. Schließlich hat sie dich nicht betrogen, allenfalls hat sie dich enttäuscht. Sie hat dir das gegeben, worüber sie verfügte. Die Existenz des anderen Mannes hatte sie vor dir nicht zu vertreten, weil es ihre Vergangenheit war. Als die Umstände sie dazu zwangen, eine Erklärung abzugeben oder etwas Vergangenes einzuräumen, verlor sie allerdings die Fassung. Ihre äußere Haltung blieb trotzdem bewundernswert.«
»Bewundernswert?« schrie ich.
»Ja«, sagte er kühl, »denn vielleicht – man darf sogar vermuten:

bestimmt, hattest auch du sie enttäuscht. Die Demütigung darüber wenigstens ersparte sie dir.«

»Wenn ich nun alle Verschränkungen und Auslegungen nicht glaube? Wenn ich sie eines Verrats nicht fähig halte? Wenn ich eher einen erzenen Stolz voraussetze? Und mir daraus ihr Verhalten erkläre, den plötzlichen Übergang von einer Gemütshaltung in die andere?« –

Er blieb stehen. Er sagte: »Wiewohl wir in den zurückliegenden Wochen viel darüber gesprochen haben, bin ich bereit, mit dir noch einmal das Knäuel zu entwirren. Mit aller Geduld. Und mit der nötigen Hochachtung vor den Beteiligten. Wir sind Stufe um Stufe abwärtsgestiegen. Du verstehst mich; ich brauche das gar nicht noch einmal zu schildern –«

Er sprach noch beherrschter, wie eine Maschine, entselbstet. Eine fremde peinliche und beschämende Geschichte redete aus ihm. Das war nun der Zorn über mich, der nicht mehr nach außen konnte.

»Trennung«, sagte ich mit entstelltem Gleichmut und beendete damit die redende Geschichte.

*

Ich empfand eine große Erleichterung darüber, daß wir fortreisen würden. Nicht nur, daß ich das Schicksal, von Gemma geschieden zu sein, jetzt als etwas Unabänderliches hinnahm: das nagende Verlangen war erloschen, ich fühlte mich Tutein zugeteilt, unflätig und freundschaftlich, im Geiste und mit der sichtbaren Gestalt. So war es schon immer gewesen; aber jetzt war das Immer doppelt so lang und noch länger. Ich hatte wieder Muße, mir Rechenschaft über die Bemühungen zu geben, die ich an die Musik gewandt, an das Schöpferische in mir, wie ich meinte. Meine Vernunft war müde, meine Sinne waren stumpf; aber der Rest an Unruhe verlangte eine Erklärung. Der kleine Ruhm, der mir zuteil geworden war, hatte den höchsten Pegelstand erreicht. Er zerging schon wieder wie das Stück Zucker, das ich in meinen heißen Punsch getan hatte. Der Ruhm fordert neue Werke oder den Tod des Menschen. Ich hatte meinen Ruhm enttäuscht: ich lebte noch und schrieb nicht mehr. Ich war eine lebendige Vergangenheit. Die ehemaligen musikalischen Einfälle waren nicht schlecht gewesen, das wagte ich, der gegenwärtig Vergangene, festzustellen. Ich war bei der Durchführung meiner Arbeit weder lässig noch schulmeisterlich gewesen. Es war etwas Tüchtiges daran. Ich hatte Vergleiche bei der Hand, um das zu ermessen. Auch ein Wort Thygesens, der von meinen singenden Fugen gesprochen hatte. Doch die Landschaft, in der sich meine Seele aufhielt, war nicht wild oder urwüchsig genug. Es gab keine granitenen Berge darin, keine Gletscher, die donnernde Gießbäche mit ihrer kalten Milch nährten, nicht jenen gewalttätigen Strom, der das Meer einer ewigen Welt sucht. Es gebrach mir an der Narrheit, mich selbst hören zu wollen. Ich war nicht besessen. Die Musik fiel mir so schwer wie alle andere Sinnlichkeit. Ich fürchtete mich vor banalen Tonfolgen, und so überwog die Mühe den musikalischen Einfall. Das sah ich, das begriff ich; es war eine Erkenntnis, die mir nicht diente, eine Selbsterkenntnis. Selbsterkenntnis erschlägt das Schöpferische. Mein Gehirn war ganz licht, obgleich der Punsch meine Glieder schon ins Unbewegliche entführte. Ich verurteilte nicht, was ich schon erfunden und niedergeschrieben hatte; aber ich erkannte die Unmöglichkeit, das Vorhandene zu überbieten oder auch nur zu variieren. Eine Hilfe des Himmels, die Hilfe der Begnadung fehlte mir. Ich war durch die Lust an musikgewürzten Träumen verführt worden. Ungenaue Einbildungen hatte ich zum Erstarren gebracht. Der Same des Traums war daran nicht reifer und reicher geworden, nur unbeweglicher, hölzerner. War eine Strophe oberflächlich gewesen, so vermummte sie, niedergeschrieben, das Gitterwerk einer schwer verständlichen Polyphonie. Die harmonischen Einbrüche waren oft wie ein Irrgarten. Ich hätte sie nicht wieder ausradieren können, diese verwandelte, unkenntlich gewordene, nichtssagende Strophe – und wünschte mir doch größere Einfalt oder Einfachheit. Wie oft habe ich mich nach dem kristallenen Wasser der Durklänge gesehnt! Aber ich hatte kein Geschick, sinnvoll mit ihnen zu bauen. Sie verdunkelten sich, wenn mein Gemüt sich ihrer bemächtigte. Mir fehlte die Freude, die Zuversicht. – Ich bin mit der Sünde wider die Zuversicht – wider die Lebenshoffnung geboren worden. Ich erkannte alle Hemmungen, die mich niederhielten, und daß kein Vorsatz mich befähigen wür-

de, meine Ketten zu zerreißen. Es war schon verdächtig, daß ich das Singen verlernt hatte und mehr und mehr den kunstvollen und schwierigen Formen zuneigte. Mir fielen die spröden Kristalle eines Doppelkanons in der Sekunde ein, der im Mittelpunkt einer Variationsreihe stand. Unzugänglich. Scherben, wenn der Gesang dieser Dichtung die Schwingung rührte. Und es war vom Besten. Gedrungener als das meiste, was ich geschrieben.
Ich fand also, mir war Gerechtigkeit widerfahren. Man hatte das kleine Talent gelobt, in der Annahme, daß es sich entwickeln werde. Einzelne hatten mich bekämpft, weil sie eine zerstörerische Kraft in mir vermuteten, gepaart mit einer ungewöhnlichen Formgewandtheit, die auch dem Mißklang einen Platz erobern würde. Die Anerkennung und der Tadel hatten das Schweigen, das sich wie Frost in mir ausbreitete, nicht brechen können. Der Irrtum hat viele Schauseiten. Niemand wußte, daß ich diese Zukunft, meine eigene, nicht hatte.
Ich fühlte, daß ich nicht mehr zum schöpferischen Tun erwachen würde. Ich räumte den Platz, den man für mich offen gehalten hatte. Ich fand, es war ehrenvoll, meine Mittelmäßigkeit einzugestehen und die erfüllten Stunden des Schaffenstaumels als eine Lust, die mir nicht zustand, zu widerrufen. Die Erlebnisse der letzten Wochen waren nur eine stürmische Jahreszeit gewesen, der Herbst eines Lebensabschnittes. Das Ende eines Jahrsiebents. Fünfmal sieben Jahre. Das Jahresbündel ging zuende wie ein Jahr. Das neue mußte begonnen werden. Tutein hatte es ausgesprochen.

– – – – – – – – – –

Wir hatten keinerlei Vorwand, uns für einen bestimmten Ort zu entscheiden. Wir waren gesund, also hatte kein Klima einen Vorzug. Es galt für uns nicht, Geschäften nachzueilen, also konnten wir die Städte meiden. Wir wollten nur größere Einsamkeit, größere Sicherheit für den Sonderfall unseres Daseins. Wir betrachteten Landkarten. Es war schon einmal so gewesen. Wir prüften die Flußläufe, die Faltungen der Gebirge, die Tiefen der Meere, die Verkehrswege, die Bevölkerungsdichte, die allgemeine geographische Beschaffenheit der Wohnplätze. Wir wählten eine Insel, ein Granitmassiv, das aus dem

Meere aufragt, von tausend Buchten zerrissen, von vielen Schären umstanden. Wir vergewisserten uns, es gab dort Akkerbau, Wälder, Vieh, Holzhandel, Fischerei, Schiffahrt. Wir würden mit ein paar tausend Menschen die gleiche, auf Stein gegründete Heimat haben. Wir würden auch von ihnen weit abrücken können, weil die Besiedlung dünn. Wir würden nicht geringere Menschen sein als die meisten unter ihnen. Vielleicht würden wir ein Ansehen gewinnen, das uns unauffällig einordnete. Wir wählten. Wir zauderten nicht mehr. Wir würden davonreisen. Und ich empfand eine große Erleichterung.

– – – – – – – – – –

Tutein konnte die schwere Enttäuschung nicht verbergen, die sich seiner bemächtigt hatte. Niemals habe ich ihn verzweifelter gesehen, haltloser, unappetitlicher. Es kam zu fast unerträglichen Äußerungen seiner gequälten Seele. Er kramte die schöne Zeichnung hervor, die er einst in Urrland von mir gefertigt und in die er nachträglich meine Eingeweide hineingetuscht hatte, und befestigte sie im Saal an der Wand, damit er sie sehen könne, wenn er sich zur Ruhe begab. Er fiel vor mir nieder und betete mich an mit so abgründigen und verwirrten Gebeten, daß ich erschrocken zu zittern begann und mir vor Scham die Hand vor die Augen hielt. Seine Seele war naß vom Schweiß der Gedanken. Er rang mit einem jener Engel, von denen man sagt, daß sie die Anordnungen des göttlichen Willens mitteilen, wenn in höchster Besessenheit ein Mensch, jenseits der Abtrünnigkeit, das Gedankenwerk der Harmonie durchbricht. Sie stellen sich nicht ein als Feinde. Sie drohen nicht mit der Verdammnis. Die Gegner, die sie suchen, sind schon von der gleichen Art wie sie, für keinen Urteilsspruch erreichbar, beschwingt mit Flügeln, mit schwarzen nächtlichen Flügeln.
»Ich will, ich will, ich will«, schrie er, »daß ich mit einem Menschen zusammenwachse, eins mit ihm werde. Ich will, daß mir mehr zugeteilt wird als mir zusteht. Eine Ausnahme. Eine Ausnahme unter keiner Ausnahme.« – – Er schrie sehr laut. Manchmal sprach er auch zu mir; dann war seine Stimme leiser und ergeben: »Sollte es dahin kommen, daß ich mich aufschlitze und du in mich hineinspeist und ich über deinem Auswurf wieder zusammenwachse –.«

Dann brüllte er wieder gegen den Engel und nannte ihn den feigen Köter einer verpfuschten Ewigkeit.
Ich glaube, er bezwang den Engel. Es wurde ihm ein Gedanke eingeflüstert. Mitten aus dem Geschrei heraus schwieg er plötzlich. Er horchte. Er horchte sehr lange. Er kippte auf den Knieen um. Er schlief. Ich bewachte seinen Schlaf auf dem Fußboden. Ich sah, Wasser rann ihm von der Stirn, aus den Augen; und seine Hände waren verquollen vom Zugreifen. Ein grenzenloses Mitleid zerschnitt mir das Herz. Wieder riß die furchtbare Gewißheit an mir, daß ich zu gar nichts anderem da sei, als diesem Menschen alle blinde Hilfe zu geben, deren ich fähig war. Dieser Mensch war mir anvertraut. Ich weckte ihn mit leisen Anreden und Zurufen, rieb ihm die Hände in den meinen.
»Ich glaube wahrhaftig, ich habe am hellen Tage geträumt«, sagte er obenhin und stand auf.
»Wir werden es bald heraus haben, ob der Betrug fortgesetzt werden soll oder ob es genauer werdende Möglichkeiten gibt«, sagte er nach einer Weile.
»Welcher Betrug, und was für Möglichkeiten?« fragte ich.
»Wir werden morgen zum Stadtphysikus gehen und feststellen lassen, von welcher Beschaffenheit unser Blut ist. Es ist jedenfalls besser, ich werde im Laufe einer Woche verrückt, als daß ich einen allmählichen Abstieg dahin vornehme und dich Jahre hindurch von einem Schrecken in den anderen treibe.«
»Ich begreife wirklich nicht –«, sagte ich flau.
»Du bist noch etwas anderes, noch etwas mehr, als was ich bis jetzt habe entdecken können. Wahrscheinlich steckt auch in mir etwas, was man mit der Ausschweifung allein nicht auslöffeln kann. Der heilige Patrick oder Colomban oder Gallus oder Viktor oder Ursus oder Meinrad – oder auch ein späterer –, sie sind ja kaum voneinander unterschieden, selbst ihre Namen gehen ineinander über, der heilige Colomba und der heilige Colomban, ihre Geschichte ist die Urgeschichte der Heiligkeit. Sie sind gesättigt von Magie, sie heilen Kranke, machen Blinde sehend, Taube hörend, bannen Dämonen, zähmen wilde Tiere, Wölfe, Vögel; – noch der heilige Hieronymus hielt einen Löwen in seinem Studierzimmer; – sie beschwichtigen das Meer, verwandeln wilde Apfelbäume in gesittete mit süßen

Früchten, lassen den Weizen rascher wachsen, beschirmen ihn vor Sturm und Wolkenbrüchen, vermehren das Vieh auf wunderbare Weise; neben ihrer Bahre entzünden sich die Kerzen ohne Zutun der Menschen, ihre Leichname duften im betäubenden Wohlgeruch, sie schreiben, dichten und singen, in lateinischer, griechischer und anderer Sprache, ohne es je gelernt zu haben, Tote erscheinen ihnen und berichten, daß ihre Fürbitte sie aus der Verdammnis erlöst habe; sie schauen Ereignisse in fernen Ländern, und ihre Aussage vom Geschehen beschämt die verspätete Botschaft davon, sie sehen Engel, ringen mit der Hölle, Satan selbst beunruhigt sie, an ihren Gräbern geschehen Wunderzeichen – es sind ihrer fünftausend oder zehntausend –, also einer dieser hat sich einmal für die grobe Zeit, in der er lebte, sehr unverständlich ausgedrückt: er hat Gott dafür gedankt, daß Seine Welt durchsichtig sei. Das ist den heutigen Physikern eine geläufige Vorstellung. Röntgenstrahlen machen nicht viel Aufhebens von unseren Weichteilen; sie spazieren hindurch und bekräftigen den Ausruf des Heiligen und die moderne Atomtheorie. (Und daß das Fleisch unbeständig ist, fast außer der Zeit, sowieso.) Ein Bleiblock selbst ist trotz seiner Schwere und metallischen Dichtigkeit ein fast leerer Raum, in dem Elektronen wie Planeten um die Sonne eines Atomkernes kreisen. Überall die Leere des Weltenraumes. Man kann nicht viel gegen die Wissenschaft einwenden und gegen den beschaulichen Geist der Mystiker auch nicht. Die Strahlen aber, die ein leergepumpter Glaskolben schleudert, wissen doch nichts von unserer brünstigen Seele. Meinetwegen, sie mögen der Ausdruck für das Licht der Schöpfung sein, für alles, was da verdünnt wird, bis es geschmack-, geruch-, gestaltlos und stumm geworden ist – für uns gibt es neben der Klarheit der Gravitation auch das Dunkle. Wäre kein Unterschied zwischen der Klugheit der Strahlen und den Bängnissen unserer Seele, so müßte auch das Ende aller Schmerzen da sein. – Du bist für mich das Dunkle, und in dies Dunkle will ich mich blind und erwartungsvoll hineintasten. Ich will mit mir in dir gekreist haben. Ich will die Überlegenheit der Strahlen nicht dulden.«
So etwa sprach er.
Wir gingen zum Stadtphysikus, Ritter des Serafimordens und

einer anderen hohen Auszeichnung, Doktor Jenus Boström. Er war heiter wie immer, aber ein wenig verschwommen in seinen Reden. Er zapfte jedem von uns ein halbes Reagenzglas voll Blut ab und sagte, sich verbeugend, wir könnten das Resultat in einer Woche erfahren...

Die Zeit des Wartens war für Tutein schlimm. Eine nervöse Unpäßlichkeit kam zum Ausbruch, die ihn daran hinderte, Nahrung zu sich zu nehmen. Sein Antlitz wurde aschig. Als er die harte Prüfung des Harrens vor Ablauf der angegebenen Frist abzukürzen versuchte und einen abendlichen Überfallbesuch bei Doktor Boström gemacht hatte, kam er hüpfend zurück.

»Diesmal«, sagte er, »haben die ewigen Gesetze nichts gegen meinen Plan einzuwenden. Ich habe das Tor gefunden, durch das wir einmarschieren können, um wahrhaftige Brüder zu werden. Wahrhaftige Brüder für vierzehn Tage oder drei Wochen.«

Ich mußte über ihn lachen, denn er war wie etwas Lustiges anzuschauen. Er freute sich wie eine Stute über ihr Füllen. Und er aß unmäßig wie ein Fuhrknecht im Winter.

»Anias, es kommt nur darauf an, daß man nicht nachgibt«, sagte er, »daß man fordert, fordert, allen Gewalten, die wider einen sind, ins Gesicht schlägt.«

»Du prahlst sehr«, sagte ich etwas bedenklich; aber ich freute mich mit ihm, wenn ich auch den Grund seiner Freude nicht kannte.

Nach und nach enthüllte er seinen Plan.

»Unser Blut, von dem wir fünf oder sechs Liter in uns haben – ähnlich pulst es in jedem Tier, das über eine einzige Zelle hinauswachsen kann, in den Bäumen und Kräutern –, es färbt den Wald grün und gerinnt fürchterlich braunrot auf den Schlachthöfen, in den Gemetzeln der Kriege, in der freudigen Vorbereitung zu den Festbraten des Julfestes – es schafft den Zusammenhalt zwischen den Organen, die im Finstern (sofern man nicht Gott oder ein Strahl ist, nennt man es finster) ihren Sitz haben und der Haut, den luftumspülten Lungen, die nach dem frischen Geschmack des Sauerstoffes greifen wie nach dem Licht (es handelt sich immer um Licht und Finsternis) – es ist der Träger der tausend unwägbaren Kräfte, die aus den Sekre-

ten zusammenfließen – es ist die Nahrung für alle Wachstumsgebilde, denen Sonderaufgaben zugeteilt wurden und die sich eines Magens oder Darms begeben haben – es ergießt sich in die Nieren, daß sie den Harn absaugen – die vielen Billionen Körperchen verwesen in der Milz – das Eisen, die Ursache der erschreckend roten Farbe, nimmt die Leber auf, daß Galle daraus werde – und es wird geboren, billionenfach – an den unzugänglichen Orten unseres Leibes, dem Sitz der Seele, im Knochenmark. Dies Blut, wir können es mischen. Jedenfalls, dein und mein Blut, wir können das eine für das andere setzen. Denn der Zufall, der in uns die Art und die Mengen der Hormone gemischt hat und Zerfall und Aufbau in uns vorschreibt, unsere Lust und unseren Ekel, die Modelle unserer Liebe und das Maß unserer Erkenntnis – hat nichts dagegen.«
(Ein Beweis für die spezifische Verwandtschaft unsrer Hormone und Lymphen war nicht erbracht. Der damalige Stand der biologischen Erkenntnis hätte eher den Schluß zugelassen, daß eine solche innerliche Funktionsähnlichkeit an sich unwahrscheinlich sei – daß, was bei einer gesitteten Betrachtung der Lebensvorgänge, der Vererbung im Besonderen, nicht sein dürfte, auch nicht sein könnte. Der Leichtsinn, die Begeisterung ließen Bedenken gegen das Wagnis, bei dem wir das Leben einsetzten, nicht aufkommen. Die Gefahr wurde uns nicht einmal bewußt; wir hätten sie schließlich auch verlacht – ich vermute es. Der Dritte, der Ursache gehabt hätte, behutsamer zu denken, war im Banne des Giftes.)
Er sprach allmählich außer sich und ganz verklärt. Er fügte noch manches hinzu: – daß wir bessere Kenntnis erwerben, daß wir einander durchdringen würden, als ob wir keinerlei grobschlächtig fester Stoff, sondern den Strahlen glichen. Daß wir die Blutsbrüderschaft, die man ehedem nur in der Betäubung der Verdauung wie einen Schatten spüren konnte (wir hatten auch das in der Ausschweifung versucht), nicht anders als die Speise eines geopferten Tieres – lebendig an allen Zellen und Teilen feiern würden, ganz ohne den Beischlaf des Todes, der in unseren Mägen seine Säuren verspritzte. –
Wir stellten uns Doktor Jenus Boström zum Versuch. Er hielt eine lange Rede wissenschaftlicher Art. Er ging an der Würde seiner Kenntnisse auf wie ein Kuchenteig neben dem warmen

Herd. Er sagte etwas Profundes, daß das Zusammenspiel der endokrinen Drüsen einem statistischen Gesetz gehorche und so die Substanz zu allen Reinkarnationen liefere, nicht aber an den Zeugungserfolg bestimmter Individuen gebunden sei. Er warf den Kopf stolz zurück und erklärte mit überzeugter enger Stimme, daß er, trotz mancherlei Bedenken, zum Versuch bereit sei, die Verantwortung auf sich nehme. Er werde – (er hatte uns wohl durchschaut oder Tutein hatte ihn, ohne noch Scham zu spüren, in seinen Plan eingeweiht. Tutein war sehr unbedenklich geworden; manchmal schien seine Rede fast zynisch. Aber auch Boström lebte jenseits der Hemmungen. Die Grenzen des moralisch Zulässigen, die Gewissenhaftigkeit seines ärztlichen Handelns verschwammen an seinem trüben vergifteten Urteil. In unserer Gegenwart nahm er eine Spritze. »Das begeistert«, sagte er, »und es schadet nicht. Ich habe eine Methode erfunden, die alle schädlichen Wirkungen – –« Wir waren seine Mitwisser wie er der unsrige.)

Tutein hatte mich darauf vorbereitet, daß Doktor Jenus Boström sein Interesse an der Sache hätte (ein ziemlich unreines wissenschaftliches Interesse), und daß man sich lästigen Weiterungen einfach durch unsere Abreise, die ja ohnedies beschlossen war, entziehen würde. So schenkte ich denn den großartigen Erörterungen des Arztes keine weitere Aufmerksamkeit. Wir waren sehr entschlossene Statisten in einem medizinischen Schauspiel.

Man hatte zwei Operationspritschen zusammengerückt und legte uns darauf nieder, Seite an Seite. Wir hatten von unseren Kleidungsstücken nur die Hose anbehalten. Doktor Boström betrachtete uns flüchtig. Er sagte ein wenig verächtlich:

»Was sind das für Narben unter den Brustwarzen? – Hübsch sind sie ja nicht.«

Er bekam keine Antwort. Er erwartete es auch nicht. Er bemerkte nur noch zu diesem Thema: »Kürzlich hat so ein Bursche von fünfzehn oder sechzehn Jahren sich den Bauch mit Kohlensäure aufgeblasen. Einen Schlauch in den Mastdarm und dann die Stahlflasche aufgedreht. Er hatte die Mithilfe von drei oder vier Kameraden, die sehen wollten, wie ein aufgeblasener Mensch anzuschauen ist. Das Vorhaben endete natürlich tödlich. Man hätte Trommel auf ihm spielen können.«

Man schnallte Tuteins linken und meinen rechten Arm zusammen, zwei Geschwister, die sich innig zugetan waren. Dann baute man ein Gestell mit Klemmen zwischen uns auf, schnallte seine rechte und meine linke Hand zusammen und hing das zweite Zwillingspaar daran auf. Der rechte Oberarm wurde uns mit einer Gummibandage abgebunden. Über unserem Herzen wurde ein Horchapparat angebracht.
»Ich mache Ihnen eine kleine örtliche Betäubung«, sagte Doktor Boström.
Er war ein Meister der Narkotika, Euphorika, Phantastika, Inebriantia, Hypnotika und Excitantia. Er beherrschte die Fiolen, deren Inhalte die Seele verändern. Er war freigebig mit den Zauberkräften. Wir hatten es schon erfahren. Eine Krankenschwester wusch uns die Unterarme mit Spiritus; die Nadel einer Spritze ging viermal unter die Haut der vier Unterarme. Dann öffnete der Arzt an eben diesen vier Stellen mit einem kleinen Schnitt die Muskeln, suchte die Ellenbogenvenen und stieß eine feine Kanüle hinein. Je zwei dieser Kanülen waren durch Schläuche mit einem Dreiwegehahn verbunden und endeten in einer Glaspumpe. Die eine dieser Pumpen bediente Doktor Boström selbst, die andere war einem jungen Assistenzarzt anvertraut.
»So«, sagte der Meister des Versuchs und zog am Stempel der Pumpe, »wir werden jetzt eine neue Art von Verwandtschaft beweisen.«
Der junge Mensch, der ihm unverwandt auf die Hände schaute, machte es ihm nach, und ich sah, wie sich zwei Glaskolben mit Blut füllten. Mein Blut, Tuteins Blut.
»So«, sagte Doktor Boström abermals, die Kolben waren gefüllt, »fünfhundert ccm«, er drehte am Hahn, der junge Mensch an dem seinen. Beide drückten den Stempel der Pumpe zurück, und das Blut verschwand aus den Kolben. Das meine war in Tuteins Körper verschwunden, das seine in dem meinen.
Der Vorgang wurde sofort wiederholt.
»Tausend ccm«, sagte die Krankenschwester.
»Nochmals«, sagte Doktor Boström.
»Fünfzehnhundert«, sagte die Krankenschwester.
Ich sah, sie hatte einen Bleistift in der Hand und notierte die Zahl.

»Von nun ab müssen wir mit Zwischenfällen rechnen«, sagte Doktor Boström mit lüsterner Lebhaftigkeit.
»Es geht uns ausgezeichnet«, sagte für uns beide Tutein.
Der Arzt schien die Bemerkung zu überhören. Er sagte nur entschlossen: »Nochmals. Ich mache meine Experimente gründlich, nicht nachlässig.«
»Zweitausend«, sagte die Krankenschwester.
Mir war, als ob ich mit einer Ohnmacht zu kämpfen hätte. Aber das Schwindelgefühl zerging schnell. Ich wunderte mich nur, daß die Krankenschwester die Zahl dreitausend aussprach und Doktor Boström etwas bedenklich mein Herz abhorchte. Er fragte gegen die Wände des Raumes:
»Sollen wir weitermachen?«
»Bis sechs Liter«, sagte Tutein, »nicht darunter, dann ist es halb bei halb.« Und ich fiel ein:
»Das ist doch selbstverständlich. Mir geht es ganz ausgezeichnet.«
»Schließen Sie doch die Augen«, sagte Doktor Boström, »einen Wattebausch, Schwester. Reichen Sie mir die vorbereitete Spritze!«
Ich schloß die Augen gehorsam; ich atmete tief einen sterilen, scharfen Ruch ein. Ich fühlte mich ungemein wohl. Ich hörte die Zahlen viertausend, viertausendfünfhundert, fünftausend. Und dann die Stimme des Arztes:
»Schnell, schnell – Schwester. Wir wollen ganze Arbeit machen. – Es interessiert mich. Es ist wichtig. Wir haben etwas Zeit verloren.« –
Blitzschnell verschwanden die Kanülen aus unseren Venen. Mit ein paar Wundklammern wurden die Wundränder in unseren Armen geschlossen, Verbände angelegt. (Vielleicht habe ich es gar nicht beobachtet.)
Mich fror. Ich richtete mich auf. Tutein lag lächelnd da. Er hatte die Augen geschlossen.
»Was ist mit ihm?« fragte ich bestürzt.
»Nachträgliche Ohnmacht«, sagte der Arzt. Er machte ihm eine Einspritzung. Nach ziemlich langer Zeit erst, so schien es mir, öffnete Tutein die Augen.
»Zu dumm«, sagte er, »daß mir dergleichen ankommen mußte.«

»Soll ich Sie vorsichtshalber ein paar Tage ins Krankenhaus einlegen lassen?« fragte Doktor Boström.
Tutein protestierte wild.
»Dann lasse ich ein Auto rufen, das Sie nachhause fahren kann«, sagte der Arzt.
»Einverstanden«, sagte Tutein.
»Ich werde Sie bald besuchen«, sagte der Arzt, »was folgt, wird gut sein – oder es wird schlimm sein.«
Wir kleideten uns an. Die Krankenschwester teilte uns mit, ein Mietsauto stehe vor der Tür. Sie öffnete uns den Wagenschlag und versicherte sich, daß wir in den Polstern saßen. Sie gab dem Fahrer noch eine Anweisung, die ich nicht verstand.
»Uff«, sagte Tutein, als wir im Hause waren, »ich habe ein Bedürfnis; – aber ich weiß nicht wonach.«
»Nach Schlaf«, sagte ich kurz, begann mich auszukleiden und legte mich.
»Du hast recht«, sagte er, aber vor Müdigkeit hörte ich es kaum. Er gab noch eine Betrachtung zum Besten, daß er nicht wisse, was man als Chok bezeichne. »– Dies, was mich befallen hat, ist sicherlich von seiner Art. –« Darüber schlief ich ein.
Er muß sich wohl auch gelegt haben. Ich erwachte, und ein Mann redete zu mir. Es war Doktor Boström.
»Bis nachmittags im Bette zu liegen –« sagte er.
»Wie sind Sie denn hereingekommen?« hörte ich Tutein fragen, und die Stimme kam von seiner Lagerstatt im Saal.
»Durch die Tür«, sagte der Arzt und wandte sich Tutein zu, »sie stand offen.«
»Ein schöner Wirrwarr«, sagte Tutein; aber er blieb liegen, kam dem Arzt nicht entgegen.
»Also übermüde«, sagte Doktor Boström, »immerhin merkwürdig.«
»Schreiben Sie sich's nur auf, damit Sie es nicht vergessen«, sagte Tutein frech, aber er blieb auf seinem Lager.
»Einstweilen leben Sie beide ja noch«, sagte Doktor Boström, »wenn auch unter etwas seltsamen Umständen.« Er war nun wieder bei der Tür meines Zimmers angekommen: »Sagen Sie mir wenigstens, wann Sie sich gestern schlafen gelegt haben.«
»Gleich, nachdem wir heimgekommen waren, am Nachmittag«, antwortete Tutein aus dem Hintergrund.

»Bleiben Sie nur im Bette liegen und setzen Sie den Schlaf fort«, sagte der Arzt. »Haben Sie Geld bei sich?«
»Sie wollen doch kein Honorar einkassieren?« fragte Tutein zurück.
»Ich will Ihnen etwas zu essen bringen lassen; zuvor wollte ich mich vergewissern, ob Sie's auch bezahlen können.«
»So besteht ja Aussicht, daß wir vor Müdigkeit nicht verhungern«, sagte Tutein.
Doktor Boström ging wieder. Ich fühlte mich noch immer müde, doch unbeschreiblich leicht. Ich teilte das Tutein mit.
»Erschöpft«, sagte er, »das ist das, was bei mir stimmt. Aber mir ist doch mehr, als wäre ich eine Glocke, die man angeschlagen hat, und die nun nicht aufhören kann, einen brausenden Ton zu geben. Ich höre mein Blut, richtiger gesagt, DEIN Blut in den Ohren.« – Und er fügte scherzend hinzu: »Woraus man erkennen kann, daß du ein großer Musiker bist. Ich verstehe nur nicht, wie DU dies Brummen beständig ertragen kannst.«
»Das hättest du Doktor Boström mitteilen sollen«, sagte ich etwas besorgt.
»Ich bin doch nicht verrückt«, kam die Antwort vom Saal her, »es ist ja schlimm genug, daß er uns im Bett angetroffen hat. – Ich kann nur nicht verstehen, wieso die Tür – natürlich, es wird Holger gewesen sein. – Überhaupt, wo steckt denn Holger?« –
»Er wird die Gelegenheit benutzt haben – bei irgendeinem Mädchen –« sagte ich.
Ein Groom kam und brachte uns aus dem Stadthotel eine angerichtete Mahlzeit, zwei Gläser Schnaps und zwei Flaschen Porter. Der Groom ging wieder. Wir ließen es uns schmecken. Tutein sprang aus dem Bett, warf das Geschirr unordentlich zusammen, trug es ins Kontor und verschloß die Haustür. Als er zurückgekommen war, sah ich durch die Türöffnung, er betrachtete die Wundverbände an seinen Armen, schüttelte den Kopf wie ein Hund, der Wasser in die Ohren bekommen hat. Als er wieder lag, hörte ich ihn sagen:
»Ich bin wirklich glücklich, wenn ich es auch noch nicht empfinden kann.«
Am nächsten Morgen war ich aus dem Bett. Ein fremdartiges Wohlgefühl würzte mir die Haut. Eine unauslöschliche Zuversicht vergoldete mir die Mattigkeit, die noch immer meine

Glieder eingesponnen hielt. Mir fielen, eigentlich zum Verdruß meiner Gedanken, allerlei Melodien ein. Ich saß, ehe ich mich dessen versah, über einigen Notenblättern und wußte, daß es an meinen letzten Kompositionen, die mir noch gegenwärtig waren, etwas zu verbessern gab. Ich war versucht, ein frisches Blatt Notenpapier zu nehmen und ein paar Einfälle niederzuschreiben. Ich gehorchte meiner Vernunft nur widerwillig, die mir anwies, derlei zu unterlassen. Ich weiß nicht, zu welchen Taten ich getrieben worden wäre, wenn diese unerklärbare körperliche Schwäche mich nicht an allem gehindert hätte. Schließlich war ich fürsorglich genug, mich um Tutein zu kümmern, der noch immer schlief. Ich stapelte ein ungefähres Frühstück zusammen und trug es zu ihm ans Lager.
Er erwachte.
»Das Leben geht also immer noch weiter«, sagte er offenbar mühevoll.
»Was ist denn mit dir?« fragte ich enttäuscht.
»Ich habe viel geträumt«, sagte er, »scheußliche Sachen. Wenigstens hundert Bekannte und Freunde sind mir begegnet, ein Dutzend Kapitäne und Steuerleute und ein Regiment Matrosen. Und die meisten hatten ihre weiblichen Menschen dabei. Ich mußte mich mit ihnen unterhalten. Und jetzt entdeckte ich, daß ich sie gar nicht kenne, daß sie mir ihre Freundschaft und Anhänglichkeit aus dem Stegreif erfunden haben. – Das ganze ist gewiß nur die Geisterfracht eines Ozeandampfers, der sich mit Mann und Maus und soundso viel Weibern dazu in die Tiefe begeben hat. – So etwas kehrt bei mir ein, wenn ich wehrlos bin.« Er fügte abgründig hinzu: »Diese Träume sind doch recht problematisch. Sie gehen durch uns hindurch wie Röntgenstrahlen.«
Ich konnte nichts erwidern und wollte es auch nicht. Ich sagte kurz: »Iß und trink!«
»Wohl geraten«, antwortete er, »– wenn ich Hunger hätte.«
»Du bist doch nicht krank?« fragte ich. Und spürte zugleich eine eisige Ernüchterung, eine unfaßbare Behinderung meiner neugewonnenen Lebensfrische. Erst viel später empfand ich Bestürzung und Angst.
»Nein, nicht krank«, sagte er, »eigentlich bin ich wirklich glücklich; aber ich kann es noch nicht wahrnehmen.«

»Das hast du gestern auch schon gesagt«, entgegnete ich ihm.
»Woraus du erkennen kannst, daß es stimmt«, sagte er mit Überzeugung, »indessen, ich glaube, ich muß kotzen«, fügte er kläglich hinzu und begann sogleich zu würgen.
Der Anfall ging schnell vorüber; aber er wiederholte sich noch zweimal, ehe Tutein sich entschloß, einen Schluck Kaffee über die Lippen zu bringen.
»Ich verstehe eigentlich nicht«, sagte er schwerzüngig, »mir ist so wohl; aber ich bin nicht in der Wirklichkeit. Ich träume noch immer. Diese Träume mit geöffneten Augen sind folgsam und schön, folgsamer und schöner als die Überfälle Sterbender oder Gestorbener. Ich sehe ganz deutlich durch meine Haut hindurch. So, wie ich dich auf jenem Bilde dort gesehen habe. Ich sehe da einen Engel, einen englischroten Engel, wie sie Jean Foucquet auf dem Bild der Agnes Sorel, der berühmten Geliebten Karls VII. von Frankreich, als Jungfrau Maria, gemalt hat. Die Engel auf diesem Bilde sind teils blau teils rot, wie in Anatomiebüchern das Schema unseres Blutkreislaufes. Aber was ich durch meine Haut hindurch sehe, ist nur rot; ein Gespinst, das mir vom Herzen ausgeht und mich wie Wurzelwerk durchwachsen hat, ein Geflecht von Adern, das mir überall hindringt; und wenn ich genau hinschaue, dann erkenne ich, DU bist es.«
»Iß und trink«, sagte ich noch einmal grob.
»Ich fürchte, das Bild zu zerstören, wenn ich esse«, sagte er leise, »dann mischt sich der Magensaft hinein.« Und fügte hinzu: »Ich glaube, du verstehst mich nicht. Ich erlebe mehr, als sich beschreiben läßt. Meine Vorstellungen sind ungeheuer süß und zerrüttend. – Aber du willst mich am Leben erhalten. Gut, so esse ich etwas.«
Er begann zu essen.
Wiewohl er nun aß, wurde meine Furcht größer, er möchte wirklich krank sein. Meine Unruhe gab mir ein, ihn mit Fragen zu quälen. Ich erreichte damit, daß er das Ausmaß seines körperlichen Unbehagens begriff und verzweifelte Versuche machte, die Bedrohung für nichtig zu erklären. Er verließ das Bett und benutzte einen Lehnstuhl, um darin zu schlafen.
Als Doktor Boström kam, um uns die Wundklammern aus der Haut zu ziehen, gab es eine Überraschung. Bei Tutein hatte

sich Eiter in den unbedeutenden Wunden gebildet. Doktor Boström schüttelte den Kopf und legte neue Verbände an.
»Eine Kleinigkeit in Ihnen hat sich gegen das Experiment gesträubt«, sagte er geschäftsmäßig.
»Sie ahnen ja nicht, wie verjüngt ich mich fühle«, antwortete Tutein (er hatte von mir einen ähnlichen Ausspruch gehört), »ein bißchen Eiter, Sie wissen besser als ich, daß es nichts auf sich hat. Mein Nachbar hat mir zu viele weiße Blutkörperchen vermacht, die wollen jetzt hinaus.«
»Sie sind nicht dumm«, sagte Doktor Boström, »aber es stimmt nicht.«

– – – – – – – – – –

Es kam nicht dazu, daß wir ihm entflohen. Tutein fühlte sich nicht reisebereit. Es erwies sich glücklicherweise, er war nicht eigentlich krank, er war nur anfällig und auf eine unbegreifliche Weise aller Gegenwart und Verantwortung enthoben. Wenn man seine Reden anhörte, konnte man meinen, ein wunderbarer Aufschwung habe ihn erfaßt. Schaute man ihn an, dann stand in seinen großen unruhigen Augen zu lesen, daß er litt. Ein unbewußter Teil seines Körpers litt. Mir selbst war, nachdem die Ermattung der ersten Tage von mir gewichen, ein so reiches Gefühl an Selbstbewußtsein, Zuversicht und Frische geblieben, wie es mich hin und wieder als Jüngling überströmt hatte – wenn ich im Theater saß und sich die Ouvertüre einer Oper mit dunklen rauschenden Schwingen entfaltet hatte, oder wenn sich die Wechselreden in einem Drama schön oder heftig, doch unausweichlich zu einem Sturm der Seelen verdichteten, zum Triumph des Bösen, zu jener gottlosen tragischen Wirklichkeit, in der das Gute allein steht und in heidnicher Einsamkeit verlischt wie ein Licht, das unbeschützt in brausende Nacht hinausgetragen wird. Ich dachte dann, auch von mir als Urheber müßte etwas des großartigen Geschehens ausgehen können, Klänge oder Worte, ein Antrag, ein Bekenntnis. Mein Herz war voll einer unbeschnittenen rätselhaften Kraft. – Und nun, nach so vielen Jahren, war dies Gefühl, dies, ein jugendliches Gefühl der Selbstsicherheit wieder da, als wäre es niemals verschollen oder unterdrückt gewesen. Ja, ich war wieder jung; ich spürte diese rieselnde Freude. Ich zerbrach das Gefängnis

meines Geistes, ich begann wieder Noten zu schreiben. Mein Dasein glich einer intermittierenden Quelle.
Der Gegensatz im Befinden zwischen Tutein und mir erschien mir zuweilen ganz unerträglich. So rief ich eines Tages heftig aus: »Nun ist bewiesen, wer von uns beiden der Bessere ist. Mein Blut hat dich vergiftet, obgleich es in der Grundbeschaffenheit mit dem deinen konform ist; aber das deine hat mich von Hemmungen befreit. Mir wurde Wohltat zuteil; das Schlechtere wütet in dir wie ein gefräßiges Tier.«
»In der Welt der Materie gelten die umgekehrten Gesetze«, sagte er behende, »die unvorteilhaften Eigenschaften wohnen im leiblichen Wohlergehen. Die schlimmen Taten haben ihren Segen. Man muß nur mit dem Herzen das Üble wollen, um das Angenehme zu ernten. –«
Ich versuchte ihn zu unterbrechen; aber hartnäckig schnitt er mir das Wort ab. »Du bist ein großer Musiker, ich habe es dir oft gesagt; jetzt aber ist die Überzeugung in mir greifbar. Anfangs, nach dem Experiment, habe ich nur ein tobendes Brummen von dunklen Tönen gehört, wie es von erzenen Hauben oder unhandlich schweren Platten ausgeht, wenn sie angeschlagen werden. Doch jetzt ist die Trägheit meiner leiblichen Gesundheit zugrabe geläutet, der Panzer aus guter Verdauung und feuchten Lendenträumen ist zerbrochen; ich höre die Lieder, die mit dir in mir eingezogen sind.« –
Ich lachte verlegen.
»Es ist unendlich schön. Wie wenn man stürbe und sterbend auf einen nackten lebendigen Leib hinsänke, weiß und frisch und atmend, bereit zur Liebe; und man schmeckt den Tod wie eine Umarmung.«
»Der Gesang der Welten ist in uns allen«, sagte ich wegwischend, »im Fieber wird er deutlich; wenn wir schwach sind, wird er deutlich. Die Ohnmachten, die Narkosen, einförmiger Regen, der schwarze nächtliche Sturm, das Wasserlassen, wenn unsere Blase zum Bersten gefüllt war, die Erleichterung, die wir hin und wieder unseren Lenden gönnen, die Stille, wenn wir ganz einsam sind, dies alles verdeutlicht jenen unerschöpflichen Akkord. – Was du empfindest oder genießt, ist nicht mein Eigentum.«
Statt einer Antwort begann er zu flöten:

Ich war grenzenlos überrascht. Ich vermochte nicht zu sprechen. Aber Tutein, nachdem er geendet, sprach:
»Ist das vom Himmel gepflückt? Habe ich musikalisches Rindvieh mir jemals etwas ausgedacht?«
Ich hatte Tinte und Papier genommen und die Melodie aufgeschrieben. Nun sagte ich wie der Erzzweifler: »Das ist ein schönes Thema. Wenn du es gehört hast wie etwas Fremdes, das in dich eingedrungen ist, dann wird es sich ausgesponnen haben, dann wirst du auch den Gefährten zu dieser Zeile wissen, dann – –«
Er setzte abermals an, doch diesmal sang er, und ich hörte ein wunderbares Rankenwerk.
Ich sprang auf.
»Tutein«, sagte ich heftig, »es ist etwas Verdächtiges daran, es kann eine Erinnerung aus früheren Tagen sein. Mir ist, als kennte ich die Melodien, jedenfalls kann ich sie jetzt nicht mehr fortdenken.« –
»Ich bin in dieser Sache gläubig, und du bist ungläubig«, sagte er, »du häufst Beweise auf Beweise, daß das mit deinem Blut zu mir gekommen ist, aber benutzest sie ausschließlich dazu, um mich als einen Tölpel hinzustellen. Es hat indessen gar keinen Zweck, von einer Sache zu sprechen, die ich bestimmt weiß und du nicht wissen willst. Wir können, wenn wir uneinig sind, nur immer wieder die Voraussetzungen unseres Daseins feststellen. In der Zeit, die vergangen ist, hast du mich geliebt und wußtest, daß es ein Mensch war, der deine Geliebte ermordet hat. Du hast meine nackte Haut berührt und wußtest, es ist der Mörder. Du hast in allen unseren Ausschweifungen keine Scham und kein Bedenken gekannt, wiewohl du wußtest, daß du schuldig werden würdest. Du hast endlich deine Seele und deine Eingeweide mit meinem Blut überschwemmt: ergo, du trägst die Hälfte meiner Schuld, und wir beide sind gleich gut oder schlecht. – Mir ist eine Last genommen. Ich kann dich nicht mehr verlieren. In diesen Tagen bin ich bereit gewesen zu sterben. Du wolltest es anders. Du wolltest nicht

von mir befreit sein. – Von der Musik wollen wir schweigen.«

– – – – – – – – – –

Ich wußte sehr bald, was ich mit den abgerissenen Melodien beginnen sollte. Ich schrieb eine vierstimmige Fuge. Es wurde meine schönste. Schwermütig und ausgedehnt wie ein Gebirgswald. In der Besessenheit und Undeutbarkeit vergleichbar jenem Ricercar Sweelincks, das erst nach zweihundertneunzig Takten endet und kurz vor dem Schluß unter einem hohen e als Orgelpunkt, jene sehnsüchtige heidnische Frage immer wiederholend, in unbeschreiblich süßen Imitationen, klagend ausgestoßen, einmündet. – – Mir war, während ich die Fuge niederschrieb, als müßten sich Worte zu den Noten einstellen. Doch in der Dämmerung, wenn ich vom Schreiben müde war, meine Augen schon halbblind das Papier suchten, fand ich nur kleine belanglose Verszeilen, schülerhafte Texte, deren ich mich schämte. Das Sichzusammenziehen meines Wesens um einen nie ganz erhellbaren Punkt des Empfindens. Ein wenig Liebe und viel Trauer und übermäßig viel Hunger nach ewigem Leben – ach, eine Winzigkeit an Idealen, die dem Fleisch, der Fibrillenmaschine, abgetrotzt wird.
Unsere Abreise verzögerte sich mehr und mehr. Das Werk, das ich mit Tuteins Hilfe geschrieben hatte, machte mich so stolz, daß ich eines Tages nach Kopenhagen fuhr, um es Thygesen zu zeigen. Er schaute es gewissenhaft durch; dann bat er mich, es ihm auf dem Klaviere vorzuspielen. Als ich es beendet hatte, schwieg er lange.
»Wie haben Sie das fertiggebracht?« sagte er endlich.
»Haben Sie Vorbehalte?« fragte ich frei.
»Ich verliere die Vernunft, wenn ich dergleichen höre«, sagte er, »ich glaube, Sie sind ein so großer Mensch, daß wir Zeitgenossen es gar nicht begreifen können. Unsere Ohren sind dem Eigentlichen verstopft; wir hören nur die Töne, aber nicht die neuen Begriffe, die andere Menschenwelt. Es ist ein furchtbares Bekenntnis in Ihrem Werk, eine Zwiesprache mit dem neuen Gesetz, das erst kommen soll.« –
»Ich bin nicht hier, um so viel Lob anzuhören«, sagte ich entschlossen; aber ich spürte, mein Antlitz glühte in einer feierlichen Freude. Das Lob erquickte mich.

»Ich weiß es wohl«, antwortete er, »was sagt der Verleger dazu?«
»Er kennt die Fuge noch nicht«, sagte ich.
»Fürchten Sie sein Urteil oder haben Sie mich abermals auszeichnen wollen, daß Sie zu mir als Erstem mit dem neuen Werk kommen?«
»Ich weiß wirklich nicht, weshalb ich bei Ihnen bin«, sagte ich verwirrt, »ich habe meistens kein Urteil über das, was ich geschrieben habe. Doch diesmal schien mir, es ist etwas Tüchtiges. Darum bin ich nicht gelassen genug, die geschäftliche Kritik des Verlegers ohne innere Bängnis anzuhören. Zu Ihnen habe ich Vertrauen, Sie wissen es.«
Er ging sogleich an den Telephonapparat und ließ sich mit dem Verleger verbinden. Als er sich vergewissert hatte, der Leiter des Verlages hörte ihn an, begann er in überschwenglichen Worten von meinem neuen Werk zu sprechen. Der Unsichtbare versuchte scheinbar die Begeisterung zu dämpfen oder Einwände hypothetischer Art zu machen. Da sagte Thygesen laut, daß jener ein unverbesserlicher Dorsch sei. Der Verleger schien ihn beruhigen zu wollen. Plötzlich war das Gespräch zuende. Thygesen wandte sich mir lachend zu und sagte: »Gehen Sie zu ihm. In einer Woche schon werden Sie die Plattenabzüge zur Korrektur haben.«
»Diesmal wird mich das Erscheinen ungewöhnlich freuen«, sagte ich, »als ob es mein erstes Werk wäre.«
»Ist die Freude sonst nur halb gewesen?« fragte er.
»Ich habe vergessen, ob sie halb oder gar nicht war«, sagte ich. »Ich bin so abhängig von meinen Zweifeln.«
»Ich fürchte«, sagte er, »Sie benötigen die Anerkennung im Übermaß, weil Sie sich sonst in nutzlosen Kämpfen verbrauchen. Aber die wird Ihnen nicht zuteil werden, sie kann Ihnen nicht zuteil werden. Die Zahl der hörenden Menschen ist klein. – Haben Sie in letzter Zeit Mißerfolge gehabt? Hat man Sie in den Zeitungen beleidigt?«
»Ich weiß es nicht – ich vermute, man ist glimpflich mit mir umgegangen«, sagte ich, »man hat geschwiegen; indessen, es ist wahrscheinlich, der Verleger wird sich beklagen, weil der Absatz meiner Sachen zurückgegangen ist.« – Er runzelte die Stirn.
»Sie sind in der Tat zu weit ab von den musikalischen Ereignis-

sen. Man kennt Sie nicht; Sie wirken nicht in der Öffentlichkeit: Sie sind ein komponierender Einsiedler.«
»Ich will noch weiter fort«, sagte ich schroff, »sehr weit fort.« – Ich las auf seinem Gesicht ein Erschrecken.
»Ich verstehe nicht«, sagte er tonlos, und wie wenn er die Verdammnis sähe, sprach er den Satz: »Niemand kann Ihnen helfen.« Und fügte zögernd hinzu: »Warum eigentlich haben Sie mir nichts für meine Violine geschrieben? Sie wissen doch, wie sehr ich auf eine neue Sonate von Ihnen gehofft habe.«
Ich stammelte eine Entschuldigung. Das Gespräch ging noch lange hin und her. Ich spürte die Liebe, die er mir zollte – doch ich fröstelte bei manchen Worten, die mich unvorbereitet trafen. Die Glanzlosigkeit meines Daseins ärgerte ihn oder weckte sogar sein Mißtrauen. Er zirkelte die Mißverhältnisse ab und fand mich am Ende problematisch. Ich konnte ihm nicht erklären, aus wie brüchigem Stoff ich geschaffen bin, wie unzulänglich meine Voraussetzungen.
Als ich ihn verließ, durchzuckte mich die blitzartige Eingebung, ich würde ihn nicht wiedersehen, diesen Mann, der mir unendlich gedient, der mir unter den Mitmenschen einen Platz angewiesen hatte, der mir das Prädikat eines Genies gegeben und damit meine Rechtfertigung vor aller Welt und vor meiner Mutter unternahm.
Mir traten Tränen in die Augen. Noch einmal erwachte meine Sehnsucht nach Ruhm; das Labsal eines gefeierten Daseins verlockte mich, und die Erfüllung schien mir so greifbar, die Mühe des Schaffens nicht schlimm und das Gewissen so leicht vereinbar mit den Erwartungen der Zehntausende. Ich gestand mir in jener halben Stunde nicht ein, daß ich meiner Bestimmung nicht entrinnen konnte. Wohl sind manche guten Stoffe in mir eingebettet; aber mir fehlen zumeist der Mut und die innere Freiheit zu hervorragenden Taten. Ich gehöre nicht zu den Helden. Mein Gesang ist der eines Unterdrückten. Sklaven mögen von schöner Gestalt sein und stolz, wenn sie miteinander zeugen – wie alles prächtige Getier – und ihre wehklagenden Gesänge mögen das Herz der Aufgeschlossenen zerreißen; aber die Unablässigkeit ihres Schicksals, daß sie Sklaven bleiben, kränkt die Herren, die Meister des Lebens; die langsame dumpfe Trauer erwürgt die Hoffnung.

Ich saß neben dem Schreibtisch meines Verlegers. Seine Stimme schmeichelte mir. Er nahm mir das eingerollte Manuskript aus den Händen. Noch immer nicht erwachte ich aus meinem Traum. Dennoch hörte ich deutlich die Stimme, die mich schamlos und sehr öffentlich als einen pries, der etwas Bemerkenswertes geschaffen hat (aber die Fuge sah er sich gar nicht an).
»Sie sollten ein großes Orchesterwerk schreiben«, hörte ich ihn sagen, »Sie haben Talent, Einfälle, eine schwermütige, bilderreiche Tonsprache – und durchaus modern. Sie sollten sich an einer großen Symphonie versuchen. Das wird zur Zeit gefordert. Es fehlt an abendfüllenden Werken. Das kann Sie in drei Erdteilen berühmt machen.«
Ich hörte, daß ich »Ja« antwortete.
Auf der Straße – ihre Häuserreihen sah ich nicht an; die Vorübereilenden sah ich nicht an, das Muster der Fliesen hing vor meinen Augen wie ein graues Netz – auf der Straße dachte ich schon an die Trompetensignale, mit denen ich später die Symphonie, zu der ich »ja« gesagt hatte, einleitete:

Ich begann also den Bau, der so ungeheuerlich anwachsen sollte. Ich vollendete den ersten Satz bis auf den Schlußkor noch in Halmberg. Allerdings, unsere Abreise schien ganz ins Ungewisse gerückt zu sein. Göstas oder Tuteins Pferdehandel, der vollständig danieder gelegen hatte, nahm einen Aufschwung. Die Wohnung, die Ställe und Böden, der Hofplatz waren noch ein halbes Jahr lang zu Tuteins Verfügung. Er schien von dieser Frist dem neuen Besitzer des Hauses nichts schenken zu wollen. Er fuhr, wenn das Geschäft es forderte, wieder allein über Land; manchmal, während des Sommers, begleitete ich ihn. Tutein kaufte viele Füllen. Er gab den Züchtern Handgeld. Die Füllen sollten bis zum Ende des fünften Säugemonats von den Müttern getränkt werden. Holger wirtschaftete in den Ställen und auf dem Hofe. Er war ein kräftiger Bursche geworden. Seine Stimme war jetzt tief, und seine Waden waren stramm und licht behaart. Er liebte die

Mädchen und sprang ihnen, nicht unähnlich einem gierigen Kater, auf den Tanzböden an den Hals und biß sie, statt sie zu küssen. Sie schrieen auf. Das erregte ihn noch mehr. Seine stumpfe, ein wenig zum Himmel gehobene Nase stand ihm so hübsch und verwegen über dem Munde, daß die Mädchen in allen Gelenken weich wurden. Das gelbaschige Haar glänzte lang unter einer Jockeymütze hervor. Er jagte ihnen nach, bis er ihren Schweiß roch und sie für eine harmlose Unanständigkeit reif fand. Er schien nichts von dem, was während des Winters in unserem Hause vorgefallen war (es ist wohl unmöglich, daß der Ruf aller Erregungen vor der Schwelle seiner Kammer haltgemacht hat), verstanden oder behalten zu haben. Er erzählte mir hin und wieder wie ehemals seine kleinen Geschichten; aber sie handelten jetzt von den Mädchen, nicht mehr vom Schulmeister Magnus Magnusson. Seine Stimme war sehr tief, fast abstoßend, doch für die Mädchen von seltsamem Zauber. Seine Augen blinzelten schlau und waren voller Schatten einer törichten Verliebtheit.

*

Ich schrieb nicht nur an der Symphonie. Für Thygesen vollendete ich eine neue Sonate für Violine und Klavier. Es waren viele lustige und absonderliche Einfälle darin. Wie in der Urrländer Zeit hatte ich einen Menschen abgebildet, nicht um ihn zu erniedrigen, zu bessern oder meine Zuneigung auszudrücken; es war nur die Luft, die ihn umspielte, in Schwingungen versetzt worden. Ich hatte nur an ihn gedacht, als einen Sonderfall der Schöpfung. – Vielleicht, ich vermute es, erfinden die Dichter auf ähnliche Weise ihre Gestalten. Sie bilden keine Lebenden ab, sie lassen sich nur durch einige bemerkenswerte Züge, die in ihren Sinnen haften bleiben, berühren; und aus diesen kaum beweglichen Samenzellen in ihrer Erinnerung wächst, genährt vom ungeheuren Bündel ihrer von allen Seiten einströmenden Erfahrung, die Gestalt. Ich dachte an Holger. Ich begleitete ihn mehrmals auf einen Tanzboden. Ich hörte das Grollen seines noch kindlichen Basses. Ich sah seine unerwachsene Gier und das Schwärmen sehr fleischlicher Schmetterlinge in Sommerkleidern, Mägde, Plätterinnen, Dienstmädchen,

Verkäuferinnen, verirrte Töchter gutgestellter Bürger. Die Sonne fiel glühend durch von Staub mattbeschlagene Fensterscheiben. Draußen grünten Büsche. Der Duft von Jasmin (ach, er war schon verblüht; so mußte es ein Parfüm sein) schlug durch offene Türen herein und mischte sich mit dem ätzenden von Schweiß und unsauberer Wäsche. Säulen aus Gestank verschütteten Biers, durch die Schleusen pendelnder Abortwände einströmenden Harndampfes, wirbelnden Küchensuds, tanzten mit den Paaren durch den Saal. Friedlich im Garten ruhte der Schatten eines mächtigen Roßkastanienbaums auf Tischen und Bänken. Ich setzte mich hinaus, und die abgerissenen Klänge der Instrumente, die Schreie, das Singen der Menschen spannen sich zu neuen holpernden Melodien. Eine Fülle von Lauten und Bildern, die sich um das sechzehnjährige Menschentier niederschlugen. Die Nacht fiel ein, die Mücken im lauen Raum des Baumes begannen ihr Zirpen; ihre Gier nach meinem Blut trieb sie auf meine Hand und an mein Gesicht. Ich schlug nach ihnen, ich zerquetschte ihrer einige. Die Sterne indessen schauten klar herab, manche blinkten durch das Laubwerk. Ein Kellner brachte mir im Finstern Getränk und Butterbrot, zählte die undeutlichen Münzen tastend in seiner Hand ab, betrog mich, weil es dunkel war und so leicht entschuldbar, wenn er betrog. Die festen Waden Holgers stampften über den Boden, drinnen im Saal. Es handelte sich nicht um ihn. Er war der eine, der da sein mußte, damit alles so war, wie es war.
Ich fand, diese Stunden waren unausschöpflich, fromme Sünde im unabänderlichen Zustand, im schlechten Bier, im dreisten Zugriff der Burschen, in den falschen Tönen. Ich hörte die Flöte Pans, den Klang dumpfer Glocken, das Schlagen einer Nachtigall oder den unwahrscheinlichen Ton einer fernen Dampfpfeife – und das Geflüster von Paaren, die hinauseilten, weil sie nicht mehr an sich halten konnten. Das Grab wird sie verschlingen; aber die Stunden sind gewesen; sie sind der Schauplatz dieser Erlebnisse gewesen. Die Kanzelredner können nicht verstehen, wie köstlich sie sind, weil sie kurz, so unwahrscheinlich, nur ausgestreut wie eine verlorengegangene Musik. Diese dunklen Männer wissen ja nicht, daß nur das Vergängliche besteht. Daß das Unvergängliche nie bestanden hat, nie bestehen wird.
So half mir Holger beim Niederschreiben einer neuen Sonate,

ohne es zu wissen, gab, ohne zu geben, und ich nahm, ohne zu nehmen.

_ _ _ _ _ _ _ _ _ _

Tutein, entgegen aller Erwartung, pachtete ein Anwesen, als ob er den Pferdehandel auch nach Ausgang des Jahres fortsetzen wolle.
»So werden wir nicht fortziehen?« fragte ich etwas enttäuscht.
»Doch«, antwortete er geheimnisvoll, »es ist eine vorbeugende Maßnahme.«
Ich fühlte mich so wohl in meiner Haut, daß ich keinen Wert darauf legte, Genaueres zu erfahren. Ich wäre auch zufrieden gewesen, wenn unser Plan, die Stadt zu verlassen, den Geschäften und Umständen geopfert worden wäre.
Die ersten Füllen trafen ein. Es war ein so bildlich schönes, ein so beglückendes Erlebnis, all die anmutigen, stolzen und milden Tiere zu sehen, deren Jugend und verhaltene Ungeduld wie ein heilender Rauch aus den Stalltüren stieg. Das Tor zur Einfahrt war versperrt worden, und in der warmen Spätsommersonne tummelten sich die Tiere auf dem Hofplatz. Berge von grün geschnittener Luzerne lagen für ihre weichen, lüsternen Mäuler bereit. Mit den feinziselierten Hufen der lebhaften Vorderfüße schlugen sie sich gegen die Brust. Den Kopf taten sie in die Kreidekiste, daß ihre Lippen und Ohren weißbepudert hervorgezogen wurden. Anspringend scheuerten sie ihre Flanken aneinander wie dummkollerige Fische.
Eines Morgens erschien Egil wieder. Er begrüßte mich nur kurz. Dann fuhr er mit Tutein davon. –
Er nahm nicht wieder Wohnung bei uns; aber er kam täglich, um Tutein zu helfen. Der Handel war plötzlich angeschwollen wie niemals vorher. Kein Zweifel, Tutein hatte die beste Nachkommenschaft der Hengste und Stuten des Bezirkes gekauft. Seine Kenntnisse, seine Anstrengungen trugen Früchte.
In seinem körperlichen Befinden war noch kein Gleichgewicht. Er war magerer geworden. Zuweilen schmeckte ihm das Essen nicht. Seine Körperkräfte hatten spürbar nachgelassen. Seine Abende waren voll stummer Träume. Er sagte, daß er glücklich sei. Nur war die Erschöpfung die Begleiterin seiner Arbeit. Es war also nicht verwunderlich, daß er sich mehr denn je nach

Hilfe sehnte; und da war Egil gerade zur rechten Zeit gekommen. Im übrigen erfuhr ich nicht, was der Pflegesohn Faltins in der Zwischenzeit getrieben und welche Pläne er für die Zukunft hatte – bis eines Abends der Syndikus selbst in feierlicher Aufmachung zu Besuch kam. (Er war schwarz gekleidet.) – Egil, wie es der Regel entsprach, war schon fort.

Diese drei, Egil, Faltin, Dr. Boström, vereinigte eine scheckige Kameradschaft. Sie wußten von der seltsamen Blutsbrüderschaft. (Wann wäre Doktor Jenus Boström je verschwiegen gewesen? Und die Goldringe an unseren Händen waren eine kritische Bloßstellung.) Wir hatten vor jeder Neugier fliehen wollen, vor allen Weiterungen. Und waren wie Angewurzelte, die auch im unbekömmlichen Boden ausharren, geblieben.

Eine begreifliche Scheu hatte mich bisher abgehalten, Erkundigungen über Gemma einzuziehen. Ich hatte sie, wiewohl sie in unserer Nähe wohnte, seit Monaten nicht mehr gesehen. Ich vermute, sie ging am Tage nicht mehr aus.

Faltins feierliches über unsere Schwelle Schreiten machte mich mißgelaunt, ich witterte eine Bedrohung. Ich wollte seiner Absicht, welcher Art sie auch sein mochte, zuvorkommen, ihn in Verlegenheit bringen, indem ich nach dem Mädchen fragte. Er aber erledigte all meine herzeinschnürenden Vorstellungen mit einem einzigen Satz. Er sagte: »Egil wird Gemma heiraten.«

Er war gekommen, es uns mitzuteilen, weil Egil sich gesträubt hatte, es selbst zu tun.

Er wiederholte einen Ausspruch, den er schon einmal getan hatte:

»Es verändert sich alles in dieser Welt; wir fassen es nur so schwer.«

Ich begehrte zu wissen, wie Gemma sich in diese Wendung finde, und wußte Faltins Antwort im voraus:

»Sie sind gleichaltrig; besser konnte ihr Los nicht werden.«

Tutein fragte nach Egil.

»Er mußte aus dem Schlaf gerüttelt werden«, sagte Faltin, »er war anfangs etwas mürrisch wie alle leidenschaftlichen Schläfer; jetzt ist er wie der Bolzen einer Armbrust.« –

Tutein fiel ihm ins Wort: »Ja, ja. Die Ziege wurde satt, und der Kohl blieb doch im Garten. – Was ist mit dem Kind?«

»Auf dem Wege zum Dasein«, sagte Faltin.
»Ich werde mit Egil sprechen«, sagte Tutein.
Er war nicht beruhigt. Auch ich war es nicht. Faltin aber begann von Dr. Boström zu reden, daß er in einer gräßlichen Krise schwebe. Sein Optimismus sei dabei, überhandzunehmen. Er habe nun auch begonnen, übermäßig zu trinken. Er werde wohl bald an Willensschwäche zugrundegehen. Seine Handschrift sei schon unleserlich, und aus Überzeugung benutze er nur noch grüne Tinte. –
»Egils Heirat ist für mich ein doppelter Verlust«, sagte er düster, »vielleicht ein dreifacher. – Ihr seid die letzten – die letzten Kameraden.« Er hatte Tränen in den Augen.
»Wir werden dich verlassen«, sagte Tutein ohne Bewegung in der Stimme.
»Ich habe es mir gedacht«, sagte Faltin, »ich habe es nicht anders erwartet. Die Särge werden hinausgetragen.«
Tutein brachte Burgunderwein auf den Tisch. Die Verfinsterungen wichen nicht von Faltin.
»Wo eigentlich«, fragte er, »liegt die Schuld, daß alles getrennt wird? Die Religionen machen es sich sehr bequem; sie haben die Sünde entdeckt. Die Sünde ist überall gegenwärtig, auch in der Unschuld. Das Ganze ist ein Staat des Teufels, wo Gott im Gitterverlies eines Gefängnisses sitzt und allenfalls, wenn es nicht neblig ist, hinausschauen kann. Aber zumeist ist es neblig. Das ist der Spuk der Natur, die eigentlich gar nicht vorhanden ist. Überhaupt ist diese Welt sozusagen gar nicht vorhanden und nur eine Einbildung. Die Schuld aber bleibt Schuld. Nur ein Frommer kann ermessen, warum sie eine Ausnahme inmitten alles Vergänglichen ist. – Das Eigentliche ist ein Jenseits, für das wir vor lauter Sünde nicht reif sind. – So entsteht diese unendliche Reihe von schwammigen Ausweichungen aus Feigheit. Euch – ich liebe euch so sehr, weil ihr tut, was ihr müßt. Es ist der einzige Grund zur Liebe. Doch ist es auch die Ursache für den wirklichen, unwiederbringlichen Verlust.«
Er alterte in diesen Stunden. Er ging verwirrt, fast gebrochen.

– – – – – – – – – – –

Tutein besprach sich mit Egil.
»Das Kind gehört mir. Ich bin der Vater«, sagte Egil bestimmt, »das ist meine Bedingung. Davon lasse ich nichts abhandeln.«
Sie redeten nicht weiter darüber. Ich wurde in dieser Sache übergangen.
Nun kam es antag, welche Absicht mit der vorbeugenden Maßnahme Tuteins verknüpft war. Egil und Gemma bezogen das Anwesen, das er gemietet hatte. Goldbuchstaben, so groß, daß in der ganzen Stadt kein Seitenstück dazu zu finden war, verkündeten den Vorübergehenden: EGIL BOHNS PFERDEHANDEL.

*

An einem der ersten Septembertage bat Egil, mich unter vier Augen sprechen zu dürfen.
»Gefällt es dir?« fragte er, als wir allein im Saale waren »daß wir das Kind Nikolaj nennen? Du verstehst schon weshalb.«
»Ist es da?« fragte ich, ohne daß ich wußte, was ich empfand.
Ich hatte Gemma noch immer nicht gesehen. Die Hochzeit war erst kürzlich auf dem Bürgermeisteramt vollzogen worden. Die einzigen Zeugen und Hochzeitsgäste waren Faltin und der pensionierte Offizier, ihr Vater, gewesen. Es war am Tage ihres einundzwanzigsten Geburtstages. Und der Vater, indem er auf den Bauch seiner Tochter gewiesen, hatte dem Beamten erklärt, er allein sei schuld am späten Vollzug der Formalitäten; er habe seine Einwilligung verweigert, und erst die Mündigkeit seiner Tochter habe ihn entrechtet.
»Hübsch gesagt«, so hatte Faltin die Rede kommentiert.
»Seit drei Tagen«, sagte Egil.
»Warum fragst du mich?« sagte ich.
»Es war wohl der Nikolaustag, so ungefähr«, sagte er kurz, »jedenfalls brauche ich keinen anderen zu fragen.«
»Nun denn«, entschloß ich mich, »so muß er wohl Nikolaj heißen.«
»Das bedeutet«, fuhr er fort, »daß du ihn mir nicht streitig machst.«
Ich bewegte den Kopf. Ich sagte: »Ich bin nicht mehr ich. Das klingt wie ein Rätselwort; dennoch ist es so.«

An diesem Tage wurden Stroh und Heu, die auf den Böden lagerten, zum neuen Anwesen gefahren. Schwerbeladen, holpernd, mit klingenden Reifen rollten die Wagen davon. Holger zog Füllen, zwei bei zwei, aus den Ställen und führte sie hinaus. Nur Tuteins Kutschpferd und die Kalesche blieben zurück.
Doch der Handel ebbte nicht aus. Kauf und Verkauf der Füllen hielten an. Es schien so, als ob Tutein den Umschlag der jungen Tiere in diesem Jahre allein in seiner Hand hätte.
Nachdem Gemma das Kindbett verlassen hatte, wurde mir gestattet, ihr einen Besuch zu machen. Das Wiedersehen hätte nicht sein dürfen. Es war keine Versöhnung. Es war ein Abfall voneinander. Die Eindrücke, die ich von der Begegnung behalten habe, sind flüchtig und widersinnig. – Ihre Gestalt hatte sich nicht sonderlich verändert, außer, die Brüste waren voller und milchreich geworden. Ihr Blick war kühl, wachsam; die Lider schattenlos, fast zu rein für einen Menschen; es waren die Augen eines Tieres, das sich nicht beirren lassen will. Nicht eines meiner Gefühle für sie wollte sich wieder erwekken lassen. Ich konnte nicht fassen, daß nichts Verführerisches von ihr ausging. Ich hatte mir eine Erschütterung erwartet, ein tragisches Gefühl. Es blieb aus. Als hätten wir uns niemals gekannt, niemals berührt. Meine Zurückhaltung, die einer unerklärlichen Kälte entsprang, muß sie erstaunt haben.
Sie sagte mit schüchternem Lachen: »Deine Feindin bin ich nicht.«
Ich mußte mich verändert haben. Das Erschrecken darüber, die plötzliche Tatsache, trieb mir verräterische Schweißtropfen an die Stirn. Ich fragte nach Nikolaj. Sie zeigte ihn mir; vielmehr, ich bekam einstweilen nur seinen vergrabenen Kopf zu sehen, weil er gerade schlief. Sie beugte sich über ihn. Ich sah, vielleicht nur eine viertel Sekunde lang, wie ihr Gesicht sich veränderte, sich verklärte. So unaussprechlich überwältigend war dies schnelle Aufleuchten in ihrem Antlitz, dieser Schimmer eines jedem Manne unfaßbaren Instinktes, daß ich taumelte. Während ich nur einen kaum ausdrucksvollen etwas runzeligen Kinderkopf erkannte, der noch gar keine Vergangenheit hatte, in dem noch keine Vorfahren kenntlich waren, der nicht verriet, welcher Ahnen Geist in ihm, dessen Zukunft

also mehr als ungewiß war, vielleicht gar nicht sein würde – lag für sie eine ganze Welt schlafend in den Kissen. Fleisch von ihrem Fleisch. Mehr: die ausgetragene Frucht, Gesichte vieler wechselvoller Monate. Die Gräber (schon ihre Mutter lag im Moder) hatten sie als Weib ausgestoßen, daß sie sich befruchten lasse und gebäre. Und sie hatte geboren. Sie hatte Nikolaj geboren, der nun ein neues Leben anstelle so vieler Tode war. Sie war eine Mutter.

Ich fühlte mich beschämt; aber ich blieb ohne Liebe. Ich sprach einen stummen Segen über Nikolaj; das war alles.

Mein Schweigen muß ihr endlich lästig geworden sein. Sie sprach wieder: »In einer halben Stunde tränke ich ihn. Vielleicht macht es dir Freude, dabei zu sein.«

Ich hatte keinen Grund, mich zurückzuziehen. Aber ich liebte Nikolaj nicht. Ich liebte ihn noch nicht. Vielleicht war ich sein Vater; doch er war in eine andere Familie eingeordnet. Ich war nach dem Urteil seiner Mutter nicht der richtige Beschützer gewesen. Inzwischen war ich weiter verändert worden. Die Särge werden hinausgetragen. – Es war, als ob ich das Sprechen verlernt hätte.

»Niemand hat mir erzählt, daß du um mich trauerst, und doch ist es so offenbar«, sagte sie mit einem Anflug von Herzlichkeit.

Ich begriff nun, sie deutete mein Verhalten auf schlichte Weise. Der Irrtum, den sie beging, liegt so nahe. Ich unterließ es, sie aufzuklären. Sie hatte auch wohl keine Antwort auf ihre Andeutung erwartet.

Nikolaj wurde aus dem Bette gehoben. Er schrie ein wenig. Er wurde von nassen Windeln befreit, in neue eingeschlagen. Dann entblößte Gemma ihre Brüste mit zwei raschen Bewegungen, und das greinende Gesicht des Kindes verzog sich zum Ausdruck des Saugens. Der Mund fiel rund über eine dunkle Brustwarze her. Nikolaj schloß die Augen vor Wonne. Ich schaute auf Gemma. Eine große Zufriedenheit hatte ihr Antlitz gelockert. Ich fühlte mich leer und überflüssig.

Nach einer abermaligen Weile des Schweigens zwang ich mich endlich, etwas zu fragen: »Wie steht es zwischen dir und Egil?«

»Das kannst du dir wohl denken«, sagte sie mit funkelndem Stolz.

»Ich kann es mir ganz und gar nicht denken«, antwortete ich.
»Wir sind glücklich miteinander«, sagte sie ein wenig schamlos.
»Was ist das«, fragte ich, »glücklich?«
»Wir lieben uns so unaussprechlich. Unaussprechlich lieben wir uns. Fast zu sehr.« Sie sagte es.
Ich schwieg. Ich wußte jetzt, daß sie für mich unkenntlich geworden war. –

– – – – – – – – – –

Tutein kaufte eine dreijährige belgische Stute, die trächtig war. Ein prächtiges Tier, kaneelfarben, mit schwarzer Mähne, schwarzen Füßen und schwarzem Schweif.
Nachdem er sie mir vorgeführt hatte, sagte er:
»Sie wird mit uns kommen.«
Es war sein letzter Handel. Das Kutschpferd und die Kalesche siedelten nun auch nach dem neuen Anwesen über. Tutein rechnete mit Egil ab. Er schenkte ihm nichts. Er zog sein Kapital aus dem Geschäft. Er werde es anderswo nötig haben, sagte er. Er übernahm nur, gemeinsam mit Faltin, eine Bürgschaft für Egil, damit ein angemessenes Handelskapital beschafft würde. Im übrigen sollte Egil beweisen, daß er etwas gelernt hatte. Sein Gesicht war den Bauern ja bekannt.
Anfang Dezember traten wir unsere Reise an. Keiner der Kameraden wußte Tag und Stunde, noch das Ziel. Wir verschwanden ohne Abschied, wie zu Anfang des Jahres Göstas Witwe verschwunden war.
Ich entsinne mich des Julfestes, das wir, zwei Fremde, im Gasthaus einer kleinen Hafenstadt auf der Insel Fastaholm verbrachten. Noch war sie unsere Heimat nicht. (Den Namen der Stadt vergaßen wir noch vom Abend bis zum Morgen. Allmählich lernten wir ihre Straßen und Häuser kennen, die niedrigen Fachwerkhäuser in den Farben von Kalk und Teer oder florentinischem Rot, die Gesichter der Menschen, die Einrichtungen, Berufe, Beschäftigungen, die kleine Fischereiflotte. Das Hotel Rotna. Rotna die Stadt. Rotna der Hafen. Rotna die Bank. Rotna die blonden und schwarzhaarigen Kinder. Rotna der Tabak- und Weinhändler. Rotna der Krämer. Rotna der Schiffbauer, Rotna die Zeitung und ihr Redakteur

Selmer.) Das Umzugsgut lagerte in einer Remise am Kai; die Stute war in einem Stall des Gasthauses untergebracht. Ungewiß lagen die Granithügel des meerumspülten Landes im feuchten Dunst der niedrigen Wolken und salzigen Nebel. Wir kannten es noch nicht. Die Wälder, die Schluchten waren bis dahin nur ein Traum; Traum, daß wir davon einen Teil in Besitz nehmen würden. Und doch: kaum je habe ich Tage kennengelernt, die köstlicher waren. Wir hatten alles hinter uns gelassen. Was uns noch an Menschen gebunden, es war zerfallen. Wir waren nicht verpflichtet, auch nur einem unter ihnen Rechenschaft zu geben. Wir wollten nichts Neues beginnen, nur in der alten Verschwörung sicher werden, unsere Zeit, die uns zugemessene Zeit hinnehmen wie das tägliche Brot. Kleine Aufgaben unvollkommen lösen. Zu Tieren gut sein. Die Menschen gewähren lassen, weil es keinen Fortschritt gibt.
Vielleicht waren wir den Wirtsleuten verdächtig. Darauf kam es nicht an. Sie würden ihren Verdacht eines Tages ausstreichen, wenn die Gewöhnung, uns zu sehen, da war. Die Wichtigkeiten von einst entblätterten sich. Wenn nur die Melancholie sich unserer nicht bemächtigte, waren wir Gerettete. Wir hatten uns ins Gästebuch als Pferdehändler und Komponist eingetragen. Es waren Berufe, die jede abwegige Vermutung entwaffneten. – Wir saßen neben dem warmen Ofen in der großen dunkelgrün gestrichenen Gaststube. Wie wenn wir eine langwährende, mühsame Arbeit vollendet, einen Tempel, das Roden eines Waldes, das Umleiten eines Flusses, müde Arbeiter nach der Last der Jahrzehnte beim Bau der Chinesischen Mauer: so ruhten wir aus. Wir hatten Kästen mit Süßigkeiten auf dem Tisch vor uns aufgebaut und naschten davon. Wir tranken Punsch. Kerzen brannten in verbogenen zinnernen Leuchtern. Das Schweigen zwischen uns war so reinigend wie eine vertraute Zwiesprache. Wir hatten Frieden; und die Zeit war langsam wie eine Schnecke.

Varianten und Anmerkungen sowie das Nachwort
stehen am Ende von Band III

INHALT